JAN BRANDT

GEGEN DIE WELT

JAN BRANDT

GEGEN DIE WELT

Roman

DUMONT

In diesem Buch haben einige Passagen ein spezielles Layout, eine besondere Typographie oder aufgehellte Schrift. Dies ist beabsichtigt und kein Produktionsfehler.

Zitatnachweis:

S. 91–93: Elisabeth Borchers, *Geschichte vom Buch*, in: *Das große Lalula und andere Gedichte und Geschichten von morgens bis abends für Kinder*, Ellermann Verlag, München 1971.

S. 94: Bertolt Brecht, *Der Rauch*, in: *Werke*. Große kommentierte Berliner und Frankfurter Ausgabe, Band 12: Gedichte 2, Suhrkamp Verlag, Frankfurt am Main 1988.

S. 94: James Krüss, *Das Feuer*, in: *Der wohltemperierte Leierkasten*, cbj Verlag in der Verlagsgruppe Random House GmbH, München 1989.

S. 308–309: Ulrich Schiller, *Man hört, was man hört – Selbstmordsignale von der Platte, das absurde Gerichtsdrama in Reno*, in: *Die Zeit*, Ausgabe 33/1990.

Fünfte Auflage 2011
© 2011 DuMont Buchverlag, Köln
Alle Rechte vorbehalten
Umschlag: Nurten Zeren • zerendesign.com
Gesetzt aus der Haarlemmer und der DIN
Gedruckt auf säurefreiem und chlorfrei gebleichtem Papier
Druck und Verarbeitung: CPI – Clausen & Bosse, Leck
Printed in Germany
ISBN 978-3-8321-9628-8

www.dumont-buchverlag.de

Ich danke der Berliner Senatsverwaltung für Kultur, dem Künstlerdorf Schöppingen, dem Niedersächsischen Ministerium für Wissenschaft und Kultur, den Künstlerhäusern Worpswede, dem Ledig-House und der Künstlerkolonie Yaddo in New York sowie den Archivmitarbeitern des NDR, des Weser-Kuriers, der Stadt Leer und von RTL Television für die Unterstützung meiner Arbeit an diesem Buch.
Mein besonderer Dank gilt all jenen, die ihr Wissen und ihre Erfahrungen mit mir geteilt haben. – Jan Brandt

GEGEN DIE WELT

Für D.

13

Gerhard Schröder
Bundeskanzleramt
Schloßplatz 1
10178 Berlin

9. August 1999

Sehr geehrter Herr Schröder,

ich habe Sie im Fernsehen gesehen. Seit der Wahl habe
ich alle Ihre Reden aufgenommen und die Bänder in
Slowmo abgespielt, teilweise sogar Bild für Bild.
Ich habe Sie genau beobachtet und nichts Ungewöhnliches feststellen können. Sie haben nicht den
Blick. Sie sind sauber. Und ich bin es auch. Aber von
Männern wie uns, wahren Männern, gibt es nicht mehr
viele. Und deshalb müssen wir uns verbünden. Ich
schreibe Ihnen, weil ich Ihre Hilfe brauche und um
Sie zu warnen. In Jericho sind seltsame Dinge geschehen, die in diesem Brief auszuführen nicht der Platz
ist. Und es werden noch sehr viel mehr seltsame Dinge
geschehen, wenn Sie nichts dagegen unternehmen. Nur
Sie haben die Autorität dazu. Die Menschen dort verändern sich, nicht äußerlich, sondern innerlich, und
das nicht über mehrere Jahre, sondern von einer Sekunde auf die andere, sie verändern ihren Charakter,
verlieren ihr Wesen, werden ersetzt durch identische
Kopien. Ich weiß nicht, ob das Klone sind, und was,
wenn das stimmt, mit den Originalen passiert. Ich *Es gibt keine*
weiß auch nicht, wann diese Transformation begonnen *Ich Berichte über*
hat, in welchem Jahrhundert, und wie weit sie schon *Doppelgänger.*
fortgeschritten ist. Aber ich bin mir sicher, daß

14

sich alles auf Jericho konzentriert, daß sich dort
am 19.9.1999 etwas ereignen wird, das, sollten Sie
nicht sofort die erforderlichen Maßnahmen einleiten,
unumkehrbar ist. Erforderliche Maßnahmen sind:
Abriegelung des gesamten Gebiets, Überprüfung der
Bewohner durch audiovisuelle Tests, Quarantäne der
Infizierten, bis klar ist, wie und ob überhaupt die
Verwandlung rückgängig gemacht werden kann. Falls
das nicht gelingt, sehe ich keine andere Möglichkeit, als sie dauerhaft zu isolieren. Der Austausch
der gesamten Menschheit steht unmittelbar bevor.
Aber seien Sie vorsichtig, wenn Sie nach Ostfriesland fahren, um sich selbst einen Überblick zu verschaffen. Schauen Sie den Menschen nicht in die Augen, sehen Sie die Leute nie direkt an, egal, was
sie zu Ihnen sagen. Die werden Ihnen alle möglichen
Geschichten erzählen, krudes Zeug, nur um Ihre Aufmerksamkeit zu erregen, aber all diese frei erfunde-
nen Geschichten, so glaubwürdig sie auch sein mögen,
sind nichts als Ablenkungsmanöver. Trauen Sie nie- _— Auch die Stimmen in
mandem, nicht einmal sich selbst. Vergessen Sie Ber- Ihrem Kopf sind
lin. Ihr neues Büro kann warten. Konzentrieren Sie Ablenkungsmanöver.
sich ganz auf Ihre Mission, die Welt zu retten, zumindest das, was noch von ihr übrig ist. Am besten,
Sie setzen eine Sonnenbrille auf, eine verspiegelte,
aber nehmen Sie keine freiverkäuflichen, das sind
Attrappen, die Sie in Sicherheit wiegen sollen, tatsächlich dringen die Strahlen dadurch noch schneller
und effektiver ins Gehirn ein, um Ihr mentales Immun-
system auszuschalten. Was Sie brauchen, sind spezial-
beschichtete Pilotenbrillen. Ich kann Ihnen welche
besorgen, falls Sie keine haben oder nicht wissen,

von wem Sie eine von mir zertifizierte bekommen kön-
nen. Damit wird der Blick dieser Kreaturen ⟨es sind Plutonier⟩ zurückge-
worfen. Und noch etwas: Man wird Sie grüßen. Jeder
grüßt dort jeden. Auch Fremde werden gegrüßt. Antworten Sie auf »Moin« niemals mit »Moin«, das ist das
Einfallstor zur Hölle, der Schlüssel zu Ihrer Seele.
Ich weiß nicht genau, wie das funktioniert, doch dieses »Moin« läßt alle unsere evolutionär angeeigneten
Abwehrmechanismen zusammenbrechen. ⟨Genauer Studien folgen.⟩ Und achten Sie
auf die Marinefunkmasten im Saterland. Das sind
keine Antennen, um Kontakt mit U-Booten im Atlantik
aufzunehmen, obwohl Ihr Verteidigungsminister Ihnen
genau das erzählen wird. ⟨Scharping hat nämlich den Blick.⟩ Die Signale gehen nicht nach
unten, ins Meer, sondern nach oben, in den Himmel.
Erfinden Sie einen Vorwand, und schalten Sie die Dinger ab, zumindest solange sie in Jericho unterwegs
sind, sonst wird jedes Wort von Ihnen, jede Bewegung
und jeder Gedanke, den Sie auf ostfriesischem Boden
haben, aufgezeichnet und in den Weltraum übermittelt. Ich weiß, Sie wollen meinen Namen und meine
Adresse. Aber ich kann meine Identität nicht preisgeben, auch auf die Gefahr hin, daß Sie das hier für
Schwachsinn halten. Ich werde beschattet. Nicht vom
BND. Der ist auf meiner Seite. ⟨zumindest teilweise⟩ Von den Plutoniern.
Alles, was ich Ihnen, meine Person betreffend, ver-
raten kann, ist, daß ich ein angesehener Wissenschaftler bin. Ich habe große Rätsel gelöst. Ich habe
Entdeckungen gemacht. Und bald werde ich das weiße
Licht sehen. Während meiner breit angelegten For-
schungen bin ich in der Bibel und anderen Schriften
auf Hinweise gestoßen, die den Schluß zulassen, daß
das alles den Tatsachen entspricht. Informieren Sie

⟨Es sei denn, Sie schaffen es, so wie ich, Ihre eigenen Gedanken daran zu hindern, zu denken. Mir ist das aber erst nach Jahren härtesten Trainings gelungen. Nennen Sie es Erleuchtung, ich nenne es Selbstkontrolle.⟩

⟨Die Beweise habe ich Ihnen in Kopie beigelegt. Hervorhebungen in den Lichttexten stammen von mir.⟩

16

bitte auch Ihre Kollegen in Washington, Paris und Moskau darüber. Und sorgen Sie dafür, dass NASA, ESA und Roskosmos außen vor bleiben, die sind vollkommen von Plutoniern infiltriert. Ich habe Bill Clinton, Jacques Chirac und Boris Jelzin zwar selbst schon geschrieben, aber eine Nachricht von Ihnen würde meinem Anliegen natürlich viel mehr Gewicht verleihen. Nur ein gemeinsames Vorgehen gegen die Besatzer ist jetzt noch erfolgversprechend. Nur wenn wir alle zusammenhalten, wenn sich alle auf dem Planeten Erde verbliebenen Menschen über ektoplasmatische Schaltkreise vernetzen, können wir die totale Invasion, die am 19.9.1999 in Jericho beginnen soll, noch verhindern.

Schauen Sie am Mittwoch auf keinen Fall in die Sonne, auch nicht mit einer dieser Schutzbrillen. Das wäre Ihr Ende.

ERSTER TEIL

Science Fiction

Schatzschneider

Der Sommer war heiß und trocken. Der heißeste und trockenste Sommer seit 1947. Das stand in der Zeitung, das sagten sie im Radio und im Fernsehen, aber niemand, selbst die Ältesten nicht, konnte sich an einen Sommer wie diesen erinnern. Seit Wochen hatte es, abgesehen von ein, zwei kurzen, heftigen Schauern, nicht geregnet. Auf den Feldern lag zu Ballen gepresst das Heu. Die Luft war stauberfüllt. Bernhard Kuper, den alle, die ihn näher kannten, nur Hard nannten, hatte neben dem Tresen einen Ventilator aufgestellt und in die Schaufenster eine orangefarbene Folie geklebt, damit die Schachteln und Dosen und Tuben in der Auslage nicht ausblichen. Die Kunden, Touristen vor allem, klagten über die Hitze draußen, priesen die Kühle drinnen, wischten sich mit den Handrücken übers Gesicht und kauften Sonnencreme, bevor sie weiterfuhren, bei Ebbe an den See, bei Flut ans Meer.

Von morgens bis abends stand Hard an der Kasse, danach schrieb und bezahlte er Rechnungen und entwickelte in der Dunkelkammer Filme. Selten kam er einmal dazu, länger mit jemandem zu reden. Wenn doch, ging es meist ums Wetter oder darum, wie sich die Gegend seit dem letzten Besuch verändert hatte, wie schön alles geworden war und dass er sich glücklich schätzen konnte, an einem Ort zu leben, an dem andere Urlaub machten. In solchen Momenten zuckte er mit den Schultern, steckte die Quittung zu den Tuben in die Tüte und sagte »Auf Wiedersehen« oder »Gute Reise«. Er nahm den Wohlstand hin wie selbstverständlich, vielleicht weil er ihm wie etwas lange Überfälliges erschien, wie etwas, das sie sich alle nach Jahren der Entbehrung redlich verdient hatten. Sie waren endlich in eine Epoche des Lichts eingetreten, und er, geblendet von ihren Verheißungen, wollte daran teilhaben, bevor sich der Himmel auf Erden wieder verdunkelte.

Bisher hatte er nicht darüber nachgedacht, jedenfalls nicht bewusst, aber da sie es immer wieder sagten, musste es wohl stimmen: Alle Straßen waren asphaltiert und von Gehwegen gesäumt. Die Linden entlang der Dorfstraße waren verschwunden, dort, wo sie gestanden hatten, wuchsen jetzt, gestützt von Holzstangen, gehalten von Seilen, Zierahorne, deren Zweige nicht über die erste Etage der Häuser hinausragen würden. Das Rathaus hatte ein neues Dach bekommen, die Molkerei eine Abfüllanlage für Flaschenmilch. Das alte Spritzenhaus der Feuerwehr, der Schlauchturm waren durch ein modernes Gerätehaus ersetzt worden mit Funkzentrale, Kleiderkammer, Waschhalle und Stellplätzen für Rüst- und Einsatzwagen, Tanklöschfahrzeuge und Drehleitern. An der Bundesstraße hatte Hayo Hayenga aus der Dorfschenke den Club 69 gemacht und Mädchen aus ganz Europa nach Ostfriesland geholt. Didi Schulz, der Schmied, hatte neben der Werkstatt einen Laden für Spielwaren und Geschenkartikel eröffnet. Das Modegeschäft Vehndel hatte Schuhe aus dem Sortiment genommen und sich ganz auf Textilien spezialisiert. Und viele alteingesessene Bauern hatten ihren Betrieb aufgegeben, in den Gulfhöfen Ferienwohnungen eingerichtet und ihr Weideland an die Gemeinde verkauft. Nur die Genehmigung für das Betonwerk war noch nicht durch, weil das Gebiet, auf dem es errichtet werden sollte – zwei von Wallhecken umgebene Felder jenseits der Bahnlinie –, unter Naturschutz stand.

Der Anbau der Drogerie war erst Ende Mai, kurz vor Beginn der Hauptsaison, fertig geworden. Der Bauunternehmer Johann

Rosing hatte in Hards Auftrag das Geschäft erweitert, die Verkaufsfläche, den Lagerraum, das Haus komplett unterkellert und auf die Garage ein Stockwerk draufgesetzt, ein zweites, größeres Wohnzimmer für besondere Anlässe, mit breiten Fenstern, Panoramafenstern, und eine mit Terrakotta gefliese Terrasse. Beim Abendbrot saß Hard jetzt mit Birgit, mit Daniel immer dort anstatt in der Küche und redete über Einnahmen und Ausgaben, Werder Bremen, den HSV, die Schule.

An einem Mittwoch im Juni bekam Daniel sein erstes Zeugnis: *Daniel kann Texte mit neu auftretenden Wörtern mit gelegentlicher Hilfe erlesen. Daniel kann aus dem Übungsbereich kurze Sätze und Wörter nach Diktat schreiben. Daniel kann die meisten Aufgaben aus der Logischen Schulung selbständig lösen, kann Größer- und Kleinerbeziehungen zwischen zwei Zahlen angeben und notieren, beherrscht die Addition und Subtraktion im Bereich bis zwanzig ohne Hilfsmittel. Daniel bereichert den Unterricht durch sachbezogene Beiträge. Er spielt Blockflöte.*

Die Eltern waren stolz auf ihn. Der Vater schenkte ihm zur Belohnung ein Fahrrad, ein BMX 2000, Cross-Rahmen aus Präzisionsstahlrohr, verstärkte Vorderradnabe, Freilauf-Rücktrittbremse. Stundenlang fuhr er damit durchs Dorf, immer den gleichen Weg, die Dorfstraße entlang, an der Kirche vorbei, durch die Neubausiedlung und zurück. Er trat in die Pedale. Er fuhr und fuhr, immer im Kreis herum, bis er müde wurde und hinfiel oder auf ein Hindernis stieß. Einmal krachte er in einen Haufen Müllsäcke am Straßenrand. Er flog über den Gartenzaun auf eine Wiese. Das Vorderrad war verbogen, der Vater musste es richten.

Die ganzen Ferien über war er draußen. Eine Woche verbrachte er mit der Mutter auf Baltrum. Sie kaufte ihm ein Segelboot aus Holz. Es hatte keine Torpedos an Bord und keine Geschütze. Am zweiten Tag ließ er es zu weit hinausschwimmen, der Wind trieb es fort. Am nächsten Morgen, die Mutter war im Bad und hatte die Tür zum Flur offen gelassen, riss er das Sprossenfenster in ihrem Hotelzimmer auf. Der Luftzug war so stark, dass er den Griff nicht halten konnte. Mit einem Knall schlug es wieder zu, zwei Scheiben sprangen heraus und zerschellten auf dem Pflaster unten vor dem Eingang. Als die Mutter den Schaden sah, die Angst in seinen Augen, von ihr für sein Missgeschick bestraft zu werden, strich sie ihm über den Kopf und sagte: »Scherben bringen Glück.«

Später frühstückten sie auf der Veranda, wanderten über die Dünen, saßen nebeneinander im Strandkorb, schauten aufs Wasser, wie es kam und ging. Ihr Haar war lang und dunkel. Die Haut glänzte. Sie trug einen Badeanzug mit Blumenmuster, darunter wölbte sich ihr Bauch. Er baute einen Wall aus Sand um sie herum, wollte sie, wollte sich schützen, er wusste nicht, wovor.

Abends gingen sie in ein Restaurant, aßen Fisch, Kartoffeln, Salat. Die Mutter erzählte ihm von *Dallas*, das Einzige, was sie hier vermisste, Fernsehen, und sie sprach von früheren Urlauben, mit den Schwestern in Berchtesgaden, in Mittenwald, in Lindau am Bodensee; dann, es war schon spät, schon neun vorbei, sagte sie, dass sie hier auf der Insel den Vater kennengelernt habe: Sie habe mit Arbeitskolleginnen einen Betriebsausflug gemacht, während er vom Festland aus herübergekommen sei, um mit einigen Kameraden aus der Kaserne das Wochenende am Strand zu verbringen. Damals war sie noch bei Knipper beschäftigt gewesen und er noch bei der Bundeswehr in Aurich. Schon bei der Ankunft in der Halle des Hotels sei er ihr in seinem weißen Kittel aufgefallen, seiner ganz persönlichen Uniform, aber erst bei einem Fest im Hotel Fresena habe sie ihn angesprochen und zum Tanzen aufgefordert, ausgerechnet ihn, Hard, de Klutentramper.

Nachts las sie ihm vor dem Einschlafen noch Geschichten vor. *Seewolf, Huckleberry Finn, Wildtöter*. Am besten gefiel ihm die Stelle, an der Wolf Larsen die Kartoffel in der Hand zerquetscht, an der Huck und Jim in das im Mississippi treibende Haus steigen, an der Judith Tom Hutter die Mütze vom Kopf zieht.

Am letzten Tag schrieb er dem Vater eine Postkarte. Sie gab ihm die Worte ein, dass das Wetter herrlich sei und es ihnen gut gehe und er sich wieder auf zu Hause freue.

Seine Schrift ist formklar.

Morgens weckte ihn die Hitze. Er lag auf dem Laken, das Bettzeug abgeworfen, schweißgebadet. Er richtete sich auf, lehnte benommen mit dem Kopf an der Wand. Nach zehn, fünfzehn Minuten stand er auf, klatschte sich im Bad kaltes Wasser ins Gesicht, frühstückte und half dem Vater bei der Arbeit. Er nahm die leeren Kartons entgegen und stapelte sie im Keller übereinander; im Geschäft wischte er die Regale aus und sortierte die Produkte ein; dann fegte er den Parkplatz draußen vor dem Haus. *Die Aufgaben erledigt er in der dafür vorgesehenen Zeit.*

Nachmittags sprengte er den Rasen, die Hecken, die Sträucher. Zum Schluss stellte er sich selbst in die Mitte des Strahls. Das Wasser perlte an ihm ab wie an einem frisch gewachsten Wagen. Um sich richtig abzukühlen, fuhr er zum Badesee. Er schwamm und tauchte und legte sich zu den anderen in den Schatten der Bäume. Trotzdem bekam er einen Sonnenbrand, einen Sonnenstich.

Ende Juli errichtete Daniel mit Freunden im Hohlraum unter dem Güterschuppen eine Höhle. Rosing hatte das ganze Gelände rund um den Dorfplatz nach Schließung der Haltestelle Jericho von der Bahn gekauft. Den Bahnhof hatte er abgerissen – bis auf den alten Kohlenkeller, der war an Jost Petersen und seine Poolhalle vermietet –, und daneben hatte er Bungalows gebaut, in denen Büros und Werkstätten untergebracht waren. Den ehemaligen Güterschuppen nutzte er als Lager. An beiden Längsseiten gab es eine Rampe, eine für Lastwagen, eine für Züge. Doch die Züge fuhren jetzt, ohne zu halten, weiter nach Norddeich bis zur Mole oder nach Emden zum Außenhafen oder in die andere Richtung nach Neuschanz und ins Ruhrgebiet. Das Gebäude bestand zum größten Teil aus Holz, nur die Stelzen, auf denen es stand, waren aus Stein, und da krochen die Jungs hindurch. Die Höhe reichte nicht, um sich aufzurichten, aber zum Sitzen und Liegen war der Abstand groß genug, und das war alles, was sie wollten. Zusammen schleppten sie eine Matratze dorthin, Nachttische vom Sperrmüll, Hausrat. Sie sägten Spanplatten zurecht und lehnten sie an die Stützbalken. Auf den sandigen Boden legten sie einen Teppich, an die Stelzen klebten sie Bilder. Zum Schutz vor Wind und Wetter ummantelten sie das ganze Gebilde mit Wellpappe und stopften Küchentücher und Putzlappen in die Ritzen und Spalten. Von außen sah es aus wie ein riesiges Hornissennest, und da einer von ihnen einen Radiorekorder dabei hatte, hörte es sich auch so an. Als sie fertig waren, kauften sie am Kiosk Eis am Stiel und setzten sich oben auf die Rampe, schauten den Zügen nach, die zur Mole fuhren oder von dort kamen und im Flimmerdunst des Abendlichts verschwanden.

Die Eltern erlaubten ihm, eine Nacht in der Höhle zu verbringen, es waren auch ältere Jungs dabei, Ubbo Busboom, Paul Tinnemeyer und Jens Hanken. Sie gaben ihnen Schlafsäcke und Taschenlampen mit. Als die Batterien versagten, lagen sie nebeneinander und redeten. Alle paar Minuten schreckten sie auf. Katzen schrien wie Kinder, Mäuse huschten vorbei, Spinnen krabbelten ihnen über die Köpfe. Irgendjemand schlich um das Gebäude, rief etwas, klopfte gegen's Holz. Noch vor dem Morgengrauen kehrten sie zu den Eltern zurück.

Am ersten Schultag nach den großen Ferien stand ein fremder Junge neben Frau Wolters, der Klassenlehrerin. Er war klein und dick, so breit wie groß, ein Mund auf zwei Beinen. Er hatte blaue Augen, abstehende Ohren, Sommersprossen. Der Kopf war rasiert, als hätte er vor Kurzem Läuse gehabt und man kein anderes Mittel gewusst, als ihm die Haare abzuschneiden. In der einen Hand hielt er einen Tornister, der seinen Körper nach unten zog, in der anderen, wie zum Ausgleich, einen angebissenen Schokokeks. Er kniff die Lippen zusammen und schaute an sich herab, den Krümeln nach, auf den Bauch, der sich über die kurze Hose wölbte. Frau Wolters sagte, dass er Volker heiße, Volker Mengs, der Vater an der Realschule unterrichte, die Mutter am Gymnasium, dass er noch eine jüngere Schwester habe und sie alle eben erst aus Hannover hergezogen seien. Dann durfte er sich setzen.

Beim Gebet schloss er nicht die Augen, er faltete nicht die Hände, bewegte nicht die Lippen. Er tat nicht einmal so, als würde er mitmachen. Nach dem Sport duschte er nicht, nicht mit den anderen, nicht allein. Er rieb sich nur mit dem verschwitzten T-Shirt den Oberkörper ab. In den Pausen stand er abseits, holte eine Brotdose hervor, aß still vor sich hin. Seine Buntstifte waren nach Farben geordnet, die Hefte in Schutzhüllen eingeschlagen. Bevor er eine neue Seite begann, legte er das Löschblatt auf die alte, strich mit der flachen Hand darüber hinweg, wartete, bis die Tinte eingezogen war. Es gab genug Gründe, ihn zu verprügeln, aber keine Gelegenheit: Morgens würde er gebracht, mittags abgeholt.

Nach einigen Tagen lud Hard Familie Mengs zum Essen ein. Er hatte sich alles genau überlegt. Erst würden sie feiern, dann, wenn sie richtig in Stimmung waren, würde er ihnen den Laden zeigen und einige Produkte vorführen, er würde der Frau Proben mitgeben und den Mann am Wochenende zum Angeln, zum

Stammtisch mitnehmen, er würde über die Söhne, über diesen persönlichen Kontakt hinweg, eine Abhängigkeit schaffen – die Grundlage seines Geschäfts. Geben und nehmen. Das war das ganze Geheimnis. Es kam nur auf das richtige Verhältnis an.

Sie saßen auf der Terrasse um den Tisch, die Erwachsenen am einen Ende, die Kinder am anderen. Es war scon kurz nach sieben, aber immer noch so heiß, dass sie sich den Schweiß abwischten. Wespen schwirrten um sie herum und machten sich über die Bratwürste und den Senf her, über die Pommes, den Ketchup, das Bier und den Saft, über die Nudel- und Kartoffelsalate, die marinierten Gemüsespieße. Birgit fuchtelte mit den Händen durch die Luft und spannte Klarsichtfolie über die Kummen und Töpfe. Alle paar Minuten sprang jemand schreiend auf, lief einige Schritte und setzte sich wieder, in der Hoffnung, die Verfolger abgeschüttelt zu haben.

Die Väter legten Kohle nach, schürten die Glut, versorgten den Grill mit frischem Fleisch. Kaum hatte Volker drei Würste und ein Hammelkotelett verputzt, ging er hin und holte Nachschub. Auf dem Rückweg hielt er den Teller wie ein Kellner, auf den Fingerspitzen balancierend. Als er sich setzte, stieß er ein Glas um. Der Apfelsaft ergoss sich über das Wachstuch. Er schlürfte ihn vom Rand her auf, seine Schwester – Verena – patschte mit den Händen hinein.

Hard sah ihnen entsetzt zu, dann sagte er: »Warum sagen Sie denn nix, das geht doch nicht an.«

»Wir meinen, also, wir sind der Ansicht«, sagte Herr Mengs und räusperte sich, »dass man Kinder gewähren lassen muss, dass sie irgendwann von allein an ihre Grenzen stoßen, dass das Leben sie bestraft, und diese Bestrafung ist schlimmer als alles andere.«

»Und so, mit dieser Methode, bekommen Sie Ihre Klasse in den Griff?«

Herr Mengs schüttelte den Kopf. »Man darf –«

»Das kann ich mir nämlich auch nicht vorstellen«, sagte Hard. »Beim besten Willen nicht.«

»Man darf Privates nicht mit Beruflichem vermischen. Eigene und fremde Kinder, das sind zwei verschiedene Dinge. In der Schule herrscht natürlich ein andres Gesetz als zu Hause.«

»Man kann doch das eine nicht vom andren trennen.«

»Wir schreiben unsren Kindern jedenfalls nicht vor, was sie zu tun oder zu lassen haben, was sie essen oder anziehen sollen, wie sie leben sollen, das müssen sie schon selbst rausfinden.«

»Wohin soll'n das führen?«

»Weiß ich nicht. Niemand weiß das. Das wird man sehn. Darum geht's ja, einen neuen Weg einschlagen, nicht die Fehler der Eltern wiederholen. Unsre einzige Devise ist: Alles, nur keine Drogen.«

»Bei uns ist es genau umgekehrt«, sagte Hard. »Nix, nur Drogen.« Es sollte ein Scherz sein, einer seiner Drogistenscherze, aber keiner lachte. Birgit schaute zu Boden, Herr und Frau Mengs sahen einander befremdet an, die Kinder beachteten ihn nicht. Hard zupfte an seinem Hemd, zeigte auf den Aufnäher, den Schriftzug vor der Brust, *drogerie kuper*. Es half nicht. Also lachte er selbst, griff in den Kasten, machte eine neue Flasche auf und schenkte sich Bier ein, dass es schäumte.

Um das Gespräch wieder in Gang zu bringen, sagte er: »Bilden Sie mal einen Satz mit in der.«

»Die Maus sitzt in der Falle«, sagte Herr Mengs.

»Nee, nee. Ich mein, nur mit in der.«

Herr Mengs stützte den Kopf auf und rieb sich das Kinn, Frau Mengs biss sich auf die Lippen und legte die Stirn in Falten, Birgit, die den Witz schon kannte, ging in die Küche und holte einen feuchten Lappen, um den Tisch abzuwischen. Hard lehnte sich zurück, trank das Glas in einem Zug leer und stieß, bevor er es absetzte, einen kehligen, zischenden Laut aus. Er hatte ihnen ein Rätsel gestellt, das sie nicht lösen konnten.

Immer wieder murmelte einer der beiden, »In der, in der« oder »Ein Satz mit in der«, als würde die Wiederholung der Aufgabe sie der Lösung ein Stück näher bringen. Dann, nach zwei, drei Minuten, sagte Hard: »Der Inder in der Inderin.«

Und Herr Mengs sagte: »Das ist kein vollständiger Satz.«

Jetzt versuchte Birgit das Gespräch wieder in Gang zu bringen, bevor Hard noch auf den Tisch stieg und anfing zu singen, was oft geschah, wenn er betrunken war und eine Pause mit einer Darbietung seines Talents, seinem Tenor füllen zu müssen meinte. Sie seufzte und sagte: »Ich bin übrigens Birgit.«

»Petra.«

»Arne.«

Birgit gab ihnen die Hand, als hätten sie sich eben erst kennengelernt, dann sagte sie: »Bei kleinem hab ich das Gefühl zu vergehen, innerlich zu verdampfen.«

»Ja, schrecklich«, sagte Petra Mengs lächelnd, dankbar für den Themenwechsel. »So was hab ich noch nicht erlebt.«

»Nicht in dieser Gegend«, präzisierte Arne Mengs. »Also, letztes Jahr, da waren wir in Griechenland und da …«

»Da wird man ja ganz rammdösig«, sagte Birgit.

Und Hard sagte: »Dagegen gibt's nur ein Mittel«, und hob sein Glas.

Sie prosteten sich zu, schauten sich in die Augen und tranken. Für einige Sekunden, für die Dauer des Schluckens, war es still. Hard hatte sich vorbereitet. Er wollte Mengs keine Gelegenheit geben, sich mit ihm zu verbrüdern und über den Urlaub zu plaudern, über Ouzo und Oliven und antike Tempelruinen. Dafür hatte er in den vergangenen Wochen zu viel Zeit und Geld investiert. Noch intensiver als sonst hatte er die Zeitungen und Zeitschriften gelesen, die Abschlusstabellen verglichen, die Positionen der Mannschaften, die Zahlen und Fakten, er hatte, wie in den Jahren zuvor, beim Stammtisch seine Tipps abgegeben, alle Ergebnisse, alle Tore vorausberechnet und Sieger und Verlierer bestimmt. Durch die Erfolge der Vergangenheit übermütig geworden, hatte er noch mehr tippen wollen, auf Trainerwechsel, Verletzungen, Gelbe und Rote Karten, aber darauf hatten sie sich nicht eingelassen. Wiemers, Rosing, Leemhuis, Neemann, Kramer und die anderen Bangbüxen. Beim Bund hätten Freese und er sie dafür Extrarunden laufen oder im Watt durch den Schlick robben lassen – mit dreißig Kilo Gepäck auf dem Rücken. Aber er war nicht mehr beim Bund. Nur jetzt, hier mit Mengs, konnte er den Gewinn noch erhöhen, und das musste er, wenn er den Kredit für den Anbau, den neuen Wagen zurückzahlen wollte.

»Sind Sie eigentlich 96er?«

»Was?«

»Ob Sie 96er sind.«

Arne Mengs sah ihn verständnislos an.

»Fußball.«

»Ach so. Ja, natürlich.«

»Ihr werdet nie wieder aufsteigen.«

»Werden wir ja sehn.«

»Den Schatzschneider hättet ihr nicht ziehen lassen dürfen. Hundertneunundvierzig Tore in hundertneunundsiebzig Spielen. So viele hat in der zweiten Liga keiner reingemacht. Und jetzt ist er bei uns.«

»Na, ich weiß nicht. Der hat doch die beste Zeit hinter sich. Ihr hättet lieber Völler nehmen sollen. Dreiundzwanzig Tore! Und das in der ersten Saison!«

»Hat Werder auch nix genützt.«

»Immerhin ist er Torschützenkönig!«

»Davor war's Hrubesch. Und der hatte siebenundzwanzig!«

»Den hättet ihr nie ziehen lassen dürfen.«

»Ach was, der war durch. Man soll gehen, wenn man am Schönsten ist.« Hard beugte sich zu Arne Mengs hin, legte eine Hand auf dessen Unterarm und sagte: »Wir werden nie absteigen.«

»Werden wir ja sehn.«

»Nix. Wir werden an der Spitze stehen, auf Jahre uneinholbar. Wir werden die andren weit hinter uns lassen, da«, er streckte den rechten Arm nach oben hin aus, »sind wir, dann kommt erst mal lange nix, punktemäßig jetzt, und dann«, er streckte den linken Arm nach unten hin aus, »ab dem zweiten Platz beginnt das Mittelfeld, mit Werder, Bayern, Köln. Zwischen uns und ihnen wird der Abstand so groß sein«, beide Arme waren jetzt so weit wie überhaupt möglich voneinander entfernt, »so groß, dass die schon im Februar, im März, am Anfang der Rückrunde, aufgeben, ihre kleinen, erbärmlichen Titelambitionen. Die fügen sich in ihr Schicksal, müssen sich fügen. Die sind sich doch ihrer begrenzten Kraft bewusst. Die kommen da unten doch nicht mehr raus, bei dem, was sie eingekauft haben. Da ist nix Brauchbares dabei. Schatz macht den Unterschied! Nicht Allofs oder Rummenigge oder Völler! Völler! In dreißig Jahren redet doch kein Mensch mehr über Völler, diese Wurst mit Haaren, aber Schatz, Schatzschneider wird dann 'ne Legende sein. 'Ne Legende! Wie Walter! Wie Seeler! Wie Müller!«

»Würd ich nicht drauf wetten.«

»Ich schon«, sagte Hard. Seine Augen leuchteten. Es war da, das Ziel, zum Greifen nah. »Wie wär's? Hundert?«

Um den Handel zu besiegeln, gab er ihm die Hand. Und Arne Mengs schlug ein. Aber das reichte nicht. Ein Handschlag reichte seit Langem nicht mehr aus. Ein Handschlag musste, damit er Gültigkeit hatte, begossen werden. Deshalb forderte er Daniel auf, den Cognac aus dem Wohnzimmer zu holen. »Den Guten«, sagte er, die Zunge vom Alkohol schon ein bisschen taub geworden, »den Hennessy V.S.O.P., weißt schon, den Vater-säuft-ohne-Pause.« Er lachte wieder.

Als Daniel mit der halbleeren Flasche auf der Terrasse erschien, hatte die Mutter schon zwei Gläser aus dem Küchenschrank genommen. Sie schenkte beiden ein, schenkte auch Limonade und Wasser nach, damit alle auf die gemeinsame Zukunft, auf das goldene Zeitalter anstoßen konnten. Daniel langte mit seinem Glas über den Tisch, und als er das Glas des Vaters berührte, bekam es am Rand einen Riss, der sich nach unten hin fortsetzte und aussah wie ein winziger, in der Luft gefrorener Blitz. Der Vater sprang auf, wutentbrannt, schrie: »Pass doch auf! Musst du alles kaputt machen?« Dann besann er sich, sagte: »Na ja, ist ja nix passiert«, und setzte sich wieder hin.

Die Männer unterhielten sich weiter über Fußball, die Frauen über ihre Figuren. Die Kinder gingen ins Haus. Volker und Verena spielten mit Daniels Sachen. Sie hatten klebrige Finger und fassten alles an. Verena beließ es nicht dabei. Sie lutschte und kaute an den Modellen herum, die aufgereiht im Regal standen, am Leopard, am Biber, am Fuchs. Vom Marder brach sie eine Antenne ab, vom Luchs eine Lampe. Als sie weg waren, klebte Daniel die Teile wieder an. Er war sich sicher, dass sie etwas mitgenommen hatten, konnte es aber nicht beweisen. Den Gepard, sein bestes Stück, hatten sie verschont. Er stand ganz oben und war ohne Stuhl nicht zu erreichen. Er hatte ihn zu Weihnachten bekommen und Tage gebraucht, ihn zusammenzubauen und originalgetreu zu bemalen.

Später kam die Mutter an sein Bett. Sie saß auf der Kante, deckte ihn zu, küsste ihm die Stirn, strich ihm durchs Haar.

Daniel fragte, warum sie das gemacht hätten.

»Was gemacht?«

»Warum habt ihr die eingeladen?«

»Das gehört sich doch unter Nachbarn«, sagte sie, obwohl die Häuser von Kupers und Mengs weder nebeneinander noch in der gleichen Straße standen. »Gerade bei Utlanners. Außerdem sind wir beide im gleichen Monat.«

In der Schule wechselten die Jungs kaum ein Wort. Nachmittags saßen die Mütter jetzt oft zusammen. Einmal stand Daniel mit Volker hinterm Haus. Sie buddelten ein Loch. Die Sonne brannte auf sie herab. Sie wollten sehen, wie weit sie kamen, wie lange es dauerte, bis sie auf Knochen und Tonscherben stießen oder sich die Grube mit Grundwasser füllte. Erst grub Daniel, dann Volker, nach einem Meter ging es nicht weiter. Die Erde unter ihren Füßen war hart wie Stein, wie Stahl. Immer wieder stießen sie die Spitze des Spatens in den Boden, doch jedes Mal splitterte nur ein Stück von der Oberfläche ab. Daniel holte einen Hammer aus der Garage, aus dem Werkzeugkasten des Vaters.

»Halt fest«, sagte er zu Volker.

»Was soll'n das?«

»Wir benutzen den Spaten als Meißel.«

»Das bringt doch nichts.«

»Halt fest.«

»Du triffst mich bestimmt.«

»Quatsch mit Soße.«

»Du triffst mich, garantiert.«

»Werd ich nicht. Nicht, wenn du den Stiel unten anfasst und weit genug von dir weghältst.«

Daniel hob den Kopf, richtete sich auf und holte aus. Die Sonne blendete ihn. Es war, als stäche sie ihm durch die Augen mitten ins Herz. Plötzlich hatte er das Gefühl, sich wehren zu müssen. Er wusste nicht, gegen was und warum.

Dann schlug er zu.

Er lag rücklings auf der Matratze unterm Güterschuppen. In der Maserung der Holzdielen über ihm erkannte er Gesichter und Gestalten, Traumgebilde, Hirngespinste. Erst hatte er überlegt, weiterzufahren, über den Wanderweg, am Deich, am Fluss entlang, und weiter, immer weiter, dem Fluss in südlicher Richtung folgend, bis zur Quelle. Aber bis dahin wäre er niemals gekommen. Man hätte ihn vorher gefragt, wohin er fahre, und darauf hätte er keine Antwort gewusst, und selbst wenn er eine gewusst hätte, man hätte ihm nicht geglaubt und ihn wieder mit zurückgenommen. Das war ihm schon passiert, als er versucht hatte, von Geburtstagsfeiern bei Großtanten zu Fuß nach Hause zu gehen. Unterwegs, irgendwo an der Bundesstraße oder im Hammrich, hatte immer jemand neben ihm gehalten, das Fenster heruntergekurbelt, gesagt, er sei doch de lüttje Kuper, und ihn gefragt, was er hier draußen mache, so ganz allein. Einmal war er nicht von einer Geburtstagsfeier weggegangen, sondern zu einer hin. Trotzdem hatte man ihn auf halbem Weg abgefangen. Das Dorf war überall. Das war die Erkenntnis, die sich langsam in ihm ausbreitete. Er müsste schon sehr weit laufen, sehr weit fahren, um zu entkommen. Aber was dann? Was dann? So weit reichte seine Vorstellungskraft nicht. Ein Wagen hielt vor der Höhle. Eine Tür öffnete sich. Jemand stieg aus.

Zweimal rief Hard den Namen seines Sohnes und lauschte den Worten nach, dann sagte er: »Kannst ruhig rauskommen. Ich werd dir nix tun. Volker ist nicht tot, falls du das denkst. Der war nur kurz weggetreten. Hörst du? Er hat 'ne Gehirnerschütterung. Es geht ihm aber schon besser. Er ist jetzt im Krankenhaus. Und er will dich sehn.«

Sie waren zu dritt im Zimmer. Um jedes Bett standen Väter und Mütter und sprachen leise mit den Kindern. Volker lag am Fenster, den Kopf mit Mull verbunden. Über ihm, auf der anderen

Seite des Raumes, hing ein Fernseher von der Decke. Der Ton war abgeschaltet. Daniel hatte erst nicht herkommen wollen. Die Eltern hatten ihm zugeredet, gesagt, es sei ein Unfall gewesen, er müsse sich nur bei ihm entschuldigen, ihm etwas schenken, etwas, was ihm wichtig sei, dann sei es gut und die Sache aus der Welt.

Der Vater schob Daniel näher ans Bett.

Daniel reichte Volker das Paket.

Volker setzte sich auf, riss das Papier ab und wickelte den Gepard aus, ein Panzer im Maßstab 1:35 mit beweglichen Vinylketten und schwenkbarer Zwillingswaffenanlage. Er drehte ihn hin und her, ließ ihn vor und zurück über die Bettdecke gleiten, richtete die Kanonen auf Daniel, den Vater, die Mutter und ahmte das Stoßgeräusch von Maschinengewehrfeuer nach. Sein Doppelkinn bebte, die Augen leuchteten. Plötzlich fasste er sich an den Kopf, das Gesicht verzerrt, und stöhnte kurz auf, als reichte das Geschenk nicht aus, um den Schmerz zu stillen, den Daniel ihm zugefügt hatte.

Hinter sich hörte Daniel die Mutter flüstern: »Hast du nicht noch was vergessen? Erinnerst du dich nicht an das Versprechen? Du hast ihm doch noch was sagen wollen.«

Er sagte es: dass es ihm leid tue, dass er sich das auch nicht erklären könne, er habe es jedenfalls nicht mit Absicht gemacht. Er hörte, wie die Worte aus seinem Mund kamen und in ihm widerhallten.

Die Mutter klopfte ihm auf die Schulter.

Sein Betragen ist ausgezeichnet.

Er fühlte sich wie ferngesteuert.

Das Ereignis schweißte sie zusammen. In der Schule gingen sie sich aus dem Weg, aber nachmittags, wenn sie allein waren, spielten sie miteinander, als wären sie Freunde. Solange kein Zug kam, sprangen sie über die Holzschwellen und balancierten auf den Gleisen. Auf dem Deich ließen sie Drachen steigen und warfen Styroporflieger in den Wind. In Daniels Zimmer bastelten sie gemeinsam an Modellen von Jagdbombern, Kampfhubschraubern, Atom-U-Booten. Trotzdem blieb ein Teil ihrer Welten getrennt. Daniel nahm Volker nie mit zur Höhle unterm Güterschuppen, und Volker brachte Daniel nie mit nach Hause.

Anfang September schien es, als würde die achtwöchige Dürre ein Ende haben. Die Bauern hörten auf, mit Güllewagen ihre Weiden zu bewässern, und in den Vorgärten blieben die Sprenger aus. Alle glaubten den Vorhersagen, dass es bald Regen geben und kälter werden würde und dann nicht mehr wärmer. Über dem Land brauten sich dunkle Wolken zusammen und schlossen die Hitze darunter ein. Die Luft wurde schwüler und feuchter, aber das Gewitter blieb aus.

Es war Samstagnachmittag. Hinterm Haus hatte der Vater den neuen Wagen aus der Garage gefahren, einen grünen Opel Rekord E2 2.0 S, Baujahr 1982, 100 PS, und seifte in der Auffahrt die Kühlerhaube ein. Er hatte das Radio aufgedreht und hörte den fünften Spieltag. Die Mutter saß oben auf der Terrasse im Schatten der Markise. Mit der einen Hand strich sie über ihren Bauch, mit der anderen blätterte sie in einer Zeitschrift. Daniel hockte auf der Außentreppe, Dosen und Pinsel neben sich ausgebreitet. Er bemalte eine Phantom mit Tarnfarben.

Manchmal schrie der Vater »Ja« oder »Nein« oder »Schatzschneider«, je nachdem, was der Reporter im Radio gesagt hatte. Dabei presste er den Schwamm zusammen. Weißer Schaum tropfte auf den Boden. Eine Taube gurrte in der Weide. Die Blätter der Bäume bewegten sich leise im Wind. Als Daniel aufblickte und nach einer neuen Farbe griff, lächelte die Mutter ihn an. Sie winkte ihm zu, und er winkte zurück, bevor er sich wieder dem Modell zuwandte. Alles war vorgezeichnet. Die Nase sollte schwarz, die Tragflächen und der Rumpf sollten basaltgrau-oliv-grün gefleckt sein. So war es auf der Verpackung abgebildet, so stand es in der Bauanleitung. Daniel übernahm das wellenför-mige Muster und übertrug es auf die Plastikhülle. Didi Schulz, der Schmied, hatte zwar gesagt, dass man die Teile anmalen solle, solange sie noch am Baum, an den Ästen hingen, aber das kam ihm falsch vor, als wollte man ihn überlisten, als traute man ihm nicht zu, es auch allein, ohne fremde Hilfe, zu schaffen.

Der Vater schrie wieder »Schatzschneider«, ballte die Fäuste, tanzte um den Wagen herum. Die Mutter lachte.

Schatzschneider. Er fragte sich, was der Name zu bedeuten habe. Ob das jemand sei, der einen Schatz in Stücke schneidet wie einen Kuchen, damit er für alle reicht, oder wie ein Schiff, das verschrottet werden muss, weil es alt und leckgeschlagen ist und niemandem mehr nützt. Der Vater war ganz außer sich. Vor Freude küsste er die Mutter, den Sohn, den Wagen, den Schwamm.

Die Mutter sagte: »Wenn du immer so ausgelassen gewesen wärst, hätten wir schon sechs, sieben.«

»Zwei sind mehr als genug, Biggi«, sagte er und wischte mit ei-nem Ledertuch den Fleck weg, den seine Lippen auf der Wind-schutzscheibe hinterlassen hatten.

»Was, wenn ich Zwillinge bekomme, dann hast du schon drei.« Daniel konnte sich nicht einmal vorstellen, dass sie bald zu viert sein würden, dass irgendetwas, irgendjemand sie aus dem Gleichgewicht bringen könnte.

Fünf Minuten später bog Volker auf seinem Fahrrad um die Ecke. Auf seiner Stirn klebte ein Pflaster, als wäre die Wunde noch nicht ganz verheilt, als wollte er Daniel so lange wie mög-lich an seine Tat erinnern. Er stieg ab, klappte den Ständer aus und stellte sich vor sie hin. Er trug nichts außer einer roten Frotteeunterhose. Der Stoff schnürte seinen Körper in der Mitte zusammen, oben und unten quoll Haut hervor. Sie war weiß wie Mehl, wie Milch, je nachdem, auf welche Stelle man schaute. Manche Bereiche, besonders an den Armen und Beinen, waren stumpf und staubgemasert, andere ölig und glänzend, als hätte er sie eben erst eingefettet. Die Wülste am Hals schimmerten im Sonnenlicht.

Vor Schreck ließ Daniel das Flugzeug fallen. Ein Flügeltank und das Bugrad brachen ab. Eigentlich hatte er ihm heute die Höhle zeigen wollen. Es war an der Zeit, ihn einzuweihen. Aber jetzt, in dem Aufzug, konnte er sich mit ihm dort nicht blicken lassen. Er konnte sich nirgendwo mit ihm blicken lassen.

Volker grüßte den Vater, die Mutter. Beide hielten inne, der Vater legte den Schwamm beiseite, die Mutter die Zeitschrift.

»Ist dir nicht kalt?«, fragte die Mutter. »Wenn dir kalt ist, du kannst dir ruhig eins von Daniels T-Shirts nehmen.«

»Nicht nötig.«

»Oder eine Hose.«

»Geht schon.«

»Daniel hat eine Trainingshose, die ist ihm oben zu weit und unten zu kurz, könnte dir passen.«

»Ich brauch nichts.«

»Ihr müsst an den See fahren«, sagte der Vater, stemmte die Hände in die Hüften, schaute in den Himmel. »Solange das Wetter noch mitspielt. Sieht ganz nach Regen aus.«

»Das sagst du jeden Tag«, sagte die Mutter und wandte sich wieder ihrer Zeitschrift zu.

»Wird ja auch mit jedem Tag wahrscheinlicher.«

»Vielleicht später«, sagte Daniel. »Erst muss ich ihm was zeigen, oben in meinem Zimmer.«

»Nix. Da ist es doch viel zu warm«, sagte der Vater.

»Ich hab das Fenster aufgestellt. Außerdem, es dauert ja nicht lange, ich will ihm nur was zeigen, ein Modell, das ich nicht runterholen kann, weil, weil es aus zu vielen Einzelteilen besteht.«

»Was denn für eins?«, fragte Volker.

»Wirst du dann schon sehn«, sagte Daniel, sammelte die Bruchstücke ein, legte Dosen und Pinsel in die Schachtel zurück und ging ihm voran die Treppe hinauf in den zweiten Stock. In seinem Zimmer lag alles kreuz und quer. Ein Stoff-E.T., den der Vater ihm beim Schützenfest geschossen hatte, versperrte ihnen den Weg. Der Teppich war mit Spielsachen bedeckt. Daniel schob die Figuren und Autos und Häuser mit dem Fuß zur Seite und trat in die Mitte des Raumes. Er stand zwischen Fenster und Tür, der Luftzug wehte ihm eine Haarsträhne ins Gesicht. Trotzdem war es drückend heiß. Heißer als draußen. Heißer als irgendwo sonst.

»Was willst du mir denn jetzt zeigen?«, fragte Volker.

»Nix.«

»Wie nix?«

»Ist nur 'ne Ausrede gewesen.«

»'Ne Ausrede für was?«

»Ich hab keine Lust, an 'n See zu fahren. Oder ans Meer. Oder dauernd bei den Gleisen zu spielen. Oder auf 'm Deich Drachen steigen lassen.«

»Worauf denn?«

Daniel zuckte mit den Schultern.

»Wir können doch zu eurer Höhle fahren. Zum Güterschuppen.«

»Auf keinen Fall.«

»Warum nicht?«

»Ich hab den andren gesagt, ich hab geschworen, die andren erst zu fragen, wenn ich jemanden mitbringe. Außerdem, um diese Zeit ist sowieso niemand da.«

»Dann merkt auch niemand, dass du mich mitgenommen hast.«

»Trotzdem.«

»Was dann?«

»Verstecken.«

»Hier? Im Haus?«

»Draußen ist es zu einfach. Da gibt's unendlich viele Möglichkeiten. Aber hier drinnen musst du dich richtig anstrengen, nicht gefunden zu werden. Du fängst an, ich zähle.«

»Warum muss ich mich denn verstecken und nicht du?«

»Weil ich hier wohne.«

»Das ist gemein. Du kennst jeden Winkel im Haus.«

Daniel machte ihm ein Angebot. »Wenn ich dich nach zehn Minuten nicht gefunden hab, nehm ich dich mit zur Höhle. Wenn doch, musst du mir dein Zimmer zeigen.«

Volker willigte ein. Sie verglichen ihre Uhren. Es war zehn nach fünf. Daniel stellte sich in eine Ecke des Zimmers. Er schloss die Augen und fing an zu zählen. Bei eins war Volker aus der Tür. Bei zwei hörte Daniel sein Keuchen. Bei drei seine Schritte im Flur. Bei vier, wie er eine andere Tür öffnete. Bei fünf, wie er sie hinter sich schloss. Bei sechs nichts. Bei sieben nichts. Bei acht ein Krachen. Bei neun zögerte er weiterzumachen. Bei zehn stand Volker wieder vor ihm und sagte, er solle mitkommen, jetzt müsse er ihm was zeigen und das sei keine Ausrede dafür, kein Versteck gefunden zu haben.

Sie gingen über den Flur auf den Dachboden, ein Zimmer auf der gleichen Etage, dessen Außenwände nicht isoliert waren und das die ganze Familie als Abstellraum benutzte. Volker wies auf das Klappfenster in der Schräge, das beim Öffnen vom Wind gegen die Ziegel geschlagen und zerbrochen war. Er sagte, dass es ihm leid tue, er habe hinausklettern und sich auf dem Flachdach über dem Anbau verstecken wollen.

Daniel stellte sich auf den Stuhl, der darunter stand, schaute aus der Luke und sah: das perfekte Versteck, vom Haus, von der Straße aus nicht einzusehen. Würde man von dort auf den First klettern, hätte man einen Überblick über das ganze Dorf. Im Norden könnte man das Komponistenviertel, die Ausschachtungen, die Mülldeponie und die Kreisstadt sehen, im Westen die Bahngleise, das Stellwerk, die Molkerei und Schlachterei und den Hammrich dahinter, das Strandhotel, die Puddingfabrik drüben am Deich, im Süden Petersens Poolhalle, den Güterschuppen, Rosings Werkstätten, den Raiffeisen-Markt, das Industriegebiet jenseits der Bundesstraße und im Osten das Zentrum des Dorfes: die Dorfstraße, die Post, Schuh Schröder, die Schmiede und Eisenwarenhandlung von Didi Schulz, das Friesenhuus und die Friesenapotheke, die Praxen von Doktor Ahlers und Doktor Hilliger, Friseur Dettmers, Bäckerei Wessels, Fisch Krause, Kanzlei Onken, die Blumentenne, Textil Vehndel und an der Ecke, dort, wo die Dorfstraße die Rathausstraße kreuzte, die Sparkasse, Möbel Kramer an der Bahnhofstraße, die Raiffeisenbank, Farben Benzen, Solar Hanken, Polsterei Tinnemeyer, Elektro Plenter, Auto Busboom, Fahrrad Oltmanns, Fahrschule Kromminga, Getränke Stumpe und Fokkens Grillimbiss an der Einmündung zur Kirchstraße, den Kirchturm mit dem Wetterhahn, die reformierte Kirche oben auf der Warft, den Friedhof, das Ehrenmal für die gefallenen Soldaten, die Leichenhalle, das Pfarrhaus und das Gemeindeheim, die Wallstraße mit Grundschule und Kindergarten, das Rathaus, die Feuerwehr- und Polizeistation, das Literatenviertel, Superneemann – den Supermarkt –, das Schulzentrum und sogar die Marinefunkmasten, dreißig Kilometer entfernt. Zweimal im Jahr, wenn von der Werft unten am Fluss die Schiffe ausliefen, könnte man ihre mächtigen Aufbauten über die Bäume, die Deiche hinweg aus der Landschaft ragen sehen, als würden sie auf Gras schwimmen. Mit einem Feldstecher könnte man die Sportanlage erkennen und die Fußballspiele im Eino-Oltmanns-Stadion, die Reitturniere auf dem Springplatz verfolgen. Man könnte alles sehen und wäre selbst unsichtbar. Wäre man aber einmal entdeckt, gäbe es von dort keinen Ausweg mehr, man säße wie die Maus in der Falle.

In der Ferne blitzte es, Sekunden später folgte ein lang anhaltendes Grollen. Unten auf der Terrasse stand der Vater.

Hard sagte: »Bleib, wo du bist, Freundchen.«

Von einem Moment auf den anderen verdunkelte sich der Himmel, ein Sturm kam auf, Hagelkörner fegten heran, trommelten aufs Dach und schlugen wie Geschosse auf Volker und Daniel ein. Die Mutter raffte ihre Sachen zusammen, kurbelte die Markise ein und fuhr den Wagen in die Garage.

Auf dem Weg nach oben ging Hard am Schlafzimmer, am Wandschrank vorbei und nahm einen Bügel mit, einen schweren Holzbügel für Wintermäntel. Volker sagte, es sei alles seine Schuld. Er zitterte, die Wülste wogten wie Wellen über seinen Körper hin. Hard schickte ihn nach Hause. Volker stieg die Treppe hinab. Daniel verkroch sich in die hinterste Ecke des Dachbodens. Hard zog die Tür hinter ihnen zu, drehte den Schlüssel im Schloss herum und prügelte dem Sohn das Glück ein.

Science Fiction

1

An dem Spätsommertag, als Daniel ihnen in die Falle ging, fing es morgens plötzlich an zu schneien. Im Radio, im Fernsehen hatten sie am Abend zuvor einen Wetterumschwung vorausgesagt, aber niemand hatte damit gerechnet, dass es so heftig werden würde. Es war Mitte September. Die Temperatur war in der Nacht von über fünfzehn Grad auf null gesackt, und vor den Fenstern fiel der erste Schnee, ein paar Flocken nur, weiße Schatten, die vom Himmel schwebten und, kaum auf dem Boden aufgekommen, wieder verschwanden, als wären sie nie da gewesen.

Die Pappeln, die den Garten säumten, hatte Hard im Frühjahr zurückgeschnitten, von der Küche aus konnte Birgit jetzt über die Gleise zum Stellwerk, zur Molkerei blicken. Der Schornstein qualmte, und die Milchwagen kamen auf den Hof gefahren, um ihre Ladung abzuliefern. Die Schranken schlossen sich – ein Zug raste vorbei und ließ die Tassen auf dem Tisch erzittern – und öffneten sich wieder, Autos fuhren in beide Richtungen über die Schienen, und sie sah ihnen nach, bis sie irgendwo abbogen oder ihre Umrisse in der Ferne mit denen des Horizonts verschwammen.

Der Kühlschrank hinter ihr surrte, die Spülmaschine rauschte leise, und jedes Mal, wenn der obere Sprüharm einen der Teller streifte, klirrte das Geschirr. Sonst war es vollkommen still. Kein Geschrei mehr, kein Streit, kein helles Lachen. Die Kinder waren, wie sie in letzter Zeit selbst sagte, wenn sie mit ihren weit entfernt lebenden Schwestern oder alten Schulfreundinnen telefonierte, aus dem Gröbsten heraus. Daniel verließ um halb acht das Haus und fuhr mit dem Fahrrad zur Schule, egal bei welchem Wetter. Die Zwillinge mussten um acht im Kindergarten sein, und sie gingen den kurzen Weg inzwischen lieber mit anderen, etwas älteren Kindern aus der Nachbarschaft als rechts und links an ihren Händen. Birgit war froh und zufrieden, sie endlich eingewöhnt zu haben, aber sobald sie die Tür hinter ihnen zumachte, hatte sie Angst davor, sich selbst wieder eingewöhnen zu müssen.

In den ersten Wochen hatte sie nichts mit sich anzufangen gewusst. Alle Tätigkeiten, die sie zuvor der Haushaltshilfe, einer Nachbarin, übertragen hatte, Staubsaugen, Wischen, Aufräumen, Einkaufen, erledigte sie in den Stunden bis zum Mittagessen. Sie brachte es sogar fertig, jeden Tag ein anderes Gericht zu kochen, und war überrascht, dass sie mit so viel Kraft und Eifer ans Werk gegangen war, das Loch, das sich nach dem Frühstück vor ihr auftat, mit Arbeit zu schließen.

Daniel fuhr über die Kreuzung, bei Textil Vehndel, bei Superneemann, am Sportplatz vorbei, bis er auf den Breiten Weg kam, der nicht breiter war als andere Wege in der Umgebung und genau genommen auch kein Weg mehr war, weil man ihn, vor Jahren schon, schon vor seiner Geburt, ausgebaut und asphaltiert hatte. Nur an manchen Stellen gingen noch Schotterwege von ihm ab, die die Bauern benutzten, um auf ihre Felder zu gelangen. Es wäre sinnvoller gewesen, dachte Daniel, ihn den Langen Weg zu nennen. Er dachte das jedes Mal, wenn er von der Goethestraße kommend an dem Schild mit der Aufschrift *Breiter Weg* vorbeiradelte. Denn er war tatsächlich so lang, dass man sein Ende am Anfang nicht absehen konnte, obwohl er sich schnurgerade durch die Landschaft zog, bis er die Groninger Straße kreuzte und danach in die Schulstraße überging.

Er trat in die Pedale, gegen die Kälte an, und blickte dem Atem nach, der wie Rauch aus seinem Mund kam und hinter ihm verflog. Das Gras, die Hecken ringsum waren mit glitzerndem Raureif bedeckt, und die Spinnennetze, sonst kaum sichtbar, stachen deutlich aus den Halmen, den Blättern hervor, jeder Faden weiß und hell leuchtend. Es erschien ihm wie eine plötzliche Rückkehr in die Minuswelt, und er fragte sich, ob die Temperatur weiter sinken würde, auf minus neunhunderteinundsechzig Grad, und wie es sich anfühlte, ein Eisiger zu sein, ein Wesen ohne Erinnerung.

Zu beiden Seiten stand mannshoch der Mais, grün und gelb und an den Spitzen schon braun geworden, riesige Felder, manche bis zu dreißig Hektar groß, in die er mit Volker im Sommer zuvor eingedrungen war wie in einen Wald. Aus Wut und Übermut hatten sie mit Stöcken Schneisen hineingeschlagen und Labyrinthe angelegt, in denen sie sich selbst verirrt hatten und immer wieder im Kreis gelaufen waren, weil sie auch nach Stunden noch zu stolz gewesen waren, der Saat zu folgen.

Beim ersten Mal hatten sie ein halbes Dutzend Kolben mitgenommen, Blätter und Fäden abgezogen, die Körner mit Butter bestrichen, in Alufolie gewickelt und in ein Feuer gelegt, das sie auf einer Weide am Kolk entzündet hatten. Aber beide hatten nur einmal zugebissen. Als Daniel dem Vater davon berichtet hatte, hatte er gelacht und erzählt, wie er selbst nach dem Krieg stoppeln gegangen war, nachts, immer auf der Flucht vor den Bauern, und dass auch Futtermais genießbar war, wenn man ihn bis Mitte August erntete.

Einmal wären Daniel und Volker fast erwischt worden. Der Bauer, dem das Land gehörte, ein Mann namens van Deest, hatte, als sie drin waren, an allen Seiten Posten aufgestellt, Jäger mit Gewehren, die auf sein Kommando hin das Feld durchkämmten. Und sie waren nur deshalb unbemerkt davongekommen, weil sich auch Rehe darin versteckt hatten, die, als sie ausgebrochen waren, die ganze Aufmerksamkeit der Männer auf sich gezogen hatten.

Einige Felder waren schon abgeerntet, und in den Furchen, die die Trecker in der feuchten Erde hinterlassen hatten, sammelte sich jetzt der Schnee. Vor manchen Höfen, an denen er vorbeifuhr, wölbten sich Maisberge, die wie Sanddünen aussahen, solange sie nicht abgedeckt und mit Reifen beschwert waren. Jetzt, weiß und uneben, erinnerten sie ihn eher an mit viel zu viel Puderzucker bestäubte Christstollen.

Das Feld vor dem Schulzentrum aber war noch unberührt. Daniel kettete sein Fahrrad an einen der davor aufragenden Weidezaunpfähle und nahm den Tornister mit den Büchern und Heften vom Gepäckträger. In der ersten Stunde hatten sie Englisch, in einem Raum gleich neben dem Haupteingang. Der Fahrradstand lag auf der anderen Seite des Schulzentrums, und er wollte weder Eisen begegnen, der dort auf ihn und andere Fünftklässler wartete, noch bei der Kälte den ganzen Weg zurück an der Turnhalle, am Lehrerzimmer vorbei über den Hof gehen.

Unten hörte sie Hard die Tür öffnen und den Fahrradständer vors Haus schieben. Sie wusste, dass er jetzt in die Garage gehen würde, um sein Fahrrad, um ihres herauszurollen und vors Geschäft zu stellen, damit es so aussah, als hätten sie schon Kundschaft. Jedes Mal, wenn sie ihn hörte, erinnerte sie sich daran, wie sie, kurz nachdem sie bei ihm eingezogen war, eines Morgens vor dem hochgeschobenen Tor gestanden hatte, die Einkaufstasche auf dem Boden, die Hände in die Hüften gestemmt, erschrocken und ungläubig, dass ihre Fahrräder über Nacht gestohlen worden waren. Und sie erinnerte sich auch daran, dass sie noch erschrockener und ungläubiger gewesen war, als sie ums Haus herum zum Geschäftseingang gelaufen war und die Fahrräder dort hatte stehen sehen, beide verriegelt und mit Taschen behangen.

Bleich im Gesicht, aber entschlossen, den Schlüssel zu fordern und ihn, Hard, de Sturkopp, zur Rede zu stellen, war sie hineingegangen. Es ärgerte sie, dass er Pläne machte und umsetzte, ohne sie mit ihr abzusprechen. Nach der Hochzeit hatte sie sich bereit erklärt, ihre Anstellung für ihn aufzugeben, und er hatte ihr versichert, sie in alles, was das Geschäft betraf, einzuweihen. Aber an seinen Teil der Abmachung hatte er sich nie gehalten.

»Was soll denn das?«, hatte sie gefragt und nach draußen gezeigt, immer noch ganz aufgeregt von dem doppelten Schrecken.

Er hatte nur mit den Schultern gezuckt und, wie um sich für seine Tat zu rechtfertigen, gesagt: »Das ist Psychologie, Biggi.«

»Gib mir den Schlüssel!«

»Zweiflern fällt es leichter, reinzukommen, wenn sie annehmen, es ist schon jemand drin.

»Den Schlüssel!«

»Niemand geht in ein leeres Café oder Restaurant, wenn's daneben eins gibt, in dem schon jemand sitzt und darauf wartet, bedient zu werden.«

»Das ist keine Psychologie, das ist Unsinn. Es gibt in Jericho keine andere Drogerie außer deiner.

»Unsrer.«

»Was?«

»Dies«, hatte er gesagt und die Arme ausgebreitet, »ist unsre Drogerie.«

»Nein, es ist deine. Und jetzt gib mir endlich den verdammten Schlüssel!«

Und wenn sie sich daran erinnerte, erinnerte sie sich auch an *Dallas*, an eine der ersten Folgen, als Bobby bei seinem Bruder ins Geschäft einsteigt, und J.R. ihm Einblick in die roten Akten verwehrt und das Gefühl gibt, zwar Teil des Teams zu sein, aber ein minderwertiger, weniger machtvoller, und das, fürchtete sie, würde sie auch immer sein, wenn sie Hards Drängen, bei ihm einzusteigen, nachgab.

Manchmal wünschte sie sich, sie wäre, als sie noch keine Familie waren, bei einer ihrer Radtouren einfach weitergefahren, immer weiter, mit der Fähre über den Fluss zu ihren Eltern zurück und von dort in ein anderes Leben gestartet. Stattdessen war sie ziellos durch den Hammrich bis zum Deich geradelt, hatte Stunden und Stunden auf einer Bank gesessen und aufs Wasser, auf den Schlick gestarrt. In der Ferne hatte sie die Umrisse eines Dampfers erkennen können, und sie hatte sich vorgestellt, auf Deck zu liegen, die Sonne, den Wind im Gesicht, ein Buch in der Hand, um die Welt reisend und einer ungewissen Zukunft entgegen. Sie stellte sich das manchmal immer noch vor, dass es eine Möglichkeit gab, und gleichzeitig ahnte sie, dass in jenem anderen Leben alles ebenso gewiss oder ungewiss war wie in diesem. Aber damals war sie sich einfach nur kindisch vorgekommen, und weil sie Hard nicht auch noch den Triumph hatte gönnen wollen, nach ihr suchen zu müssen und sie finden zu können, war sie wieder heimgekehrt.

Einmal hatte er sogar Fahrräder von Oltmanns ausgeliehen, Dutzende Damenfahrräder, die Oltmanns, Fahrrad Oltmanns, im Sommer während der Hauptsaison an Touristen vermietete. Aber an jenem Tag hatten sie ungeordnet nebeneinander aufgereiht vor dem Eingang gestanden, kreuz und quer, wie hastig abgestellt, um die Wirkung einer am Morgen in der *Friesenzeitung* veröffentlichten Anzeige zu verstärken: *Hausfrauen aufgepasst: Der Frühling steht vor der Tür! Allzwecktücher, Vliesfeudel, Wisch-*

mopp, Schrubber, Fußbodenreiniger, Handfeger und *Staubsauger-beutel* – Sonderangebote ab 79 Pfennig!

Die ersten Kundinnen waren noch verwundert gewesen, durch dieses Spalier in ein leeres Geschäft zu treten, hatten an ihm vorbei zum Büro, zum Fotostudio, der Dunkelkammer hingeschaut, im Atmen innegehalten, gelauscht, und dann doch zu den neben dem Tresen aufgestellten Kisten mit den Sonderangeboten gegriffen. Einige von ihnen hatten Hard gefragt, wo die anderen seien, aber auf die Gegenfrage »Welche anderen?« keine Antwort gewusst und aus Verlegenheit schnell gezahlt. Zu seinem Glück war der Laden bald so voll gewesen, dass niemand mehr die Differenz zwischen den Fahrrädern und den gierig nach Packungen und Portemonnaies greifenden Frauen bemerkt hatte.

»Psychologie«, hatte Hard in jener Nacht wieder zu ihr gesagt, während er die Kassette mit dem Geld unters Bett geschoben und das Licht ausgemacht hatte, ohne sich noch einmal nach ihr umzudrehen. »Alles Psychologie.«

Wenn er von irgendetwas keine Ahnung hat, dachte sie, dann von Psychologie. Und es schien ihr wie ein Beweis dieser Erkenntnis zu sein, dass sein Fahrradtrick irgendwann aufgeflogen war und er trotz des abnehmenden Erfolgs am Glauben seiner Anziehungskraft festhielt.

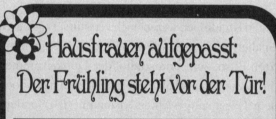

2

In Englisch war Daniel eine Null, und in jeder Stunde wünschte er sich mindestens dreimal, einen arkonidischen Psychostrahler auf Frau Zuhl zu richten und ihr damit posthypnotische Befehle zu erteilen. *Bohr in der Nase. Zieh deinen Rock hoch. Gib Daniel eine Eins.* Frau Zuhl war klein und dick und hatte dünne, weiße Haare, Flusen, fein wie Federn – selbst von ganz hinten konnte man ihre Kopfhaut sehen und die Muttermale darauf –, aber niemand wusste, ob ihr die meisten davon wegen einer Krankheit ausgefallen waren oder wegen des Alters. Nachdem sie alle Ärzte und Apotheker der Umgebung abgeklappert hatte, war sie in die Drogerie gekommen. Hard hatte ihr ein Mittel gegeben, ein Hausmittel, Procapillaris, eine rein pflanzliche Salbe, wie er nicht müde wurde zu versichern, die ihr natürliches Volumen zurückgeben werde. Das Zeug hatte ihr nach Jahren strengster Diät auch natürliches Volumen zurückgegeben, nur nicht an der Stelle, an der sie es aufgetragen hatte.

Jetzt stand Frau Zuhl kurz vor der Pensionierung. Ihre Familie war aus Ostpreußen vertrieben worden, sie hatte ihren Vater im Krieg und eine ihrer zwei Schwestern auf der Flucht verloren, bis sie über Rostock, Hamburg, Bremen hier, im äußersten Westen Deutschlands, gelandet war. In einem Anflug von Übermut hatte sie den Prokuristen Hans-Werner Hansen geheiratet, obwohl der schon einmal verheiratet gewesen war, und sich nach zwei Jahren wieder von ihm scheiden lassen, als sie entdeckte, dass er nebenbei eine andere gehabt hatte, seine spätere dritte Frau. Sie erlebte seine vierte und fünfte Frau, eine jünger als die andere, und wie alle Frauen und schließlich Hansen selbst nacheinander an Unfällen und Krankheiten, am Alter starben. Und sie litt darunter, als Einzige überlebt zu haben und dafür, dass sie sich erst auf ihn eingelassen und dann von ihm losgesagt hatte, noch immer schief angesehen zu werden.

Abgesehen von dieser Episode war sie allein geblieben. Statt sich wieder zu binden, hatte sie sich ganz der Aufgabe gewidmet, Schüler zu unterrichten und mit dem bisschen auszustatten, was sie das »Rüstzeug fürs Leben« nannte. Sie hatte sie kommen und gehen sehen, wachsen, aufblühen und verkümmern, und hatte doch jedes Jahr mit der gleichen Hoffnung, Kinder zu besseren, schlaueren Menschen zu machen, immer wieder bei null anfangen müssen. Aber das hatte man ihr, von einigen wenigen Ausnahmen abgesehen, nicht gedankt, nicht in dem Maße, wie sie es erwartet hatte.

Für die Zukunft, ihren Lebensabend, hatte sie sich schon in der Nähe ihrer anderen noch lebenden Schwester eine Dreizimmerwohnung in Garbsen bei Hannover gekauft und ein neues Auto, und wann immer sie konnte, fuhr sie in die Stadt, drei Stunden hin, drei Stunden zurück, um sich vom Land und seinen Bewohnern zu erholen. Die Zeiten hatten sich geändert. Die neue Welt hatte mit der, in der sie aufgewachsen war, nicht mehr viel gemein. Alle im Kollegium waren jünger als sie, und die Schule hatte die meisten Ideale, mit denen sie damals angetreten war – Sauberkeit, Disziplin, Ordnung –, gegen andere – lange Haare, weite Kleidung und intensive, aber, wie sie fand, zu nichts führende Gespräche – eingetauscht. Bei der Konferenz hatte sie sich dagegen gewehrt, noch einmal ganz von vorn anzufangen, ganz unten, bei den Kleinen. Dafür, hatte sie gesagt, sei sie zu alt und nicht mehr lang genug da, um sich auch noch als Klassenlehrerin um die Schüler zu kümmern, und es mache deshalb auch keinen Sinn, Fünftklässler zu übernehmen und nach einem Jahr wieder abzugeben, aber es waren einfach zu wenig Lehrer da und zu viele Kinder, mehr als sonst, sodass es nicht einmal genug Klassenräume für alle gab, und ihre Weigerung war bei der Schulleitung nicht durchgegangen.

Daniels Klasse gehörte zu den Wanderklassen, die für jedes Fach in einen anderen Raum umziehen mussten. Manchmal verbrachten sie mehrere Stunden in fensterlosen Kammern, in denen Material für den Werk- oder Kunstunterricht lagerte. Und dann gab es Tage, an denen sie im Labor an gekachelten und mit Schaltern versehenen Tischen saßen und Gedichte interpretierten oder über die Frage diskutierten, ob Jesus Gottes Sohn sei oder der von Joseph.

Am Anfang hatte man ihnen noch versprochen, einen eigenen Raum für sie zu finden, jetzt, nach sechs Wochen, sprach niemand mehr davon, und sie ahnten, dass es bis zum Ende des Schuljahres, womöglich bis zum Ende der Orientierungsstufe so bleiben würde und sie sich daran gewöhnen mussten, keinen festen Platz zu haben. Trotz der unterschiedlichen Bedingungen versuchten die Schüler die Sitzordnung aufrecht zu halten, aber es gelang ihnen nicht, und die Lehrer kamen immer wieder mit den Namen durcheinander.

Am Beginn jeder Stunde fragte Frau Zuhl Vokabeln ab, »zum Aufwärmen«, wie sie sagte. Dafür hatte sie ein eigenes Klassenbuch angelegt, in dem die Namen der Schüler standen, und dahinter die Zahlen eins oder null – eins für wahr, null für falsch. Dieser Binärcode gab Auskunft über Erfolg und Versagen und floss am Ende des Halbjahres in die Note mit ein. Sie nannte jedes Mal ein Wort aus einem der Kapitel, die sie bisher im Unterricht durchgenommen hatten und rief immer einen anderen Schüler auf, sodass sich niemand sicher sein konnte, nicht aufgerufen zu werden. Und jedes Mal, wenn sie einen Schüler auf diese Weise ansprach, klang es, als gäbe sie einem Hund die Anweisung, sich zu setzen oder Pfötchen zu geben.

»Volker«, sagte Frau Zuhl und sah dabei Daniel an. »*Rocket!*«

Keiner von beiden antwortete. Der eine fühlte sich nicht angesprochen, der andere nicht angesehen, und so saßen sie stumm, aber grinsend nebeneinander, bis Frau Zuhl ihre Aufforderung, den Begriff *rocket* ins Deutsche zu übersetzen, wiederholte.

Aber anstatt »Rakete« zu sagen, sagte Daniel: »Ich bin nicht Volker«, weil er ihm keinen Vorteil verschaffen wollte. Volker hatte ihm nämlich auch keinen Vorteil verschafft, wenn Frau Zuhl ihn versehentlich Daniel genannt hatte.

Frau Zuhl schaute auf den Sitzplan, den sie sich in der ersten Stunde gemacht hatte. Namen waren durchgestrichen und durch andere Namen ersetzt worden, Pfeile zeigten von einem Rechteck zum anderen und zurück. Der Zettel belegte, was sie schon den ganzen Sommer über gespürt hatte: dass vierzig Jahre Englisch und Mathe genug waren, mehr als genug.

»Wer bist du denn?«

»Daniel.«

»Daniel«, sagte sie wie zu sich selbst und schlug ein rotes Heft auf. Ein Lächeln huschte über ihre Lippen, als erinnere sie sich an etwas, das sie vergessen zu haben glaubte, und strich sich mit einer Hand über den Kopf. »Kuper?«

Das hatte sie ihn noch nie gefragt. Es gab keinen anderen Daniel in der Klasse, keinen Grund, ihn nach seinem Nachnamen zu fragen.

Jetzt zählte sie eins und eins zusammen. Alle Anspannung fiel von ihr ab. Plötzlich spürte sie, dass sie dieses Jahr, ihr letztes, bewältigen würde. »Daniel Kuper?«

»Ja.« Unter dem Tisch brachte er seinen Zeigefinger in Stellung. *Bohr in der Nase!*

»Drogerie Kuper?«

»Ja.« *Zieh deinen Rock hoch!*

»Bernhards – Hards Sohn?«

»Ja.« *Gib Daniel eine Eins!*

»Daniel, die Null!«

Beim letzten Mal hatte Volker nicht gewusst, was *radiator* bedeutete, und Daniel auch nicht, er wusste es immer noch nicht und hoffte, dass sie ihm das gleiche Wort geben würde, das vorhin für Volker bestimmt gewesen war.

»Also gut«, sagte sie, holte einen roten Kugelschreiber aus dem Etui und drückte die Spitze heraus, bereit, das Unwissen ihres Schülers zu dokumentieren. »Daniel, *radiator!*«

Als sie die Spülmaschine aufmachte, kam ihr warmer Dampf entgegen. Unwillkürlich schloss sie die Augen, atmete tief durch die Nase ein und durch den Mund wieder aus. Für einen Moment fühlte sie sich frisch und erholt. Der Geruch und die Wärme riefen unbestimmte Erinnerungen in ihr wach, an Saunen und heiße Quellen, an Sommerferien, Bergseen, einsame Wanderungen – und, nachdem der erste Schwall an ihr vorbeigezogen war, an chemische Reinigungen, Gifte und Autoabgase, und sie verzog das Gesicht und wartete, bis sich der Dampf über und unter ihr in nichts aufgelöst hatte. Währenddessen fragte sie sich, ob das immer so sei, ob allem Guten auch etwas Schlechtes innewohne, etwas, das nicht kontrollierbar war und aus einem herausbrach, sosehr man sich auch wünschte, es im Zaum halten zu können. Das Einzige, das Beste, was sie bisher zustande gebracht hatte, dachte sie, waren ihre Kinder. Natürlich hatten sie ihre Schattenseiten, jeder hatte welche, und sie ärgerte sich oft genug über ihre eigenen, ihren Trotz, ihren Stolz, ihre Neigung, Konflikten aus dem Weg zu gehen. Die Kinder waren weiß Gott nicht vollkommen, und manchmal schien es ihr, als würde Erziehung auch nicht viel an ihren Fehlern ändern, aber das Gefühl für sie war stärker und bedingungsloser als alles, was sie je für einen Menschen, vor allem für Hard, ihren Mann, empfunden hatte. All diese Gedanken keimten in ihr auf und verblühten wieder, ehe sie sich entfalten konnten, in weniger als ein paar Sekunden. Denn nichts fürchtete sie mehr als das: dass sie sich entfalten würden.

Und so räumte sie das Geschirr und Besteck in die Küchenschränke ein und befüllte die Spülmaschine wieder mit Geschirr und Besteck. Sie stellte die Milch und die Marmeladengläser, die Packungen mit dem Aufschnitt und dem Käse zurück in den Kühlschrank. Dann wischte sie mit einem Lappen über die Wachstuchtischdecke, nahm die Kanne hoch und blies das Teelicht im Stövchen aus. Rauch stieg aus den Löchern auf, Fäden, die zur Decke strebten, senkrecht durch die Luft schwebten, verwirbelten, verschwanden.

Verträumt blickte Birgit den Gebilden nach, sie fragte sich, was den Wetterumschwung ausgelöst haben mochte, bis sie unten auf dem Bürgersteig eine Bewegung wahrnahm. Der Schnee fiel jetzt dichter, und in dem Gestöber sah sie Hard hinterm Haus am Bordstein stehen, seine breiten Schultern leuchtend im weißen Kittel. Er schien mit jemandem, den sie nicht sehen konnte, zu reden, mal sah er in die eine Richtung, mal in die andere, er zeigte auf etwas, nickte, gestikulierte, gab irgendwelche Erklärungen ab, über das Wetter, das Geschäft, die Lage der Nation, seine Lippen bewegten sich, vielleicht kaute er auch auf etwas, vielleicht bebten sie vor Kälte. Er streckte eine Hand aus, als wollte er von einem vorbeifahrenden Auto mitgenommen werden oder eine der Flocken fangen und sie auf ihre Konsistenz hin prüfen, er schüttelte den Kopf und zerrieb sie wie Sand zwischen seinen Fingern. Genauso, dachte sie, hat der alte Knipper immer vor ihr gestanden, wenn er die Abschriften der Briefe, die er ihr diktiert hatte, verlangte, um sie noch einmal gegenzulesen.

Erst im Juni hatte sie ihn bei einem Stadtbummel in der Fußgängerzone getroffen. Zehn Jahre hatte sie als Sekretärin für ihn gearbeitet, und seit ihrer Kündigung vor zehn Jahren war sie ihm nur noch selten begegnet. Sein Haar war weiß geworden, aber nicht dünner, und er war immer noch groß und schlank. Die Zwillinge sprangen um ihn herum wie um einen Gegenstand. Julia, den Mund noch eisverschmiert, versteckte sich hinter seinem Rücken, und Andreas versuchte, seine Schwester durch die Beine des Mannes hindurch zu fangen. Immer wieder griff er nach ihr, und jedes Mal, wenn er Julia berührte, kreischte sie und sprang beiseite. Birgit schämte sich für ihre Jüngsten, traute sich aber nicht, sie in Gegenwart ihres ehemaligen Chefs zurechtzuweisen. Ihn schienen die Berührungen, die Schreie nicht zu stören, jedenfalls lächelte er die ganze Zeit, und manchmal streichelte er Julia über den Kopf, über ihre blonden Locken, als sei sie der Hund, der an ihm hochsprang und um seine Gunst warb, und nicht Birgit. Daniel stand ein paar Meter von ihnen entfernt, vor dem Schaufenster eines Spielwarengeschäftes, völlig gebannt von dem fast fünfzig Zentimeter hohen Modell des Space Shuttles Challenger, das im Januar im Fernsehen explodiert war. Er konnte die Mutter nicht hören, als sie den Mann fragte, ob es Verwendung für sie gebe.

»Aber Frau Bleeker«, er hatte sie immer mit dem Mädchennamen angeredet, »Sie wissen doch, dass wir jetzt eine andere haben.«

»Ich meine nur, falls sie schwanger wird und Sie eine Vertretung brauchen. Ich habe jetzt wieder Zeit, und einarbeiten müssen Sie mich ja nicht, ich kann alles noch wie aus dem Effeff.«

»Jaja, davon bin ich überzeugt. Sie werden's mit Sicherheit als Erste erfahren«, sagte er und kratzte sich mit einem Finger am Kopf. »Wenn's so weit ist, melde ich mich bei Ihnen.«

Aber er hatte sich nie bei ihr gemeldet.

Simone hatte den rechten Arm aufgestützt, um ihren linken zu halten, ihre schmalen Finger schnippten in der Luft und gaben ein Geräusch von sich, das wie ein hoher, heller Knall klang, wie ein Peitschenhieb. Frau Zuhl hatte ihr schon einmal zugenickt, als Zeichen, dass sie sie gleich aufrufen werde, aber das war vor einer Minute gewesen. Nichts war seither passiert, niemand hatte etwas gesagt, und Frau Zuhls Frage, was ein *budgie* sei, hing über allen im Raum wie eine schwere Last, die sich langsam und unaufhaltsam senkte. Dann klingelte es, und mit einem Seufzen sackte Simone in sich zusammen. Die ganze Stunde hatte sie nichts sagen können, obwohl sie alles gewusst hätte, alles, was Daniel nicht gewusst hatte, ein *budgie* war doch ein Wellensittich, Unit 1, Acquisition 7, *Look at the bird. It's a budgie. It's Mrs Clark's pet.* Darüber hatten sie vor vier Wochen schon einmal gesprochen, und es schien ihr eine große Zeitverschwendung, immer und immer wieder über das Nichtwissen zu reden, anstatt wie ursprünglich geplant die Szene mit Peter und Betty im *toyshop* vor der Klasse aufzuführen.

»Beim nächsten Mal nimmt sie dich ganz bestimmt dran«, sagte Volker zu ihr, das Pausenbrot schon in der Hand, als sie zusammen auf den Flur traten.

»Würd ich nicht drauf wetten«, sagte Daniel.

»Ich schon.«

»Um was?«

»Die Ehre.«

Volker hielt ihm die andere Hand hin, und Daniel schlug ein. »Ich glaube, die hat mich auf 'm Kieker«, sagte er.

»Wenn du keinen Fehler mehr machst, wird sie dich in Ruhe lassen«, sagte Simone, immer noch enttäuscht, nicht aufgerufen worden zu sein.

»Du meinst, so wie sie dich in Ruhe gelassen hat?«, fragte Volker und schob sich den letzten Bissen in den Mund.

»An mir hing sie ja nie dran.«

»Eben«, sagte Daniel. »Du bist ein Mädchen, du weißt gar nicht, wie das ist, wenn jemand an einem dranhängt.«

»Noch nicht«, sagte Volker.

»Was willst du denn damit sagen?«, fragte Simone.

»Ach, nichts.«

Simone war größer als Volker, größer als Daniel, und dünner, wesentlich dünner, »ein Strich in der Landschaft«, wie ihre Mutter immer scherzhaft sagte, ohne die Ursache dafür zu kennen, und sie schubste Volker mit beiden Händen und aller Kraft von sich, aber der bewegte sich nicht von der Stelle, sondern schwankte nur ein wenig hin und her, als hätte sie im Sportunterricht einen Sandsack angeschubst.

»Oder weißt du es etwa doch schon und willst es uns nur nicht verraten?«

»Was denn?«

»Dass du 'nen Freund hast.«

»Blödsinn.«

»Simone hat 'nen Freund, Simone hat 'nen Freund.« Triumphierend stampfte Volker die Treppen in den ersten Stock hoch. Seine Stimme, seine Schritte hallten von den Wänden wider, hell und dumpf zugleich, und Simone sprang ihm hinterher, um die Ausbreitung des Gerüchts, das er in die Welt gesetzt hatte, zu verhindern. Sie ließen Daniel allein und sahen nicht, wie Eisen und dessen Freunde um die Ecke bogen, vor ihm hergingen und immer langsamer wurden, damit Daniel auflief und ihnen in die Hacken trat und sie einen Grund hatten, ihn zu demütigen.

Daniel sah sie auch nicht, jedenfalls erkannte er sie nicht im ersten Moment, sondern nahm sie, weil er zu Boden schaute, nur als Schatten wahr, bis er auflief und Eisen in die Hacken trat.

»Na, wen haben wir denn da?« Eisen drehte sich um, die Hände in die Hüften gestemmt. »Der kleine Kuper.«

»'Tschuldigung.«

Eisen beugte sich zu ihm herab, klemmte zwei Finger hinters Ohr und fragte: »Was?«

»'Tschuldigung.«

»Das reicht nicht«, sagte Eisen und richtete sich wieder auf. »Das reicht bei Weitem nicht.« Er ging in die neunte Klasse der Realschule, trug eine Nickelbrille, weiße Turnschuhe und schwarze Lederjacken mit Aufnähern von Bands, die in keiner Hitparade auftauchten, und hatte stets einige ihm treu ergebene Jungs um sich geschart, die seine Anweisungen ausführten, oft ehe er sie ausgesprochen hatte. Er war groß und breit, zu groß und zu breit für sein Alter, es schien, als wäre er in wenigen Wochen um einen Meter in die Höhe geschossen, ohne dass alle Teile seines Körpers mit der Geschwindigkeit dieses Wachstums mitgekommen waren. Eigentlich hieß er Michael, Michael Rosing, aber niemand von den Jüngeren kannte seinen richtigen Namen. »Du weißt, dass das nicht reicht.«

»Ja«, sagte Daniel, »weiß ich.« Mit einem Gravitationsneutralisator hätte er ihn jetzt zur Decke schweben lassen können. Und er stellte sich vor, wie er dort oben neben den Neonröhren zappelte und herunterfiel und auf den Treppen aufschlug und sich das Genick brach und sein Blut über den Marmorboden spritzte und die Stufen hinablief bis in die Aula und durch die Aula hindurch und aus der Schule hinaus auf den Busparkplatz, über die Schulstraße hinüber, ins Maisfeld, eine gewaltige Blutflut, die das Land überschwemmte und Tiere und Menschen ertränkte. Das Problem war nur, er hatte keinen Gravitationsneutralisator, und er würde so schnell auch keinen bekommen.

»Das heißt?«, fragte Eisen.

»Dass ich dir die Schuhe lecken muss.«

»Genau«, sagte Eisen in das zweite Klingeln hinein und hielt ihm eine seiner Schuhspitzen hin. Die anderen lachten, einer packte Daniel und wollte ihn zu Boden drücken, aber Eisen hielt ihn zurück. »Er macht es selbst.«

»Warum eigentlich?«, fragte Daniel. Er wollte Zeit gewinnen.

»Wie warum?«

»Ich habe dir doch hinten in die Hacken getreten und nicht vorn, und trotzdem muss ich den Schuh vorn ablecken und nicht hinten.«

»Regel.«

»Wie Regel?«

»Regel!«

»Eisen, der wird mutig«, sagte der, der ihn vorhin hatte herunterdrücken wollen, und er packte Daniel wieder, für den Fall, dass er ihnen entwischte, bevor sie mit ihm fertig waren.

»Ja«, sagte Eisen. »Sieht ganz so aus. Das macht alles nur noch schlimmer für dich. Da ist es mit Schuhlecken natürlich nicht mehr getan. Wo sind eigentlich deine Schatten, der Speckhals und dieser Hungerhaken?« Er schnippte mit den Fingern. »Wie heißt die noch? Silke? Sibylle?«

»Du meinst Simone?«

»Simone, genau.«

»Oben«, sagte Daniel tonlos. »Die sind schon vorgegangen.«

»Tja, ihr Pech. Wenn die sehen würden, was wir mit dir anstellen, könnten die noch was lernen, für später, für ihre eigene Folter. Ist doch immer besser, wenn man weiß, was auf einen zukommt. Echt schade, wir haben uns extra 'n paar tolle Sachen für dich ausgedacht.«

»Was denn für Sachen?« Daniel schöpfte Hoffnung, dass alles nur ein Bluff war und Eisen nicht weiterwusste, sobald man nachfragte.

»Frank hier«, er sah den Jungen hinter Daniel an, »hat zufällig den Schlüssel zum Chemieraum. Da gibt's 'ne ganze Menge interessante Stoffe. Ethanol zum Beispiel. Das wirst du aber in der

Konzentration und in unserer Dosierung bestimmt noch nicht geschluckt haben. Wenn überhaupt.«

»Der weiß doch gar nicht, was Ethanol ist«, sagte Frank über Daniel hinweg.

»Ist doch egal«, sagte Eisen. »Wenn nicht, umso besser. Außerdem«, er wandte sich wieder Daniel zu, »wollen wir sehen, wie leitfähig dein Körper ist, vor allem unter Wasser. Und falls du dann noch aufnahmefähig dafür bist, was wenig wahrscheinlich ist, werden wir dir 'n paar der besten vogonischen Gedichte vorlesen.« Eisen nickte Frank zu, und der stieß Daniel mit der einen Hand einen halben Meter nach vorn, ohne die andere auch nur eine Sekunde von ihm zu nehmen. Daniel taumelte, und durch einen weiteren Stoß wäre er vor Eisen auf die Knie gefallen, aber in dem Moment kam Herr Kamps um die Ecke und fragte Daniel, was er hier mache. »Du müsstest doch längst oben sein.« Frank ließ von Daniel ab und tat so, als klopfte er ihm Staub oder Schuppen von der Schulter.

»Wir haben uns nur unterhalten«, sagte Eisen.

»So«, sagte Herr Kamps, der sich nicht vorstellen konnte, dass man sich mit Michael Rosing über irgendetwas ernsthaft unterhalten konnte. »Worüber denn?«

»Über Schwerkraft«, sagte Daniel, schon halb auf der Treppe.

Und weil Eisen das als Anspielung auf sein Gewicht verstand, rief er ihm nach, dass er, Daniel, sich auf etwas gefasst machen könne, auf ein Wunder, und dass er als Vorgeschmack darauf schon mal auf die nächste Pause warten solle, dann werde er ihm nämlich erklären, wie das mit der Schwerkraft und der Bodenhaftung funktioniere und wie es sich anfühle, von da, wo er ihn mit seinen Knien festnagele, nicht mehr wegzukommen.

3

Mehrmals hatte Hard ihr angeboten, bei ihm in der Drogerie als Verkäuferin zu arbeiten, halbtags, stundenweise, so wie damals, in der Zwischenzeit, als Daniel schon in den Kindergarten ging und die Zwillinge noch nicht geboren waren. Er hatte sogar in Aussicht gestellt, Frau Bluhms Vertrag, der im Dezember auslief, nicht zu verlängern, aber sie hatte alle seine Angebote ausgeschlagen und sich stattdessen, ohne es ihm zu sagen, aus einer Laune heraus bei Klaus Neemann und Günter Vehndel beworben. Der eine hatte über die *Friesenzeitung* eine Sekretärin, der andere eine Buchhalterin gesucht, und beides traute sie sich zu. Per Post hatte sie ihnen förmliche Bewerbungen geschickt, mit Lebenslauf, Arbeitsproben und Zeugnissen. Sie war nie zu einem Vorstellungsgespräch eingeladen worden und hatte auch nie eine Absage erhalten, und jetzt, nach zwei Wochen, war es ihr unangenehm, dort hinzugehen und die Männer, die sie angeschrieben hatte, zu grüßen, weil sie nicht wusste, warum man sie ignoriert hatte, und es zu spät war, danach zu fragen.

Birgit war in der Kreisstadt geboren und aufgewachsen, aber sie kannte Klaus und Günter schon lange, lange bevor sie nach Jericho gezogen war, seit ihrer Zeit bei Knipper. Alle Unternehmer der Gegend kannten sich, entweder weil sie geschäftlich miteinander zu tun hatten, als Konkurrenten oder Freunde, oder persönlich über die Schule, die Kirche, den Sportverein. Und sie hatte Klaus und Günter besser kennengelernt, nachdem sie Hard besser kennengelernt hatte. In den Anschreiben hatte sie die beiden gesiezt, um deutlich zu machen, dass es ihr nicht ganz ernst war – und doch ernst genug, um sich Hoffnung machen zu dürfen, genommen zu werden.

Klaus und Günter waren seit Langem mit Hard befreundet. Sie sangen zusammen im Männergesangsverein, spielten Skat – sie nannten sich scherzhaft »Die notwendigen Drei« – und standen sonntags auf dem Sportplatz an der Stange, um den Jungs von Germania Jericho beim Fußball zuzugucken. Einmal die Woche, meistens samstags, selten freitags, verbrachten sie den Abend im Strandhotel an der Bar und redeten bei Bier und Schnaps über Politik, Fußball, das Geschäft – die Themen, über die sie sonst auch redeten, nur nicht so ausführlich und berauscht, weil sie keine Zeit zu fürchten brauchten und am nächsten Morgen ausschlafen konnten.

Ihre Kinder gingen zusammen in den Kindergarten und zur Schule, und ihre Frauen, Marlies und Sabine, waren Birgit so vertraut, dass sie nicht mehr sagen konnte, ob sie Freundinnen waren oder nicht. Sie trafen sich regelmäßig zum Tee oder Kaffee, spielten Mau-Mau, wenn die Männer Skat spielten – sie nannten sich dann scherzhaft »Die notwendigen Drei der notwendigen Drei« –, gingen spazieren oder ins Kino, tauschten Geschichten, aber keine Geheimnisse aus.

Mit den Jahren war dieser Kreis eng und enger geworden, ohne dass sie es bemerkt hatte. Und inzwischen schienen sie über unsichtbare Drähte miteinander verbunden zu sein. Es verging kein Tag, an dem Hard und sie nicht über den einen oder anderen sprachen, weil einer von ihnen eine oder einen von ihnen im Dorf getroffen hatte.

Trotzdem war sie allen in den vergangenen Tagen aus dem Weg gegangen – soweit ihr das möglich gewesen war. Bei Besuchen hatte sie Kopfschmerzen vorgetäuscht und sich ins Schlafzimmer verzogen. Ihren eigenen Geburtstag am 13. September hatte sie ausfallen lassen, mit der Begründung, später in größerem Rahmen nachzufeiern. Eis und Kuchen, Fisch, Fleisch und Erbsen, alles, was sich einfrieren ließ, hatte sie aus dem Katalog bestellt und die anderen Einkäufe in den Nachbardörfern, der Kreisstadt erledigt.

Sie hatte sich eine Liste gemacht, der Zettel lag auf der Anrichte, Kohlrabi, Schlagsahne, Butter, Milch, Käse, Salami, Bierschinken, Sonnenblumenöl, Salat, Weißkohl, Rotkohl, grüne Bohnen, Petersilie, Schnittlauch, Eier, Äpfel, Bananen, Orangen, Möhren, Kartoffeln, Spaghetti, Ketchup, Mayonnaise, Vanillepudding für Julia, Götterspeise – Kirsche oder Waldmeister – für Andreas, Schokopudding für Daniel, Kaffee, Tee, Senf, Mehl, Nutella, Kakao, Orangensaft, Apfelsaft, Cola, Wasser, Bier, praktisch alles, was sie vor einer Woche eingekauft hatte, war weg, und sie musste los, um für die ganze Familie Nachschub zu holen. Sie ging die Liste noch einmal durch, verglich die Angaben mit dem Inhalt der Schränke, nahm den Autoschlüssel vom Haken, den Schal und die Handschuhe aus der Schublade, zwei Plastiktüten aus dem Putzschrank, die Jacke von der Garderobe, hörte das Telefon klingeln, das Haustelefon, die grüne Lampe am Apparat leuchtete, und schlich, auf die äußersten Enden der Stufen tretend, nach unten. Sie wollte nicht mit Hard sprechen, nicht um diese Zeit. Sie hatte Angst, er könnte sie aufhalten mit irgendeinem Anliegen und ihren Vormittag durcheinanderbringen. Er gab ihr nämlich Aufträge, Telefonate mit Kunden und Vertretern, Botengänge im Ort – feine Schlingen, die sich wie Schmuck um ihre Knöchel legen und ins Geschäft ziehen sollten.

Unten angekommen, verlangsamte sie ihre Schritte, bis sie ganz zum Stehen kam. Die Bürotür, die das Treppenhaus mit dem Geschäft verband, war einen Spaltbreit offen. Mit den Spitzen ihrer Schuhe trat sie auf den Boden auf, darauf bedacht, kein

71

Geräusch zu machen. Sie konnte Hard nicht sehen, aber sie konnte ihn hören, sein Atmen, darauf wartend, dass sie oben endlich abnahm. Sie beugte sich vor, umklammerte mit einer Hand die Türklinke, hielt dann aber inne, weil sie wusste, dass er es merken würde, wenn sie die Haustür hinter sich zumachte. Seit Monaten ließ sie sich nicht mehr richtig schließen. Man musste sie mit aller Kraft zuschlagen, damit sie ins Schloss fiel.

Birgit hatte Hard mehrmals darauf aufmerksam gemacht, und er hatte versprochen, sich darum zu kümmern. Und jetzt ärgerte es sie, dass sie sich auf ihn verlassen hatte und nicht selbst aktiv geworden war und jemanden angerufen hatte, der das Problem beseitigte. Sie ließ die Klinke los und überlegte, was sie sagen sollte, wenn er plötzlich die Bürotür aufriss und sie hier entdeckte. Aber dann hörte sie, wie er den Hörer auf die Gabel knallte, wie es, fast im selben Moment, wieder klingelte und er, vom Warten gereizt, brüllte: »Kuper, Jericho«, und leiser, ruhiger hinzufügte: »Ach, du bist ist es. Nein, alles in Ordnung. Alles läuft nach Plan.«

Kuper, Jericho. Jedes Mal stellte er sich am Telefon mit diesen Worten vor. Und jedes Mal, wenn sie es hörte, schüttelte sie den Kopf, weil es mehr als einen Kuper im Dorf gab und mehr als ein Jericho in Deutschland und er sich anmaßte, für Außenstehende in jeder Hinsicht einzigartig zu sein. Und während Hard weitersprach, während er sagte: »Die ist schon weg« und: »Das wird sie schon merken«, verließ Birgit das Haus, ohne die Tür hinter sich zuzuziehen.

Das Garagentor war hochgeschoben, die Autotür nicht abgeschlossen. Es war zwar noch nie etwas gestohlen worden, trotzdem wunderte es sie, dass Hard, der sonst auf alles ein Auge hatte, in diesem Fall so nachlässig war. Sie setzte sich, stellte den Sitz nach vorn und strich, wie um den Wagen zu begrüßen, mit einer Hand übers Lenkrad. Drei Jahre hatten sie den Opel jetzt, und bisher hatte er ihnen keine Schwierigkeiten gemacht. Sie waren damit in den Schwarzwald und an die Ostsee gefahren, hatten Ausflüge in die Lüneburger Heide und nach Holland unternommen, Großhändler und Messen in Bremen und im Münsterland besucht und waren jedes Mal, ohne irgendeinen Schaden zu nehmen, nach Hause zurückgekehrt. Hard brachte den Wagen regelmäßig zur Inspektion, und samstags wusch er ihn mit einer Geduld und Hingabe, die er ihr nicht zuteil werden ließ. Es bestand kein Anlass, einen neuen zu kaufen, und doch hatte Hard schon nach einem anderen Modell Ausschau gehalten, Angebote eingeholt und zu ihr gesagt: »Man muss den Alten abstoßen, solange er noch gut in Schuss ist.«

Und als sie jetzt den Schlüssel ins Schloss steckte und daran drehte, glaubte sie selbst, dass es Zeit für einen Wechsel sei. Der Motor sprang nicht an. Sie versuchte es wieder und wieder, aber mehr als ein Wimmern war nicht aus ihm herauszubringen. Obwohl sie wusste, dass es nicht helfen würde, weil sie keine Ahnung von diesen Dingen hatte, öffnete sie die Kühlerhaube und sah sich die Batterie, den Ölstand, die Zündkerzen an. Dann ging sie zu Hard in den Laden und sagte: »Der Wagen springt nicht an.«

»Was?«

»Der Wagen springt nicht an.«

»Nix.«

»Ist aber so.«

Er ging mit ihr hinaus, setzte sich auf den Fahrersitz, drückte die Kupplung, die Bremse und drehte den Schlüssel im Schloss herum – nichts als ein Wimmern. Trotzdem gab er nicht auf. Er stieg aus, schob sie beiseite, beugte sich über den Motor, sah sich die Batterie, den Ölstand, die Zündkerzen an und kam zu dem gleichen Schluss wie sie zuvor: dass irgendetwas defekt sein müsse. »Ich werd Busboom anrufen, der soll sich das mal ansehen, wahrscheinlich liegt's an den Kontakten oder der Batterie, anders kann ich's mir nicht erklären.« Er sah an ihr vorbei in den Himmel, als fände er dort die Erklärung für alles. »Schnee im September. So was hab ich noch nicht erlebt.«

»Ich auch nicht«, sagte sie und folgte seinem Blick. »Meinst du, da ist wieder was passiert?«

»Wo?«

»Drüben. In Russland.«

»Nix«, sagte er, »wüssten wir doch längst.«

»Von Tschernobyl haben wir auch erst Tage später erfahren.«

»Ich trau den Russen ja auch nicht übern Weg. Aber jetzt sind wir doch viel besser auf so was vorbereitet. Wir haben doch jetzt überall Messstationen und Satelliten. Wahrscheinlich hat das eine völlig natürliche Ursache.« Und ohne eine Pause zu machen, wechselte er wieder das Thema. »Brauchst du den Wagen dringend, ich meine, jetzt gleich?«

»Ich wollte was einkaufen.«

»Kannst doch das Fahrrad nehmen.« Er nickte in Richtung Fahrradständer.

»Damit komme ich aber nicht weit.«

»Zu Superneemann schon.«

»So, mit dem Korb und den Tüten, krieg ich aber nicht alles mit.«

Er zuckte mit den Schultern, als wollte er sagen: »Das ist dein Problem.« Dann sagte er: »Hab grad schon versucht, dich zu erreichen, aber da warst du wohl schon unten, ich wollte dich bitten, meinen Anzug bei Vehndel abzuholen. Ich kann grad nicht weg, weil ich auf eine Lieferung warte, sonst würd ich's selbst machen.«

»Muss das denn unbedingt heute sein?«

»Um acht ist doch schon unser Auftritt bei Johann, und da sollen wir alle in Uniform antreten, und –«

»Johann?«

»Rosing, der Bauunternehmer. Der hat doch heute Geburtstag, ist fünfzig geworden, und, also, jedenfalls, er hat uns eingeladen.«

»Uns?« Sie zeigte mit einer Hand abwechselnd auf Hard und auf sich.

»Nein, nicht uns beide. Uns Männer. Wir sollen da singen. Erst kommen wir, dann der Posaunenchor. Aber das weißt du doch, das musst du doch wissen, davon hab ich dir doch am Wochenende erzählt.«

»Ach ja«, sagte Birgit unbestimmt und sah auf ihre Armbanduhr, »aber ich weiß nicht, ob ich das alles jetzt noch schaffe.«

»Da mook di man kien Kummer um«, manche Sätze, solche, die zu Redewendungen geworden waren, sprach Hard Plattdeutsch aus, »du gehst einkaufen und ich versorg die Kinder. Wär ja nicht das erste Mal, dass ich was koche.«

Das letzte Mal, als er angeboten hatte zu kochen, hatte er Pfannkuchen machen wollen. Er hatte an alles gedacht und alles richtig gemacht, Mehl mit Milch und Mineralwasser verrührt, Eier und Zucker dazugegeben, den Teig in die heiße Pfanne gegossen. Nur das Fett zum Anbraten hatte er vergessen. Und deshalb lächelte sie ihn jetzt an, sagte: »Wenn du meinst«, ging zu ihrem Fahrrad, ließ die Verriegelung zurückschnappen und fuhr, immer noch lächelnd, neuen Überraschungen entgegen.

In der zweiten Stunde hatten sie WUK, Welt- und Umweltkunde. Arbeit mit Globus und Atlas. Höhen und Höhenlinien. Herr Kamps spannte eine Karte auf und bat Daniel, mit einem Stock Berge und Täler zu zeigen. Den Brocken, das Rheintal, den Feldberg, das Rothaargebirge, den Königssee, die Alpen. Zweimal setzte Daniel zu hoch an, und Herr Kamps korrigierte ihn, indem er seinen Arm ein paar Zentimeter nach unten drückte. Das

Driften der Erdplatten war schneller als die Fortschritte der Schüler.

Dann fragte Herr Kamps, was die Abkürzung NN bedeute. Daniel zuckte mit den Schultern, er war nicht vorbereitet, hatte, anstatt die Hausaufgaben zu machen, im WUK-Buch zurückgeblättert, weil er es nicht fassen konnte, dass sie das Kapitel *Vorstoß in den Weltraum* bereits hinter sich gelassen hatten, als gäbe es nichts Wichtigeres als den dritten Planeten des Sonnensystems. Das Ganze erschien ihm wie eine abgebrochene Marsmission: Sie hätten in unendliche Weiten vordringen können, waren aber wegen eines Triebwerkschadens auf dem Mond notgelandet und in der darauf folgenden Stunde sicherheitshalber zur Erde zurückgekehrt. Zweihundertvierzig Seiten für Stadt und Land, Pol und Äquator, Germanen und Römer, zwei fürs Universum. Nach jener Stunde hatte er Herrn Kamps vom Arkon-System erzählt, von Naat, vom Mahlstrom der Sterne und von der Galaxie Ploohn-Nabyl, fünfhunderteins Millionen Lichtjahre von der Milchstraße entfernt, aber davon hatte Herr Kamps nichts wissen wollen.

»Na, für was steht NN? Wer weiß es?« Als Herr Kamps sich zur Klasse umdrehte, merkte er, dass die anderen ihnen keine Beachtung geschenkt hatten, sondern aus den Fenstern starrten. Für einen Moment war auch er wie gebannt, Regen oder Schnee oder ein heftiger Sturm hatten eine meditative Wirkung auf ihn, minutenlang konnte er zuschauen, ohne an etwas anderes zu denken, als an das, was er sah, um sich dann, ganz plötzlich, als hätte ihn jemand an die Schulter getippt, aus diesem tranceartigen Zustand wieder herauszureißen. »Das ist der Treibhauseffekt.«

»Müsste es dann nicht wärmer werden?«, fragte Simone.

»Nicht unbedingt«, sagte Herr Kamps. »Die Polkappen schmelzen. Der Golfstrom versiegt. Die Jahreszeiten verschieben sich.

Im Sommer ist Winter, im Frühling Herbst und umgekehrt.« Er wollte noch mehr sagen und ihnen das Leben von Morgen erklären: die Versteppung der Welt, gebrochene Deiche, überflutete Felder, extreme Hitze, eine neue Eiszeit. Er zog die eine Hälfte der Tafel herunter und schob die andere, auf der rot umkringelt die Worte *Meeresspiegel* und *Querschnitt* und *Topographische Karte* standen, nach oben, um ihnen mit Kreide aufzumalen, was er meinte. Die Schüler schauten sehnsüchtig nach draußen, am liebsten wären sie hinausgelaufen und hätten den Schnee umarmt, aber sie mussten bis zur Pause warten und hatten Angst, dass er bis dahin schon wieder geschmolzen sein würde.

Mit wenigen Strichen skizzierte Herr Kamps das Ende der Menschheit. Der Atlantik war durchgestrichen, die Nordhalbkugel weiß schraffiert, die Atmosphäre durchlöchert von Sonnenpfeilen. Und als er merkte, dass das nicht half, dass die Schüler immer noch nach draußen schauten, als wäre der Kälteeinbruch ein erstes Zeichen für den Himmel und nicht die Hölle auf Erden, ließ er die Rollläden herab und holte seine Geheimwaffe heraus: Vorher-Nachher-Bilder, Fotos und Zeichnungen, vom Bayrischen Wald, der Antarktis, den Küsten Bangladeschs, vergrößert und auf Folie kopiert. Er legte sie nacheinander auf den Overheadprojektor und warf sie hinter sich an die Wand. Er wartete auf das Entsetzen in der Dunkelheit, das Schweigen, und ärgerte sich, dass er wegen des gespiegelten Lichts, das ihm von der Seite entgegenschlug, nicht in ihre Gesichter sehen konnte. »Das wird passieren, und es wird hier und euch zuallererst passieren«, sagte er abschließend, ohne das Gerät auszuschalten, er wollte das letzte Bild von im Schlamm steckenden Rinderleichen noch ein wenig auf sie wirken lassen. »Was heißt denn jetzt NN?« Er hörte, wie Simone mit ihren Fingern schnippte, und rief sie auf.

»Normalnull.«

»Genau. Normalnull, ausgehend vom Meeresspiegel, der Bezugspunkt für Höhen, die darüberliegen. Und wo liegen wir hier? – Ja, Simone?«

»Auf Normalnull.«

»Auf Normalnull«, wiederholte Herr Kamps, wobei seine Stimme eine Oktave tiefer rutschte, erleichtert, das Ziel der Unterrichtseinheit erreicht zu haben. »Wir sind Normalnull. Und wir werden untergehen, wenn sich nichts ändert.« Als es klingelte, fuhr er die Rollläden wieder hoch und sah den Schülern nach, die, die Köpfe gesenkt, aus dem Raum drängten, froh, endlich durch den Schnee toben und die Vorstellung, Normalnull zu sein, für zwanzig Minuten hinter sich lassen zu können.

Klaus Neemann kam nicht aus Ostfriesland. Er war in Lüneburg geboren, aber in der Nähe von Bremen, in Osterholz-Scharmbeck, aufgewachsen und dann hierher gekommen, ein Zugezogener mit großen Plänen. Vor Jahren hatte er den Tante-Emma-Laden in der Bahnhofstraße übernommen. Herr und Frau Hinrichs hatten keine Kinder und niemanden gefunden, dem sie das Geschäft vermachen konnten. Also hatten sie eine Anzeige in der *Friesenzeitung* aufgegeben, und Neemann hatte ihnen ein gutes Angebot gemacht, ein besseres als alle anderen, und versprochen, den kleinen Laden in ihrem Sinne weiterzuführen.

Einige Jahre hatte er sich auch an sein Versprechen gehalten, bis er genug Geld zusammenhatte und von der Bank einen Kredit bekam, um die Wiese neben dem Sportplatz zu kaufen und dort einen eigenen Supermarkt zu bauen, den ersten im Dorf, den ersten im Umkreis von zwanzig Kilometern. Aber auch damit hatte er sich nicht zufriedengegeben. Er wollte eine Kette gründen und den Konzernen Konkurrenz machen, wollte allen zeigen, dass er keine Angst hatte, dass es jeder schaffen konnte, sich ihrer Macht entgegenzustellen.

In den umliegenden Dörfern hatte er bald sämtliche Lebensmittelgeschäfte aufgekauft und geschlossen und im ganzen Landkreis vier weitere Supermärkte unter dem Namen Superneemann errichtet, die dem ersten zum Verwechseln ähnlich sahen. Die Witwen, die keinen Führerschein hatten – und davon gab es viele –, hatten es ihm anfangs übel genommen, dass sie jetzt weiter laufen mussten, um einkaufen zu können, aber dann hatte er einen Taxiservice organisiert und sie dadurch besänftigt. Man holte sie von zu Hause ab und brachte sie wieder dorthin zurück und trug ihnen sogar die Taschen bis vor die Tür. Die Familien dagegen waren gleich begeistert, endlich fast alles unter einem Dach zu bekommen, ohne von einem Ort zum anderen fahren und nach freien Parkplätzen suchen zu müssen. Und mit einigen Einzelhändlern, den Mächtigsten, hatte er sich insoweit abgesprochen, dass er ihnen nicht in die Quere kam. Bei Superneemann gab es keine Möbel, Textilien oder Drogeriewaren, sondern Lebensmittel: Obst und Gemüse, Süßigkeiten und Spirituosen, Fisch und Fleisch.

Nie war irgendwas verdorben oder das Mindesthaltbarkeitsdatum überschritten. Nie gab es einen Grund zur Klage, und doch hielt sich bei den Leuten hartnäckig der Glaube, dass ein Supermarkt, eine Kette vor allem, nichts Frisches liefern könne, und deshalb hatten viele noch bis Ende April Milch und Käse direkt von der Molkerei gekauft und waren in die Kreisstadt zum Wochenmarkt gefahren oder zu den Bauernhöfen, die längs der Bundesstraße mit selbst gemalten Schildern für ihre Produkte warben.

Birgit liebte es, mittwochs in die Kreisstadt zu fahren und dann über die Feldwege zurück, Radio zu hören, während Wiesen und Bäume an ihr vorbeizogen, und an den Ständen oder in den Geschäften mit Leuten zu sprechen, die nicht jeden Tag bei ihnen ein- und ausgingen und wussten, wer sie war und was sie machte. Sie hatte auch daran festgehalten, als der Wochenmarkt wegen der Strahlenbelastung vorübergehend geschlossen worden war, und es ärgerte sie, dass sie heute darauf verzichten und sich mit dem Fahrrad einen Weg durch den Schnee bahnen musste, der inzwischen den Boden bedeckte und den Unterschied zwischen Straße und Bürgersteig fast vollständig verwischt hatte. Eine gleichmäßige, ebene Fläche: vor ihr nichts, neben ihr nichts, hinter ihr eine schmale Spur, die schon bald nicht mehr zu verfolgen sein würde.

Sie beugte den Kopf nach vorn und trat in die Pedale. Aus den Augenwinkeln sah sie, wie Autos ins Schlingern gerieten und mitten auf der Straße stehen blieben, wie rechts und links Menschen aus den Häusern kamen und mit bloßen Händen in den Schnee griffen, wie kleine Kinder an den Fahrradständern vor dem Supermarkt eine Schneeballschlacht begannen und Klumpen zu Figuren auftürmten. Es war wie ein Fest, nur ihr war nicht nach Feiern zumute, und im ersten Moment war sie froh, als sich die Schiebetüren hinter ihr schlossen und aus dem Lautsprecher über ihr ein Lied kam, das sie kannte und ihr das Gefühl gab, zu Hause zu sein.

Sie nahm sich einen Einkaufswagen und holte die Liste hervor, um nicht wieder zum Obststand zurückkehren zu müssen, wenn sie an der Kasse merkte, dass sie die Äpfel aus Neuseeland, Argentinien oder Chile vergessen hatte. Sie lief durch die Gänge, an den Regalreihen entlang, wusste genau, wo was war, hatte alles geplant, und doch schien ihr, als greife sie wahllos in die Kisten und lade den Wagen voll, um möglichst schnell wieder hinauszukommen. Immer wieder sah sie sich um, aus Angst, Klaus Neemann zu begegnen, und gleichzeitig überlegte sie, ob es nicht besser wäre, einfach zu ihm ins Büro zu marschieren und das Thema von sich aus anzusprechen und dann den Mut zu nutzen, um auch gleich bei Vehndel vorstellig zu werden.

»Moin, Frau Kuper.«

Die Frau an der Fleischtheke, Frau Spieker, beugte sich über den Tresen und reichte ihr eine zusammengerollte Scheibe Mortadella, als wäre sie ein Kind, das man damit ködern könnte.

»Lange nicht gesehen.«

Birgit nahm das Stück, verlangte sogar noch eins, wie um sich für ihr Vorhaben zu stärken, und sagte, ohne auf den Vorwurf zu reagieren: »Dreihundert Gramm davon, dreihundert Gramm Salami und ein Pfund Bierschinken, bitte.«

»Geschnitten?«

Birgit nickte. Frau Spieker nahm die Fleischwürste aus der Glasvitrine und schob sie nacheinander in eine der Maschinen, die auf einem Podest an der Wand standen und im Neonlicht glänzten. Zwischen die Scheiben legte sie Plastikfolien, damit sie später leichter voneinander zu trennen waren. Sie wog die drei Sorten, packte sie getrennt ab, tippte den Betrag in die Kasse ein und fragte, ohne aufzuschauen: »Und außerdem?«

»Das war alles.«

»Dan-ke.« Frau Spieker sagte es immer mit einer Melodie in der Stimme, die von ganz unten nach ganz oben ging, von tiefsten Tiefen zu höchsten Höhen.

Nirgendwo bedankt man sich dafür, keinen neuen Auftrag erhalten zu haben, außer an der Fleisch- oder Käsetheke, dachte Birgit, und obwohl sie es gewohnt war, dass dieses Gespräch so endete, so versöhnlich, dankbar für nichts, wunderte sie sich doch jedes Mal darüber. Für einen Augenblick hatte sie das Gefühl, alles wäre in Ordnung und ihre kleinen Fehler, die Bewerbungen hinter Hards Rücken, würden keine großen Folgen haben.

Als sie die Tüte entgegennahm und sich zum Wagen hin umdrehte, sah sie Klaus Neemann an den Tiefkühltruhen stehen. Er trug ein kariertes Jackett mit zu viel Watte in den Schultern, sein

Bauch wölbte sich über dem Gürtel, die Hose spannte an den Oberschenkeln – alles an ihm wirkte aufgepumpt. Er lächelte und hob beide Hände, als hätte er sie schon überall gesucht und endlich gefunden.

Für zehn Sekunden standen sie sich schweigend gegenüber, unentschlossen, wie sie sich anreden, was sie machen sollten. Dann umarmte er sie, überschwänglich und etwas zu lange für eine Begrüßung, wie sie fand, klopfte ihr mit der einen Hand auf den Nacken und strich ihr mit der anderen den Rücken hinunter.

Von überallher flogen Schneebälle durch die milchige Luft. Die Fronten auf dem Schulhof waren schwer auszumachen. Es gab viele über und über mit Schnee bedeckte und darum kaum voneinander zu unterscheidende Gruppen: einige, die sich gegenseitig bewarfen, andere, die gemeinsam auftraten, und wieder andere, die sich noch nicht für eine einheitliche Strategie entschieden hatten.

Daniel und Volker hatten sich erst in einer Ecke neben dem Eingang zum Hauptgebäude beworfen, ganz darauf konzentriert, keine Stelle ihrer Körper auslassen, dann, als sie weiß waren, hatten sich beide mit den anderen Jungs zusammengetan, um sich auf die Mädchen zu stürzen. Jetzt bewarfen sie die Schüler der Parallelklasse, die sich gleichzeitig auf der anderen Seite gegen die aus der Sechsten zur Wehr setzen mussten. Es sollte nicht mehr lange dauern, bis die Fünften miteinander verschmelzen würden, so wie die anderen Jahrgänge miteinander verschmolzen waren, weil das Alter in diesem Getümmel noch die sichtbarste Grenze darstellte und seine natürliche Autorität von der obersten Klasse bis zur untersten wirkte, ohne von jemandem infrage gestellt zu werden.

Zwischendurch hielt Daniel nach Eisen und dessen Freunden Ausschau, konnte sie aber nirgends erkennen. Ständig musste er sich ducken, und sobald er innehielt, wurde er von allen Seiten getroffen. Ziellos schleuderte er seine Munition in die Menge, beugte sich hinab und formte aus der weichen Masse neue Bälle. Als er sich wieder aufrichten wollte, spürte er einen Schmerz, durchdringend und stärker als jeder Schlag. Für einen Moment hatte er nicht aufgepasst und die Deckung aufgegeben, und in dieser Zeit war er ein Opfer der Kälte geworden. Seine Augen waren kristallisiert und reflektierten das Licht tiefgekühlter Sonnen. Die Temperatur von minus neunhunderteinundsechzig Grad Celsius war fast erreicht. Er stand im Bann des Psychofrosts, sein Bewusstsein erstarrte, und er dachte immer und immer wieder denselben Satz, dass er die Eisigen vernichten müsse, bevor sie ihn vernichteten.

Die Aufsichtslehrer rannten hin und her, hielten einen Jungen fest, wenn sie das Gefühl hatten, er hätte das Spiel zu weit getrieben, und ließen ihn wieder los, wenn sie merkten, dass ein anderer Junge, nur wenige Meter von ihnen entfernt, es noch weiter getrieben hatte. Sie waren gerade dabei, zwei Siebtklässler auseinanderzubringen, als sie die Rufe nach Blut hörten und den Pulk sahen, der sich wie eine runde Mauer um Eisen und Daniel gebildet hatte.

4

Er sagte, er würde gerne etwas mit ihr besprechen, sie wisse schon, was, den Einkaufswagen könne sie hier stehen lassen, und ging vor zum Büro. Er war der einzige echte Bass im Männerchor, und seine Stimme dröhnte bei Konzerten durch den Saal, dass sie eine Gänsehaut bekam. Auch jetzt bekam sie eine Gänsehaut, und sie strich sich mit den Händen über die Jackenärmel und sah sich dabei um, als fürchtete sie, jemand hätte es bemerkt.

Dann folgte sie ihm durch einen Gang, von dem rechts und links weitere Gänge abzweigten, bis sie vor einer Tür haltmachten, auf der sein Name stand. Der Raum war niedrig und dunkel, obwohl von zwei großen, einander gegenüberliegenden Fenstern Tageslicht hereinfiel. Aber die Fenster waren mit dichten Gardinen verhängt und die Wände bis zur Decke hoch mit Eichenholzpaneelen vertäfelt.

Als er die Tür hinter ihr schloss und alle Geräusche aus dem Supermarkt erstarben – die Musik aus den Lautsprechern, das Klimpern der Kassen, die Gespräche der Kunden –, fühlte sie sich an einen Bunker erinnert, als müsse er sich vor irgendetwas oder irgendwem schützen und nutze das Büro als Rückzugsort, ein Eindruck, der durch die zugezogenen Rollschränke ringsum und eine ausgeklappte Liege in der Ecke noch verstärkt wurde.

»Entschuldige«, sagte er und strich das Bettzeug glatt, ein einfaches Laken und ein Kissen, auf dem eben noch der Abdruck eines Kopfes zu sehen gewesen war. Mit einer Handbewegung wies er ihr einen Platz zu, ein Sessel vor dem Schreibtisch. Sie erinnerte sich, schon einmal hier gewesen zu sein, vor Jahren, mit Hard, als sie Klaus vor dem Supermarkt begegnet waren und er sie in seinem Büro zu einem Getränk eingeladen hatte. Aber damals hatte noch keine Liege in der Ecke gestanden und an den Wänden hatten noch Familienbilder gehangen, Fotos von Marlies und den Kindern.

Alles hier roch muffig und feucht, für einen Moment meinte sie, keine Luft mehr zu bekommen, sie schluckte, räusperte sich, und er ging zu einem der Schränke und nahm aus einer Klapplade, einer Bar mit Eisfach, eine Flasche und zwei kleine, ineinandergesteckte Gläser.

»Schnaps?«

Sie schüttelte den Kopf und sah auf die Uhr. Es war erst halb zehn, aber er schenkte beide bis zum Rand voll, als hätte er ihre Geste nicht bemerkt. Dann reichte er ihr eins der Gläser, und sie nahm es hin wie ein Geschenk, von dem sie wusste, dass sie es schon besaß. Sie stieß nicht mit ihm an, und sie trank es auch nicht mit zurückgeworfenem Kopf in einem Zug leer wie er, sondern stellte es vor sich auf den Schreibtisch.

Wieder trat er dicht an sie heran. Er stand jetzt direkt hinter ihr und sprach leise auf sie ein, seine Stimme zu einem Flüstern gesenkt, aber immer noch so tief und durchdringend, als massiere er ihr mit Worten die Schultern. »Wir sind von anderen Sternen«, sagte er. Sie spürte das Kribbeln, das von oben nach unten durch ihre Haut schoss, spürte, wie sie rot wurde und unter den Achseln zu schwitzen begann. »Du und ich, wir gehören nicht hierher.«

Sie starrte geradeaus und dachte, dass sie jetzt doch einen Schluck gebrauchen könnte, etwas Kräftiges, um das hier durchzustehen. Sie hatte die Hand schon nach dem Glas ausgestreckt, saß schon halb vorgebeugt, da sah sie ihre Bewerbungsmappe aufgeschlagen auf dem Schreibtisch liegen.

Nach der Pause hatten sie eine Doppelstunde Sport, Bodenturnen, Handstand, Kopfstand, Rolle vorwärts, Rolle rückwärts. Radschlagen mit und ohne Wende. Eisen war nach Hause geschickt worden, und seinem Vater hatte man einen Blauen Brief geschrieben, aber Daniel wäre es lieber gewesen, man hätte ihn nach Hause geschickt und seinem Vater einen Blauen Brief geschrieben, um ihn vom Sportunterricht zu befreien, zumindest für eine Stunde, für einen Tag.

Er hasste es zu schwitzen, aber nachher mit den anderen zu duschen, hasste er noch mehr. In dieser Hinsicht war er Volker inzwischen ähnlicher, als ihm früher, vor drei Jahren, lieb gewesen wäre. Beide versuchten immer, sich so wenig wie möglich zu bewegen, und zogen es vor, lieber leicht verschwitzt in Deutsch, in Mathe nebeneinanderzusitzen, als ihre nackten Körper, und sei es nur für Sekunden, Blicken preiszugeben. Aber beide taten es aus anderen Gründen.

Daniel war der Letzte, den man aufrief, wenn es galt, für ein Spiel eine Mannschaft zusammenzustellen. Selbst Volker wurde ihm vorgezogen, weil er bei Fußball oder Handball seinen Körper einzusetzen vermochte, ohne Geschicklichkeit beweisen zu müssen. Es reichte aus, dass er in der Abwehr oder der Mitte der Mauer stand, seine Schulter, sein Knie, seinen Bauch herausstreckte und den Gegner auflaufen oder den Ball abprallen ließ.

Daniel dagegen war schmächtig, langsam, unbeholfen. Er begriff die Regeln nicht, war immer zur falschen Zeit am falschen Ort und hatte seine Arme und Beine nicht einmal insoweit unter Kontrolle, dass die Bälle die Richtung nahmen, die sie seiner und ihrer Ansicht nach nehmen sollten.

Das Erlebnis, Teil einer Bewegung zu sein, trotz aller Unterschiede, blieb ihm verwehrt, und er sah verwundert mit an, was in der Turnhalle mit denen geschah, die in den Klassenräumen so weit wie möglich voneinander entfernt saßen: Im Sport galten andere Regeln, hier fanden sich neue Gruppen zusammen, Jungs und Mädchen, die sich sonst nicht leiden konnten, spielten einander Bälle zu, als würden sie den ganzen Tag nichts anderes machen. Für eineinhalb Stunden waren sie die besten Freunde, aber sobald es klingelte, zerstreuten sich diese Gemeinschaften wieder, als hätten sie nie existiert. Nur Daniel war immer außen vor. Wer ihn auf seiner Seite hatte, verlor. Und alle waren erleichtert, wenn wie heute Einzelsportarten auf dem Programm standen: Die Ehrgeizigen konnten sich vor dem Lehrer, Herrn Schulz, dem ältesten Sohn des Schmieds, beweisen, und die, die sich keine Hoffnung auf eine Eins, eine Zwei machten, brauchten keine Enttäuschung und keine Scham zu fürchten außer der eigenen.

Volker beugte sich vor, senkte den Kopf wie zum Sprung ins Wasser, spreizte das linke Bein ab, versuchte, sich mit dem rechten abstoßen; Herr Schulz stützte ihn. Volker stieß sich auch ab, aber ohne Schwung, ohne Energie, und anstatt den Körper aufzurichten, sackte er seufzend und mit einem dumpfen Knall auf die Matte. Einige lachten, leise und hinter vorgehaltener Hand, als hätten sie Angst, dass es ihnen ähnlich ergehen könnte, obwohl sie mehr Beherrschung hatten als er und anders gebaut waren, weniger plump.

Simone trat auf die Matte zu. Sie streckte sich, die Hände über dem Kopf übereinandergelegt, und dehnte ihren Rücken wie nach dem Aufstehen. Jeder konnte ihre Knochen, ihre Adern sehen. *Ein Strich in der Landschaft.* Herr Schulz hatte sie vor Wochen, beim Geräteturnen, Glasmädchen genannt. Er hatte sie zu den Ringen hinaufheben wollen, wie alle anderen auch, und da war es ihm herausgerutscht. *Glasmädchen.* Seitdem ließ sie sich von ihm nicht mehr anfassen, und er fasste sie auch nicht mehr an, sondern stand jetzt stets zwei, drei Meter von ihr entfernt. Sie brauchte keine Hilfe, schaffte es auch ohne ihn, ihren Körper in die Position zu bringen, die man von ihr verlangte. Die Gelenke, die Muskeln gaben nach, lösten sich aus ihrer Starre, langsam, geschmeidig, Abdruck, Abrollen, Aufstehen – eine durchgehende Bewegung.

Daniel hatte die Abläufe zu Hause geübt, erst an der Wand, dann auf dem Bett, und als er sicherer geworden war, im Flur, auf einem ausgerollten Orientteppich. Trotzdem wünschte er sich jetzt, da er an der Reihe war, die Arme erhoben, ein Bein angewinkelt, das andere durchgestreckt, einen Arkoniden-Anzug. Mit dem Lichtwellen-Umlenker könnte er sich unsichtbar machen, niemand würde sehen, wie er in der Luft zitterte, wie er fiel. Oder, was noch besser war, viel besser sogar, er könnte mit dem eingebauten Schwereneutralisator so lange auf den Händen, dem Kopf stehen, wie er wollte. Und in seiner Trainingshose und der dazu passenden Jacke kam er sich ein bisschen so vor wie ein Ritter, wie ein Soldat, ein Mann, dem man nichts anhaben konnte, weil er seine Wundmale unter der Rüstung, der Uniform verbarg.

Jemand schubste ihn von hinten und flüsterte: »Mach schon, du Spacken.« Daniel schwankte und kippte nach vorn. Für einen Moment sah es so aus, als fiele er der Länge nach hin. Er spürte die Finger von Herrn Schulz, die sich von beiden Seiten um seinen Brustkorb schlossen und ihn wieder freigaben, spürte, wie er hinten abhob und mit den Händen Halt gewann. Er sah die anderen richtig und doch falsch herum auf dem Boden, auf der Decke stehen. Das Blut stieg ihm in den Kopf, aber er stand, bis er den Nacken einzog, sich ab- und wieder aufrollte, mit erhobenen Armen, bereit, zu einem weiteren Handstand anzusetzen.

Der Lenker war mit schweren Tüten behängt, und auf dem Gepäckträger klemmte der Korb voller Gemüse und Obst, Bierflaschen und Saftpackungen. Birgit schob ihr Fahrrad durch den

Schnee, zu Textil Vehndel hin, noch immer ganz benommen von ihrer Begegnung mit Klaus Neemann. Wie er sie angefasst hatte, als prüfe er ein Stück Fleisch auf seine Konsistenz. Wie er mit ihr geredet hatte, ruhig, aber bestimmt, als ermahne er ein Kind, das eine große Dummheit begangen hatte und sich nicht traute, es zuzugeben. *Wir sind von anderen Sternen. Wir gehören nicht hierher.* Was sollte das überhaupt heißen? Dass sie seelenverwandt waren, gestrandet in der Provinz, aber zu Höherem berufen? Dass er sie liebte und mit ihr durchbrennen wollte? Aber das hatte er nicht gesagt. Und über die Zukunft hatten sie nicht gesprochen. Sie rief sich die Ereignisse der vergangenen zwei Stunden ins Gedächtnis und fand keinen Anhaltspunkt, nichts, was darauf hindeutete, was er eigentlich von ihr gewollt hatte. Und es ärgerte sie, sich überhaupt darauf eingelassen zu haben, mit in sein Büro zu gehen.

Während sie gegen den Schnee ankämpfte, gegen die Wut auf Klaus, auf sich selbst, dachte sie an ihre Familie. Sie fragte sich, was sie jetzt machten, wo sie waren, sah Hard in Bundeswehrstiefeln, im Wintermantel, mit der albernen Fellmütze auf dem Kopf zum Kindergarten stapfen und die Kleinen abholen, sah Daniel in der Schule, im Klassenraum zwischen Volker und Simone sitzen, anwesend, aber mit den Gedanken woanders, voraus oder zurück, zu langsam oder zu schnell, zu laut oder zu leise, nie im Einklang mit der Welt.

Birgit hatte sich ihm immer verbunden gefühlt, trotz der Distanz, die durch die Geburt der Zwillinge entstanden war. Er hatte ihre Nähe gesucht und sie seine, auch wenn er Küssen auf den Mund inzwischen auswich und sich beim gemeinsamen Fernsehen auf dem Sofa nicht mehr so oft an sie schmiegte wie früher. Aber dass er seit sechs Wochen, seit er wieder zur Schule ging, morgens beim Duschen die Tür verriegelte, empfand sie als Zurückweisung. Er schloss sich ein und sie aus. Er verbarg seinen Körper vor ihrem, weil er sich schämte für das, was mit ihm geschah. Sie hatte diese Entwicklung geahnt, aber später erwartet, nicht mit zehn, und war überwältigt, wie sehr es sie schmerzte, den Kontakt zu verlieren.

Die Dächer der Häuser und die Grasflächen in den Vorgärten waren vollkommen weiß und die Männer, die die Auffahrten und Gehwege freischaufelten, so dick eingepackt, dass man sie unter den Jacken und Mützen kaum erkennen konnte. Manche grüßten sie, riefen ihren Namen, obwohl auch sie dick eingepackt war, und sie erwiderte die Begrüßung, indem sie ihnen zunickte, weil sie nicht wusste, um wen es sich handelte, und ihre Hände nicht heben konnte, ohne das Fahrrad loszulassen und das Gleichgewicht zu verlieren.

Sie überquerte die Straße, lief über die Kreuzung auf Textil Vehndel zu, blieb auf der Verkehrsinsel stehen, unsicher, ob sie überhaupt weitergehen sollte, voller Angst, der bevorstehenden Begegnung ebenso wenig standhalten zu können wie der zurückliegenden. Klaus Neemann. Erst jetzt fiel ihr auf, dass sie ihn auch missverstanden haben könnte, dass *Wir sind von anderen Sternen* nicht, wie sie angenommen hatte, das Gleiche bedeutete wie *Wir sind von einem anderen Stern*.

Sie war nicht ganz bei der Sache. Immer wieder musste sie an Herrn Schulz, an Philipp denken. Sie war neu an der Schule. Sie hatte gerade erst ihr Referendariat in Hameln beendet und war für die Stelle (schlechter bezahlt, aber weit weg) hierhergezogen. Sie hatte sich von ihrem Freund getrennt (siebenunddreißig, stellvertretender Schulleiter, geschieden, mehr eine Affäre, wie alle Beziehungen bisher) und von ihren Freunden, die eigentlich seine gewesen waren. Sie kannte niemanden in der Gegend, und Philipp, der ebenfalls Sport unterrichtete, aber nicht Sport, Deutsch und Religion so wie sie, hatte sie herumgeführt und ihr alles gezeigt. Vor ein paar Tagen waren sie abends zusammen ausgegangen, nach Oldenburg ins Staatstheater *(Der kaukasische Kreidekreis)* – ihre Idee – und dann noch in eine Kneipe – seine Idee. Sie hatte getrunken, und er war gefahren. Er hatte ihr das Du angeboten und zweimal aus Versehen ihre Hand berührt, einmal, als er sein Glas absetzte, einmal, als er ihr die Beifahrertür aufhielt, sonst war nichts passiert. Doch jetzt, im Nachhinein, hatte sie das Gefühl, dass er sie, während er ihr stundenlang von seinem Leben erzählt hatte, angemacht hatte, obwohl oder gerade weil er verheiratet war und seine Frau ein Kind erwartete – was sie eben erst im Lehrerzimmer erfahren hatte. »Der ist ganz schnell weg. Seine Frau hat angerufen. Aus dem Krankenhaus. Ich glaube, es ist so weit«, hatte Frau Zuhl gesagt, als sie nach ihm gefragt hatte, und jetzt fiel es ihr schwer, sich auf den Unterricht zu konzentrieren und dem Jungen zuzuhören.

»Um ein Buch zu machen, braucht es viele Leute und viel Zeit. Zuerst ist der Autor an der Reihe. Er ist es, der die Geschichte schreibt. Jeder, der eine Geschichte geschrieben hat, ist ein Autor. Auch Kinder können Geschichten schreiben, oder Gedichte.« Daniel tastete sich beim Lesen von Wort zu Wort. Er begriff den Zusammenhang nicht, verstand nicht, worum es ging, und gab sich keine Mühe, es zu versuchen. Weder betonte er einzelne Silben, noch senkte er am Satzende seine Stimme. Er wollte, dass Frau Nanninga ihn erlöste und jemand anderen aufrief. Kein Fach langweilte ihn mehr als Deutsch. Er interessierte sich nicht für Grammatik, konnte sich die Bezeichnungen der Satzteile, die Kommaregeln nicht merken und war überzeugt davon, von ihr und den anderen Lehrern für dumm verkauft zu werden, so als traute man ihnen nicht zu, etwas Richtiges zu lesen und über den Inhalt zu reden anstatt über die Form. Wochenlang hatte er sich auf diesen Tag gefreut. Aber jetzt, da sie endlich das andere Buch angefangen hatten, *Texte für die Sekundarstufe,* war es nicht viel anders als vorher. »Wichtig ist, eine Idee zu haben, wenn man eine Geschichte schreiben will. Eine Idee haben heißt: Man weiß, was man erzählen will, eine Geschichte von einem Haus oder von einem Menschen auf dem Mond.« Dreißig Kilometer jenseits des Pols, auf der erdabgewandten Seite, entdeckt Perry Rhodan nach einer Bruchlandung das Raumschiff der Arkoniden, ein kugelförmiges Gebilde auf kurzen, säulenartigen Beinen, von einem grünen Flimmern umgeben. Er rettet Crest, dem Außerirdischen, das Leben, und gemeinsam beenden sie auf der Erde den Kalten Krieg, bevor sie zu weiteren Abenteuern aufbrechen. Daniel hatte sich vorgenommen, jeden Tag eine Folge zu lesen. In manche Zyklen war er nie richtig reingekommen, andere hatte er gleich übersprungen, aber jetzt war er wieder drin. Band 1307 steckte in seiner Tasche, und in der nächsten Pause, in der sie ausnahmsweise einmal nicht den Klassenraum wechseln mussten, würde er anfangen, *Vorstoß in den dunklen Himmel* zu lesen. Und dann Band 1308, *Das Wunder der Milchstraße*. Er wollte dranbleiben und wusste gleichzeitig, dass das aussichtslos war, weil er eines Tages das Interesse daran verlieren würde, so wie er an allem eines Tages das Interesse verloren hatte.

»Daniel?« Frau Nanninga sah ihn an, alle sahen ihn an. »Lies bitte weiter, und diesmal ordentlich.« Das Buch war von 1973, und sie hatte den Text an ihrer ersten Schule, am AEG, am Albert-Einstein-Gymnasium in Hameln, schon ein paarmal lesen lassen, sie konnte ihn auswendig, sie konnte fast alle Texte in diesem Buch auswendig und meinte, dass auch die Kinder einige Texte auswendig können müssten, nicht unbedingt *Die Geschichte vom Buch*, aber die Gedichte, die später kamen, *Das Feuer, Der Rauch*.

Daniel fuhr mit dem Finger über die Seite, suchte nach der Stelle, an der er, wie er glaubte, aufgehört hatte, und begann zu lesen: »Man denkt gut nach über das, was man schreiben will.«

»Weiter unten«, flüsterte Simone, und zeigte es ihm. »Wenn man schreiben möchte –«

»Wenn man schreiben möchte: Die Wolken sind grün, dann schreibt man: Die Wolken sind grün. Auch wenn jemand behauptet, es gibt gar keine grünen Wolken. Oder wenn man schreiben möchte: Ich bin unzufrieden, dann schreibt man es. Die Geschichte könnte auch –«

»Das verstehe ich nicht«, sagte Volker, ohne sich gemeldet zu haben. »Da muss doch ein Punkt hin.«

»Wo?« fragte Frau Nanninga.

»Hier, hinter unzufrieden. So, mit dem Komma, gehört dann schreibt man es ja zu dem Satz dazu, den man schreiben will. Und das ergibt doch keinen Sinn, weil dann schreibt man es will man ja gar nicht schreiben.«

Das ergibt alles keinen Sinn, dachte Daniel. Mit einem Indoktrinator könnte er an sich selbst eine Hypno-Schulung durchführen, die Leistungsfähigkeit seines Gehirns vervielfachen und den Unterricht überflüssig machen. Er würde kein körperliches Empfinden mehr haben, sich an nichts erinnern, sein Gehirn würde mit Lichtgeschwindigkeit rechnen, im Unterbewusstsein. Er müsste nicht mehr überlegen, wenn ihm jemand eine Aufgabe stellte, wie schwierig sie auch sein mochte, müsste nichts mehr ausrechnen, nichts nachlesen, alles wäre erfasst und gespeichert und jederzeit abrufbar.

»Das ist wie bei diesem Spiel, wo man gezwungen ist, etwas zu sagen, das man gar nicht sagen will«, sagte Volker.

»Was für ein Spiel?«, fragte Frau Nanninga.

Daniel lehnte sich zurück und dachte an nichts. Dann schlug er die Seiten mit den lyrischen Texten auf und prägte sich mit einem Blick die Sätze ein:

Hörst du, wie die Flammen flüstern,
Knicken, knacken, krachen, knistern,
Wie das Feuer rauscht und saust,
Brodelt, brutzelt, brennt und braust?

Das kleine Haus unter Bäumen am See.
Vom Dach steigt Rauch.
Fehlte er,
Wie trostlos dann wären
Haus, Bäume und See.

Sie flossen durch positronische Verstärker, durch Zuleitungen zu den Kopfnerven und wurden in seinem Erinnerungszentrum gespeichert. Vogonische Gedichte, dachte er, können nicht schlimmer sein.

»Sag, wen liebst du? Also in Ihrem Fall: Sagen Sie, wen lieben Sie?« Bei dem Wort »lieben« waren einige Schüler rot geworden und hatten angefangen zu lachen, auch Volker war rot geworden, aber er lachte nicht, als er die Frage »Sagen Sie, wen lieben Sie?« wiederholte.

Frau Nanninga sah ihn an, sie wusste nicht, wie sie darauf reagieren sollte. Sie hielt es für eine Falle. Während ihres Referendariats waren ihr viele Fallen gestellt worden, und aus mangelnder Erfahrung war sie jedes Mal hineingetappt. Aber diese war anders, in dieser war sie schon drin, ganz gleich, was sie antworten würde. Wenn sie einen Namen sagte, würden die Kinder noch mehr lachen und es jedem in der Schule erzählen, und wenn sie »Niemanden« oder »Das geht dich gar nichts an« sagte, würden sie denken, was sie dachte: dass sie trotz ihres Alters eine alte Schachtel sei, unfähig, sich auf jemanden einzulassen.

Textil Vehndel war eines der ältesten Geschäfte im Ort. Auf den Schwarz-Weiß-Fotos, die Hard vergrößert und im Rathausfoyer aufgehängt hatte, sah man, dass bis in die Fünfzigerjahre hinein über dem Eingang *Kolonialwaren* gestanden hatte und das Haus, das jetzt direkt an der Straße stand, noch von einer Weide umgeben gewesen war. Heinrich Vehndel hatte die Firma nach dem Krieg von seinem Vater übernommen, die Weide zementieren lassen, um direkt am Haus einen Parkplatz anzulegen, und das Sortiment mit jedem Jahrzehnt, mit jedem Umbau, mit jeder Vergrößerung verkleinert. Er bot keine Gewürze und Futtermittel mehr an, keine Werkzeuge und Spielsachen, kein Porzellan, keinen Tabak und auch keine Haushaltsgeräte, sondern nur noch Damen- und Herrenmode in allen Größen und Schnitten. Beide Söhne, Gerd und Günter, waren bei ihm in die Lehre gegangen, aber nur einer von ihnen hatte den Betrieb übernehmen wollen. Gerd hatte eine Anstellung bei einem Herrenausstatter in der Kreisstadt gefunden – er wollte am Anfang des Monats wissen, was er am Ende verdient haben würde. Also hatte Günter, der Zweitgeborene, den Vater vor sechs Jahren als Geschäftsführer abgelöst und das Haus mit seiner Familie übernommen. Doreen, die Nachzüglerin, wie der Vater sie nannte, war erst dreizehn, zu jung, um für eine Nachfolge infrage zu kommen. Die Alten hatten am Ortsrand, im Literatenviertel, neu gebaut, ein einstöckiges Haus mit eigener Etage für die Tochter, und genossen ihren Ruhestand, aber manchmal, wenn zu viel Kundschaft da war, half Günters Mutter Hildegard aus und manchmal seine Frau Sabine.

Nebenan gab es seit Anfang der Siebzigerjahre einen Heißmangelbetrieb und daneben eine Schneiderei, und diese Kombination, das Textiltriptychon, wie Birgit es nannte, funktionierte besser als alle anderen Kombinationen zuvor, die Leute kamen von überallher, sogar aus der Kreisstadt. An manchen Tagen war der Parkplatz voll, sodass die Autos in zweiter Reihe standen und den Bürgersteig oder die Fahrbahn blockierten. Vor allem während der Schlussverkaufswochen und in der Vorweihnachtszeit sah man in den Schaufenstern Frauen und Männer über Tische und Truhen gebeugt und von beiden Seiten an den Stoffen zerren, was andere Frauen und Männer dazu animierte, es ihnen gleichzutun. Birgit fragte sich, ob daher der Spitzname Plünnenrieter stammte, mit dem man Vehndel immer wieder belegte wie mit einem Fluch, so als handele es sich zwar um gute, aber mit einem Makel behaftete Ware. Dabei führte er Markenartikel, die es auch in Fachgeschäften in der Kreisstadt zu kaufen gab. Falls sie einen Makel hatten, dann den, vom Land zu stammen und, wie Birgits Schwestern bei ihren Besuchen im Dorf verächtlich sagten, nach Stall zu stinken.

Aus den Fenstern der Wäscherei dampfte es, und als sie ihr Fahrrad an die Hauswand lehnte, unter das Schild mit der Aufschrift *Sie erhalten Ihre Mangelwäsche schrankfertig zurück*, musste sie daran denken, dass sie sich als Kind immer über die Begriffe *Mangelwäsche* und *schrankfertig* gewundert hatte. *Mangelwäsche* klang für sie nach Reklamation, nach einem Fehler, der ausgebessert werden musste – nach einem Loch, einem Riss, einer Verfärbung –, und *schrankfertig*, als hätte man alles Menschenmögliche versucht, aber Bettzeug, Tischdecken, Kittel und Schürzen einfach nicht so weit reinigen und flicken können, um sie wieder benutzen und vorzeigen zu können.

Günter Vehndels Problem bestand darin, dass sein Ruf nicht einwandfrei war und er nichts dagegen machen konnte. Und vielleicht war das auch der Grund für die Schwankungen, von denen Sabine ihr erzählt hatte. Es gab nämlich Phasen, im Frühjahr und Herbst, im Februar und Oktober, da lief nicht viel, zehn, höchstens fünfzehn Kunden pro Tag und tausend Mark in der Kasse, weil das Wetter nicht so war, wie sie es sich vorgestellt hatten –

entwerder war es zu warm oder zu kalt für die Jahreszeit. Und wenn sich daran über Wochen nichts änderte, blieben sie auf den Kollektionen sitzen und mussten sie später unter Wert verkaufen.

Günter konnte mit diesen Phasen nicht umgehen. Wieder und wieder zählte er abends das eingenommene Geld, als würde es sich durch das Zählen vermehren. Der Buchhalterin traute er ebenso wenig wie den Verkäuferinnen. Allen Angestellten, einschließlich seiner Mutter und seiner Frau, warf er regelmäßig vor, einen Teil davon eingesteckt zu haben. Und gleichzeitig schämte er sich dafür, solche Verdächtigungen auszusprechen. Um ganz sicherzugehen, machte er manchmal Stichproben. Nachts zog er allein für einige Abteilungen die Inventur vor, lief mit Klemmbrett und Kugelschreiber durch den Laden, notierte, was da war und was nicht, und geriet in Wut, wenn eine Hose fehlte, auch wenn sich am Tag darauf herausstellte, dass eine Kundin sie nur nicht an die richtige Stelle zurückgelegt hatte.

Er lehnte es ab, Ärzte aufzusuchen, mit Psychiatern zu sprechen, weil er den Grund seines Leidens kannte: Er meinte, es vom Vater, vom Großvater geerbt zu haben, und glaubte, selbst einen Ausweg finden zu müssen. Solange er Gewinn machte, ging es ihm gut; er investierte, stellte Personal ein, ließ das Geschäft renovieren, setzte alles daran, den Erfolg zu halten. Sobald aber Anzeichen eines Abschwungs auftauchten, war er unfähig, der Krise entgegenzuwirken. Dann war er fest davon überzeugt, dass es keine besseren Tage mehr geben werde, dass es von jetzt an nur noch bergab gehe, so wie es mit dem Großvater Ende der Zwanzigerjahre schon einmal bergab gegangen war, und verfiel in einen Zustand, aus dem ihn keine Nachricht, ganz gleich, wie gut sie sein mochte, herausholen konnte.

Das alles wusste sie von Sabine, von Hard. War der Laden leer, blieb Günter dem Geschäft fern, ließ Chorprobe, Skatabend und

Fußballspiel ausfallen, lag den ganzen Tag bei geschlossenen Rollläden im Bett und verstärkte durch seine Abwesenheit den finanziellen Ausfall. Viele Kunden, Männer wie Frauen, kamen nämlich nur seinetwegen. Er verstand es, sie zu beraten, ohne ihnen das Gefühl zu geben, übers Ohr gehauen worden zu sein. Sie hatte das selbst schon erlebt, war zu Vehndel gefahren, mit dem festen Vorsatz, nur Unterwäsche für die Kinder zu kaufen, und dann mit einem neuen Kleid, einem neuen Rock und einer neuen Bluse nach Hause zurückgekehrt. Der plötzliche Wintereinbruch muss eine Katastrophe für ihn sein, dachte sie, darauf war er nicht vorbereitet, niemand war das, aber niemandem setzten solche Veränderungen so zu wie ihm.

Als sie den Laden betrat, hörte sie gleich seine Stimme, heiser, als hätte er seit Stunden geredet, geschrien:»Keine Schals mehr«, er stand neben dem Tresen und sprach mit einem alten Mann, der ihr den Rücken zuwandte und offenbar schwerhörig war, »wirklich nicht, Manfred, wenn ich es dir doch sage, ich habe schon überall nachgesehen, das Lager ist leer, Wintersachen kommen frühestens in einem Monat wieder rein.«

»Morgen?«

»Nein, in einem Monat!«

»Montag?«

Er brüllte:»Nein, morgen!«, die Wangen rot vor Anstrengung, und merkte nicht, dass er sich versprochen hatte.

»Also dann bis morgen.«

Jetzt erkannte sie ihn. Es war Manfred Kramer vom Möbelparadies Kramer. Er presste den hochgeschlagenen Kragen seines Mantels an den Hals und ging, eine Begrüßung murmelnd, an ihr vorbei nach draußen.

»Wir haben keine Wintersachen mehr«, sagte Günter zu ihr wie zu einer Fremden. »Sie haben es ja mitbekommen.«

»Ich bin nicht wegen Wintersachen hier«, sagte Birgit.

5

Seit der ersten Stunde hatte sie sich nach der letzten gesehnt. Wieder würde er vor ihr sitzen, und wieder würde sie ihn auseinandernehmen, Stück für Stück, Wort für Wort, Zahl für Zahl, stellvertretend für seinen Vater. Daniel konnte nichts dafür, dass Bernhard Kuper ein Versager war, und es war ungerecht und gemein, den Sohn so zu quälen, aber es war zu seinem Besten. Herr Schulz war der Einzige im Kollegium, der ihre Ansicht teilte, obwohl er nicht auf Bernhard Kuper hereingefallen war, so wie sie. Herr Schulz glaubte lediglich, dass ein bisschen Drill ganz allgemein nicht schade und diejenigen fördere, die ohne ihn auf der Strecke blieben. In der großen Pause hatte er ihr im Lehrerzimmer wie zum Beweis dieser These erzählt, zu was Daniel fähig sei, wenn er sich anstrenge und zu Hause auf den Unterricht vorbereite. »Es war unglaublich. Er stand da, für Sekunden reglos in der Luft. Sonst kann er sich ja nicht mal auf den Beinen halten.«

»Ich sag's ja: Alles ist möglich.«

»Ja, wir dürfen die Hoffnung nicht aufgeben.«

»Wir sind eben kein Gymnasium. Wir müssen uns mit dem Material zufriedengeben, das wir haben, und damit arbeiten. Einen Alpha oder Beta hab ich hier noch nicht erlebt, werde ich hier auch nicht mehr erleben, aber Sie sehen ja: Selbst aus diesen Gammas und Deltas und Epsilons lässt sich noch was rausholen.«

»Jaja«, sagte er – er wusste nicht, wovon sie sprach –, »zum Glück ist nicht alles angelegt. Obwohl ich das manchmal denke, wenn ich die Kleinen sehe, wo die herkommen, aus welchen Elternhäusern. Das sind doch hoffnungslose Fälle zum Teil. Völlig kaputt. Von Anfang an verdorben. Manche können ja nicht mal richtig Deutsch.«

»Wir können aus Nullen immer noch Einsen machen.«

»Aber die Fehler der Eltern können auch wir nicht ausbügeln.«

»Ausbügeln vielleicht nicht, aber –«

»Herr Schulz?«, die Sekretärin hatte die Tür zum Büro einen Spaltbreit geöffnet und in den Raum gerufen, »da ist ein Anruf für Sie.«

Jetzt ging Frau Zuhl, das Mathebuch unterm Arm, den Gang entlang. Von Weitem konnte sie schon ihre Stimmen hören, ihre Schreie. Immer wenn sie jemanden besonders hart rangenommen hatte, hatte sich das später ausgezahlt. Mehrmals im Jahr erhielt sie Briefe oder Anrufe von Absolventen, Schüler aus schwachen Familien, die jetzt in fernen Städten studierten und sich dafür bedankten, von ihr nicht geschont worden zu sein.

Als sie die Tür aufmachte, verstummte der Lärm, und die, die herumgerannt waren oder vor den Fenstern gestanden hatten, immer noch gebannt vom Schnee, setzten sich auf ihre Plätze. Erst hatte sie gedacht, Daniel sei nach Hause gegangen, sie hätte es ihm zugetraut, irgendeine Krankheit vorzutäuschen, irgendein Fieber, Kopfschmerzen, Bauchschmerzen, Übelkeit, aber dann sah sie ihn. Er saß in der letzten Reihe, zusammengesunken, die Augen auf den Boden oder in ein Buch gerichtet, versteckt hinter dem Rücken der anderen, als glaubte er tatsächlich, seinem Schicksal dadurch entgehen zu können. Sie zog den Stuhl heran, nahm den roten Kugelschreiber aus dem Etui, schlug das Mathebuch auf, das Klassenbuch und strich sich mit einer Hand über den Kopf.

Sie waren allein, und außer einer ab und zu mit einem Ping! aufblitzenden Neonröhre war es im Laden vollkommen still, sie lauschte, ob nicht doch jemand in einer der Umkleidekabinen war oder nebenan im Büro, in der Schneiderei, der Heißmangel, im Aufenthaltsraum, aber da war nichts, nicht das Surren der Nähmaschinen, das sonst gedämpft durch die Wände, die Stoffe den Raum erfüllte, nicht das Zischen und Fauchen der Bügeleisen, die betont fröhlichen Stimmen der Verkäuferinnen.

»Hab sie alle nach Haus geschickt«, sagte Günter und ließ sich auf einen der Sessel nieder, die neben jedem Spiegel standen, für den Fall, dass sich ein Mann in der Damenabteilung, eine Frau in der Herrenabteilung müde vom Zusehen, vom Kommentieren setzen musste. »Alle.«

»Sind Sabine und Hilde nicht da?«

»Oben.« Er sah kurz zur Decke hoch, dann senkte er den Kopf wieder. »Was sollen sie hier? Hat ja keinen Zweck. Kommt doch niemand. Und wenn, dann nur wegen einem Paar Handschuhe, einem Bostrock, langen Unterhosen, aber die sind alle ausverkauft, restlos ausverkauft, kommen auch so schnell nicht wieder rein, nicht vor Anfang Oktober jedenfalls.« Er fuchtelte mit den Händen, sprang auf, lief ein paar Schritte den Gang entlang, an leicht bekleideten Puppen, Rundständern mit Badesachen vorbei und rief: »Sieh dir das an!« Er breitete die Arme aus. »Sieh dir das an! Alles für die Katz!«

»Unsinn. Morgen ist der Schnee wieder geschmolzen.«

»Selbst wenn, der Sommer kommt nicht mehr zurück.« Er kam wieder auf sie zu und tippte sich mit dem Zeigefinger gegen die Stirn. »Hier, in den Köpfen ist er vorbei. Da kann es draußen noch so warm werden. Hier ist er vorbei. Und das ist das Entscheidende. Die werden keine Hemden mehr haben wollen, keine kurzen Hosen, und die ganze Herbstkollektion kann ich gleich mit abschreiben, hier«, er tippte sich wieder gegen die

Stirn, »sind die doch schon viel weiter. Die denken doch jetzt an nichts anderes mehr als daran, es möglichst warm zu haben. Und wenn sie das, was sie dafür brauchen, bei mir nicht kriegen können, dann fahren sie in die Stadt. Da kriegen sie's bestimmt. Und selbst wenn sie's da nicht kriegen: Wo sie schon mal vor Ort sind, nehmen sie eben etwas anderes, etwas, was sie bei mir genauso gut, genauso billig hätten haben können, billiger noch. Aber jetzt sind sie eben schon den ganzen Weg gefahren, und irgendwie müssen sie das Benzin ja wieder reinholen.«

»Unsinn.«

»Natürlich ist das Unsinn, aber so denken die Leute, Birgit, das weißt du doch selbst, das ist alles Psychologie, bei euch ist es doch auch nicht anders.«

»Das kann man doch gar nicht vergleichen«, sagte Birgit trotzig. Sie merkte, dass sie schon in den Sog seiner Laune geraten war, und wehrte sich dagegen, von ihr mitgerissen zu werden.

»Glaubst du, ich weiß nicht, was Hard mit den Fahrrädern macht? Die, die er immer vors Schaufenster stellt, obwohl niemand im Laden ist? Alle wissen das! Und alle lachen darüber! Wir machen uns doch nur was vor, Birgit, wir glauben, wir könnten es schaffen, mit irgendeinem Trick, aber wir schaffen es nicht.« Er setzte sich wieder und schob ihr einen zweiten Sessel hin, damit auch sie sich setzte. »Das alles«, sagte er und blickte sich im Raum um, »wird bald verschwunden sein, die Kleider werden mit Rabatt verkauft, mit zwanzig, mit fünfzig Prozent, oder, wenn sie selbst dann nicht weggehen, verschenkt, und das Geschäft wird lange leer stehen, weil niemand hier etwas Neues aufbauen will, alle Geschäfte werden leer stehen.«

Die Neonröhre über ihnen war ausgegangen, und da, wo sie saßen, war es dunkel, dunkler jedenfalls als im übrigen Laden, und sie hatte das Gefühl, im Schatten zu sitzen, beschirmt von etwas Großem und wegen seiner Größe Unsichtbarem. Draußen, vor den Fenstern, fiel der Schnee jetzt langsamer und weniger dicht, und sie hoffte, dass es bald aufhören und tauen würde und sie zurückfahren konnte, sobald die Straßen, die Bürgersteige frei waren.

»Manchmal denke ich darüber nach, das hier alles aufzugeben, bevor es zu spät ist, und irgendwo noch einmal neu anzufangen.«

»Was willst du denn machen, in deinem Alter?«

»Weiß ich nicht. Man muss erst mal anfangen anzufangen, der Rest kommt dann von selbst.«

»Unsinn«, sagte Birgit wieder und ärgerte sich im gleichen Moment, nichts als »Unsinn« zu sagen. Vor ein paar Wochen, als sie die Bewerbungen geschrieben hatte, vor ein paar Stunden noch, als sie von zu Hause aufgebrochen war, hatte sie auch so gedacht wie Günter. Aber jetzt dachte sie das nicht mehr. Nicht, weil es keinen Zweck hatte – man konnte ja nicht vorhersehen, was sich daraus ergab –, sondern weil sie nicht mehr daran glaubte, eine Zukunft ohne Vergangenheit zu haben. Irgendwann, davon war sie überzeugt, holte einen das, was man getan hatte, ein, irgendwann würde man für seine Vergehen, und seien sie noch so klein, bestraft werden. Und vielleicht war das ihre Strafe: für Hard zu arbeiten. Die Strafe dafür, von einem anderen Leben geträumt zu haben, einem Leben ohne ihn, und immer noch davon zu träumen.

»Ich werde sie entlassen müssen.«

»Wen?«

»Alle. Alle bis auf meine Mutter und Sabine natürlich.« Sie wollte sagen, dass er Hilde und Sabine ja auch schlecht entlassen könne, weil er beide für ihre Tätigkeit im Geschäft gar nicht bezahlte, aber er kam ihr zuvor, indem er seine Hand auf ihre legte. »Es tut mir leid, Birgit, dass ich mich bei dir nicht gemeldet habe, ich weiß, du hast dich hier beworben, und zu dem Zeitpunkt hätte ich auch wirklich jemanden gebrauchen können, obwohl du, wie ich finde, überqualifiziert bist, bei den Zeugnissen, bei deiner Berufserfahrung, als Sekretärin bei Knipper, de Kluntjeknieper. Meine Mutter hat ja schon vor dir da gearbeitet, auch im Schreibzimmer, auch als Stenotypistin.«

»Weiß ich«, sagte Birgit.

»Was du aber nicht weißt, ist, dass sie von ihren ehemaligen Arbeitskolleginnen immer nur Gutes über dich gehört hat, immer nur das Beste. Das allein ist Auszeichnung genug. Das allein würde reichen, dich sofort einzustellen, hier, bei mir, überall. Aber ich wollte dann doch noch warten, bis zum Herbst, und jetzt, du siehst ja selbst …« Er streckte den Arm aus und ließ ihn durch den Raum schweifen. Dann fiel er in sich zusammen, entkräftet, wie nach langem Kampf.

Birgit zog ihre Hand weg, erhob sich und sagte: »Ja, das sehe ich. Ich habe nur meinen Marktwert testen wollen, und den kenne ich ja jetzt.«

»Versteh mich bitte nicht falsch, ich –«

»Das tue ich nicht«, sagte sie schnell. Sie wollte ihn nicht spüren lassen, wie sehr seine Worte sie verletzt hatten. *Überqualifiziert. Bei den Zeugnissen. Bei deiner Berufserfahrung.* »Ich bin nicht wegen des Jobs hier, das war sowieso nicht ganz ernst gemeint, sondern wegen Hards Anzug. Ihr habt doch heute Abend diesen Auftritt.«

»Ach ja, natürlich«, sagte Günter, »der ist fertig«, und erhob sich, ihn zu holen.

Der Gong ertönte, und alle standen wie auf Kommando ruckartig auf, räumten ihre Sachen zusammen, zogen ihre Jacken an, schoben die Stühle zu den Tischen hin. Es war das Signal, auf das sie seit Stunden gewartet hatten. Die Fahrschüler stürmten aus den Klassenräumen, weil sie im Bus hinten oder vorn sitzen wollten, je nachdem, ob sie älter oder jünger waren, austeilten oder einsteckten. Jeden Mittag ging es darum, an der Haltestelle in der Schlange ganz vorn zu stehen, um dann die besten Plätze zu sichern und die optimalen Positionen einzunehmen. Wer zu spät kam, musste stehen, und wer stand und sich nicht neben einen der Großen setzen mochte, obwohl der Platz frei war, gab zu erkennen, dass er Angst hatte und bereit war, Sprüche und Schläge zu empfangen.

Daniel hatte oft gestanden, zu oft, und jetzt ließ er sich Zeit, weil er niemanden mehr zu fürchten brauchte. Bei gutem Wetter fuhr er die Strecke mit Volker oder Simone, obwohl sie nicht nebeneinander wohnten, meist fanden sie auf dem Hinweg irgendwo auf dem Breiten Weg zusammen und trennten sich mittags an der gleichen Stelle wieder, aber heute war er allein. Simone hatte sich bringen lassen und würde abgeholt werden, und Volker war mit seinem Vater gefahren.

Frau Zuhl gab ihm das Heft zurück, *Vorstoß in den dunklen Himmel,* und fragte ihn, ob sie ihn mitnehmen solle. Aber Daniel schüttelte energisch den Kopf und trat hinaus auf den Gang. Er schlenderte durch die Flure und hörte, wie die Stimmen der anderen im Treppenhaus verhallten. In der Aula blieb er vor einem der Schaukästen der Biologie-AG stehen und betrachtete die Präparate: mit Stecknadeln aufgespießte Käfer und Schmetterlinge, ausgestopfte Eulen und Marder, in ihren Bewegungen erstarrte Tiere, der Blick gebrochen, der Panzer, das Fell trocken und hart, wie gefroren. Als er aus der Tür trat, waren alle Busse schon weg. Ihre Reifen hatten tiefe Furchen im Schnee hinterlassen. Der Fahrradstand, der Parkplatz waren leer. Aus den Schornsteinen der Häuser ringsum stieg Rauch auf. Kein Mensch war zu sehen. Hinter ihm verriegelte der Hausmeister den Eingang und ließ im Erdgeschoss die Rollläden herunter. Auf der Straße näherte sich ihm ein Auto im Schritttempo, ein schwarzer Volvo 240 Kombi, Baujahr 1986, 116 PS. Dunkel stach er aus dem alles umgebenden Weiß hervor und kam schließlich direkt vor ihm zum Stehen. Das Kennzeichen, das einzige in der Gegend mit einem einstelligen Kreiskürzel, noch dazu von weit außerhalb, war an den Seiten von Schnee und Schmutz bedeckt, die Buchstaben und Ziffern H AL 9000 kaum zu erkennen. Frau Zuhl beugte sich über den Beifahrersitz und kurbelte die Scheibe herunter. Unter den wenigen weißen Haaren glänzte ihre Kopfhaut wie frisch poliert.

»Soll ich dich wirklich nicht mitnehmen?«

»Nein«, sagte Daniel.

»Du steigst hier jetzt ein! Es ist glatt. Und es ist meine Pflicht, dich mitzunehmen.«

»Nein«, sagte Daniel noch einmal, lauter und mit mehr Nachdruck.

»Dann eben nicht«, sagte Frau Zuhl mehr zu sich selbst als zu ihm, »ich habe gefragt, soll niemand sagen, dass ich nicht gefragt hätte«, und fuhr an, ohne die Scheibe wieder hochzukurbeln. Er vernahm noch einzelne Worte durch das Motorengeräusch, »unverbesserlich«, »Kuper«, »Epsilon minus« und »Doppelnull«, dann nichts mehr, außer einem gleichmäßigen Brummen, das sich allmählich in der Ferne verlor. Nach ein paar Hundert Metern verschwanden die roten Rücklichter im Mittagsdunst.

Daniel folgte den Spuren im Schnee, versuchte in Fußstapfen zu treten, ohne neue zu hinterlassen, und meinte, die Stille zu spüren. Eine Taube gurrte irgendwo in den Bäumen, Blätter raschelten leise im Wind. Mit gesenktem Kopf überquerte er die Straße. Dann blickte er auf und sah das zweite Schloss an seinem Fahrrad und das Schild mit dem Pfeil, der ins Maisfeld zeigte.

6

Manchmal trödelte Daniel etwas, blieb stehen, setzte sich auf eine Wiese, dachte nach, las in einem der Hefte oder Bücher, die er immer bei sich trug, träumte vor sich hin. Das war nicht ungewöhnlich. Aber er kam nie später als eine halbe Stunde nach Schulschluss nach Hause, und als er um zwei immer noch nicht da war, begann Birgit sich Sorgen zu machen. Sie weckte Hard, der sich nach dem Essen für eine Stunde hingelegt hatte. Zwischen Viertel nach eins und Viertel nach zwei war Mittagspause, in dieser Zeit mussten alle Kinder still sein, damit der Vater schlafen konnte. Er schlief aber nicht, sondern döste nur, beschirmte mit der Hand das Gesicht, lag, die Beine angewinkelt, den Kopf zur Wand gedreht auf dem Sofa im Wohnzimmer, atmete gleichmäßig ein und aus. Als Birgit ihn ansprach, nahm er die Hand von der Stirn, sagte: »Was ist?«

»Er ist immer noch nicht da.«

»Der wird schon noch kommen, Biggi, du weißt doch, wie er ist.«

»Aber so lange ist er noch nie weggeblieben.«

»Volker und er toben bestimmt im Schnee irgendwo.«

»Volker ist zu Hause. Hab gerade da angerufen. Vielleicht ist ihm was passiert. Vielleicht ist er mit dem Fahrrad gestürzt und kommt nicht wieder hoch. Oder –«, sie hielt sich die Hand vor den Mund und nahm sie wieder weg, »was, wenn er entführt worden ist?«

»Entführt? Daniel?«

»Ja, so wie gestern bei *Dallas*.«

»*Dallas!*« Hard richtete sich auf, fuhr sich übers Gesicht und strich die Haare nach hinten.

»Kann doch sein. Und ausgerechnet heute macht der Wagen schlapp«, sagte Birgit.

»Wird die Batterie sein«, sagte Hard und stand auf. »Wegen der Kälte, hat sich bestimmt über Nacht entladen.«

»Was machen wir denn jetzt? Wir können doch nicht zu Fuß den ganzen Weg bis zur Schule, das dauert doch viel zu lange, und einer muss doch auf die Kleinen aufpassen.«

»Ich mach das schon, bleib du man hier.«

Hard zog seinen Kittel an, nahm seine Bundeswehrstiefel, die Fellmütze, seinen Parka aus dem Kleiderschrank und ging nach unten. Der Schnee hatte nachgelassen, aber die Straßen und Häuser und Bäume waren immer noch weiß. Er stapfte ein paar Meter die Auffahrt hoch, stand, die Hände in den Hosentaschen, vor dem Geschäft und überlegte, ob er Winterreifen aufziehen und die Batterie, die er am Morgen abgeklemmt hatte, wieder anschließen sollte. Dann sah er ihn, Hards Augen tränten vor Kälte, und er konnte den halb nackten Körper aus der Entfernung kaum erkennen, aber es bestand kein Zweifel: Daniel lief die Dorfstraße entlang, direkt auf ihn zu.

Er konnte sich an nichts erinnern. Nur an das Schloss, das Schild an seinem Fahrrad, und dass er ins Maisfeld hineingegangen und dort auf eine Lichtung gestoßen war. Dann hatte ihn das Kälteelement schockgefroren und zu einem Kind der Minuswelt werden lassen – der Körper von Raureif überzogen, die Augen hart wie Diamanten, die Gegenwart erstarrt. Er hörte, wie die Geschwister fragten: »Ist er da drin?«, und »Ist er tot?«, wie die Mutter »Ja« und »Nein« sagte und sie zurückhielt, in sein Zimmer zu kommen. Der Vater sprach leise auf ihn ein. »Was ist denn mit dir passiert? Ich hätte dich doch abholen können. Du hättest bloß anrufen müssen.« Er streichelte ihm übers Gesicht und sagte lauter als zuvor: »In was bist du da bloß wieder reingeraten! Wo sind deine Sachen, dein Fahrrad?« Mit den Worten, den Berührungen kehrte die Wärme zurück, und für einen Moment löschte der Schmerz Daniels Bewusstsein, nur der unsichtbare Kokon, der ihn umhüllte, verhinderte, dass er sich wieder den Naturgesetzen des Kontinuums anpasste oder den Folgen des Amoktaus erlag. Dann kotzte er in den Mülleimer, der zwischen Bett und Schreibtisch stand, und lehnte sich zurück. Er zitterte. Hard strich ihm mit beiden Händen über die Haut, über die blauen Flecken an den Oberarmen, den Beinen, am Rücken. Er wusch die Wunde am Hinterkopf aus, wickelte ihn in eine Decke und steckte ihm ein Thermometer unter die Achsel, aber er hatte kein Fieber.

Doktor Ahlers kam – Birgit hatte ihn angerufen – und untersuchte ihn. Er wohnte auch in der Dorfstraße, ein paar Häuser weiter in einem alten Bauernhaus. Vorne, dort, wo die Wohnräume gewesen waren, hatte er eine Praxis eingerichtet, und hinten hatte er den Stall ausgebaut, ein Stockwerk und Dutzende Wände eingezogen. Er roch nach 4711 und trug einen weißen Kittel wie Hard, und wenn man sie so nebeneinander stehen sah, konnte man sie für Kollegen halten, zwei Ärzte auf Visite.

Hard fühlte sich in seiner Gegenwart immer unterlegen. Sie hatten nie über ihre Berufe gesprochen, über ihr Selbstverständnis, aber wenn sie miteinander über Medikamente, Salben, Behandlungsmethoden sprachen, meinte er, in Doktor Ahlers' Stimme einen hochmütigen Unterton zu vernehmen, etwas, was ihm das Gefühl gab, es nur zum Drogisten gebracht zu haben.

»Hat er Fieber?«

Hard schüttelte den Kopf. »Nix. Sechsunddreißigkommafünf.«

Doktor Ahlers horchte Daniel ab, fühlte den Puls, nahm noch

einmal die Temperatur, weil er nicht glauben mochte, dass jemand, dessen Stirn heiß und verschwitzt war, kein Fieber hatte. Er desinfizierte die Wunde, legte eine Kompresse auf und verband ihm den Kopf. Dann erhob er sich und führte Hard mit einem Blick Richtung Tür nach draußen.

»Gut, gut. Er muss ins Krankenhaus. Vielleicht hat er eine Gehirnerschütterung oder innere Verletzungen, das kann ich so nicht beurteilen, und außerdem«, er stockte, als er das Stethoskop abnehmen wollte und es ihm nicht gleich gelang, »wir müssen die Polizei rufen.«

»Polizei. Ist das nötig? Wenn er uns nun einen Streich spielt!« Hard blickte aus dem Fenster. Es hatte aufgehört zu schneien, die Wolken waren aufgerissen, am Horizont kam die Sonne durch, mehrere klare Lichtstrahlen, wie von Scheinwerfern. Wenn die Nachbarn einen Streifenwagen vor dem Haus stehen sahen, würden sie sich Gedanken machen und womöglich falsche Schlussfolgerungen ziehen, und falsche Schlussfolgerungen waren schlecht fürs Geschäft.

»Einen Streich?« Doktor Ahlers steckte sein Stethoskop zurück in die Tasche.

»Ist schon vorgekommen. Einmal, vor ein paar Jahren, da –«

»Das war kein Streich. Was immer auch geschehen sein mag, Hard, die Verletzungen kann er sich nicht selbst zugefügt haben. Und ich will nicht hoffen, dass ihr, du weißt schon, dass du was damit zu tun hast.«

»Was soll das denn heißen? Glaubst du etwa –«

»Ich glaube gar nichts, ich sehe nur, was ich sehe.«

Daniel erzählte den Polizisten – Joachim Schepers und Kurt Rhauderwiek –, was geschehen war. Stockend und scheinbar ohne Zusammenhang kamen die Worte aus seinem Mund, »Eisen, Schloss, Schild, Fahrrad, Feld, Lichtung, Mais« und er wiederholte einige von ihnen wie zufällig, wie eine in der Rille hängen gebliebene Abtastnadel eines Plattenspielers Töne und Verse, wobei er den Oberkörper vor- und zurückbewegte, im Rhythmus einer Musik, die nur er vernahm. Sie stellten noch weitere Fragen, wann und wie und ob er allein gewesen sei, aber mehr war aus ihm nicht herauszukriegen, und sie fuhren zur Schule, zum Maisfeld hin, um die Angaben zu überprüfen.

Das Fahrrad stand noch genau da, wo er es abgestellt hatte, und die Schneise, die jemand – oder etwas – in den Mais geschlagen hatte, führte tatsächlich auf eine Lichtung zu, eine kreisrunde Fläche von sechzehn Metern Durchmesser. Die Pflanzen waren entgegen dem Uhrzeigersinn flach gelegt, ohne vom Halm gebrochen zu sein. An den Rändern waren die Stängel unbeschädigt, und auf ihren Spitzen lag eine dünne Schicht Schnee. In der Erde, im Schnee zeichneten sich keine Fußabdrücke ab, jedenfalls nicht unmittelbar um die Stelle herum, und Daniels Klamotten, sein Tornister waren nirgends zu sehen.

Es dauerte nicht lange, bis sich die Nachricht im Dorf, in der Gemeinde verbreitet hatte. Vor dem Feld versammelten sich einige Menschen, aber niemand traute sich hinein. Das Gebiet wurde weiträumig abgesperrt. Polizisten standen Wache, und zwei der Flutlichtlampen, die sonst eine Seite des Sportplatzes nebenan erleuchteten, wurden um hundertachtzig Grad gedreht und beschienen nachts den Mais, damit keiner unbemerkt eindringen und alte Spuren verwischen oder neue legen konnte.

Am nächsten Morgen war der Schnee geschmolzen, und die ersten Reporter kamen, um der Welt mitzuteilen, dass im Norden Deutschlands ein Ufo gelandet und ein Junge dabei verletzt worden sei. Einer von ihnen durchbrach die Absperrung – er hob das weiß-rot gestreifte Plastikband hoch –, stieg auf einen der Flutlichtmasten und machte Fotos, und als das Bild am Tag darauf in der *Friesenzeitung* erschien, auf der Titelseite, noch über der Meldung, dass die DDR den *Zustrom von Asylanten nach Westberlin* bremse, sahen alle in der Mitte des Feldes den Kornkreis, ein Wirbel wie von einer Windhose.

Ein Fernsehteam drang ins Krankenhaus ein und filmte die Schwestern, die Ärzte, die Eltern und Daniel. Er lag auf der Neurologie, in einem Einzelzimmer, mit verbundenem Kopf, einen Arm am Tropf. Er sagte dem Reporter, was er wusste. Der Arzt, der neben ihm stand, erklärte, er habe eine retrograde Amnesie, wahrscheinlich durch den Schlag oder die Kälte oder beides, und könne sich weder an das, was unmittelbar vor dem Ereignis geschehen sei, noch an das Ereignis selbst erinnern. Alle hofften, dass Daniels Gedächtnis bald wieder funktionieren würde. Aber als die Journalisten merkten, dass aus ihm nicht mehr herauszuholen war als das, was er ihnen schon gesagt hatte, *Eisen, Schloss, Schild, Fahrrad, Feld, Lichtung, Mais,* verloren sie das Interesse und wandten ihre Aufmerksamkeit Experten zu, die eine Erklärung für das Phänomen versprachen.

Im Deutschlandradio sagte ein Meteorologe: »Aller Wahrscheinlichkeit nach handelt es sich hierbei um einen Wirbelsturm, der nachts oder am frühen Morgen vom Meer her in höheren Luftschichten unbemerkt übers Land gezogen ist, bevor er in dem Maisfeld den Boden berührt hat. Das erklärt auch den plötzlichen Temperatursturz. Die Trombe hat Kälte aus dem mittleren Bereich der Troposphäre nach unten gezogen, was in einem Umkreis von fünf Kilometern zu massivem Schneefall geführt hat – ein Phänomen, zweifellos, aber ein natürliches.«

Auf NDR 1 Radio Niedersachsen entwickelte ein anderer Meteorologe aus den vorhandenen Daten eine andere Theorie: »In der Nacht ist eine kräftige Kaltfront von Island kommend über den Nordwesten Deutschlands hinweggezogen. Über Teilen Ostfrieslands war die Luft extrem feucht. Und diese Luftmassen wurden von dem Unwetter besonders stark angezogen. Vereinzelt kam es innerhalb der Kaltfrontpassage zu massivem Schneefall und Hagelschlag, taubeneigroß. Von überall her wurden uns zerborstene Windschutzscheiben, Lackdruckstellen im Autoblech oder zerstörte Gewächshäuser gemeldet. In einem sehr kleinen Bereich, wie über diesem Feld, hat sich der Hagel verdichtet und Geschossstärke erreicht. Ich will hier keine voreiligen Schlüsse ziehen. Wir müssen erst alle Daten auswerten. Ich will damit nur sagen, dass es so gewesen sein könnte. Vor allem Superzellen weisen einen Aufwindschlauch auf, der zum Anwachsen der Hagelkörner führt, und dann ist es nicht ausgeschlossen, dass Landstriche punktgenau verwüstet werden, als wenn man auf ein ganz bestimmtes Ziel hin eine Rakete abgefeuert hätte, nur mit dem Unterschied, dass es keinen Krater gibt, weil sich der Sprengkopf Zentimeter vor dem Aufprall in Millionen Einzelteile aufspaltet.«

In *Dall-As* ließ sich Karl Dall von einer jungen, knapp bekleideten Frau zehn Schnapsgläser und eine Flasche Doornkaat bringen. Er füllte die Gläser, ordnete sie kreisförmig an – »ein Kornkreis!« – und forderte seine Gäste, Uwe Fritzmann (Pandapfleger im Berliner Zoo), den Kabarettisten Robert Kreis und die Schlagersänger Tina York und Bernhard Brink, auf, mit ihm anzustoßen. »Uwe, das hier ist nicht aus Bambus! Das ist dreifach gebrannter Korn! Macht richtig geil! Solltest du mal Bao Bao geben! Dann klappt's vielleicht auch mit den Weibchen. Ein wahres Baodisiakum!« – »Los, Robert, du musst deinem Namen doch alle Ehre machen!« – »Tina, *Wir lassen uns das Trinken nicht verbieten* war doch ein großer Hit von dir.« – »Bernhard, lass mich doch hier jetzt nicht mit dem ganzen Zeug hängen, das bisschen kippst du doch sonst allein zum Frühstück!«

Aber niemand nahm das Angebot an.

Stattdessen sagte Bernhard Brink: »Wenn du nicht nett zu mir bist, erinnere ich dich an den Film *Sunshine-Reggae auf Ibiza*, hab ich neulich gesehen, auf RTL plus.«

»Du guckst dir auch alles an, was?« Karl Dall rollte mit dem Auge.

»Das war eine ganz schwache Stunde von dir.«

»Du hast mich im Griff.«

Und in der *NDR Talkshow* unterhielt sich einer der drei Moderatoren, Wolf Schneider, mit dem Ufologen Markus Schallenberg. Alle in der Runde, Sigourney Weaver, Juliane Werding, Marika Rökk, waren schon zu ihren Themen befragt worden, und Schallenberg hatte die ganze Zeit an seinen Fingernägeln gekaut, während sie über Filme, Drogen, das Alter sprachen, weil er am Anfang trotz der kurzfristigen Einladung als Highlight angekündigt worden war und nicht wusste, ob man sich, wie in anderen Sendungen zuvor, über ihn lustig machen würde.

»Jetzt ist Frau Weaver leider schon gegangen«, sagte Schneider schließlich, ihm zugewandt, »sonst könnte ich ihr auch die Frage stellen, die ich Ihnen jetzt stelle: Was sollen wir von diesem Kornkreis halten, der gestern in Ostfriesland entdeckt wurde? Sind das die Aliens, die wir vorhin in dem Filmausschnitt gesehen haben?«

»Nein, nein, das hier ist ja kein Film, der auf einem fernen Planeten spielt, das hier«, sagte Schallenberg und nahm seine Hand aus dem Gesicht, »das hier ist real, Sie können ins Auto steigen und hinfahren«, er wies mit ausgestrecktem Arm auf einen der Scheinwerfer, »jeder kann das.«

»Aber finden Sie es nicht auch erstaunlich, dass das gerade jetzt passiert, so kurz vor dem Kinostart von *Aliens*? Könnte das nicht – Juliane Werding wird das als gelernte PR-Frau sicher kennen – eine ausgeklügelte Werbekampagne sein?«

»Diese Übereinstimmung ist reiner Zufall. Das Ganze ist ja nicht neu. Im Süden Englands gibt es das schon seit den Siebzigerjahren. Neu ist nur, dass diese Kreise jetzt auch bei uns auftauchen, und nicht mehr nur in Weizen, Gerste oder Roggen, sondern auch in Mais. Mais! Das muss man sich mal vorstellen! Haben Sie eine Ahnung, wie kräftig Mais ist, wie widerstandsfähig?« Schneider schüttelte den Kopf, und Schallenberg beugte sich vor und machte mit Daumen und Zeigefinger eine Geste, als versuchte er, etwas Unsichtbares zu greifen. »Die Halme sind viel stabiler als die der anderen Getreidesorten. Es ist viel schwieriger, sie zu legen, ohne sie zu brechen. Das scheint mir der stärkste Beweis dafür zu sein, dass –«

»Wie haben die das angestellt?«

»Das weiß ich nicht, aber sie müssen über starke Fähigkeiten verfügen, starke und sanfte. Wenn man bedenkt, mit welcher Präzision der Kreis angelegt ist, wie mit einem Zirkel und ohne die Ränder zu beschädigen.«

»Aber es gibt doch diesen Gang«, Schneider hielt ein Foto, eine Luftaufnahme in die Kamera und zeigte auf die Stelle, die er meinte, »die Schneise, die von der Straße aus dorthinein führt, in den Kreis. Deutet das nicht eher darauf hin: Das alles ist doch von Menschen gemacht?«

»Nein. Obwohl das tatsächlich eine Art Tunnel sein könnte, der dazu dient, uns auf den Kreis aufmerksam zu machen. Ein Eingang, um uns ins Innere zu führen. Ich halte es aber für sehr viel wahrscheinlicher, dass diese Schneise zum Kreis dazugehört – wie der Stiel zum Lolli.«

»Zum Lolli?«

»Ja, ich interpretiere das als Zeichen einer behutsamen Annäherung an unsere Kultur. Ein Symbol der Kindheit. Sie wollen uns zeigen, dass wir nicht allein sind, dass –«

»Wer?«

»Die Zirkelmacher. Dieser Kreis –«

»Sie meinen, Außerirdische?«

Schallenberg nickte. »Plutonier.«

»Natürlich. Darüber haben Sie ja gerade erst geschrieben.« Schneider beugte sich vor, nahm ein Buch vom Tisch, hielt es in die Kamera und las den Titel vor. »*Die Plutonier – das vergessene Volk*.«

»Dieser Kreis am Stiel, dieser Lolli, das ist ihre Sprache, ein Code, den wir knacken müssen, um mit ihnen Kontakt aufnehmen zu können.«

»Was könnte dieser Lolli, wie Sie sagen, bedeuten?«

»Das weiß ich nicht, dafür wissen wir insgesamt noch zu wenig.«

»Aber Sie haben doch sicherlich eine Vermutung.«

»Ja, die habe ich.«

Schneider blickte in die Runde. »Würden Sie bitte so freundlich sein, uns an Ihrem Wissen teilhaben zu lassen? Nicht alle hier – und ich nehme an, auch nicht alle Zuschauer vor den Bildschirmen – sind mit Ihrem Werk vertraut.«

»Gerne«, sagte Schallenberg und lehnte sich zurück. »Ich halte es für ein Geschenk des Himmels. Eine Geste des Friedens und der Freundschaft. Die Plutonier sind im Grunde kein kriegerisches Volk. Es ist die Furcht vor dem Unbekannten, die sie zu kämpfen zwingt. Aber wenn wir ihnen zeigen, dass wir sie verstehen, werden sie uns verschonen.«

»Also geht von ihnen doch eine Gefahr aus.«

»Nein, nein.« Schallenberg erhob zur Abwehr dieses Verdachts beide Hände. »Allerhöchstens eine sehr abstrakte. Wir müssen nur in uns hineinschauen und den Plutonier in uns entdecken. Sie wollen mit diesem Symbol eine Verbindung wiederherstellen, die vor vielen Jahren, lange vor unserer Zeit, abgerissen ist. Sie begreifen Kommunikation als Spiel und wollen sehen, was wir jetzt zu leisten imstande sind. Welchen Grad der Intelligenz wir inzwischen erreicht haben. Ob wir die Regel, die sich

116

dahinter verbirgt, selbst erkennen und ihr entsprechend handeln.«

»Könnte es nicht auch ein Köder sein?«

»Ein Köder?«

»Eine Art Schlüssel, mit dem Erwachsene Kinderherzen öffnen – um in Ihrem Bild mit dem Lolli zu bleiben. Eine Belohnung für ihr Betragen, ihren Fleiß, ihre Folgsamkeit, oder, vorausschauender gedacht, vielleicht doch für einen anderen, grausameren Zweck bestimmt, eine Verlockung, ein rundes, buntes, süßes Versprechen mit einem bitteren Nachgeschmack.«

»Ich verstehe nicht ganz, worauf Sie hinauswollen. Das mit dem Lolli ... also ... das ist ja auch erst mal nur eine Hypothese, die es zu überprüfen gilt. Das muss ich mir erst einmal an Ort und Stelle genauer anschauen.«

»Ach, Sie waren noch gar nicht da? Ich dachte, Sie ... Im Vorgespräch sagten Sie doch ...«

»Ich sagte, in meiner Vorstellung bin ich da gewesen, und das war ich auch, während meiner meditativen Expedition.«

»Ihrer meditativen Expedition?«

»Eine Reise ins Ich. Das mache ich zweimal die Woche, manchmal, wenn es die Lage erfordert, auch öfter. Wie kann ich denn den Kontakt zu anderen aufnehmen, wenn ich den zu mir selbst verloren habe?«

»Ich weiß nicht. Ich –«

»Es erfordert viel Kraft, dort drinnen«, Schallenberg zeigte auf seine Brust, »ans Ziel zu gelangen. Meine Seele ist ein Labyrinth, aus dem es kein Entkommen gibt.«

»Sie meinen, ein Irrgarten, in dem Sie sich verlaufen, weil Sie den falschen Weg gewählt haben?«

»Nein, ich meine ein Labyrinth. Es gibt nur einen Weg und ein Ziel, aber kein Zurück, weil es ein Weg nach unten ist, in eine unermessliche Tiefe, und ein Wiederaufstieg zu beschwerlich wäre.«

Deshalb wage ich mich auch nie allzu weit vor. Ich wette, das ist bei Ihnen auch nicht anders.«

»Doch, das ist es«, sagte Schneider und breitete die Arme aus. »Meine Seele ist ein Meer, offen und weit.«

»Das ist kein Widerspruch. Das Meer hat die tiefsten Gräben. Jeder Mensch ist ein Abgrund.«

»Es schwindelt einem, wenn man hinabsieht.«

»Nur die Plutonier, unsere Vorfahren, können uns retten.«

»Und was ist mit dem Jungen?«, fragte Schneider, um wieder auf das Thema und die Erde zurückzukommen. »Was haben die mit ihm gemacht?«

»Den haben sie sich geholt und untersucht, nehme ich an, und dann wieder abgesetzt.«

»Haben Sie denn schon mit ihm telefoniert, ihn befragt?«

»Nein, wozu? Was würde das bringen? Sie haben sein Gehirn ja gelöscht und mit neuen Informationen versehen.«

Am Tag nach dieser Sendung meldeten sich Anwohner bei der *Sonntagszeitung*, ein regionales Anzeigenblatt aus Swaarmodig, das kostenlos verteilt wurde, und berichteten von übernatürlichen Erscheinungen. Eine Frau, die ihren Namen nicht nennen mochte, sagte, sie leide seit Jahren unter Schlafstörungen, und in der Nacht sei sie aufgestanden und ans Fenster getreten, weil sie dachte, ein schwerer Lastwagen rase auf ihr Haus zu, dabei liege es gar nicht an der Straße, und als sie genauer hingesehen habe, sei ihr das Licht mehr wie ein weißes Glühen am Himmel erschienen, wie ein um sich selbst kreisender, voll erleuchteter Eisenbahnwaggon. Eine andere sagte, sie habe an dem Tag wegen der dichten Wolken zwar kein Flugzeug gesehen, aber zweimal kurz hintereinander ein Knallen gehört, wie bei einer Explosion, wie damals, 1943, als Hamburg brannte und sie alles verlor, ihr Haus, ihre Familie. Ein Mann behauptete, Fotos von dem Objekt gemacht zu haben, aber nachdem man den Film in der Redaktion entwickelt hatte, war auf den besten Bildern nur das Maisfeld zu sehen, darüber ein Stück Himmel, weiß und trüb und ohne das geringste Anzeichen eines Fremdkörpers.

Irgendwann an jenem Tag passierte das, was passieren musste, wenn die alte Heimat in zwei dicht beieinanderstehenden Reihenhaushälften in Bad Vilbel über die Bildschirme flimmerte: Birgits Schwestern riefen an. Erst Gerhild, die vor Aufregung kaum sprechen konnte und den Hörer bald an ihren ältesten Sohn Simon weitergab.

»Hast du das Mutterschiff gesehen?«

»Das Mutterschiff?«

»Ja«, sagte Simon. »Der Abdruck im Feld ist doch viel zu klein für ein großes Raumschiff. Das war bestimmt nur ein Shuttle, ein Transporter, um Bodenproben zu nehmen oder Truppen abzusetzen. Irgendwo muss ein größeres Schiff gewesen sein, hinter den Wolken vielleicht. Hast du es nicht gesehen?«

»Nein«, sagte Birgit.

»Vielleicht gab es auch deshalb den Schnee, damit man es nicht sehen konnte, als Tarnung. Oder sie haben mit Plasmaspulen ein Energiefeld erzeugt und sind darin eingetaucht. Es sei denn –«, Simon brach ab und hielt inne, als überlege er, was er als Nächstes sagen sollte.

»Es sei denn, was?«, fragte Birgit.

»Es sei denn, das da im Mais war doch das Mutterschiff – und sie sind kleiner als wir. Viel kleiner. So groß wie Ameisen.«

»Ameisen!«

»Oder Termiten.

»Termiten!«

»*Ant Termes Pacificus.*«

»Dann sind sie womöglich schon unter uns!« Birgit sprach mit ihm wie mit einem Kind, in einem permanenten Zustand leichter Erregung, Erstaunen und Freude heuchelnd und seine Visionen auf die Spitze treibend.

»Ganz sicher sogar. Sie sind schon lange unter uns. Sie sind immer unter uns gewesen. Und vielleicht sind sie sogar in uns. Vielleicht kontrollieren sie uns, ohne dass wir es merken. Unsere Gedanken. Auch jetzt. Das ist gut möglich, meinst du nicht?«

»Ja, Simon, das ist es. Alles ist möglich.«

Simon war fünfundzwanzig, studierte in Frankfurt im zwölften Semester Biologie und Theoretische Physik und wohnte noch immer zu Hause, und in düsteren Momenten fürchtete Birgit, Daniel würde das gleiche Schicksal drohen wie ihm, hochbegabt, aber für immer in fremden Welten lebend.

Dann, kaum dass sie aufgelegt hatte, klingelte es erneut, und Margret war dran. »Endlich. Ich versuche dich schon seit einer Stunde zu erreichen. Aber es gab einfach kein Durchkommen. Immer besetzt. War das Gerhild eben?«

»Ja.«

»Hab ich's mir doch gedacht. Ich hab vorhin auch schon mit ihr gesprochen.«

»Das hat sie auch gesagt.«

»Was du durchmachen musst! Also nein. Das tut mir so leid.«

»Das muss es nicht.«

»Brauchst du Hilfe? Ich würde ja gerne kommen, wenn ich könnte, aber es ist bloß, ich kann grad nicht weg. Wir haben doch eben erst den Garten neu gemacht bekommen, und nach Jochens Herzinfarkt will ich ihn damit jetzt nicht allein lassen. Du kennst ihn doch. Sobald ich aus der Tür bin, stürzt der sich drauf, mäht den Rasen, schneidet die Hecke, jätet Unkraut, das ganze Programm. Gut, dass Gerhild so dicht bei wohnt, allein würde ich das gar nicht schaffen. Dabei soll er sich schonen! Bis Ende des Jahres ist er doch noch krankgeschrieben. Er soll langsam wieder anfangen, hat der Arzt gesagt. Er darf sich auf keinen

Fall anstrengen. In der Reha in Fallingbostel, weg von Zuhause, hat das ja alles auch noch prima funktioniert. Aber seitdem er wieder hier ist, also, da ist er sofort wieder in alte Gewohnheiten gekippt. Bloß weil er fünf Bypässe gekriegt hat, meint er, jetzt sofort wieder alles machen zu können. Fünf Bypässe! Die Operation hat mehr als vier Stunden gedauert! Ich fühl mich gut, sagt er immer. Besser als je zuvor. Wie neugeboren. Auferstanden von den Toten. Du weißt ja, wie er ist, wie unvernünftig. Ständig überschätzt er sich und seine Kräfte. Er mutet sich einfach zu viel zu. Kein Wunder, dass sein Körper das nicht mitmacht. Und beim Steuerberater kommen sie jetzt auch alle mit ihren Unterlagen. Immer auf letzte Minute. Ich bin da ja jetzt nur noch drei Tage die Woche, aber manchmal weiß ich vor Arbeit gar nicht mehr, wo mir der Kopf steht. Wenn die wenigstens geordnet wären! Aber die stopfen die Belege alle in einen Sack, und wir dürfen die dann wieder auseinanderklabüstern. Kann ich denn von hier aus irgendwas für dich tun, soll ich dir was schicken?«

»Nein, es geht schon.«

»Wirklich?«

»Jaja. Hard –«

»Geht's Daniel besser?«

»Ja.«

»Und was ist mit den Kleinen?«

»Denen –«

»Du weißt, dass du immer zu uns kommen kannst, du und die Kinder. Du weißt, dass hier immer Platz für euch ist ... Solange Jochen und ich ... Das Haus steht ja praktisch leer ... Wir haben den Dachboden jetzt ja auch ausgebaut, für Gäste ... Jeder hätte sein eigenes Zimmer ... Obwohl ... Na ja, die Zwillinge schlafen ja sowieso in einem ... Und Jochen hätte auch nichts dagegen ... Das weißt du doch, oder?«

»Ja«, sagte Birgit, »das weiß ich.«

7

Auf einer Pressekonferenz legte der Einsatzleiter Uwe Saathoff
die Fakten dar: Man habe in der betreffenden Zone keine Erkenntnisse für die Landung eines Ufos finden können. Man habe
außer Hand- und Fußabdrücken im Schnee, die sehr wahrscheinlich von dem Jungen stammten, überhaupt nichts gefunden, aber auch die seien wegen des einsetzenden Tauwetters niemandem genau zuzuordnen.

Als die Polizei das Feld freigab, stürmten Journalisten, Schaulustige und Pilger hinein. Der Bauer, dem es gehörte, Arendt van
Deest, versuchte sie zu vertreiben, aber es gelang ihm nicht. Von
überallher drangen sie in den Mais ein und zerstörten seine
Ernte – oder das, was nach Tschernobyl noch davon zu gebrauchen gewesen war. Er wandte sich an Bürgermeister Schulz, seine Versicherung, wollte wie bereits im Mai höhere Mächte geltend machen, um den Schaden ersetzt zu bekommen. Und als
auch das nicht funktionierte, zeigte er Daniel Kuper wegen Sachbeschädigung an.

Der Kreis war bald ausgefranst, seine Umrisse kaum noch zu
erkennen. Trotzdem kamen immer mehr Menschen, um dort,
wo sie den ursprünglichen Kreis vermuteten, zu meditieren oder
Experimente durchzuführen. Einige nahmen Pflanzen- und Bodenproben, andere stellten sich nachts mit Rekorder und Mikrofon in die Mitte, um Töne aufzunehmen, manche schritten mit
Wünschelruten selbst gezogene Wege ab, und einer lief einen
ganzen Tag lang mit einem Geigerzähler von unterschiedlichen

Richtungen aus über das Feld. Alle machten ungewöhnliche Entdeckungen: Die Knoten an den Halmen waren vergrößert (van Deest hatte eine neue Sorte – Aurora – mit standfesteren Stängeln angebaut). In der Erde fand man eine nicht näher bestimmbare gallertartige Masse (ein Kind hatte die rote Grütze, die seine Mutter ihm zur Schule mitgab, vergraben, weil es dachte, aus den Himbeerkernen würden Bäume wachsen). Inmitten des Kreises steckte ein Miniaturflugzeug ohne erkennbaren Antrieb aus einem unbekannten, grün glänzenden Metall, das für seine geringe Dichte viel zu schwer war (auf der Weide nebenan hatten Modellbauer im Sommer ihre neuesten Entwicklungen getestet). Auf den Kassetten war ein hohl klingendes Klopfgeräusch mit etwa siebzig Schlägen pro Minute zu hören, das an einen Herzschlag erinnerte (es war tatsächlich ein Herzschlag, das Mikrofon steckte in der Brusttasche). Die Rute zeigte deutliche Ausschläge nach oben und unten (Wasserader). Und die Strahlung lag mit siebentausend Becquerel Cäsium 137 pro Quadratmeter weit über dem üblichen Normalwert (am 4. und 5. Mai hatte es in ganz Nordwestdeutschland stark geregnet, allerdings nicht so stark wie fünf Tage zuvor in Südostdeutschland).

Birgit und Hard wechselten sich im Krankenhaus ab. Birgit wollte erst nicht von Daniels Seite weichen, man stellte ihr ein Bett in sein Zimmer, aber Hard überredete sie, alle paar Stunden nach Hause zu fahren und sich um die Zwillinge zu kümmern, die während ihrer Abwesenheit bei einer Nachbarin waren. »Es wird ihnen guttun, dich zu sehen, und es wird dir guttun, mal hier rauszukommen«, sagte er, als sie im Aufenthaltsraum einen Kaffee tranken. »Mit Daniel ist alles in Ordnung. Keine Hirnblutung, hat der Arzt eben doch gesagt. Du kannst ganz beruhigt sein, Biggi. Nur eine Gehirnerschütterung.«

»Ja«, sagte sie. »Aber woher?«

»Er wird eins auf den Deckel bekommen haben.«

»Von wem?« Birgit nahm einen Schluck, verzog das Gesicht und setzte die Tasse gleich wieder ab.

»Keine Ahnung.«

Mit gespitzten Lippen pustete sie in ihren Kaffee und sah an Hard vorbei aus dem Fenster. Dann fragte sie: »Könnte es nicht … Glaubst du, es war Volker?«

»Volker?«

»Volker Mengs.«

»Das dicke Mengs? Du meinst, aus Rache, weil Daniel ihm damals eins mit dem Hammer übergezogen hat?«

Sie nickte. »Er hätte ihn töten können.«

»Nix.«

»Er hätte erfrieren können.«

»Vielleicht ist er einfach nur gestürzt und will es nicht zugeben.«

»Ach ja? Und warum war er dann nackt? Und wo sind seine Sachen?« Sie nahm einen zweiten, kleineren Schluck, aber der Kaffee war immer noch zu heiß, um ihn trinken zu können. Hard hatte seinen noch nicht einmal angerührt.

»Er war nicht nackt«, sagte er. »Er hatte ein Handtuch um.« Und als Birgit ihn daraufhin ansah, als wollte sie ihn mit bloßen Händen häuten, fügte er hinzu: »Vielleicht hat er sich geschämt, dass er ausgerutscht ist, im Schnee, und er hat sich ausgezogen und diese Geschichte erfunden.«

»Welche Geschichte?«

»Du weißt doch, wie er ist, wie viel Fantasie er manchmal hat, was er alles liest, und was er sich dann immer ausdenkt.«

»Aber Doktor Ahlers hat doch gesagt, die Wunde, die kommt von einem Schlag, er hat gesagt, dass er sich das nicht selbst –«

»Doktor Ahlers! Doktor Ahlers! Was du mit dem immer hast!« Er trank seinen Kaffee in einem Zug, wischte sich mit dem

Handrücken den Mund ab und stand auf, um sich einen neuen zu holen.

Vor der Schule parkten den ganzen Tag über Autos, morgens und mittags wurden sie für kurze Zeit umgestellt, damit die Busse durchkonnten, um die Schüler abzusetzen oder aufzunehmen. Am Straßenrand hatte jemand einen Tapetentisch aufgebaut und verkaufte selbst bedruckte T-Shirts, Schlüsselanhänger, Feuerzeuge, Kugelschreiber, Postkarten, Tassen – und Untertassen – mit den Aufschriften *Dies ist nur eine menschliche Hülle!, Beim nächsten Mal: Nehmt mich mit!, Treibstofftank für die erste Zündstufe!, Nach Hause schreiben!, Möge der Mais mit dir sein!, Sie waren hier. Wir auch ... aber zu spät!, Wirf mich! Ich kann fliegen!* Männer und Frauen, die lange Gewänder und goldene Amulette trugen, campierten in Zelten vor dem Feld, auf dem schmalen Grasstreifen zwischen Asphalt und Weidezaun, und warteten auf die Rückkehr der Plutonier. Als Markus Schallenberg den Kreis untersuchen wollte, empfingen sie ihn wie ihren Anführer: Sie überreichten ihm Geschenke, Lollis aus Holz und Ton, und verneigten sich vor ihm, und er reiste wieder ab, ohne das Feld betreten zu haben.

Die Schüler, die das Treiben von der anderen Straßenseite aus beobachteten, ließen sich nicht beruhigen. Alle sprachen nur noch von den Außerirdischen und spekulierten, was sie mit Daniel angestellt hatten. Einige Jungs waren der Ansicht, man habe ihn gegen einen Replikanten ausgetauscht. Andere meinten, Individual-Verformer hätten sich seiner bemächtigt. Und wieder andere waren überzeugt, er sei, ohne sich dessen bewusst zu sein, sowieso von Anfang an ein Formwandler gewesen, der sich seit jeher mal in dieser, mal in jener Gestalt gezeigt habe und erst jetzt, durch den Kälteschock, vollkommen mit seinen Kräften umzugehen wisse. Die Mädchen taten diese Behauptungen wahlweise als »echt schwachsinnig« oder »total primitiv« ab, ohne jedoch eine bessere Begründung zu liefern. Unterricht war praktisch nicht mehr möglich. Immer wieder schauten sie zu den Fenstern hin. Selbst die Lehrer waren unkonzentriert. Sie stellten zwar Fragen, nahmen aber die Antworten kaum wahr und wurden erst aus ihren Träumen gerissen, wenn sie merkten, dass es um sie herum still geworden war.

Das Jagdgeschwader 71 schickte von Wittmundhafen aus vier Phantom-II-Bomber in die Luft, und vom Fliegerhorst Upjever starteten zwei Tornados, um im Tiefstflug für den Bruchteil einer Sekunde einen Blick auf das Feld und die Menschen zu werfen. Auch die Niederländer und Belgier wollten sich ein eigenes Bild vom Landeplatz der Außerirdischen machen und überquerten am Himmel die Grenze. Und von England aus, von ihrem Stützpunkt Greenham Common, flogen die Amerikaner mit ihrer Lockheed SR-71 vermehrt Aufklärungsflüge – in so großer Höhe, dass der Blackbird vom Boden aus mit bloßem Auge nicht zu sehen war.

Am Dach der Schule befestigten einige Lehrer, Herr Pfeiffer, Herr Engberts und Herr Kamps, allesamt Mitglieder der GRÜNEN, im Durchmesser anderthalb Meter große, mit Helium gefüllte rote Fesselballons. Sie ließen sie an Perlonschnüren bis zu einer Höhe von fünfundsiebzig Metern aufsteigen, um die Piloten daran zu erinnern, die gesetzlich vorgeschriebene Mindestflughöhe in der Tiefstflugzone nicht zu unterschreiten. Gleichzeitig schrieben sie Protestbriefe ans Verteidigungsministerium: *Tiefflieger terrorisieren uns immer wieder mit extremem Lärm. Solange Sie das Schulzentrum nicht aus dem Übungszielkatalog der Bundeswehr nehmen, sehen wir uns zu drastischen Aktionen wie diesen gezwungen.*

Tiefflieger, schrieb das Verteidigungsministerium zurück, *die-*

nen dem Verteidigungsauftrag der Luftwaffe. Übungen unter realen Bedingungen sind für die Ausbildung der Piloten unerlässlich. Im Übrigen wird nicht das Schulgebäude im Katalog geführt, sondern die Aufmündung der L1138 auf die B589 in Drömeln.

Gleichzeitig leitete die Staatsanwaltschaft Aurich gegen die drei Lehrer, die das Schreiben unterschrieben hatten, Ermittlungen wegen Gefährdung des Luftverkehrs ein und begründete die Maßnahme damit, dass die Ballons nicht vom Luftfahrtbundesamt genehmigt und überdies zu hoch gesetzt worden seien. Die Polizei kam und verlangte, die Ballons sofort einzuholen, oder Zutritt zum Dach, um den eben gegebenen Befehl selbst auszuführen. Einer der Männer, Kurt Rhauderwiek, drohte, die Hand am Holster, die Dinger andernfalls gleich vom Vorplatz aus abzuschießen: »Die knallen wir ab, wie in der Pfalz.«

Aber die Lehrer weigerten sich, der Aufforderung Folge zu leisten, und verstellten ihnen den Weg zum Treppenhaus. Es gab eine Rangelei und wüste, teils unverständliche Beschimpfungen beiderseits. Und von da an wurde das Verfahren auf Nötigung und Widerstand gegen die Staatsgewalt ausgeweitet.

Mehrmals am Tag hoben in Nüttermoor vier zur Flotte eines Reiseveranstalters gehörende Cessnas ab und drehten nach einem Rundflug über den ostfriesischen Inseln über dem nur noch schwer als solchem erkennbaren Kreis einen Kreis, bevor sie zur Landebahn zurückkehrten. Polizeihubschrauber standen minutenlang über dem Feld und gingen manchmal so tief herunter, dass die verbliebenen Maispflanzen zur Seite gebogen wurden und im Wind der Rotorblätter hin- und herwogten. Einige, die das sahen, meinten, das sei die eigentliche Ursache des Kreises, ein Hubschrauber, aber niemand hatte an dem Tag, als es passierte, einen gesehen oder gehört. Außerdem, argumentierten die Gegner dieser Theorie, hätte dann der Schnee verwirbelt sein müssen. Und auf allen Fotos, die an dem Tag und am Tag danach von der Gegend gemacht worden waren, aus der Luft oder vom Boden aus, sei deutlich zu erkennen, dass das ganze Feld flächendeckend von einer gleichmäßigen feinen Schneeschicht überzogen war.

Die plötzliche Aufmerksamkeit, die der ganzen Region zuteil wurde, ging nicht spurlos an ihren Bewohnern vorüber. Sie versuchten, jeder auf seine Weise, das Beste aus der Situation zu machen. Bei der Bäckerei Wessels gab es Popcorn und Maisbrot mit Rosinen zu kaufen. Das fünfstöckige, sich weit über die Landschaft erhebende Strandhotel offerierte in halbseitigen Anzeigen *Zimmer mit Feldblick*. Und im Nachbarort, dessen äußerste Ausläufer als Industriegebiet von Süden her an die Schule heranreichten, wurde die eben erst fertiggestellte Disko Ultravox kurzerhand – das rot leuchtende U war schon über dem Eingang angebracht worden – in Ufo Music Hall umbenannt.

Ulrich Dettmers, der Dorffriseur, bot in seinem Salon eine neue Frisur an. Anstatt die Glatzen oder Geheimratsecken zu kaschieren, wie er es sonst tat, indem er die Haare der Männer an einer Seite lang ließ und dann über deren Köpfe rüberkämmte, riet er seinen Kunden jetzt, die natürliche Tonsur zu betonen oder, sofern sie keine hatten, sich eine von ihm scheren zu lassen. Zwischen den Spiegeln hängte er Bilder von Geistlichen auf, großformatige Reproduktionen alter Kupferstiche, hob, nachdem er die Kunden gefragt hatte, welchen Schnitt sie wünschten, die spirituelle Dimension dieser Haartracht hervor und fügte, falls sie immer noch nicht überzeugt waren, hinzu: »Zu einem freien Geist gehört ein freies Haupt.« Aber nur wenige Verzweifelte ließen sich darauf ein, und Uli Dettmers kehrte bald zu seinem bewährten Schnitt zurück.

Am Sonntag darauf predigte Pastor Meinders in der reformierten Kirche von der Kanzel: »Ihr sollt nichts mit einem zu schaffen haben, der sich Bruder nennen lässt und ist ein Unzüchtiger oder ein Geiziger oder ein Götzendiener oder ein Lästerer oder ein Trunkenbold oder ein Räuber; mit so einem sollt ihr auch nicht essen. Denn was gehen mich die draußen an, dass ich sie richten sollte? Habt ihr«, er beugte sich weit über die Brüstung und zeigte auf die Besucher in den Bänken, »nicht die zu richten, die drinnen sind? Gott aber wird die Außenstehenden richten. Verstoßt ihr den Bösen aus eurer Mitte!« Die Männer und Frauen, die das hörten, warfen einander fragende Blicke zu, ein Tuscheln erhob sich und verebbte wieder, als der Kirchenchor auf der Empore *O Heiland der Welt* anstimmte. Niemand wusste, wen Pastor Meinders mit den *Außenstehenden* oder dem *Bösen* meinte. Ausländer? Asylanten? Außerirdische? Diese Plutonier, von denen im Fernsehen die Rede war? Den Antichrist? Daniel Kuper? Keiner fühlte sich angesprochen, und alle waren verwundert darüber, dass er nicht wie sonst die *Offenbarung* zum Thema machte, dass sich der Himmel in ihren Köpfen nicht teilte und vier Reiter oder eine Horde schwarzer Engel in sie hineinfuhr und das Land hinter ihren Augen mit Plagen überzog, gerade jetzt, da die Prophezeiungen des Johannes einzutreten schienen.

Und keine zwölf Stunden später zitierte Berger, der Billardmeister, inspiriert vom Gottesdienst, unten in Petersens unterirdischer Poolhalle mit bebender Stimme, den Queue wie ein Schwert von sich gestreckt, ebenfalls eine Stelle aus Paulus' erstem Brief an die Korinther, die nicht weniger geheimnisvoll war als die, die Pastor Meinders gewählt hatte: »Denn unser Wissen ist Stückwerk, und unser Weissagen ist Stückwerk. Wenn aber kommen wird das Vollkommene, so wird das Stückwerk aufhören.« Berger, der sich sonst immer so sicher war, was geschehen würde – ewige Verdammnis aller Menschen, ungeachtet ihres Glaubens und ihrer Rechtschaffenheit –, orakelte plötzlich und setzte, kaum dass er verstummt war, zu einem Stoß an, der drei volle Kugeln auf einmal in den Taschen versenkte.

»Was ist das?«, fragte Jost Petersen, während er ein Glas ins bis zum Rand mit Wasser gefüllte Spülbecken tauchte. »Zweifelt er?«

»Er zweifelt«, sagte Heiko Hessenius.

»Dann ist es aus«, sagte Gerrit Klopp und ließ die Karten, die er in der Hand hielt – zufälligerweise keine besonders guten –, zu Boden fallen. »Gib uns schnell noch was zu trinken, bevor die heiße Glut des Jüngsten Gerichts über uns kommt und unsere Kehlen trocknet, und der Strom, sie wieder zu befeuchten, versiegt ist.«

Die Trinker und Spieler, die sich allabendlich vor den Tischen und der Theke versammelten, bestellten Schnaps und Bier und begannen die Kugeln und Karten für neue Partien anzuordnen. Und sogar die Extrinker und Exspieler, die nur noch selten kamen und den ganzen Sommer über enthaltsam geblieben waren, fielen in alte Gewohnheiten zurück.

»Vielleicht zweifelt er auch nicht«, sagte Jost Petersen, nachdem er den ersten Ansturm bewältigt hatte, und machte eine Pause, weil das Bier, das er gerade für sich selbst zapfte, überschäumte.

»Was?«, fragte Heiko Hessenius.

»Vielleicht zweifelt er auch nicht, habe ich gesagt«, wiederholte Petersen. »Vielleicht denkt er tatsächlich, er ist der Vollkommene.«

»Er? Berger? Das glaubst du doch wohl selbst nicht.«

»Ich nicht«, sagte Petersen. »Aber er bestimmt.« Dabei nickte er zu Berger hinüber, der gerade wieder gewonnen hatte und seinen Gegner, einen Lkw-Fahrer auf der Durchreise, wie einen Statisten aussehen ließ, und Heiko Hessenius und Gerrit Klopp und die anderen, die an und neben der Theke saßen, drehten sich zu ihm um und sahen ihm zu, wie er die Scheine zählte, die im Bündel auf der Bande lagen.

Von alldem bekam Daniel im Krankenhaus nichts mit. Die Ärzte und Schwestern sprachen nicht mit ihm darüber und die Eltern auch nicht. Von draußen, von der Straße her drangen dumpf Stimmen und Geräusche zu ihm ins Zimmer herein, Autohupen, Sirenengeheul, Schreie. Hin und wieder meinte er, seinen Namen aus dem Gewirr herauszuhören, aber er war zu kraftlos, um aufzustehen und nachzusehen, ob wirklich jemand nach ihm rief.

Die Rollläden an den Fenstern blieben auch tagsüber unten. Trotzdem fiel durch die schmalen Schlitze genügend Licht herein, um den Raum bis zum frühen Abend aufzuhellen, ohne die Neonröhren einschalten zu müssen, die in zwei Reihen über seinem Kopf hingen. Die meiste Zeit lag er im Bett und starrte an die Decke. Immer wieder dämmerte er weg, träumte von fernen Welten, und wenn er aus diesem Zustand erwachte, setzte er sich ruckartig auf, schaukelte mit dem Oberkörper vor und zurück und murmelte, kaum hörbar, wie ein Gebet, die einzigen Worte vor sich hin, die er seit seiner Einlieferung gesprochen hatte. An einem blieb er immer hängen, er kam nicht darüber hinweg, und er hörte nicht eher damit auf, es laut zu wiederholen, bis man ihm die Hand auf die Stirn legte, ihn sanft ins Kissen zurückdrückte und leise auf ihn einsprach. Für Außenstehende war er dann verstummt, aber innen drin hörte er seine eigene Stimme weiterhin durch den Körper schlagen, als wäre sie von den kahlen Wänden abgeprallt und in ihn zurückgekehrt, um die Organe auf einem neuen, besseren Ausweg hin abzuklopfen.

Eisen, Schloss, Schild, Fahrrad, Feld, Lichtung, Mais, Mars, Mais, Lichtung, Feld, Fahrrad, Schild, Schloss, Eisen.

»Das sollte Sie nicht beunruhigen. Ich erkläre mir das so: Wer inmitten eines Feldes steht und sich einmal um die eigene Achse dreht, der sieht in allen Richtungen nichts als Mais, sogar unter sich, nichts als Mais, und über sich, zum Greifen nah, einen weißen, undurchschaubaren Himmel. Ihr Junge – Daniel – versucht nur mit Worten zu fassen, was für ihn, für uns alle nicht zu fassen ist«, sagte wild gestikulierend der behandelnde Arzt zu Birgit und Hard, nachdem sie aus dem Zimmer auf den Gang getreten waren. »In seinen Tagträumen durchlebt er alles noch einmal, um dem, was wirklich geschehen ist, auf die Spur zu kommen. Das wird aufhören, wenn er sich wieder sicher fühlt und eine Erklärung findet, die schlüssig ist.«

Tatsächlich hatte Daniel insgesamt kaum mehr gesagt als das, was er immerzu wiederholte. Er brachte keinen vollständigen Satz zustande. Wenn er etwas zu trinken verlangte, sagte er einfach »Sprudel« oder »Cola«, hatte er Hunger, sagte er »Essen«. Der Arzt wollte aber nicht ausschließen, dass durch den Schlag sein Sprachvermögen beeinträchtigt worden sein könnte, und zog einen Kollegen zurate. Beide ordneten eine Kernspintomographie an, aber auf den Aufnahmen war keine Anomalie, keine Läsion zu erkennen.

Der Psychotherapeut Bernd Reichert meinte, Daniel sei wahrscheinlich blockiert, etwas – oder jemand – setze ihn unter Druck und verhindere so, dass er sich mitteile, und er schlug vor, ihn zu hypnotisieren. Hard sagte: »Großartig! Hypnotisieren! Erst er, dann ich.« Er meinte es nicht ernst, aber Birgit sagte: »Kommt gar nicht infrage.« Sie hatte Angst, dass Daniel nicht wieder daraus erwachen und sie ihn ganz verlieren würde.

Stattdessen brachte sie ihm Bücher und Hefte von zu Hause mit, Spielzeug, Kuscheltiere, ihm vertraute Dinge und erzählte ihm, was *sie* an jenem Vormittag erlebt hatte. Endlich hatte sie ihn für sich allein, und sie hoffte, dass er noch ein bisschen länger auf ihre Anwesenheit und den Trost ihrer Worte angewiesen sein würde als drei oder vier Tage oder, wie viele meinten, eine Woche. Jeder Arzt gab eine andere Prognose. Jetzt, da sie an seinem Bett saß und seine kleine Hand hielt, die er ihr unter dem Laken hingestreckt hatte, war er wieder ihr Baby, und die Erinnerung an das Hochgefühl, mit ihm auf dem Schoß, an der Brust eine Einheit zu bilden, Mutter und Kind, kehrte mit aller Macht zurück. Für Monate hatte sie ihn nur anzusehen oder zu halten brauchen, und die Spannungen zwischen ihr und Hard waren vergessen, alles war vergessen, was vor der Geburt geschehen war. Nie zuvor und nie danach hatte sie sich so stark gefühlt, so unantastbar.

Sie dachte dabei nicht an Jesus und Maria. Birgit war nicht sehr religiös, obwohl sie sich immer danach gesehnt hatte, es zu sein, weil sie merkte, dass diejenigen, Frauen vor allem, die einen Glauben hatten, ganz egal welchen, selbstbewusster auftraten, selbstbewusster und entschlossener, so schien es ihr, als sie. Und alle paar Wochen ging sie in die Kirche, um Gott oder dem Göttlichen – was immer das war – näher zu sein, näher jedenfalls als zu Hause. Manches an den Worten, die Pastor Meinders sprach, fand sie gut und richtig, aber sie teilte die Verzückung nicht, in die die anderen Gemeindemitglieder gerieten, wenn sie Lieder sangen oder beteten oder sich nach dem Gottesdienst auf dem Kirchhof versammelten und einander an Händen und Schultern berührten. Schon auf dem Rückweg, auf der Kirchstraße, befiel sie immer eine unsagbare Leere und Ratlosigkeit, die sie überwand, sobald sie in der Küche vor dem Herd stand und das Mittagessen zubereitete.

Sie legte ihren Finger in Daniels Hand, und seine Finger schlossen sich um ihren wie um ein Seil, nach dem ein Schiffbrüchiger greift, und mit einem Mal schien ihr die Zeit, bevor er in den Kindergarten, in die Schule gekommen war, bevor sie ihn weggegeben hatte, die glücklichste ihres Lebens gewesen zu sein.

Früher hatte sie oft so an seinem Bett gesessen und ihm Geschichten vorgelesen, oder, wenn kein Buch zur Hand gewesen war, das er hatte hören wollen, erzählt. Sie hatte sich einfach etwas ausgedacht, Figuren, an die sie sich später, wenn er wollte, dass sie ihm noch einmal von dem kleinen Patrick und seinem Hund Duffy erzählte, nicht mehr erinnern konnte. Manchmal hatte sie ihm auch ihre eigene Geschichte erzählt, wie und wo sie aufgewachsen war, was ihre Eltern getan und gesagt hatten oder was sie den ganzen Tag über gemacht hatte. Und das tat sie jetzt wieder. Sie streichelte ihm über die Stirn oder den Arm und redete leise auf ihn ein. Sie hoffte, dass er sich dadurch an das erinnerte, was ihm selbst zugestoßen war, und als das nicht half, fragte sie ihn, ob es mit Volker zu tun habe, ob Volker ihn geschlagen habe.

Daniel schüttelte den Kopf. »Eisen«, sagte er, und dann noch einmal: »Eisen.«

Sie verstand nicht, was er damit meinte, und nahm an, dass der Gegenstand, mit dem man ihn geschlagen hatte, aus Eisen war, bis Volker und Simone ihn besuchten und sie ihnen erzählte, was er ihr erzählt hatte.

»Eisen ist ein Idiot«, sagte Volker und fügte schließlich, als Birgit ihn mit hochgezogenen Augenbrauen ansah, hinzu: »So ein Schüler.«

»Was für ein Schüler?«

»Ein Schüler eben.« Er zuckte mit den Schultern.

»Aus der Neunten«, sagte Simone.

In der Schule erfuhr sie von Frau Zuhl, der Klassenlehrerin, die sie von Anfang an nicht hatte leiden können, nichts Neues, außer dass alles Hards Schuld sei, dass er einen schlechten Einfluss auf seinen Sohn habe, und von Herrn Kamps, dass sie sich geprügelt hatten, Daniel und Michael, Michael Rosing, der Sohn des Bauunternehmers Rosing, und das nicht zum ersten Mal.

»Das ist ein anständiger Junge«, sagte Hard, als Birgit die Polizei einschalten wollte, »der würde so was nicht machen«, aber das überzeugte Birgit nicht, und sie wählte, weil sie keine andere Nummer wusste, den Notruf, eins, eins, null.

Johann Rosing sagte den Polizisten, sein Sohn sei den ganzen Tag mit ihm zusammen gewesen, nachdem er von der Schule »wegen irgend so einer Kleinigkeit« nach Hause geschickt worden war, und einige Gäste seiner Geburtstagsfeier, Freunde von ihm, bestätigten diese Aussage.

Als seine Bemühungen, für das, was geschehen war, entschädigt zu werden, gescheitert waren – die Klagen waren sofort abgewiesen worden –, wollte van Deest auf andere Weise zu seinem Recht kommen und sein Eigentum entweder gegen die Eindringlinge, »dat Pack«, wie er sagte, mit Gewalt verteidigen oder wenigstens Profit aus ihrer Anwesenheit schlagen. Über Nacht stellte er Posten auf, und am nächsten Morgen verlangte er fünf Mark Eintritt, aber niemand war bereit zu zahlen. Die Leute ließen sich von den Männern nicht aufhalten und stiegen einfach über den Draht hinweg aufs Feld. Er schwor, sie zu verklagen, und schrieb, um seiner Drohung Nachdruck zu verleihen, ihre Autokennzeichen auf. Er ahnte, dass das nichts bringen würde, dass sie sich von ihm nicht einschüchtern ließen, weil sie tatsächlich an höhere Mächte glaubten, aber er wollte nichts unversucht lassen, bevor er zum letzten Mittel griff, zur Gewalt. Noch am gleichen Abend kam er von der anderen Seite her, von der Weide aus, auf einem Trecker herangefahren und pflügte, abgeschirmt von Polizisten, die Pflanzen unter. Er glaubte, damit dem Spuk ein Ende bereitet zu haben. Und das hatte er.

8

Wenn Birgit vom Krankenhaus nach Hause zurückkehrte, wusste sie nichts mit sich anzufangen. Kaum war sie da, wollte sie gleich wieder zurück. Die Kleinen waren immer noch bei der Nachbarin und würden dort bleiben, solange es Daniel nicht besser ging – er stand noch immer unter Schock. Und Hard war im Laden beschäftigt, hauptsächlich damit, Neugierige abzuwimmeln, Leute, Spinner, wie er sie nannte, die den Jungen, seinen Jungen, sehen, mit ihm sprechen wollten. Ein Autor kam vorbei, der ein Buch über den »Fall Kuper« schreiben wollte, und ein Regisseur sprach ihn an, um mit ihm über die Filmrechte zu verhandeln, aber als er Daniel als »Ufo-Jungen« bezeichnete, schmiss Hard ihn hinaus. Später, nachts, als er ihr davon erzählte und sie ihn fragte, wer es gewesen sei, konnte er sich an die Namen nicht erinnern. »Niemand Bekanntes«, sagte er, »niemand, den wir kennen.«

Und sie sagte: »Davon haben wir jeden Tag mehr.«

Daniel erhielt Post aus ganz Deutschland, vor allem von drüben, aus der Ostzone – an jenem Abend war auf DDR 1 *Gäste aus der Galaxis* gezeigt worden, was, wie die Absender meinten, ja wohl kein Zufall sein könne –, aber auch aus Österreich und der Schweiz, aus England und Holland und Frankreich, sogar aus Amerika und Japan, und alle berichteten von Ufo-Landungen, Entführungen durch Außerirdische und Experimenten an ihren Körpern. Birgit und Hard wussten nicht, woher sie ihren Namen hatten, in der Zeitung war er abgekürzt und im Fernsehen gar nicht erwähnt worden, trotzdem erhielten sie jeden Tag vierzig, fünfzig Briefe oder Karten. Birgit verstand nicht alles, aber aus den wenigen ausländischen, die sie übersetzen oder entziffern konnte, schloss sie auf den Inhalt der anderen. Manche las sie Daniel vor, wenn sie ihn besuchte, und manche, die auf Deutsch, las er selbst.

Viele, die in die Drogerie kamen, um »den Jungen« zu sehen, kauften etwas, Zahnpasta, Allzweckreiniger, Kleintierstreu oder Hautcreme, mit Preisschildern versehene Produkte, irgendetwas, auf dem *drogerie kuper* stand, als eine Art Andenken. Tatsächlich lief das Geschäft so gut, dass Hard mit den Bestellungen nicht nachkam und zur Konkurrenz in die Stadt oder in Nachbardörfer fahren musste, um sofort Nachschub zu holen. Immer öfter und länger war er unterwegs. Wenn er ins Geschäft kam, meist mittags oder kurz vor Feierabend, dann nur für wenige Minuten, um den Bestand zu überprüfen, neue Aufträge entgegenzunehmen und den Kittel zu wechseln. Frau Bluhm wurde mit dem Andrang allein nicht fertig, und Birgit half ihr morgens an der Kasse. Sie tippte die Beträge ein, schrieb Quittungen und gab Auskünfte und Interviews. Ja, sie sei die Mutter; nein, sie wisse auch nicht, was passiert sei; »die Kieselerdekapseln sind ganz hinten bei den Nahrungsergänzungsmitteln«; Daniel gehe es gut, nur eine Gehirnerschütterung; »Stilleinlagen sind ausverkauft, die Bestellung läuft, müssten Montag wieder da sein«; er liege noch im Krankenhaus, man behalte ihn da, bis sich die Aufregung gelegt habe; »Kaltwachsstreifen im Regal links, unter den Nagelpflegesets«; Ende der Woche werde er entlassen, vielleicht auch erst am Wochenende, dann werde man weitersehen. Bei alldem blieb sie freundlich und gelassen, und gleichzeitig wehrte sie sich gegen die Euphorie, die in ihr aufstieg, weil sie nicht wahrhaben wollte, dass es ihr Spaß machte, von ihm, Hard, gebraucht zu werden.

Abends, wenn sie erschöpft auf dem Sofa lag, ertappte sie sich dabei, dass sie an den Sendungen im Fernsehen hängen blieb – *Wunder, Mystik, Phänomene* und *Aus Forschung und Technik* – und die Artikel las, die von Daniel handelten oder von dem, was ihm zugestoßen war, obwohl sie sich vorgenommen hatte, das nicht zu tun.

An einem Donnerstag kamen Marlies und Sabine nach Feierabend vorbei, gratulierten ihr nachträglich zum Geburtstag und brachten ihr Blumen und Pralinen und einen Packen Zeitschriften und Zeitungen mit, mehrere Ausgaben des *Magazins für den Menschen von Morgen* und der *UFO-Nachrichten*, in denen es um außersinnliche Wahrnehmung, Psychokinese, Prophetie und Begegnungen der dritten Art ging.

Sie verstand kein Wort davon und war überrascht, dass ihre Freundinnen an diese Dinge glaubten. »Seid ihr jetzt alle verrückt geworden?«, fragte Birgit, als sie, ihnen voran, in die Küche ging. Aber beide sagten, sie hätten keinen Blick hineingeworfen, zwei Männer seien bei ihnen gewesen, um mit ihnen über diese Dinge zu reden, und Klaus und Günter hätten ihnen die Zeitschriften vor der Chorprobe in die Hand gedrückt, für sie, für Birgit, und das brachte sie noch mehr auf. »Bei mir waren die auch, aber ich hab mich gar nicht erst drauf eingelassen und das Zeug«, sie hielt zwei Ausgaben hoch, »diesen Unsinn, weggeschmissen.«

Marlies sagte: »Du weißt doch, wie die sind«, und Sabine sagte: »Ist das neu?«

»Was?«

»Dein Kleid.«

Birgit sah an sich herab – marineblau, das Oberteil weiß paspeliert, seitlicher Reißverschluss, Gürtel aus Kunstleder – und schüttelte den Kopf. »Hab's lange nicht getragen.« Die Hefte, die sie eben noch voller Wut durch den Raum hatte schleudern wollen, legte sie jetzt auf den Tisch, auf den Stapel zu den anderen.

»Mit Faltenrock, Plissee, führen wir auch, ist aber nicht von uns.«

»Nee, von Brandt, Ihrhove.«

»Du bist dafür extra ganz nach Ihrhove gefahren?«

»Hab ich auch schon gemacht«, sagte Marlies. »Die haben ganz gute Sachen da.«

»Kein Wunder, dass Günter immer klagt, wenn ihr ihm in den Rücken fallt. Ausgerechnet ihr, seine treuesten Kundinnen.«

»Ich nicht, Hard hat's mir geschenkt. Zum Hochzeitstag.«

»Schön«, sagte Marlies.

»Ja«, sagte Birgit. »Und so leicht.« Wie zum Beweis machte sie eine halbe Drehung. »Ich dachte, ich zieh's noch mal an, bevor es zu spät ist. Ist ja eher was für den Sommer.«

»Wie viel hat das denn gekostet?«

»Weiß ich doch nicht, hab's ja nicht bezahlt.«

»Das haben wir für neunundsechzigneunzig im Schaufenster. Nicht das gleiche, nicht in der Farbe, nicht in dieser Qualität. Was ist das eigentlich? Seide oder Jersey?« Sabine strich Birgit, ohne eine Antwort abzuwarten, mit der Hand über die Schulter und fühlte den Stoff zwischen ihren Fingern. »Oder Polyester. Fühlt sich wie Polyester an, wenn du mich fragst. Lass mal sehen.« Sie nestelte erst an Birgits Nacken, am Kragen herum, beugte sich dann, als sie nicht finden konnte, was sie suchte, herab, griff ihr unter den Rock, forschte dort nach dem Schild, fand es und rief von unten: »Sag ich doch, hier: hundert Prozent Polyester.«

»Dass du darin nicht schwitzt!«

»Also, ich würde das nicht aushalten!«

»Ich auch nicht.«

»Ich schwitze nicht. Ich schwitze nie darin.«

»Das kann ich mir vorstellen: dass du nicht ins Schwitzen kommst.«

»Was soll das denn heißen?«

»Nichts.« Marlies und Sabine tauschten Blicke aus und fingen an zu kichern.

»Ihr seid so albern. Könnt ihr auch mal an was anderes denken?«

»Also beim Kochen bestimmt schon.«

»Was?«

»Beim Kochen kommst du bestimmt ins Schwitzen, hab ich gesagt. Also, ich jedenfalls.«

»Ich auch.«

»Gestern, da hab ich Linsensuppe gemacht, und da lief es nur so an mir runter, obwohl ich das Fenster aufhatte und der Abzug lief. Ich hab mich extra noch umgezogen, und als ich sie dann gegessen hab, ist mir wieder ganz heiß –«

»Braune oder rote?«

» – geworden und ... Was?«

»Braune oder rote?«

»Braune. Die Roten quellen schneller, aber die vertrag ich nicht besonders.«

»Ich auch nicht.«

»Wisst ihr, was Hard neulich gemacht hat?«

»Was?«

»Gekocht. Er wollte Linsen machen, Linsensuppe mit Kasseler, aber er hat sie vorher nicht eingeweicht.«

»Was?«

»Die Linsen?«

»Trockene Linsen?«

»Ja.«

»Und er hat sie nicht über Nacht quellen lassen?«

»Nee.«

»Er hätte ja auch einen Schnellkochtopf nehmen können. Das geht ganz wunderbar.«

»Oder Dosenlinsen.«

»Hat er aber nicht. Er hat die trockenen Linsen einfach nur in kochendes Wasser getan und zwanzig Minuten drin gelassen.«

»Zwanzig Minuten?«

»Das ist ja viel zu kurz.«

»Eben.«

»Ich lass die immer doppelt so lange drin, sonst sind mir die zu hart.«

»Mindestens.«

»Das hab ich ihm auch gesagt, hinterher. Wir haben die dann auch gar nicht mehr gegessen. Ich hab für alle Brote geschmiert, mit Mortadella und Bierschinken. Zum Glück hatte ich noch eingekauft.«

»Bei uns?«, fragte Marlies.

»Ja«, sagte Birgit. »Bei euch.«

»Warum hat er überhaupt gekocht?«, fragte Sabine.

Birgit zuckte mit den Schultern. »Er wollte sich wohl wieder beweisen. Oder mir Arbeit abnehmen.«

»Klaus überkommt es auch einmal im Jahr. An meinem Geburtstag hat er Blumenkohl mit Béchamelsoße machen wollen, aber er hat viel zu viel Mehl genommen, und alles war verklumpt, und dann sind wir essen gegangen.«

»Wohin?«

»Zu Fokken.«

»Zu Fokken, du meinst doch nicht etwa den Grillimbiss?«

»Doch, doch. Die Kinder wollten Pommfritz. Und Klaus hatte schon was getrunken, und ich wollte ihn nicht fahren lassen, also sind wir zu Fokken gegangen.«

»Ab und zu holen wir da Bratwürste für alle, die sind ganz lecker.«

»Also, mir sind die zu würzig.«

»Mir auch.«

»Das Einzige, was Hard kann, ist Tee kochen.«

»Das kann Günter auch.«

»Aber Hard stellt nicht die Eieruhr daneben.«

»Ich könnte jetzt auch einen Tee gebrauchen«, sagte Marlies, »oder einen Kaffee«, und Birgit sagte: »Ich auch.« Während Birgit Wasser aufsetzte und Sabine Tassen auf den Küchentisch stellte, suchte Marlies im Kühlschrank nach Sahne.

»Gleich da oben, neben der Margarine«, sagte Birgit. »Kannst ruhig eine neue aufmachen. Ich glaub, die alte ist schlecht.«

»Sag mal«, sagte Marlies in den Kühlschrank hinein. »Hab ich euch schon erzählt, dass wir jetzt ein Au-pair-Mädchen kriegen?«

»Wirklich?«, fragte Sabine. »Woher?«

»Ja«, sagte Marlies. »Klaus hat sich drum gekümmert, aus Frankreich, aus Paris, über eine Agentur.«

»Das kostet doch ein Vermögen.«

»Zweihundertfünfzig im Monat.«

»Allerhand«, sagte Sabine, und Birgit sagte: »Immerhin.«

»Dafür muss sie dann aber auch fünf Stunden arbeiten, sechs Tage die Woche.«

»Kann die denn Deutsch?«, fragte Sabine.

»Sehr gut sogar, sie hat uns schon geschrieben.«

»Das kann ja auch abgeschrieben sein.«

»Also, das kann ich mir nicht vorstellen. Ein paar Fehler waren schon drin. Da hat man schon gemerkt, dass die nicht von hier ist. Obwohl, ihre Mutter soll eine Deutsche sein, hat sie geschrieben, oder ihre Großmutter, weiß ich nicht mehr, muss ich noch mal nachgucken.«

»Ich verstehe nicht, wie ihr euch eine völlig Fremde ins Haus holen könnt, eine Ausländerin. Nach allem, was man so hört.

Ahlers hatten doch auch mal eine, diese Dunkle, die immer mit der ganzen Wäsche zu uns in die Heißmangel kam, weil sie zu faul war, das selbst zu machen. Wo war die noch her? Griechenland?«

»Das hat doch damit nichts zu tun«, sagte Marlies.

»Italien«, sagte Birgit.«

»Und plötzlich war sie verschwunden, einfach weg.«

»Das ist doch eine ganz andere Geschichte.«

»Nee, aus Spanien war die. Madrid, glaub ich.«

»Und später haben sie dann gemerkt, dass sie den ganzen Schmuck mitgenommen hat.«

»Ach ja!«

»Das kann man doch gar nicht vergleichen.«

»Oder war's doch Barcelona? War die nicht auch von der Küste irgendwo? Ich meine, sie hätte so was gesagt.«

»Und das Silberbesteck, alles weg.«

»Sie haben sie ja erwischt. In Neuschanz, ist nicht mal über die Grenze gekommen.«

»Ja, aber ihre Sachen haben Ahlers' nicht wieder gesehen. Die schönen Perlenketten, echte Zuchtperlen, ich fand's zwar immer ein bisschen übertrieben, wie Eiske die zur Schau getragen hat, mit so einem Dekolleté«, sie knöpfte ihre Bluse ein Stück weit auf und zog mit beiden Händen den Stoff auseinander, stellte sich auf Zehenspitzen, stolzierte zur Tür und zurück, bis Marlies und Birgit lachten, »aber schön waren die trotzdem, weiß und leuchtend, überhaupt nicht matt.«

»Also, mir waren die zu groß.«

»Etwas klobig waren die schon, das stimmt.«

»Das war ein Einzelfall«, sagte Marlies. »Die haben einfach Pech gehabt.«

»So was hört man immer wieder.«

»Hatte er nicht was mit ihr?«

144

»Wer?«

»Gerald, ich meine, Doktor Ahlers«, sagte Birgit. »Irgendjemand hat mir erzählt, da wär was gewesen zwischen den beiden. Deswegen ist sie dann ja auch abgehauen und hat den Schmuck mitgehen lassen, um sich an ihm zu rächen.«

»Doktor Ahlers, meinst du?«

»Vielleicht ging das ja auch von ihr aus. Und dann ist ihr die Sache über den Kopf gewachsen.«

»Bestimmt. Gerald, der würde doch nie was mit einer Haushälterin anfangen.«

»Glaub ich auch nicht.«

»Vielleicht hast du recht.«

»Ganz sicher sogar.«

»Vor allem nicht mit so einer. Wie die sich immer aufgeführt hat. Und wie die angezogen war. Entweder im Kaftan oder in Jeans. Entweder zu weit oder zu eng. Hauptsache auffällig.«

»Manche stehen auf so was.«

»Also, ich nicht.«

»Ich auch nicht.«

Draußen vor dem Fenster donnerte ein Zug vorbei, der Boden bebte, und die Gläser im Schrank klirrten aneinander.

»Warum eigentlich jetzt?«, fragte Birgit, als es wieder ruhig geworden war.

»Was?«, fragte Sabine.

»Ich meine«, sagte Birgit an Marlies gewandt, »warum holt ihr euch jetzt ein Au-pair-Mädchen, wo die Kinder alle zur Schule gehen und du gerade wieder angefangen hast zu arbeiten?«

Marlies schaute erst zu Boden, auf ihren Bauch, dann wieder auf, dann von einer zur anderen. Dabei zog sie die Augenbrauen hoch und kniff die Lippen zusammen, dann sagte sie: »Tja.«

»Nein«, sagte Sabine, und Birgit sagte auch: »Nein«.

»Das gibt's doch nicht!«

Birgit umarmte Marlies. »In deinem Alter!«

»Dass du dir das noch einmal zumutest«, sagte Sabine, nachdem sie Marlies wieder losgelassen hatte. »Also, ich wollte das nicht. Drei reichen mir.«

»Mir auch«, sagte Birgit.

»Du hast ja sogar zwei auf einmal gekriegt. Hast du die Kleinen eigentlich wieder hier?«

»Jaja, die schlafen schon.« Birgit zeigte an die Decke, und Marlies und Sabine sahen nach oben. »Die waren völlig fertig.«

»Kann ich mir vorstellen.«

»Das nimmt die sicher ziemlich mit.«

»Ach, dafür sind die doch noch viel zu klein. Das verstehen die doch noch gar nicht. Wir haben ihnen erzählt, Daniel sei krank. Ich hab sie heute mitgenommen, ins Krankenhaus, aber sie haben die ganze Zeit rumgetobt.«

»Hoffentlich werden es keine Zwillinge.«

Marlies schüttelte den Kopf. »Ich hab mich untersuchen lassen. Ich will ja keine Überraschung, so wie ihr.«

»Wie weit bist du denn?«

»Im vierten.«

»Sieht man gar nicht.«

»Ein bisschen schon.« Sie setzte sich gerade hin und schob den Bauch raus.

»Aber nur ein bisschen.«

»Darauf müssen wir anstoßen.«

»Ich nicht«, sagte Marlies.

»Aber ich«, sagte Sabine, und Birgit sagte »Ich auch«, und sie holte aus dem Wohnzimmer eine Flasche Schnaps und zwei Gläser.

Später, in einem ruhigen Moment, Sabine war ins Bad gegangen, das Gespräch unterbrochen, fragte sie Marlies, ob sie und Klaus irgendwelche Probleme hätten deswegen, ob er nicht damit klarkomme, noch einmal Vater zu werden, aber Marlies sagte, sie verstehe nicht, was sie meine, und Birgit wollte es ihr nicht erklären. Sabine kam zurück und erzählte von Günter, ohne dass jemand nach ihm gefragt hätte, wie ausgeglichen er in letzter Zeit sei, ruhig und zuversichtlich, seit diesem Wintereinbruch, ein anderer Mensch, wie verwandelt. »Der Umsatz ist zwar nicht so wie erwartet, ein bisschen schlechter sogar als im letzten Jahr, aber das scheint ihm nichts auszumachen.«

»Schön für ihn«, sagte Birgit. »Wusstest du, dass wir uns unterhalten haben an dem Tag?«

»Ja«, sagte Sabine. »Hat er mir erzählt. Ich glaube, es hat ihm ganz gutgetan, mal mit jemand andrem zu reden, über seine Probleme, meine ich, seine Depression.«

»Mir nicht«, sagte Birgit.

»Das kann ich mir vorstellen«, sagte Sabine, und Marlies sagte: »Ich mir auch«, aber Birgit meinte es anders, als sie es verstanden hatten. Im Nachhinein erschien ihr der Vormittag bei Neemann, bei Vehndel unwirklich, der ganze Tag hatte etwas Unwirkliches, nicht nur wegen des Schnees oder dem, was Daniel zugestoßen war. Sie redeten noch eine Weile weiter, vor allem übers Wetter, über den Herbst, und während Marlies und Sabine über die Herbstferien sprachen, übernächste Woche, darüber, was sie mit ihren Kindern anstellen wollten, suchte Birgit in ihren Gesichtern, ihrer Art zu sprechen nach einem Hinweis darauf, ob sie von ihren Bewerbungen wussten oder nicht. Marlies strich sich immer wieder mit dem Finger über eine Augenbraue und verzog dabei die Lippen, und Sabine warf ihr ein paarmal von der Seite her einen Blick zu, und jedes Mal gähnte sie dabei mit geschlossenem Mund, und sie wurde das Gefühl nicht los, dass beide ein Lachen zu unterdrücken versuchten. Dann sagte Marlies mit verstellter Stimme, mit Birgits Roboterstimme: »Sehr geehrter Herr Neemann, hiermit möchte ich mich bei Ihnen auf die Stellenanzeige hin als Sekretärin bewerben.« Und Sabine sagte im gleichen Tonfall: »Ich kann zwar keine Ausbildung als Buchhalterin vorweisen, korrigiere aber immer heimlich die Gewinn- und Verlustrechnung meines Mannes – zu seinem Vorteil. Es könnte auch zu Ihrem sein.« Und beide fingen an zu lachen, es brach aus ihnen heraus, und Birgit lachte mit ihnen, erleichtert, dass sie ihre Bewerbungen als Spiel betrachteten, als Scherz, ein Streich unter Erwachsenen, nichts, was man ernst nehmen musste.

Nachdem sie gegangen waren, sah Birgit nach den Zwillingen. Sie schliefen in ihren Betten, in ihrem Zimmer. Aus alter Gewohnheit ging sie auch in Daniels Zimmer, aber erst als sie halb im Raum stand, in diesem dunklen, phosphoreszierenden Universum, fiel ihr ein, dass er ja noch im Krankenhaus war. Ihr schwindelte, sie hatte zu viel Schnaps getrunken. Um sie herum kreisten Planeten und Raumschiffe, und über ihr, an der Decke, leuchteten Sterne in giftigem Grün. In der Küche machte sie sich eine Kanne Kräutertee und sah, während das Wasser kochte, auf die Uhr. Hard war noch immer beim Männergesangsverein im Strandhotel, obwohl die Probe seit Stunden vorbei sein musste. Sie legte sich aufs Sofa und strich mit einer Hand über die Narbe auf ihrem Bauch, über die Stelle, an der ihr Nabel gewesen war. Zum ersten Mal seit der Geburt der Zwillinge war sie froh, nicht mehr schwanger werden zu können.

Dann blätterte sie in den Zeitungen und Zeitschriften, die Marlies und Sabine ihr mitgebracht hatten, lustlos und doch in Erwartung irgendeiner Erklärung für das, was mit Daniel geschehen war. Von den Berichten las sie kaum mehr als die ersten Absätze. Sie fragte sich, was das alles mit ihrem Sohn zu tun hatte – meist wurde er gar nicht namentlich erwähnt – und was diese Leute, diese selbst ernannten Wissenschaftler, von ihm wollten. Die Geschichte hatte sich von ihm gelöst, und Birgit hoffte, dass sie nicht mehr zu ihm, zu ihr zurückkehrte.

9

Drei Tage später fanden Kinder zwei Kilometer vom Maisfeld entfernt Daniels Tornister: ein Turnbeutel, ein T-Shirt, eine Trainingshose, ein Paar Turnschuhe, eine Brotdose, eine Federmappe, vier Bücher, vier Schreibhefte und zwei Ausgaben der Science-Fiction-Reihe *Perry Rhodan*. Die Kleidung klamm, das Brot verschimmelt, die Seiten der Bücher, der Hefte gewellt.

Als Frau Zuhl davon hörte – eine Nachbarin hatte es ihr erzählt –, erinnerte sie sich an das Heft, das sie ihm weggenommen hatte, *Vorstoß in den dunklen Himmel*. Vielleicht, dachte sie, hat er angenommen, dass die Außerirdischen kommen und ihn mitnehmen, wenn er ihnen einen geeigneten Landeplatz verschafft. Schnee im September. Das ist das Signal, der Vorbote ihres Erscheinens. So ist es überliefert, so steht es in den Heften geschrieben, und er allein weiß, was jetzt zu tun ist. Er rammt einen mit Hieroglyphen verzierten Holzpflock in die Erde, befestigt an dessen stumpfen Ende Draht aus Edelstahl und geht acht Meter nach Osten, bis der Draht abgerollt ist. Wie mit einem Zirkel zieht er einen Kreis im Mais, damit sie ihn sofort erkennen, sobald sie die Wolkendecke durchstoßen. Noch ist nichts zu sehen. Aber noch ist der Zeitpunkt ihrer Landung, dreizehn Uhr dreizehn, auch nicht gekommen. Trotz der Kälte zieht er sich aus. Er reibt seinen Körper sogar von Kopf bis Fuß mit Schnee ab, um so natürlich und rein wie möglich vor sie hinzutreten. Dann wartet er auf ihre Ankunft, ein Strahl, der ihn hochfahren lässt, ein Begleitschiff, das ihn aufnimmt, Kreaturen mit vier Augen – für jede Richtung eins –, die sich vor ihm materialisieren und ihn auf seiner Reise zu ihrem Volk begleiten. Er wird ihre Laute nicht verstehen müssen, und sie werden nicht darauf angewiesen sein, seine Sprache in ihre zu übersetzen, sie werden sich allein durch die Kraft ihrer Gedanken verständigen. Immer wieder schaut er nach oben, ins Nichts, die Arme, die Beine gegen die Kälte aneinander reibend. Irgendwann kann er nicht mehr stehen, und er macht einen Handstand, um die halb erfrorenen Füße zu entlasten. Er steht da wie eine Eins, der Nacken, die Knie durchgestreckt, die Füße angezogen. Das Über-Kopf-Stehen ist das Einzige, was er beherrscht, das Einzige, was ihn glücklich macht. Ein Epsilon-Minus, der als Embryo versehentlich ins Regal der Raketeningenieure geraten ist. Aber anders als sonst will es ihm dort in der Lichtung nicht gelingen, das Gleichgewicht zu halten. Er schwankt, er zappelt herum, versucht, mit den Händen auf den Pflanzen, dem Schnee, Halt zu finden. Vielleicht ist es zu kalt, vielleicht ist der Untergrund zu uneben, vielleicht ist er auch einfach nur leichtsinnig, überzeugt, die Schwerkraft im Kälterausch überwunden zu haben. Jedenfalls fällt er um und schlägt mit dem Kopf gegen den Holzpflock, der neben ihm im platt gedrückten Mais liegt. Für einen Moment ist er bewusstlos. Er verliert den Kontakt zur Welt, er glaubt zu schweben, zu fliegen, spürt, wie er emporgehoben wird von einer Macht, die alles Menschliche übersteigt, und findet erst wieder zurück, als seine Glieder zu zittern beginnen. Zunächst denkt er, sie haben ihn in einen Raum gebracht, der dem Raum, aus dem sie ihn geholt haben, zum Verwechseln ähnlich sieht. Eine Simulation. Das erkennt er sofort. Der Schnee ist viel zu trocken, zu pulvrig für echten Schnee. Das Licht zu grell, die Luft zu klar. Aber er nimmt die Demonstration ihres Könnens als das hin, was es ist: ein Willkommensgeschenk. Er soll sich wohlfühlen. Er soll das Gefühl haben, zu Hause zu sein. Und das ist er. Er ist da, wo er immer sein wollte. Im dunklen Himmel. Im Reich der Mitte. Im Zentrum des Universums. Dann denkt er, dass er sich keinen Millimeter von der Erde wegbewegt hat. Der Kreis im Mais ist sein Kreis – sein Werk. Er greift nach dem Holzpflock und hebt ihn an, will dessen Beschaffenheit, dessen Gewicht prüfen, um ganz sicherzugehen, und treibt sich dabei einen Splitter in den Finger. Als er sich aufrappelt, wird ihm klar, wie dumm das war, was er getan hat, wie dämlich, und dass es Ärger geben wird, wenn herauskommt, wer dahintersteckt. Also lässt er die Sachen verschwinden. Den Holzpflock schleudert er über den Zaun, so hoch und weit er kann, die Klamotten stopft er in einen Müllcontainer hinter der Schule. Er nimmt das Handtuch aus dem Turnbeutel und wickelt es sich um die Hüften, weil er sich seines Geschlechts schämt und sich nicht traut, völlig nackt durch die Gegend zu laufen. Den Tornister wirft er auf dem Rückweg ab und bedeckt ihn mit Blättern und Zweigen. Er geht querfeldein, steigt über Zäune, springt über Gräben, nimmt den kürzesten Weg nach Hause. Unterwegs bringt er sich blaue Flecken bei, indem er gegen Bäume und Mauern rennt, um die Schuld auf andere schieben und sich selbst als Opfer darstellen zu können. Das geschieht nicht bewusst. Er handelt intuitiv. Er kann nichts dafür, dass er so ist, wie er ist. Es liegt in seinem Wesen, im Wesen der Kupers. Für die Wirkungen, für die Nebenwirkungen ihres Handelns sind sie nicht verantwortlich.

Dann klingelte das Telefon, ein ehemaliger Schüler war am Apparat, und sie verwarf diese Gedanken.

Wiederum drei Tage später stieß van Deest bei der Ernte eines anderen Feldes auf einen Holzstab, an dem ein Draht befestigt war, dessen Länge dem Radius des Kreises entsprach. Er kam damit in die Schule, um es allen zu zeigen. In Gummistiefeln marschierte er über den Schulhof, an den Fenstern des Lehrerzimmers vorbei, umringt von Schülern, und hielt den

Holzstab mit beiden Händen vor sich in die Höhe wie eine Fahnenstange ohne Fahne. Als Frau Zuhl ihn sah, als sie hörte, wie er schrie, »Dat is de Bewies, dat is de Bewies, ik heb dat jo ja gliek seggt, de Jung was dat sülvst«, bis er heiser war und seine Stimme versagte, gewann ihre Schlussfolgerung an Gewicht. Sie ging ins Sekretariat und ließ sich mit der *Friesenzeitung* verbinden und erzählte dem neuen Chefredakteur, Martin Masurczak, was wirklich geschehen war an jenem Tag im Mais, die wahre Geschichte.

Ich bin ein Meister der Einsamkeit

Ich bin unterwegs im Auftrag des Geheimen Rates. Die Eingeweihten haben die tieferen Beweggründe meiner Reise im selben Moment vergessen, als sie mich fortschickten, ihren Willen zu erfüllen. Niemand weiß, wohin ich fliege und warum. Die Dateien, die darüber Aufschluss geben könnten, habe ich vor der Reise gelöscht. Keiner kennt meinen Weg, selbst ich habe ihn aus den Augen verloren. Offiziell bin ich auf einer Erkundungsmission. Den Koordinaten nach müsste dort, wo ich mich jetzt befinde, nichts sein, nichts als die dunkle Leere des Weltraums.

Ich wurde als Kurier auf den Eisplaneten Tubal IV geschickt, um eine Metamorphin namens Variola zu treffen und von ihr eine Botschaft zu empfangen. Zwölf Tage und zwölf Nächte verbrachte ich auf der Basis. Ich irrte durch die Gänge und Hangars. In der Parabar, bei den mutierten Spinnenfrauen, inmitten des Handelszentrums, wartete ich auf ein Zeichen. Aber es gab keins, abgesehen von diesen behaarten, vielbeinigen, tanzenden Zwillingen, die mit ihren Zungen Schmetterlinge aus ihren Netzen fischten und mich mit ihren rhythmischen Bewegungen hypnotisierten. Ich meinte in ihren Schritten, im Zucken ihrer Muskeln ein Muster zu entdecken, einen Code, den es zu entschlüsseln galt und der sich, solange ich mich nicht abwandte, in meine Sehnerven einbrannte. In meinem Nest, im Staub liegend, fand ich keine Ruhe. Niemand hatte mir gesagt, wann und wo ich Variola begegnen würde oder woran ich sie erkennen könne.

Eines Abends tobte draußen ein heftiger Schneesturm. Auf

eine Eingebung hin machte ich mich zu einer Kolonie in Sektion dreiundzwanzig auf, einer östlichen Untersektion bei den tubalischen Höhlen. Dort, zwischen Feuerstellen und dampfenden Kesseln, sprach mich eine Arbeiterin an oder ein Wesen in Gestalt einer Arbeiterin mit Hunderten phosphoreszierender Shishirkatzenaugen. Ich fragte sie, ob sie Variola sei. Sie sagte etwas in ihrer Sprache, das eine Verneinung oder Begrüßung sein mochte, bedeckte meine Lippen mit ihren und lud mich, zurück auf der Basis, in der Parabar zu einem Becher Anft ein. Ich misstraute ihrer Zuneigung, verschmähte ihre Einladung, bestellte das Gleiche ein zweites Mal und bestand darauf, selbst zu zahlen. Wir setzten uns an einen Tisch, abseits der anderen. Nicht weil ich die Öffentlichkeit scheue, sondern weil sie darauf bestand. Sie sagte wieder etwas, was ich nicht verstehen konnte. Dann beugte sie sich vor und umfasste zwei meiner zwölf Klauen, wie um sich mit mir zu messen. Es brauchte nicht viel, sie auf die Tischplatte zu drücken und dort zu halten, bis sie ihren Widerstand aufgab und sich mir unterwarf.

Um ganz sicherzugehen, dass sie nichts anderes vorhatte, als vor allen Leuten zu verlieren und mir damit ihre Demut zu beweisen, zückte ich mein Gornik, den Knauf fest umschlossen, bereit, in ihrem gelben Blut zu baden. Die ganze Zeit über starrte sie mich mit ihren Katzenaugen an und wiederholte unentwegt die immer gleichen Worte: *Specta me. Animum diligenter attende ad ea, quae tibi nunc dicam. Te absconde in spelunca obscura. Occlude sensus tuos. Propugnaculo te praepara in animo. Sanguinem inflamma. Radios per corpus mitte. Vigila omne tempus. Incumbe mentem in res futuras. Delinea finem. Vade viam tuam, etsi aspera sit. Resiste illecebris. Ne moratus sis. Oculos ne retro verteris. Ne dubitaveris de verbis. Chandos adversarius potens est multas facies habens. Ne alicui confisus sis, ne tibi quidem ipsi. Nuntius in te est. Eum expedi.* Als sich unsere Klauen lösten, hatte ich einen

Riss im Chitin, fein und glatt wie von einem Schnitt. Ich wollte mich auf sie werfen, sie mit meiner Giftdrüse betäuben, ihr mit meinem Stachel das Herz herausschneiden und als Festmahl unter den Gästen der Bar verteilen. Doch als ich aufblickte, war sie verschwunden. Ich weiß nicht, ob es Variola war oder jemand anderes, aber in jener Nacht schlief ich tief und fest wie ein alvoranischer Ameisenbär.

Ich blieb drei weitere Tage auf der Basis in der Hoffnung, dass sie sich mir offenbaren würde. Noch einmal flog ich zur Sektion dreiundzwanzig und rief ihren Namen in die Dunkelheit, ohne eine Antwort zu erhalten. Dann brach ich auf.

Ich kenne meine Mission nicht. Ich weiß nicht, welche Nachricht ich überbringen soll. Variola sagte nichts, was einen Sinn ergeben hätte. Die Laute ihrer Worte habe ich mir nicht gemerkt, sodass ich sie auch in Anwesenheit eines Dolmetschers nicht wiedergeben könnte. Man hat mich nicht wegen meines Gedächtnisses ausgewählt, sondern weil ich verschwiegen bin und keine Furcht kenne. Selbst wenn ich etwas wüsste, würde ich es nicht preisgeben. Die Androhung von Folter schreckt mich nicht. Ich empfinde keinen Schmerz und keine Trauer. Das Glarum, der Wahrheitsfinder, der das Gehirn unserer Feinde sieht und ihre Gedanken aufzeichnet, ist bei mir wirkungslos. Das haben mehrere Tests bewiesen. Mein mentales Training ist fast abgeschlossen, aber noch bin ich kein Siddim-Meister. Trotzdem hat mich die höchste Stufe, die eine totale Auslöschung bewirkt, nicht vernichtet, sondern in eine angenehm ausgeglichene Stimmung versetzt. Zum ersten Mal fühlte ich mich eins mit Gibbesh. Ich habe niemandem davon erzählt und werde niemandem davon erzählen, bis ich ihr Guu in Händen halte. Dann allerdings werden es alle zur gleichen Zeit erfahren, und sie werden mir dankbar sein, dass ich es ihnen gesagt habe. Mein innerer Frieden wird auf sie übergehen und zu besseren, bedingungsloseren Soldaten machen.

Es ist sinnlos, mir zu folgen. Dennoch folgt man mir. Ich habe Stunden gebraucht, das Schiff, das sich an meins gehängt hat, abzuschütteln. Die Sensoren zeigen nichts an. Der Bildschirm ist schwarz. Aber das muss nicht heißen, dass da draußen nicht doch etwas ist, was mir gefährlich werden könnte: eine Macht, die mich zwingt, meine Überzeugung aufzugeben und mich ihrer anzupassen. Viele Völker verfügen über Fähigkeiten, sich zu tarnen oder die Wahrnehmung ihrer Feinde zu manipulieren. Ich darf nicht ausschließen, dass sie schon vor langer Zeit die Kontrolle über meine Gedanken übernommen haben und nur auf den richtigen Zeitpunkt warten, um meine Selbstaufgabe einzuleiten.

In Momenten wie diesen, frei schwebend auf eine fremde Welt blickend, kommt es mir vor, noch nicht geboren worden zu sein, als wäre ich nur ein ferner Schatten der Zukunft. Es ist gut möglich, dass ich bei meiner Flucht durch ein Wurmloch geflogen bin. Manche tun sich plötzlich vor einem auf und sind so klein, dass man ihnen nicht ausweichen kann. In Kardeus habe ich von Mönchen gehört, die eins eingeatmet oder verschluckt haben. Seitdem spricht aus ihnen die Vergangenheit. Das ist der höchste Grad der Erleuchtung.

Alles, was ich weiß, ist, dass ich von meinem Kurs abgekommen und in die Atmosphäre eines unbekannten Planeten im Sternbild des Großen Gog eingetreten bin. Mein Schiff ist schwer getroffen. Aber selbst wenn es mir gelänge, die Schäden zu beheben, wird der Treibstoff nicht reichen, um nach Kedron zurückzukehren. Obwohl ich einen Auftrag auszuführen habe und die Wahrscheinlichkeit groß ist, dass ich eine Botschaft in mir trage, die ich nicht verstehe, wird man mich nicht vermissen.

Meine Mutter lebt im Alten Viertel, tief unter der Erde, ich habe sie seit Jahren nicht gesehen, sie beschützt ihre Brut, und ich bin nur einer von vielen. Mein Vater verbrannte im Krieg, nachdem er, schon in Flammen stehend, viertausend Laomer mit seinen Mandibeln aufgeschlitzt hatte. Meine Brüder galten als verschollen, bis man auf Thos ihre Leichen fand. Sie trugen ihre Eingeweide wie Schärpen um die Schultern geworfen und hatten noch im Sterben mit allen Beinen auf ihre Gegner eingetreten. Um sie bestatten zu können, hatte man ihre Klauen aus Rümpfen und Köpfen schneiden müssen. Ich habe keine Gefährtin, jedenfalls keine feste, die mich beweinen könnte. Man wird mich sofort für tot erklären, ein Führer, ehrenvoll im Kampf mit feindlichen Mächten gefallen, und jemand anderen schicken, einen mir Ebenbürtigen, der die Mission zu Ende bringt. Er wird an meine Stelle treten und das gleiche Schicksal erleiden wie ich. Oder, wenn er Glück hat, ein schlimmeres, das ihn zwingt, seine wahre Größe zu beweisen. Erst das Schlachtfeld macht Soldaten zu Helden. Mein einziger Trost ist, dass es mir erspart bleibt, ihn dafür zu beneiden.

Ich habe ein Notsignal abgesetzt, das nur die Eingeweihten verstehen können. Es ist ein altes Atter-Euter-Rezept. Die Art der Zubereitung verweist auf meinen Standort. Aber wenn sie die Daten entschlüsseln, werden sie nicht kommen, um mich zu holen. Sie werden mich aufgeben. Wo nichts ist, kann nichts sein. Meine Nachricht ist ein Abschiedsbrief. Man wird ihn erst nach meinem Tod lesen und entscheiden, dass es für eine Rettung längst zu spät ist.

Wo immer ich jetzt auch sein mag, hier ist es genauso unwirtlich wie auf Tubal IV. Es heißt, dass man das Bild, das man von einer Welt hat, in die andere mitnimmt, um sich leichter an die neuen

Bedingungen anpassen zu können. Im Fremden sucht man das Vertraute, bis das Fremde zum Vertrauten wird. Dichtes Schneetreiben macht es unmöglich, etwas mit eigenen Augen zu sehen. Würde ich jetzt nach draußen schauen, würde ich nichts erkennen, an dem ich mich orientieren könnte. Alles ist weiß. Auf den ersten Blick erscheint das hilfreicher, als wenn alles schwarz wäre. Immerhin ist es hell. Ich bin jedoch nicht in der Lage, anhand der Schatten, die die Armaturen werfen, den Stand der Sonne zu bestimmen. Der Schnee könnte auch eine neue Strategie sein, unsere Ankunft zu verschleiern. Seit Langem experimentieren wir auf diesem Gebiet mit Wetterphänomenen. Ich kann nicht ausschließen, dass ich Teil eines weiteren vielversprechenden Versuchs bin, der, wie die anderen zuvor, in einem Desaster endet. Man hat mich nicht darüber aufgeklärt. Einige Raumschiffe, die mit Manipulatoren ausgestattet waren, sind in der Luft geschmolzen, andere haben Überschwemmungen ausgelöst. Seitdem finden die Tests unterirdisch statt, in winzigen Laboratorien, mit Konsolen, die kleiner sind als die Spitzen meiner Krallen.

Die Instrumente vor mir zeigen Werte an, die jedes Maß übersteigen. Alle leuchten bis zum Anschlag. Obwohl ich meine Augen beschirme, blendet mich ihr stetes Glimmen wie Dutzende Sonnen. Ich muss mich ganz auf meine Instinkte verlassen. Noch schwebe ich ein halbes Malec über der Oberfläche. Aber ich sinke unaufhörlich. Etwas zieht mich hinab. Ich hatte ausreichend Gelegenheit, den Ernstfall zu simulieren. Alle Phasen, Schmerz, Verzweiflung, Gleichgültigkeit, habe ich während meines fünfjährigen Fluges durchlaufen. Aber jetzt, da das Ende zum Greifen nah ist, sehne ich es herbei. Sich nur der eigenen Gedanken zu bedienen, ganz gleich, wie großartig sie auch sein mögen, führt einen, je länger die Reise dauert, immer wieder an den Ausgangspunkt des Denkens zurück.

Ich überlege, in einer Schlucht zu landen, bevor ich abstürze oder an einem Ort aufsetze, an dem ich ohne Deckung bin. Beim Anflug habe ich Berge und Täler gesehen und Kuppeln, goldglänzend wie auf den Dächern der Heiligen Stadt. Ich bin über Straßen und Plätze geflogen, über Pyramiden und Tempel, spitz und stark und weit in den Himmel ragend, die den Pyramiden und Tempeln meiner Heimat täuschend ähnlich sind. Gut möglich, dass wir den Planeten bereits besiedelt haben und es hier einige versprengte kedronische Kolonien gibt. Es könnte aber auch eine Projektion sein, um mich in Sicherheit zu wiegen. Die erste Regel, die man an der imperialen Akademie lernt, ist, grundsätzlich allem zu misstrauen, auch und vor allem der ersten Regel. Jedes Bild könnte auch ein Abbild sein und jedes Wort ein Zitat.

Sollte ich an einem der Pole landen, könnte ich das Raumschiff für Jahrhunderte verschwinden lassen. An jeder anderen Stelle dieses gottverdammten Planeten muss ich darauf hoffen, unbeobachtet vom Himmel zu schweben. In dichter besiedelten Gebieten würden mich die Bewohner, stünden sie unter mir, selbst hier, in diesem alles umgebenden Weiß, als Licht wahrnehmen, als Abglanz eines noch helleren Lichts, von dessen Existenz sie keine Ahnung haben. Aber je weniger sie wissen, desto größer die Gefahr, verherrlicht zu werden. Jede Entdeckung gebiert einen neuen Mythos und jeder Mythos neue Anhänger. Womöglich halten sie mich für einen Meteor und pilgern an dessen Einschlagsort, um auf der Suche nach einem Brocken verkohlten Steins jeden Millimeter Boden umzugraben. Sie erheben tote Sterne zu Göttern und verehren ihre Reliquien. Wie oft habe ich Alvoraner und Laomer im Angesicht ihrer eigenen Bedeutungslosigkeit staunend dastehen sehen, die Glieder umeinander geschlungen und auf Konstellationen deutend, deren Vorhandensein allein der Beschränktheit ihres Verstandes entspringt. Sie stellen eine Verbindung her, die es nicht gibt, und meinen, daraus Erkenntnisse über die Zukunft ableiten zu können. Das Nichts ist seit jeher fester Bestandteil ihres Glaubens, und es besteht wenig Hoffnung, dass sich daran etwas ändert. Versuche, ihnen die volle Wahrheit zu sagen, sind allesamt gescheitert. Sie sind noch nicht reif dafür. Es ist ja auch schwer zu ertragen, wenn man erfährt, dass das Leben auf einem Irrtum basiert. So müssen sich Gefährten fühlen, die meinen, eine glückliche Gemeinschaft zu bilden, bis einer von ihnen herausfindet, dass der andere ihn von Anfang an betrogen hat. Erst wollen sie es nicht wahrhaben, dann akzeptieren sie es, weil ihre Wut im Hass ein Ventil findet und eine Trennung eine neue Ordnung möglich macht. Aber wie soll man sich von sich selbst trennen? Die Wirklichkeit ist eine Grenzerfahrung, die sogar die stärksten Geister in den Wahnsinn treibt.

Wer immer dort unten ist, er würde mich sofort erkennen. Nicht als einen von ihnen, es sei denn, es handelt sich tatsächlich um Kedronen, sondern als Fremden, als einen, der gekommen ist, sich ihre Königin zu nehmen, sie im Zweikampf mit einem Hieb in zwei gleich große Hälften zu teilen und ihre Eier zu köpfen. Die Nachricht meiner Ankunft und ihres Todes ließe sich nicht verschweigen. Kaum hätte sich ihr Leichengift in den Gängen ausgebreitet, müsste ich gegen ein ganzes Volk kämpfen. Ich müsste Hunderte Schlachten schlagen und stünde allein gegen eine Welt. Das würde nur wenig an der mir eingeschriebenen Mission ändern. Ich, Kraan, Sohn der Kron, bin ein Meister der Einsamkeit.

Vielleicht haben sie auf jemanden wie mich gewartet. Ich könnte ihr Erlöser sein. Ich würde ihnen die Bürde nehmen, sich auf ewig mit sich selbst beschäftigen zu müssen. Die Fantasie, die meine Anwesenheit bei ihnen freisetzt, würde ihr Vorstellungsvermögen sprengen und ungeahnte Kräfte in ihnen mobilisieren. Sie würden an meiner Größe wachsen. Meine Stärke würde ihre herausfordern. Ihre Evolution würde mit einem Mal mehrere Stadien überspringen und doch niemals an den Grad meiner Intelligenz und unserer kollektiven Leistungsfähigkeit heranreichen.

Man hat mich darauf vorbereitet, ein Verfolgter zu sein. Man hat alle Soldaten darauf vorbereitet. Wer die Götter bezwungen hat, muss den Hass der Sterblichen auf sich ziehen. Zwei Schiffe sind mit meinem gestartet, sie sind auf meinen Kurs eingeschwenkt, kurz nachdem wir die Umlaufbahn von Tubal IV verlassen haben. Eins ist an einem Asteroiden zerschellt, eins trotz vieler Treffer an mir drangeblieben wie ein tollwütiger Dwar. Tausend Jahre Krieg kann niemand vergessen. Das Universum ist unser Feind. Alle Völker verachten uns, und wir verachten sie. Zwischen ihnen und uns steht eine Wand aus Blut. Ich muss nur meine Fühler ausstrecken, schon sind ihre Spitzen rot oder grün, je nachdem, welche Richtung ich wähle. Die Bindungen, die wir eingehen, sind rein strategischer Natur. Sie dienen nur dem Zweck, das Reich und die Ehre unserer Ahnen zu schützen und den Fortbestand unserer Art zu sichern.

Die Triebwerke sind ausgefallen, die Schutzschilde heruntergefahren. Ich verliere weiter an Höhe. Der Aufschlag ist unvermeidlich. Um mich herum scheinen Wolken zu kreisen, aber unter mir ist eine Öffnung, die den Blick auf ein Feld freigibt. Noch ist der Rumpf meines Schiffes von Schnee umgeben. Doch schon bald wird man mich sehen.

Mit einem Krachen setze ich auf dem Boden auf. Ich öffne die Luke und steige die Rampe hinab. Eine Weile stehe ich da, mitten auf einer Lichtung, umwölkt von meinem heißen, blutdürstenden Atem, der aus meinen Tracheen strömt. Vor mir steht ein

Mensch, nur mit einem Schurz bekleidet, und starrt auf mich und mein Raumschiff herab. Ich hätte nicht gedacht, dass Menschen so riesig sind. Aufgerichtet reiche ich gerade an seine Zehen heran. Auf den Schaubildern, die sie uns gezeigt haben, wirkten sie viel kleiner. Aber es waren auch keine Maße oder Größenverhältnisse angegeben. Es ging nur um ihr Äußeres, um ihre Schwachstellen, den Mund, die Nase, die Ohren, die Augen, offene Wunden, leichte Beute.

Ich zücke mein Gornik. Ich werde kämpfen, zur Not gegen die ganze Welt. Ich werde durchhalten bis zum Schluss. Büße ich meine Mandibeln ein, werden meine Klauen zu Knüppeln und meine Stirn zu einem Beil, mit dem ich die Schädel meiner Opfer spalte. Erst wenn alle Gliedmaßen abgetrennt, Mund und Augen versiegelt sind, gebe ich mich geschlagen. Aber selbst dann würde ich noch durch das Heben und Senken der Brust meinen Unmut äußern. Zehn Nieren können sie mir durchstechen, die anderen werden ihren Dienst übernehmen. Mein Gehirn können sie verspeisen, meinen Magen herausreißen und ihren Tieren zum Fraß vorwerfen, mein achtkämmriges Herz wird umso wilder schlagen. Mein Tod muss qualvoll sein. Das ist meine Bestimmung.

Dirk Schmidt

Bundesnachrichtendienst

Heilmannstraße 30

82049 Pullach bei München

17. September 1999

Sehr geehrter Herr Schmidt,

wir sind uns nur einmal begegnet, jedenfalls ist das

die einzige Begegnung, an die Sie sich erinnern kön-

nen. *Ich schreibe Ihnen jetzt nicht, wann und wo das war, das müssen Si* Ich habe Sie beobachtet, und Sie haben mich nicht *sch* *selbst heraus find*

erkannt. Sie hatten also recht mit der Annahme, daß ich

für eine Tätigkeit in Ihrer Organisation außerordent-

lich gut geeignet bin. Ich beherrsche nicht nur das

Spiel mit Worten und Zahlen, sondern auch das mit Mas-

ken. *→ Meine Tarnung ist so perfekt, daß ich manchmal glaube,* Am 23. Juli saßen Sie im Kiepenkerl, Tisch 1, *die Verwandlung bereits hinter mir zu haben.*

gleich neben dem Eingang, ausgezeichnete Wahl, exzel-

lenter *Aber wenn ich in den Spiegel blicke, kann ich* Überblick über das ganze Restaurant und her- *keine Symptome, die darauf hindeuten, erkennen.*

vorragende Aussicht vom Fenster auf den Spiekerhof.

Man sieht, wer da ist, wer kommt und geht und es vor-

zieht, lieber draußen zu warten, warum auch immer. Sie

haben eine Flasche Condrieu, Jahrgang 1997, bestellt,

Hirschragout mit Pilzen und Herrencreme mit Rum und

Borkenschokolade als Dessert, und sich vier Stunden

lang mit einer viel zu jungen, viel zu blonden Frau un-

terhalten. Anschließend sind Sie gemeinsam im Taxi zu

sich nach Haus gefahren, in Ihre Zweitwohnung in der

Goldstraße 23. Am 2. August, Sie kamen gerade mit dem

Zug aus München zurück, haben Sie im Hotel Krautkrämer

ein Zimmer genommen, Nummer 23, direkt neben dem von

Halil Pandža, einem türkischen Unterwäschevertreter

bosnischer Abstammung, dem Kontakte zur Balkanmafia und zu Islamisten nachgesagt werden. In der Stadt sollte er einen Mann treffen – Sie wußten nicht, wen – und einen Umschlag von ihm empfangen – Sie wußten nicht, wo. Den ganzen Tag waren Sie ihm auf den Fersen. Sie folgten ihm in jedes Modegeschäft in der Fußgängerzone. Sie schlenderten mit ihm zusammen auf der Promenade zwei Mal um die Innenstadt. Sie aßen gemeinsam, aber an getrennten Tischen im Schloß Wilkinghege, Muscheln für ihn, Hummer für Sie, und sahen danach im Schloßtheater, Reihe 12, Platz 14, »Der General«. Später durften Sie ihm dabei zusehen, wie er an der Hotelbar einen Wodka nach dem anderen in sich hineinschüttete. Sie versuchten, mit ihm mitzuhalten, mit seinem Tempo, seiner Ausdauer, und mußten sich am Ende doch geschlagen geben. Seine Kunst, Sie in die Irre zu führen, war Ihrer, aufmerksam zu bleiben, hundertmal überlegen. Er checkte um 6.14 Uhr aus, Sie um 8.37 Uhr, noch immer völlig neben der Spur. *Sie haben mit Ihrer eigenen Kreditkarte bezahlt.* Ich beneide Sie nicht um Ihr Leben, die Berichte, die Sie schreiben, zeugen von der Langeweile und Trauer, die Sie selbst empfinden, jedes Detail dieser ebenso langweiligen und traurigen Existenzen festhalten zu müssen. Wenn Sie ehrlich zu sich selbst wären, würden Sie zugeben, daß es Ihnen schon lange keinen Spaß mehr macht, andere zu beobachten, noch dazu, wenn Sie, wie Sie jetzt feststellen, nicht nur vom Beobachteten dabei beobachtet werden. Die romantische Vorstellung, gespeist von Büchern und Filmen, mit der Sie Ihre Karriere begonnen haben, ist einem trostlosen Alltag gewichen: Sie verbringen mehr Zeit im Büro als in schnellen Autos; Ihre Auslandseinsätze beschränken sich auf zwei pro Jahr, *in Gegenden, in denen Sie niemals Urlaub machen würden* und anstatt in der Zentrale aufzusteigen, Operationen zu planen oder eine eigene Abteilung zu leiten, sind Sie seit zwölf Jahren Außendienstmitarbeiter im Standort Münster, Deckname »Knochenschinken«. Trotzdem träumen Sie davon, das Drehbuch, an dem Sie schreiben, »Die Schlange«, irgendwann fertigstellen zu können, um dann als Autor groß rauszukommen. Aber Sie sind nicht Ian Fleming oder Robert Ludlum. Einblick in die Abläufe, Erfahrung, Talent, Stil, Disziplin, das alles reicht nicht aus, und das wissen Sie auch. Man muß schon mehr erleben, um eine spannende Geschichte zu erzählen. Es ist unwichtig, wie ich zu all diesen Erkenntnissen und Informationen gekommen bin. *212.185.191.128, IBM Thinkpad 600, Windows NT 4.0, Sie haben das SP vergessen und nicht auf die DLLs geachtet und darauf, wer auf der CeBit hinter Ihnen steht, Microsoft, Hack the Evil Empire!* Wie Sie sehen, habe ich kein Interesse daran, für Sie zu arbeiten. Aber ich habe eine spannende Geschichte für Sie. Und Sie könnten etwas erleben, das sich lohnt, aufgeschrieben zu werden. Mit anderen Worten: Ich will Ihnen einen Job anbieten. Dazu müßten Sie allerdings einige Vorkehrungen treffen und alles, was Sie zu wissen glauben, vergessen. Was nützt Ihnen Ihre Menschenkenntnis, wenn sie auf falschen Annahmen beruht, wenn die Menschen, mit denen Sie sich so intensiv beschäftigen, daß Sie sich von sich selbst schon vollkommen entfremdet haben, gar keine Menschen sind? Was, wenn alle Masken tragen und Sie niemandem, nicht einmal Ihrem Führungsoffizier mehr trauen können? Wenn die Befehle, die Sie empfangen, gegen die Grundsätze, denen Sie verpflichtet sind, verstoßen? Wenn Sie selbst, ohne sich dessen bewußt zu sein, durch einen Spiegel gehen und sich plötzlich auf der anderen Seite wiederfinden? Zu abstrakt? Seit Jahrhunderten landen Außerirdische auf der Erde. Manche von ihnen, ich nenne sie die Diplomaten, erreichen ein biblisches Alter. Andere sind weniger langlebig, sie sterben mit den Körpern, die sie besetzen. Beide erkennt man an dem Blick, ein Flackern in den Augen. Ich glaube, daß sie uns über diesen Blick und ein Wort, das sie benutzen, umpolen. Nicht absichtlich, nicht aus Bösartigkeit. Sie sind darauf programmiert. Es handelt sich um Symbionten. Da sie von uns abhängig sind, muß ich annehmen, daß sie sich auf der ganzen Welt ausgebreitet haben. Aber bisher nur vereinzelt. Deshalb müssen wir uns vernetzen, bevor sie sich vernetzen. Am Sonntag ist in Jericho ein Großes Fest geplant. Das ist ihr Ausdruck, nicht meiner. Damit ist ein umfassender Angriff gemeint. Schlachtfest, wäre treffender, obwohl dabei kein Blut fließt. Ich habe einen Weg gefunden, wie ich sie aufhalten kann. Mehr will ich dazu jetzt nicht sagen. Ich hätte Ihnen einen Haufen Dokumente mitschicken können, aber Ihnen muß ich wohl nichts mehr beweisen. Alles weitere, sobald Sie hier sind. Wie ich dem Outlook-Kalender auf Ihrem Rechner entnehmen konnte, halten Sie sich zur Zeit in der Zentrale in Pullach auf. Wenn Sie dieser Brief erreicht, werde ich den entscheidenden Schritt schon getan haben. Ich weiß nicht, ob ich dann schon wieder genügend Kraft habe, um die Plutonier allein abzuwehren. Ich halte es nämlich für möglich, daß mich der Übertritt von der einen Dimension in die andere so weit schwächen wird, daß ich Stunden oder Tage brauche, um mich gegen einen Angriff zu wappnen. In dem Fall brauche ich Ihre Hilfe. Halten Sie mir meine Eltern, die nicht meine Eltern sind, und die Polizei vom Leib. Ich habe den Bundeskanzler und die Präsidenten

→ Meine Freundin wird auch hier sein, falls sie bis zu mir durchkommt und den letzten Test bestebt. Sie hat jedoch, anders als Sie, nie an unserer Welt gezweifelt. Deshalb ist sie auch schwerer zu aktivieren.

einiger anderer Staaten informiert. Ich rechne nicht
wirklich mit ihrer Unterstützung. Trotzdem wollte ich
nichts unversucht lassen. Je mehr Autoritäten von der
Invasion erfahren, desto größer die Chance, daß sie
abgewendet wird. Damit steigt natürlich auch das Risiko, daß uns die Plutonier zuvorkommen. Tony Blair
habe ich übrigens nicht eingeweiht. Er hat zwar nicht
den Blick, aber den Mund, wenn Sie verstehen, was ich
meine. Und jetzt die Regeln: Vernichten Sie diesen
Brief. Denken Sie nicht über das Gelesene nach. Sagen
Sie alles ab. Kommen Sie sofort nach Jericho. Reden
Sie auf dem Weg hierher mit niemandem. Setzen Sie Ihre
verspiegelte Sonnenbrille auf, die, die Sie am 20.
Juni auch im Schloßpark getragen haben. Es ist eine
von meinen. Folgen Sie den Hinweisen: ein Komponist
aus Berlin, der Wagen steht vor der Tür, das Modell
ist der Schlüssel, zählen Sie rückwärts, 16 23 18 9 3
1 24 21. 14 13 1 14 1 14 13 23 14 21 4 14 10 2.

[handwritten margin annotations:] Ich weiß, morgen Nachmittag eine Dienstbesprechung in Pullach, und 800 Kilometer sind eine lange Strecke

[handwritten note at bottom:] Ich hoffe, Sie haben am 11. August nicht in die Sonne gesehen, weder mit noch ohne Schutzbrille, sonst sind Sie jetzt entweder einer von ihnen (mein Pech) oder blind (Ihr Pech).

ZWEITER TEIL

Heavy Metal

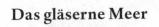

Das gläserne Meer

Er war wieder spät dran, obwohl er früher als sonst von zu Hause aufgebrochen war, er hatte sogar die Abkürzung am Pfarrhaus vorbei über den Kirchhof genommen, um rechtzeitig beim alten Gemeindeheim zu sein, und doch war ihm – wie immer – etwas dazwischengekommen. Er konnte nie genau sagen, was ihn aufhielt, jedes Mal war es etwas anderes, der Weg wurde ihm lang und länger, und er würde sich eine gute Ausrede einfallen lassen müssen, eine bessere als Donnerstag und alle Donnerstage davor.

Die Warft, auf der die reformierte Kirche stand, war von mächtigen Eichenbäumen umgeben. Ihre Äste waren knochig kahl und ragten, dunkel vom vielen Regen der letzten Tage, in den allmählich aufklarenden Nachmittagshimmel. Blätter fegten über die Steinplatten hin, verfingen sich in den verwelkten Blumen, im Gras, im Maschendrahtzaun, zitterten lautlos im Wind. Bis auf das Schäckern einer Elster, die auf einem gusseisernen Kreuz hockte, war es vollkommen still. Daniel lief am Denkmal für die gefallenen Soldaten, an den Gräbern der Bauern und Beamten, der Angestellten und Arbeitslosen entlang und dann quer über den Hügel an den Grüften vorbei, die von den größten Unternehmerfamilien der Gegend – Kramers, Vehndels, Rosings – errichtet worden waren, bis er, kurz vorm Glockenturm, zu seinem eigenen Stein kam.

Er klemmte seine Tasche fester unter die Achsel und wollte daran vorbeigehen, er war auch schon halb vorbei, da wandte er sich noch einmal um, wie um sich zu vergewissern, dass die Inschrift nicht plötzlich über Nacht verschwunden sei. Aber das war sie nicht. Sie war immer noch da und würde immer da sein, solange jemand dafür zahlte: *Hier ruht in Frieden Daniel Kuper.* Nur die Daten, *1898 – 1974,* stimmten nicht mit seinen überein.

Daran, dass der Großvater in Frieden ruhte, bestand nach Ansicht der Eltern, der Nachbarn und Verwandten kein Zweifel, denn die Großmutter hatte darauf bestanden, ein paar Meter von ihm entfernt bestattet zu werden, und einen eigenen Stein erhalten, auf dem *Ich habe die Welt überwunden* stand. Die, die sie gekannt hatten, sagten, sie habe den Gedanken nicht ertragen, im Tod neben ihm zu liegen, wie sie im Leben neben ihm gelegen hatte, Seite an Seite, er links, sie rechts, umweht von seiner allabendlichen Schnapsfahne. Und da links neben ihm alle anderen lagen, die ganze Familie Kuper und ihr Gespüüs, und nur rechts genug Platz war für sie und alle ihre Nachkommen, war ihr nichts anderes übrig geblieben, als eine Lücke zwischen ihm und ihr zu lassen, die einmal ihre Kinder und Enkelkinder füllen sollten – wie eine Besuchsritze im elterlichen Doppelbett, nur dass dieser Besuch bleiben würde, bis in alle Ewigkeit.

Daniel hatte keine Erinnerung an die Großmutter. Sie war zwar nicht wie die Großväter und die andere Großmutter vor seiner Geburt an Herzversagen gestorben, aber bald danach. Trotzdem hatte sie im Gegensatz zu allen anderen in seinem Bewusstsein einen festen Platz. Sie hatte der Familie nämlich nicht nur Schwarzweißfotos hinterlassen, von denen niemand mehr sagen konnte, wer darauf zu sehen war, sondern auch religiöse und medizinische Fachliteratur, Zeitschriften wie *Der deutsche Christ* und *Der deutsche Drogist,* und Bücher: Goethes und Schillers gesammelte Werke in Einzelausgaben, eine Blumenfibel, das *Einmaleins des guten Tons, Schön sein – schön bleiben, Mein Kampf, Mein Sohn* und *Mein Weg zu Gott.* Sie war Ärztin gewesen und hatte sich auf dem Sterbebett von der Mutter das Versprechen geben lassen, dass er ihr eines Tages nachfolgen und auf keinen Fall den Beruf des Vaters oder Großvaters ergreifen werde.

Fast alles, was Daniel über die Großmutter wusste, wusste er von seiner Mutter, die ihm, da war er schon älter, von ihr erzählt hatte, von ihren letzten Stunden, ihrem Vermächtnis. Er hatte auf dem Dachboden gespielt, eine Holzkiste gefunden, auf der sein Name stand, und die Mutter gefragt, was es damit auf sich habe. Anstatt ihm zu sagen, dass er dafür noch zu jung sei, wie sonst, wenn er etwas fand, hatte sie die Bücher und Hefte vor ihm ausgebreitet und erklärt, dass das alles ihm gehöre, auch wenn er es jetzt noch nicht verstehe, und dass die Oma nach einem Sturz im Bett gelegen und ihr schon völlig entkräftet die Worte zugeflüstert habe, die sich ein Leben lang in ihr aufgestaut hatten: »Drogisten sind schlechte Apotheker, und Apotheker schlechte Ärzte. Wer das Physikum nicht besteht, wird Apotheker, und wer das Staatsexamen nicht schafft, Drogist. Tiefer kann man nicht sinken. Der Junge darf nicht unten anfangen, wenn er etwas erreichen will. Er muss gleich oben einsteigen. Andernfalls bleibt er hängen, wie mein Mann und dein Mann auch, und wir mit ihnen.« Und nachdem die Mutter ihr versichert hatte, dass sie es Daniel sagen werde, sobald er alt genug sei, und ihm die Bücher und das Geld fürs Studium geben werde, war die Großmutter eingeschlafen und nicht mehr aufgewacht.

Von Zeit zu Zeit war Daniel auf den Dachboden geschlichen und hatte die Bücher und Hefte hervorgeholt und durchgeblättert – die Anatomieatlanten mit ihren Schemazeichnungen und den *Pschyrembel* mit den Darstellungen missgebildeter und skrofulöser Körper betrachtete er lange mit Lust und Ekel. *Mein Kampf* hielt er wegen des goldenen Schwertes auf dem blauen Einband für einen Ritterroman, kam aber über die ersten Seiten nie hinaus. Die anderen, mit ihren brüchigen Umschlägen und halb zerfallenen Seiten voller Staub und Scham, nahm er in die Hand, warf einen kurzen Blick auf die Titel – *Geschlechtliche Entwicklungsstörungen* oder *Ihr sollt keusch und züchtig leben!* – und legte sie zurück. Nur die Bibel, auf deren schwarzem Einband in goldenen Buchstaben *Die Heilige Schrift* stand, nahm er mit in sein Zimmer. Erst dachte er, es handele sich bei der Heiligen Schrift um einen Code, geheime Zeichen, nur Eingeweihten verständlich. Dann erklärte ihm der Vater, dass sie in Fraktur gedruckt sei, und lehrte ihn, das ſ vom f zu unterscheiden, das ꞇ vom t, das x vom r und das ŋ vom h, und Daniel nahm sich vor, sie zu lesen, wie er in den Wochen zuvor *Die Schatzinsel, Robinson Crusoe, Gullivers Reisen* oder *Perry Rhodan* gelesen hatte: in den Ferien und am Wochenende von morgens bis abends, während der Schulzeit vom Mittagessen bis zum Abendbrot und danach weiter und weiter, bis ihm die Augen zufielen, wie im Rausch, süchtig nach immer neuen Worten und Sätzen und tatsächlich unter Entzugserscheinungen leidend, sobald er das Ende des einen Buches oder Heftes erreicht hatte und noch nicht bereit war, das nächste zu beginnen, aus Angst, es könnte weniger abenteuerlich sein. Aber schon nach wenigen Kapiteln gab er auf, die Register mit den Namen und Altersangaben von Noah bis Abram warfen ihn raus, er blätterte ein paar Seiten weiter, setzte wieder an, las von Sodom und Gomorrha, von Lots Töchtern, von Abraham und Isaak, von Joseph und seinen Brüdern und kam schließlich zu der ersten Stelle, die rot unterstrichen war:

Aber da Onan wußte, daß die Kinder nicht sein eigen sein sollten, ließ er's auf die Erde fallen und verderben, wenn er einging zu seines Bruders Weib, auf daß er seinem Bruder nicht Nachkommen schaffe. Dem HERRN mißfiel aber, was er tat, und er ließ ihn auch sterben.

Er verstand nicht, was das zu bedeuten hatte, und fragte die Mutter. Aber sie wollte es ihm nicht erklären, sagte, er solle sich damit an den Vater wenden, der kenne sich damit aus. Und als er zu ihm ging, erhielt er fast die gleiche Antwort, nur mit dem Unterschied, dass er sich diesmal an die Mutter wenden sollte.

»Die hat mich aber zu dir geschickt.«

»Was weiß ich, was deine Oma da unterstrichen hat«, sagte der Vater und räumte weiter die Regale im Lager ein. »Deine Mutter hat doch ständig mit ihr zusammengesessen und über diese Dinge geredet.«

»Aber –«, begann Daniel und hielt ihm wie zum Beweis des Gegenteils das Buch hin.

»Nix«, unterbrach ihn der Vater. »Verschon mich mit dem Kram. Du wirst es schon noch früh genug rausfinden.«

Er fand es auch heraus, aber erst Jahre später – vor wenigen Monaten – begriff er, was damit gemeint war und warum die Großmutter eine Schrift wie *Über die Aussichten einer operativen Therapie in gewissen Fällen von Masturbation jugendlicher männlicher Individuen* verfasst hatte. Der Vater sagte das eine dazu und die Mutter etwas anderes, aber beiden Erzählungen gemein war Folgendes: Den Aufsatz, ursprünglich als Dissertation gedacht, hatte die Großmutter, nachdem das Thema von ihrem Doktorvater als nicht wissenschaftlich genug und religiös aufgeladen abgelehnt worden war, im Selbstverlag herausgegeben und unter den Studenten der Universität Kiel verteilt, was ihr dort den Spitznamen »Kastratin« einbrachte, bis sie mit einer Arbeit *Über Haematometra und Pyometra im klimakterischen und praeklimakterischen Alter* doch noch promovierte, sich als Frauenärztin selbstständig machte, ihren Mann kennenlernte und alles, was sie erreicht hatte, aufgab, um mit ihm zusammenzuleben und eine Familie zu gründen. So war der Kern ihrer Theorie, dass, wer sich nicht an die Gebote halte, krank werde, geistig und körperlich verkümmere, über die Jahre und eine Generation hinweg zu Daniel Kuper junior gedrungen – und von ihm, nach zwei durchwachten Nächten des Zweifels und Verzichts, verworfen worden.

Als er auf die Uhr schaute, merkte er, dass sie schon angefangen haben mussten und es keinen Sinn mehr hatte, sich zu beeilen, und doch beeilte er sich, rannte den Hügel hinunter, riss die Pforte auf und lief über die Straße zum alten Gemeindeheim hin, in der irren Hoffnung, so die Zeit zurückdrehen und ein paar Minuten aufholen zu können.

Die Tische standen in fünf Reihen, jeweils zwei nebeneinander, vor dem Pult des Pastors. Alle Plätze waren besetzt, nur ein Stuhl, ganz vorn in der ersten Reihe, war noch frei. Normalerweise saß er hinten, weil er als Letzter kam und als Erster ging und niemanden stören wollte, wenn er sich setzte oder aufstand. Und er stutzte, als er die Tür hinter sich schloss, zögerte, weiter in den Raum hineinzugehen, an den anderen vorbei, die sich erst nach ihm umsahen und dann nach vorn schauten, um die Reaktion von Pastor Meinders nicht zu verpassen. Aber der blieb ganz ruhig und ließ sich nicht anmerken, dass er heute ein Exempel an Daniel statuieren würde. Er stand da – im schwarzen Anzug, im schwarzen Hemd, leicht vorgebeugt, die Augen hinter der Brille klein und rot, wie vom stundenlangen Lauern entzündet – und nickte nur, als gebe er Daniel damit sein Einverständnis, Jacke und Tasche abzulegen und sich vor ihn hinzusetzen, ohne ihn für die Unpünktlichkeit, sein Fehlverhalten zu bestrafen.

Das alte Gemeindeheim war früher ein Kindergarten gewesen. Daniel hatte hier zwei Jahre verbracht, bevor sie alle in den Neubau an der Wallstraße umgezogen waren. Neben dem Eingang gab es noch die beiden Waschbecken, in denen sie Pinsel gesäubert hatten; an den Wänden hingen noch die Leisten, an denen sie Bilder und Zeichnungen aufgehängt hatten und die jetzt als Garderobe dienten. Das Parkett, von tausend kleinen Füßen und Händen bearbeitet, löste sich an einigen Stellen, und als er darüber hinwegging, fühlte er, wie Holzstücke unter ihm nachgaben und, von seinen Sohlen angehoben, gegeneinanderschlugen. Bevor die Kirche eingezogen war, hatte das Gebäude kurze Zeit leer gestanden, einige Monate nur, und doch lange genug, um Ubbo Busboom, Paul Tinnemeyer, Jens Hanken und andere ältere Jungs auf die Idee zu bringen, die Kassettenfenster einzuschmeißen. Als Volker und er sich endlich an dem Spektakel beteiligt hatten, war kaum noch etwas für sie übrig gewesen, vier, fünf Scheiben, aber während diese zu Bruch gingen, war Daniels Vater mit dem Wagen vorbeigefahren, als wäre er über Kilometer hinweg von dem Geräusch zerspringenden Glases angelockt worden.

»Ich –«, begann Daniel, weil er sich für die Verspätung entschuldigen wollte. Er hatte sich alles genau überlegt. Er wollte sagen, dass er dem Vater nach der Schule noch im Geschäft geholfen und die Zeit vergessen habe. Diese Ausrede hatte er lange nicht mehr benutzt, und sie hatte immer funktioniert. Aber Pastor Meinders hob die Hand, wies auf den Platz vor ihm und nickte wieder, wobei er diesmal Volker ansah, und auf sein Zeichen hin begann Volker aus der Bibel vorzulesen: »Im Anfang war das Wort, und das Wort war bei Gott, und Gott war das Wort. Dasselbe war im Anfang bei Gott. Alle Dinge sind durch dasselbe gemacht, und ohne dasselbe ist nichts gemacht, was gemacht ist. In ihm war das Leben, und das Leben war das Licht der Menschen. Und das Licht scheint in der Finsternis, und die Finsternis hat's nicht ergriffen.«

»Wodurch unterscheiden sich denn jetzt die vier Evangelien voneinander?«, fragte Pastor Meinders, er wartete auf Meldungen, aber außer Simone meldete sich niemand. Außer Simone meldete sich nie jemand.

»Simone.«

»Matthäus beginnt mit dem Stammbaum von Jesus. Markus setzt gleich mit der Taufe ein. Lukas erzählt erst mal die Geschichte des Täufers. Und das Evangelium von Johannes hat diesen Prolog, in dem –«

»Nach.«

»Was?«

»Nach«, sagte Pastor Meinders müde und seufzend, wie jemand, der weiß, dass er die Menschen nicht bessern wird, aber nicht aufhören kann, es zu versuchen. »Es muss *Das Evangelium nach Johannes* heißen, nicht von.«

»Ach ja.«

»Warum ist das so?«

»Weil es nicht von ihm ist, sondern die Überlieferung von Jesus' Worten, und einige Stellen, die man nicht genau –«

»Nein, ich meine, warum gibt es mehrere Versionen des Evangeliums?«

»Weil nicht alle zur gleichen Zeit geschrieben wurden und es verschiedene Adressaten und Ausprägungen der Offenbarung gibt«, sagte Simone.

»Man hätte doch auch alles in einem Text zusammenfassen können. Warum hat man das nicht getan?«

»Weil –«, begann Simone, aber Pastor Meinders hob wieder die Hand und sah über die Köpfe der ersten Reihe hinweg, von irgendwoher kam ein Knistern, einige duckten sich in den Rücken der vor ihnen Sitzenden, andere blätterten in ihren Heften oder schauten aus dem Fenster, durch das makellose Glas der neuen Scheiben nach draußen auf den Friedhof, bis der Pastor »Volker« sagte und ein erleichtertes Seufzen durch den Raum ging. Volker ließ die Lakritzpackung, die er gerade aufgerissen hatte, wieder in seine Tasche gleiten, und sagte: »Damit's realistischer ist.«

»Was soll das denn heißen? Willst du damit sagen, das ist erfunden?«

»Erfunden vielleicht nicht, aber die wussten doch damals
selbst nicht alles ganz genau, die haben doch manches auch nur
von anderen aufgeschnappt und das dann erst später aufgeschrieben.«

»Das heißt ja nicht, dass es nicht auch erfunden sein könnte«,
sagte Daniel, und Pastor Meinders sah ihn wütend an. »Ich meine, wenn wir eine Geschichte erzählen von jemandem, der schon
tot ist, den wir vielleicht nicht einmal persönlich kennengelernt
haben, dann stimmt da ja auch nicht alles. Jeder würde das anders erzählen, mit andren Worten, und zum Teil widersprechen
die sich ja auch, Matthäus, Markus, Lukas und Johannes, meine
ich.«

»So, meinst du«, sagte Pastor Meinders.

»Ja«, sagte Daniel, »meine ich.«

»Du kommst hierher, eine Viertelstunde zu spät, ich will gar
nicht wissen, warum, weil du sonst wieder das neunte Gebot
brechen müsstest, und wagst es zu behaupten, dass das alles erfunden sei!«

»Alles nicht«, sagte Daniel. »Einiges. Und das vielleicht nicht
einmal aus böser Absicht. Das muss man sich ja wie bei Stille
Post vorstellen: Je öfter die Botschaft weitererzählt wird, desto
stärker die Verfälschung.«

»So«, sagte Pastor Meinders. »Muss man das?«

»Ja«, sagte Daniel. »Muss man. Jedenfalls stelle ich mir das so
vor. Ich meine, die haben doch damals alle seit Jahrhunderten auf
den Erlöser gewartet, die haben doch so sehr darauf gehofft,
dass er erscheinen musste, und als er dann da war, hat da vielleicht jemand ein bisschen übertrieben oder nicht genau genug
hingeschaut, und jemand anderes hat das dann gleich in den falschen Hals gekriegt, und deshalb gibt es diese ganzen Unter

schiede. Ich meine, ist doch komisch, dass bei Matthäus Jesus zwei Blinde heilt und bei Markus nur einen.«

»Darum geht's doch gar nicht«, sagte Simone.

»Worum geht's denn?«, fragte Pastor Meinders.

»Um die Wahrheit«, sagte Simone. »Eine höhere Wahrheit.«

»Nein«, sagte Daniel. »Es geht um den Glauben.« Pastor Meinders nickte, die vage Hoffnung durchzuckte ihn, dass Daniel jetzt auf dem rechten Weg sei, es war doch noch nicht alles verloren, nur eine verirrte Seele, die, wie so viele, seiner Anleitung bedurfte, um zum Pfad der Erleuchtung zurückzufinden, aber dann sagte Daniel: »Es geht darum, über diese ganzen Widersprüche hinwegzusehen und sie eben nicht aufzulösen.«

»O Mann«, sagte Onno, Onno Kolthoff, Daniel ging mit ihm seit Kurzem in der Kreisstadt zur Schule, aufs Wilhelmine-Siefkes-Gymnasium, ein Einzelkind, die Eltern geschieden, »ist doch völlig egal, ob es zwei Blinde waren oder fünf oder zehn.« Er senkte den Kopf, die Haare fielen ihm ins Gesicht zurück, und er nahm die beiden Bleistifte wieder in die Hände und trommelte mit den Radiergummienden, für Pastor Meinders unhörbar, gegen seine Oberschenkel.

»Genau«, sagte Volker, »entscheidend ist doch, dass Jesus überhaupt Blinde heilen konnte.«

»Aber wenn der eine schreibt«, sagte Daniel, »es war einer, und der andere, zwei, muss man dann nicht alles andere auch anzweifeln? Ich meine, wenn die sich selbst schon nicht sicher sind, was stimmt und was nicht – das macht die ganze Geschichte doch total unglaubwürdig.«

»Macht es die Geschichte nicht im Gegenteil glaubwürdiger, weil zwei Varianten angeboten werden?«, fragte Pastor Meinders, beugte sich vor und hauchte ihm einen Schwall Verwesung ins Gesicht. »Wäre es etwa besser gewesen, Widersprüche zu verschweigen und die vier Evangelien zu harmonisieren?«

»Nein, bestimmt nicht«, sagte Daniel und verzog das Gesicht, als schluckte er etwas Fauliges herunter, »aber ich meine, dass diese vier uns glauben machen wollen, dass das alles wirklich ganz genau so oder so ähnlich passiert ist, und das ist doch, wenn man diese Widersprüche hinnimmt, nicht möglich. Es kann ja nicht einmal so und einmal so gewesen sein, je nachdem, wer und wie berichtet. Ich meine, entweder gibt es Augenzeugen und Überlieferungen, oder es gibt sie nicht.«

»Langsam bezweifle ich, dass du hier richtig bist«, sagte Pastor Meinders. »Wir haben zwar am Anfang vereinbart, über die Bibel und deren Auslegung zu diskutieren, und ich habe mich bereit erklärt, auch kritische Meinungen zuzulassen, aber bei dir läuft es immer darauf hinaus, dass du das Wort Gottes als Ganzes infrage stellst. Und deshalb frage ich mich, und ich frage mich das schon lange, ob du überhaupt konfirmiert werden willst, ob du überhaupt bereit dazu bist, in die Gemeinde aufgenommen zu werden. Oder machst du das, wie fast alle hier«, er fuhr mit der Hand durch den Raum, »nur des Geldes wegen?«

»Nein«, sagte Daniel.

»Dann lasse dich darauf ein.«

»Worauf?«

»Auf den Glauben. Löse dich von dem, was du weißt, und lasse dich auf das ein, was jenseits deiner Vorstellungskraft liegt.«

»Okay.«

»Es reicht nicht, okay zu sagen und mir zuzustimmen. Du musst ihm zustimmen«, er zeigte mit dem Finger an die Decke, und alle folgten mit ihren Augen der Richtung, in die der Finger wies, »und es muss von dir selbst, aus deinem tiefsten Innern kommen. Denke ja nicht, das passiert einfach so, wie nebenbei. Das geht nicht ohne dein Zutun, ohne Anstrengung, ohne Disziplin. Nimm dir ein Beispiel an Volker. Er ist nicht getauft, nicht christlich erzogen, und doch ist er hier, weil er sich dafür entschieden hat. Oder Onno, dessen leiblicher Vater sich von ihm losgesagt hat und der jetzt, auch wenn er das noch nicht zugeben mag, auf der Suche nach einem neuen, spirituellen Vater ist, nach einem, der sich, was immer auch passiert, nicht von ihm lossagen wird.« Bis auf Pastor Meinders wusste jeder, dass Onno hier nur saß, weil er Geld für Schallplatten brauchte, Schallplatten, die, richtig abgespielt, teuflische Botschaften enthielten. Seiner Mutter hatte er erzählt, man müsse das Böse kennen, um es bekämpfen zu können, und der Konfirmationsunterricht sei sein Weg, sich von den Versuchungen Satans zu lösen. »Und das ist die wichtigste Voraussetzung«, sagte Meinders, den Blick auf Daniel gerichtet, »ganz gleich, welchen Weg deine Eltern mit der Taufe nach deiner Geburt eingeschlagen haben: Du bist jetzt alt genug, eigene Entscheidungen zu treffen. Du musst wissen, ob du es willst oder nicht. Aber wenn du es willst, dann musst du es wirklich wollen. Und deshalb frage ich dich: Willst du das?

»Ja.«

»Willst du das wirklich?«

»Ja.«

»Bekennst du dich mit Leib und Seele?«

»Ja.«

»Gut«, sagte Pastor Meinders, trat vom Pult zurück, nahm die Brille ab, wischte den Schweiß aus den Falten, den Augenringen, setzte die Brille wieder auf, schaute auf die Uhr, die über der Tür hing, und verglich sie mit der an seinem Handgelenk. »Dann machen wir jetzt eine kurze Pause, fünf Minuten.« Früher hatte er sich von niemandem die Zustimmung erkämpfen müssen, jetzt rang er um jeden Einzelnen. Der Teufel und seine Engel waren übermächtig geworden, sie hatten ihre Verlockungen über die Welt hin ausgestreut und in den jungen Seelen einen fruchtbaren Boden gefunden. Dort, im Zwielicht ihrer Herzen, keimte der Zweifel, bereit sich auszubilden und zu entfalten. Noch war nicht viel davon zu sehen außer ein paar Trieben, die hier und da durchstießen, aber sich mit den richtigen Worten zurückschneiden ließen. Niemand ist frei von Schuld. Nicht einmal ich selbst. Und in das Stühlerücken und Aufstehen und Jackeanziehen hinein rief er noch: »Ich hoffe, ihr habt den Text gelesen, den ich beim letzten Mal ausgeteilt habe, den *Heidelberger Katechismus*.« Es klang wie eine Drohung, und als Daniel sich noch einmal nach ihm umdrehte, sah er, wie Pastor Meinders eine Packung Klosterfrau Melissengeist und ein silbernes Fläschchen aus einer Tasche zog und den Verschluss aufschraubte. Daniel fragte sich, wie alt er war und wie viele Gruppen er vor ihrer konfirmiert hatte, und ahnte, dass es viele gewesen sein mussten, weil eine frühere Version seiner Selbst schon auf den Konfirmationsfotos der Eltern zu sehen war: aufrecht in Talar und Beffchen neben den Jungen und Mädchen stehend, sie um zwei Köpfe überragend, ein Riese mit dichtem Haar und klarem Blick, voller Eifer, Stolz und Zuversicht.

Draußen saßen einige Mädchen mit angezogenen Knien, Simone Reents, Tanja Mettjes und Susanne Haak, die Arme über der Brust verschränkt auf dem Treppenabsatz oder den Sprossen des Fahrradständers; die Jungs liefen im Kreis um die Kirche herum und zogen, wenn sie sich unbeobachtet fühlten, an ihren Zigaretten.

Sonst gab es nichts zu tun. Die Rutsche, die Wippe und die Schaukel, die neben dem Gemeindeheim gestanden hatten, waren abmontiert und drei Straßen weiter vor dem neuen Kindergarten wieder aufgebaut worden, vielleicht wären sonst einige, von Langeweile getrieben, ihren Reizen erlegen.

Die Sonne stand tief, ihre Strahlen reichten kaum noch über die Giebel der umliegenden Häuser, und die Dächer und Bäume warfen lange Schatten. Daniel fröstelte, stellte den Kragen seiner Jacke auf, knöpfte sie hoch unter dem Kinn zu und steckte die Hände in die Hosentaschen. Der Kopf des Wetterhahns auf dem Kirchturm zeigte jetzt Richtung Nordost, innerhalb der letzten halben Stunde musste der Wind umgeschlagen sein. Nicht mehr lange, und es würde Winter.

Er sah Volker und Onno hinter der Kirche verschwinden und folgte ihnen. Als er vor dem mächtigen Gebäude stand, fielen ihm nicht zum ersten Mal die frisch verfugten Risse auf, die Granitquader, die den Sockel bildeten, und die dunklen Stellen, die sich von den hellen Backsteinen abhoben. Am Glockenturm gab es Einlassungen aus Sandstein, die während der ostfriesischen Häuptlingskriege als Schießscharten gedient hatten, und dort, wo Fenster und Türen gewesen waren, ragten noch die Bögen und Gesimse aus dem Mauerwerk hervor. Aber plötzlich erschien ihm die Kirche mit ihren An- und Umbauten wie die Bibel, man hatte sie gemacht und verändert, erweitert und verengt, ergänzt und gekürzt, je nach den Bedürfnissen der Zeit, bis sie ihre heutige Gestalt angenommen hatte.

Er ging weiter und kam an das mit Ziegeln verschlossene Nordportal, das ihm bis zu den Schultern reichte. Lange Zeit hatte er angenommen, dass es deshalb so niedrig angesetzt war, weil die Menschen früher kleiner gewesen waren, aber dann hatte Pastor Meinders ihnen erzählt, dass dies auf Anweisung der Normannen geschehen sei, die im neunten Jahrhundert mit Schiffen über das Meer gekommen waren und das Land in wenigen Jahren eingenommen hatten, ohne große Gegenwehr zu erfahren. Der niedrige Durchgang habe die Christen zwingen sollen, sich beim Verlassen der Kirche gen Norden zu verneigen und den neuen Herren Respekt zu zollen. Daniels Einwand, die Kirche sei doch erst dreihundert Jahre später errichtet worden, hatte Pastor Meinders damals ignoriert und, anstatt auf ihn einzugehen, den Propheten Jeremias zitiert: »Es kommt ein Volk von Norden, und ein großes Volk wird sich erheben vom Ende der Erde.«

Volker lehnte an der Mauer, zündete sich eine neue Zigarette an, und Onno spuckte, nachdem er einmal an seiner gezogen hatte, auf den Kies.

»Geht's?«, fragte Daniel.

Onno nickte.

»War knapp«, sagte Volker, »Lungenschmacht wächst exponentiell mit der Dauer der Langeweile.« Er reichte Daniel die Schachtel und das Feuerzeug. »Manchmal frage ich mich, warum ich mir das alles überhaupt antue. Die Stunden werden immer länger und die Pausen immer kürzer. Da bleibt einem ja kaum noch Zeit zum Leben.« Er nahm einen tiefen Zug, stieß den Rauch durch die Nase aus und sah zu Boden. »Na ja, ist ja sowieso egal.«

»Was ist egal?«, fragte Daniel.

»Alles. Bist du schon durch?«

»Durch? Womit?«

»Mit der Bibel.«

»Halb.«

»Na, dann weißt du's ja schon«, sagte Onno und strich sich eine Haarsträhne aus dem Gesicht. »Volker hat's mir vorhin schon erzählt. Seine Erkenntnis.« Er verdrehte die Augen.

»Welche Erkenntnis?«

»Dass wir keine Chance haben«, sagte Volker, »egal wie sehr wir uns anstrengen, egal was wir machen.«

»Wieso?«

»Er meint, weil wir Erstgeborene sind«, sagte Onno und spuckte wieder auf den Kies.

»Gott begünstigte Abel und nicht Kain«, sagte Volker. »Der schwangeren Rebekka sagte er: Der Ältere wird dem Jüngeren dienen. Und so geschah es. Esau diente Jakob. Von den zwölf

Söhnen Jakobs wiederum waren die zehn ältesten schlecht, sie mordeten, raubten und schändeten das Bett des Vaters, nur die beiden Jüngsten waren gut und selbstlos und wurden gesegnet. Und Judas' ältester Sohn missfiel dem Herrn, und er ließ ihn sterben. Und Onan, den Zweitgeborenen –«

»Ich weiß«, sagte Daniel, »den lässt er auch sterben.«

»Ja, und so ging es immer weiter. Als der Pharao die Israeliten nicht aus Ägypten ziehen lassen wollte, überzog Gott das Land mit Plagen. Er ließ das Wasser in den Flüssen faulen und die Ernte durch Hagel zerstören. Er überhäufte Häuser und Felder mit Fröschen und Mücken und Fliegen und Heuschrecken. Er verseuchte Menschen und Tiere mit Pest und Geschwüren und hüllte die Welt drei Tage lang in Dunkelheit.«

Onno sah Daniel an und wischte, ohne dass Volker es sehen konnte, mit der flachen Hand mehrmals vor seinem eigenen Gesicht herum. Dann spuckte er wieder auf den Boden.

»Die zehnte und schlimmste Plage aber galt den Erstgeborenen. Er tötete sie alle zur gleichen Zeit. Und falls du denkst, das betraf nur die Ägypter und nicht die Israeliten – geschnitten. Denn deren Erstgeborene gehörten ihm allein und mussten, wenn man sie ihm nicht opfern wollte, gegen Geld ausgelöst werden. Man soll vor ihm nicht mit leeren Händen erscheinen, heißt es. Und? Bin ich bis jetzt ausgelöst worden? Bist du es? Oder Onno hier?« Er legte Onno eine Hand auf die Schulter. »Gott ist gegen uns.«

»Mich muss niemand auslösen«, sagte Onno und trat einen Schritt zurück, aus Volkers Reichweite. »Bei mir kommt bestimmt nichts mehr nach. Ich bin der Einzige. Die Einzigen bleiben verschont.«

»Ganz im Gegenteil«, sagte Volker. »Du bist verdammt, verdammt zur Einsamkeit. Das ist –« Über ihnen donnerte ein Tiefflieger hinweg. Volker redete weiter, aber keiner konnte ihn mehr verstehen, er konnte selbst nicht verstehen, was er sagte, und hörte irgendwann einfach auf.

»Wenn das wahr wäre«, sagte Daniel, nachdem es wieder still geworden war, »müssten Rosing und Eisen längst tot sein.«

»Was meinst'n jetzt damit?«, fragte Onno.

Aber ehe er antworten konnte, sagte Volker: »Verflucht vor dem Herrn sei der Mann, der sich aufmacht und diese Stadt Jericho wieder aufbaut! Wenn er ihren Grund legt, das koste ihn seinen erstgeborenen Sohn, und wenn er ihre Tore setzt, das koste ihn seinen jüngsten Sohn!«

»Ach das«, sagte Onno.

»Genau«, sagte Daniel. Das Zitat kannte jeder im Dorf, aber kaum jemand sprach es laut aus. In der Bibel, die er von seiner Großmutter geerbt hatte, steckte dort, wo es um die Eroberung Jerichos ging, ein Lesezeichen, das einen Engel zeigte, einen Schutzengel. »Rosing ist Bauunternehmer, er hat hier die Straßen geteert und die Bürgersteige gepflastert und praktisch jedes neue Haus gebaut – außer unsrem, wie ich hoffe –, und er und Eisen sind bei bester Gesundheit.«

»Er hat schon gebüßt«, sagte Volker. »Seine Frau –«

»Du musst es ja wissen«, sagte Onno.

»Was soll das denn heißen?«, fragte Daniel.

»Er hat schon gebüßt«, sagte Volker wieder.

»Nichts.« Onno zuckte mit den Schultern. »Ich mein ja bloß. Wegen dem Ufo.«

»Das ist doch Jahre her.«

»Er hat schon gebüßt«, sagte Volker zum dritten Mal, diesmal lauter und schneller. »Seine Frau hatte einen Unfall, und seine Tochter«, jetzt wischte *er* mehrmals mit der flachen Hand vor seinem Gesicht herum, »Wiebke, ist nicht ganz dicht. Die Prophezeiung hat sich nur deshalb nicht richtig erfüllt, weil sie von Josua stammt und nicht von Gott.«

Daniel sagte: »Ich glaube, du steigerst dich da in was rein, was nichts mit dir oder mir oder Onno oder irgendwem sonst zu tun hat.« Er meinte plötzlich zu wissen, warum sie so wenig Zeit miteinander verbrachten, seit sie nicht mehr auf eine Schule gingen: weil sie sich, ohne es zu merken, voneinander entfernt hatten. Er stimmte nicht mehr mit dem überein, was Volker sagte, und jetzt, in Onnos Gegenwart, erschien es ihm ganz und gar unvorstellbar, dass er das jemals getan hatte. »Außerdem, im Neuen Testament ist das doch anders, und das ist, wenn überhaupt, für uns entscheidend, da ist nämlich Jesus der Erstgeborene.«

»Ja, genau«, sagte Volker. »Und was machte er?«

»Was meinst du?«

»Er erzählte seinen Jüngern das Gleichnis vom verlorenen Sohn. Da ist es wieder der Jüngere, der bevorzugt wird, er zieht weg und verjubelt sein Erbe, und als er völlig verarmt und verdreckt zurückkehrt, gibt der Vater ihm gleich das beste Gewand, steckt ihm einen Ring an den Finger und schlachtet für ihn das Mastkalb. Das Mastkalb!«

»Das sind doch alles nur Geschichten«, sagte Daniel und zündete sich endlich eine Zigarette an. Kaum hatte er aber den ersten Zug genommen, fing eine der drei Glocken über ihnen an zu läuten. »Die Zombieglocke!«, sagte Daniel.

»Ja«, sagte Onno, »Zeit zu gehen.«

Zweimal waren die drei Glocken schon eingeschmolzen und durch neue ersetzt worden, und Pastor Meinders hatte ihnen gleich am Anfang des Unterrichts eine Liste der Inschriften mitgegeben und ihnen aufgetragen, sie auswendig zu lernen. Auf der kleinsten, die zu jeder vollen Stunde läutete oder den Tod von Kindern anzeigte, hatte vor dem Ersten Weltkrieg *In Ehre dem Gedenken allen verstorbenen und vermissten Seeleuten* gestanden und vor dem Zweiten *Sei treu bis in den Tod, so will ich dir*

die Krone des Lebens geben. Seit dem 1. Oktober 1951 – sie mussten auch das alles auswendig können – prangte auf ihr der Vers
Deine Toten werden leben und meine Leichname auferstehen, und
an den musste Daniel denken, wenn er den Klang der Glocke
hörte, und jedes Mal, wenn er daran dachte, erschauderte er, obwohl er an nichts mehr glaubte, weder an Zombies noch an das,
was in der Bibel stand.

Als sie ihre Kippen ausgedrückt hatten und auf den Friedhof
traten, sahen sie, dass die anderen bereits im Gemeindeheim verschwunden waren.

»Das gibt Ärger«, sagte Volker, ohne sich zu den beiden umzudrehen.

Und Daniel sagte: »Das gibt mehr als Ärger.«

»Hast du den Text auswendig gelernt?«, fragte Onno.

Daniel schüttelte den Kopf.

»Dann gnade dir Gott.«

»Das wird nicht geschehen«, sagte Volker, während er ihnen
dir Tür öffnete. »Nicht nach allem, was ich gelesen habe.«

Im Raum herrschte eine angespannte Stille, niemand sagte etwas, niemand blätterte in den auf den Tischen liegenden Büchern oder Heften, Pastor Meinders hatte auf sie gewartet. Er
sah sie von seinem Pult aus an, beobachtete jede ihrer Bewegungen, wie sie auf ihn zukamen, die Jacken auszogen, sich auf ihre
Plätze setzten, und bereitete mit diesem Schweigen den Ausbruch vor, der allem ein Ende machen sollte.

»Woher erkennst du dein Elend?«, fragte er Daniel.

Aber ehe er etwas dazu sagen konnte, antworteten alle anderen wie aus einem Mund: »Aus dem Gesetz Gottes!«

»Was fordert denn das göttliche Gesetz von uns?«

»Du sollst lieben Gott, deinen Herrn, von ganzem Herzen,
von ganzer Seele, von ganzem Gemüt und nach allen Kräften.
Dies ist das erste und das größte Gebot. Das zweite aber ist dem

gleich: Du sollst deinen Nächsten lieben wie dich selbst. In diesen zwei Geboten hängt das ganze Gesetz und die Propheten.«

Manche kamen nicht mit oder verloren mittendrin den Faden, und sie warteten auf eine Gelegenheit, wieder einzusetzen. Solange sich diese nicht ergab, versuchten sie, sich dem Rhythmus der anderen anzupassen oder diese durch lautes Brummen zu unterstützen wie sonntags nach der Predigt beim Vaterunser in der Kirche. Daniel umschwirrten die Worte wie Geschosse. Er wandte sich um und um, als könnte er ihnen dadurch ausweichen, aber sie trafen ihn alle, weil Pastor Meinders ihnen mit seinem strengen Blick den Weg wies, der ihnen zugedacht war.

»Kannst du dies alles vollkommen halten?«

»Nein«, sagten alle, »denn ich bin von Natur geneigt, Gott und meinen Nächsten zu hassen.«

»Du bist nicht vorbereitet, Daniel Kuper«, sagte Pastor Meinders endlich mit einer Stimme, die Daniel vertraut war. Erleichtert atmete er aus und sackte, ohne dass er es verhindern konnte, nach vorn, er lächelte, es war nur ein Scherz gewesen.

Auch Pastor Meinders lächelte und schrieb etwas auf einen Zettel. Dann sah er auf. »Will Gott diesen Ungehorsam und Abfall unbestraft lassen?«

»Nein«, sagten die anderen, »er zürnt schrecklich, sowohl über angeborene als auch über selbst begangene Sünden und will sie nach seinem gerechten Urteil zeitlich und ewig bestrafen, wie er gesprochen hat: Verflucht sei jedermann, der nicht bleibt in all dem, das geschrieben steht in dem Buch des Gesetzes, dass er es tue.«

Er steckte den Zettel in einen Umschlag und reichte ihn Daniel. »Gib das bitte deinem Vater.« Daniel streckte schon die Hand danach aus, da zog Pastor Meinders den Umschlag zurück. »Nein«, sagte er. »Ich kann es ja selbst machen. Ich treffe ihn ja jeden Tag.«

»Was ist das?«

»Wirst schon sehen.«

»Sie werden mich nicht konfirmieren, nicht wahr?«

»Das habe ich vor, ja.«

»Aber ich habe Ihnen doch mein Wort gegeben.«

»Dein Wort! Du kommst immer zu spät, du beteiligst dich nie am Unterricht, du –«

»Das stimmt nicht.«

»Also gut, du beteiligst dich zwar, aber deine Beiträge sind stets zersetzend. Und du bereitest dich nie auf die Stunden vor. Wenn du wirklich konfirmiert werden wolltest, müsstest du dich auch so verhalten. Was du versprichst, brichst du im selben Moment. Sagst du zum Beispiel, ich kneife nie wieder die Augen zusammen, kneifst du, während du es sagst, die Augen zusammen. Und vorhin, als du mir dreimal zugestimmt hast, war da jedes Mal ein Zucken um deine Mundwinkel, da, da ist es ja wieder, wie bei jemandem, der sich selbst nicht ernst nimmt. Man kann sich bei dir eben auf nichts verlassen. Du bekräftigst guten Willen, aber du zeigst ihn nicht.«

Daniel musste hierbei wieder an seine Großmutter denken, an die Unterstreichungen und Anmerkungen, die sie gemacht hatte, traute sich aber nicht, davon anzufangen, weil er dann auch die andere Sache hätte erwähnen müssen, über die zu sprechen er nicht wagte. »Es ist nur«, begann er und überlegte, was er sagen sollte. Dann sagte er: »Ich schaffe es nicht, es ist zu viel.«

»Was ist zu viel?«

»Die Hausaufgaben.«

»Das bisschen, das ist doch nichts. Gott –«

»Gott ist tot«, sagte jemand von hinten, es war Onno, und Pastor Meinders beugte sich vor, um zu sehen, wer das gesagt hatte. Einige lachten, weil sie den Satz, den sie neben den Hakenkreuzen, Genitalzeichnungen und Liebesnummern schon viele Male an den Wänden der Schultoiletten gelesen hatten, ohne den wahren Urheber zu kennen oder die ganze Bedeutung zu erfassen, für einen besonders starken Spruch hielten.

»O nein«, sagte Pastor Meinders, »Gott ist nicht tot. Er lebt.« Sein Gesicht war mit einem Mal ganz rot, er atmete schwer und fuhr sich mit dem Handrücken über die Lippen. »Er ist lebendiger denn je, seht ihr das denn nicht? Ihr müsst doch nur die Zeitung aufschlagen oder den Fernseher einschalten, gerade zerstört er ein Reich der Finsternis und des Irrglaubens, er reißt dessen Mauer ein, schleift dessen Festung, er treibt die Menschen auf die Straßen und führt sie ans Licht. Und das alles ohne jede Gewalt. Nie hat sich die Herrschaft Gottes mächtiger und milder gezeigt als in diesen Wochen.«

»Das hat mit Gott doch nichts zu tun«, sagte Daniel.

»Ach nein?«, sagte Pastor Meinders und richtete sich wieder auf. Er war erschöpft. Sie machten ihn fertig. Der Pfahl steckte schon tief in ihrem Fleische, tiefer als er gedacht hatte. Mit einem Stofftaschentuch tupfte er sich den Schweiß von der Stirn. »Was glaubt ihr denn, wie die das da drüben überhaupt so lange ausgehalten haben, vierzig Jahre lang? Und wie hat das da jetzt alles angefangen und wo? Unterschätzt Gottes Macht nicht, sie ist die Hoffnung und das Leben, sie ist alles, was wir haben, alles, was uns bleibt, und darum ist alles andere nichts.«

»Aber Daniel hat recht«, sagte Simone. Alle, bis auf Pastor Meinders, drehten sich zu ihr um. Jetzt also auch Simone. »Wir haben im Moment so viel auf, und einmal die Woche kommen wir hierher und sonntags in die Kirche und –«

»Ich schenke Erbarmen, wem ich will, und erweise Gnade, wem ich will«, sprach Pastor Meinders sehr leise, für die anderen kaum hörbar wie ein Gebet vor sich hin, mit geschlossenen Augen und gefalteten Händen, ein Flüstern und Murmeln, wie um sich selbst zu beruhigen, aber es war zu spät, der Bote Satans war da, und mit Worten allein war er nicht wieder aus der Welt zu schaffen.

»Ich frage mich auch schon eine ganze Weile«, sagte Daniel, »worin eigentlich der Unterschied zwischen Schule und Konfitje besteht.«

Pastor Meinders hielt inne, öffnete die Augen und rief: »Der Unterschied? Der Unterschied ist der, dass du zur Schule gehen musst, zum Konfirmandenunterricht aber nicht. Du kannst jederzeit gehen, wenn du willst.«

»Na, wenn das so ist«, sagte Daniel, räumte seine Sachen zusammen, nahm seine Tasche, seine Jacke und stand auf.

»Wo willst du hin?«, fragte Pastor Meinders.

»Nach Hause. Sie sagten doch, das hier ist freiwillig und –«

»Setz dich wieder hin. Setz dich sofort wieder hin.« Er schrie jetzt, und seine Stimme überschlug sich beim Sprechen. »Und bleib da sitzen bis zum Ende der Stunde. Das wird ein Nachspiel haben. Das lasse ich dir nicht durchgehen, das nicht.« Seine Lippen zitterten, ihm schwindelte, er spürte das Verlangen in sich aufsteigen, nach der Flasche in seiner Tasche zu greifen, er hatte die Hand auch schon danach ausgestreckt, da erinnerte er sich an den Ratschlag des Arztes, Doktor Ahlers, kräftig ein- und auszuatmen, sollte es wieder einmal so weit sein, und mit den Augen nach einem Halt zu suchen. Er fand ihn auch sogleich vor sich auf dem Blatt Papier und sagte: »Kommen wir jetzt zu *des Menschen Erlösung*.«

Draußen dämmerte es bereits, und er forderte Volker auf, das Licht anzumachen. Dann stellte er weitere Fragen, aber die Antworten, jetzt von Einzelnen und auf seine Aufforderung hin vorgetragen, erreichten ihn nicht mehr. Später, als die anderen längst hinausgegangen waren und er Daniel schon eine Weile schweigend gegenüber gesessen hatte, machte er sich in einem Buch Notizen, das in Form und Anlage einem Klassenbuch glich, aber viel kleiner war, nur halb so groß, und in jede Tasche passte. Er wusste selbst nicht genau, was er tat, er hoffte nur, dass die Sätze ihm Kraft geben würden, dem Bösen entgegenzutreten, sobald es seine wahre Gestalt annahm. Noch einmal rief er sich den Ablauf des Unterrichts in Erinnerung, bevor er, ohne aufzuschauen oder den Stift beiseitezulegen, sagte: »Schämst du dich eigentlich nicht?«

Und Daniel sagte: »Scham ist mein ständiger Begleiter.«

Wieder zog er den Stift über die Seite hin, als schriebe er die Aussage Wort für Wort mit, um sie bei nächster Gelegenheit als Beweis seiner Schuld gegen ihn zu verwenden.

»Hast du denn gar keinen Anstand?«

Daniel schwieg, er wollte das, was er irgendwann einmal irgendwo gesagt hatte, nicht noch einmal lesen oder hören müssen. Aber Pastor Meinders protokollierte auch sein Schweigen. Er protokollierte es sogar ausführlicher als sein Sprechen. Das Schweigen schien ein unwiderlegbareres, aber gleichwohl schwieriger zu fassendes Eingeständnis zu sein, denn es nahm in dem Buch einen größeren Raum ein als die Worte, die Daniel gesagt hatte. Pastor Meinders schlug die Seite um, setzte links oben auf der nächsten von Neuem an und schrieb und schrieb, bis auch diese Seite voll war, und erst als Daniel sich von seinem Sitz erhob und vorbeugte, um zu sehen, was er da schrieb, hörte er mitten im Satz auf und schlug das Buch zu.

»Langsam erkenne ich, dass du nicht nur etwas gegen den Glauben hast, gegen die Bibel, die Kirche und die Gemeinde, sondern auch und vor allem gegen mich.«

Daniel schüttelte den Kopf. »Das stimmt nicht.«

Pastor Meinders klappte das Buch wieder auf. Er schrieb aber nichts, sondern zeigte mit dem Stift auf die Fenster, hinter denen es jetzt schon so dunkel geworden war, dass sich beide im Glas spiegelten und die Spitze des Stifts auf Meinders Ebenbild zielte. »Erst wirfst du hier die Scheiben ein, dann«, er nickte zur Decke hin, »dieser Unfug mit den Außerirdischen, mit dem du uns alle wochenlang zum Narren gehalten hast, und jetzt das.« Mit der flachen Hand schlug er auf eine Seite ein, dass es knallte, als hätte Daniel mit seinen Worten das Papier besudelt und nicht die Luft, die er atmete. »Wie soll ich das anders deuten denn als einen persönlichen Angriff?«

»Ich habe doch nur demonstrieren wollen, dass –«

»Ja, demonstrieren, das könnt ihr!«

»Nein, ich meine, ich wollte zeigen, dass Konfitje freiwillig ist. Ich bin aufgestanden, weil ich das Recht habe, aufzustehen und zu gehen, wann ich will, das haben Sie selbst gesagt.«

»Das Recht hast du, in der Tat. Niemand zwingt dich zu bleiben, ich am allerwenigsten.«

»Gut«, sagte Daniel, »dann gehe ich jetzt.« Er stand auch auf, klemmte die Tasche unter den Arm und ging zur Tür, entschlossen, zu gehen und nicht mehr wiederzukommen. Kaum hatte er sie aber erreicht, er hatte schon die Hand nach der Klinke ausgestreckt, hörte er hinter sich die losen Holzstücke des Parketts gegeneinanderschlagen. Er wollte sich umdrehen, doch in dem Moment verpasste Meinders ihm eine Ohrfeige.

»Gott wird dich nicht so einfach gehen lassen«, brüllte er, mit der Linken hielt er Daniel am Kragen fest, mit der Rechten ohrfeigte er ihn noch einmal. »Nicht, bis du Buße getan und ihn um Vergebung gebeten hast.«

Daniel ließ die Tasche los, sie fiel lautlos zu Boden, er versuchte sich loszureißen, und es gelang ihm auch, er schaffte es sogar nach draußen, stolperte aber gleich über den Treppenabsatz und fiel der Länge nach hin. Pastor Meinders beugte sich über ihn und drückte ihn zu Boden. Daniel strampelte und zappelte, aber jede Bewegung grub ihn nur tiefer in die Erde hinein. Pastor Meinders hielt ihn mit den Knien unten. Die sieben Engel waren gekommen, ihm beizustehen, und reichten ihm die Schalen des Zorns, dass er sie ausgieße. Und er goss sie aus, wie er noch nie etwas ausgegossen hatte, schwungvoll und bis zum letzten Tropfen. Er lachte, das Gesicht bleich vor Angst und Entsetzen über die eigene Tat: »Verflucht wirst du sein in der Stadt, verflucht wirst du sein auf dem Acker. Verflucht wird sein dein Korb und dein Backtrog. Verflucht wird sein die Frucht deines Leibes, der Ertrag deines Ackers, das Jungvieh deiner Rinder und Schafe. Verflucht wirst du sein bei deinem Eingang und verflucht bei deinem Ausgang. Der Herr wird unter dich senden Unfrieden, Unruhe und Unglück in allem, was du unternimmst, bis du vertilgt bist und bald untergegangen bist um deines bösen Treibens willen. Der Herr wird dir die Pest anhängen. Der Herr wird dich schlagen mit Auszehrung, Entzündung und hitzigem Fieber, Getreidebrand und Dürre. Der Himmel über dir wird ehern werden und die Erde unter dir eisern. Statt des Regens für dein Land wird der Herr Staub und Asche vom Himmel auf dich geben. Der Herr wird dich vor deinen Feinden schlagen. Auf einem Weg wirst du wider sie ausziehen, und auf sieben Wegen wirst du vor ihnen fliehen und wirst zum Entsetzen werden für alle Reiche auf Erden. Deine Leichname werden zum Fraß werden allen Vögeln des Himmels und allen Tieren des Landes, und niemand wird sie verscheuchen. Der Herr wird dich schlagen mit ägyptischem Geschwür, mit Pocken, mit Grind und Krätze, dass du nicht geheilt werden kannst. Der Herr wird dich schlagen mit Wahnsinn, Blindheit und Verwirrung des Geistes. Und du wirst tappen am Mittag, wie ein Blinder tappt im Dunkeln, und wirst auf deinem Wege kein Glück haben und wirst Gewalt und Unrecht leiden müssen dein Leben lang, und niemand wird dir helfen. Mit einem Mädchen wirst du dich verloben; aber ein anderer wird es sich nehmen. Ein Haus wirst du bauen; aber du wirst nicht darin wohnen. Einen Weinberg wirst du pflanzen; aber du wirst seine Früchte nicht genießen. Alle diese Flüche werden über dich kommen und dich verfolgen und treffen, bis du vertilgt bist, weil du der Stimme des Herrn, deines Gottes, nicht gehorcht und seine Gebote und Rechte nicht gehalten hast.«

Erst als er erschöpft über Daniel zusammensackte, sah Pastor Meinders, dass es nicht sieben Engel waren, die unter der Laterne standen, sondern sieben Jungen und Mädchen. Sie hatten auf Daniel gewartet und stoben jetzt auseinander, um die Geschichte dem ganzen Dorf zu verkünden.

Noch am nächsten Tag – Daniel hatte nur ein paar Schrammen und blaue Flecke davongetragen, denen niemand, nicht einmal er selbst, Beachtung schenkte – war Pastor Meinders nach Israel abgereist. Es musste allen wie eine Flucht erscheinen, aber er hatte den Urlaub Monate zuvor gebucht, und jetzt benutzte er ihn, um wieder Ruhe zu finden, *sein inneres Gleichgewicht,* wie er Daniel schrieb, nachdem er sich bei ihm entschuldigt hatte, *seinen Seelenfrieden,* und den fand er dort auch, wenn auch anders als erwartet. Erst arbeitete er in einem Kibbuz, dann wanderte er vierzig Tage und Nächte durch die Wüste Negev. Über Weihnachten, der Vikar hielt die Christmette, ging das Gerücht, er sei tot, zumindest verschollen, Marie, seine Frau, habe jedenfalls keinen Kontakt mehr zu ihm. Ende Januar aber kehrte er zurück, als wäre er nie weg gewesen. Wie selbstverständlich nahm er im Dorf die alte Position wieder ein, leitete die Gottesdienste, Abendmahle, Konfirmandengruppen. Die Stimme in seinem Kopf war verstummt.

Daniel hatte anfangs nicht wieder hingehen wollen, der Vater, die Mutter redeten ihm zu, die Eltern der anderen hatten Bedenken, ihre Kinder zu ihm zu schicken, aber Pastor Meinders hatte alle Befürchtungen, es könnte zu einem zweiten Ausbruch kommen, zunichte gemacht, indem er geläutert und nüchtern und mit ausgebreiteten Armen gleich auf sie zugegangen war, um sich mit ihnen zu versöhnen. Er bat um Vergebung, wie sie ihrerseits all die Jahre zuvor bei ihm um Vergebung gebeten hatten, obwohl sie nicht katholisch waren, und sie vergaben ihm.

An einem Sonntag Anfang April wurde Daniel konfirmiert. Es war warm, fast sommerlich, die Sonne schien, und die Jungen schwitzten schon am frühen Morgen in ihren neuen Anzügen, als sie, begleitet von den Verwandten, durch das breite Friedhofstor auf die reformierte Kirche zugingen. Auf den Gräbern blühte der Löwenzahn, und die Blätter an den Bäumen waren voll ausgebildet.

Der Küster hielt den Konfirmanden die Tür auf, und Daniel meinte gleich, in eine Dorfversammlung einzutreten. Im Vorraum herrschte dichtes Gedränge, alle wandten ihm den Rücken zu und schauten über die Köpfe der jeweils vor ihnen Stehenden hinweg wie auf ein fernes Ziel. Es gab kein Durchkommen, und erst als einer den anderen anstieß und alle auseinanderrückten, zeigte sich, dass es mehrere Gassen gab, durch die sie ins Innere gelangten. Die Eichenbänke links und rechts waren voll besetzt, oben auf der Empore standen zu beiden Seiten der Orgelregister Menschen, einige lehnten, von hinten geschoben, halb über der Brüstung. Auf der Sitzbank der Pastorenfamilie entdeckte er die Eltern und Geschwister. Der Vater beachtete ihn nicht, sondern unterhielt sich angeregt mit Frau Meinders, die neben ihm saß und ihren Kopf halb auf seine Schulter gelegt hatte, wohl, um ihn in dem Tumult besser verstehen zu können. Die Geschwister lachten, als sie Daniel sahen, und zeigten mit ihren kleinen Fingern auf ihn. Die Mutter winkte ihm zu. Er aber winkte nicht zurück, die Vorstellung, dass sie, wenn auch weit verzweigt, mit Meinders verwandt sein könnten, lähmte seinen Körper einen Moment lang fast vollständig, die Arme hingen ihm schlaff herunter, die polierten Schuhe schleiften über den Boden hin, er wünschte, er hätte die Welt schon überwunden, wie seine Großmutter, nur die Hoffnung trieb ihn noch voran, dass es sich um einen Zufall handelte und im ganzen Raum kein Platz mehr frei gewesen war außer diesem.

Die Kerzen der Lichterkrone über ihm brannten, obwohl es durch die weiß getünchten Wände und die hohen Fenster so hell war, dass ihre Flammen in dem milchigen Licht kaum zu erkennen waren und man die Augen beschatten musste, um hinsehen zu können. Die Orgel spielte, und die Konfirmanden schritten, immer zwei nebeneinander, über die großen Sandsteinplatten des Mittelgangs auf das Taufbecken zu.

Pastor Meinders kam, und alle Gespräche verstummten, er stieg die Kanzel hinauf und begrüßte die Gemeinde, man sang ein Lied, Simone und Volker lasen im Wechsel Psalm 27, Pastor Meinders sprach das Eingangsgebet, und Daniel las auf Geheiß des Vikars hin aus dem ersten Buch der Könige, Kapitel 19, Vers 2 – 8, einen Auszug aus der Geschichte der getrennten Reiche: »Da sandte Isebel einen Boten zu Elia und ließ ihm sagen: Die Götter sollen mir dies und das tun, wenn ich nicht morgen um diese Zeit dir tue, wie du diesen getan hast! Da fürchtete er sich, machte sich auf und lief um sein Leben und kam nach Beerscheba in Juda und ließ seinen Diener dort. Er aber ging hin in die Wüste eine Tagesreise weit und kam und setzte sich unter einen Wacholder und wünschte sich zu sterben und sprach: Es ist genug, so nimm nun, Herr, meine Seele; ich bin nicht besser als meine Väter. Und er legte sich hin und schlief unter dem Wacholder. Und siehe, ein Engel rührte ihn an und sprach zu ihm: Steh auf, und iss! Und er sah sich um, und siehe, zu seinen Häupten lag ein geröstetes Brot und ein Krug mit Wasser. Und als er gegessen und getrunken hatte, legte er sich wieder schlafen. Und der Engel des Herrn kam zum zweiten Mal wieder und rührte ihn an und sprach: Steh auf, und iss! Denn du hast einen weiten Weg vor dir. Und er stand auf und aß und trank und ging durch die Kraft der Speise vierzig Tage und vierzig Nächte bis zum Berg Gottes, dem Horeb.«

Je länger Daniel las, desto dumpfer und schwerer schien ihm die von tausend Lungen eingesogene und ausgestoßene Luft. Plötzlich befiel ihn eine Müdigkeit, die ihn zu Boden drückte, von der Predigt bekam er nur einzelne Worte mit, »Brot« und »Blut« und »Verrat«, und um den Segen zu empfangen, musste er sich nicht einmal mehr bewegen, denn er kniete bereits wie die anderen neben ihm vor Pastor Meinders nieder, schloss die Augen und überließ sich der Hand, die ihm ein halbes Jahr zuvor die Flüche eingetrieben hatte.

»Willst du Glied der Gemeinde sein, die den Glauben bekennt?«, fragte Pastor Meinders.

Und Daniel antwortete wie in Trance: »Jaja, ja, ich will.«

Als bleibendes Zeichen dieser Verbindung legte ihm der Vikar eine Nylonkette mit einem Tropfen aus Glas um den Hals und überreichte ihm eine Urkunde mit dem dazu passenden Denkspruch: *Und vor dem Thron war es wie ein gläsernes Meer, gleich dem Kristall, und in der Mitte am Thron und um den Thron vier himmlische Gestalten, voller Augen vorn und hinten.* Länger als alle anderen verharrte Daniel mit gesenktem Kopf und gefalteten Händen vor dem Taufbecken, als wollte er das Gefühl der Unterwerfung voll auskosten.

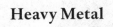

Heavy Metal

1

Peter Peters hatte ihnen nichts getan. Er hatte niemandem etwas getan. Sie hatten ihn ausgewählt, weil er ihnen am wenigsten Widerstand entgegensetzen würde. Vor Wochen schon hatten sie damit begonnen, ihn auf dem Schulhof zu prüfen. Sie hatten ihn beleidigt, sich über ihn lustig gemacht und sein Reaktionsvermögen getestet. Und jetzt lauerten sie ihm auf.

Sie hatten an jenem Nachmittag im Herbst nicht mit ihm gerechnet, sondern an einer der Ausschachtungen gesessen, die vor Jahrzehnten, lange vor ihrer Zeit, längs der Eisenbahnstrecke ausgehoben worden waren, um Sand für den Damm zu gewinnen. Unentwegt hatten sie Enten und Angler mit Eicheln und Steinen beworfen und Zigaretten geraucht, bis dunkle Wolken am Himmel über ihnen aufkamen und der Wind, den diese mitbrachten, durch die halb entlaubten Bäume fuhr und sie aufstanden und losliefen, um so schnell wie möglich nach Hause zu kommen. Sie wussten nicht, dass er diesen Weg nehmen würde, dass er überhaupt unterwegs war, aber als sein Schatten vor ihnen im Regendunst auftauchte, beschlossen sie, die Gelegenheit zu nutzen und ihn zu taufen.

Peter Peters, den sie, seines Namens und der hohen Stirn wegen, Penis nannten, war ihnen beim Bahndamm auf der Hoogstraat entgegengekommen, die Jericho mit Drömeln verband. Sie sahen ihn schon von Weitem, seine hängenden Schultern, den schleppenden Gang, die stets leicht nach vorn gebeugte Gestalt, und um zu verhindern, dass er aufblickte und verschwand, ehe sie ihn erreichen konnten, versteckten sie sich in einigem Abstand voneinander rechts und links vom Weg in den Büschen, bis er auf gleicher Höhe genau zwischen ihnen war.

Peter Peters schob sein Fahrrad über den Schotter, weil es vorn einen Platten hatte. Ein paar Kilometer zuvor war er durch einen Haufen Glasscherben gefahren und im Hammrich vom Regen überrascht worden. Er unternahm häufig Radtouren, er liebte das hohle Geräusch der Reifen unter ihm, den Wind, der ihn antrieb oder aufhielt, und die Stille, draußen auf den Feldern, auf dem Deich, die Menschenleere. Stundenlang konnte er fahren, ohne müde zu werden. Wenn er unterwegs war, was mehrmals die Woche geschah, hatte er in seiner braunen Ledertasche neben Bestimmungsbüchern und Notizheften, Einmachgläsern und einem Fangnetz immer auch eine Thermoskanne Kaffee und belegte Brote dabei, als würde er einen Ausflug machen und länger wegbleiben als nur für einen Nachmittag, als würde er sich mit jemandem treffen und ein Picknick machen. Aber er traf sich mit niemandem. Er saß einfach nur da, irgendwo am Wegesrand, am Ufer des Flusses, am See, am Meer am Strand, las in den Büchern und schrieb etwas in die Hefte: eine Zeile, eine Beobachtung, einen Gedanken. Er wollte Naturforscher werden, Zoologe oder Botaniker. Während andere ihren Berufswunsch alle paar Wochen wechselten und neuen Bedürfnissen anpassten, blieb er bei ihm immer gleich. Manchmal stand er auf, fing Insekten, steckte sie in die Gläser und wartete, bis sie sich nicht mehr bewegten. Dann schüttelte er sie kräftig durch und lachte, sobald sie wieder zum Leben erwachten, aß zufrieden – wie nach langer, harter Arbeit – die Brote, die er mitgenommen hatte, und trank den Kaffee, der heiß und stark war, aber nicht stark genug, um ihn daran zu hindern, einzuschlafen und im Regen wieder aufzuwachen und seinen Peinigern zu begegnen.

Inzwischen war er wie sie vollkommen durchnässt. Und als er näher kam, hörten sie, dass er schluchzte – nicht wie jemand, der weint, nicht aus Trauer, sondern wie jemand, der im Eis eingebrochen ist und aus dem Wasser steigt, vor Nässe, vor Kälte, vor Schreck. Einer der Jungs, Stefan Reichert, trat als Erster aus dem Versteck hervor und versperrte Peter Peters den Weg. »Na, Penis, du arm Bloot«, sagte er und stemmte dabei die Hände in die Hüften. »Ganz allein hier draußen? So weit weg von Mama?«

Peter Peters zögerte keine Sekunde. Er ließ sein Fahrrad los, es fiel mitsamt der Tasche und einer Eisenlatte, die als Verstärkung des Gepäckträgers diente, scheppernd und klirrend zu Boden, und wollte in die ihnen entgegengesetzte Richtung davonlaufen. Er lief auch ein paar Meter, aber als ihm die anderen beiden Jungs, Onno Kolthoff und Rainer Pfeiffer, den Weg versperrten, scherte er aus und sprang ins Gestrüpp hinein – direkt in die Arme von Daniel Kuper.

Für einen Augenblick standen sie sich schweigend gegenüber, die Hände in den Händen des anderen verkrallt, zwei Ringer nach dem Startpfiff, noch vorsichtig, tastend, durch Blicke und Berührungen die Stärken und Schwächen des anderen abschätzend, bleich vor Erstaunen und Entsetzen. Über ihnen prasselte der Regen auf die Blätter. Ein Güterzug, beladen mit Neuwagen, rauschte an ihnen vorbei und scheuchte ein paar Tiere auf, die ringsum im Gestrüpp Schutz gesucht hatten. Daniel hätte nur zur Seite treten müssen, und Peter Peters wäre an ihm vorbeigerannt, die Böschung, den Bahndamm hochgestiegen und entkommen. Er hätte genug Vorsprung gehabt, um einen der Bauernhöfe zu erreichen oder die Bundesstraße, um ein Auto anzuhalten und sich mitnehmen zu lassen. Aber Daniel trat nicht zur Seite. Keiner von beiden zeigte auch nur die kleinste Regung, und das Einzige, was Peter Peters schließlich sagte, bevor die anderen ihn packten, war: »Du auch.«

Daniel und Stefan klemmten jeweils ein Bein, Onno und Rainer einen Arm unter ihre Achseln. Peter Peters schrie und zappelte, und eine halbe Stunde waren sie nur damit beschäftigt, ihn festzuhalten, auf den Bauch zu drehen und nicht wieder loszulassen, weil er sich gegen jede Berührung wehrte und ihnen, feucht wie er, wie sie waren, immer wieder durch die Finger glitt. Dann, ganz plötzlich, schien seine Kraft zu erschlaffen. Sie spürten noch den Druck in ihren Händen, die verzweifelten Versuche, sich ihrem Griff zu entwinden, aber es fehlte die Entschlossenheit, als ob er ahnte, dass jede falsche Bewegung, die er jetzt machte, die Schmerzen, die ihn erwarteten, verdoppeln würden.

Als sie das Gatter erreichten, umklammerte Rainer, der älteste und stärkste der Gruppe, beide Handgelenke ihres Opfers, damit Onno den Riegel beseiteschieben konnte. Stefan riss Peter Peters den linken Stiefel ab, um ihn besser greifen zu können, und Daniel den rechten. Sie schleppten ihn über die Wiese, bis der Weg am Bahndamm nur noch verschwommen, dann gar nicht mehr zu sehen war. Die Kleidung klebte am Körper, der Boden war uneben und matschig, und sie kamen nur langsam voran. Einmal fielen sie alle der Länge nach hin, aber ehe Peter Peters abhauen konnte, hatten sie ihn schon wieder gepackt. Zweimal rief er um Hilfe, doch der Regen war so laut, dass jedes Geräusch vom Trommeln der Tropfen nach wenigen Metern übertönt wurde.

In der Mitte des Feldes, unter einer surrenden Hochspannungsleitung, machten sie Pause, indem sie Peter Peters mit den Füßen ins Gras drückten, bevor sie ihren Griff von einer Hand in die andere verlagerten und ihn wieder aufnahmen.

»Wir hätten sein Fahrrad in den Schloot werfen sollen«, sagte Stefan, »oder ins Gebüsch.«

Und Rainer sagte: »Bei dem Wetter kommt hier sowieso keiner vorbei.«

»Penis ist hier vorbeigekommen.«

»Sein Glück«, sagte Onno, »sonst wär ihm was entgangen«, und nickte seitlich mit dem Kopf Richtung Abwassergraben zum Zeichen, dass es weitergehe.

»Hast du Durst, Penis?«, fragte Stefan.

»Nein, ich –«

»Du musst doch Durst haben, du bist doch schon so lange unterwegs. Du musst doch was trinken, was anderes als Regen, was mit mehr Geschmack, mit mehr Nährwert.«

»Lasst mich in Ruhe. Lasst mich los. Ich werd euch auch nicht –«

»Was wirst du nicht? Uns nicht verraten?«, fragte Stefan. »Warum auch? Ist doch gar nichts passiert, oder?«

»Nein«, sagte Rainer »bis jetzt nicht«, und fragte, Stefan zugewandt: »Weißt du, was er meint?«

»Nein, du?«

»Nein«, sagte Daniel.

»Lasst mich los.«

»Erst, wenn du was getrunken hast«, entschied Stefan. »Vorher nicht.«

Und so schleppten sie ihn weiter.

Die Felder waren hier draußen, keine fünfhundert Meter vom Fluss entfernt, größer als in unmittelbarer Nähe des Dorfes und nicht wie dort von Wallhecken, sondern von breiten Gräben umgeben, in die über unterirdische Drainagerohre der Regen und die Gülle abflossen.

Sie hatten nicht vor, Peter Peters in einen dieser Gräben zu werfen oder ihn im Fluss mit dem Kopf unter Wasser zu drücken, bis er keine Luft mehr bekam. Sie wollten ihm nur eine Abreibung verpassen, für sein Aussehen, seinen Namen. Das war das, was sie untereinander die Taufe nannten.

Auf den anderen Wiesen weideten Kühe, und einige waren

aus dem Nebel an die Zäune, ins Klare getreten und blickten neugierig zu ihnen herüber.

»Sieh sie dir an«, sagte Stefan und zeigte in ihre Richtung. Aber sie hielten Peter Peters so, dass es ihm nicht gelang, den Kopf weit genug zu heben, um hinter dem am Ufer hoch aufschießenden Gras mehr als die Vorderfüße der Kühe zu erkennen. »Sieh sie dir gut an«, sagte Stefan wieder, »gleich wirst du eine von ihnen sein«, packte ihn von hinten unter den Achseln und schob ihn zur Tränke hin, einer Selbsttränke, bei der die Kühe mit dem Maul gegen eine lange gelbe Zunge aus Gusseisen drücken und so Wasser aus dem Graben in eine grüne Schale pumpen. Aber das, was Peter Peters mit seiner Stirn heraufpumpte, war braun, eine trübe, zähflüssige Brühe.

Daniel setzte sich auf die Beine des Jungen, Onno bog ihm die Arme auf dem Rücken nach oben, und Stefan drückte ihm wieder und wieder mit übereinandergelegten Händen gegen den Hinterkopf, zehn, fünfzehn Mal, als versuchte er, einen Ertrunkenen auf diese Weise ins Leben zurückzuholen und nicht umgekehrt, einen Lebenden zu ertränken.

Dann sagte Rainer: »Das reicht. Ist gut jetzt.«

Und das war's.

Sie ließen Peter Peters los und rannten, johlend und sich gegenseitig von hinten in die Hacken tretend, über das Feld, über die Hoogstraat ins Dorf zurück, ohne sich noch einmal nach ihm umzudrehen. Sie redeten nie über das, was geschehen war.

Als Peter Peters später völlig verdreckt und mit blutverschmiertem Gesicht nach Hause kam, sagte er, dass er mit dem Fahrrad gestürzt sei und für einen Moment, vielleicht auch für länger, das Bewusstsein verloren habe. Seine Eltern, die das Schlimmste befürchteten, brachten ihn sofort zum Arzt. Der andere Sohn, Peters älterer Bruder, war im Jahr zuvor beim Weideauftrieb vom

Zuchtbullen umgerannt worden, danach wieder aufgestanden, als wäre nichts geschehen, und in der Nacht gestorben. Sie riefen nicht vorher in der Praxis an, sondern setzten sich gleich ins Auto und fuhren los. So erfuhren sie erst durch ein Schild an der Tür, dass ihr Hausarzt im Urlaub war und jeder, der behandelt werden wollte, nach Jericho fahren sollte, zu Doktor Ahlers, bei dem sie nie zuvor gewesen waren.

Das Wartezimmer war voll, sie mussten lange warten, und die ganze Zeit über sahen die anderen Patienten sie an, aus den Augenwinkeln und ohne ein Wort zu sagen. Ihre lehmschweren, kotbespritzten Stiefel hatten Spuren auf dem Linoleum hinterlassen, feuchte, braune Abdrücke, die vom Eingang an der Anmeldung vorbei zu ihnen hinführten, und ihre Bauernkleidung, grob und voller Flecken, würde das Polster ebenso beschmutzen wie den Boden, nur stärker, tiefer, weniger leicht zu entfernen. Peters' waren Einheimische, sie lebten in Drömeln, auf einem kleinen Hof an der Bundesstraße, der seit Generationen in Familienbesitz war. Sie hatten aber nicht viel Land und Vieh und daher keinen Einfluss. Der Vater saß nicht im Aufsichtsrat der Bank oder Molkerei, er lebte nicht einmal ausschließlich von der Landwirtschaft, sondern verdiente die Hälfte seines Einkommens als Schlosser auf der Werft. Und auch die Mutter hatte einen Nebenerwerb: Sie putzte in den Wohnhäusern der größeren Bauern. Kaum war ihr Name aufgerufen worden und die Tür hinter ihnen geschlossen, erhoben sich im Raum die Stimmen.

Peter Peters erzählte Doktor Ahlers, was er seinem Vater, seiner Mutter erzählt hatte. Doktor Ahlers hörte ihm aufmerksam zu und machte sich Notizen, dann desinfizierte er die Schürfwunde am Kopf, leuchtete ihm mit einer Taschenlampe in die Augen, maß Puls und Blutdruck und verschrieb ihm ein Antiepileptikum.

Einander stützend verließ Familie Peters die Praxis, über-

213

querte die Straße und löste das Rezept in der Friesenapotheke ein.

Wilfried Ennen, der Apotheker, berichtete abends seiner Frau davon, und die erzählte es am nächsten Morgen bei Friseur Dettmers ihrer Freundin. Von da an sahen die Leute Peter Peters als einen an, der gefallen war und wieder fallen würde.

Nach jenem Nachmittag, in jener Nacht lag Daniel lange wach. Der Regen schlug mit aller Macht gegen das Dachflächenfenster. Und bei jedem Windstoß ächzten die Wände, als würden sie dem nächsten nicht mehr standhalten. Immer wenn ein Zug am Haus vorbeifuhr und das Bett unter dem Rattern der Räder zitterte, musste er an Peter Peters denken, an das, was er im Gestrüpp zu ihm gesagt hatte. Und jedes Mal lief ihm ein Schauder über den Rücken.

Es ist früh am Morgen, der Nebel liegt auf den Feldern, und wenn ich vom Führerstand aus auf die Landschaft blicke, nur den Bahndamm vor mir und bis zum Horizont alles weiß, komme ich mir vor wie Jesus, von Wolken getragen auf dem Weg ins Himmelreich. Ich bin noch nie geflogen, aber so stelle ich es mir vor, hoch über der Erde zu schweben und auf etwas hinabzuschauen, das man, wenigstens für kurze Zeit, verlassen hat. Es erinnert mich an meine ersten Fahrten mit der Dampflok, an dieses bebende Gefühl, mit einem Griff die ganze Welt in Bewegung zu setzen, als wir, der Heizer und ich, oben und unten einen Schweif hinter uns herzogen und alle, die uns hörten, ihre Köpfe umwandten und dachten, dass wir gleich abheben und sie mitreißen

2

Sie kannten sich, seit sie denken konnten, seit Kindertagen, Stefan, Onno, Rainer und Daniel. Vielleicht hatten sie schon im Sandkasten zusammen gespielt oder in ihren Zimmern und Gärten unter Aufsicht der Eltern, aber die Erinnerung daran war wie ausgelöscht. Sie wussten nicht, wann und wo sie sich zum ersten Mal begegnet waren, keiner konnte das sagen, und wenn sie darüber sprachen, fiel jedem ein anderes Ereignis ein und jedem ein früheres, ein Geburtstag, ein Festumzug, ein Tag am See, am Meer, im Schwimmbad.

Sie waren zusammen zur Grundschule gegangen, in zwei unterschiedliche Klassen, hatten gemeinsam Fußball und später

würden, trotz des Gewichts, das uns auf die Schienen drückte und oft genug zum Halten zwang. Ich habe das selbst gedacht, als Kind, als mein Vater mich hochhielt und mir die Züge zeigte, die an unserem Haus vorbeifuhren und die Wände erzittern ließen. Er wollte mir die Angst vor den Albträumen nehmen, die mich nachts heimsuchten, wollte mir zeigen, dass im Dunkeln keine Dämonen durch mein Zimmer fegten, und erreichte damit nur, dass die Dämonen die Gestalt von Zügen annahmen, bis ich, wieder mit seiner Hilfe, alt genug war, echte und falsche Schrecken voneinander zu unterscheiden.

gegeneinander Tennis gespielt. Onno und Daniel waren am selben Tag konfirmiert worden, und Stefan und Rainer hatten sich früh für Maschinen interessiert und ihr Wissen ausgetauscht, aber sie waren nie richtig befreundet gewesen, bis sie auf dem Gymnasium in eine Klasse kamen. Eine Zeit lang, zwei Jahre, hatten sie das Schicksal geteilt, aus dem gleichen Jahrgang, dem gleichen Dorf zu stammen und in der Kreisstadt zur Schule zu gehen, und das hatte sie trotz aller Gegensätze verbunden.

Gleich in ihrem ersten Sommer, wenige Wochen vor dem Überfall auf Peter Peters, waren sie sich eines Nachmittags bei einer der Ausschachtungen begegnet, ohne dass einer von ihnen sich mit dem anderen verabredet hätte. Diese stille Übereinkunft fassten sie als Wink des Schicksals auf, als Zeichen dafür, dass sie zusammengehörten – zumal keiner von ihnen eine Angel dabeihatte, anders als die anderen Jungs, die links und rechts am Ufer zwischen den Büschen und Bäumen hockten, Haken mit Würmern, mit Maden bestückten, Ruten auswarfen und warteten, bis es dunkel wurde oder sie genug gefangen hatten, um den

Heute muss ich Kesselwaggons, gefüllt mit Flüssiggas, von Emden nach Rheine bringen. Dort wird jemand anderes die Fracht bis Köln übernehmen, während ich Gleis und Zug wechsele und mit neuem Auftrag zur Küste zurückfahre. Ich bin gerade aus der Stadt heraus, liege gut in der Zeit und lehne mich, die Hände hinterm Kopf verschränkt, zurück. In der Nacht habe ich kaum geschlafen, wieder eine dieser schlaflosen Nächte. Und jetzt droht mich die Müdigkeit zu übermannen. Ich gähne und reibe mir die Augen. Ohne hinzusehen, ziehe ich die Thermoskanne aus meiner Arbeitstasche und klemme sie zwischen die Beine. Ich schraube den Deckel ab und gieße mir einen Schwall Kaffee ein. Ich trinke ihn wie Wein, den Duft inhalierend, das Aroma

Tag als erfolgreich gelten lassen zu können. Sie saßen einfach nur da, an einen Baumstumpf gelehnt, weil sie nicht wussten, wo sie sonst sitzen sollten, wenn sie nicht zu Hause sein wollten. Die Ausschachtungen waren über die Schienen leicht zu erreichen und doch weit genug weg, um nicht sofort gefunden zu werden, falls jemand nach ihnen suchte. Stundenlang saßen sie fast reglos nebeneinander, rauchten, starrten auf die von Entengrütze grün gesprenkelte Oberfläche des Wassers, warfen Schottersteine hinein, um die Angler zu ärgern, und unterhielten sich über die Schule, Musik und Horrorfilme, die sie gesehen hatten oder von denen sie behaupteten, sie gesehen zu haben.

Manchmal setzten sich ältere Jungs zu ihnen, Ubbo Busboom, Paul Tinnemeyer, Jens Hanken, die keine Zigaretten dabeihatten und sie um welche anschnorrten. Und sie ließen sie an ihren Gesprächen teilhaben, weil sie hofften, im Gegenzug etwas von ihnen zu lernen, etwas, das sie noch nicht kannten und das sie weiterbringen würde im Leben, Neues über Mädchen. Alles, was sie auf diese Weise erfuhren, erschien ihnen verlockend und verach-

kostend, bevor ich einen Schluck nehme. Und er schmeckt wie Wein, süße Amarenakirsche, schwarzer Trüffel, Bitterschokolade, warm und weich und holzig im Abgang. Sofort spüre ich, wie die Wärme zu wirken beginnt. Sie schießt durch meinen Körper wie ein Stromschlag, und ich glaube, wach zu sein. Ich stehe auf und halte mein Gesicht aus dem Fenster. Der Fahrtwind schlägt mir entgegen. Ich kneife die Augen zusammen und drehe meinen Kopf erst in die eine, dann in die andere Richtung, betrachte die bunten Kessel hinter mir, siebenhundertzwanzig Kubikmeter Propan und Butan, und muss daran denken, woran ich immer denke, wenn ich Kessel ziehe: Bomben auf Rädern.

Benommen von diesem Bild sinke ich in den Sitz zurück, bli-

tenswert zugleich. Sie versicherten einander, die Köpfe rot vor Scham, diese Dinge niemals zu machen, wurden jedoch nicht müde, davon zu sprechen und Mädchen, deren Namen sie im Fernsehen und in Zeitschriften aufgeschnappt hatten, in ihre negativen Fantasien einzubauen.

»Ich würde Clarissa nicht küssen«, sagte Daniel. Keiner kannte eine Clarissa. »Jedenfalls nicht mit Zunge.«

»Auf keinen Fall«, sagte Stefan.

»Und Gabriele auch nicht.« Bei Gabriele mussten immer alle lachen, warum wusste niemand.

»Nee«, sagte Onno. »Vor allem Gabriele nicht.«

»Die stinkt«, sagte Rainer. »Außerdem treibt sie's mit jedem.«

»Da irrst du dich, mein Lieber«, sagte Daniel. »Du verwechselst sie mit Bettina.« Bettina war der Brüller, weil sie den Namen stets wie Bett-Tina aussprachen.

Mit der Zeit entwickelten die Mädchen ein Eigenleben. Clarissa hatte erst blonde, dann schwarze Haare, aber von Anfang an einen großen Busen, den sie so zusammenpresste, dass es in

cke auf das Manometer der Hauptluftleitung, die Bremszylinderdruckanzeige, den Geschwindigkeitsmesser. Aber ich nehme die Werte kaum wahr, weil ich mir vorstelle, wie das Zeug hinter mir hochgeht, mitten in einem Wohngebiet, womöglich in Jericho, eine Feuerwalze, die Land und Leute in einem Atemzug überrollt und alles Leben erstickt, ein Gluthauch, schneller als der Wind, menschliche Fackeln taumeln aus den Flammen hervor, bevor sie, die Arme Schutz suchend hochgerissen, stehenbleiben, erstarren, zu Klumpen verkohlt. Der Nebel lichtet sich. Die Sonne scheint. Der Motor brummt. Ich trommele, gedankenverloren, mit den Fingern aufs Handrad.

der Mitte einen Spalt gab, in den alle, die ihr begegneten, hineinschauten wie in einen Abgrund, mit schwindelerregender Faszination. Eines Tages begegnete sie einem Bauern und wurde von ihm schwanger. Sie musste ihn heiraten, obwohl sie ihn nicht liebte, und verließ ihn wieder, als sie herausfand, dass er die Kühe im Stall nicht nur molk, sondern auch mit seinem Atem von hinten stimulierte, damit sie mehr Milch gaben.

Gabriele, klein und dick, hatte einen Klumpfuß und war wie Clarissa von Gott gesegnet. Im Gegensatz zu ihr gab Gabriele beiden Brüsten jedoch die größtmögliche Freiheit, sodass sie ihr, wenn sie sich bewegte, vor allem auf diese Weise, das eine Bein nachziehend, wie zwei pralle Einkaufstüten um die Hüften schlackerten. Aufgrund ihrer Leibesfülle und ihres schweren, schleppenden Gangs schwitzte sie so stark, dass sich, wo immer sie ein paar Minuten stand, um sich auszuruhen, eine Pfütze unter ihr bildete. Ihr Schweiß erhob sich über das ganze Dorf und hatte auf Männer und Fliegen die gleiche Wirkung: Sie fühlten sich magisch zu ihr hingezogen.

Ich mag es, Güterzüge zu fahren. Es gibt niemanden, auf den ich Rücksicht nehmen muss. Ich muss nicht warten, bis die Passagiere eingestiegen sind und der Mann mit der roten Mütze die Kelle hebt. Ich rausche einfach so durch. Die Schranken sind geschlossen oder sollten geschlossen sein. Die Kollegen in den Stellwerken und Bahnhöfen winken mir zu, und ich winke zurück. Ich habe einen Auftrag, und den führe ich aus. Ich hole die Ladung ab und bringe sie an ihr Ziel.

Mit jeder Sekunde taucht vor mir etwas Vertrautes oder Neues auf, und in der Sekunde darauf ist es schon wieder an mir vorbei. An klaren Tagen kann man die ganze Strecke vor sich ausgebreitet sehen: vier Linien, die auf den Horizont zulaufen. Im

Bettina aber war groß und schlank, hatte grüne Augen, dichtes, lockiges Haar, das ihr bis zur Taille reichte und kupferrot glühte, sobald die Sonne darauf schien, die Haut zart und weiß wie Elfenbein und voller Sommersprossen, eine echte Schönheit – mit nur einem Makel: Ihr fehlten die Arme. Sie hatte sie bei einem Verkehrsunfall verloren. Stefan sagte, es sei beim Reiten geschehen. Aber Onno und Rainer widersprachen ihm, weil keine dabei ihre Arme verliere, es sei denn, sie falle vom Hengst direkt in einen Schredder. Stattdessen beteuerten sie, selbst gesehen zu haben, dass auf der Bahnhofstraße ein Panzer über sie drübergefahren sei, ohne eine Erklärung dafür zu liefern, wie sich mitten im Frieden ein Panzer ins Dorf verirren konnte, weshalb Daniel behauptete, sie habe es selbst getan, mit einem Brotmesser, um sich noch interessanter zu machen. Jedenfalls hatte Bettina keine Arme, und darum konnte sie sich auch nicht waschen, und sie bestand darauf, auch noch in hohem Alter, als ihre Schönheit schon ganz und gar verblüht war und sie, von der Bewunderung geschwächt, im Bett lag, dass Jungs diese Aufgabe übernahmen,

Hochsommer liegt über den Schienen oft ein Flimmern. Ganz hinten sehe ich noch Autos und Menschen über die Gleise huschen, dunkle Punkte, die in der Luft tanzen wie Mücken vorm Licht. Und dann bin ich da. Und sie erzittern vor mir, bevor ich wieder aus ihrem Leben verschwinde und sie aus meinem. Jetzt, Ende April, ist die Luft blütenschwer, Pollen treiben, dicht wie Schnee, übers Land. Kühe grasen auf den Feldern. Bauern bestellen ihre Äcker. Der schwere Geruch der Gülle rauscht zu mir herein und durchs andere Fenster wieder hinaus. Frauen putzen in waghalsigen Positionen die Fenster ihrer Häuser. Kinder spielen in den Gärten. Die Wege links und rechts der Gleise voller Fahrradfahrer und Spaziergänger, Hunde, die von Baum zu Baum

Jungs wie sie, Stefan, Onno, Rainer und Daniel, und sie mit bloßen Händen von oben bis unten – besonders unten – einseiften und abspülten.

Es gab noch weitere Mädchen, Sophie, Melissa, Hannelore, und weitere Geschichten, die sich zum Teil überlagerten. Dutzende Lebensläufe, auf wenige Jahre verdichtet. Keiner von ihnen schaffte es, alle auseinanderzuhalten, und irgendwann kamen sie wieder davon ab. Sie wandten sich neuen Themen zu, die ihnen unterhaltsamer erschienen, wichtiger, drängender. Doch die Mädchennamen blieben bestehen und wurden zu einer Art Geheimsprache, die sie verwendeten, um andere, die ihre wahre Bedeutung nicht verstanden, auszuschließen. Manchmal verstanden sie selbst nicht, was der eine dem anderen in Gegenwart von Fremden damit sagen wollte, aber wenn jemand von ihnen Clarissa, Gabriele oder Bettina erwähnt hatte, ohne irgendeine Erklärung abzugeben, um wen es sich dabei handelte, dauerte es nie lange, bis sie allein waren und Klartext reden konnten.

In dem nassen und kalten Sommer darauf hatten sie zehn

tollen und sich im Dreck winden, Katzen, ins Gras geduckt, kahl geschorene Schafe auf den Deichen, und Lämmer, Dutzende Lämmer, noch voll im Saft, dem Schlachtfest entronnen.

Petkum, Oldersum, Tergast. Lange bevor ich Jericho erreiche, blitzt es in mir auf. Die Ausschachtungen, dunkel zwischen den Bäumen, das Industriegebiet mit seinen weißen Lagerhallen, die Puddingfabrik, das Strandhotel drüben am Deich, die Molkerei, das neue Stellwerk und der alte Bahnhof, der Güterschuppen, Rosings Werkstätten, die nicht mehr bewirtschafteten Gulfhöfe mitten im Ort, mein Haus, mein Garten, mein Sohn, schaukelnd, angeschubst von einem fremden Mann, die Neubausiedlung, der

Tage lang am See gezeltet und sich eine Lungenentzündung zugezogen, die ihnen einen einwöchigen Aufenthalt im Krankenhaus bescherte. Kaum entlassen, waren sie nachts über den Zaun des städtischen Freibads geklettert, hatten ins Schwimmbecken gepinkelt, auf der Liegewiese Igel wie Bälle übers Gras getreten und sich in der Videothek nebenan gegen eine Gebühr, die ihr Taschengeld um ein Vielfaches überstieg, Filme ausgeliehen, für die sie noch Jahre zu jung waren. Manchmal, wenn sie nichts mit sich anzufangen wussten, waren sie abends durchs Dorf gezogen, hatten Laternen mit einem Tritt ausgeschaltet, Kaugummiautomaten angezündet und Hunde in Zwingern zur Weißglut getrieben, indem sie Äste durch die Gitter steckten und den Tieren die Spitzen in die Flanken schoben. Zusammen hatten sie zum ersten Mal den Unterricht geschwänzt, Joints geraucht und Kruiden getrunken – zu viel, wie sich im Laufe jenes Abends bei Onno herausstellen sollte. Und einmal, an einem heißen Sommertag, sie meinten später, es sei der Tag nach ihrem Besäufnis gewesen, waren sie im Hammrich der Kelly Family begegnet.

See, die reformierte Kirche mit ihrem Glockenturm, hoch oben auf der Warft, über allem aufragend wie eine Burg.

Vorher bin ich nicht oft dorthin gegangen, aber seit zwölf Jahren sitze ich sonntags ab und zu in der ersten Reihe. Ich falte meine Hände und lausche der Predigt, bloß die Lieder singe ich nicht mit. Ich kann keinen Ton halten und werde es in meinem Alter auch nicht mehr lernen. Für den Gesang gibt es den gemischten Chor auf der Empore. Zweimal die Woche proben sie für ihren großen Auftritt. Und wenn diese Männer und Frauen, einfache Menschen, Menschen wie ich, aufstehen und ihre Stimmen erheben, bekomme ich jedes Mal eine Gänsehaut.

Hin und wieder steigt Hans von der Kanzel zu mir herab, und

Der grün rote Doppeldeckerbus, mit dem die Familie durch Europa reiste, stand mitten auf dem Kleiweg auf freiem Feld. Weithin sichtbar stach er aus der flachen Landschaft hervor, und die Menschen strömten in Scharen von überall herbei, um ihn zu bewundern und zu streicheln wie einen bunten gestrandeten Wal. Er hatte Schlagseite, von Weitem schien es, als sei er in einen Graben gerutscht, aber als sie näher kamen und sich durch die eng stehenden Leute hindurchdrängten, sahen sie, dass ein Vorderreifen geplatzt war und vier Männer damit beschäftigt waren, einen neuen aufzuziehen. Während sie das taten, trat Dan Kelly mit seinen Kindern, von denen einige jünger waren als Dan Kuper und seine Freunde, auf die Straße und machten in der flirrenden Hitze Musik – mit einer Selbstverständlichkeit und Hingabe, die Daniel, Stefan, Onno und Rainer nie zuvor erlebt hatten, und im ersten Moment waren sie vor Staunen erstarrt, auch wenn es nicht das war, was sie unter Musik verstanden.

Sie hatten noch mehr erlebt. Wie im Chemieraum eine Flasche mit Brom umfiel und das Gebäude evakuiert wurde. Wie

wir sprechen über das Thema, das er gewählt hat oder wählen will. Im Sommer beugt er sich über den Jägerzaun, und wenn er merkt, dass ich im Garten oder auf der Terrasse sitze, klettert er zu mir herüber, oder er klingelt an meiner Haustür, und ich lasse ihn herein. Bis vor ein paar Monaten hatte er immer den ersten Entwurf seiner Predigt und eine Flasche Wein dabei, das eine wie zur Entschuldigung für das andere.

Seit ein paar Wochen kommt er mit leeren Händen.

Manchmal mache ich uns noch etwas zu essen, Bratkartoffeln mit Spiegelei, irgendeinen Fisch, den ich gefangen und eingefroren habe, und wir trinken einen Chardonnay oder Riesling dazu, und manchmal, wenn ich zu faul zum Kochen bin oder wir beide

Stephanie Beckmann, ihre Mitschülerin, in Emden bei *Wetten, dass ..?* die Saalwette gegen Thomas Gottschalk gewann. Wie ihr Physiklehrer am Bahnhof eine Kamera aus seinem Aktenkoffer holte und Fotos von Zügen machte. Wie einige Schränke in den Klassenräumen zusammenkrachten, sobald ein Lehrer deren Türen öffnete, weil irgendjemand – einige verdächtigten Stefan, Rainer und Onno – an den Seiten die Schrauben herausgedreht hatte. Und wie Peter Peters einen Anfall bekam, die Schule verlassen musste und starb.

Dann war Daniel abgegangen. Er hatte eine Fünf in Mathe und in Latein und wollte nicht sitzen bleiben und das Jahr wiederholen, und der ursprüngliche Grund ihrer Verbundenheit war mit einem Mal weggebrochen. Trotzdem versprachen sie, den Kontakt zu halten, zu viel war in der Zwischenzeit geschehen. Zwei Jahre hatten sie zusammen verbracht, zwei Jahre bei Herlyn und Weers, zwei entscheidende Jahre, wie sie nach dem letzten Schultag übereinstimmend meinten, die man nicht so einfach aufgeben dürfe. Aber der letzte Schultag war jetzt einen

schon zu Abend gegessen haben, hole ich eine Dose Erdnüsse aus dem Schrank, die wir gierig verschlingen, bevor wir unsere Sachen packen und angeln gehen.

Auf dem Weg zu einem der Seen reden wir über Sport oder die Bahn, über Fische und Köder oder irgendwas, was im Dorf vorgefallen ist. Aber irgendwann fragt er mich garantiert um Rat, welches Gleichnis am besten geeignet ist, um die Versuchungen des Bösen, unsere täglichen Fehltritte, unseren Zweifel und unsere Lust, zu veranschaulichen. Oder er will wissen, wie seine Worte am Sonntag in der Kirche bei der Gemeinde angekommen sind. Ich kann nur für mich sprechen, und ich sage ihm, was ich davon halte und ob es mir gefallen hat oder nicht.

Monat her, und in den vergangenen vier Wochen, fast die ganzen Sommerferien über, hatten sie sich nicht gesehen. Daniel hatte ein verlängertes Wochenende mit der Mutter und den Zwillingen bei den Tanten in Bad Vilbel verbracht, Stefan und Onno waren in Italien, in Dänemark gewesen und erst vor ein paar Tagen zurückgekehrt, und Rainer hatte in der Puddingfabrik gearbeitet, er arbeitete immer noch dort, um Geld für eine Vespa zu verdienen, weil seine Eltern, seine Großeltern sie ihm nicht schenken wollten und der Meinung waren, dass er seinen Tod selbst finanzieren müsse.

Sie waren jetzt in dem Alter, in dem sie, wenn sie von Erwachsenen sprachen, nur noch deren Nachnamen benutzten. Die Anrede, das respektvolle Herr, das sie früher ganz selbstverständlich gebraucht hatten, wenn sie vom Pastor, von Ärzten und Lehrern sprachen, war in ihren Erzählungen weggefallen. Und die Frauen, die die gleichen Positionen innehatten, unterschieden sich von den Männern nur dadurch, dass sie einen bestimm-

Oft spricht er mir zu inbrünstig, zu getragen. Die, die ihm den Rücken gekehrt haben, und die, die ihm die Stirn bieten, sagen, er sei ein Fanatiker. Sie bewundern und verachten ihn aus den gleichen Gründen. Und beide fürchten seine Beharrlichkeit: Er glaubt an das, was er macht, und ist von der Wirkung seiner Worte überzeugt. Er fühlt sich für die ganze Gemeinde verantwortlich, auch für die Abtrünnigen, und fasst es als persönliches Versagen auf, wenn eines ihrer Mitglieder nur drei Mal in der Kirche erscheint, zur Taufe, Konfirmation und Hochzeit, bevor sie nebenan im neuen, zur Leichenhalle umfunktionierten Gemeindeheim aufgebahrt werden. Letzten Herbst hatte ich zeitweise das Gefühl, langsam dämmert ihm, dass er sich für seine

ten Artikel davor setzten. Zuweilen sprachen sie sich selbst nur mit Nachnamen an. Hätte man sie gefragt, wann und warum das geschehen war, niemand hätte eine Antwort gewusst. Sie dachten nicht darüber nach, sie machten es einfach.

»Klar, Kuper, komm vorbei. Ich bin zu Hause. Wenn du unbedingt wieder verlieren willst.«

»Also, was Meinders da heute wieder für eine Show abgezogen hat!«

»Epilepsie? Das war seine Diagnose? Ahlers spinnt doch. Ian Curtis hatte Epilepsie, aber doch nicht Peter Peters.«

»Erinnert ihr euch noch an die Zuhl? Die war vielleicht schräg.«

»Die war mehr als schräg.«

»Oberschräg, würde ich sagen.«

Untereinander wollten sie sich nicht die Blöße geben, höflich oder ehrfürchtig zu sein. Jeder Anschein von Feigheit musste vermieden werden, und sie waren entschlossen, sich den Erwachsenen gegenüber zu behaupten – zumindest, solange sie un-

Mission mit Jericho den denkbar schlechtesten Ort ausgesucht hat. Vor allem nach dieser Sache mit dem jungen Kuper, Hards Sohn. Hans soll ihn geschlagen haben, am Tag, bevor er nach Israel gereist ist. Ich weiß nicht, ob das stimmt oder nicht, wir haben nie darüber gesprochen.

Kurz danach, irgendwann im Dezember, als ich Tigernüsse zum Anfüttern bei Kuper kaufte, erzählte mir Hard, wie sehr sein Sohn ihn manchmal zur Weißglut treibe. Und da fiel mir auf, dass ich das nie erlebt habe, dass Tobias in meiner Vorstellung immer das tut, was ich von ihm verlange. Jetzt ist er selbst schon in diesem Alter, und ich kann nur hoffen, dass er sich nicht alles gefallen lässt und kämpfen wird, wenn es darauf ankommt.

ter sich waren. Und von außen betrachtet war es genau das: ein Akt der Herabsetzung, eine Art stille Rebellion. Es war, als wollten sie die Menschen, die über sie verfügten, zu sich herunterziehen. Nur wenn sie ihnen direkt gegenüberstanden und zu ihnen aufsahen, wenn sie sie ansprachen, sagten sie noch »Entschuldigung« und »Bitte« und »Danke« und »Herr« und »Frau«.

Herlyn war für zwei Jahre ihr Klassenlehrer gewesen, immer pünktlich, immer im Anzug und immer mehr fordernd, als die Schüler zu leisten vermochten. Er unterrichtete Latein und Deutsch, und seine erste Amtshandlung hatte darin bestanden, die Strukturen aufzubrechen und diejenigen, die sich noch von der Grundschule oder Orientierungsstufe her kannten und im Gymnasium an zwei aneinandergeschobenen Tischen zusammengerottet hatten, auseinanderzusetzen. Vor der ersten Stunde hatte Daniel noch in der letzten Reihe neben Stefan gesessen, und neben Stefan Rainer und Onno, und daneben saßen zwei Mädchen, Tanja Mettjes und Susanne Haak, auch aus Jericho.

Auch wenn ich mir nicht wünsche, dass er sich als Gegner ausgerechnet den Pastor aussucht. Hans Meinders ist gerade wieder auf dem Damm, und einen weiteren Schlag wird er in seinem Alter womöglich nicht mehr so leicht wegstecken. Jeden Sonntag kommen weniger Gläubige zum Gottesdienst. Die Alten sterben, und von den Konfirmanden bleiben ihm nur die wenigsten treu. Trotzdem gibt er nicht auf. Die Auszeit, die er sich im Winter genommen hat, scheint ihm neue Kraft gegeben zu haben. Er wirkt entschlossener als je zuvor, aber er beugt sich nicht mehr über die Kanzel und schreit herum, wenn jemand vor dem abschließenden Orgelspiel aufsteht und auf den Gang tritt oder die Kollekte auslässt, ganz so als probiere er eine neue, mildere

Schon bei der Einteilung der Klassen, als sie alle auf dem Schulhof gewartet hatten, bis ihre Namen aufgerufen wurden, hatte Daniel Volker und Simone vermisst. Volker hatte sich trotz Empfehlung gegen das Gymnasium entschieden, und seine Eltern hatten ihn nicht dazu gedrängt, doch hinzugehen, und Simone war auf ein anderes Gymnasium gegangen, ein katholisches, eins mit besserem Ruf, wie ihre Eltern meinten, ein Lyzeum, in einer anderen Stadt. Nur Eisen vermisste er nicht. Eisen hatte die Realschule abgeschlossen und ein Berufsgrundbildungsjahr gemacht und war jetzt bei seinem Vater, dem Bauunternehmer Johann Rosing, in der Lehre. Sie waren sich lange nicht begegnet, und Daniel hoffte, dass das auch nie wieder geschehen würde. Aber es war schwer, sich in einem Dorf wie Jericho aus dem Weg zu gehen. Von der letzten Reihe aus hatte Daniel fast alle im Blick, und als er sich umsah und die Köpfe und Rücken seiner aus dem ganzen Landkreis stammenden Mitschüler betrachtete, freute er sich auf eine gemeinsame Zukunft, auf das Neue und Ungewisse.

Taktik aus, um kurz vor dem Ruhestand doch noch zum Ziel zu kommen.

Wochenlang ist er durch die Wüste gelaufen, unten in Israel. Als man nichts mehr von ihm hörte, hatten viele ihn hier schon abgeschrieben. Selbst Marie, seine Frau, die dorthingeflogen ist, um ihn zu suchen, gab die Hoffnung bald auf, ihn noch lebend zu finden. Im Dorf kursierten die wildesten Gerüchte. Einige meinten, er habe einen Unfall gehabt, sich das Bein gebrochen, den Kopf gestoßen, irgendwas, und sei verdurstet, andere glaubten an Entführung oder Selbstmord. Aber ich wusste, dass er zurückkommen würde. Er ist nicht der Typ, der sich in Gefahr begibt oder seinem Leben eigenmächtig ein Ende setzt.

Dann war Herlyn hereingekommen. Er hatte sie begrüßt und sich vorgestellt. Er hatte seine Aktentasche aufs Pult gelegt, die beiden Schlösser zurückschnappen lassen und eine graue Schachtel hervorgeholt, eine Box aus Blech, so lang und breit wie ein Schuhkarton, aber flacher, wie ein Sarg für überfahrene Kleintiere. Daniel und Stefan sahen sich an, alle in der Klasse sahen sich an und tauschten Blicke, einige Mädchen kicherten.

Stefan fragte: »Was ist das?«, so leise, dass nur Daniel es hören konnte.

Und Daniel sagte in der gleichen Lautstärke: »Keine Ahnung. Seine Federmappe?«

Alle flüsterten einander Interpretationen zu: »Kreidekasten.« – »Brillenetui.« – »Zigarrenkiste.« Minutenlang wurden Worte durch den Raum gezischt.

Herlyn hatte ihnen die ganze Zeit über den Rücken zugewandt und reglos am Fenster gestanden, bis er, die Arme vor der Brust verschränkt, vor sie hingetreten war, um, wie jedes Jahr nach Schulanfang, eine Ansprache zu halten, jedes Jahr die glei-

Ich gleite hoch übers Rorichumer Tief. Felder, soweit das Auge reicht. Neermoor, rechts und links Kiesgruben, türkis schimmernd wie oxidiertes Kupfer. Sauteler Tief, Uthusen, Neuschwoog, Altschwoog, Klostermühle. Unter der B70 hindurch, Eisinghausen, Bollinghausen, Heisfelde. Im Bahnhof Leer wächst die Zahl der Gleise auf sechsundfünfzig an, bevor sie, nur wenige Meter weiter, wieder abnimmt. Kurz hinter Connemann, der Ölmühle, zur Ledabrücke hin, ist die Strecke dann eingleisig. Das Signal steht auf Halt. Oft warten hier in Leer Männer an der Strecke, sie wollen aber nicht mitgenommen werden, sondern machen Fotos von Zügen. Sie haben es hauptsächlich auf die alten Lokomotiven abgesehen, auf die, die eigentlich schon ausge-

che: »Bildet euch bloß nicht ein, dass ihr etwas Besonderes seid, nur weil ihr es bis hierher geschafft habt, weil irgendjemand euch irgendwann einmal eine Empfehlung gegeben hat. Ihr seid nichts. Ihr müsst erst einmal beweisen, was ihr könnt – mir müsst ihr das beweisen«, er zeigte erst auf seine Brust, dann auf sie, »und euch selbst auch. Ich werde niemanden von euch bevorzugt behandeln. Ich kenne eure Eltern nicht, ich weiß nicht, wer sie sind und was sie machen und wie viel Geld sie haben, aber ich werde sie kennenlernen, darauf könnt ihr euch verlassen. Ich habe mir eure Zeugnisse nicht angesehen und werde das auch nicht tun. Es interessiert mich nicht, ob ihr in Geschichte oder WUK oder wie immer das bei euch hieß eine Eins hattet oder eine Vier, und ich will nicht wissen, welche Texte ihr in Deutsch gelesen habt und welche nicht. All das, was ihr von zu Hause gewohnt seid, gilt nicht mehr. Und jetzt«, er nahm die Schachtel in die Hand und zog den Deckel ab, »wird jeder von euch seinen Namen auf ein Blatt Papier schreiben und hier hineinlegen und die Schachtel an den Sitznachbarn weitergeben, einmal reihum.«

mustert sind und dann außerplanmäßig doch noch einmal fahren. Sie sind auf der Suche nach einer verlorenen Zeit und wollen ihre Sammlung vervollständigen, aber heute kann ich diesseits und jenseits des Damms keine Menschenseele mit einer Kamera erkennen. Über den Schienen flimmert die Luft. Auf dem Brückengeländer sitzen Dohlen, krächzend und lauernd wie in diesem Film mit den Vögeln. Aber diese hier werden sich erheben und davonfliegen, sobald hinter ihnen die Gleise zu sirren beginnen. Ich zünde mir eine neue Zigarette an und schaue auf die Uhr: zwanzig vor acht. Ein Personenzug kommt mir entgegen, es ist der Siebentausendvierhundertsiebenunddreißig. Das weiß ich, ohne ins Kursbuch zu sehen. Ich kann den Fahrplan auswen-

Alle taten, wie ihnen geheißen. Daniel schmierte, kaum lesbar, seinen vollen Namen hin und faltete das Blatt Papier mehrmals in der Mitte zusammen, legte es in die Schachtel und reichte sie an Stefan weiter. Keiner konnte den Blick von der durch die Tischreihen wandernden Schachtel nehmen, und niemand ahnte, dass sie sich mit diesem Spiel, mit ihrer eigenen Unterschrift, Herlyns Macht verschreiben würden.

Gerade hatte Susanne ihren Zettel hineingetan und die vor Zetteln überquellende Schachtel wieder nach vorn gebracht, da forderte Herlyn die Schüler auf, ihre Sachen zu packen und sich an der den Fenstern gegenüberliegenden Wand aufzureihen. Dann mischte er die Zettel und nahm sie einen nach dem anderen heraus. Er faltete sie aber nicht auseinander, sondern legte sie auf den Tischen ab. Und als er damit fertig war, sagte er »Du« und winkte Susanne heran, weil sie vorhin die Letzte gewesen war. Jetzt sollte sie die Erste sein, die Zettel auseinanderfalten und die neue Sitzordnung verlesen. So kam es, dass Daniel von da an neben Peter Peters saß, und Stefan, Rainer und Onno über

dig. Ich könnte jederzeit sagen, wann und wo welcher Zug an- und abfährt; bei allen Linien könnte ich sogar die eingesetzten Baureihen aufzählen, ihre Leistung und Baujahre. Ich bin voll davon, voll von einem Wissen, das mir im wahren Leben nichts nützt. Es ist wie beim Quartett, bloß mit dem Unterschied, dass ich keinen Mitspieler habe, gegen den ich gewinnen könnte.

Die Brücke ist im Krieg gesprengt und gleich danach wieder aufgebaut worden. Ursprünglich ist sie zweigleisig befahrbar gewesen, aber aus irgendeinem Grund hat man nur eins davon wieder in Betrieb genommen. Neben dem Gleis führt ein schmaler Weg über den Fluss, der gerade genug Platz für Fußgänger oder Fahrradfahrer bietet. Einmal, bei einem Sonntagsspaziergang

den Raum verteilt waren. Herlyn glaubte, mit dieser Maßnahme alte Bündnisse zerschlagen zu haben. Er wusste nicht, dass sie dadurch in den Pausen, auf dem Schulweg, in der Freizeit erst zum Leben erwachten.

Weers war anders als Herlyn, milder und weniger auf sein Äußeres bedacht. Er hatte schütteres, zur Seite gekämmtes Haar und einen Vollbart, in dem immer ein paar Krümel hingen. Im Winter trug er Wollpullover, im Sommer T-Shirts, aber egal, was es war, alles schien stets eine Nummer zu klein zu sein, als legte er großen Wert darauf, seine Proportionen zur Geltung zu bringen, anstatt sie, wie die Kollegen, die anderen Männer seines Alters zu kaschieren. Er schämte sich nicht für seinen Bauch, für seine Leidenschaft, selbst gebackene Kekse, und wollte, dass auch die Schüler ein entspanntes Verhältnis zu ihren Körpern aufbauten, gerade zu einer Zeit, da sie sich nichts sehnlicher wünschten, als ihre Haut abzulegen und gegen eine andere einzutauschen, eine kindlichere oder erwachsenere.

---

vor ein paar Wochen, habe ich erlebt, was es heißt, dort zu stehen, wenn, keine zwei Meter entfernt, ein Zug an einem vorbeidonnert. Und in dem Moment musste ich daran denken, wie alles angefangen hat, wie verheißungsvoll alles war, als ich zum ersten Mal den Führerstand bestieg und diese gewaltige Kraft spürte, die Kraft des Himmels und der Erde, des Feuers und des Wassers, Naturgewalten, die, in einer Maschine vereint, tausend Tonnen mühelos in Bewegung setzen und kilometerweit ziehen. Ich weiß noch, wie mir der Erste Heizer mit seinen Pranken auf die Schulter klopfte, so heftig, dass ich gegen die automatische Schmierpumpe stieß, und gleich seine Schaufel in die Hand drückte; wie ich viel zu viel Kohlen auf einmal nahm, die Hälfte

KILL
MISTER

Edzardstraße 3

Mittwoch, 19. Juli 1989

Beginn 20 Uhr

Schulaula

WILHELMINE-SIEFKES-GYMNASIUM

Weers unterrichtete Mathe und Musik. Seine Eltern hatten in ihm stets ein Wunderkind gesehen, weil er das absolute Gehör und schon als Neunjähriger Sonaten und Suiten komponiert hatte. Und eine Zeit lang, während seines Studiums an der Musikhochschule in Hannover, war er Saxophonist in einer Jazzband gewesen und in wechselnder Besetzung durch Westeuropa getourt. Er spielte immer noch Saxophon, aber nicht mehr vor Publikum, nur noch zu Hause, für seine Frau, sich selbst. Die beiden hatten keine Kinder, aber manchmal, wenn Weers im Unterricht einen Schüler aufrief, der etwas Unanständiges gesagt oder eins der Mädchen geärgert hatte, sagte er: »Bekäme ich einen Sohn wie dich, einen mit deinem Benehmen, würde ich ihn Per nennen.« Alle paar Monate wurde er von irgendjemandem angesprochen und gefragt, warum er keine Stücke mehr schreibe oder ob er nicht einmal wieder im Konzerthaus, im Jazzkeller auftreten wolle. Er kannte seine Grenzen, er wusste, dass es nie zu mehr reichen würde als zur Interpretation, zur Nachahmung und er nicht das war, was einige in ihm sahen, ein Genie oder

davon auf dem Weg zur Feuertür verlor und schließlich, nach Tagen voller Schweiß und Schwielen, einen eigenen Rhythmus fand.

Ich trage noch immer diese Uniform, schwarze Hose, schwarzes Hemd, schwarze Mütze, die Uniform der Heizer, obwohl ich schon lange kein Heizer mehr bin und keine Uniform mehr tragen muss. Anfangs, in der ersten Zeit als Lokführer, habe ich das nur aus Solidarität gemacht, ich wollte nicht über ihnen stehen. Ich wusste, dass ich ohne sie keinen Meter weit kommen würde. Ich war auf sie angewiesen, darauf, dass sie alles ordentlich abölten, die Feuerbüchse immer schön am Glühen hielten, die Strecke genauso gut kannten wie ich. Sie mussten wissen, wann eine

Virtuose. Seine Schüler sahen nur Weers in ihm, ihren Mathe- und Musiklehrer. Einmal hatte er im Treppenhaus auf dem Weg ins Klassenzimmer gehört, wie sie ihn nachmachten, seine langsame Art zu sprechen und das Summen oder Pfeifen von Liedern, mit denen er die Pausen zwischen den Worten füllte. Trotzdem genoss er bei ihnen eine Anerkennung, die sie anderen Lehrern nicht entgegenbrachten, weil er etwas machte, was auch mit ihrem Leben außerhalb der Schule zu tun hatte – Musik –, und weil er alle Instrumente gleichermaßen perfekt zu beherrschen schien. Manchen von ihnen, denjenigen, die aus gutem Hause kamen und deren Eltern es sich leisten konnten wie die von Stefan, Onno und Rainer, gab er nachmittags Privatunterricht. In seinem Wohnzimmer hatte er einen schwarzen, auf Hochglanz polierten Flügel mit dem goldenen Schriftzug *Grotrian-Steinweg* – »der Grobian«, wie Weers immer sagte, wenn jemand, den er mochte, die falschen Tasten drückte –, eine Geige, ein Cello, ein Akkordeon, mehrere Alt- und Tenor-Saxophone, und, was niemand für möglich gehalten hätte, einen E-Bass, eine

Linkskurve kam und sie nach einem Signal Ausschau halten sollten, das ich von meiner Seite aus nicht sehen konnte. Wir hingen zusammen wie Räder durch Achsen. Vor der Maschine waren wir ein Mann. Jeder Handgriff war auf den des anderen abgestimmt. Und später, als alles auf Diesel umgestellt war und es auch hier in der Gegend Fahrtdraht gab und keine Dampfloks und Heizer mehr gebraucht wurden, war mir die Kleidung zur Gewohnheit geworden. Ich dachte, ich würde allein dadurch, dass ich morgens und abends etwas anderes anzog, die Arbeit an- und ablegen können und nicht mit nach Hause nehmen.

Ich passe nicht mehr ganz hinein. Die Hose spannt, das Hemd ist halb aufgeknöpft, und dabei ist beides neu, kein Jahr alt. Den

E-Gitarre und ein Schlagzeug. Er verlangte von niemandem, ein klassisches Instrument spielen zu können oder es zu lernen, aber am Ende des Schuljahres trat er mit jeder Klasse als Orchester in der Aula auf, und keiner kam darum herum, wenigstens die Triangel zu schlagen oder den Schellenkranz.

Um der Demütigung zu entgehen, mit solchen Instrumenten in der Hand Versagen oder mangelnden Ehrgeiz öffentlich zur Schau stellen zu müssen, gab es nur eine Möglichkeit: die Flucht nach vorn, und die bestand in diesem Fall darin, eine Band zu gründen, Kill Mister, und im Vorprogramm des Orchesters aufzutreten. Onno war auf die Idee gekommen, und Weers hatte sie mit Begeisterung aufgegriffen, obwohl er, wie alle anderen auch, die Frage stellte, was es denn mit dem Namen auf sich habe. »Kill Mister? Da fehlt doch was! Welchen Mister wollt ihr denn killen? Mr. Mister? Mr. Blue Sky? Lemmy?« Und wie alle anderen erhielt er nie eine Antwort.

Ein halbes Jahr lang trafen sich Daniel, Rainer und Stefan regelmäßig bei Onno, weil er ein Schlagzeug besaß, und probten

drei Frauen, mit denen ich in den letzten zwölf Jahren geschlafen habe, war das egal. Sie haben nie ein Wort über meine Figur verloren, jedenfalls nicht in meiner Gegenwart, nicht, solange wir zusammen auf Tour waren. Aber manchmal, wenn ich einen Kollegen mitnehme, muss ich mir deswegen Sprüche anhören. Zieh den Bauch ein, Walter, dein Fett drückt auf den Sifa. Der Sifa, das ist der Totmannknopf, den ich alle dreißig Sekunden loslassen und wieder drücken muss, sonst bleibt die Karre stehen. Das ist meine Überwachung, dass ich noch lebe. Wenn ich nach Ablauf dieser Zeit nicht reagiere, weil ich irgendwo liege, bei vollem Bewusstsein, aber bewegungsunfähig, blinkt für zweieinhalb Sekunden eine blaue Lampe, und wenn ich dann nichts

drei Stücke, zwei Coverversionen, Slayers *Criminally Insane* und Metallicas *To Live Is To Die*, und die doppeldeutige Eigenkomposition, *Hang Your Dead Up High*. Daniel, der außer Blockflöte kein Musikinstrument beherrschte und weder Gitarre noch Bass spielen konnte, kam entgegen, dass der Text bei allen drei Liedern sehr kurz und in der Art, wie er ihn ins Mikrofon brüllte, sehr schwer verständlich war, mehr Geschrei als Gesang. Und da er bei ihrem Auftritt darauf verzichtete, die Songs anzusagen, blieb die von allen erwartete Provokation aus. Nachdem es in der Aula still geworden war, klatschten sogar einige Eltern und Lehrer aus Höflichkeit sechs, sieben Mal in die Hände, und irgendjemand forderte eine Zugabe – was Onno dazu veranlasste, die Band nach nur einem Konzert wieder aufzulösen und ein Comeback für alle Zeiten auszuschließen.

Obwohl das eigentliche Ziel ihrer Zusammenkünfte damit weggefallen war, trafen sie sich weiterhin an den Ausschachtungen oder bei dem einen oder anderen, außer bei Daniel, und verbrachten ganze Nachmittage in ihren Zimmern, vorgeblich um

tue, ertönt für weitere zweieinhalb Sekunden eine Hupe, und wenn ich dann immer noch nicht reagiere, gibt es eine Zwangsbremsung. Alles schon vorgekommen.

Endlich kommt der Zug über die Brücke, ich sehe seine Umrisse größer und größer werden, die Gleise sirren, die Dohlen lösen sich aus ihrer Erstarrung und steigen kreischend auf, ansonsten ist es vollkommen still, und ich wundere mich wieder einmal darüber, wie still alles geworden ist, kein Keuchen und Brausen mehr, kein Toben und Tosen, nur noch dieses Rauschen, und auch das nur, wenn die Wagen unmittelbar an einem vorbeirasen.

Hausaufgaben zu machen, die allein nicht zu bewältigen waren. Tatsächlich hörten sie Musik, rauchten bei offenem Fenster Zigaretten und verbrachten Stunden mit simplen Computerspielen, bis sie von den Joysticks Schwielen an den Händen hatten oder eins der Geräte kaputtgegangen war.

Ich hebe meine Hand zum Gruß, und Ernst Taute, der andere Lokführer, grüßt zurück, das Signal klappt hoch, langsam fahre ich an, und erst als ich weit über die Brücke drüber bin, in Höhe der Mülldeponie, habe ich meine alte Geschwindigkeit wieder erreicht. Jericho ist jetzt keinen Kilometer mehr entfernt, und meine Gedanken sind auf nichts anderes mehr gerichtet. Falls gleich eine Achse bricht und die Kessel beim Aufprall leckschlagen, falls das ganze Zeug da hinter mir ausströmt und sich entzündet, beispielsweise dadurch, dass sich jemand eine Zigarette ansteckt, dann gibt das ein hübsches Feuer, eins, das die Leute nicht so schnell vergessen werden, und ich bin mittendrin.

Ich bin der Anfang und das Ende.

3

In den Jahren zuvor hatte es im Juli, im August immer mal kurz geregnet, ein Schauer mit Blitz und Donner, eins der typischen Sommergewitter, die meist nur ein paar Minuten dauern, selten länger als zwei, drei Stunden, selbst wenn sie richtig heftig sind. Danach hatten sich die Wolken ins Landesinnere verzogen oder waren aufs Meer hinausgetrieben und dort verschwunden. Aber in jenem Jahr gab es eine Dürre, heftiger und länger als die Hitzewelle sieben Jahre zuvor. Die Temperatur stieg auf bis zu achtunddreißig Grad, Felder und Wiesen verdorrten, Bäche versiegten, in manchen Städten und Gemeinden wurde Ozon-Alarm ausgelöst, und in den Wäldern, den Mooren südlich von Jericho

Das Industriegebiet taucht vor mir auf, die Ausschachtungen, die ersten Häuser des Komponistenviertels, ich drehe den Kopf nach links, um in unseren Garten zu schauen, und in dem Moment, als ich jemanden dort stehen zu sehen meine, geht die blaue Lampe an; ich drücke auf den Sifa, betätige die Pfeife, aber ich bin schon vorbei.

Jedes Mal, wenn ich ins Dorf komme, gebe ich Signal. Nicht um sie zu grüßen, sondern um sie wach zu halten, so wie sie mich wach halten, Nacht für Nacht, Tag für Tag, Nella und er.

Nella verschmäht das Geld nicht, das ich ihr monatlich überweise. Sie schickt auch die Geschenke, die ich Tobias zum Ge-

durfte niemand rauchen und die ausgewiesenen Wege verlassen.

Nur an dem Tag, an dem Daniel aufbrach, um seine Freunde zu besuchen, regnete es ohne Unterlass, mal mehr, mal weniger stark, von morgens bis abends. Der Wind trieb die Tropfen voran, peitschte sie gegen die Scheiben der Häuser und Autos, als hätte Gott seinen Engeln den Auftrag gegeben, die Erde endlich von allen Sünden reinzuwaschen und die Menschen, seine missratene Schöpfung, von deren Oberfläche zu spülen, ganz gleich, ob sie ein Siegel auf ihrer Stirn trugen oder nicht.

Vormittags hatte Daniel im Geschäft gearbeitet. Er hatte sich nicht rechtzeitig für die christlichen Jugendfreizeiten gemeldet, mit denen seine Altersgenossen verreisten, wenn sie nicht mit den Eltern in Urlaub fahren wollten, und er hatte keinen Ferienjob gefunden. Er hatte sich auch nicht ernsthaft darum bemüht, weil der Vater ihm fünfzehn Mark pro Stunde geboten hatte, wenn er ihm half, das Lager aufzufüllen oder den Laden sauber

burtstag, zu Ostern und Weihnachten mache, nicht an mich zurück. Aber sie will nicht, dass ich unserem Sohn zu nahe komme. Sie hat es mir nicht ausdrücklich gesagt oder geschrieben, aber ich meine es aus der Art, wie sie mich bei meinen nächtlichen Besuchen vor unserer Haustür zurückgewiesen hat, herauslesen zu können. Den Blick gesenkt, die Arme vor der Brust verschränkt, mit der Fußspitze eine unsichtbare Linie in den Kies zeichnend, die ich, wie ich vermute, besser nicht übertreten sollte, wenn ich nicht riskieren will, vor den Augen meines Sohnes von seinem neuen Vater verhaftet zu werden. Und das alles in weißen Kleidern und Wickelröcken, die aussehen wie Gardinen, mit Fransen und Kordeln und goldenem Saum. Ich glaube, sie hat Angst, dass

zu halten, damit Birgit sich ganz den Zwillingen widmen konnte, und das war mehr, als Rainer in der Fabrik bekam. Das Angebot galt aber nur, solange Daniel nicht mit dem Rauchen anfing. Bisher war es den Eltern nicht aufgefallen, dass ihr Sohn, wenn er mit seinen Freunden zusammen war, rauchte, bis ihm die Tränen kamen. Hinterher putzte er sich jedes Mal die Zähne, oder er lutschte Fisherman's Friend, falls er es nicht mehr ins Bad schaffte, bevor er ihnen begegnete, um den einen Geruch mit einem anderen, stärkeren, wie er meinte, zu überdecken.

Im Sommer, während der Hauptsaison, machten Touristen auf ihrem Weg zum Meer im Dorf einen Zwischenstopp, und Hard sorgte dafür, immer genug Badematten und Sonnencreme, Heftpflaster und Filmpatronen vorrätig zu haben. Jeden Tag hielten Lastwagen vor dem Haus und lieferten Kartons ab, und jeden Tag ging Daniel zur Post, die nach vorne raus gegenüber auf der anderen Straßenseite lag, und holte Pakete ab, von denen manche so groß und schwer waren, dass er sie an einer Schnur hinter sich herzog wie einen Karren ohne Räder.

---

die Trauer und die Wut, die ich in mir trage, auf ihn abfärben könnten, dass er genauso werden könnte wie ich, verbittert.

Manchmal denke ich, ich sollte auf mein Recht, Tobias sehen zu dürfen, bestehen. Es wäre einfach, das juristisch durchzusetzen, nichts weiter als eine Formalität. Wir haben keinen Ehevertrag gemacht, und bei der Scheidung war mir alles egal. Ich habe mir den Wisch nie angesehen, ich weiß nicht einmal, ob ich ihn noch habe, aber von Besuchsverbot, das weiß ich bestimmt, war nie die Rede. Im Zorn habe ich früher zwar ein paar Dinge zertrümmert, Gläser und Teller und einige Stühle. Ich habe auch ein Loch in die Schlafzimmertür getreten und mit einer Messerspitze den Küchentisch perforiert. Aber ich habe beide nie ge-

Nachdem Daniel den Inhalt ausgepackt und in den Regalen verstaut hatte, brachte er die leeren Kartons in den Lagerkeller. Hard bewahrte sie dort ein paar Wochen auf, falls es Reklamationen gab oder sich ein Produkt nicht verkaufen ließ und er die Ware zurückschicken musste. Aber irgendwann kam der Zeitpunkt, da war der Raum voll. Die Kartons türmten sich bis unter die Decke und drückten von innen gegen die Tür, sodass Hard sich mit dem Oberkörper dagegenstemmen musste, um überhaupt hineinzukommen, und selbst dadurch konnte er nur das Nächstliegende, eine kleine, angestoßene Schachtel, nach der er nicht gesucht hatte, herausziehen. Dann gab er seinem Sohn den Auftrag, alles andere stehen und liegen zu lassen und »die Scheißkartons da unten«, wie er sagte, unverzüglich und ohne Ausnahme zu zerkleinern und zu beseitigen.

Daniel machte sich an die Arbeit, als wäre es sein größtes Vergnügen. Er warf sich mit voller Wucht in die Stapel, jedenfalls am Anfang, in der ersten halben Stunde, trat auf die Deckel, und zerstampfte die Ecken und Enden, ehe er die Seiten aufriss und

schlagen oder misshandelt, und Nella hat das auch nie behauptet. Doch dann denke ich, was würde das bringen, was wäre damit gewonnen, für ihn und für mich? Vielleicht würde es ihn glücklich machen, von Zeit zu Zeit seinen leiblichen Vater zu treffen, als Alternative zu Kurt, der Kopie, die in unserem alten Haus lebt und vorgibt, von Anfang an da gewesen zu sein. Vielleicht wäre aber auch das Gegenteil der Fall, und es würde ihn verwirren und verletzen. Und vielleicht würde auch ich mich bei jedem dieser unter widrigen Umständen vereinbarten Treffen noch trauriger und wütender fühlen, weil allein schon der Gedanke an Tobias mir bewusst macht, was ich verloren habe und nicht zurückerlangen kann, sosehr ich mir das auch wünsche. Hans hat

die Wellpappestücke auf einem Rollwagen übereinanderschichtete und mit einem dünnen Band aus Hanf verschnürte. Zweimal im Monat brachten sie die Bündel zur Mülldeponie, und einen Teil des Geldes, das Hard dafür bekam, reichte er an Daniel weiter. Daniel wusste noch nicht genau, was er sich davon und von dem, was er zur Konfirmation bekommen hatte, zuerst kaufen würde. Er sparte auf einen CD-Player und größere Boxen und einen leistungsfähigeren Computer, und ihm gefiel die Vorstellung, sein Zimmer mit allem auf einmal auszustatten und mit Stefan, Onno und Rainer gleichzuziehen.

Als er die Hälfte geschafft hatte, stand er, die Hände in die Hüften gestemmt, vor einem Berg aus Papier. Schweiß ran ihm von der Stirn in die Augenbrauen, und sein Mund fühlte sich trocken an, obwohl es im Keller kalt und feucht war. Er sah sich nach einer Flasche Wasser um, von der er glaubte, sie mitgenommen zu haben, aber er konnte sie nirgends finden, und er hatte keine Lust, lange danach zu suchen. Also beschloss er, nach oben, in die Küche zu gehen, etwas zu trinken und zu essen und

mir zu dieser Erkenntnis verholfen. Allein wäre ich wahrscheinlich nicht darauf gekommen, jedenfalls nicht sofort. Kurz nachdem ich ausgezogen bin, hat er gesagt, Sie entfernen sich immer weiter von dem Punkt, an dem Ihr Familienleben aufgehört hat zu existieren, je stärker Sie diesen wieder zu erreichen versuchen; was geschehen ist, ist geschehen. Damals siezten wir uns noch. Damals versprach ich mir noch Heilung von seinen Worten und vertraute ihnen wie einer allseits bewährten Medizin.

Wenn ich mir dieses Gespräch in seinem Büro wieder in Erinnerung rufe, das erste von vielen, muss ich immer an den Lathener Berg bei den Tinnener Tannen denken, eine kleine Erhebung, die einzige weit und breit. Für heutige Lokomotiven ist das kein

eine kurze Pause zu machen, oder, was ihm verlockender schien, eine lange, eine, die bis zum nächsten Tag währte oder noch länger, bis zum Ende der Ferien, auch wenn er sich das, was er haben wollte, dann nicht leisten konnte.

Er war kaum auf dem obersten Treppenabsatz angekommen, da hörte er Stimmen und hielt inne.

»Zehn Tage, nicht einmal zehn Tage, und schon bricht die Welt zusammen«, sagte ein Mann, den er, als er um die Ecke bog, als Onkel Günter erkannte, Günter Vehndel, Textil Vehndel, ein Freund des Vaters. »Wir hatten da drüben«, Günter wies auf eine Reklame für Kräutervitalkosmetik neben der Bürotür, »in dieser Pension auf Texel, die Klaus uns empfohlen hat, nichts, kein Radio, kein Fernsehen, keine Zeitung. Zum ersten Mal haben wir sie uns nicht nachschicken lassen. Jetzt fühle ich mich wie ein Idiot: Alle wissen Bescheid – außer mir.«

»Das ist ja nichts Neues, Günter«, sagte Hard, die Ellbogen auf den Tresen gestützt, an seinen Fingern knibbelnd.

Hindernis mehr. Zu Dampflokzeiten aber sind wir da hochgekrochen. Und wenn wir Dampfmangel hatten, weil die Kolbenringe undicht waren, und die Rohre durchheulten, mussten wir alles geben, um weiterzurollen. Oben angekommen hatten wir dann aber meist kein Wasser mehr. Und das bedeutete, dass wir es nicht bis Rheine schaffen würden. Beim nächsten Stellwerk streckte ich den Kopf aus dem Fenster und tat so, als würde ich einen Schnaps kippen, um dem Fahrdienstleiter zu signalisieren, dass wir Wasser brauchten. Was sollte ich sonst machen? Anhalten und Bescheid sagen? Schreien? Bei dem Lokgetöse? Und Funk gab's damals bei uns ja noch nicht. Wir mussten durchhalten bis zum Wasserkran in Lingen oder das Feuer rausnehmen.

»Und dazu«, Günter schob ein Buch, *Der Name der Rose,* die Bertelsmannclub-Ausgabe, näher zu Hard hin, »bin ich trotz dieses Nichts nicht gekommen, komme ich auch nicht mehr zu.«

»Lohnt sich aber. Vor allem der Schluss. Das Tribunal.« Es war seit Jahren der einzige Roman, den Hard gelesen hatte, und das auch nur, nachdem er den Film im Fernsehen gesehen, aber den Anfang verpasst hatte und ihnen das Buch vom Buchclub zugeschickt worden war, weil sie es, wie in jedem Quartal, versäumt hatten, ein anderes zu bestellen.

»Wir hätten gar nicht erst wegfahren sollen.«

»Jetzt übertreib mal nicht. Das da unten wäre auch passiert, wenn du hiergeblieben wärst.«

»Sicher, aber dann hätte ich es kommen sehen. Dann wäre ich darauf vorbereitet gewesen.«

»Ich habe es kommen sehen.« Hard tippte wie zum Beweis auf den Aufnäher, den Schriftzug vor der Brust, *drogerie kuper.*

»Ja«, sagte Günter. »Das hast du.«

»Schade, dass wir nicht gewettet haben, hätte eine Menge

Ohne Wasser platzt der Kessel, und der geht immer nach hinten los, weil er vorne fest ist. Hinten hat man keinen Platz zum Ausweichen, und wenn das ganze Gestänge mitkommt, reißt es dich weg. Mir ist das nie passiert. Aber ich kenne Geschichten von Kollegen, Schauergeschichten, die, das beteuern sie, sobald sie davon anfangen, genauso passiert sind, genauso und nicht anders. Viele von diesen Männern, die mehr Fantasie als Verstand haben, sind nie selbst Dampflok gefahren. Wenn sie nur ein bisschen was im Kopf hätten, eine Ahnung, den Hauch von Erfahrung, würden sie ihren Mund halten und ihrer Arbeit nachgehen und mich mit ihren Märchen in Ruhe lassen.

Am Lathener Berg hatte ich jedes Mal Angst, stehen zu blei-

Geld machen können.« Hard knibbelte weiter an seinen Fingern herum.

»Bin ich jemals auf eine deiner bescheuerten Wetten eingegangen?«

»Nein.«

»Ich lass mich doch von dir nicht abziehen! Ich kenne doch deine Methoden. Ich«, jetzt tippte er sich an die Brust, aber da war kein Aufnäher, kein Schriftzug, »habe dich längst durchschaut. Mir kannst du nichts vormachen. Mir nicht.« Dann trat er, wie um einem Schlag auszuweichen, einen Schritt vom Tresen zurück. »Ich kenne dich besser als du dich selbst.«

»Ach ja?«, sagte Hard und schaute von seinen Fingern auf.

»Ja.«

»Wenn du alles so wunderbar durchschaust, Günter, warum machst du dann beim nächsten Mal nicht einfach mit? Was hast du schon zu verlieren?«

»Alles. Ich habe immer alles zu verlieren. Wir alle haben das. Wir sind Unternehmer, Hard, Einzelhändler. Wir haften mit

ben. Vor allem mit den Erzzügen, fünfzig Wagen hintereinander, viertausend Tonnen schwer. Und in mondlosen Nächten, wenn man mit den Vierzig-Watt-Scheinwerfern kaum das Schienenband sah, habe ich mir oft vorgestellt, dass die Steigung unendlich ist, dass es keinen Gipfel gibt und kein Gefälle auf der anderen Seite. Ich spürte, wie das Gewicht der Welt uns aufs Gleis drückte, wie wir immer langsamer wurden, und sehnte jeden Stoß herbei, der uns voranbrachte. Und gleichzeitig zweifelte ich mit jedem Stoß daran, Lingen zu erreichen, überhaupt jemals wieder irgendwo anzukommen, weil die Abstände zwischen den Stößen immer größer wurden, alle Hebel und Halter vor Spannung zitterten und wir die Rohre singen hörten.

unsrem Eigentum, unsrer Seele. Zu jeder Zeit. Also auch jetzt, gerade jetzt, wo es drauf ankommt.«

»Dabei war es so klar, so vorhersehbar. Man hätte ihm von Anfang an nicht glauben sollen, seinen Friedensbeteuerungen. Man kann den Brüdern da unten eben einfach nicht trauen.« Hard schüttelte den Kopf. »Araber und Juden. Was sie auch sagen, am Ende geht das Temperament mit ihnen durch.«

»Du kannst niemandem trauen«, sagte Günter. »Am wenigsten deinen Verbündeten. Ehe du dich versiehst, fallen sie von dir ab und wenden sich gegen dich. Von einem Tag auf den anderen.«

»Da unten vielleicht, aber hier nicht, nicht bei uns.«

»O doch. Auch hier. Auch bei uns. Beste Freunde können binnen Minuten zu den größten Feinden werden, und niemand kann hinterher sagen, was eigentlich den Ausschlag gegeben hat. Ohne mit der Wimper zu zucken laufen sie, wenn sie nur einen Vorteil darin sehen, zum Gegner über. Du brauchst dir nur Italien anzuschauen oder die Tschechei.« Über den Zweiten Weltkrieg sprachen sie stets, als wären sie selbst dabei gewesen und

Wenn Hans zweifelt, dann im Detail. Ein Bild, das ihm nicht passend erscheint, eine Formulierung, bei der er sich nicht sicher ist, ob sie das benennt, was er ausdrücken will. Ich weiß nicht, warum er damit immer zu mir kommt. Die einfachste Erklärung ist die, dass wir nebeneinander wohnen. Ich bin kein Experte. Ich habe mir nie viel aus Büchern gemacht, außer aus meinen eigenen, den Notizbüchern. Und in Jericho gibt es viele, die bibelfester sind als ich und geeigneter, die richtige Wortwahl zu beurteilen, Lehrer und Rechtsanwälte. Ich glaube, er sucht nur jemanden zum Reden, jemanden, an dem er sich ausprobieren kann. Denn das, was ich ihm rate, setzt er selten um. Er macht sich zwar Notizen, schreibt alles mit, Wort für Wort, selbst beim

könnten ihm, solange sie davon in dieser Weise sprachen, im Präsens, doch noch die entscheidende Wende geben. Beide hatten gedient, Günter bei der Marine und Hard beim Heer, aber sie hatten nie ernsthaft gekämpft, immer nur an Manövern teilgenommen, auf der Nordsee oder in der Lüneburger Heide. Sie waren nie dem Tod nahe gewesen, und vielleicht hatten sie deshalb den Krieg ihrer Väter, den sie noch nicht einmal aus deren Erzählungen kannten, zu ihrem eigenen erklärt. »Jetzt sage ich dir mal was, und darum würde ich sogar wetten: Es wird Krieg geben. Das ist so sicher wie das Amen in der Kirche.«

»Das da ist doch schon Krieg«, sagte Hard unbeeindruckt und wartete, bevor er weitersprach, bis Günter seine ausgestreckte Hand zurückgezogen hatte. »Niemand kann ungestraft in ein Land einmarschieren und die Regierung stürzen, egal wie korrupt sie ist.«

»Vor allem dann nicht, wenn's um Öl geht.«

»Das ist eine Provokation, die sich der Ami nicht gefallen lassen darf.«

Angeln holt er manchmal mitten in der Nacht sein Heft heraus, ein schwarzes Notizbuch, eins wie meins, und ich gebe ihm mit der Taschenlampe Licht, bis die Batterien versagen. Aber wenn ich sonntags zu ihm aufschaue und seine Predigt höre, stelle ich keinen Unterschied zu der Version fest, die er mir zwei Tage zuvor am Küchentisch oder an einer der Ausschachtungen vorgetragen hat.

Hans kommt aus Emden. Er ist dort geboren und aufgewachsen, und wir haben einige gemeinsame Bekannte. Ich kenne welche, die mit ihm zur Schule gegangen sind und seit Langem bei der Bahn arbeiten, viel länger als ich. Wenn ich sie erwähne, tut er so, als erinnere er sich nur sehr vage. Er nickt, sagt, ach ja, ja,

»Nicht nur der Ami nicht«, sagte Günter. »Wir hängen da doch jetzt genauso mit drin. Das ist der Preis für unsere Unabhängigkeit: Am Ende müssen wir auch da hin, ob wir wollen oder nicht.«

»Wir?« Hard richtete sich auf, wie um sich gegen eine unsichtbare Bedrohung zu wappnen, strich den weißen Kittel glatt und zeigte erst auf ihn, dann auf sich, dann wieder auf ihn.

»Du und ich vielleicht nicht. Aber die jetzigen Soldaten, die Luftwaffe, die Marine. Und wenn es lange dauert, länger als der erste Golfkrieg, unsere Kinder auch.«

»Daniel? Meinst du?« Er sah zu seinem Sohn hinüber, der inzwischen in den Gang vor der Kasse getreten war, als zweifelte er daran, dass der in der Lage sei, einen Panzer zu fahren oder eine Waffe zu bedienen und einen Menschen zu töten.

»Jeder«, sagte Günter, der Daniel jetzt auch bemerkt hatte. »Und wenn es weitergeht, wenn es drauf ankommt, müssen wir alle ran. Wir alle, Hard. Auch du.«

»Nix«, sagte Hard. Er wusste, wie leicht sich Günter in etwas

ja, und dass ich sie grüßen soll, und kommt dann wieder, etwas zu schnell, wie mir scheint, auf Jesaja, Daniel oder einen der anderen Propheten zu sprechen. Ich weiß Dinge über ihn, die er mir selbst nie erzählen würde, wie aufmüpfig er war, wie jähzornig und lüstern, aber vielleicht ist das auch nur dummes Geschwätz, und der Mensch, der man mit zehn oder fünfzehn war, ist nicht mehr der gleiche wie der, der man vierzig Jahre später ist, und es macht keinen Sinn, den einen gegen den anderen auszuspielen.

Jericho liegt hinter mir. Ich werde auf dem Rückweg noch einmal daran vorbeikommen, und dann, das nehme ich mir vor, werde

hineinsteigern konnte, jeder wusste das, und er wollte ihm nicht noch mehr Argumente liefern, die seine düsteren Visionen befeuerten. »Saddam ist zwar ein Satan, aber Kuwait weit weg.«

»Heute habe ich gelesen, dass er der gefährlichste Mann der Welt ist.«

»Ich wüsste da jemanden, der ihm diesen Titel streitig machen könnte.« Hard sah aus dem regenbeperlten Schaufenster, etwas nahm seine Aufmerksamkeit in Anspruch, Günter folgte seinem Blick, und eine Sekunde später ging die Tür auf, die Klingel schellte, und Klaus Neemann, Superneemann, trat in den Laden.

»Ah!«, sagte Günter und hob beide Hände, als wollte er ihn umarmen, hätte sich dann aber im letzten Moment anders entschieden. »Haben gerade über dich gesprochen.«

»So ein Sauwetter«, sagte Klaus, ohne darauf einzugehen. »Nicht zu fassen.« Er schüttelte sich wie ein Hund.

»An ihn«, Hards Augen zuckten zwischen Klaus und Günter hin und her, »habe ich dabei eigentlich nicht gedacht.«

»Zum Glück hat die Bundesliga wieder angefangen«, sagte

ich wieder Signal geben und besser darauf achten, wer im Garten steht, und ich hoffe, dass es Tobias sein wird, mein Tobias. Dass er von der Schule zurück ist und am Zaun steht und auf mich wartet, so wie andere Jungs in seinem Alter am Zaun stehen und auf vorbeifahrende Züge warten. Ich bin ihm in letzter Zeit nicht oft begegnet und habe nur ein paarmal mit ihm gesprochen, zuletzt vor einigen Monaten, aber ich kann mir vorstellen, wie er jetzt aussieht. Ich war bei seiner Taufe und bei seiner Einschulung dabei. Ich habe in der Kirche, in der Aula ganz hinten gesessen, gleich neben der Tür, und weil alle nach vorne geschaut haben, auf ihn, hat mich niemand bemerkt. Deshalb hat auch niemand Nella sagen können, dass ich da war, und womöglich

Klaus, der keine Ahnung hatte, wovon Hard und Günter sprachen, und kein Interesse, es zu erfahren. »Obwohl, schön anzuschauen war das ja nicht. Habt ihr Samstag HSV gegen Lautern gesehen? Mann, Mann, Mann, war das ein Spiel. Zum Weglaufen! Zwei Elfmeter, zwei Konter, das war's. Auf Jahre unschlagbar – dass ich nicht lache. Die Wende hat uns doch nichts gebracht, außer ein paar leere Versprechen und falsche Erwartungen. Da haben sie für vier Millionen Mark im Osten eingekauft. Für vier Millionen! Das muss man sich mal vorstellen. Und was hat es uns gebracht? Nichts.« Und wie zum Beweis für seine These knallte er eine von der Feuchtigkeit gewellte Zeitung auf den Tresen.

»Gesetzt ist gesetzt.«

»Ich weiß.«

»Was du aber nicht weißt«, sagte Hard, um das Gespräch wieder in die Hand zu nehmen, »ist, was Gruppensex auf Türkisch heißt.«

Klaus und Günter sahen sich an.

wird Tobias es mir nicht glauben, wenn ich es ihm später erzähle, wenn er mir vorwirft, Nella und ihn verlassen zu haben und nie für ihn da gewesen zu sein. Manchmal habe ich ihn vom Auto aus beobachtet, wie er aus dem Kindergarten stürmte in die Arme seiner Mutter oder seines Vaters, aber nicht in meine. Bei Fußballspielen habe ich abseits der anderen Zuschauer am Spielfeld gestanden und gejubelt, wenn er ein Tor geschossen oder verhindert hat. Mit acht hat er einen Vorlesewettbewerb gewonnen. Und einmal, da war er zehn, bin ich ihm bei Neemann, Superneemann, begegnet, vor einem Regal mit Videospielen. Er hat sich die Bilder auf den Verpackungen angesehen, als ich meinen Einkaufswagen auf dem Weg zu den Tiefkühlboxen an ihm vor-

»Irgendwas mit Ü«, sagte Klaus.

Und Günter sagte, weil ihm nichts Besseres einfiel: »Izmir übel.«

»Fast«, sagte Hard, »Kümmelgetümmel«, und fing, da keiner von beiden lachte, selbst an zu lachen.

Daniel nutzte die Gelegenheit und ging an ihnen vorbei ins Büro, das nicht mehr als ein Durchgangszimmer zum Treppenhaus war, ein Raum mit einem Schreibtisch, drei Rollschränken, einem Stuhl und zwei Türen. An den Wänden hingen Fotos von Häusern und Menschen, Fotos des Geschäftshauses in verschiedenen Stadien, vor und nach den Umbauten und Erweiterungen, und Fotos seines Vaters, Großvaters und Urgroßvaters, drei Drogistengenerationen nebeneinander, deren Blicke und Erwartungen auf ihm lasteten wie ein Fluch. Mit dunklen, dumpfen Stimmen umkreisten die Männer im Laden wieder ihre Lieblingsthemen. Durch die erste Tür vernahm er noch einzelne Worte, aber das Büro war reinigend wie eine Dekontaminationsschleuse. Nachdem er die zweite hinter sich geschlossen hatte,

beischob. Erst habe ich ihn nicht erkannt, ein Junge mit schmutzigen Händen und schwarzen Haaren. Das T-Shirt verschwitzt, die Hose voller Flicken. Ein Junge wie jeder andere Junge auch. Aber dann hat er sich umgedreht und ist losgelaufen, mitten in meinen Einkaufswagen hinein. Ich habe ihm aufgeholfen und gesagt, es ist nichts passiert, es ist nichts passiert, es ist nichts passiert, immer wieder, nichts, nichts, nichts, wie im Wahn, mein Mantra, mein Scheißmantra. Und statt sich bei mir zu bedanken oder mich anzusehen, ist er aufgestanden und weggerannt.

Kurz vor Papenburg merke ich, wie mein Kopf nach vorne sackt, eine Sekunde bloß. Ich reiße ihn wieder hoch und schließe die

war es still. Nur in Gedanken hing Daniel dem Gespräch noch nach, und auf dem Weg nach oben wunderte er sich, wie viel Ausdauer sie hatten, über Dinge zu sprechen, die sie nicht ändern konnten.

Mittags saß Daniel neu eingekleidet und frisch geduscht mit den Eltern, den Geschwistern am Küchentisch. Die Mutter hatte ein Gebet gesprochen, Gott für die Gaben gedankt und um besseres Wetter gebeten, aber die Sonne hatte sich immer noch nicht blicken lassen. Seit vier Jahren, seit der Sache mit dem Schnee ging sie fast jeden Sonntag in die Kirche, und sie hielt die Kinder an, ihrem Beispiel zu folgen, sie betete und fastete und las gelegentlich auch in der Bibel, doch was sie auch machte, ihre Wünsche blieben unerhört. Die Wolken hingen so tief und dicht über dem Land, das unter dem dunklen Himmel nicht viel zu sehen war. Keine Baumwipfel, keine Strommasten, nicht einmal der Schornstein der Molkerei gegenüber, nichts, was höher war als die Gleise, schwarze, glänzende Striemen, auf die sie von der Küche aus hinabschauten.

Augen. Ich spüre das Brennen hinter den Lidern, das Stechen wie von tausend Nadeln, die in einem Punkt zusammentreffen, und meine, es lindern zu können, indem ich darüber hinwegreibe und noch einen Schluck Kaffee trinke, den letzten.

Je tiefer ich ins Emsland eindringe, desto kälter und dunkler wird es. Ich bin mitten im Wald, kurz hinter Dörpen, neben mir Kiefern, dicht an dicht, mir ist kalt, und ich fahre mir, eine Zigarette zwischen die Lippen geklemmt, wie wild über die Arme. Für Kilometer geht es hier geradeaus. Dass ich mich bewege, erkenne ich nur am Auf und Ab des Fahrtdrahts und der Baumwipfel über mir. Aber auch das könnte eine Projektion sein. Vielleicht bilde ich mir nur ein zu fahren. Wie wenn man im Bahnhof

Die Zwillinge hatten die Kartoffeln und Möhren durcheinandergepantscht, aber fast nichts davon gegessen. Sie waren, wie üblich, aufgestanden und ins Spielzimmer gerannt, bevor alle mit dem Essen fertig gewesen waren, und die Ermahnungen, die der Vater ausgesprochen hatte, waren verpufft, ehe sie ihre Ohren erreichen konnten. Birgit schaufelte die Reste in den Mülleimer.

»Hoffentlich werden die mal nicht so wie du«, sagte Hard, immer noch aufgebracht und nach einem neuen Opfer suchend.

»Wie *so*?«, fragte Daniel.

»So faul.«

»Immerhin ist er nicht sitzen geblieben«, sagte Birgit.

»Das wär ja auch noch schöner gewesen. Das Gymnasium ist nichts für dich. Das hab ich dir von Anfang an gesagt. Und ich hab recht behalten. Aber glaub ja nicht, dass du's an der Realschule leichter haben wirst. Ohne Fleiß kein Preis.«

Kaum hatte Daniel den letzten Bissen im Mund, stand er auf und räumte seinen Teller in die Spülmaschine.

im Zug sitzt und den gerade anfahrenden Waggons im Nebengleis nachschaut, als seien sie es, die stehen bleiben. Vielleicht bewege ich mich nicht mit hundert Stundenkilometern südwärts, sondern die Erde bewegt sich mit der gleichen Geschwindigkeit nordwärts, und ich wende die ganze Energie nur auf, um nicht mitgerissen zu werden.

Stünden keine Bäume im Weg, könnte ich jetzt auf der linken Seite den Transrapid sehen, wie er mit vierhundert Sachen hin- und hergleitet, ohne jemals ein Ziel zu erreichen. Manchmal blitzen zwischen den Stämmen hindurch die weißen Stelzen der Trasse auf. Nirgendwo sonst kommt das Wesen des Reisens besser zum Ausdruck als auf dieser Teststrecke. Wäre nicht schon

»Bist du mit dem Keller fertig?«, fragte Hard.

»Schon lange.« Daniel ging einen Schritt auf die Tür zu.

»Wo willst du hin?«, fragte Birgit.

»Nach draußen.«

»Bei dem Wetter? Du holst dir ja den Tod.«

»Dann kann mir ja nichts mehr passieren.«

»Red keinen Unsinn«, sagte Birgit. »Zum Glück blitzt und donnert's ja nicht.« Sie wischte ihre Hände an einem Geschirrtuch ab und sah aus dem Fenster. »Und zum Glück gibt's ja bei uns keine Tornados so wie in Amerika. Bei *Dallas* gab's letzte Woche einen, auf J.R.s Hochzeit.«

»*Dallas*«, sagte Hard. »Wann hört das endlich auf?«

»Hoffentlich nie.«

»Das ist nicht die Wirklichkeit, Biggi.«

»Ach, nein?«

»Nein. Das hier ist die Wirklichkeit. Familie Kuper. Drogerie Kuper. Der ganz alltägliche Wahnsinn. Das sollte man mal verfilmen.«

vorher jemand auf die Idee gekommen, eine liegende Acht als Symbol für die Unendlichkeit zu nehmen, hätte sich dieses Zeichen bei der Betrachtung der Trasse aus der Vogelperspektive geradezu aufgedrängt. Zwei durch eine Linie verbundene Schleifen, die zu zwei sich in einem Punkt berührenden Kreisen werden. Ich habe es ausprobiert, tausendfach: Je öfter man sie mit einem Stift auf dem Papier nachzeichnet, desto näher rücken sie aneinander heran.

Seit der Errichtung der Teststrecke habe ich viel über die Vorteile dieser Technik nachgedacht. Auch wenn wir wie jetzt den Lathener Berg bei den Tinnener Tannen nicht mehr als Hindernis wahrnehmen und die Loks selten auf der Strecke bleiben,

»Wollte ja schon mal einer. Wolltest du ja nicht.«

»Aus gutem Grund. Ich mag's eben nicht, wenn mein Erstgeborener, der Stammhalter, von fremden Leuten Ufo-Junge genannt wird. Hey, Ufo-Junge«, sagte Hard an Daniel gewandt, »wann kommst du wieder?«, und warf einen Blick an ihm vorbei auf die Wanduhr.

»Weiß ich noch nicht«, sagte Daniel, im Türrahmen stehend.

»Lass dich nicht wieder abholen und ausziehen. Ich könnte dich nachher noch im Lager brauchen. Ich erwarte nämlich eine Lieferung Sonnencreme.«

»Jetzt noch? Mitte August? Die solltest du wieder abbestellen«, sagte Birgit und schaute aus dem Fenster. »Die verkaufen wir doch diesen Sommer sowieso nicht mehr, nicht bei dem Wetter.«

»Dafür ist es jetzt zu spät.« Hard wandte sich seiner Frau zu, und diesen Moment nutzte Daniel, um mit einem weiteren Schritt nach vorn in den Hausflur zu treten und damit aus ihrem Blickfeld zu verschwinden.

---

auch wenn wir Leistung, Geschwindigkeit, Kapazität von Jahr zu Jahr gesteigert haben, ist uns der Transrapid doch in allem voraus. Das Ideal, das man für sich selbst anstrebt, hat er längst erreicht. Durch ständige Abstoßung und Anziehung wird man in der Schwebe gehalten. Es gibt keine Rollgeräusche und keinen Körperschall, und der Verschleiß ist minimal.

Einmal bin ich mitgefahren, vor ein paar Monaten erst. Ein Betriebsausflug, ausgerechnet. Und da habe ich zum ersten Mal gespürt, wie es ist, Teil der Zukunft zu sein. Seitdem wünsche ich mir, selbst so ein Ding steuern zu dürfen, über alle Widerstände erhoben, für Menschen unerreichbar, Tausende von Kilometern zurücklegen und doch nicht von der Stelle kommen.

»Wir haben doch noch genug Tuben im Regal stehen«, hörte er seine Mutter sagen. »Die reichen doch völlig aus. Und selbst wenn nicht, dann fährst du eben in die Stadt und holst welche.«

»Nix. Die Frist ist abgelaufen. Ich muss die jetzt nehmen, ob ich will oder nicht. Du musst das positiv sehen, Biggi. Die werden ja nicht schlecht, bloß weil sie ein paar Monate stehen, die halten bis nächstes Jahr, und wenn die Saison anfängt, sind wir gleich gut aufgestellt.«

»Ja, aber sie schlagen dieses Jahr zu Buche.«

»Das gleicht sich doch am Ende alles wieder aus.«

»An welchem Ende?«

»An unserem.«

»Wann soll das sein?«

»In ferner Zukunft.«

»Ich hoffe, die Bank sieht das genauso. Bei all den Ausgaben in letzter Zeit.«

»Bis jetzt haben die das immer so gesehen.«

»Weil sie dich kennen.«

Ich habe immer davon geträumt, Tobias eines Tages mitnehmen zu können. Dass er einfach zu mir in den Führerstand steigt und mich nach den Schaltern und Armaturen fragt. Dass er mich bittet, Signal zu geben, so wie mich manchmal Männer dazu auffordern, die an Bahnübergängen stehen – einen Arm um den Sohn geschlungen, den anderen in die Höhe gestreckt, die Hand zur Faust geballt, ziehen sie an einer unsichtbaren Schnur. Dass er mich auf meinen Fahrten begleitet und mir Gesellschaft leistet. Ich verlange gar nicht, dass er selbst Eisenbahner wird, ich würde das niemandem empfehlen, ihm erst recht nicht, nicht nach allem, was ich erlebt habe. Ich will nur, dass er weiß, was ich mache, damit er mich besser versteht. Wenn Nella ihm gesagt hat,

»Nein, weil sie wissen, dass es immer bergauf geht, nachdem es bergab gegangen ist, so funktioniert die Wirtschaft, die Welt – und die Weiber auch.« Hard war aufgestanden und hatte Birgit die rechte Hand auf den Rücken gelegt.

»Was soll das denn heißen?«

»Zyklisch.«

»Hör auf«, sagte Birgit, so leise wie möglich. »Dafür ist es jetzt auch zu spät.« Sie hoffte, dass Daniel es nicht hören würde, und sagte dann lauter, ihre Stimme überschlug sich fast beim Sprechen: »Bis es irgendwann einmal knallt.« Dabei versuchte sie, sich aus Hards Griff zu befreien, aber es gelang ihr nicht, er hielt sie jetzt fest umklammert und hauchte ihr seinen Atem ins Haar.

»Warum sollte es denn knallen?«, fragte Hard, fast ebenso laut.

»Weil sich jemand daneben benimmt.«

»Wer?«

»Du zum Beispiel.«

»Ich?«

wer ich bin, und meine Geschenke an ihn weitergegeben hat, dürfte er zumindest eine Ahnung davon haben, was es heißt, Züge zu fahren. Aber wahrscheinlich hat sie das nicht getan. Wahrscheinlich spielt er mit Holzbahnen und Holzautos und Knetmännchen ohne Waffen. Aber ich glaube, dass ich ihn selbst dann nicht mitnehmen würde, wenn ich noch mit Nella zusammen wäre, weil ich viel zu viel Angst hätte, dass ausgerechnet in dem Moment, wenn er am Handrad sitzt, einer aufs Gleis tritt. Andrerseits, und darüber habe ich in letzter Zeit auch oft nachgedacht, wäre das vielleicht das Beste, was mir und ihm passieren könnte. Mit einem Schlag wäre alles klar. Ich müsste ihm nicht lang und breit Dinge begreiflich zu machen versuchen, die

»Ja, du. Du und deinesgleichen.«

»Was willst du denn damit sagen?«

»Nichts.«

»Komm schon.« Er fuhr mit der Zunge an ihrem Hals entlang.

»Nein.«

»Was ist das?« Er hatte ihr Ohrläppchen erreicht.

»Was? Mein Parföng? 4711.«

»Nee, das hier.«

»Das weißt du doch.«

»Ja«, sagte Hard. »Aber ich möchte, dass du es sagst.«

»Mein Ohrring …«

»*Mein* Ohrring?«

»Dein Hochzeits- … Was machst du da? … Lass das … Lass das doch … Das kitzelt.«

»Ja?«

»Und wie!«

»Und das?«

»Das auch.«

---

er in seinem Alter sowieso noch nicht verstehen würde, und zwischen uns gäbe es sofort eine so starke Verbindung, wie sie zwischen Vater und Sohn unter normalen Umständen niemals zustande kommt.

Obwohl mein Vater bis zu seinem Tod auch bei der Bahn gearbeitet hat und ich eine Zeit lang täglich an seinem Stellwerk vorbeigefahren bin, hatten wir beide, abgesehen vom Beruflichen, kaum etwas miteinander zu tun. Er hat seinen Dienst getan und ich meinen, und wenn wir beim Frühstück oder Abendessen zusammensaßen, haben wir über unseren Tag geredet, über das, was uns bevorstand, oder das, was wir hinter uns hatten.

Während seine Eltern weiterredeten, flüsternd, von Haut und Haaren gedämpft, zog Daniel eine gelbe Regenjacke und gelbe Gummistiefel an und machte sich, wie auf Schienen gestellt, auf den Weg. Als Erstes würde er es bei Stefan in der Lortzingstraße versuchen. Er versuchte es immer zuallererst bei Stefan. Er hoffte, dass er zu Hause war und wie gewöhnlich im Keller, seiner Werkstatt, an irgendwelchen Geräten herumschraubte. Vor den Ferien hatten sie sich regelmäßig morgens in der Schule für den Nachmittag, den Abend verabredet. Zuletzt war Daniel so oft bei ihm gewesen, dass er die Besuche nicht mehr angekündigt hatte und wie selbstverständlich zum Tee vorbeigekommen und bis zum Abendessen, bis Mitternacht geblieben war. Die Reicherts hatten ihn aufgenommen, als gehörte er zur Familie, und an manchen Tagen hatte sich Daniel gewünscht, nicht mehr in das Haus mit der Drogerie zurückkehren zu müssen, in dem die Eltern, die Geschwister wohnten. Er hatte sich gewünscht, Teil einer Familie zu sein, die mehr verband als der gleiche Nachname.

Meistens saßen wir in der Küche. Aus dem Nebenzimmer konnte ich hören, wie meine jüngeren Geschwister mit der Modelleisenbahn spielten. Schaute ich von meinem mit Eisenbahnmotiven verzierten Brotbrett auf, sah ich Fotos von Lokomotiven und Waggons, die mein Vater gemacht hatte, während sie an unserem Haus vorbeigefahren waren, und wenn wir uns anschließend ins Wohnzimmer setzten, um Zeitung zu lesen oder den Fernseher einzuschalten, konnte es passieren, dass mein Blick auf das Regal fiel, in dem die Kursbücher der letzten fünfundzwanzig Jahre standen, chronologisch geordnet und so sauber, als wären sie nie benutzt worden. Ich kann mich an kein einziges echtes Gespräch zwischen uns erinnern, das über die Bahn

Autos fuhren an ihm vorbei, langsam, im Schritttempo, mit eingeschalteter Nebelschlussleuchte, aufgeblendeten Scheinwerfern und hektisch hin- und herzuckenden Scheibenwischern, und in jeder zweiten Sekunde sah er Männer und Frauen, die sich, vor Angst einen Unfall zu bauen, so weit im Sitz nach vorn gebeugt hatten, dass ihre Gesichter beinah die Frontscheibe berührten.

Daniel freute sich schon auf die Zeit nach dem Regen, auf den Duft, der von den Straßen, den Bäumen und Häusern aufsteigen würde. Aber noch war es nicht so weit. Noch schlugen die Tropfen mit unverminderter Härte aufs Pflaster, auf die Dächer, auf ihm selbst auf. Gegenüber, auf der anderen Straßenseite, kämpfte eine Frau mit ihrem Schirm. Immer wieder versuchte sie die Spitze in den Wind zu drehen, aber in welche Richtung sie sich auch wandte, immer wieder bogen sich die Kiele nach oben, bis sie es aufgab und das Ding, so wie es war, halb zerstört, zusammenfaltete und in die Blumentenne flüchtete, wo schon andere Schutz gesucht hatten, wie Daniel durch die von ihrem

hinausgegangen wäre. Selbst wenn er uns in unserer Kindheit bestrafte, für unseren Willen, unseren Ungehorsam, brachte er die Bahn ins Spiel. Dann zerrte er uns aufs Gleis hinaus, hielt uns, auf einer Weiche stehend, von hinten fest, damit wir den herannahenden Zug auch ja nicht verpassten und bis zur letzten Sekunde dachten, wir würden überrollt werden. Damals habe ich ihn dafür gehasst, aber heute kann ich es ihm nicht übel nehmen. Der Krebs, der meine Mutter dahingerafft hat, hat auch ihn dahingerafft. Er war überfordert, alleine mit vier Kindern. Das alles ist natürlich nicht ohne Folgen geblieben. Meine Brüder sind zur Bahn gegangen, und meine Schwester hat einen Eisenbahner geheiratet. Und manchmal denke ich, dass es besser ge-

Atem beschlagenen Schaufenster sehen konnte. Er zog die Kapuze an beiden Enden fester zusammen und stemmte sich gegen die in Wellen heranpeitschenden Böen. Plötzlich trat ein Mann aus einem Hauseingang und verstellte ihm den Weg. Er trug einen Hut, den er tief in die Stirn gezogen hatte, und einen Mantel, und beides war vollkommen durchnässt.

»Kuper!«, brüllte der Mann und ließ seinen Gehstock auf den Boden knallen. »Wann sind die Bilder endlich fertig?«

»Welche Bilder?«, fragte Daniel in der gleichen Lautstärke.

»Frag mich jetzt nicht, welche Bilder! Das fragst du nämlich immer, wenn du sie noch nicht entwickelt hast. Und diesmal kommst du nicht damit durch.« Mit dem Gehstock tippte der Mann gegen Daniels Brust.

Der Mann musste ihn mit irgendjemandem verwechseln. Und ihm schwante auch, mit wem. »Ich bin Daniel.«

»Ich meine doch nicht die von deinem Sohn«, brüllte der Mann, »obwohl der ja auch einiges auf dem Kerbholz hat, sondern die von meinem, von dem Bombenleger, diesem Terroris-

wesen wäre, wenn ich mich von der Bahn getrennt hätte anstatt von meiner Familie. Aber die Bahn war vorher da, und sie wird auch nach mir noch da sein. Das ist eine Verpflichtung, die weit über jedes Gelübde hinausreicht, das Menschen sich geben, vor Gott oder sich selbst.

Ab August wird Tobias zum Konfirmandenunterricht gehen. Erst gestern hat mich Hans nach dem Gottesdienst beiseitegenommen und mir im Vertrauen erzählt, dass Nella unseren Sohn bei ihm angemeldet habe und dass er niemanden abweisen möchte, der guten Willens ist und aus freien Stücken zu ihm kommt, weder mich noch ihn. Und er sagte auch, dass er sich sicher sei,

ten. Die Juden und die Bolschewisten sind unser Verderben. Ich hab's damals gesagt, und ich sag's heute gerne wieder. Aber auf mich hört ja keiner.«

»Morgen«, schrie Daniel. Er hatte keine Ahnung, wovon der Mann sprach.

»Montag? Nächsten Montag erst?« Drohend fuchtelte der Mann mit seinem Stock herum. »Wehe dir, wenn nicht!«

Daniel nickte. Der Mann lüpfte seinen Hut – jetzt erkannte Daniel den alten Kramer vom Möbelparadies Kramer – und ging weiter. Und Daniel ging auch weiter. Vor ihm spritzten weiße Trichter auf, die sofort wieder zerplatzten und durch neue ersetzt wurden, nur Millimeter von den alten entfernt; auf dem Gehweg, in den Schlaglöchern der Straße bildeten sich braune Pfützen mit gelben Schlieren, die in den Rinnstein flossen, dort zu kleinen Bächen anschwollen und in einem der Gullys verschwanden.

Vier Wochen. Die Erinnerung an ihre gemeinsamen Erlebnisse begann zu verblassen, und in gleichem Maße, wie sie ver-

dass der Glaube uns wieder zusammenführen werde, uns alle, nicht als Familie, aber als Freunde. Aber da irrt er sich, da irrt er sich gewaltig. Und das habe ich ihm auch gesagt.

Nella ist gläubig, aber nicht in dem Sinn, wie Hans es gerne hätte. Sie lebt in einer völlig anderen Welt, nicht im Diesseits, nicht im Jenseits, irgendwo dazwischen. Unser altes Haus quoll damals, als ich noch darin wohnte, über von diesen Büchern über Geisterbeschwörung, autogenes Training und Selbstheilung des Körpers, sehr wahrscheinlich tut es das auch heute noch. Sie schmeißt nämlich nichts weg, vor allem nichts, was ihr einmal heilig war, abgesehen von mir natürlich. Sie glaubt an Telepathie und Außerirdische und ihre Wiedergeburt als Mann. Wenn sie

blassten, blühten sie auf, wurden größer und bunter, so groß und bunt, wie sie nie gewesen waren. Jede Begegnung erschien Daniel rückblickend wie ein Abenteuer, jedes Wort, das sie gewechselt hatten, wert, bewahrt und endlos wiederholt zu werden.

Die Sommerferien, das war eine Zwischenzeit. Für ihn würde danach etwas Neues beginnen, während für die anderen das, was sie kannten, weiterging. Daniel glaubte noch immer, daran teilhaben zu können, weil ihm die Klassenräume des Wilhelmine-Siefkes-Gymnasiums, die Lehrer, die Mitschüler vertraut waren. Und um sie auch an seiner Zukunft teilhaben zu lassen, beschloss er, ihnen von ihr zu erzählen, sobald es so weit war.

In Höhe der Warft, unterhalb der Kirche, des Ehrenmals kam ihm Simone entgegen. Er sah sie schon von Weitem, trotz des Regens, und winkte ihr zu. Sie hob den Kopf, ein rotes Stirnband hielt ihre Haare zurück, und winkte im Laufen zurück. Bei jedem Schritt, den sie auf den Asphalt setzte, spritzte es, Fontänen stoben von den Straße auf den Bürgersteig, wenn sie in ein Schlag-

spürte, dass ich ihre spirituellen Ausführungen gedanklich in Zweifel zog, sagte sie, wir Menschen sind wie alle Lebewesen, Körper und Geist ohne Anfang und Ende, Grillen, Ameisen, Moskitos und Pferdebremsen eingeschlossen. Ihr Standardsatz. Und ich sagte daraufhin, dann kann ich ja auch angeln gehen. Mein Standardsatz. Zu der Zeit war ich noch auf Hechte aus, die hinterher auf meinem Teller landeten, schillernd und zart, aber keine Herausforderung.

Nella hatte immer schon einen Spleen, wundervolle verrückte Ideen, schon zu Schulzeiten. Täuschend echte Tiergeräusche, mitten im Unterricht. Nächtliche Anrufe bei wildfremden Menschen. Zigaretten mit der Zunge löschen. Mit der Nase rauchen.

loch trat, klatschten auf die Steine, verebbten in den von Wasser durchtränkten Blumenbeeten. Keuchend kam sie vor ihm zum Stehen. Auf ihre Oberschenkel gestützt stand sie da, dann richtete sie sich auf, sah auf ihre Armbanduhr, drückte auf einen der Knöpfe, um die Zeit anzuhalten, und sagte:»Daniel, schön, dich zu sehen. Wie geht's dir? Was machst du?«

»Ich lauf durch den Regen.«

»Ich auch.«

Das schwarze, weit ausgeschnittene T-Shirt und die Leggins klebten ihr an der Haut, und er konnte seinen Blick nicht von ihr abwenden, ihre Rippen, ihre Nippel stachen neben dem Aufdruck, dem eingekreisten A, hervor und bohrten sich ihm von zwei Seiten ins Hirn. Simone Reents. Er konnte sich nicht erinnern, wann er ihr das letzte Mal begegnet war, und er musste zugeben, dass sie sich, wann immer das gewesen war, in der Zwischenzeit verändert hatte, sehr zu ihrem Vorteil – und zu seinem auch.

»Ja«, sagte Daniel, »aber schneller als ich.«

Den Ellbogen beim Trinken waagerecht abspreizen. Treppengeländer hinabrutschen. Auf Bäume klettern. In leer stehende Häuser einsteigen. Einen ganzen Tag im Kino verbringen. Kühe übers Feld jagen. Bei Superneemann Preisschilder vertauschen. Immer das letzte Wort haben. Jeden Witz ausreizen. Rote Ampeln grün anmalen. Wahlplakate mit neuen Slogans wie Mehr!, Viel mehr!, Noch viel mehr! überkleben. Zum Schreien komisch, von außen betrachtet.

Aber was will man auch von jemandem erwarten, der Nella Allen heißt. Eigentlich heißt sie ja Annalena Allen, bloß so nennt sie niemand, der sie kennt, nicht einmal ihre Eltern. Als Kind konnte ihre jüngere Schwester Lisamarie ihren Namen

»Das ist keine Kunst.« Von ihren Lippen perlten Tropfen ab, rannen am Kinn, am Hals entlang, vermischten sich mit anderen Tropfen, Schweißtropfen, verschwanden in der Mulde zwischen ihren Brüsten. »Bloß Ausdauer.«

»Wie weit joggst du denn?«

»Keine Ahnung«, sagte sie, »jeden Tag eine Stunde, am Wochenende zwei. Jeden Tag komm ich weiter.«

»Das sind ja bestimmt zwanzig Kilometer.«

»Kann schon sein. Die Kunst besteht darin, durchzuhalten.«

»Und warum?«

»Wie, warum? Warum nicht?«

»Nein, ich meine, trainierst du für irgendwas? Die Bundesjugendspiele? Den Ossiloop?«

»Nee, nur für mich selbst. Um fit zu bleiben und nicht fett zu werden.«

»Wirst du nicht.«

»Hast du eine Ahnung! Das kann bei Mädchen ganz schnell gehen.« Wie zum Beweis zog sie ihr T-Shirt an der Hüfte hoch

nicht aussprechen. Und der Einfachheit halber hat sie sie Nella genannt. Andere übernahmen diese Kurzform, wahrscheinlich dankbar, sich nicht für den ersten oder zweiten Teil, Anna oder Lena, entscheiden zu müssen. Und dabei blieb es. Nella. Der Vorname ein Ananym des Nachnamens. Wir haben das nachgeschlagen in unseren guten Jahren, in den aufregenden Stunden. Ich hätte nie gedacht, dass mich Fremdwörter einmal derart in Wallung versetzen würden. Einer von uns brauchte das orange Buch, den Duden, bloß aus dem Regal zu ziehen und auf den Tisch zu legen, schon gab es kein Halten mehr. Ich heiße Anna Nym, sagte sie, an ihrem Hosenbund nestelnd, wobei Nym für Nympha, Nymphe, Nymphomanie stand, haben wir auch nach-

und ließ es wieder gegen die Haut und die daraus hervorstechenden Beckenknochen flappen.

»Bei Jungs doch auch – guck dir Volker an.«

»Der war immer schon so.«

»Der tut ja auch nichts dagegen.«

»Und was machst *du* so?«

»Nichts. Ich besuch Freunde.«

»Freunde?«

»Ja, Schulkameraden. Stefan Reichert, Onno Kolthoff, Rainer Pfeiffer.«

»Ach die. Die Nerds. Bist du jetzt auch einer von denen?«

»Glaub schon.«

»Na dann«, sie drückte wieder auf ihre Uhr, »viel Spaß.« Und weg war sie, verschwunden im Regen, eingesogen von Feuchtigkeit.

Die Nerds. Einmal sollten sie im Musikunterricht ihre Lieblingsplatten vorspielen, und Onno legte Napalm Death auf. Als er im

Nympha, Nymphe, Nymphomanie stand, haben wir auch nachgeschlagen. Und ich sagte, halb in Trance, schön Sie kennenzulernen, Frau Nym, ich heiße Grob Borg. Und dann sind wir übereinander hergefallen. Irgendwann reichte etwas im gleichen Orange aus, ein Müllwagen, eine Lampe, ein Bonbon, irgendwas in diesem an Orange so reichen Jahrzehnt, oder ein Wort, das wir noch nicht kannten, Kajak, Esse, Tartrat, beiläufig auf einer Party geäußert, und wir fuhren schnurstracks nach Hause und hatten langen, heißen, wilden Sex.

Sie heißt immer noch so: Nella Allen. Hat ihren Namen nie abgegeben. Vielleicht hat sie deswegen auch lange Zeit eine Art Narrenfreiheit gehabt. Keiner hat ihr das, was sie machte, übel

Musiksaal nach vorn ans Pult ging und die Schallplatte aus der Hülle holte, lächelte er unter den ihm weit ins Gesicht fallenden Haaren. Er hatte lange auf diesen Moment gewartet, darauf, allen zu zeigen, was seiner Ansicht nach das Wesen wahrer Musik sei: Chaos, Hass, Widerstand, Ausdruck der Weigerung, sich in das herrschende System zu fügen und die Regeln zu akzeptieren, eine Form des Protests, der man sich nicht verschließen kann, der Pfahl im Fleische der Angepassten. Weers hörte sich die erste Seite nachdenklich an. Die Augen leicht gerötet, das Kinn aufgestützt, abwechselnd an die Decke und nach draußen auf den Hof starrend saß er da, wie bei den anderen Präsentationen zuvor, wie immer, völlig ungerührt. Er schien nicht einmal die Mädchen zu beachten, die sich die Ohren zuhielten und verlangten, das Geschrei abzustellen, indem sie ihn über das Geschrei hinweg anschrien. Dann, als die Abtastnadel nach dem nur eine Sekunde dauernden Song *You Suffer* in die Auslaufrille glitt und zu ihrem Ausgangspunkt zurückschwenkte, erhob er sich von seinem Stuhl, trat vor die Tafel und fragte: »Na ... Also ... Was

Jeder liebte das an ihr und wäre enttäuscht gewesen, hätte sie plötzlich damit aufgehört. Ich eingeschlossen. Aber als Lisamarie, die ich insgeheim Lima taufte, nach Düsseldorf zog und bei Fuji anfing und einen Japaner heiratete und das junge Ehepaar uns zu einer Reise in sein Heimatland einlud, ging es mit ihr durch. Ich konnte nicht mit, zu hoch und zu weit. Fliegen ist nicht mein Ding. Also flog sie allein mit ihnen dorthin. Drei Wochen Reisschnaps und Räucherstäbchen, Strohmatten und Schiebetüren, viel zu bunte Karpfen und viel zu kleine Bäume, Männer und Frauen in Badelatschen und wallenden Gewändern, die nicht einmal durch die Höhe und Tiefe ihrer Stimmen voneinander zu unterscheiden sind, und jede Menge Tempel und Tümpel, hoch

haben wir denn *hier*?«, wobei er das letzte Wort so stark betonte, als hätte er gerade eine große Entdeckung gemacht und wäre wirklich erstaunt über das, was sie eben gehört hatten.

Susanne, eins der Mädchen, die gerade noch verlangt hatten, das Geschrei abzustellen, meldete sich und sagte: »Heavy Metal«, wobei sie die Stirn in Falten legte, als bereitete ihr allein das Wort gewaltige Schmerzen.

Weers drehte sich um, nahm ein Stück Kreide und schrieb *Heavy Metal* an die Tafel, unter die Begriffe *Klassik, Rock, Pop* und *Blues* – die Musikrichtungen, die bisher durchgenommen worden waren. Onno, der immer noch neben dem Plattenspieler stand, als erwartete er, die ersten zwölf Titel von *Scum* ein zweites Mal vorführen zu dürfen, schüttelte den Kopf.

Rainer meldete sich und sagte, dass es sich, genau genommen, nicht um Heavy Metal, sondern um Death Metal handele.

Stefan nahm den Einstieg von Rainer auf. »Genau genommen«, sagte er, ohne sich gemeldet zu haben, »ist das Trash Metal.«

---

in den Bergen, haben ihr vollends den Verstand geraubt. Seitdem isst sie kein Fleisch mehr, nicht einmal Fisch, überhaupt nichts Tierisches. Und Alkohol und Zigaretten hat sie auch abgeschworen.

Sie meditiert morgens, vor Sonnenaufgang, eine Stunde lang singend und schreiend und hat ihrem neuen Gott, Nichiren, einen nach Lotosblüten duftenden Schrein gebaut. Trotzdem hält sie an christlichen Traditionen fest. Sie ist der Meinung, dass Tobias die Bibel kennen sollte, bevor er sich dagegen entscheidet. Wir haben nicht darüber gesprochen, natürlich nicht, aber ich weiß, wie sie darüber denkt. Sie hat mir oft genug vorgeworfen, dass ich mir über Dinge, von denen ich keine Ahnung habe, ein

Weers schrieb auch diese Begriffe an die Tafel, wobei er sie aber als Unterbegriffe von *Heavy Metal* kennzeichnete, indem er ihnen Hakenpfeile voranstellte.

Wieder schüttelte Onno den Kopf. »Genau genommen«, sagte er im gleichen Tonfall wie Rainer und Stefan zuvor, »handelt es sich weder um Death Metal oder *Th*rash Metal, sondern um Grindcore.«

Weers wollte auch diesen Begriff an die Tafel schreiben, hielt aber nach *Gr* inne, weil er sich nicht ganz sicher war, wie Grindcore geschrieben wurde, mit t oder d, wandte sich der Klasse zu und fragte wieder: »Na ... Also ... Was haben wir denn *hier*?«

Tanja meldete sich und sagte auf Weers' Nicken hin: »Einen Streit.«

»Richtig«, sagte Weers, »einen Streit ... aber das meine ich nicht ... es ist mehr als das ... etwas, das durch einen Streit entstehen kann ... manchmal entwickelt es sich aber auch über einen längeren Zeitraum ... sodass man erst gar keinen Unterschied merkt ... eine Veränderung ... eine Variation, aus der

---

Urteil erlaube. In Bezug auf die Kirche muss ich ihr recht geben. Ich wusste nicht, wie heilsam es sein kann, unter Menschen zu sein, die sich ihrer Sache sicher sind. Ich teile nicht alle ihre Ansichten, und die Stärke und Unerschütterlichkeit ihres Glaubens wird mir für immer fremd bleiben, und doch färbt etwas davon auf mich ab, wenn ich neben ihnen auf der Bank sitze oder abends am See mit Hans spreche, während das Glühen des Tages über unseren Köpfen erlischt und die Fische zu beißen beginnen.

Eine Weile, fünf, zehn Minuten vielleicht, fahre ich parallel zum Dortmund-Ems-Kanal, eine lange, schnurgerade Strecke. Wenn

schließlich eine neue … höhere Ordnung hervorgeht.« Eine volle Minute blickte er in die Runde, in dumpfe, leere Gesichter, und fügte »ich meine die Struktur … das Prinzip dieses Vorgangs … die Ausweitung … oder Differenzierung« hinzu, ohne daraufhin von irgendwem eine Antwort zu erhalten. Dann, nach weiteren Minuten drückenden Schweigens, drehte er sich wieder um und schrieb das Wort, das er meinte, an die Tafel. »Das nennt man … Di-ver-si-fi-ka-tion.« Und alle bis auf Onno schrieben es ab.

Ein anderes Mal, Monate später, sollten sie in Deutsch Gedichte vorlesen und interpretieren. Sturm und Drang, Deutsche Klassik, Goethe und Schiller. Schon bei der Ankündigung hatten viele, vor allem die Jungs, aufgestöhnt, als würden ihnen die Begriffe und Namen das Trommelfell wegätzen. »Lyrik!«, hatte Onno von hinten geflüstert, »zweihundert Jahre alte Verse, zweihundert Jahre tot.« Und Stefan hatte gefragt: »Muss das sein? Können wir nicht was andres machen?«, aber auf Herlyns Gegenfrage »Was denn?« keine Antwort gewusst.

man aus den Wäldern und Mooren des Emslandes herauskommt, ist es jedes Mal eine Erholung, zwischen den Bäumen einen Flecken Wasser zu sehen, auch wenn der Kanal kein richtiger Fluss ist und der Speichersee Geeste, kurz vor Lingen, nicht das Meer. Ich stehe auf und schaue aus dem Fenster. Der weiße Rauch des Kühlturms, noch Kilometer entfernt, steigt senkrecht in den Himmel. Ein paarmal ziehe ich die Arme nach hinten, strecke meinen Oberkörper durch und lasse den Kopf kreisen. Ich stelle meine Arbeitstasche auf den Sifa, renne nach hinten, in den anderen Führerstand, und bin zurück, ehe vorne der Alarm losheult. Alle Varianten der V-Einssechziger-Familie sind vorne und hinten gleich. Man kann vor- und zurückfahren, ohne die

Das war an einem heißen Tag im September, in seinem zweiten Jahr auf dem Gymnasium. Und zum ersten Mal hatte Daniel das Gefühl, am richtigen Ort zu sein, mit den richtigen Leuten am richtigen Ort. Er saß im dritten Stock eines alten, wilhelminischen Backsteinbaus in der ersten Reihe, vor ihm die Lehrer, neben ihm, hinter ihm die Mitschüler. Er verstand nicht alles, was sie sagten, und glaubte, nicht alles verstehen zu müssen, um weiterzukommen. Er war überzeugt davon, die Erwartungen, die seine Eltern in ihn gesetzt hatten, zu erfüllen. Er dachte wirklich, es schaffen zu können, wenn er sich anstrengte, und nahm sich vor, weniger Zeit vor dem Fernseher, vor dem Computer zu verbringen und mehr zu lernen, weil alles so war, wie es seiner Meinung nach an einer Schule sein sollte. Ein Gefühl, das er nicht kannte, füllte ihn aus, er war eins mit sich und der Welt. Alle dachten das, was er dachte, und irgendjemand sprach es aus, ehe er es aussprechen konnte. Es war nicht peinlich, etwas zu wissen, was andere nicht wussten, und gute Noten zu bekommen, und niemand musste sich dafür schämen, keine Ahnung zu

Lok umdrehen zu müssen. Sie sind wie ein Kopf mit zwei Gesichtern, die völlig identisch sind.

Auf der Wasseroberfläche spiegelt sich die Sonne. Das Licht flackert so gleißend hell zu mir herein, dass ich die Blende runterklappe. Erschöpft von meinem Wettkampf gegen die Zeit und mich selbst schaue ich nach draußen aufs Wasser, bis die Bäume mir wieder die Sicht auf den Kanal und den See nehmen und ich in Lingen einfahre. Vorbei an dem mit Brettern verschalten Wasserturm und dem halb verfallenen Eisenbahnausbesserungswerk, feuerrote Backsteinbauten, glühend im Morgenlicht, wie frisch gebackene Ziegel. Irgendwann sind auch sie verschwun-

haben, solange die Aussicht bestand, dass sich das bis zur nächsten Klassenarbeit ändern würde.

Einige Mädchen drückten ihre Rücken und Schultern durch. Tanja und Susanne sahen sich über die Reihen hinweg lächelnd an, als wäre der Tag, auf den sie sich seit Wochen vorbereitet hatten, endlich gekommen. Stephanie Beckmann, die Klassenbeste, schlug Buch und Heft zu, als hätte sie es nicht nötig, einen Blick hineinzuwerfen, um zu wissen, was die Zeilen, die sie lesen oder hören würde, zu bedeuten hatten. Unter ihrem T-Shirt zeichneten sich Brüste ab, deutlicher als bei den anderen Mädchen ihres Alters, deutlicher noch als bei Simone, und in dem Moment schauten alle zu ihr hin, und der Einzige, zu dem sie sich umwandte, war Daniel Kuper, weil seine Seite des Tisches direkt an ihre grenzte. Aber Stephanie hatte ihm und allen anderen Jungs ihres Jahrgangs unmissverständlich zu verstehen gegeben, dass sie für sie nicht infrage kamen, indem sie in den Pausen offen mit Älteren flirtete und sich nach der Schule von einem Mann mit einem dunkelblauen BMW 325i, Baujahr 1986, 170 PS, abholen

den, und womöglich werde ich am Tag ihres Abrisses der Letzte sein, der sich noch daran erinnern kann, wofür diese Gebäude einst gebaut worden sind. Bloß interessiert das dann niemanden mehr, und vielleicht wäre es besser, alles, was seine Funktion verloren hat, sofort abzureißen, als darauf zu hoffen, dass die alten Zeiten wiederkommen, das kommen sie nämlich nicht. Und das ist jetzt ausnahmsweise mal keine Erkenntnis von Hans, sondern von mir, wenn auch keine besonders originelle. Aber eine, die ich mir selbst immer wieder ins Gedächtnis rufen muss, weil irgendwelche versprengten Zellen in meinem Gehirn mir weismachen wollen, dass es nicht so ist, dass sich das Leben nicht nur in eine Richtung bewegt, vorwärts, unweigerlich auf den Tod zu.

ließ, der ihr Vater sein konnte und vielleicht, niemand wusste das genau, ihr Vater war.

Jedes Mal wenn Daniel Stephanie auf diese Weise betrachtete, wie hypnotisiert, musste er an Simone denken. Nicht weil sie sich ähnlich sahen, sie sahen sich nicht ähnlich, nicht im Entferntesten, sondern weil sie die gleiche Ausstrahlung hatten, das gleiche Selbstbewusstsein. Ihnen fiel es leicht zu lernen und das Gelernte wiederzugeben. Im Unterricht waren sie ganz bei der Sache und um keine Antwort verlegen. Und obwohl es nicht immer die richtige war, ließen sie sich nicht entmutigen, weitere Fehler zu machen. Beide wirkten, als wäre ihnen noch nie ein Unglück zugestoßen. Er hatte sie nie traurig erlebt, nie zweifelnd oder ängstlich. In ihrem Beisein fühlte er sich stark, stärker als sonst, unverwundbar. Und das war anziehender als alles andere, nicht nur für ihn.

Wieder ging Herlyns Schachtel herum. Jedem Tisch war erst ein Gedicht von Schiller, dann eins von Goethe zugedacht. Einer sollte es vorlesen, der andere interpretieren. »Über allen Gipfeln

Rechts taucht das alte, stillgelegte Kernkraftwerk auf und links, in Höhe von Hanekenfähr, das neue mit seinem riesigen Kühlturm. Kurz nach Tschernobyl hat man hier den Betrieb aufgenommen, trotz heftiger Proteste. Selbst Nella hat an den Demonstrationen teilgenommen. Und ich muss annehmen, dass Tobias sie auf ihrem Kreuzzug ins Glück begleitet hat, in gelber Öljacke und gelben Gummistiefeln, eine Friedensfahne schwenkend, so wie die anderen Kinder, die man dafür eingespannt hat und deren Fotos am nächsten Tag auf der Titelseite der Zeitung zu sehen waren. Dabei ist es viel sicherer, vielleicht sogar das sicherste der Welt. Es müsste schon ein Flugzeug direkt draufstürzen, um eine Kernschmelze auszulösen; ein Tieflieger, einer

ist Ruh«, las Peter Peters, nachdem er den mehrfach gefalteten Zettel umständlich auseinandergepfriemelt hatte. Er betonte keine Silbe, ignorierte die Reimstruktur, das Versmaß, die Melodie. »In allen Wipfeln spürest du kaum einen Hauch. Die Vögelein schweigen im Walde. Warte nur, balde ruhest du auch.«

Als Daniel die letzten beiden Worte hörte, erstarrte er. Eine Erkenntnis stieg in ihm auf und verklumpte im Hals. Für Sekunden meinte er, keine Luft zu bekommen. Er atmete flacher und schneller und spürte, wie ihm der Schweiß auf die Stirn trat. Er sah Peter Peters an, aber der schien sich entweder nicht an das erinnern zu können, was er im Gestrüpp zu ihm gesagt hatte, oder er ließ sich nicht anmerken, dass er darauf anspielte. Ohne das Gesicht zu verziehen, legte Peter Peters den Zettel in die Schachtel zurück und reichte sie nach hinten weiter. Daniel sagte sich, dass dies nur ein dummer Zufall war, dass nichts dahintersteckte. Und trotzdem glaubte er von da an, dass es das war, was Peter Peters ihm hatte sagen wollen: »Du auch. Balde ruhest du auch.«

---

stürzen, um eine Kernschmelze auszulösen; ein Tiefflieger, einer der Tornados oder Phantom-II-Bomber, die tagtäglich über uns kreisen wie hungrige Geier; oder irgendeine sowjetische MIG-23 mit Triebwerkschaden, die führerlos durch halb Europa rast, bis sie, tausend Kilometer weiter westlich, auf diesen kuppelförmigen Druckwasserreaktor kracht, und nicht, wie im letzten Sommer, in einen Jungen, irgendwo in Belgien.

Das oder ein Konvoi von Flüssiggastanks, der direkt daneben hochgeht.

Ich überquere die Ems, die hier für wenige Hundert Meter mit dem Kanal zusammenfließt, bevor sich beide wieder teilen, und dahinter öffnet sich das Land, kleine Siedlungen, Kinder in Sand-

Wiederum ein paar Monate später, gegen Ende seiner Zeit auf dem Gymnasium, mussten sie im Lateinunterricht Ciceros Dialog *Laelius de amicitia* übersetzen. Herlyn hatte den Schwierigkeitsgrad erhöht, nachdem er Stephanie Beckmann im Verdacht hatte, das Lösungsheft zu besitzen, zumindest eine Kopie davon. In jeder Klassenarbeit hatte sie eine Eins. Einmal war ihm beim Abtippen eines Textes ein Fehler unterlaufen. Anstatt *decollare* – enthaupten – hatte er *delocare* – umsiedeln – geschrieben. Trotzdem hatte sie das Wort richtig, das heißt im ursprünglichen, dem Lösungsheft entsprechenden Sinn ins Deutsche übertragen. Und tatsächlich: Wie sich beim Elternsprechtag herausstellte, war der Bruder ihrer Mutter Lateinlehrer an einem anderen Gymnasium in einer anderen Stadt. Deshalb zog er jetzt nicht mehr das Buch *Cursus Novus I* als Grundlage für die Klausuren heran, sondern entnahm dem Wissensstand der Schüler angemessene Absätze aus römischen Quellen: Tacitus' *Germania*, Cäsars *De bello Gallico* oder eben Ciceros *Laelius de amicitia*.

gefurchten Feldern die Saat ausbringen. Vorbereitungen auf eine Zukunft, die sie noch erleben werden, sofern die Katastrophe, in deren Schatten sie stehen, ausbleibt.

Bis zu Tobias' Geburt habe ich jede Entscheidung im Glauben getroffen, sie jederzeit zurücknehmen zu können. Die Ausbildung kann ich abbrechen und wieder aufnehmen. Den Beruf so lange wechseln, bis ich mir sicher bin, den richtigen gefunden zu haben. Und dass der Mensch scheiden darf, was Gott zusammengeführt hat, haben schon andere vor mir bewiesen. Deshalb maß ich auch der Hochzeit mit Nella keine tiefere Bedeutung bei. Das taten wir übrigens beide nicht. Aber Nella liebt Zeremo-

Mit der Schachtel unterm Arm betrat er das Klassenzimmer, schloss die Tür hinter sich und sagte: »*Salvete, puellae puerique*«, woraufhin die ganze Klasse wie aus einem Mund stehend »*Salve, magister*« rief. Erst dann durften sie sich setzen. Nirgendwo sonst pflegten sie dieses überkommene Ritual, nicht einmal in Deutsch, dem anderen Fach, das Herlyn unterrichtete. Aber dadurch, dass es der gleiche Lehrer war, der ihnen die Vokabeln und die Grammatik beibrachte, hatten sie in beiden Fällen das Gefühl, es mit überkommenen Sprachen zu tun zu haben.

Jedes Mal, wenn Herlyn sie auf diese Weise begrüßte, musste Daniel daran denken, wie Onno ihnen erzählt hatte, dass Herlyn aus Verachtung, als Anspielung auf ihr Alter, das Stadium, in dem sie sich befanden, gar nicht *puellae* und *puerique* sagte, sondern *pudores* – Scham – und *purisque* – Eiter –, doch Stefan meinte, dass der Vokativ *pura* laute und er demzufolge *puraque* oder feminisiert *puresque* sagen müsse. Und sobald Herlyns Schritte auf dem Gang erschallten, sagte Stefan ins Aufstehen hinein: »*Audite!*« Seitdem hörte Daniel immer genau hin, und er

nien und Rituale, jede Form von Inszenierung, und lässt keine Gelegenheit, die sich ihr bietet, aus. Hans behauptet, das sofort bemerkt zu haben, an der Art, wie wir Ja sagten, ohne jede Betonung. Er brüstet sich gerne damit, zu wissen, wer von denjenigen, die vor ihn treten, nicht bis ans Ende zusammenbleibt. Er schließt sogar nach der Feier mit den frisch vermählten Paaren Wetten darauf ab, und es gibt einige, die dumm genug sind, sich darauf einzulassen. Mit mir hat er nicht gewettet, das heißt, er hat es versucht, er lässt nichts unversucht, seine Schäfchen auf die Probe zu stellen. Aber mit seiner Ahnung hat er natürlich genau ins Schwarze getroffen. Wenn ich keine Möglichkeit gesehen hätte, irgendwann wieder auszusteigen, hätte ich mich

war sich sicher, die anderen, die Onnos Theorie kannten, taten das auch. Und manchmal klang es wie *puresque*, und manchmal wie *puerique*.

Herlyn ließ Peter Peters die Klassenarbeitshefte verteilen, und als Daniel seins entgegennahm, ein dreißigseitiges Dokument des Scheiterns, der Beleg seiner Faulheit, ahnte er, dass er auch heute wieder zu viele Fehler machen würde, um noch auf eine Vier zu kommen. Ein unbeschriebenes, bis auf die dünnen grauen Linien weißes Heft hätte vielleicht die Wende herbeigeführt, die er Herlyn in einem Vieraugengespräch sechs Wochen zuvor prophezeit hatte. Aber angesichts seines bisherigen Versagens begann sein Mut zu schwinden.

Von der ersten Seite an war die rechte Spalte voll von roten Anmerkungen wie – *Wa, F, | F eum, | C !!?* oder *Vergangenheit!, Ablativ!, Schrecklich!, Sinn? (»Der Berg ruft?«)*, und die linke bestand stets aus einem Lückentext, den Worten nämlich, die er erkannt zu haben glaubte: *Odysseus, ----- der Griechen war von großer Klugheit und ----. – Und niemals hätte er -------- von der*

gar nicht erst darauf eingelassen. Erst viel später ist mir klar geworden, dass man nur dann eine tief gehende Beziehung zu jemandem aufbauen kann, wenn man unumstößliche Tatsachen schafft. Nicht umsonst bleiben Soldaten nach dem Krieg in engem Kontakt. Wer gemeinsam dem Tod ins Auge geblickt hat, kommt ein Leben lang nicht mehr davon los.

Vor dem Bahnhof Salzbergen steht die letzte außer Dienst gestellte Dampflok. Auf Schienen, aber ohne Gleisanbindung. Überdacht und überstrichen. Konserviert bis in alle Ewigkeit. Irgendwo in meinem Kopf wird an dieser Stelle immer eine Weiche gestellt. Es geschieht mit der Präzision eines Lichtsignals. Je-

ungeheuren Grausamkeit ------ die Götter mit seinem getöteten Sohn zu fördern. – *Wenn Tantalus vom Olymp nicht herbeigerufen worden wäre, ---*. Darunter standen Zahlen, die den Grad seines Versagens kennzeichneten, *-18, -21½, -37½,* obwohl manche Texte nur sieben Sätze umfassten, ausgeschriebene Noten *Noch ausreichend, Schwach mangelhaft, Leider ungenügend* und traurige, analytische, konstruktive Kommentare: *Doch eine bittere Enttäuschung! – Zu viele Konstruktionsfehler. Es wird deutlich, dass du die Endungen nicht genau genug unter die Lupe genommen hast. – Du wirst jetzt a.) die Vokabeln und b.) die Deklinationen (a/o/e/u/i und die konsonantische) wiederholen, bis du sie besser kannst als deinen Vornamen. Auch die Pronomina tanzen dir auf dem Kopf herum!* Nur den Vokativ und den Imperativ beherrschte er, dank Stefan, dank Herlyn, nahezu perfekt.

Als alle ihre Hefte aufgeschlagen hatten, gab Herlyn seine Blechbox herum. Jeder sollte sich ein Blatt herausnehmen. Auf jedem Blatt stand ein anderer Satz, sodass keiner vom anderen

des Mal, wenn ich daran vorbeikomme, muss ich an den Tag denken, an dem mein Leben aus der Bahn geriet. Wenn es eine Hölle gibt, dann ist es ein Ort, an dem sich alles wiederholt, ein Ort ohne Geschichte, ohne Anfang und Ende.

Es geschah nicht am Tag von Tobias' Geburt, aber am Tag zuvor, am 26. Oktober 1977. Die letzte Vierundvierziger war gerade abgestellt worden, als wir aus Emden herausfuhren. An der Strecke standen noch dicht gedrängt Menschen mit Tüchern und Fahnen und Fotoapparaten. Kinder saßen auf den Schultern ihrer Väter, um besser sehen zu können. Und alles, was sie zu sehen kriegten, waren wir in unserer ozeanblau-beigen Zweisechzehn mit zwei Dutzend Wagen hinter uns. Vielleicht hatten sie

abschreiben konnte. Daniel nahm sein Blatt heraus, legte es mit der Schrift nach unten auf den Tisch und gab die Box an Stephanie weiter. Dann sagte Herlyn: »*Circumvertite!*« Und alle drehten die Blätter um. Sein erster Satz lautete: *Namque hoc praestat amicitia propinquitati, quod ex propinquitate benevolentia tolli potest, ex amicitia non potest; sublata enim benevolentia amicitiae nomen tollitur, propinquitatis manet.* Obwohl er auch für diese Arbeit wenig mehr als für die letzte gelernt hatte, war er doch zuversichtlich, es diesmal zu schaffen, weil sich viele Worte wiederholten und er bis auf zwei alle Vokabeln kannte. Dummerweise fehlten ihm die entscheidenden Verben, sodass der Satz, den er schrieb, wie die vorangegangenen und nachfolgenden, keinen Sinn ergab: *Denn in diesem Punkt ist die Freundschaft besser als die Verwandtschaft, weil aus der Verwandtschaft die Zuneigung ----- kann, aus der Freundschaft aber nicht; wenn nämlich die Zuneigung -----, ist der Name Freundschaft -----, der der Verwandtschaft bleibt.*

sich in der Zeit versehen und waren zu spät gekommen. Vielleicht hatten sie auch einfach nicht glauben wollen, dass dies tatsächlich das Ende war. Immerhin war es schon einmal verkündet worden, kurz vor der Ölkrise. Und dann hatte man den Betrieb doch wieder aufgenommen.

Während wir langsam an ihnen vorbeifuhren, schüttelten Hermann Gerdes und ich die Köpfe. Wir hoben die Schultern und streckten die Arme von uns, als wollten wir ein Kind in den Schlaf wiegen, um ihnen zu zeigen, dass sie nach Hause gehen konnten. Aber als wir ihnen nachblickten, sahen wir, dass sie sich davon nicht hatten abschrecken lassen, stehen zu bleiben und zu warten. Ungerührt standen sie da und winkten uns zu, Tausende,

4

Die Gleise der Westbahn, die vom Meer, von der Mole her, nach Süden, Richtung Rheine, führten, teilten das Dorf in zwei Hälften. Auf der einen Seite lagen Petersens Poolhalle, der Güterschuppen, Rosings Werkstätten und der Raiffeisen-Markt, die Dorfstraße und die Bahnhofstraße mit ihren Gulfhöfen, Geschäften und Handwerksbetrieben, die reformierte Kirche, das Ehrenmal, der Friedhof, die Bauruine der Leichenhalle, das alte und das neue Gemeindeheim, das Rathaus, die Feuerwehr- und Polizeistation, das Literatenviertel mit seinen Seniorenheimen und Altenwohnungen und dahinter, beim Sportplatz, auf freiem Feld, Superneemann, der Supermarkt.

geschmückt wie zu einem Freudenfest, und nicht, was angemessener gewesen wäre, zu einer Trauerfeier.

Wir hatten Autos geladen, Käfer in allen Farben, neue Käfer, frisch vom VW-Werk, die wir bis Rheine bringen sollten. Dort würden wir in den Gegenzug umsteigen und leer zurückfahren oder, falls etwas Unvorhergesehenes geschah, falls sich ein Zug verspätete und wir unseren Plan nicht einhalten konnten, ganz ohne Dienst, als Fahrgäste.

Eigentlich hätte ich die Zweisechzehn schon damals alleine bedienen können. Aber während dieser Übergangszeit, ein paar Monate nur, durfte keiner von uns mehr als achtzig Kilometer am Stück fahren. Man fürchtete, dass einer die Konzentration

Auf der anderen Seite, zum Deich hin, dort, wo einst Kühe gegrast hatten und Kartoffeln angebaut worden waren, lag jetzt die Neubausiedlung, bevölkert von Ärzten, Lehrern, Architekten, von Einheimischen wie Reicherts und Kolthoffs und Zugezogenen wie Pfeiffers und Mengs, aber seit Kurzem, seit der Wende, auch von Flüchtlingen und Aussiedlern, Familien, die Szkiolka, Michalak oder Zywczgk hießen, das Komponistenviertel mit seinen Gummipollern, Bremsschwellen und Aufpflasterungen, seinen Parkbuchten, Blumenbeeten, Baumkübeln, Spielplätzen, Sackgassen und Wendekreisen: Verdistraße, Wagnerstraße, Brahmsstraße, Mozartstraße, Offenbachstraße, Beethovenstraße, Händelstraße, Haydnstraße, Bachstraße, Lortzingstraße, Schubertstraße, Schumannstraße, Johann-Strauß-Straße I und Johann-Strauß-Straße II – Vater und Sohn –, die Einfahrt, der einzige Weg mit dem Wagen hinein, von blau-weißen Verkehrsschildern flankiert.

Im Sommer, wenn die Sonne bis zum Abend schien, hallte samstagnachmittags das Rattern Dutzender Rasenmäher von

verlieren und es zu einem Unfall kommen könnte. Also waren wir an dem Tag zu zweit im Führerstand. Hermann Gerdes hatte mehr Erfahrung als ich. Er hatte schon bei der Bahn gearbeitet, als mein Vater noch Weichenwärter gewesen war, und stand selbst kurz vor der Pension. Er freute sich darauf, auf den Ruhestand, weil er meinte, dass er mit der technischen Entwicklung nicht mithalten könne und es besser sei, jetzt auszusteigen, als später, wenn er spüren würde, dass er den richtigen Zeitpunkt verpasst hatte. Er wollte den Weg freimachen für die Jungen, für Lokführer wie mich. Und deshalb hatte er mir auch am Anfang die Fahrt überlassen, obwohl er als Erster eingeteilt gewesen war.

den Häuserwänden wider, und über den Dächern verwehte der Duft frisch geschnittenen Grases. Jungs spielten auf den Straßen Fußball und Mädchen Himmel und Hölle, Männer polierten in der Auffahrt die Chromleisten ihrer Autos oder schnitten, auf einer Leiter stehend, Hecken aus Scheinzypressen und Thujen, die ihr Grundstück von dem der Nachbarn trennten, und Frauen nahmen im Vorgarten Bettlaken und Handtücher von den Leinen ausgeklappter Wäschespinnen, bis die Kirchenglocken auch hier den Feierabend einläuteten. Dann wurden im Windschatten der Häuser Grills angezündet und Flaschen entkorkt, und einige Unermüdliche zogen gegen ihr schlechtes Gewissen Turnschuhe, Pulsmesser und Stirnbänder über und hetzten noch einmal durch die Straßen, bevor sich die Dunkelheit über das Land und die Menschen senkte und alle am Anfang der Woche getroffenen Vorsätze wieder zunichtemachte.

Wenn es regnete, so wie heute, war dagegen kein Mensch zu sehen. In den Vorgärten waren Plastikstühle und Tische an die Wände gelehnt, damit sich auf den Sitz- und Abstellflächen kein

Jetzt bist du dran, hatte er gesagt, jetzt kannst du mir mal beweisen, was du während der Ausbildung so alles gelernt hast.

Und ich hatte Ja gesagt, ja, Hermann, vielleicht kann ich dir noch was beibringen.

Sollte mich wundern. Aber ich will mich gerne vom Gegenteil überzeugen lassen. Man weiß ja nie, wofür die Theorie gut ist.

Wir schauten also aus den Fenstern und schüttelten die Köpfe, bis nur noch einige wenige Schaulustige die Strecke säumten, und dann, hinter Petkum, keine mehr. Das Land tat sich vor uns auf, weit wie der Himmel. Die Weiden waren noch grün und voller Kühe. Über uns schwebten Möwen in der Luft. Die Schienen schimmerten schwarz im Abendlicht. Hermann putzte seine

Wasser sammeln konnte. Über die Sandkästen waren Planen geworfen. Drüben bei Rosing hing eine Deutschlandfahne, Überbleibsel der Fußballweltmeisterschaftseuphorie, schlapp an einem Mast und würde dort bis zum Tag der Wiedervereinigung – wann immer das sein sollte – hängen bleiben.

Daniel zog die Kapuze tiefer in die Stirn, um zu verhindern, dass ihm der Regen in die Augen lief. Außerdem fürchtete er, als er in der Mozartstraße am Haus von Mengs vorbeistapfte, von Volker erkannt und in ein Gespräch verwickelt zu werden, in ein Gespräch darüber, dass er recht gehabt hatte, dass Gott die Erstgeborenen sterben lässt und – sollte das als Opfer nicht ausreichen – die Zweitgeborenen auch. Seit der Konfirmation war der Kontakt zwischen ihnen abgebrochen, und Daniel würde ihn früh genug wieder aufnehmen, in zwei Wochen schon, wenn sie gemeinsam zur Realschule gingen.

Die Hose klebte ihm an den Knien, und von unten, von den Stiefeln her, spürte er eine Kälte und Nässe heraufziehen, aber egal wie oft er an sich hinabschaute oder im Gehen innehielt

Brille, indem er ein paarmal gegen die Gläser hauchte und seinen Atem mit dem Hemd abwischte. Dann räusperte er sich und fragte, ob's nicht bald so weit sei.

Kann jeden Moment kommen.

Wie heißt sie noch mal.

Er hatte vergessen, dass wir einen Jungen erwarteten. Ich hatte es ihm vor Wochen schon erzählt. Ich hatte es allen erzählt. Ein Junge. Ein Eisenbahner. Einer wie ich.

Tobias.

Ungewöhnlicher Name für ein Mädchen. Als er mit dem Putzen der Brille fertig war, holte er eine Schachtel Zigaretten aus der Brusttasche seines Hemdes und bot mir eine an. Ich zöger-

und mit der Hand in die Schäfte langte und die Socken betastete, das Gummi war dicht. In manchen Fenstern wurden die Gardinen kurz zur Seite gezogen und wieder vorgeschoben, als er an ihnen vorbeiging, Garagentore surrten automatisch hoch und runter, Türen knallten, Motoren heulten auf, Reifen quietschten auf dem nassen Asphalt, aber alle Geräusche waren gedämpft, als könnten sie sich bei Feuchtigkeit nicht voll entfalten, nur das Rauschen und Rattern der Schnellzüge, der Güterzüge, die alle halbe Stunde am Dorf vorbeirasten, zerriss dann auf beiden Seiten die regenschwere Stille. Manchmal gaben die Zugführer ein Signal, ein hohes, durchdringendes Pfeifen, um Tiere von den Gleisen zu scheuchen oder, wenn sie wie Walter Baalmann aus der Nähe kamen, im Vorbeifahren ihre Verwandten und Freunde zu grüßen.

Auf dem ganzen Streckenabschnitt gab es sechs Bahnübergänge. Zwei direkt an der Molkerei und dem Güterbahnhof, der die Bahnhofstraße, die Dorfstraße mit der Deichstraße verband, acht Schranken mit Gittern, Andreaskreuzen und Blinkanlage,

te, weil ich eben erst mit dem Rauchen aufgehört hatte. Aber er wusste, dass ich schon einmal rückfällig geworden war. Komm schon, sagte er und streckte mir die Schachtel hin, zur Feier des Tages. Ich nahm eine, er gab mir Feuer, und bis Neermoor rauchten wir schweigend unsere Zigaretten.

Hat dein Sohn nicht auch Kinder, fragte ich, nachdem ich meine Kippe aus dem Fenster geworfen hatte.

Zwei, sagte er, ein Sohn, eine Tochter.

Wie alt?

Der Junge ist in der Vierten, das Mädchen geht schon zur Oberschule. Die will was andres machen, schätze ich. Ich kann's ihr nicht verdenken. Er hielt inne, als erwarte er Widerspruch

gesteuert und kontrolliert von einem in Sichtweite gelegenen Stellwerk, zwei ein paar Hundert Meter weiter nördlich und südlich, jeweils mit zwei einfachen Schranken ohne Gitter versehen, kurz vor oder hinter der Siedlung, in den Hammrich oder ins Dorf hineinführend, je nachdem, aus welcher Richtung man kam. Deren Schranken öffneten sich nur auf Anfrage hin, über zwei am Straßenrand angebrachte Sprechanlagen, zwei gelbe Kunststoffkonsolen mit grauen Knöpfen in der Mitte, die selten gedrückt wurden, weil Autofahrer den Weg kaum benutzten – es war keine Abkürzung – und Fußgänger sich unter den Stangen hindurchbückten, einige, um schneller drüben anzukommen, andere, um dem Schrankenwärter keine Umstände zu machen. Und im Hammrich, dort, wo die Strecke nach Neuschanz abzweigte, die Hollandlinie, gab es noch zwei weitere, unbeschrankte Bahnübergänge. Drei Jahre zuvor war Doktor Ahlers am ersten, am Kleiweg, mit seinem Wagen verunglückt. Er war auf dem Weg zu einem Patienten gewesen. Magda van Deest hatte ihn angerufen, ihr Mann sei nach dem Melken beim Früh-

von mir, und warf seine Kippe ebenfalls aus dem Fenster, aber dann sagte er wie zu sich selbst, das muss die auch selbst wissen, ist schließlich alt genug.

Ja, sagte ich, das ist sie. Und dann kam ich auf das zu sprechen, was ich eigentlich von ihm wollte, auf Kindersachen. Ich fragte damals alle danach, weil Nella und ich uns nicht alles, was wir für nötig hielten, leisten konnten.

Da ist bestimmt noch was, sagte er, irgendwo im Keller. Was brauchst du denn?

Alles Mögliche, sagte ich, Kleidung hauptsächlich. Und einen Autositz.

Warte mal eben, das muss ich mir aufschreiben, sonst hab ich

stück umgekippt und nicht ansprechbar, und er war im Morgengrauen sofort losgefahren, weil er Wochenenddienst hatte und
dachte, es handele sich um einen Notfall. Er hatte den alten van
Deest erst vor Kurzem wegen Herzrhythmusstörungen behandelt. Es handelte sich also auch um einen Notfall. Es ging tatsächlich um Leben und Tod, aber, wie er nach dem Zusammen-
prall mit dem Eilzug 2030 von Oldenburg nach Rotterdam
feststellte, auch um *sein* Leben und *seinen* Tod.

Der Wagen, ein roter Porsche 911 Turbo, Baujahr 1981, 260
PS, wurde von den Puffern aufgespießt und mehrere Hundert
Meter mitgeschleift, bis die Lok endlich zum Stehen kam. Der
Zugführer stieg aus und besah sich den Schaden, Metallteile,
Scherben, und die Vorderräder lagen auf dem Bahndamm ver-
streut, das Auto war ein Klumpen, von allen Seiten eingedrückt.
Er sprach Doktor Ahlers an, der, blutüberströmt, von Blech und
Plastik eingeklemmt, nach Luft rang und auf die Fragen, die der
Mann ihm stellte, nicht einmal mit einem Nicken antworten
konnte. Ein Chirurg, der zu einem Kongress nach Leiden wollte,

das morgen wieder vergessen. Er holte Zettel und Stift aus seiner
Ledertasche, machte sich, halb gebückt, eine Notiz, das Blatt Papier gegen den Oberschenkel gepresst, und als er wieder hoch-
kam und nach vorne schaute, sagte er, da steht einer. Er sagte es
ganz ruhig, so wie man einer fremden Frau, einer neuen Eroberung, sagt, da, in dem Haus bin ich geboren, und da, das ist der
See, an dem wir früher immer geangelt haben. Und erst in dem
Moment sah ich ihn auch, obwohl ich die ganze Zeit über nach
vorne geschaut hatte. Ein Mensch, mitten auf den Schienen. Ich
ließ die Pfeife ertönen, einmal, zweimal, dreimal, schon waren
wir hundert Meter weiter. Ich hörte, wie Hermann sagte, das
bringt nichts, und gleichzeitig zog ich die Bremse durch, weil ich

leistete Erste Hilfe. Und Magda van Deest, die den Aufprall vom Hof aus gesehen hatte, rief zwei Krankenwagen, einen für Doktor Ahlers, einen für ihren Mann. Während der alte van Deest in der Küche starb – er hatte tatsächlich einen Herzinfarkt –, überlebte Doktor Ahlers den Unfall ohne bleibende Schäden, nur seine Haare waren noch am selben Tag weiß geworden und von da an weiß geblieben.

Von außen sah man dem Haus nichts an. Ein großer Garten mit Blumenbeeten und Fischteich, von sorgsam getrimmten Hecken gesäumt, die Buchenblätter hell und halb vertrocknet, ein einfacher Klinkerbau mit Doppelgarage, wie fast alle in der neuen Siedlung, in der Stefan mit seinen Eltern – beide Ärzte, Allgemeinmediziner und Psychotherapeuten – und seinen jüngeren Schwestern lebte. Auch der Flur, in den eine der Schwestern ihn führte, ließ nicht auf das Chaos schließen, das einen im Keller erwartete. Ein Wandspiegel, eine Garderobe, behängt mit Regenjacken, eine Kommode, ein grünes Tastentelefon, eine Tür

selbst gemerkt hatte, dass der, der da vor uns stand, nicht zufällig ins Gleis geraten war. Ein Mann in einem langen dunklen Mantel. Ein junger Mann, nicht älter als ich damals. Er breitete die Arme aus und legte den Kopf in den Nacken, als wollte er uns umarmen. Und er umarmte uns.

Wir rollten drei-, vierhundert Meter über ihn hinweg, ehe wir zum Stehen kamen. Über Funk rief ich die Leitstelle an. Hermann stieg aus, um sich die Sache aus der Nähe anzusehen. Bleib du man hier, hatte er gesagt, das ist nichts für dich. Er lief einmal um die Lok herum und ging dann die Wagen entlang nach hinten. Ich sah aus dem Fenster, sah, wie er sich herabbeugte, wie er die Hand nach etwas ausstreckte und wieder zurückzog. Als er

und ein Schild: *Zutritt verboten.* Aber sobald man sich Zutritt verschafft hatte – man musste nur die Klinke herunterdrücken –, über eine schmale Holztreppe ins Untergeschoss hinabstieg und den ersten Absatz erreichte, stimmten einen die Dämpfe von geschmolzenem Zinn und Plastik auf das Ende der Welt ein.

Neben der Waschküche und einer Vorratskammer, in der Wein und Eingemachtes lagerten, befand sich Stefans Werkstatt, ein niedriger, rundum vertäfelter Raum voller Bildschirme und Apparaturen, Fernseher, Videorekorder, Plattenspieler, Radios und Keyboards, Steuerknüppel, Funk- und Messgeräte, Adapter, Lichtorgeln, Batterien, Akustikkoppler, Telefone, Mikrofone, Kopfhörer, Antennen, Tastaturen und Klappuhren, eine E-Gitarre, ein Verstärker, ein Mischpult. An einer Seite gab es eine selbst gezimmerte Werkbank, die fast die ganze Wand einnahm, an einer anderen, unterhalb der Oberlichter, Tische in unterschiedlicher Tiefe und Höhe, Regale, in denen sich CDs und Zeitschriften stapelten, in der Mitte drei mit Büchern und Papieren – Schaltpläne, Bau- und Gebrauchsanleitungen – bedeckte

zurückkam, sagte er, war nicht deine Schuld, konntest nichts machen. Er wischte sich die Hände an einem Taschentuch ab, obwohl sie nicht schmutzig geworden waren.

Ja, sagte ich, ich weiß.

Aber die Ohnmacht war kein Trost, für uns beide nicht. Man hatte uns während der Ausbildung gesagt, dass das passieren würde und wie wir uns in dem Fall zu verhalten hatten, und an diese Vorgaben hatte ich mich gehalten. Ich hatte alles richtig gemacht und trotzdem einen Menschen getötet. Ich wusste, dass Hermann Gerdes einige auf dem Gewissen hatte. Bei einer unserer ersten Begegnungen begrüßte er mich mit den Worten, hab gerade wieder einen erwischt, bei Uthusen; erst dachte ich, ein

Sessel und gleich neben dem Eingang eine Theke mit Barhockern und Zapfanlage, die daran erinnerte, dass dies einmal ein Partykeller gewesen war. In jeder Ecke hing eine Kugelbox von der Decke, aber aus ihnen drang selten Musik und oft fernes Rauschen, ein Fiepen und Knistern, unbestimmbare, hohe Töne, die sich, wenn man lange genug hinhörte, zu Wörtern und Sätzen verdichteten, geheime Botschaften, nur für einen selbst bestimmt. Überall lagen aufgerissene Metallgehäuse herum, aus denen Kabel und Kupferdrähte quollen, smaragdgrüne und goldfarbene Platinen, die mit ihren verlöteten Oberflächenelementen, mit ihren Prozessoren, Kondensatoren und Widerständen aussahen wie winzige Modelle entvölkerter Industriestädte, graue Kästen mit Knöpfen, blinkenden Dioden oder flimmernden Monitoren, auf denen Zahlen und gezackte Linien Frequenzen anzeigten – die Vitalparameter eines dahinsiechenden technischen Organismus.

Alles schien zu vibrieren und immer kurz vor der Implosion zu stehen. Manche Geräte implodierten auch, gaben ein Zischen

Tier, war aber keins. Das war die Art, in der wir darüber redeten. Und auch als wir auf die Polizei und die Feuerwehr und den Staatsanwalt warteten, redeten wir nicht anders darüber. Wir gaben unsere Aussage zu Protokoll, und bevor die Strecke wieder freigegeben war, saßen wir im Taxi zurück nach Emden.

Ich meldete mich krank, und am nächsten Tag war Tobias da. Im Kreißsaal hatte ich das überwältigende Gefühl, einem Menschen das Leben genommen und es einem anderen geschenkt zu haben, obwohl es nicht zur gleichen Zeit geschehen war. Und wenn ich Tobias ansah, dieses Baby, das den Kopf zurückwarf und mit den Armen ruderte, sah ich den Mann im Mantel vor mir. Ich sah den Tod in seinen Augen. Ich hatte Nella erst nichts

von sich, wie wenn Wasser in eine heiße Pfanne geschüttet wird, oder einen Knall, der oben im Flur, im Sicherungskasten, einen anderen Knall nach sich zog und unten sofortige Dunkelheit und Stille. Die meisten Dinge kündigten ihren Tod aber nicht an. Das Licht, das ihr Funktionieren signalisierte, erlosch einfach, und die Geräusche, die von ihnen ausgingen, verstummten, ohne das ganze System zum Absturz zu bringen.

Niemand konnte sagen, woran Stefan gerade arbeitete oder auf welches Ziel seine Experimente hinausliefen, er konnte es selbst nicht, und wenn er es zu erklären versuchte, verlor er sich in Fachausdrücken. Es war eine unendliche Versuchsreihe, die nichts beweisen wollte, außer dass sich alles, was losgelöst voneinander existierte, miteinander verbinden ließ, Funkstationen mit Computern, Musikinstrumente mit Bildschirmen, Fotoapparate mit Lautsprechern, Menschen mit Maschinen, Menschen mit Menschen.

Über dünne, in der Mitte durchgescheuerte Flokatiteppiche, die jahrelang oben im Wohnzimmer gelegen hatten, bis sie gegen

von dem Unfall erzählen wollen und es dann, einen Tag nach Tobias' Geburt, doch getan.

Darum warst du so früh wieder zu Hause.

Ja, sagte ich, darum.

Sie beugte sich vor, wollte mich in den Arm nehmen, aber sie hielt ja schon Tobias und fiel wieder in die Kissen zurück.

Nach einer Weile sagte ich, immerhin hatte es auch sein Gutes, sonst hätte ich dich nicht herbringen können.

Wie kannst du so was sagen, fragte sie empört und richtete sich im Bett auf. Dann hätte es jemand andres getan. Irgendjemand wäre da gewesen. Mein Vater, meine Schwester, Kurt.

Kurt? Kurt Rhauderwiek?

Auslegware eingetauscht worden waren, verliefen Kabel in vielen Farben und Dichten und versorgten die Geräte mit Strom. Der ganze Boden war von diesen bunten Schlingen bedeckt. Ein falscher Schritt konnte eine Kettenreaktion auslösen, die Apparate von den Tischen ziehen oder aus ihrer Verankerung an der Wand reißen. Deshalb war das Erste, was Stefan sagte, wenn jemand hereinkam: »Pass auf, wo du hintrittst.«

»Weiß ich doch«, sagte Daniel. »Das musst du mir nicht sagen.«

Stefan stand an der Werkbank, den Rücken zur Tür. Er hielt einen Lötkolben in der Hand und beugte sich über eine Platine.

Daniel zog die Gummistiefel aus, hängte die Regenjacke an einen Haken an der Wand und trat in den Raum hinein.

»Du kannst das Zeug da auf den Tisch legen, neben die Keksdose.«

»Welches Zeug?«

»Das da«, sagte Stefan und wies mit dem Lötkolben auf die Papiere, die einen der Sessel fast vollständig unter sich begraben

Ja. Mit Blaulicht und Sirene.

Ich sagte, dass ich versprochen hatte, da zu sein, und mich an Versprechen halte.

Ja, sagte sie, das tust du, das hast du, aber er hätte zu jedem Zeitpunkt kommen können, auch erst in zwei Wochen, und strich Tobias, der auf ihrer Brust lag, seinen Kopf an ihren gepresst, über den Rücken. Niemand konnte ahnen, dass es so schnell gehen würde. Und dann fragte sie mich, ob ich ihn nicht auch einmal halten wolle. Ich streckte meine Hand nach ihm aus und zog sie wieder zurück. Ich konnte ihn nicht anfassen. Ich wusste, wenn ich ihn anfasste, würde ich mich an Ort und Stelle übergeben müssen, gleich hier, auf ihr, auf ihm, auf mir selbst. Und

hatten. Daniel versuchte, alles auf einmal zu nehmen, indem er beide Hände gleichzeitig zwischen den Stoff und die unterste Schicht schob. Halb erhoben, fragte er: »Welchen Tisch?«

»Irgendeinen. Leg es einfach drauf. Aber in der Reihenfolge. Das ist alles sortiert.«

»Was machst du da?«, fragte Daniel, nachdem er sich hingesetzt hatte.

»Hey«, sagte Stefan und hielt erneut inne, wieder ohne ihn anzusehen.

»Was?«

»Wir hatten uns darauf geeinigt, dass du das nicht mehr fragst.«

»Hatten wir?«

»Ja, hatten wir.«

»Ich kann mich nicht erinnern.«

»Dann denk noch mal scharf nach.«

»Vielleicht verwechselst du mich mit jemandem.«

»Vielleicht«, sagte Stefan, »vielleicht auch nicht«, und machte sich wieder an die Arbeit.

---

deshalb sagte ich, mir ist schlecht, und ich riss die Tür auf, und bevor ich sie hinter mir schloss, hörte ich Nella lachen und sagen, dir ist schlecht, das sieht dir ähnlich, mir sollte schlecht sein, nach allem, was ich durchgemacht habe.

Unten im Foyer zog ich mir einen Kaffee aus dem Automaten. Ich lief die Gänge auf und ab, ohne einen Schluck zu trinken. Ich ging nach draußen in den Park und warf den vollen Becher in einen Mülleimer. Es war kühl geworden. Die kalte Luft brannte in meiner Lunge. Aber dieses Feuer schuf keine Klarheit, sondern vernebelte mir die Sinne. Kurz bevor es dunkel wurde, ging ich wieder hinein. Tobias lag noch immer auf ihr. Sein Körper hob und senkte sich im Rhythmus ihres Atems.

Daniel hob einen Katalog von Conrad Electronic vom Boden auf und begann darin zu blättern. Die abgebildeten Einzelteile und seitenlangen Produktlisten kamen ihm seltsam vertraut vor. Das, was Stefan machte – was immer es war –, erschien ihm als die konsequente Fortentwicklung des Modellbaus: nicht mehr das Nichts umhüllen, sondern es füllen, Dinge bewegen, zum Leben erwecken. Und er fragte sich, wann er davon abgekommen war, sich für Technik, für überhaupt irgendetwas zu interessieren, und warum.

»So«, sagte Stefan, »jetzt müsste es funktionieren.« Er legte den Lötkolben beiseite und setzte die Platine in einen Kasten ein. »Kannst du mal auf den Schalter da drücken?«

»Welchen?«

»Den von der Steckdose da.«

Daniel beugte sich über die rechte Lehne.

»Links von dir.«

»Den von der weißen oder der schwarzen?«

»Von der weißen.«

Komm her, sagte sie und winkte mich mit der freien Hand zu sich heran, er schläft. Er ist ein ruhiger Geist, frei von Giften.

Auf der Rückfahrt dachte ich, wer ist das, immer wieder, wer ist das. Dieses wunde Wesen mit seinem schwarzen Flaum auf dem Kopf und den blauen, glasigen Augen hatte keine Ähnlichkeit mit ihr oder mir. Und ich erkannte auch die Frau, die ich irgendwann einmal geliebt und geheiratet hatte, nicht wieder. Wir mussten uns beide vor langer Zeit voneinander entfernt haben, ohne dass ich es gemerkt hatte, womöglich schon vor Japan. Es musste passiert sein, nachdem wir die Schule beendet und unterschiedliche Wege eingeschlagen hatten und zusammengeblieben waren, weil wir glaubten, die Widersprüche, die sich aus unseren

Daniel drückte den Schalter der weißen Steckdose, aber nichts passierte.

»Dann doch den von der schwarzen.«

Daniel drückte den Schalter der schwarzen Steckdose, und oben, im Flur, gab es einen Knall. Zeitgleich ging unten das Licht aus, und alle Geräusche erstarben.

»Was hast du gemacht?«

»Das, was du gesagt hast.«

»Aber doch nicht, wenn der von der weißen auch an ist.«

»Das kann ich ja nicht ahnen.«

»Du weißt doch, wie hochempfindlich das hier alles ist.«

Daniel hörte, wie Stefan an ihm vorbei über die Kabel zu steigen versuchte, wie er »Verdammt!« sagte, wie irgendetwas direkt vor ihm krachend zu Boden fiel, wie Stefan, jetzt schon ganz in seiner Nähe, erst »Was war das?« sagte und dann wieder »Verdammt!«, und wie hinter ihm die Tür aufging und zuschlug. Dann war es still, bis auf das Rauschen des Regens, das durch die auf Kipp gestellten Oberlichter zu ihm hereindrang. Dann fla-

Interessen und Wünschen ergaben, irgendwann auflösen zu können. Mein Vater hatte einmal bei einem dieser seltenen Gespräche von Mann zu Mann zu mir gesagt, der Mensch ändere sich alle sieben Jahre, und die große Herausforderung des Lebens bestehe darin, sich den aktuellen Bedingungen anzupassen. Damals, mit fünfzehn, sechzehn, hatte ich nichts davon wissen wollen. Doch immer wenn ich mir jetzt alte Fotos ansehe, denke ich, dass der erste Teil dieser Theorie vielleicht nicht ganz falsch ist. Jedenfalls erscheint es mir heute vollkommen unbegreiflich, wie ich jemals Schlaghosen, bunte Hemden mit breiten Kragen und lange, bauschige Koteletten habe tragen können.

Offenbar waren Nella und ich nach zwölf Jahren Beziehung in

ckerten über ihm die Neonröhren auf, und die Geräte ringsum fingen wieder an zu surren und zu blinken.

»Sag mal, was willst du eigentlich hier?«, fragte Stefan, ehe die Tür hinter ihm zufiel. Erst jetzt sah Daniel, wie braungebrannt Stefan war, er musste tagelang in der Sonne gelegen haben, womöglich zu lange. Auf der Nase und der Stirn, am Haaransatz pellte sich die Haut und fiel, sobald Stefan darüber hinwegstrich, wie Schuppen, weiß wie Schnee, auf sein T-Shirt.

»Ich dachte, wir könnten computerspielen.« Daniel trat auf einen der Tische zu, auf denen ein Fernseher, eine Tastatur, ein Diskettenlaufwerk mit Knebelverschluss, eine Konsole und einige Joysticks standen. Daneben, auf einem Podest, türmten sich Hunderte Kassetten, Disketten und Module. »Irgendwas Einfaches, was wir lange nicht gespielt haben. *Wonderboy* oder *Space Invaders*.«

»Mit *Space Invaders* kennst du dich ja aus.«

»Was soll das denn heißen?«

»Ach nichts«, sagte Stefan. »Das Problem ist, es geht nicht.«

eine Phase eingetreten, in der für den anderen kein Platz mehr war. Es verging nämlich kaum ein Tag, an dem wir uns nicht gegenseitig kritisierten und manchmal, nach stundenlangem Streit mit Dutzenden Fremdwörtern, schließlich im Bett landeten und uns der Illusion hingaben, ganz am Anfang zu stehen und nicht am Ende. Dann war sie schwanger geworden. Ich hatte nie ein Kind haben wollen und sie auch nicht. Aber vor Wut und Geilheit hatte sie vergessen, die Pille zu nehmen, und ich war aus den gleichen Gründen unfähig gewesen, sie daran zu erinnern. Und angesichts dieses neuen, gemeinsamen Ziels hatten wir aufgehört, uns zu streiten und miteinander zu schlafen, und uns irgendwelchen Illusionen hinzugeben, außer vielleicht der,

»Was geht nicht?«

»Irgendwas ist mit den Anschlüssen nicht in Ordnung, glaube ich, vielleicht liegt's auch an was andrem. Ich hab's noch nicht raus.«

»Lass mal sehen.«

»Das hat keinen Zweck, hab schon alles Mögliche versucht. Da ist nichts zu machen, vor allem jetzt nicht«, Stefan sah zu Daniel hin, »wo wieder die Sicherung durchgeknallt ist, vielleicht wird es einfach Zeit, dass ich mir was Neues zulege, das ganze Zeug hier«, er fuhr mit dem ausgestreckten Arm durch den Raum, »taugt nichts mehr«, nahm wie zum Beweis einen der Joysticks in die Hand und fügte, fast im selben Atemzug, hinzu: »Wir können ja zu Onno gehen.«

Und das taten sie.

bald Eltern zu werden und für den Nachwuchs zu sorgen. Wir hatten eine Art biologisch bedingten Waffenstillstand geschlossen. Nach außen hin herrschte Frieden, doch innen drin ging der Kampf mit anderen Mitteln weiter, jedenfalls bei mir. Ich fragte mich, wie ich sie loswerden und das kleine Monster am Schlüpfen hindern konnte, diese strampelnde, unsichtbare Unausweichlichkeit, die mich bis in alle Ewigkeit an sie ketten würde. Ich hoffte, dass diese Gedanken mit der Zeit verblassen oder verschwinden würden, spätestens mit Tobias' Geburt. Aber das taten sie nicht. Mein Hass auf sie hatte sich auf ihn übertragen.

Ein paar Tage später, wir fuhren zu dritt aus dem Krankenhaus nach Jericho zurück, und als wir in unsere Straße einbogen,

5

Onno wohnte nicht weit von Stefan entfernt, ein paar Hundert Meter die Verdistraße hinunter, in einem ähnlichen Haus, ein Neubau, den sein Vater entworfen hatte, für die Familie, kurz bevor er in seinem Architekturbüro eine andere kennengelernt hatte und ausgezogen war. Jetzt lebte Onno mit seiner Mutter allein darin, er oben über der Garage, sie nebenan. Er hatte ein Zimmer, in dem das Schlagzeug, ein schwarzes TAMA Artstar-II-Doublebassdrumset, vier Crashbecken, vier Hängetoms, zwei Standtoms, eine Hi-Hat, eine Regalwand voller Schallplatten, ein Kühlschrank und eine alte Wohnzimmereinrichtung standen, und ein Schlafzimmer, das mindestens ebenso groß war

sah ich einen Umzugskarton vor unserer Tür stehen. Ich ließ Nella in der Einfahrt aussteigen. Sie nahm den Korb, in dem Tobias lag, vom Rücksitz und ging zum Haus hin, zu unserem neuen Haus. Es war erst wenige Wochen zuvor fertig geworden, in manchen Zimmern hingen noch Kabel von der Decke, Möbel standen kreuz und quer, und noch immer waren nicht alle Kisten ausgepackt. Nur das Kinderzimmer war schon eingerichtet. Ich stellte den Wagen in die Garage und zog das Tor hinter mir zu. Erst als ich nach dem Hebel griff, merkte ich, dass ich zitterte. Nella stand über den Karton gebeugt, einen Zettel in der Hand.

Das ist aber nett, sagte sie, von Hermann, Kindersachen.

und über eine Außentreppe von der Einfahrt aus zu erreichen war. Er konnte kommen und gehen, wann er wollte, ohne dass seine Mutter etwas davon mitbekam.

Alle beneideten Onno für den Raum, die Unabhängigkeit und die doppelte Zuneigung, die ihm zuteil wurde. Oft kamen sie freitags oder samstags abends spontan bei ihm vorbei, saßen um den Tisch herum, tranken Bier, das sie von der Tankstelle an der Bundesstraße mitgebracht hatten – der einzige Ort in Jericho, an dem sie Alkohol kaufen konnten, ohne den Ausweis vorzeigen zu müssen –, rauchten und hörten stundenlang Musik, bis sie müde genug waren, um wieder nach Hause gehen zu können. Onno nickte, wenn jemand sagte, wie toll seine Zimmer seien, wie groß, wie weit weg von allem, drehte die Musik auf, um seine Ausnahmestellung zu beweisen, und war keinem böse, der nachts vorbeikam, weil er es bei sich zu Hause nicht mehr ausgehalten hatte.

Auf dem Klingelschild oben neben der Tür stand nicht *Kolthoff*, sondern *Metallica*. Immer wenn Daniel auf den weißen

---

Ich bin nie wieder mit Hermann Gerdes gefahren. Nicht wegen des Unfalls, sondern weil er seinen Dienst quittierte, bevor ich meinen wieder antrat. Danach sind wir uns nur noch ein paarmal begegnet, bei der Weihnachtsfeier im Friesenhuus und bei Geburtstagen von Bekannten. Wir haben nie über den Unfall gesprochen. Aber ich weiß von Kollegen, dass er diesen, seinen letzten Selbstmörder ebenso wenig vergessen konnte wie ich. Bis zu seinem Tod, ein knappes halbes Jahr später, da war ich schon ausgezogen, machte er sich Vorwürfe, mir an dem Tag den Vortritt gelassen zu haben. Er meinte, wenn er gefahren wäre, wäre das alles nicht passiert, mit Nella und mir, dann wäre alles anders gekommen. Ich hätte ihm gerne gesagt, dass das Schicksal nicht

Knopf daneben drückte, musste er an die Zeugen Jehovas denken, die im Mai letzten Jahres paarweise durchs Dorf gezogen waren, um die Jerichoer vom wahren Glauben zu überzeugen, und auch an Onnos Tür geklingelt hatten. Es war während der Proben geschehen, während der Vorbereitungen für das erste und einzige Konzert von Kill Mister. Sie hatten eine Pause gemacht, und Onno hatte bei Fokkens Grillimbiss vier Pizzas bestellt. Und als es dann klingelte, nach über einer Stunde, waren sie alle zur Tür gerannt wie vier ausgehungerte Kinder, die auf die Rückkehr der Eltern warten, vor ihnen zwei Frauen, die den *Wachtturm* in Händen hielten und an Rainer, den Größten und Ältesten, gewandt, sagten: »Herr Meta-lit-scha?« – »Haben Sie schon mal über Gott nachgedacht?«

Als Onno ihnen jetzt die Tür öffnete, ging er, ohne sie zu begrüßen, ins Zimmer zurück und ließ sich in einen der Sessel fallen.

Daniel sagte: »Halloah, schön, dass du da bistoah.« Das war auch eine Geheimsprache von ihnen, wie die Mädchennamen, so

von unseren Entscheidungen abhängt oder von einer Sekunde, die wir eher oder später aus dem Haus gehen, aber dazu kam es nicht mehr, weil er an Krebs erkrankt war, an Lungenkrebs, und fünf Tage nach der Diagnose starb.

Kurz nach seiner Beerdigung durfte ich zum ersten Mal alleine fahren, die ganze Strecke, von Emden bis Bremen oder Rheine und zurück. An der Stelle, an der es passiert war, stellte jemand ein Kreuz auf, und jemand anderes nahm es wieder weg, ehe ich sehen konnte, was darauf geschrieben stand. Ich musste es aber auch nicht sehen. Den Namen des Mannes wusste ich aus der Zeitung. Reinhard Renken. 10. Mai 1952 – 26. Oktober 1977. Darunter die Namen der Angehörigen und die Traueranschrift.

zu reden wie James Hetfield singt, mit einem tiefen, hervorgepressten Oah am Ende eines jeden Satzes.

»Was ist mit deinem Hoah?«, fragte Stefan.

»Das wird ja immer längoah«, sagte Daniel.

»Und fettigoah!«

»Du solltest das mal wieder waschenoah!«

»Mit Shampoah!«

»Was sagt denn deine Mutter dazuoah?«

Aber anders als sonst, wo ein Wort reichte, um sich stundenlang auf diese Weise zu unterhalten, ging Onno diesmal nicht darauf ein. Er verzog nicht einmal das Gesicht, starrte sie einfach nur an oder vielmehr durch sie hindurch, auf die Wand hinter ihnen, mit einem kalten, glasigen Blick.

Daniel und Stefan setzten sich aufs Sofa, ihm schräg gegenüber. Das ganze Schlagzeug, das fast die Hälfte des Raumes einnahm, war von einer Schicht feinen Staubes bedeckt. Überall lagen wellige Ausgaben von *Rock Hard* oder *Metal Hammer* herum. Sie bedeckten, irgendwo in der Mitte aufgeschlagen und um-

An manchen Tagen, wenn ich nicht wusste, was ich mit meiner Wut machen sollte und stundenlang mit dem Auto durch die Gegend fuhr, hielt ich vor dem Haus der Renkens und schaute hinüber. Ein großes Haus, größer als unseres, Nellas und meins, und viel größer als das Haus, in dem ich jetzt lebe. Ich parkte auf der anderen Straßenseite, hörte Musik, rauchte und trank neun oder zehn Flaschen Bier, bis ich müde genug war, um schlafen zu können. Manchmal war ich so müde, dass ich auf der Stelle einschlief und morgens, kurz vor Beginn der Schicht, aufwachte, mit steifen Gliedern und einem malzigen, metallischen Geschmack im Mund.

gedreht, die Heizkörper, Stehlampen, Würfelboxen. Der Ascher auf dem Tisch war randvoll mit Zigarettenstummeln. Daneben lagen eine Dose Fisherman's Friend, ein Zippo-Feuerzeug, eine Packung Blättchen und ein dünner, zerknitterter Tabakbeutel Schwarzer Krauser, in dem kaum mehr genug drin zu sein schien, um sich daraus eine drehen zu können. In einem Honigglas, rund und hoch wie ein Farbtopf, steckte bis zum Schaft ein Brotmesser. Und aus einer Papiertüte ragte ein Dutzend Krustenstücke aller Dicken und Längen hervor. Beide Fenster standen auf Kipp, und die halb zurückgezogenen Gardinen tanzten leicht im Wind. Die Wolken waren aufgerissen, und für Sekunden fielen einige Sonnenstrahlen fast senkrecht in den Raum herein.

Stefan erklärte, dass Daniel bei ihm vorbeigekommen sei und alles kaputtgemacht habe, und er ihn, um sein Zerstörungswerk fortsetzen zu können, mit hierhergenommen habe, zu ihm. Er lachte, er schlug sich sogar auf die Schenkel und sagte: »Witzich«, aber niemand stimmte in sein Lachen ein. Daniel sah ihn an und

Als ich einmal nach einer dieser Nächte meinen Dienst antrat, ein Personenzug nach Rheine, stand Hans am Bahnhof in Emden auf dem Bahnsteig. Ich hatte ihn Monate nicht gesehen. Damals kannte ich ihn noch nicht so gut wie heute.

Kann ich Sie irgendwohin mitnehmen?

Wohin Sie wollen, sagte er.

Es geht nur in eine Richtung, sagte ich, immer nur in eine Richtung, und ließ ihn, obwohl das nicht erlaubt ist, vorne bei mir einsteigen.

Während der Fahrt erzählte ich ihm, was geschehen war, und er sagte, wir sterben des Todes und sind wie Wasser, das auf die Erde gegossen wird und das man nicht wieder sammeln kann.

sagte mit weit weniger Betonung: »Sehr witzich.« Onno sagte noch immer nichts. Stattdessen nahm er einen Schluck aus einer Wasserflasche, die neben ihm, neben einer leeren Keksdose auf dem Boden stand. Irgendetwas stimmte nicht. Daniel hatte das Gefühl, geblendet zu werden, aber es war nicht das Licht, das von draußen kam.

Es war der Raum selbst.

Er war heller als sonst.

Er war heller, weil etwas fehlte.

Dann sah er es.

Die Platten waren weg.

Alle.

Vorhin, als er hereingekommen war, hatte er es nicht sehen können, aber jetzt sah er es: Das Regal, das in der Nische hinter ihnen die ganze Wand ausfüllte, war leer. »Wo sind denn deine ganzen Platten hin?«

»Weg.«

»Wie – weg?«

Was?, sagte ich, geistesabwesend, auf die Instrumente konzentriert. Ich hatte nicht erwartet, dass er mir eine Predigt halten würde.

Das wird Ihr Leben verändern. Wieder eine von seinen Erkenntnissen, aber zu dieser war ich selbst schon gelangt. Und als er in Jericho ausstieg, damals gab's den Bahnhof noch, sagte er, ich kann das, was Sie von mir erwarten, nicht leisten. Selbst wenn ich der Papst wäre, könnte ich's nicht, weil ich nicht daran glaube, dass es mit ein paar Ave Maria und Vaterunser getan ist, ich sehe da nur einen Weg, Sie müssen zu diesen Leuten hingehen, Sie müssen mit denen reden, dann wird Gott Ihnen vergeben.

Jetzt drehte sich auch Stefan zum Regal um. Onno besaß Hunderte Platten, einige, die von den Beatles, Pink Floyd und dem Electric Light Orchestra, hatte er von seinen Eltern geerbt, aber die meisten hatte er selbst angeschafft. Schon als Kind hatte er gespart und sein ganzes Geld für Singles oder Alben ausgegeben. Anfangs noch unsicher, was gut oder schlecht war, geleitet von dem, was wieder und wieder im Fernsehen oder Radio lief, hatte er, ohne zu überlegen, das aus den Kisten genommen, was er schon kannte, dann, auf Weers' Empfehlung hin, Edgar Varèse, Gene Krupa, Keith Moon, Mitch Mitchell, Klaus Dinger, John Bonham und Ian Paice entdeckt. Ian Paice! Deep Purple, *Paint It Black* auf *Scandinavian Nights*, live in Stockholm 1970, Connoisseur Collection DP VSOP LP 125, erste Platte, zweite Seite, sechs Minuten nur Schlagzeug. Und von da aus hatte er allein weitergemacht und sich – wann immer er Gelegenheit dazu hatte – bei Negativland, einem kleinen Plattenladen in der Kreisstadt, alles angehört und gekauft, was neu war, neu für ihn. Doom. Fear Of God. Naked City.

Ich erwartete keine Vergebung, weder von Gott noch von den Menschen, aber ich folgte seinem Rat und fuhr noch am gleichen Tag zu Familie Renken, um mit ihnen über ihren Sohn zu sprechen, über seine letzten Sekunden. Ich klingelte, und eine kleine Frau öffnete die Tür. Nachdem ich mich vorgestellt hatte, brach sie in Tränen aus. Sie schwankte und hielt sich am Treppengeländer fest. Immer wieder sackten ihr die Knie weg. Ihr Mann musste sie stützen. Gemeinsam brachten wir sie ins Wohnzimmer und setzten sie aufs Sofa. Der Mann bot mir ein Bier an. Sich selbst brachte er auch eins mit. Seiner Frau stellte er ein Glas Wasser hin. Wir stießen nicht an, sondern tranken schweigend und in kurzen, schnellen Schlucken. Goldene Zitronen, Blut-

»Hat meine Mutter weggeschlossen.«

»Was? Die spinnt doch.«

»Warum das denn?«, fragte Stefan.

»Wegen der Botschaften.«

»Welche Botschaften?«

»Was weiß ich. Sie hat da gerade einen Artikel gelesen, in dem steht, dass es auf Platten versteckte Botschaften gibt, die man nur hören kann, wenn man sie rückwärts abspielt.«

»Backmasking. Ist doch nichts Neues. Ich sag nur: *Revolution No. 9, Strawberry Fields Forever, Stairway To* –«

»Neu nicht, aber in Amerika haben sich deswegen zwei Typen umgebracht.«

»*Heaven* ... Weswegen?«

»Wegen der Botschaften.«

»Welche Botschaften denn?«

»Was weiß ich. Lies dir den Artikel doch selbst durch.«

Er ging zu seinem Schreibtisch hinüber, nahm einen an die Wand gepinnten Zeitungsausschnitt aus der *ZEIT* in die Hand

orangen, Passionsfrüchte, leicht eingeschrumpelt, perlend und spritzig, aber mit einem bitteren Nachgeschmack. An der Wand hing eine Uhr. Das gleichmäßige Ticken hatte eine beruhigende Wirkung auf mich, als ob sich mein Herzschlag ihrem Rhythmus anpasste. Mein Blick schweifte durchs Zimmer, eine Schrankwand, ein Teewagen, ein Fernseher, Orchideen auf der Fensterbank. Als ich wieder zu den Alten hinschaute, sah ich, dass auch sie sich beruhigt hatten. Ich erzählte ihnen von der Fahrt. Von der letzten Dampflok, den Menschen überall, von der Sonne, die durch die Wolken brach, von dem Land, das sich vor mir auftat, damals im Herbst, von der Stimmung, wie bei einem Abschied. Bei dem Wort Abschied fing die Frau wieder an zu weinen, auch

und reichte ihn Daniel. Vier Absätze waren mit einem gelben Textmarker angestrichen.

Zwei junge Männer haben 1985 Selbstmord verübt. Der eine war sofort tot, der andere starb drei Jahre später. Jetzt klagen die Eltern der beiden auf Schadenersatz, weil sie geltend machen, versteckte Signale und Kommandos auf Schallplatten von CBS Records unter der Musik der Heavy-Metal-Band Judas Priest hätten James Vance und Ray Belknap zum Selbstmord getrieben.

Am 23. Dezember eröffneten sie ihr Weihnachtsfest 1985: in Rays Schlafzimmer, mit Bier, Marihuana und mit der Judas-Priest-Platte *Stained Class*, die an einer Stelle davon spricht, daß es die Welt nicht wert sei, darin zu leben. »Laß sehen, was danach kommt«, will James gesagt haben. Mit einer abgesägten Schrotflinte waren sie auf den Spielplatz bei der Kirche gegangen, und nachdem Ray als erster das Ding in den Mund ge-

der Mann kämpfte mit den Tränen. Er schnäuzte sich in ein Taschentuch, in das die Initialen RR gestickt waren. Nach einer Weile stand er auf und holte für uns beide neues Bier aus der Küche. Obwohl das Glas seiner Frau leer war, als er zurückkam, stand er nicht noch einmal auf, um ihres wieder aufzufüllen. Dann erzählten sie mir von Reinhard, ihrem Sohn, von seinem Leben, davon, dass sie nicht wussten, warum er es getan hatte.

Er hat keinen Brief hinterlassen, sagte die Frau mit brüchiger Stimme. Und er hat mit niemandem darüber gesprochen. Nicht mit seinen Brüdern, nicht mit Vera.

Das wissen wir nicht, sagte der Mann.

nommen und abgedrückt hatte und sofort tot war, mißglückte James der tödliche Schuß gegen sich selbst.

Unter Hypnose gab er seine Version vom Hergang der Dinge an jenem 23. Dezember. Er sagte aus, daß er Judas-Priest-Texte wie die Bibel zitieren konnte und daß er meine, Heavy-Metal-Musik ermutige zum Töten, zu Vergewaltigung und Raub. Und Ray, ehe er die Flinte ansetzte, habe ausgerufen: »Du auch, du auch.«

Howard Shevrin, Psychoanalytiker an der Universität Michigan, zögerte keinen Augenblick, eine Gefährdung durch unterschwellige Botschaften zu bestätigen. Das Gehirn nehme sie auf und verinnerliche (!) sie als eigenständige Gedanken des Individuums. Unter den gegebenen Umständen – der verhaltensgestörten und daher zum Selbstmord prädestinierten jungen Leute – sei die unterschwellige Botschaft »du auch« zwingend gewesen, führte Shevrin vor Gericht aus. Sie habe Ray und James gewissermaßen »über die Kante geschoben«.

Mit uns jedenfalls hat er nicht darüber gesprochen, über seine Probleme.
Welche Probleme denn, sagte der Mann. Ging es ihm nicht gut bei uns? Hat er nicht alles gehabt? Haben wir ihm nicht alles gegeben, was er wollte? Und hat er sich jemals dafür bedankt? Hast du ihn jemals Danke sagen hören?
Er hat überhaupt nie viel gesagt, sagte die Frau, mir zugewandt. Reinhard war ein stiller Junge.
Ich erfuhr, dass er nach dem Abitur zum Bund gegangen war und eine Lehre gemacht hatte, als Industriekaufmann, bei den Nordseewerken. Und ich erfuhr auch, dass er eine Freundin hatte, Vera Bohlsen, und sie ein Kind erwarteten.

Im ersten Moment hatte Daniel tatsächlich *du auch* und nicht *do it* gelesen, und er hatte noch einmal ansetzen und mit dem Finger auf die Stelle zeigen müssen, um sich zu vergewissern, dass dort tatsächlich *do it* stand und nicht *du auch*. »*Do it*«, er sagte das zu sich selbst und auch zu den anderen. »*Do it*.«

»Ja«, sagte Onno. »*Do it*.«

Und obwohl seine Befürchtung nicht bestätigt worden war, hatte ihn der Schock gelähmt. Plötzlich war er wieder im Gestrüpp. Ja weil wenn wir schon mal hier sind dann können wir ja auch gleich jaja klar alles klar ich hab das wohl verstanden das muss der mir nicht dreimal sagen akustisch hab ich das alles schon verstanden bin ja nicht taub aber ich verstehe trotzdem nicht warum wir uns verstecken müssen wir können ihm doch entgegengehen der kann doch sowieso nicht weg mit dem Platten oder weshalb schiebt der sonst sein Rad bei dem Wetter wir sollten das ganz schnell hinter uns bringen ihn da übers Feld schleppen zu dem Ding hin zu dieser Tränke da das ist doch Schwachsinn das ist doch wieder eine von Rainers Schnapsideen

Haben Sie Kinder?

Ich nickte. Die Frau nickte auch und wies auf ein Foto, das hinter mir an der Wand hing, und sie erhob sich, um es abzunehmen und mir zu zeigen. Das Porträt einer jungen Frau mit blonden Haaren und einem etwa gleichaltrigen Mann, der sie, ihren geschwollenen Bauch, von hinten umfasste. Sie lächelte, er nicht. Nach zwei Stunden stand ich auf. An der Tür umarmten wir uns wie alte Freunde, die sich lange nicht sehen würden.

Ich widerstand dem Impuls, auch Vera zu besuchen. Ich suchte ihre Adresse heraus, fuhr zu ihr hin, wartete bei laufendem Motor vor ihrem Haus. Sie wohnte nicht weit von Renkens entfernt. Ich stellte mir vor, wie wir uns gegenseitig trösten würden. Aber

Taufe dass der das immer übertreiben muss warum einfach wenns auch kompliziert geht das bringt doch nichts das ist doch viel zu weit weg und dann müssen wir das durchziehen obwohl keiner mehr Bock drauf hat ihn einfach so liegen lassen geht ja auch nicht weil wie sieht das denn aus nichts Halbes und nichts Ganzes eine Sache die man angefangen hat muss man auch zu Ende besser wir erledigen das gleich hier an Ort und Stelle obwohl ist jetzt auch egal bin jetzt sowieso schon nass von oben bis unten stehe ja schon bis zu den Knöcheln hoch im Dreck drin ausgerechnet heute muss ich meine neuen Chucks anziehen war ja klar immerhin kann man die waschen aber dann sehen die natürlich nicht mehr so aus wie vorher bei den Schwarzen von Onno ist die Farbe auch schon völlig ausgeblichen wer weiß wie oft der die durchgeschleudert hat Mama flippt aus wenn sie das sieht von wegen die haben ein Vermögen gekostet bei Schuh Schröder stehen die für fünfundneunzig Mark im Schaufenster fünfundneunzig Mark die haben dir Tante Margret und Tante Gerhild aus Bad Vilbel zum Geburtstag geschenkt Bad Vilbel

ich wusste, dass ich kein Trost war. Und fuhr weiter, über die Landstraßen zum Meer hin. Der Wind war so stark, dass ich mich gegen die Autotür stemmen musste, um sie aufzubekommen. Ich knöpfte meine Jacke zu und steckte die Hände in die Hosentaschen. Rückwärts, den Kragen aufgeschlagen, lief ich die Rampe zur Deichkrone hinauf. Die Wellen klatschten unten gegen die Böschung. Im Dunkeln konnte ich auf der anderen Seite des Dollarts Lichter sehen, Emden, die Lichter der Stadt. Bis zum Morgengrauen fuhr ich ziellos an der Küste entlang. Als ich nur noch wenig Benzin hatte, hielt ich an einer Tankstelle. In dem dazugehörigen Laden kaufte ich eine Karte. Ich wusste zwar, wo ich war, aber ich wollte wissen, wo ich sonst noch sein

wenn ich das schon höre zur Hölle mit Bad Vilbel und zur Hölle mit dem Geburtstag zur Hölle Tante Margret und Tante Gerhild mit euren Reihenhaushälften und euren Vorgärten direkt nebeneinander euren raspelkurzen Rasen und blitzblanken Autos samstagnachmittags euren Klamotten aus Tweed und Taft und Tüll euren Dauerwellen und Dauermännern euren Peter Alexander und Hildegard Knef Platten den Landschaftsbildern überm Sofa euren Porzellanhunden Zinnbechern Kristallgläsern überall und nichts darf man anfassen könnte ja kaputtgehen immer schön sauber bleiben oben und unten du hast dich noch gar nicht bei denen bedankt die schenken dir nie wieder was vor allem wenn du so schludrig damit umgehst aber das ist mal wieder typisch erst willst du sie drei Wochen später siehst du sie mit dem Arsch nicht mehr an so ist es mit all deinen Sachen Hauptsache du hast deinen Willen gekriegt was wir dafür leisten müssen was wir alles schon für dich geleistet haben das geht in die Hunderttausende aber das interessiert dich ja nicht das interessiert niemanden das sieht ja auch niemand das ist ja alles vollkommen selbst-

könnte. Der Tankwart, ein Zweimeterschrank, der in seinem Leben zu viel Benzin eingeatmet zu haben schien, sah mit leerem Blick zu meinem Auto hin, dann auf die Karte vor ihm, dann auf mich. Haben Sie sich verfahren?

Ich schüttelte den Kopf, zahlte und fuhr weiter, bis ich einen Ort gefunden hatte, an dem mich niemand stören würde. Ein Fabrikgelände, eine Ziegelei, schon vor Jahren aufgegeben. Ich kannte das Gelände aus Erzählungen. Die Scheiben waren zersplittert. Die Tore fehlten. Zwischen den Steinen schoss Gras empor. Der Schornstein, halb zerfallen, überragte weithin sichtbar das Land. Auf der Kühlerhaube breitete ich den Plan aus und drückte die Enden mit beiden Händen aufs Blech. Es gab Hun-

verständlich Hauptsache man ist rund und satt den ganzen Vormittag stehe ich hier in der Küche für euch schäle Kartoffeln und Wurzeln und mache Nachtisch lecker Nachtisch Erdbeeren Kotze mit Erdbeeren iiihhh Erdbeeren und dann fängt Papa auch noch an ich hole extra Fisch von Fischkrause frischen Fisch den besten Lachs dens gibt den teuersten die feinsten Filets goldbraun gebraten du musst dich hier nur an den gedeckten Tisch setzen bitte nimm Platz nicht dass du in deinen kostbaren Ferien einen Finger krumm machst ohne was dafür zu verlangen als ob der kochen könnte als ob der jemals und in Nullkommanix habt ihr das Essen runtergeschlungen wie irgendnen Fraß in der Fressbude jeden Tag die gleiche Leier und keiner hilft mir dabei alles muss man allein machen vielleicht wenn ich die einfach ins Wasser lege die einfach einweiche abspüle abschrubbe aber die Flecken gehen dann bestimmt auch nicht raus das Zeug läuft da einfach rein durch die Ösen und Nähte war ja klar dass das schmatzt wenn ich mich bewege hätte ich mir auch gleich denken können aber das hört der sowieso nicht der Regen ist viel zu laut

derte Möglichkeiten, abzubiegen und neue, andere Wege einzuschlagen, die mich bis ans Ende der Welt führen konnten. Aber ich stieg wieder ein und fuhr nach Hause.

Am Tag darauf ging ich mit einigen Kollegen in eine Kneipe am Hafen, in die Pinte. Es war erst Mittag, aber ich hatte meine Lok abgestellt, und auch die anderen hatten alle Aufträge, für die sie eingeteilt gewesen waren, erledigt. Wir bestellten Bier und Schnaps, das heißt, ich bestellte Bier und Schnaps, ich weiß nicht mehr, wie viel. Irgendwann schlief ich ein, und als ich aufwachte, war es draußen dunkel und drinnen gleißend hell. Der Wirt schüttelte mich und schlug mir mit der flachen Hand mehrmals ins Gesicht. Alle anderen waren verschwunden.

außerdem der ist doch mit sich selbst beschäftigt der hat doch sonst nichts andres im Kopp außer seine Viecher vielleicht wenn ich hier nur nicht immer so blöd wegglitschen würde gleich liege ich im Graben drinne das ist hier alles abschüssig vielleicht sollte ich mich einbuddeln brauch die bloß hochziehen schon sinke ich weiter rein und stecke fest aber dann komm ich vielleicht nicht schnell genug wieder raus um ihn zu packen sobald der Pfiff kommt vielleicht sollte ich einfach abhauen da durch die Öffnung das würden die gar nicht mitkriegen einfach den Bahndamm rauf und über die Schienen ins Dorf zurück das würden die gar nicht schnallen dafür sind viel zu viele Büsche davor bis die das merken bin ich längst weg vielleicht würden die mich auch gar nicht vermissen die würden mit Penis auch allein fertigwerden die brauchen meine Hilfe nicht haben die nie gebraucht aber wenn ich das mach brauch ich mich bei ihnen auch nicht mehr blicken zu lassen die würden mir das ewig vorhalten von wegen dass ich keinen Mumm hab dass ich sie im Stich gelassen hab undsoweiterundsofort dass ich eine feige Sau bin das ganze

Ich taumelte nach draußen, die Nacht traf mich wie ein Hammerschlag. Ich torkelte zu meinem Wagen, der einzige auf dem Parkplatz, kurbelte die Fenster herunter und ließ den Motor an. In meinem Kopf überschnitten sich die Fahrbahnmarkierungen. Ich musste mir ein Auge zuhalten, um auf der rechten Seite zu bleiben.

Das Licht im Flur brannte noch, und die Tür zum Kinderzimmer stand einen Spaltbreit offen. Ich legte mich zu Nella ins Bett, und als sie am Nachmittag mit Tobias spazieren ging, packte ich meine Sachen zusammen, das Wichtigste, Angelzeug, Klamotten, Papiere. Ich schrieb ihr, dass ich die Ursache und die Wirkung allen Übels sei und von jetzt an kein Karma mehr erzeugen

Programm die würden sich daran richtig aufgeilen würde ich ja auch machen an ihrer Stelle was ist das denn jetzt muss Penis sein so ein komisches Schluchzen der heult schon bevor er überhaupt was abgekriegt hat im Voraus quasi prophylaktisch so ein zittriges Atmen klingt wie ein Tier das in der Falle sitzt oder ein Mensch der aus der Kälte kommt das Ding aus dem Sumpf verdammt wo kommt das denn überhaupt her von da nicht und von da auch nicht überall dieses Schluchzen hör ich dahin kommt es von da hör ich dahin kommt es von da wo ist der blöde Bauer denn jetzt hin ist der schon durch oder was oder ist der umgedreht der muss umgedreht sein von da gibts keine Abzweigung der kann nicht abgebogen sein der muss hier lang oder wieder zurück es sei denn er geht querfeldein über die Weiden aber das traut der sich bestimmt nicht der würde seine Sachen nie im Stich lassen ums Verrecken nicht nicht einfach so der wird das doch nicht spitzgekriegt haben dass wir hier auf ihn warten nein dafür ist der viel zu doof und dann wären die andren auch schon hinterher und das hätte ich gesehen die müssen ja an mir vorbei

werde, jedenfalls nicht in ihrer Nähe, dass wir Abstand bräuchten und ich zu mir selbst zurückfinden müsse, um mein inneres Gleichgewicht wiederherzustellen, Dinge, die sie mir erst Tage zuvor vorgeworfen oder geraten hatte, und legte den Zettel auf den Küchentisch. Die ganze Autofahrt über schämte ich mich für mein Unvermögen, es ihr nicht ins Gesicht sagen zu können, dass das Geschrei unseres Sohnes das Geschrei eines Toten war, das in meinem Kopf lärmte und mich um den Schlaf brachte, und dass sie mir mit ihrem neuen Gott und ihren Gebeten und Gewändern, mit diesem ganzen zusammengestückelten Glauben, wahnsinnig auf die Nerven ging, und das schon seit Jahren, seit sie mit ihrer Schwester nach Japan geflogen war. Ich schäme

aber das Schluchzen ist da das bilde ich mir doch nicht ein ich bin ja nicht blöd bin ich das oder was kommt das aus mir raus ich spür das doch das kann doch nicht sein ich schluchze doch nicht so komisch so wie vor allem wie soll das gehn bei geschlossenen Lippen das würde ich doch merken was ist denn los die sind ja schon alle da warum hat mir denn keiner Bescheid gesagt hab ich den Pfiff nicht gehört oder was so laut ist das Schluchzen auch wieder nicht dass man das überhören würde wenn Onno die Finger in den Mund steckt kann der Tote wecken mit wem redet Stefan denn da Penis Fahrradlenker und das Vorderrad verbogen sieht ziemlich hinüber aus bestimmt ist der Rahmen verzogen muss einer draufgesprungen sein und da die Tasche die Bücher und Hefte eine Thermoskanne und die Gläser die ollen Gläser mit seinen Viechern drin endlich sind die kaputt die wollte ich schon die ganze Zeit gegen die Wand in Bio hat er ja mächtig damit angeben mit seinen Schnecken und Spinnen und Motten der Streber der wollte sich bloß bei der Mengs einschleimen also ich hab hier zufällig ein paar Exemplare dabei zufällig ja klar

mich immer noch dafür. Aber jetzt ist es zu spät für Entschuldigungen. Der Zug ist abgefahren.

Ich nahm mir in Emden ein Zimmer, direkt am Bahnhof; zur Arbeit musste ich nur über die Straße. Dort blieb ich zwei Monate. Einmal rief ich Nella an. Als sie meine Stimme hörte, legte sie auf. Später am Abend versuchte ich es wieder. Und in den nächsten Tagen noch ein paarmal. Aber egal wann ich anrief, sobald ich meinen Namen sagte, sobald sie merkte, dass ich es war, legte sie auf oder ging gar nicht erst ran und ließ es klingeln, und irgendwann, eine Woche später, war die Leitung tot, und eine fremde, künstlich klingende Frauenstimme sagte, kein Anschluss unter dieser Nummer. Ich mietete eine möblierte Woh-

wers glaubt wird selig und dann das typische Schlaubergerge-
sicht dazu immer dieses dämliche Grinsen ist ihm ja auch gelungen das gelingt immer die Lehrer sind ja froh wenn sich mal
jemand für was interessiert was gerade Thema ist wenn einer
mitarbeitet und mitdenkt aber sobald du weiterdenkst sobald du
die Frage stellst was das mit dir und deinem Leben zu tun hat
was das hier eigentlich alles soll was für einen Sinn das hat dass
wir hier den ganzen Tag lang rumsitzen und diesen ganzen
Quatsch in uns reinfressen wie nichts Gutes ist das ein Schritt zu
viel und du stehst ganz schnell am Abgrund ganz schnell mein
Freund das gehört nicht hierher das was du hier von dir gibst hat
doch mit den Bauplänen von Tieren nicht das Geringste zu tun
was interessiert mich denn der Bauplan von Schnecken Salz
drauf und fertig da sind ja auch Onno und Rainer obwohl ganz
schön weit weg dafür dass was machen die denn dahinten am
Bahnübergang da wo der Bus der Kelly Family Danny Boy the pipes the pipes are calling mit ihren komischen Gewändern sind
die bescheuert oder was und was sagt Stefan da der redet doch

nung in der Innenstadt, mit Blick auf den Delft, aufs Feuerschiff
und das Rathaus. Aber auch da hielt ich es nicht lange aus. Ich
dachte, ich könnte alles, was ich getan hatte, rückgängig machen
und noch einmal von vorne anfangen, indem ich wieder nach
Jericho zog, nicht zu ihr oder zu meinen Eltern, sondern in ein
kleines altes Haus neben der Pfarrei, das gerade frei geworden
war.

Ich weiß nicht, was Nella mir weniger verziehen hat, dass ich
abgehauen oder dass ich zurückgekommen bin.

Meine Hände zittern. Ich schaue auf, und der Zug steht in der
Einschaltstrecke eines Bahnübergangs. Der Alarm heult mir in

mit ihnen oder nicht was ich versteh kein Wort kann seinen Kopf nicht frseeeeeeeeeeeeeeeeeeeeeefrong ausgerechnet jetzt kommt ein Zug war ja klar frseeeeeeeeeeeeeeeeeeeeefrong bestimmt der Baalmann der pfeift immer wenn er vorbeifährt wegen seiner Frau oder wasweißich damit die weiß dass er es ist dass er bald wieder zu Hause ist und das Essen aufm Tisch steht frseeeeeeee-eeeeeeeeeeeeeefrong was sagst du ich kann dich nicht na Daniel ganz allein hier so weit weg von hat der jetzt wirklich Daniel gesagt jetzt fängt das auch noch an zu Sirren so ein Flirren in den Schienen ein Kreischen bestimmt ein Güterzug mit Neuwagen die haben wir mal mit Steinen beworfen von dem Mast aus da das war ein Spaß raufgeklettert jeder eine Handvoll Schotter-steine und dann bambambam immer auf die Scheiben drauf nachts natürlich bei Vollmond wär ja sonst schön blöd gewesen von uns war ziemlich schwierig mit einer Hand das Gleichge-wicht halten und mit der andren zielen noch dazu in dem Zu-stand völlig breit und dann bebte auch noch alles wenn diese schweren Dinger vor allem die Erzzüge zwanzig dreißig Wagen

den Ohren, und ich werde panisch. Ich verstehe nicht, was pas-siert ist. Es dauert einen Moment, bis ich wieder klar denken kann und den Sifa drücke. Ich nehme den Hörer des Funkgeräts ab, rufe in der Leitstelle an und sage, dass ich kurz vor Rheine stehe und etwas später ankomme und alles in Ordnung ist, hab vergessen, den Sifa zu drücken, ich weiß auch nicht, bin nur kurz aufgestanden, weil ich einen Krampf im Bein hatte, und nicht schnell genug zurückgekommen. Ich löse das Bremsventil, drehe das Handrad nach rechts, langsam setze ich mich wieder in Be-wegung.

Mit beiden Händen wische ich mir übers Gesicht. Ich wün-sche mir einen Kübel kaltes Wasser oder ein Bett, in dem ich

hintereinander das ist ja nicht zum Aushalten so laut war das damals nicht und da waren wir genauso dicht an der Strecke dran dichter noch awokwokawok was war das denn jetzt klang wie wenn Papa im Garten den Teppich ausklopft so ein dumpfer Knall der von den Häuserwänden widerhallt und was ist das für ein rotes Zeug jetzt ist das Blut oder was wo kommt das denn plötzlich her ich hab mich doch gar nicht verletzt ich bin doch nirgendwo angestoßen oder doch hab ich mir etwa die Haut an den Dornen da aufgerissen geht nicht ab das Scheißzeug geht nicht ab Blut geht nicht raus das muss man sofort auswaschen sonst bleibt das ewig drin das bin doch nicht ich das kommt doch von oben aus den Wolken vom Himmel her mein Gott es regnet Blut es regnet tatsächlich Blut der Tag des Zorns ist gekommen Hagel und Feuer mit Blut vermischt das kann doch nicht sein und jetzt bebt auch noch die Erde es donnert und dröhnt und blitzt Meinders hat doch recht gehabt der alte Sack hat doch recht gehabt obwohl die Erde bebt schon die ganze Zeit das ist normal das ist der Zug der ist gleich vorbei dann ist es still in allen Wip-

schlafen kann. Ich wünsche mir, überhaupt mal wieder zu schlafen, ein paar Stunden nur, eine Nacht, einen Tag. Der Arzt, mein Hausarzt, Doktor Ahlers, hat gesagt, das ist nicht ungewöhnlich bei Ihrem Beruf, die unterschiedlichen Arbeitszeiten, das lange Sitzen; Sie brauchen keine Schlafmittel, sondern einen Ausgleich, sollten mehr Sport machen, sich verausgaben, körperlich an Ihre Grenzen gehen, mit dem Rauchen aufhören. Und das habe ich gemacht. Ich bin jeden Tag am Deich entlanggelaufen. Ich habe mich gegen den Wind gestemmt oder mich von ihm treiben lassen. Bei Ebbe bin ich durchs Watt; ich bin so weit hineingerannt wie möglich und dann, die Flut um mich herum, wieder zurück. Im Schwimmbad bin ich geschwommen, ich

feln spürest du die von dem Schilf da bewegen sich schon nicht mehr dahinten muss er schon durch sein ich geh jetzt besser mal zu den andren hin steh hier schon viel zu lange dumm rum Scheiße was soll das denn jetzt Peni ich meine Peter wie bist du denn so schnell hierhergekommen ihm fehlt ein Auge mein Gott ihm fehlt ein Auge was ist denn mit dir passiert wie bescheuert was Besseres fällt mir jetzt natürlich auch nicht ein das sagt man immer bei Unfällen so ein völlig kranker Automatismus das hat Papa auch gesagt damals nach dieser Sache im Maisfeld mit Eisen aber dagegen ist das hier ein Witz die Hälfte von Penis Gesicht ist weg der hat ein faustgroßes Loch im Kopp wie in diesem Buch das bei Reicherts im Regal steht Krieg dem Kriege oderwiedasheißt die Haut weiß und aufgerissen und mit Drähten verbunden so als sei sie zerfetzt und nur für die Begegnung mit mir wieder vielen Dank auch Frankensteins Monster so sieht er aus genauso ein Gesicht dass man kilometerweit weglaufen will der rechte Arm ein Stumpf der ganze Körper nackt bis auf irgendsoeinen Hosenrest zerfurcht wie von einer Gartenfräse

weiß nicht, wie viele Bahnen. Ich habe mir sogar ein Fahrrad gekauft, ich und ein Fahrrad, ein Rennrad mit geschwungenem Lenker. Ich habe abgenommen, zehn Kilo in zehn Wochen, eine Zeit lang war ich besser in Schuss als je zuvor. Die Hosen und Hemden waren mir plötzlich zu weit, und ich musste mir neue kaufen, eine Nummer kleiner. Ich bildete mir ein, mich besser zu fühlen und besser zu schlafen, aber wann immer ich aufwachte und auf die Uhr schaute, merkte ich, dass oft nur wenige Minuten vergangenen waren. Und deshalb ließ ich es wieder sein, nicht sofort, nicht von einem Tag auf den anderen, aber ich lief weniger weit, ich schwamm weniger Bahnen, und das Fahrrad blieb in der Garage stehen.

jetzt schwankt er auch noch hin und her taumelt und wackelt rum wie ein angestoßener Kreisel kurz vorm Umfallen Scheiße warum fällt der nicht um so wie der aussieht müsste der doch jeden Moment zusammensacken oder auseinanderbrechen was ist das denn jetzt was will der denn jetzt mit dieser blöden Latte das ist doch das Ding das er immer mit sich rumschleppt wahrscheinlich nimmt er die auch noch mit ins Bett und schiebt sie sich hinten rein und reißt sich den Arsch damit auf würd mich nicht wundern bei dem wundert mich gar nichts mehr lang genug ist das Ding ja um es sich einmal von unten bis oben durchzustecken und scharf wie ein Schwert und genauso hält er es auch wie das Schwert eines Scharfrichters wie das in dieser Rüstkammer in Emden wo wir neulich mit der Klasse waren im Museum im Rathaus und mit dem fährt er bestimmt gleich in meinen Kopp rein wie in eine überreife vielen Dank auch war ja klar alles klar nur zu nur weiter so immer weiter immer druffdruffdruff wie bei der Konfirmation wie bei der Scheißkonfirmation als ich da in der Kirche mit geschlossenen Augen und ge-

Ich passiere Weiden und Wiesen, unterquere zum siebten Mal die B70 und fahre endlich in Rheine ein, trotz meines Ausfalls fast pünktlich auf die Minute. Als ich den Zug im Betriebswerk abstelle, bin ich erleichtert. Gleichzeitig sehe ich den Wagen mit einer Sehnsucht nach, als schmerze es mich, wieder einmal all die Möglichkeiten, die Welt in die Luft zu sprengen, ungenutzt gelassen zu haben.

Bei der Lokleitung, wo ich meinen neuen Auftrag abhole, muss ich zwei Fragen beantworten, ob das öfter vorkomme, das mit dem Krampf im Bein, und ob ich überhaupt in der Lage sei, zurückzufahren. Ich sage zweimal Ja, und daraufhin gibt man mir den Rat, den Betriebsarzt in Emden aufzusuchen und mich

falteten Händen vor Meinders kniete wie der letzte Idiot wie er selbst und Ja gesagt hab dreimal hab ich Ja gesagt ja ich will ja. Das alles durchzuckte ihn in einer Sekunde.

»Hat sie mir extra ausgeschnitten«, sagte Onno.

»Wer?«, fragte Stefan.

»Meine Mutter. Damit ich Bescheid weiß.«

»So ein Quatsch«, sagte Daniel und schüttelte den Kopf, um die Bilder loszuwerden, die der Artikel aus den Tiefen seiner Seele heraufbeschworen hatte.

»Sie ist in mein Zimmer gekommen, als ich in Dänemark war, hat gesehen, dass ich die gleiche Platte habe«, er tippte mit dem Finger auf den Artikel, »die, um die es da geht, *Stained Class* –«

»Super Scheibe«, sagte Stefan und dann, Daniel zugewandt und auf den Zeitungsausschnitt zeigend, »gib mal her.«

»Eher ziemlich konventionell, wenn du mich fragst, in den Siebzigern mag das ja mal wegweisend gewesen sein, Hardrock, inzwischen hat das doch höchstens noch dokumentarischen –«

»Judas Priest ist doch kein Hardrock! Die frühen Sachen viel-

krankschreiben zu lassen. Ich denke eine Sekunde darüber nach, der Gedanke, zwei Wochen lang nichts zu tun zu haben, ist verlockend. Wäre es wärmer, könnte ich ans Leukermeer fahren und dort campieren. Ich könnte die neue Karbonrute und den neuen Köder, Boilies aus Holland, ausprobieren und meinen persönlichen Rekord, fünfunddreißig Pfund, zu überbieten versuchen. Im April beißen die Karpfen zwar gut, aber die Nächte sind noch kalt und lang, und mein alter Katalytofen fürs Zelt ist kaputt und der neue noch nicht da, und am Ende sitze ich doch bloß wieder Zuhause vor dem Fernseher herum.

Dann gehe ich in die Kantine, ziehe mir eine neue Packung Zigaretten aus dem Automaten, nehme mir ein Tablett, Brötchen

leicht, *Rocka Rolla, Sad Wings of Destiny,* aber spätestens mit *Sin After Sin* waren die doch ganz klar im Metalbereich angekommen, die waren sogar ziemlich weit vorn, damals. Ich sag nur: *Dissident Aggressor.*«

»Jedenfalls hat sie gesehen, dass ich die hab, wahrscheinlich hat sie sich dann auch mal die andren genauer angekuckt und beschlossen, dass ich ernsthaft selbstmordgefährdet bin. Und –«

»Steht ja auch überall *death* drauf«, sagte Daniel und reichte den Zeitungsausschnitt an Stefan weiter.

»– um mich vor mir selbst zu schützen, hat sie die dann alle weggeschlossen.«

»Wie, und wo sind die jetzt?«

»Was weiß ich. Irgendwo im Keller, im Heizungsraum wahrscheinlich. Hab schon alles durchsucht, aber nichts gefunden, und der Heizungsraum ist abgeschlossen.«

»Übel«, sagte Daniel.

»Sehr übel«, sagte Stefan, »ganz schlechtes Klima da unten, ganz schlechtes Klima. Ich sag nur: subtropisch.«

---

und Aufschnitt und fülle, ohne dass es jemand mitkriegt, meine Thermoskanne auf. Ich setze mich an einen Tisch am Fenster, abseits der anderen, kritzele Worte und Zahlen auf den Betriebsleistungszettel und beobachte, lustlos in meinen Aufzeichnungen blätternd, die jüngeren Kollegen. Aus Angst, während ihrer Pause etwas zu verpassen, rennen sie von einem Tisch zum anderen, unterhalten sich mit diesen oder jenen über den Fall der Mauer, die bevorstehende Fußball-WM, stillgelegte Strecken und stillgelegte Ehefrauen, nie länger als ein paar Minuten, und tauschen dabei die neusten Geschichten und Gerüchte aus. Natürlich kommen sie auch zu mir. Sie umringen mich wie jemanden, der am Boden liegt und darum bettelt, ausgezählt zu wer-

»Ja, Stefan«, sagte Onno, »vielen Dank für den Hinweis.«

»Das halten die niemals aus, die Temperaturschwankungen, meine ich. Die wellen sich. Viel zu feucht und viel zu warm.«

»Das reicht jetzt.«

»Hast du was zu rauchen da?«, fragte Stefan. Er klopfte sich mehrmals mit der Faust an die Brust. »Könnte was gebrauchen.«

Keiner sagte jemals: »Ich habe Lungenschmacht«, so wie Volker. Einmal hatte Daniel es gesagt, »Lungenschmacht«, und alle hatten ihn angesehen, als wäre er nicht ganz richtig im Kopf, als hätte er einen Sprachfehler, den man nur durch viel Übung beheben könne, wenn überhaupt.

»Nee«, sagte Onno und drückte wie zum Beweis auf den auf dem Tisch liegenden Tabakbeutel. Ein paar Fussel wehten heraus und sanken wie brauner Schnee auf die Marmorplatte.

»Gar nichts mehr?«

»Nee. Du?«

»Nur Zigaretten«, sagte Stefan, rutschte im Sitz nach unten und holte eine an den Ecken eingedellte Schachtel aus der Ho-

---

den. Ich lege das Notizbuch weg, schiebe Kanne und Teller beiseite und höre mir an, was sie zu sagen haben.

Hab gehört, du bist wieder stehen geblieben, drüben bei Salzbergen.

Was war denn da los, alter Junge?

Ja, Walter, was war da los?

Warst du wieder betrunken?

Hast du wieder zu viel Kaffee getrunken?

Wie schaffst du es bloß, davon immer so blau zu werden?

Oder hast du wieder Besuch gehabt?

War etwa wieder eins deiner Mädchen bei dir?

Obwohl meine Pause noch nicht um ist, stehe ich auf, packe

sentasche. Er nahm eine Zigarette für sich heraus, reichte die Schachtel an Onno und Daniel weiter und gab beiden Feuer.

»Und wann –«, Daniel räusperte sich, um den Hustenreiz abzuschwächen, »ich meine, und wann kriegst du die wieder?« Tränen stiegen ihm in die Augen, und er wandte den Kopf ab, damit die anderen es nicht sehen konnten.

Onno schlug die Beine übereinander und reckte das Kinn vor, den Rauch nach oben hin ausstoßend. »So wie's aussieht gar nicht.«

»In dem Zustand kann man die sowieso nicht mehr abspielen«, sagte Stefan und klopfte mit einer Fingerspitze auf den Stängel tippend die Asche ab.

»Die spinnt doch«, sagte Daniel wieder, »das kann die doch nicht machen.«

Onno zuckte mit den Schultern.

»Was ich viel schlimmer finde«, sagte Stefan und hielt den Zeitungsausschnitt hoch, »ist, dass sie dich, uns alle eigentlich, indirekt damit beleidigt.«

meine Sachen und gehe zum Gleis. Ich habe wieder eine Zweisechzehn zugeteilt bekommen und frage mich, warum sie die Strecke überhaupt elektrifiziert haben, wenn sie immer noch die alten Dieselloks auf die Reise schicken. Diesmal ist es ein Schnellzug aus Köln, was den Vorteil hat, dass ich bis Norddeich nur siebenmal halten muss und mittags Feierabend habe. Noch ehe der Zugführer die Tür hinter sich geschlossen hat, fahre ich an.

Natürlich habe ich darüber nachgedacht, mich versetzen zu lassen, in der Verwaltung zu arbeiten. Man hat mir damals, nach dem ersten Mal, einen guten Posten in einem Stellwerk angebo-

»Womit?«, fragte Onno.

»Hier«, sagte Stefan und las die Stelle laut vor, »der verhaltensgestörten und daher zum Selbstmord prädestinierten jungen Leute. Ich sag nur: unterschwellige Botschaft!«

»Du meinst —«, sagte Onno und sah sich den Zeitungsausschnitt noch einmal an.

»Ganz genau. Das ist das, was sie uns allen eigentlich sagen will: dass wir verhaltensgestört sind. Und zum Selbstmord prädestiniert.«

»Die ist doch selbst zum Selbstmord prädestiniert«, sagte Onno. »Seit Achim ausgezogen ist, ist die doch völlig von der Rolle.«

»Sie überträgt ihre Ängste auf dich. Vielleicht sollte sie mal zu meinem Alten gehen, der könnte ihr was verschreiben.«

»Was denn?«

»Alles Mögliche. Sie muss ihm nur sagen, was sie will, und er stellt ihr 'n Rezept aus.«

»Müsste schon was Starkes sein. Sie liegt nämlich schon den

ten. Aber das ist nichts für mich. Ich kann nicht den ganzen Tag vor einem Bildschirm sitzen oder vor einer Wand voller Armaturen und Hebel und auf ein Kommando warten und auf dieses eine Kommando hin diesen einen Knopf drücken, so wie mein Vater. Das macht mich wahnsinnig. Nella ist überzeugt, dass ich es bin, wahnsinnig, dass ich mich in einem Kampf mit mir selbst befinde und die Trauer mich zerfressen hat, aber das stimmt nicht. Sie hat es nur nicht ertragen können, dass ich weiterfahren musste. Sie hat es nicht verstanden. Viele haben das nicht, und sie werden es auch nie verstehen, nur meine Kollegen, die schon, weil es ihnen genauso geht wie mir. Weiterzufahren ist die einzige Möglichkeit, das, was geschehen ist, zu vergessen, und die

ganzen Tag unten im Bett und dämmert vor sich hin.« Er drückte seine Zigarette aus.

»Sie kann auch heute Abend noch vorbeikommen. Das ist kein Problem. Passiert ständig, dass Leute außerhalb der Sprechzeiten Rezepte abholen, manchmal sogar nachts noch. Oder sie macht einen Termin mit ihm aus, für eine Sitzung. Er bietet nämlich so was auch an«, er zeigte auf den Artikel, »Gesprächstherapie.«

»Würde die nie machen. Die rennt lieber in die Kirche und betet das weg.«

»Vielleicht könntest du sie ja dezent auf diese Alternative hinweisen, indem du ihr eine Single von Therapy? schenkst.«

»Therapy?«, fragte Daniel.

»Ja«, sagte Stefan. »Eine neue Band aus England oder Irland.«

»Nordirland«, sagte Onno.

»Meinetwegen.«

»Hab ich neulich im Radio gehört, auf Bremen Vier.«

»Den kriegst du rein?«

einzige, damit klarzukommen. Erst habe ich die Angehörigen gehasst, dass sie an den Stellen, an denen es passiert ist, Kreuze aufgestellt haben. Ich dachte, sie wollen mich an das erinnern, was ich getan habe, sie wollen mich strafen mit diesen Zeichen ihres Kummers. Aber jetzt hasse ich sie nicht mehr. Ich weiß, sie sind verantwortlicher für den Tod dieser Menschen als ich.

Beim zweiten Mal war ich allein. Ich kam von Bremen. Es war mitten im Sommer, am 21. Juli 1983, und ich hatte klare Sicht, kilometerweit. Ich weiß noch, ich dachte gerade daran, was sich längs der Strecke alles verändert hatte, was es noch gab und was nicht, weil überall aufgetürmt Schwellen lagen, Holzschwellen.

»Klar.«

»Mit dem Ding da?« Er zeigte auf die Stereoanlage.

»Klar.«

»Mach mal an.«

»Jetzt nicht.«

»Mach mal an!«

»Nein.«

»Also kriegst du den doch nicht rein, hätte mich auch gewundert.«

»Ich muss dir nichts beweisen.«

»Nein?«

»Nein.«

»Dann kannst du das Radio ja jetzt auch anmachen«, sagte Stefan, klemmte, obwohl sie schon bis zum Filter abgebrannt war, die Zigarette in die Kerbe des Aschenbechers, und stützte die Hände auf den Knien auf, wie um sich zu erheben. »Oder soll ich es machen? Ich kenn die Frequenz auswendig.«

»Bitte«, sagte Onno und wies in Richtung Anlage.

Dass Schienen abgebaut und neue verlegt worden waren. Dass man den Schotter ausgetauscht und neue Schwellen, Schwellen aus Beton, verlegt hatte. Und dann, als ich bei Stickhausen-Velde um die Kurve kam, sah ich am Ende dieser langen Gerade jemanden im Gleis stehen. Dreimal gab ich Signal, dann zog ich die Bremse durch. Quietschend glitt der Zug über die Schienen, langsamer und langsamer werdend und doch nicht langsam genug, um rechtzeitig zum Stehen zu kommen. Es war eine Frau. Sie trug einen Kittel wie eine Krankenschwester. Ihre blonden Haare tanzten im Wind, bevor sie unter mir verschwand.

Michaela Klopp, 21. Juli 1963 – 21. Juli 1983, so stand es zwei Tage später in der Zeitung, darunter zwei Namen, Erika und

Stefan stand auf, ging zur Anlage hinüber und drückte auf allen Decks auf Power, aber nichts geschah.

»Was ist los? Kein Strom?« Er zog die Kommode ein Stück vor und beugte sich über den Verstärker.

»Die Netzkabel hat sie auch mitgenommen«, sagte Onno und nahm noch einen Schluck aus der Wasserflasche.

Stefan rückte die Kommode an die Wand zurück und setzte sich wieder. Er schüttelte den Kopf und grinste verächtlich. »Das ist ja wohl komplett schwachsinnig. Dann hätte sie die Platten ja auch dalassen können.«

»Was du nicht sagst.«

»Du bist wirklich 'n arm Bloot.«

»Danke«, sagte Onno. »Danke, dass du mich daran erinnerst.«

»Warum ziehst du nicht zu deinem Alten?«, fragte Stefan.

»Die mögen zwar in sehr vielem, in zu vielem vielleicht, nicht immer einer Meinung gewesen sein, aber in diesem Punkt sind sie es.«

»In welchem?«, fragte Daniel.

***

Aiko und die Adresse, sonst nichts, kein Hinweis auf die Beisetzung, kein Wort des Bedauerns, kein Bibelspruch. Diesmal war ich besser vorbereitet. Für die Mutter kaufte ich am Bahnhof einen Blumenstrauß, nichts Großes, nichts Buntes, fertig gebunden, in Cellophan gehüllt, mit einer Schleife versehen; dem Vater brachte ich eine Flasche Schnaps mit, einen Klaren, wir würden beide einen Schluck gebrauchen können, dachte ich. Außerdem wollte ich mich nicht wieder mit ein oder zwei Bier abspeisen lassen und dann stundenlang auf dem Trockenen sitzen. Aber als die Frau mir die Tür aufmachte, nur einen Spaltbreit, war sie schon so voll, dass ihr Atem mir meinen raubte. Auf meine Begrüßung hin rückte sie eine Brille zurecht, die das halbe Gesicht

»In meinem«, sagte Onno. »Dass es nicht gut ist, wenn ich bei ihm und seiner Neuen wohne.«

»Warum nicht?«, fragte Daniel.

»Weil sie mich nicht mag, und ich sie auch nicht. Außerdem ist ihr Haus viel zu klein. Und meine Mutter würde ausflippen, wenn ich's täte.«

Sie schwiegen eine Weile.

Endlich war auch Daniel mit dem Rauchen fertig. Er drückte die Zigarette aus und griff nach der Fisherman's-Friend-Dose auf dem Tisch, aber noch ehe er sie erreicht hatte, sagte Onno: »Kannst du vergessen, die ist leer.«

Daniel schüttelte sie, mehr als ein leises Rascheln war nicht zu hören, und er setzte sie wieder ab. »Wisst ihr noch«, sagte er, »damals, bei Weers?« Er wollte für bessere Stimmung sorgen, sie an ihre alten Zeiten erinnern, weil er hoffte, dass sich dadurch die Anspannung, die sie während der letzten Wochen befallen haben musste, lösen würde. Er wusste nicht, was los war, warum beide so gereizt waren. Bei Stefan im Keller ging ständig etwas

einnahm, und fragte, was woll'n Sie? Nachdem ich mich vorgestellt und ihr alles erklärt hatte, ging sie, ohne ein weiteres Wort zu sagen, hinein. Ich folgte ihr durch einen engen, mit Gerümpel zugestellten Gang. Im Wohnzimmer ließ sie sich auf ein speckiges Ledersofa fallen. Neben ihr saß ein Junge, vielleicht zwölf, dreizehn Jahre alt. Der Fernseher lief in voller Lautstärke, beide schauten sich die Schlümpfe an. Die Rollläden waren herabgelassen, die Lampen leuchteten und erhellten die Rauchschwaden, die an ihnen vorbeizogen.

Ich sagte ihr, wie leid es mir tue, das mit ihrer Tochter, obwohl das nicht stimmte. Ein paar Sekunden hielt ich ihr den Strauß hin, und als sie nicht reagierte, legte ich ihn einfach vor ihr auf

kaputt, und mit Onnos Mutter hatte es immer schon Probleme gegeben, viel größere als diese hier.

Einmal war sie aus einem völlig nichtigen Anlass heraus auf Onno losgegangen.

Er hatte beim Frühstück gesagt: »Der Tee ist kalt.«

Und sie hatte die Tasse genommen und ihm das Zeug ins Gesicht geschüttet und gesagt: »Für dich ist er heiß genug.«

Und ein andermal, kurz nach der Trennung von ihrem Mann, war sie mitten in der Nacht weggelaufen, und Onno hatte gedacht, dass sie sich etwas antun würde, wenn er sie nicht davon abhielt. Sie hatte schon damit gedroht, Tabletten zu nehmen oder sich vor den Zug zu werfen, und er musste die Polizei rufen und mit den Beamten, Kurt Rhauderwiek und Joachim Schepers, solange in der Gegend herumfahren, bis sie sie gefunden hatten. Sie stand vor einem Zigarettenautomaten am Ortsausgang, in Höhe der Bundesstraße. Geblendet vom Licht der Scheinwerfer beschirmte sie mit einer Hand ihre Augen, während sie mit der anderen in ihren Hosentaschen nach passenden

den Tisch, zwischen die leeren Bierflaschen und den vollen Aschenbecher. Das muss es nicht, sagte sie, ihre Stimme war so heiser, dass ich dachte, gleich ist sie weg, gleich kriegt sie keinen Ton mehr heraus, aber dann drehte sie mächtig auf, als hätte sie irgendwo in sich drin doch noch einen Rest Energie entdeckt, mir tut's nämlich auch nicht leid um die, die hat doch selber Schuld gehabt, von mir hat die das nicht und von ihm, sie zeigte an die Decke, auch nicht. Sie zündete sich eine Zigarette an, und dann erzählte sie mir die Kurzversion dieses, aus ihrer Sicht, vergeudeten Lebens. Schule abgebrochen, Lehre abgebrochen, und einen Typen nach dem anderen. Die hat sich an die Männer drangehängt, mit vierzehn schon. Dabei sah sie zu dem Jungen hin,

Münzen fingerte und, langsam auf den Wagen zugehend, behauptete, dass alle anderen Automaten kaputt seien. »Die fressen das Geld wie nichts … Acht Mark sind mir heute schon stecken geblieben … Acht Mark! … Das sind … zwei Schachteln! … Diese verdammten Maschinen!«, rief sie, sich von Satz zu Satz hangelnd, ins offene Seitenfenster hinein, ohne ihren Sohn auf der Rückbank zu entdecken.

»Ist alles in Ordnung mit Ihnen?«, fragte Rhauderwiek. »Haben Sie was getrunken?«

»Nee«, sagte sie. »Ich bin … müde.«

»Ist ja auch mitten in der Nacht.«

»Ja … Nacht.« Sie sah sich um, als wäre ihr das erst jetzt aufgefallen. »Mitten in der Nacht … Diese verdammten Maschinen! … Darum sollten Sie sich kümmern … Nicht um mich … Ich komm schon klar … Bin immer klargekommen … Bin nie allein … Gott ist bei mir … Er weist mir den Weg …«

»Der Herr ist mein Hirte, mir wird nichts mangeln«, sagte Rhauderwiek.

der die ganze Zeit über auf den Bildschirm starrte, schlumpfblau von seinem Widerschein, und mit beiden Händen eine Tüte Erdnussflips nach der anderen leerte. Die konnte nicht alleine sein, die musste immer jemanden um sich haben, vor allem nachdem Roland gestorben war. Bei dem Wort Roland zeigte sie wieder an die Decke. Obwohl der nicht ihr Vater war, aber der hat sich um die gekümmert wie 'n Vater, mehr als das, er war immer für die da, während ich den Kleinen hier versorgt hab. Sie tätschelte dem Jungen übers Knie, woraufhin der das Bein wegzog. Aber wie der Roland dann starb, war die allein, und mir war das alles auch zu viel, ich musste dann ja selber wieder arbeiten, in der Puddingfabrik, mir hat er ja nichts hinterlassen, außer Schulden,

»Genau … Ganz genau …«

»Außer was zu rauchen.«

»Haben Sie Zigaretten?«

»Nein«, sagte Schepers. »Nur Tabak. Ohne Filter.«

»Umso besser.«

Über seinen Kollegen hinweg reichte er ihr einen Beutel, und sie nahm die Blättchen heraus und drehte zwei Zigaretten, eine für sich, eine für ihn. »Kann ich Ihnen das hier«, sie hielt den Beutel hoch, »abkaufen?«

»Nein. Das können Sie nicht. Das können Sie nur behalten. Brauchen Sie noch mehr Blättchen? Da sind nicht mehr viele drin.«

»Blättchen habe ich genug … mehr als genug … Ich hatte nur keinen Tabak mehr … zu Hause …«

Aber er war schon abgetaucht. »Ich hab hier noch irgendwo welche«, sagte er, den Kopf halb im Handschuhfach. »Hier.«

»Vielen Dank«, sagte sie, nachdem sie den ersten Zug genommen hatte.

und dann die beiden Kinder, aber ich hab die Ärmel hochgekrempelt, bringt ja nichts, den ganzen Tag zu Hause rumzusitzen, davon wird man auch nicht schöner, und die hat auch die Ärmel hochgekrempelt, bis hierhin. Sie zeigte auf ihre Armbeuge. Ich weiß gar nicht, wie oft die auf Entzug war, dreimal bestimmt, bloß, das nützt ja alles nichts, wenn man's nicht will, wenn's hier oben, sie tippte sich gegen die Stirn, noch nicht angekommen ist, dass man sich zugrunde richtet.

Ich zündete mir eine Zigarette an, schraubte den Schnaps auf und trank einen Schluck aus der Flasche. Weiße Blüten, wogendes Heu, Rauch und Torf und Farn, und scharf wie Pfeffer. Ich merkte, dass sie auch etwas davon haben wollte, weil sie mit ei-

»Dafür nicht.«

»Sie hat der Himmel geschickt.«

»Nee«, sagte Rhauderwiek und zeigte hinter sich auf die Rückbank. »Ihr Sohn.«

Das alles hatte Onno seinen besten Freunden erzählt, Stefan, Rainer und Daniel, er hoffte, dass sie es nicht weitersagen würden, auch wenn er ihnen nicht extra eingeschärft hatte, alles, was seine Mutter und ihn betraf, für sich zu behalten. Und bisher hatten sie das auch getan. Keiner von ihnen sprach mit den Eltern über das, was sie gemeinsam erlebt hatten oder voneinander wussten, und manchmal dachte Daniel, dass das Wesen ihrer Freundschaft genau darin bestand: dass sie nur in den Augenblicken existierte, in denen sie zusammen waren, und kein Platz da war für die Vergangenheit und die Zukunft. Aber jetzt hatte er das Gefühl, dass sich seit ihrer letzten Begegnung etwas verändert hatte, etwas Entscheidendes, etwas, das nichts mit dem fehlgeschlagenen Experiment vorhin oder der fehlenden Musik jetzt zu tun hatte, sondern mit seinem Abgang, damit, dass sie nicht

nem gierigen Blick zu mir hinsah, wenn ich die Flasche ansetzte, aber ich gab ihr nichts ab, und sie redete einfach weiter, und je länger sie redete, desto heiserer wurde sie wieder, und irgendwann, als ihr tatsächlich die Stimme versagte, stand sie auf und holte sich selbst eine Flasche Schnaps aus dem Schrank.

Nachdem sie sich wieder hingesetzt hatte, sagte sie, so, na, dann wollen wir doch mal sehen, was wir hier Schönes haben. Sie hielt mir das Glas hin, stumpf von ihren fettigen Fingern, und prostete mir zu, aber diesmal reagierte ich nicht. Kaum hatte sie das Zeug runtergekippt, fing sie wieder an. Ich hab ihr immer gesagt, lass die Finger davon, du fängst dir noch was ein, hundert Mal hab ich's ihr gesagt.

mehr zusammen zur Schule gingen und nie wieder gehen würden.

»Was meinst du?«, fragte Onno.

»Napalm Death.«

»Ist doch schon ewig her«, sagte Onno.

Und Stefan fügte hinzu: »Interessiert keinen Menschen mehr.«

»Dich vielleicht nicht«, sagte Daniel. »Ich sag nur: *Tr*ash Metal.«

»Sind wir jetzt schon so alt, dass wir hier über die Vergangenheit reden, oder was?«

»Du fängst doch selber immer wieder damit an.«

»Womit?«

»Mit der Vergangenheit.«

»Jetzt hört schon auf«, sagte Onno. »Ist doch egal.«

»Nein«, sagte Stefan und erhob sich halb aus dem Sofa, »ich will erst wissen, was er damit meint.«

»Nichts«, sagte Daniel. »Vergiss es.«

Ich weiß nicht mehr, wie lange ich dort saß und ihr zuhörte. Irgendwann stand ich auf und fragte, wo die Toilette sei, und sie sagte, das Klo ist gleich da drüben neben dem Eingang, aber anstatt aufs Klo zu gehen, ging ich nach draußen in den Garten und pisste ins Beet, ein langer, kräftiger Strahl. Auf dem Weg nach Hause beschloss ich, das nie wieder zu tun, mich mit diesen Leuten zu unterhalten.

Alles wiederholt sich, nur in umgekehrter Reihenfolge. Bauern fahren mit ihren Treckern über die Felder, Wäsche bauscht sich im Wind, für die Kinder haben die Sandkästen auch nach zwei Stunden nichts von ihrer Anziehungskraft und Faszination ver-

»Na dann ist ja gut«, sagte Stefan und lehnte sich zurück.

Wieder schwiegen sie eine Weile. Onno nahm einen letzten Schluck aus der Wasserflasche und sah auf die Uhr. »Wo ist Rainer eigentlich?«

»Keine Ahnung«, sagte Stefan. »Zu Hause, nehm ich an. Müsste jedenfalls schon längst Feierabend haben. Der hat doch diese Woche Frühschicht.«

»Lasst uns da hingehen«, sagte Onno. »Ich halt's hier nicht mehr aus.«

»Ja«, sagte Stefan. »Ist ein bisschen still hier. Ein bisschen zu still.«

»Stiller geht's nicht«, sagte Daniel.

Und Stefan sagte: »Stille macht taub.«

»War's das?«, fragte Onno. »Seid ihr endlich fertig?«

Nachdem beide genickt hatten, durchquerten die drei das Schlafzimmer, verließen über die Außentreppe das Haus und gingen zu Rainer, der zwei Straßen weiter in der Bachstraße wohnte.

---

loren. Links taucht das neue Kernkraftwerk auf, und rechts, hinter Hanekenfähr, das alte mit seinem riesigen Kühlturm, aus dem schon seit Jahren kein Dampf mehr aufgestiegen ist und aus dem nie wieder welcher aufsteigen wird. Ich überquere den Dortmund-Ems-Kanal, der hier für wenige Hundert Meter mit dem Fluss zusammenfließt, bevor sich beide wieder teilen, und stehe kurz darauf neben den roten Ruinen einer untergegangenen Welt. Auf dem Bahnsteig ballen sich die Wartenden vor den geöffneten Türen zusammen. Die Fahrgäste im Zug drängen hinaus und die auf dem Bahnsteig hinein. Es ist immer wieder ein Vergnügen, diesen Moment, in dem sich die Bewegungen beider Gruppen aufheben, zu beobachten, aber das ist nichts gegen das

6

Der Regen hatte nachgelassen, es fielen nur noch ein paar vereinzelte Tropfen vom Himmel, die hier und da auf den nassen, dampfenden Asphalt klatschten, und über dem Meer, weit draußen am Horizont, klarte es auf. Die Sonne war zwar gleich wieder zwischen den Wolken verschwunden, aber alle spürten die Wärme, die von ihr ausging. Daniel kniff die Augen zusammen und sog den Duft der Bäume und Büsche ein. Bald würde die Schicht, die den ganzen Tag über wie ein dunkles Tuch auf dem Land gelegen hatte, verdunstet sein.

Er lief ein Stück hinter den anderen, auf dem Bürgersteig war kein Platz für drei nebeneinander, und im Rinnstein wollte er

Hochgefühl, mit Höchstgeschwindigkeit durch einen Bahnhof durchzufahren, ohne anhalten zu müssen. Jeder Mensch ist eine Verzögerung, ein Hindernis, das es zu überwinden gilt. Der Mann mit der roten Mütze hebt die Kelle. Die Türen schließen sich. Ich drehe das Handrad nach rechts, warte, bis das Getriebe gefüllt ist, dann fahre an.

Zu meinen Geschwistern habe ich nicht das beste Verhältnis. Nach dem Tod unseres Vaters haben wir uns noch regelmäßig getroffen, aber dann, mit den Kindern, mit ihren Kindern, sind die Abstände immer größer geworden. Und als ich meine Frau und meinen Jungen verlassen habe, als ich mich vor der Verant-

nicht gehen, trotz der Gummistiefel. Der Gedanke, kleiner zu sein als sie, kam ihm entwürdigend vor. Stefan und Onno unterhielten sich noch immer über Musik. Wenn sie sich an einem Thema festgebissen hatten, kamen sie nicht eher davon los, bis etwas Neues ihre volle Aufmerksamkeit verlangte.

Daniel trat Stefan in die Hacken.

Stefan strumpelte aber nicht, sondern holte, als hätte er diesen Angriff längst erwartet, aus und rammte Daniel die Faust in den Magen. Für einen Moment blieb ihm die Luft weg. Daniel krümmte sich, und während er langsam auf die Knie ging, sah er, dass Stefan und Onno einfach weitergegangen waren, ohne sich noch einmal nach ihm umzudrehen. Er brauchte eine volle Minute, um wieder zu Atem zu kommen. Dann stand er auf, die Hände an den Bauch gepresst, und lief seinen Freunden nach.

Das Haus, ein Bungalow, war neu, so neu wie die anderen der Siedlung. Alle Häuser hier sahen aus, als wären sie innerhalb einer Woche hochgezogen worden, bis auf eine Reihe in der Wag-

wortung gedrückt habe, wie sie sagen, herrschte jahrelang Funkstille. Verantwortung! Was wissen die schon von Verantwortung? Wer war denn ihr Vater? Wer hat denn all die Jahre auf sie aufgepasst und sie vor dem Schlimmsten bewahrt? Aber ich kann es ihnen nicht übel nehmen, dass sie mich verachten. Sie können nichts dafür. Sie sehen nicht, wie leicht sie es hatten. Sie wissen nicht, dass Steine vor ihnen lagen, die ich für sie und für mich selbst auch aus dem Weg geräumt habe. Sie sind eben keine Erstgeborenen. In ihrer Lage hätte ich womöglich genauso gehandelt. Eine Zeitlang haben wir uns nicht einmal mehr gegrüßt, und dabei wird hier jeder gegrüßt, selbst Touristen. Jetzt sehe ich sie nur noch selten, eher zufällig.

nerstraße, die älter war und aus den Sechzigern stammte, als Johann Rosing, der Bauunternehmer, Arbeitern günstige Wohnungen verschaffen wollte, damit sie bei ihm unterschrieben und nicht bei der Konkurrenz. Aber dann hatte er gemerkt, dass er mehr Profit machen konnte, wenn er das Land an die Gemeinde verkaufte, Dutzende Hektar bestes Bauland – es musste nur als solches ausgewiesen werden –, und er hatte das Projekt abgebrochen, eine reine Arbeitersiedlung jenseits der Schienen zu errichten und das Land brachliegen lassen, bis der Rat zu einer Entscheidung gelangt war.

Der Bungalow in der Bachstraße war nach denen in der Wagnerstraße das erste fertige Gebäude des neuen Viertels gewesen, und Familie Pfeiffer hatte schon zu einer Zeit darin gewohnt, als rings um sie herum alles andere noch Baustelle gewesen war: die Erde aufgewühlt und locker, der Himmel voller Lärm und Sand, scheppernd rotierende Betonmischmaschinen, an- und abfahrende Lastwagen, ein unüberhörbares Hämmern, Sägen und Klopfen von morgens bis abends und ein feiner, körniger Staub,

Ich habe auch nicht mehr viele Freunde, seit Nella und ich uns getrennt haben, und mit den wenigen, die mir geblieben sind, zwei, drei, die auch bei der Bahn arbeiten oder, wie Theo Houtjes, beim Ordnungsamt, rede ich über andere Sachen als über unsere Frauen oder Exfrauen oder über Gott und die Welt. Meistens gehen wir zusammen angeln. Und wenn wir stundenlang nebeneinander an einer der Ausschachtungen sitzen und Bier trinken, vollkommen auf die leisen Schwingungen der Aalglocke konzentriert, macht das den Kopf frei, freier jedenfalls als alles, was ich bisher erlebt habe. Ich denke dann an nichts mehr, nichts ist, nichts wird, nichts kommt zu mir zurück, bis auf den Haken.

Ich besuche zwar den Gottesdienst, schließe die Augen, falte

der die Scheiben benebelte und durch alle Tür- und Fensterritzen zu ihnen hereindrang.

Von der Straße aus war das Haus nicht zu sehen, nur die Schindeln, die das Schotterdach umrahmten, der Schornstein und die Fernsehantenne. Es lag etwas abseits und war von einer zweieinhalb Meter hohen mit Efeu berankten Bretterwand umgeben. Werner Pfeiffer, Rainers Vater, hatte den Zaun damals eigenhändig aufgestellt, ein verzweifelter Versuch, den ganzen Dreck von sich und seiner Familie, seiner Vorstellung vom Leben auf dem Land fernzuhalten, und dann stehen gelassen, sehr zum Ärger der Nachbarn. Die einen störten sich daran, dass er zu viel Schatten auf den Gehsteig oder ihren Garten warf, die anderen, dass er ihnen die Sicht nahm. Sie wussten einfach nicht, was sich dahinter abspielte, ob Pfeiffer Pflanzenschutzmittel benutzte, seine Frau, er selbst nackt durch den Garten rannten und ihre Jungs wirklich an Motorrädern herumschraubten, wie sie sagten, oder nicht doch eher an einer Bombe, mit der sie die Siedlung, wann immer sie wollten, in die Luft sprengen konnten.

meine Hände und spreche die Worte nach, aber ich bin nicht mit ganzem Herzen dabei. Ich schätze die Gemeinschaft, den Umgang mit Hans; wie gesagt, ich schöpfe Kraft aus all diesen Begegnungen, und doch gibt es nichts, was darüber hinausgeht. Ich fühle nicht, was ich fühlen sollte. Da ist keine Erleuchtung in mir, keine Ekstase, nicht das, was ich mir davon erhofft habe. Und deshalb bete ich zu den Sternen und den Bäumen und den Fischen im Wasser. Der See ist meine Kirche. Dort komme ich zur Ruhe. Dort habe ich das Gefühl, ganz ich selbst zu sein. Niemand verlangt etwas von mir, und ich verlange nichts von niemandem, nur von den Fischen, dass sie anbeißen.

Ich bin nie allein, auch wenn mich Hans oder die anderen ein-

Noch bevor Stefan auf die Klingel neben dem Tor drückte, konnten sie das Klirren und Scheppern hören, und wie Rainer zu irgendjemandem sagte: »Gib mir mal das Zwölfer-Ritzel da.« Er redete mit seinem zwei Jahre älteren Bruder Marcel, der schon Roller fuhr und ein richtiger Mod war, mit Anzug und Parka und aufgenähter Kokarde – nicht so wie Rainer. Selbst wenn er das Geld zusammenhätte, um sich all das auch leisten zu können, würde er nicht so rumlaufen wollen, so stilbewusst, so poppermäßig, wie Rainer es nannte, wenn er mit Stefan, Onno und Daniel zusammen war, mit geschnittenen, gekämmten Haaren, breiten Hemdkrägen und Lacklederschuhen. Rainer wollte einfach nur Roller fahren, einen alten, schwarzen Roller, weil er sich in dessen Form verliebt hatte, in das nach unten hin geschwungene und am Rand verchromte Beinschild, den großen, in den Lenker übergehenden Scheinwerfer und in die im Sonnenlicht silbern schimmernden Tritt- und Zierleisten. Aber das behielt er nach einem gescheiterten Versuch, ihnen etwas über Ästhetik zu erzählen, für sich. Wenn er jetzt darüber sprach, über seine

mal nicht begleiten. Die Jugendlichen lärmen weit weg am anderen Ufer, machen ein Feuer, werfen Dinge ins Wasser, Steine vermutlich, die sie vom Bahndamm klauben, und grölen herum, bis sie von ihrer Langeweile selbst angeödet sind und weggehen oder einschlafen. In der Dunkelheit sehe ich die Zigaretten der anderen Angler aufglimmen und verglühen. Ich höre ihr Rülpsen über den See hallen, das Knacken, wenn sie ihre Bierdosen zusammendrücken. Und anhand des Ausrufs, den sie von sich geben, wenn sie ihre Rute einholen, kann ich erkennen, wie gut oder schlecht ihr Fang war.

Hans hat mir anfangs nicht glauben wollen, wie befreiend es ist, eine Nacht am See zu verbringen. Während einer unserer ers-

Leidenschaft, sein Ziel, dann erwähnte er das durchzugsstarke Vierganggetriebe mit Ziehkeilschaltung und Kickstarter, die Mehrscheibenkupplung im Ölbad auf der Kurbelwelle, die selbsttragende Stahlkarosserie, die Schwingen mit hydraulisch gedämpften Federbeinen vorn und hinten, den Dell'Orto-Vergaser, die hohe Verdichtung und das überwältigende Gefühl, mit achtzig Sachen sinnlos an der Küste entlangzubrettern. Und dieses Gefühl war vor allem deshalb so überwältigend, weil es in seinem Alter verboten war, so schnell zu fahren. Nächstes Jahr, wenn er den Führerschein und einen eigenen Roller hatte, würde es weniger verlockend sein, die Grenzen des Machbaren auszutesten, und im Jahr darauf noch weniger. Aber solange die vage Aussicht bestand, mit der Prima die Primavera seines Bruders zu schlagen, bastelte er an seiner Hercules herum. Er hatte schon die alte Kette gegen eine neue ersetzt, beim Auspuff die Drosselung herausgenommen und den Zylinderkopf geplant, um die Kompression zu erhöhen, war aber bisher nicht über fünfzig Stundenkilometer Höchstgeschwindigkeit hinausgekommen.

ten Gespräche habe ich ihm gesagt, wenn es einen Gott gibt, dann ist er da draußen, und dabei habe ich aus dem Fenster seines Büros gezeigt. Aber es hat Jahre gedauert, bis ich ihn so weit hatte, dass er sich selbst davon überzeugen wollte. Und gleich nach der ersten Nacht hat er gefragt, wann ich das nächste Mal gehe und ob er dann wieder mitkommen dürfe. Damals dachte ich, er will bloß ungestört trinken können, aber jetzt, da er dem Alkohol, unserem gemeinsamen Dämon, abgeschworen hat, denke ich das nicht mehr.

In jener ersten Nacht saßen wir schweigend nebeneinander. Die ganze Zeit über hielten wir unsere Ruten ins Wasser, zweimal wechselten wir die Position, ohne etwas zu fangen. Und als

Als es klingelte und Marcel aufstand, um das Tor zu öffnen, war Rainer gerade dabei, die Übersetzung zu verlängern, indem er das Elferritzel gegen ein Zwölfer austauschte.

»Für dich«, sagte Marcel mit dem Daumen hinter sich zeigend auf dem Rückweg zu seiner Vespa.

Rainer schaute auf. »Ach, ihr seid es.«

»Ja, wir. Nur wir«, sagte Onno. »Hast du jemand anderen erwartet?«

»Ich habe niemanden erwartet«, sagte Rainer, die Augen gerötet, das Haar voller Staub, und starrte das Ritzel in seiner Hand an wie etwas Fremdes. Dann legte er es beiseite, er legte auch den Schraubenschlüssel in die Blechdose zurück, nahm einen Stofffetzen in die Hand, um sich die Finger abzuwischen, und erhob sich, wobei seine Gelenke so laut knackten, dass alle es hören konnten. Er hatte die Hoffnung aufgegeben, in Ruhe weiterschrauben zu können. Seit er in der Puddingfabrik arbeitete, blieben ihm nur wenige Stunden Zeit, um das zu machen, was er eigentlich machen wollte, und meistens war er, wenn er mittags

dann im Morgengrauen doch noch einer bei ihm anbiss, eine kleine Brasse, und er sie rausholte, fragte ich ihn, wie kannst du das tun, Fische fangen?

Und während er den Haken aus den Kiemen pfriemelte und das stumme zappelnde Tier ins Wasser zurückwarf, fragte er, wie kannst du das tun, Zug fahren?

Wolken haben sich vor die Sonne geschoben, und das Glitzern des Speichersees Geeste, das mich vor wenigen Stunden noch geblendet hat, ist verschwunden. Über dem Wasser liegt jetzt eine Mattigkeit wie im Herbst. Die Knospen an den Birken haben schon vor ihrer Entfaltung an Kraft verloren, die Weiden

oder abends nach Hause kam, selbst dazu zu müde, weil es ihn vollkommen erschöpfte, den ganzen Tag am Fließband zu stehen und an ihm vorüberziehende Packungen darauf hin zu kontrollieren, ob sie beschädigt waren oder nicht. Es erschöpfte ihn mehr als alles andere, und er musste sich immer wieder sagen, wofür er das tat und dass es das wert war, um nicht verrückt zu werden oder den Job hinzuschmeißen und die Sommerferien zu genießen, so wie seine Freunde.

»Jetzt sind wir da, Herr Meta-lit-scha«, sagte Daniel, und damit war klar, dass sie so schnell auch nicht wieder gehen würden.

»Ja«, sagte Marcel, obwohl Daniel es nicht zu ihm gesagt hatte.

Rainer sagte auch: »Ja«, ohne auf die Anspielung einzugehen, und fügte, um es nicht wie eine bloße Wiederholung klingen zu lassen, noch »Das sehe ich« hinzu.

In ihren ölverschmierten blauen Overalls waren Rainer und Marcel kaum voneinander zu unterscheiden. Wie sie da unter dem Carport standen, einer hinter dem anderen, und sich mit

sind weniger grün, der Himmel weniger blau. Aus allem ist die Farbe gewichen, die Farbe des Frühlings. Man schaut auf die Landschaft hin und weiß, dass der Sommer unwiederbringlich vorbei ist und die Luft immer kühler und milchiger werden wird. Trotzdem klammere ich mich an diesen Flecken grauen Wassers, bevor ich hinter Meppen wieder in den Wald eintauche, und trinke noch einen Schluck Kaffee zur Stärkung.

Ich bin dort auch schon angeln gewesen, bloß aus Neugier. Der See ist erst vor ein paar Jahren angelegt worden, zur Kühlung des Kernkraftwerks, aber außer ein paar Kaulbarschen und Stichlingen ist noch nicht viel zu holen. Und anders, als ich auf der Autofahrt dorthin dachte, sind sie weder außergewöhnlich

zwei zerschlissenen Unterhemden die Hände sauber rieben, wirkten sie wie Zwillinge, die sich gegen ihren Vater, den Fahrradfahrer, verschworen hatten. Werner Pfeiffer war auf das Klingeln hin aus dem großen, fast den gesamten Garten einnehmenden Gewächshaus gekommen und dann, als er gesehen hatte, dass der Besuch nicht ihm galt, halb winkend, halb abwinkend ins Haus gegangen.

Er verstand nichts von diesen Dingen. Er hatte nicht einmal einen Führerschein. Er unterrichtete Biologie und Chemie an der Realschule, und anfangs hatte er noch versucht, seine Söhne davon abzubringen, sich für Motoren zu interessieren, für Zylinder, Hubraum, Leistung. Er hatte sie mit ins Bremer Überseemuseum genommen und in die Kunsthalle nach Emden, sie hatten auf Inseln Urlaub gemacht, auf denen es keine Autos und Motorräder gab, und waren, noch vor Tschernobyl, mit dem Zug in die Berge gefahren und wochenlang durch dichte Wälder und über karge Wiesen von einer Hütte zur anderen gewandert, um Pilze zu sammeln und Ziegenmilch zu trinken. Aber es hatte nichts ge-

groß, noch haben sie drei Augen oder Fangzähne oder irgendeine andere spektakuläre Mutation, die ein stundenlanges Ausharren rechtfertigen würde. Dabei wären die Bedingungen in dieser steinernen Wanne womöglich ideal dafür. Der See ist Europas größte asphaltierte Fläche, das Wasser schwimmt in einer riesigen Betonschale. Schlimmer als das Kernkraftwerk oder die Künstlichkeit der ganzen Anlage sind aber die Schwimmer und Taucher und Windsurfer, die eine nachträgliche natürliche Entwicklung schon im Keim ersticken.

Wenn ich in der Nähe wohnen würde und jede Nacht mit dem Wagen dorthin fahren und bis zum Morgengrauen trinken könnte, ohne fürchten zu müssen, unterwegs angehalten zu werden,

nützt. Womöglich hatte es sogar den gegenteiligen Effekt gehabt und ihre Sehnsucht nach Geschwindigkeit und Krach verstärkt. Immerhin erklärten Marcel und Rainer, wenn er sie jetzt fragte, warum sie den ganzen Tag mit ihren Maschinen beschäftigt waren, dass sie daran arbeiteten, den Treibstoffverbrauch zu verringern. Und obwohl er ihnen das nicht ganz abnahm, gab er sich doch damit zufrieden, weil er hoffte, dass sie eines Tages in der Lage sein würden, ihr technisches Wissen tatsächlich für eine gute Sache einzusetzen.

»Wollt ihr was trinken, Jungs?« Die Mutter, barfuß, aber in Jeans und T-Shirt, stand jetzt auch im Garten – offenbar hatte ihr Mann ihr gesagt, wer geklingelt hatte – und war aus Neugier, oder um sich selbst von dem zu überzeugen, was er gesagt hatte, aus dem Haus gekommen. Ihre Hände steckten bis zu den Ellbogen in braunen Backhandschuhen.

»Klar«, sagte Stefan. »Vielen Dank, Frau Pfeiffer.«

Und Onno sagte: »Immer.« So leise, dass sie es nicht verstehen konnte. »Und es darf etwas mehr drin sein als null Prozent.«

würde ich es mir vielleicht sogar überlegen, trotz der geringen Ausbeute. Doch so macht es keinen Sinn. Und nach Meppen zu ziehen, aus welchem Grund auch immer, würde mir nie einfallen, zu groß und zu katholisch.

Jericho ist nicht groß, aber groß genug, um sich aus dem Weg gehen zu können, wenn man das will. Da sich mein Arbeitsrhythmus stark von dem der meisten Menschen unterscheidet und ich oft unterwegs einkaufen gehe, in einem der Supermärkte längs der Bundesstraße und kaum bei Superneemann, komme ich selten mit Leuten aus dem Dorf in Kontakt. Ich kann wochenlang ganz normal leben, ohne sie absichtlich zu meiden. Und wenn

»Was ist da eigentlich drin?«, fragte Daniel wie auf dieses Stichwort hin, er war erst zwei, drei Mal bei Rainer zu Hause gewesen und sah zum Gewächshaus hinüber. Die Plane war transparent, aber undurchsichtig, matt, von innen illuminiert und unten von aufspritzender Erde verdreckt, außer einem verschwommenen, wolkenhaften Grün war nichts zu erkennen.

»Pflanzen«, sagte Rainer.

»Ja, aber was für Pflanzen?«

»Seit wann interessierst du dich denn für Botanik?«, fragte Rainer und dann, den anderen zugewandt: »Was wollt ihr eigentlich alle hier?«

Stefan wiederholte seinen Witz von vorhin. »Daniel ist vorhin bei mir vorbeigekommen und hat alles kaputtgemacht. Und um sein Zerstörungswerk fortsetzen zu können, sind wir zu Onno gegangen«, wobei er mit schief gelegtem Kopf Onno zunickte, »und nachdem er da alles kaputtgemacht hat, dachten wir, hier gibt's vielleicht noch was, das sich lohnt, zerschlagen zu werden, und wir könnten ihm helfen, sein Werk zu vollenden.« Er grinste.

---

wir uns dann begegnen, bei der Post, im Rathaus, bei Doktor Ahlers im Wartezimmer, wundern sie sich immer, wie lange wir uns nicht gesehen haben, und fragen mich, wo ich die ganze Zeit über gesteckt habe, ob ich im Urlaub gewesen oder abgehauen sei, oder, und dabei zwinkern sie mir zu, in Emden in der Geschlossenen.

Es gibt aber eben auch immer wieder diese Phasen, in denen es mich zu meiner alten Familie hinzieht, Phasen, in denen ich glaube, bloß aus dem Auto steigen und an ihrer Tür klingeln zu müssen, um von ihr wie ein verlorener Sohn empfangen zu werden. Ich fahre herum, halte vor meinem alten Haus, schaue aus der Windschutzscheibe zu den hell erleuchteten Fenstern hinü-

Anders als beim letzten Mal sagte er aber am Ende nicht »Witzich«, und Daniel sagte deshalb auch nicht »Sehr witzich«, sondern »Gar nicht wahr«, als müsste er sich plötzlich sogar für das rechtfertigen, was er nicht getan hatte.

»Hier gibt's nichts«, sagte Marcel und sah zu dem halb zerlegten Mofa seines Bruders hinüber, eine schwarze Hercules Prima 5S, Baujahr 1989, 1,36 PS mit Zwei-Gang-Handschaltung. »Nichts, was Rainer nicht schon selbst zerstört hätte. Tut mir leid, euch das sagen zu müssen, aber ihr kommt zu spät.«

»Ihr könntet die Vespa da«, Rainer zeigte auf die frisch polierte Primavera 125, Baujahr 1967, 5,4 PS, »noch auseinandernehmen.«

»Ja«, sagte Marcel. »Wenn ihr so früh und schnell sterben wollt wie der kleine Peters, könnt ihr das gerne tun.«

Alle starrten ihn an.

»Nur zu.« Er wies mit der ausgestreckten Hand auf die Vespa, als bitte er jemanden in sein Zimmer herein, und trat einen Schritt zur Seite, aber keiner rührte sich.

---

ber und lasse mich eine Weile von der Vorstellung blenden, zurückkehren zu können, so wie wir uns nachts von den weißen Schatten längst verloschener Galaxien blenden lassen: Es macht mir Spaß, den ganzen Tag im Büro zu sitzen und Korrekturen in die Buchfahrpläne einzuarbeiten. Ich habe nie etwas anderes gewollt. Ich komme um fünf Uhr nachmittags gut gelaunt nach Hause zurück, parke den Wagen in der Auffahrt und schlüpfe durch die Hintertür ins Wohnzimmer. Mutter und Sohn schauen sich eine Vorabendserie an. Wir essen zusammen an einem reich gedeckten Küchentisch, Gänsebraten mit Rotkohl und Klößen. Zum Einschlafen lese ich Tobias noch eine Geschichte vor. Danach sitzen Nella und ich nebeneinander auf unserem oran-

Daniel war wie vor den Kopf geschlagen. Das, woran er dachte, woran alle dachten, war in Glas getaucht, ein Film, lautlos und in Zeitlupe abgespielt und doch kristallklar, jede Einzelheit deutlich sichtbar. Peter Peters.

Er konnte sehen, wie es hinter den Augen der anderen arbeitete, wie jeder von ihnen Gedanken nachhing, die in ihrer Mitte alle in einem Punkt zusammenliefen.

»Was ist los?«, fragte Marcel. »Was glotzt ihr so? Habt ihr Schiss? Natürlich habt ihr das! Ihr Feiglinge. Ihr habt nur 'ne große Klappe und sonst nichts. Ihr –«

Seine Mutter kam mit fünf Gläsern voller Eiswürfel und einer Karaffe frisch gepresstem Orangensaft heraus. Die braunen Backhandschuhe hatte sie abgestreift. Sie setzte das Tablett zwischen ihnen in der Einfahrt ab, auf den trockenen Pflastersteinen, sagte: »Bedient euch – wenn ihr mehr wollt, sagt Bescheid, ihr wisst ja, wo ihr mich findet«, und ging wieder ins Haus zurück.

---

gen Kunstledersofa, wir rauchen und trinken Wein, einen kräftigen Spätburgunder, tiefes, sattes Rot, fast schwarz. Schattenmorellen, geräuchertes Wildfleisch, Waldboden, im Gaumen breit und schmelzig und berstend vor Mineralität. Wir sehen uns ein Video an, eins, das ich aus der Videothek ausgeliehen habe, beiläufig, ohne auf die Gesten und Handlungen der Darsteller zu achten. Und doch, inspiriert von ihrer Choreografie berühren und küssen wir uns und reißen uns die Kleider vom Leib. Sie stöhnt und schreit und schlingt ihre Beine um meine, und wir wiegen uns im Takt unserer Lust, so wie damals, mit sechzehn, als wir uns kennenlernten, lange bevor unsere Liebe erloschen ist. Aber daran können wir uns nicht erinnern. Wir können uns

Nachdem er einen Schluck getrunken hatte, sagte Rainer: »Wir sind keine Feiglinge.«

»Ach nein? Wovor habt ihr dann Angst? Ich bin allein, ihr seid zu viert.«

»Eben«, sagte Rainer. »Deshalb werden wir gewinnen.« Ihm war eine Idee gekommen. Er wusste plötzlich, wie er es schaffen konnte, gegen Marcel zu bestehen. Vielleicht würde er ihn nicht abhängen können, aber lange genug auf gleicher Höhe bleiben, um seinem Bruder das Gefühl zu geben, verloren zu haben. »Wir sollten ein Rennen machen.«

»Was?«, fragte Marcel.

»Wir sollten ein Rennen machen. Im Hammrich. Auf der Hoogstraat. Da können wir die Maschinen ausfahren.«

»Was soll das? Was hat das für einen Sinn? Wir haben schon zehn Rennen gemacht, und du hast immer verloren, weil das Ding da«, Marcel zeigte auf Rainers Mofa, »es nicht bringt und niemals bringen wird. Das macht der Motor nicht mit. Wann geht das endlich in deinen Kopf?«

an nichts erinnern. Unser früheres Leben existiert nicht mehr. Kein Aufprall, keine Irritation, keine Ohnmacht und kein schlechtes Gewissen, keine Schuldgefühle, keine Missverständnisse, die zu stundenlangem Streit führen, keine Gegenstände, die daraufhin durch die Luft wirbeln, gefährlich nah an unseren Köpfen vorbei, keine heilenden Gespräche und morgendlichen Gebete, keine zertrümmerten Türen oder zerhackten Tische, keine Vorwürfe und Beleidigungen, keine schlaflosen Nächte und zermürbenden, traurigen Tage, kein Fuji, kein Jammer. Das alles liegt außerhalb unseres Universums, in einer fernen, fremden Welt. Wir sind neugeboren, eine neue Spezies.

»Ich werde jetzt das Ritzel austauschen«, sagte Rainer ungerührt und hockte sich wieder hin, das Zwölfer schon in der
Hand, »und dann werden wir ja sehen.«

»Damit kommst du höchstens auf sechzig. Das reicht immer
noch nicht.«

»Du hast den Ballast vergessen.«

»Welchen Ballast?«

»Den du aufnehmen wirst.« Rainer wandte sich halb um,
nickte zu Stefan, Onno und Daniel hinüber und sah dann seinen
Bruder an.

»Nein«, sagte Marcel. »Kommt gar nicht infrage.«

»Jetzt hab dich nicht so. Das haben wir doch schon mal gemacht.«

»Da waren wir betrunken. Da waren wir völlig weggetreten.«

»Umso besser, dass wir es jetzt nicht sind.«

»Wir wären fast dabei draufgegangen. Wir sind keine hundert
Meter weit gekommen, gerade vom Parkplatz runter, und haben
uns alle auf die Fresse gelegt. Mitten auf der Bundesstraße.«

Wo ich vorhin kaum mehr die Steigung gespürt habe, bei den
Tinnener Tannen, spüre ich jetzt ebenso wenig das Gefälle. Da
ist kein Kitzeln in der Magengegend, kein Kribbeln wie früher,
wenn wir mit Höchstgeschwindigkeit den kleinen Hang hinab-
sausten. Eine Hand auf dem Handrad, die andere auf dem Sifa,
rausche ich völlig gleichmäßig dahin, keine Vorsignale in Warn-
stellung, keine Heizungsstörung, keine Geschwindigkeitskon-
trollleuchten, nur von den Menschen unterbrochen, die ich in
Lathen abgebe und aufnehme.

Jedes Jahr zu Weihnachten und Ostern schenkt mir Hans ein
Notizbuch, das Modell, das auch er benutzt, schwarz, mit festem
Einband und mit einem Gummiband versehen, das parallel zum

»Ich weiß nur, dass wir im Gras lagen«, sagte Rainer und starrte plötzlich wie beseelt nach oben zur Glasauflage des Carports. »Nach dem Endspiel, nach Brehmes Elfmeter … Es regnete, so wie jetzt … und wir lagen im Gras … die Arme und Beine ausgestreckt … Wir haben uns den Himmel angeschaut … Mit einem Blick haben wir die Wolken verdrängt und die Sterne gesehen, alle auf einmal … Und dann ging die Sonne auf … und wir rissen uns die nassen Kleider vom Leib … und eins der Mädchen, Marianne, hatte was zu rauchen dabei … … das herrlichste Zeug … reine Blüten … und sie hat uns alle davon kosten lassen … Es schmeckte wie Gold … Es fühlte sich an wie Gold … Es war Gold … Unsere Bronchien waren mit Gold bestäubt … Wir schmückten unsere Lungen mit dem kostbarsten Gold aus … Und mit jedem Atemzug wurde uns leichter … Wir schwebten … Wir waren leicht wie Federn … Und wir schwebten nach Hause … Marianne und ich.«

»Erzähl doch keinen Scheiß«, sagte Marcel. »Du weißt doch gar nicht, wie das geht: inhalieren.«

Buchrücken verläuft und mit dem man es schließen kann, wenn man es gerade nicht braucht. Er hat nie etwas dazu gesagt, nicht, dass es mir helfen könne, Tagebuch zu führen oder meine Gedanken und Vorsätze aufzuschreiben. Wahrscheinlich ist es ein Verlegenheitsgeschenk, weil er weiß, dass ich seine von ihm selbst verlegten Schriften über die Apokalypse, den Propheten der Vernichtung und die Rückkehr des großen Drachen nicht lesen würde und mich außer Angeln und Trinken und Bahnfahren wenig interessiert und ich ihm in alldem überlegen bin. Ich habe das Buch oft einfach nur aufgeschlagen vor mir liegen, ohne dass ich etwas hineinschreibe. Meistens mache ich darin kleine Zeichnungen, völlig gedankenlos wie beim Telefonieren, oder ich

»Man muss nicht inhalieren, um high zu werden.«

»Du warst nicht high. Du warst besoffen, mehr nicht. Bis oben hin voll. Das waren wir alle. Aber im Gegensatz zu uns warst du nach dem Sturz überhaupt nicht mehr ansprechbar. Da war nichts. Keine Reaktion. Kein Blinzeln. Kein Puls. Absolut nichts. Klinisch tot. Wir haben dich vom Ufo direkt ins Krankenhaus gebracht. Deine Nase war gebrochen, und dein T-Shirt war voller Blut. Und dir musste der Magen ausgepumpt werden, weil du sonst an deiner Kotze erstickt wärst. Die Wahrheit ist: Du kannst einfach nichts vertragen. Die Mädchen haben dich abgefüllt, um sich einen Spaß mit dir zu machen. Marcels kleiner Bruder. Der kleine Rainer. Sie haben Wetten abgeschlossen, wie viele Charlys du brauchst, bis du den Verstand verlierst.«

»Nein«, sagte Rainer. »Das ist wirklich geschehen.«

»In deinem Traum vielleicht.«

»Wer ist Marianne?«, fragte Daniel.

Alle sahen ihn an, als hätte er etwas unfassbar Dummes gesagt.

---

setze Striche, Dutzende Striche, einen neben den anderen. Ich zähle die Züge, die mir entgegengekommen sind, die Straßen oder Brücken oder stillgelegten Bahnhöfe, die ich passiert habe. Meistens lasse ich den Stift aber bloß ziellos übers Papier gleiten wie ein Pendel, der Seismograph meiner Seele, wobei selten etwas Brauchbares herauskommt, weil meine eigenen Erschütterungen von denen des Zuges nicht zu unterscheiden sind, oder ich folge mit der Spitze der Trassenführung des Transrapids. Auch jetzt, wo ich wieder daran vorbeifahre, ziehe ich auf dem Papier meine Kreise. Das Buch ist voll davon. Das schwarze Buch der Unendlichkeit.

Bald werde ich ein neues beginnen müssen.

Dann sagte Rainer: »Machen wir jetzt ein Rennen oder nicht?«

»Ein Kilometer.«

»Ich hab hundertfünfzig Meter Vorsprung.« Rainer hielt Marcel die Hand hin, und Marcel schlug ein.

Natürlich könnte ich jederzeit damit aufhören, aber ich habe gemerkt, dass mich diese Tätigkeit zufrieden stimmt. Jede dieser Linien ist, für sich genommen, nichts. Nur durch die Schwingung, nur durch den Bogen, der zum Ausgangspunkt zurückführt und diesen auslöscht, entsteht etwas Eigenartiges, das mir eine Macht verleiht, die niemand sonst für sich beanspruchen kann. Niemand kann hinterher mehr sagen, wo ich angesetzt und wo ich aufgehört habe zu zeichnen. Nur ich. Ich allein.

Als ich noch Fahrrad gefahren bin, um müde zu werden, um wieder durchschlafen zu können, bin ich oft hier im nördlichen Emsland unterwegs gewesen und an den alten Arbeitslagern,

7

Die Bahngleise an der Hoogstraat, der zweite unbeschrankte Übergang, markierten das Ziel. Über mehrere Kilometer verlief die Hoogstraat parallel zu den Gleisen, bis die Gleise kurz vor Jericho einen Knick machten und die Straße kreuzten. Wer die erste Schiene zuerst passierte, hatte es geschafft. Daniel hatte die Aufgabe, neben dem Andreaskreuz mit ausgestreckten Armen zu warten, bis sie, einen Kilometer von ihm entfernt, mit den Vorbereitungen fertig waren, und ihnen dann ein Zeichen zu geben, das Startsignal, indem er die Hände über dem Kopf zusammenschlug. Er zog den Ärmel der Regenjacke zurück und sah auf seine Digitaluhr: Viertel nach fünf.

Hügelgräbern, Moorleichen und Schießplätzen vorbeigeradelt. Wohin man auch tritt, überall vermintes Gelände, zu viel Geschichte. Aber der Wind ist weniger stark, und es gibt kilometerlange Strecken, die für Autos gesperrt sind, für zivile Fahrzeuge, nicht für Panzer. Das ganze Gebiet ist Naturreservat und Truppenübungsplatz in einem, eine Schutzzone für Tiere und gleichzeitig eine Erprobungsstelle für Waffen und Munition. Alle paar Meter stehen Schilder, von wegen militärischer Bereich, Bunker und Hallen, und abseits der Landstraßen liegen winzige Granatsplitter herum, die einem die Reifen aufschlitzen, wenn man nicht aufpasst. Die Wahrscheinlichkeit von einem Geschoss getroffen zu werden, ist relativ gering, solange man sich an die

Rainer kam noch einmal zu ihm zurück, um ihm letzte Instruktionen zu geben. »Als zusätzlicher Kitzel wartest du, bis du den Zug hörst«, sagte er bei laufendem Motor, sodass Daniel es kaum verstehen konnte, und er es, diesmal lauter, wiederholen musste.

»Welchen Zug?«

»Den aus Holland.«

»Was?«

»Was hast du für ein Problem? Reg dich ab. Bleib ganz cool. Dir kann nichts passieren. Und wir werden sowieso nicht gleichzeitig auf die Schienen treffen. Wir werden vor ihm da sein. Oder nach ihm. In jedem Fall so, dass wir ihn im Blick haben und bremsen können, wenn's sein muss. Mach einfach, wenn du ihn hörst, okay?«

»Du weißt doch, was mit Ahlers passiert ist.«

»Das war doch was ganz andres. Das kann man doch gar nicht vergleichen. Das war am Kleiweg. Ahlers kam aus der andren Richtung. Von da«, er zeigte auf ein paar Bäume, »vom Dorf her.

Sperrzeiten hält. Tief im Wald gibt es einen Ort, ein vor Jahren von Krupp ausradiertes Dorf. Alles ist weg, die Häuser, die Straßen; selbst die Kirche, eine der größten weit und breit, hat man abgetragen, nur der Friedhof ist noch da, der Friedhof von Wahn. Einmal, irgendwann im Sommer, ich hatte nur eine Pause machen wollen, war ich abgestiegen, hatte das Fahrrad an die Friedhofsmauer gelehnt und mich ins Gras vors Tor gelegt. Alle paar Sekunden setzte sich eine Pferdebremse auf meine verschwitzten Arme und Beine. Kaum hatte ich eine erschlagen, kam eine neue heran, und ich glaubte schon, dass Nella recht hatte, dass die Viecher tatsächlich ohne Anfang und Ende waren und im Moment ihres Todes wiedergeboren wurden, als ich ein-

Als er aus der Kurve kam, fuhr er neben den Gleisen her. Der Zug war im Toten Winkel. Und der Motor seines Porsche so laut, dass er nichts andres hören konnte. Er wusste nicht, dass da was kommt. Wir schon. Wir sind darauf vorbereitet. Und außerdem: Was kümmert dich das? Dir kann doch sowieso nichts passieren. Mach einfach, wenn du ihn hörst, ja?« Dann fuhr er wieder zu den anderen hin, und alle nahmen ihre Positionen ein.

Durch den Regen hindurch, der wieder stärker geworden war, sah er schemenhaft, wie Stefan und Onno bei laufendem Motor zu Marcel auf die Vespa stiegen, wie sie einen ersten Versuch unternahmen, das Gleichgewicht zu halten und gemeinsam loszufahren, wie sie innehielten und es, ein paar Meter weiter, noch einmal versuchten, indem sie während der Fahrt aufsprangen, wie auch das misslang und sie schließlich, wieder ein Stück weiter hinten, er konnte nicht genau erkennen, wie jetzt, einen Weg gefunden hatten, nicht umzufallen. All das hatte Rainer knapp hundertfünfzig Meter von ihnen entfernt auch beobachtet, und dann wandte er sich Daniel zu, die Hände auf den Lenker ge-

schlief, zum ersten Mal, wie mir schien, seit Wochen. Und als ich aufwachte, völlig zerstochen und völlig entspannt, womöglich betäubt vom Insektengift, dröhnten um mich herum die Panzer.

Angeblich liegen auf den Feldern auch immer noch Blindgänger herum, Überbleibsel des Krieges oder von Manövern, die bei der kleinsten Erschütterung hochgehen können. Aber ein anderes Mal, als ich tatsächlich einen Platten hatte, bin ich, das Fahrrad geschultert, ein ganzes Stück querfeldein ins nächste Dorf gegangen. Bei jedem zweiten Schritt über die blühende Heide meinte ich, auf einen Gegenstand zu treten. Der Untergrund wirkte mal hart, mal weich, und ich erwartete jeden Moment, entweder gleich einzusinken oder in die Luft zu fliegen, sobald

stützt und spielte mit dem Gashebel. Mehrfach ließ er den Motor aufheulen.

Wieder sah Daniel auf die Uhr. Es war wie ein Reflex. Er wusste, dass es nicht darum ging, in wie vielen Minuten sie die Strecke zurücklegten, sondern darum, Erster oder Zweiter zu sein. Er fragte sich, warum Rainer den Zug ins Spiel gebracht hatte, ob das seine Art war, die Sache mit Peter Peters zu verarbeiten, ob er den gleichen Kitzel spüren wollte, den er gespürt haben musste, allein auf den Schienen, im Angesicht des Todes.

Er zog die Kapuze zurück und lauschte. Aber außer den Motoren und dem Regen, der auf seine Jacke und auf die Plane der Silageberge hinter ihm drüppelte, konnte er nichts hören. Er schaute die Hoogstraat entlang und nahm etwas von der Anspannung in sich auf, die Marcel und Rainer beherrschte und in der gleichen Position – beide Füße auf dem Boden, beide Hände am Lenkrad – verharren ließ.

Dann hörte er es. Das Sirren. Den hohen, aufsteigenden Ton.

Der Zug schickte Boten aus, seine Ankunft anzuzeigen.

ich das Bein anheben würde. Ich setzte mein Leben nicht absichtlich aufs Spiel. Ich wollte mein Schicksal nicht herausfordern. Die Warnung vor den im Boden versunkenen Bomben sah ich erst, als ich auf der anderen Seite angekommen war und auf einem Feldweg vor den Schildern stand und mir selbst wie ein Blindgänger vorkam.

Und seitdem ist mir klar, warum sich all diese verzweifelten Menschen auf die Schienen stellen, weil die Schienen eine Linie bilden, weil die Entscheidung, die sie getroffen haben, durch nichts mehr beeinflusst werden kann, auch durch mich nicht. Das Schicksal kommt direkt auf sie zu, und die Folge ihres Handelns entfaltet sich unmittelbar, im Gegensatz zu allen anderen

Damit man ihm dort, wo er ankam – wo immer das war –, den nötigen Respekt erwies.

Damit man ihn willkommen hieß.

Oder die Flucht ergriff.

Unwillkürlich machte Daniel einen Schritt nach vorn, weg von den Gleisen. Er trat in die Mitte der Straße und ließ den Blick einmal über den Horizont schweifen, und obwohl der Bahndamm nach Westen, zum Fluss hin, bis zur Deichkrone anstieg, konnte er den Zug nirgends sehen. Nur die Brücke. Und die Bäume, die die Strecke säumten. Aber plötzlich war er da. Nacheinander erhoben sich die Vögel von den Bäumen und flatterten davon. Irgendwo dahinten peitschte er durch den Regen. Mit mehr als hundert Stundenkilometern und mehreren Hundert Tonnen im Rücken. Nichts würde ihn von einem Moment auf den anderen aufhalten können.

Daniel breitete die Arme aus, schloss die Augen und zählte bis drei. Dann schlug er die Hände über dem Kopf zusammen.

Optionen, die sie im Geiste schon durchgespielt haben mögen: Das Seil, das du um den Dachbalken geknotet hast, ist nicht kurz genug, um dich wie ein umgedrehtes Ausrufezeichen über dem Boden zu halten, oder es reißt, als du dich ganz hineinhängst; beim Sprung vom Kirchturm verfehlst du die gusseisernen Grabzäune und landest im weichen Gras, in einem Laubhaufen oder neben einem der frisch ausgehobenen Gräber in feuchter, warmer Erde; irgendjemand findet dich in der Badewanne, bevor du verblutet bist; die Schlaftabletten haben dir nichts als einen traumlosen Schlaf beschert; die Steine, die du dir um die Beine gebunden hast, um unten zu bleiben, lösen sich aus ihren Fesseln, und du steigst wieder nach oben. Nach einem dieser Versu-

Noch lag Marcel zurück, zwei-, dreihundert Meter vielleicht, aber mit jedem Meter verringerte sich der Abstand zwischen den beiden Motorrädern, und auch der Zug neben ihnen holte auf. Seine Umrisse blitzten jetzt zwischen den Bäumen, den Büschen hervor. Bald würden sie auf gleicher Höhe sein und, da die Schienen zu ihnen hin abbogen, an einem Punkt unmittelbar hinter Daniel zusammentreffen.

Jetzt hörte er auch die Lok, nicht ihr Stampfen, sondern ihr Brummen und Gleiten. Der Boden vibrierte zwar, aber die Schwingungen, die von den Rädern ausgingen und sich auf die Schienen übertrugen, waren gleichmäßig und kurz aufeinanderfolgend, schnelle, kleine, gewaltige Stöße. Das Brackwasser in den Gräben rechts und links der Strecke schwappte auf beiden Seiten gegen die von Bisamratten ausgehöhlten Wände, die Wiesen bebten, Stauden wogten an ihren äußersten Spitzen hin und her, bis selbst die Straße, von dieser unsichtbaren Kraft geschüttelt, erzitterte. Und dann war da das Rauschen, anschwellend, wie ein Windhauch, der von weit her durch die Blätter fegt, und

che kommst du zu der Erkenntnis, dass dir nicht einmal das gelingt. Und du beginnst nach neuen, effizienteren Methoden Ausschau zu halten. Selbst wenn du nachts auf eine Autobahn trittst, kann es immer noch sein, dass das Auto, das du für deine Erlösung bestimmt hast, ausschert. Im schlimmsten Fall kommt der Fahrer dabei ums Leben, und du bleibst unversehrt. Du stehst einfach daneben und musst zusehen, wie jemand, den du gar nicht kennst, deinetwegen stirbt. Das alles kann dir auf den Schienen nicht passieren. Alle schimpfen über die Bundesbahn. Aber in diesem Punkt ist sie verlässlich.

dieses verheißungsvolle Knistern auf den Schienen und oben in den Oberleitungen, als hätte jemand für dieses Rennen einen Wald aus Wunderkerzen angezündet.

Jetzt konnten es auch die anderen hören. Die Luft war voll davon. Rainer blickte erst nach rechts und beugte sich dann tief über den Lenker, tiefer als zuvor, tiefer als jemals. Stefan oder Onno, einer von beiden, zeigte auf den Zug, woraufhin Marcel den Kopf in dessen Richtung drehte, offenbar überrascht über diese Wendung der Dinge. Wenn er nicht mit seinem Bruder gleichzog, würde er mit der Lok zusammenprallen. Es sei denn, er bremste ab – oder er wurde den Ballast los, der hinter ihm auf der Sitzbank herumzappelte.

Daniel hörte das Pfeifen des Zuges, dreimal kurz und grell hintereinander, und wedelte mit den Armen. Er wollte, dass sie anhielten, dass sie ihren Stolz aufgaben und ihren Hass, aber stattdessen gaben sie noch einmal Gas, um alles aus ihren Motoren, aus sich selbst herauszuholen.

Dann schossen sie an ihm vorbei und über das Ziel hinaus,

Eine Station noch, dann bin ich da, dann werde ich Tobias wiedersehen oder auch nicht. Es ist Montag. Die Osterferien sind seit Mittwoch vorbei. Und um diese Zeit müsste er immer noch in der Schule sein, es sei denn, die letzten beiden Stunden fallen aus, und er hat eher frei und ist auf dem Weg nach Hause. Plötzlich aufkommender Nieselregen nimmt mir die Sicht, und ich schalte die Scheibenwischer ein. Kahle Äste liegen auf dem Gleisbett, Tannen bauschen sich im Wind. Das Wetter kann hier jeden Moment umschlagen. Vorhersagen mögen für den Rest der Republik gelten, für Ostfriesland sind sie nutzlos. Hier muss man jederzeit auf alles gefasst sein.

Auf einem der frisch gepflügten Felder springen vier Rehe da-

beide nebeneinander. Daniel konnte nicht sagen, welches Vorderrad vor dem anderen gewesen war. Rainer und Marcel erhoben sich über ihre Lenker, und ihre Maschinen machten einen Satz, als sie die Krone des Damms erreichten. Für eine Sekunde hingen die Reifen in der Luft, schwebten über der Straße, den Gleisen, und setzten dann dahinter wieder auf dem Asphalt auf. Daniel konnte gerade noch sehen, wie sich Stefan und Onno, die Gesichter in Panik verzerrt, an Marcel klammerten, um nicht herunterzufallen, bevor der Zug ihm die Sicht nahm. Und als der letzte Waggon vorbei war, sah er, dass sie hinter dem Bahnübergang einfach weitergefahren waren, anstatt, wie vereinbart, anzuhalten. Auf der langen Hoogstraat, die sich schnurgerade bis weit in den Hammrich hineinzog, wurden sie immer kleiner, bis sie irgendwann ganz verschwanden. Daniel stand noch eine Weile reglos da und schaute ihnen nach, dorthin, wo ihre Freundschaft begonnen hatte, bei den Ausschachtungen; zur Weide, wo sie Peter Peters eine Lektion fürs Leben erteilt hatten; und zum Kleiweg hin, wo Jahre zuvor der bunte Bus der Kelly

von. Ich trinke einen Schluck Kaffee und zünde mir eine neue Zigarette an. Sieben Jahre lang habe ich jetzt keinen mehr erwischt. Aber es ist kein Tag vergangen, an dem ich nicht daran gedacht hätte, dass es wieder passieren könnte. Wenn ich mit dem Wagen nach Emden fahre und meinen Zug besteige, denke ich daran, und wenn ich nach Hause zurückkehre und mich ins Bett lege, auch. Die Toten sind meine ständigen Begleiter. Die, die ich ins Jenseits befördert habe, und die, die ich noch auf die Reise dorthin schicken werde.

Vor drei oder vier Jahren, kurz vor Oldenburg, huschte mir etwas vor die Lok. Draußen war es dunkel, und die neuen Scheinwerfer geben kaum mehr her als die alten, ich konnte

Family gestrandet war, die einzige Band, die er je live erlebt hatte und die sich, seiner Vorstellung nach, niemals auflösen konnte, selbst wenn sie ihre Auflösung erklärte und keine Konzerte mehr gab und keine Platten mehr veröffentlichte, die für ihn und für sie selbst auch immer die Kelly Family bleiben würde, so oder so, bis ans Ende der Zeit.

Dann lief er nach Hause. Er nahm den kürzesten Weg, über die Gleise, bis er, dort wo die Hollandlinie auf die Westbahn traf, in Sichtweite des Stellwerks kam. Von da an schlug er sich in die Büsche. Ein Trampelpfad, von Pflanzen und Müll halb überwuchert, führte längs der Schienen zum Dorf hin. Er streckte eine Hand aus und ließ sie gegen die Zweige und Blätter tippen. Er trat einen Stein vor sich her, und als der ihm versprang und nicht sofort wiederzufinden war, nahm er einen anderen. Dann trat er gegen etwas, das er für einen Stein hielt, aber kein Stein war, sondern die Spitze von etwas anderem, Metallischem, etwas, was er kannte, weil es ihm Nacht für Nacht und manchmal auch am Tag, so wie heute, von innen her den Kopf aufschlitzte.

nicht viel sehen, nicht mehr als einen Schatten, und keine Sekunde später hörte ich einen Knall. Eine Lokomotive ist ein hartes Instrument, und mit der Zeit kann man wohl beurteilen, ob es ein Reh ist oder ein Hund oder ein Mensch. Jeder hat seinen eigenen Ton. Tiere knallen. Das sind ja nur Knochen. Ein kurzes, helles Knallen, wie von einem Schuss. Menschen sind dumpfer, wegen der Kleidung. Und ich meinte, ein Reh totgefahren zu haben oder eben einen Hund. Ich hielt nicht an. Ich machte keine Vollbremsung so wie sonst, so wie bei den Malen zuvor. Ich fuhr einfach weiter, durch Wechloy, durch die Innenstadt, durch die Fenster der Häuser mit den Menschen dahinter, die mit etwas vollkommen anderem beschäftigt waren, mit sich selbst.

8

Nach der Geschichte mit der Kuhtränke hatten sie Peter Peters nie wieder angerührt. Sie hatten ihn nicht einmal mehr beleidigt, aber andere hatten es getan, und das hatte ihn über die Kante geschoben. Der Spitzname, den sie ihm am Anfang gegeben hatten, war in den Köpfen hängen geblieben, auch wenn sie ihn in seiner Gegenwart nicht mehr gebrauchten. Trotzdem fiel das Wort im Unterricht, in der Pause, im Bus, ohne dass er gemeint gewesen wäre. Und immer, wenn jemand in seiner Gegenwart »Penis« sagte, gab es jemand anderen, der Peter Peters daraufhin in den Nacken schlug und sagte: »Wir haben gerade über dich gesprochen.«

Ich fuhr, langsamer und langsamer werdend, in den Oldenburger Bahnhof ein, überzeugt davon, dass meine Wahrnehmung und Erfahrung mir keinen Streich gespielt hatten. Der Wagenmeister, der den Zug in Empfang nehmen wollte, stand schon am Gleis, eine Taschenlampe in der Hand. Ich erzählte ihm von dem Aufprall und bat ihn, das Fahrgestell abzuleuchten, was er ohnehin getan hätte, weil der Zug abgestellt und gereinigt werden sollte. Und er fand dann auch Haare, braune Haare, hart und glatt und blutverschmiert, die ebenso gut von einem Menschen stammen konnten, und einen Stofffetzen, kariert, wie von einem Hemd. Ich ging zum Fahrdienstleiter und rief die Polizei und ließ die Strecke sperren. Aber eine Stunde später kam über Funk die

Irgendwann hatte Peter Peters beschlossen, nur noch mit dem Fahrrad zur Schule zu fahren, egal bei welchem Wetter, er trotzte Wind und Regen, und in den Pausen hatte er sich stets abseits der Gruppen aufgehalten, meist in der Nähe eines Eingangs, um jederzeit im Gebäude verschwinden zu können, obwohl ihm dort die Lehrer auflauerten und ihn die Hausordnung abschreiben ließen, zwei eng bedruckte Seiten, als Strafe dafür, dass er sich ihrer Anweisung, sich zwischen den Stunden draußen aufzuhalten, widersetzt hatte, als Strafe für seine Feigheit. In fast allen Fächern saß Daniel neben ihm, aber sie sprachen nicht mehr miteinander als unbedingt nötig. Peter Peters stellte nie eine Frage, und er antwortete nur, wenn der Lehrer oder ein Mitschüler ihn direkt ansprach, außer in Biologie, da meldete er sich freiwillig und führte eigenständig Experimente durch. Er wusste, wie man Eiweiß in Nahrungsmitteln nachweist (durch Erhitzen), was Blumentiere sind (Korallen zum Beispiel) und unter welchen Bedingungen Pflanzen guttieren (nach feuchtwarmen Nächten), ohne sich extra auf den Unterricht vorbereitet zu haben.

Nachricht, dass sie zwischen Bad Zwischenahn und Bloh ein Reh gefunden hatten.

Wie das Stück Hemd dahingekommen ist, weiß ich nicht. Vielleicht ist jemand bei der Wartung an einer Schraube hängen geblieben, oder es lag auf den Gleisen, und der Luftzug hat es hochgewirbelt. Die ganze Zeit über, in der ich dem Fahrdienstleiter in seinem Büro gegenübersaß und wir uns mit Zigaretten und Geschichten voller Gewalt und Tod betäubten, zwei Männer, die schon viel zu lange auf den Beinen waren, hielt ich es in der Hand. Ich drehte und wendete es, als wartete ich auf den Rest des Puzzles, auf die richtige Stelle, an der ich es einsetzen konnte. Aber es gab kein Puzzle, nur dieses eine Teil. Ich steckte

Keiner konnte sagen, was den Ausschlag gegeben hatte, aber einen Tag vor Beginn der Osterferien drehte er durch.

Peter Peters hatte die Eisenlatte, die ihm als Verstärkung des Gepäckträgers diente, mit in den Klassenraum genommen, ein abgesägtes, vierzig Zentimeter langes kalt verzinktes Torbandscharnier, das er durch die Luft schwang wie einen Schläger. Und in der Art, wie er ihn hielt, seitlich vom Körper weg, weit ausholend, näher und näher kommend, bis es allen um die Ohren zischte, ließ er keinen Zweifel daran, dass die Köpfe, die er damit erreichen würde, für ihn nicht mehr als aufgepflockte Bälle waren – aufgepflockt, um abgeschlagen zu werden. Aber wie beim Schützenfest an der Schießbude, wo weiße Hasen in einer endlosen Reihe an Kimme und Korn vorbeiratterten, waren diese Ziele beweglich. Und er war es auch. Er musste es sein. Beweglicher als sie. Er hatte geahnt, dass diese Prüfung schwer sein würde, schwerer als alle Prüfungen zuvor, und sich im Hammrich lange darauf vorbereitet. Er hatte auf dem Deich gestanden,

es in meine Hosentasche und trug es mit mir herum wie einen Talisman, obwohl ich nicht daran glaubte, dass es mich davor bewahren würde, wieder zum Mörder zu werden. Aber womöglich sind Nella und ich uns ähnlicher, als ich mir eingestehen will, und in Wahrheit ist ihre Religion meine Rettung.

Den Fetzen habe ich verloren, beim Waschen wahrscheinlich, oder als ich irgendwo mein Schlüsselbund herausgeholt habe, um meinen Wagen aufzuschließen, wer weiß. Auch das ist schon wieder zwei oder drei Jahre her. Und dass er weg war, habe ich erst gemerkt, als ich bei Vehndel ein ähnliches Hemd im Schaufenster sah und in meine Tasche griff, um das eine Muster mit dem anderen zu vergleichen. Den Effekt, wenn es einen gab,

die Latte in beiden Händen, und gegen Schatten gekämpft, ihre und seinen.

Jetzt rannte er auf Daniel zu, auf Rainer, Onno und Stefan, und hetzte sie, wilde Verwünschungen ausstoßend, durch die Reihen. Nichts von dem, was er sagte, war zu verstehen, er verstand es selbst nicht. Er wirbelte herum, drehte sich im Kreis wie ein Hammerwerfer, um die Wucht seiner Schläge zu erhöhen, aber er traf niemanden, weil er nicht schnell genug war, weil er nicht genau genug zielte, weil die Tische, die Stühle im Weg standen und weil Herlyn hereinkam und dem Treiben ein Ende machte.

»Was geht hier vor?«, fragte er und stellte die Aktentasche auf dem Pult ab. »Was machst du da, Peter? Bist du verrückt geworden?«

»Mir reicht's«, sagte Peter Peters. »Jetzt ist Schluss. Jetzt mach ich sie fertig.«

»Wen machst du fertig?«, fragte Herlyn.

»Sie«, schrie Peter Peters und zeigte mit der Latte auf die

habe ich nicht gespürt. Die Gedanken und Gesichter waren die ganze Zeit über da, in der gleichen Schärfe, klar und kalt, so wie jetzt, so wie immer, wenn ich vollkommen nüchtern bin und zu wenig geschlafen habe.

Ich kenne welche, ältere Kollegen, die gehen regelmäßig zu Psychiatern oder Psychotherapeuten und versuchen dadurch, ihren Dienst vorzeitig zu beenden. Ich kenne sogar welche, die es mit ein paar Sitzungen, einigen tiefsinnigen Gesprächen geschafft haben. Aber inzwischen ist es schwieriger geworden, auf diese Weise auszusteigen. Man muss das jetzt schon durchziehen und sich einweisen lassen, um zumindest einen Teil der Rente bis ans Lebensende zu kassieren. Für mich ist das nichts. Ich

Klasse, die sich in einer Ecke des Raumes zusammengedrängt hatte.

»Was haben sie dir denn getan?« Herlyn klappte den Aktenkoffer auf, holte ein Heft und ein Buch und einen Stift hervor und klappte ihn wieder zu, als beabsichtige er, mit dem Unterricht zu beginnen, so wie jeden Morgen. Peter Peters hatte das Gefühl, er mache sich mit seiner Frage über ihn lustig, aber er wusste nicht, wie er darauf antworten sollte, beide Möglichkeiten, »Alles« oder »Nichts«, erschienen ihm gleichermaßen dumm zu sein, und er traute sich nicht, ihm hier, vor allen anderen, das, was eigentlich passiert war, was sich über Monate, über Jahre in ihm aufgestaut hatte, zu erzählen. Das Schlimmste aber war, dass der Zorn, der ihn eben noch erfüllt und zum Äußersten getrieben hatte, verflogen war, und er fürchtete, dass er nicht mehr zu ihm zurückkehren würde. Er ließ die Latte sinken, ihm schwindelte, und er war fast dankbar, als Herlyn sie ihm aus der Hand nahm und ihn aus dem Klassenraum führte, den Gang entlang, leise auf ihn einredend, hoch in den dritten Stock, um in

bin vierzig. Ich kann nicht die nächsten vierzig Jahre im Garten stehen und Unkraut jäten oder meinen Wagen waschen und das Haus aufräumen. Abgesehen vom Angeln habe ich kein Hobby, und wenn ich das den ganzen Tag machen würde, wäre es keins mehr. Ich habe keine Familie, um die ich mich kümmern könnte, obwohl es noch nicht zu spät ist, eine neue zu gründen. Ich will das für die Zukunft nicht ausschließen. Ich weiß nicht, ob ich schon übern Berg bin. Aber ich bin auf einem guten Weg. Ich spüre die Steigung nicht mehr, weder die an den Tinnener Tannen noch sonst eine, überhaupt keinen Widerstand. Da ist kein Sand im Getriebe und auch kein Stein, den es aus dem Weg zu räumen gilt, für mich oder für jemand anderen. Alles läuft wie

seinem Beisein mit dem Direktor in aller Ruhe über seine Entlassung zu sprechen.

Vier Wochen später, während des Musikunterrichts, die Osterferien waren vorbei, der Platz neben Daniel blieb leer, er hatte sich schon nach drei Tagen daran gewöhnt, allein zu sitzen, da erfuhren sie, was mit Peter Peters geschehen war. Niemand wusste, auf welcher Schule er gelandet war, keiner hatte ihn nach seiner Entlassung gesehen oder etwas von ihm gehört, aber alle, auch die Eltern und Lehrer, hatten immerzu über ihn geredet, darüber, dass er ausgeflippt war, und darüber, was passiert wäre, wenn er einen von ihnen, einen von den Schülern, mit der Latte getroffen hätte.

Stefan hatte erst erwogen, die ganze Geschichte unter dem Titel *Penis kam mit Latte zur Schule* in der Schülerzeitung, im *Tafelbeißer*, zu veröffentlichen, und es hatte die anderen Redaktionsmitglieder ihrer Klasse, Tanja und Susanne und Daniel, einige Mühe gekostet, ihn von seinem Vorhaben abzubringen.

geschmiert. Ich gleite völlig lautlos dahin. Ich schwebe. Ich bin eins mit der Maschine. Die Welt kann so bleiben, wie sie ist. Es muss nichts explodieren oder vom Himmel herabstürzen, vorläufig nicht. Die sieben Trompeten läuten nicht den Sturz Jerichos ein, und niemand zieht in einer Prozession mit brennenden Fackeln ums Dorf herum. Ich weiß, ich werde irgendwann wieder schlafen können, vielleicht nicht so tief und lange wie früher, bevor all das passierte, aber mehr als drei Stunden am Stück bestimmt. Ich kaufe mir ein neues Notizbuch und für Hans gleich eins mit. Ich werde meine beste Rute nehmen und Köder kombinieren oder eine eigene Rezeptur entwickeln und schon bald einen Karpfen angeln, der größer und schwerer ist als alles, was

Und Rainer und Onno hatten Peter Peters in den Pausen oder auf Partys nachgeahmt, indem sie mit Stangen oder Stielen herumgefuchtelt und irgendetwas Unverständliches gebrüllt hatten, und die Mädchen waren kreischend und kichernd davongestoben.

Weers kam nie zu spät, der Musiksaal war sein Lehrerzimmer, sein Aufenthaltsraum, den er nur für wichtige Konferenzen oder Besprechungen mit Kollegen verließ. Meist saß er noch bei offenem Fenster am Flügel oder neben dem Plattenspieler, wenn die ersten Schüler in den Raum strömten, schlug die vorletzten Takte einer Suite an oder blendete ganz langsam ein Trompeten- oder Saxophonsolo aus und vollendete die Stücke summend und pfeifend, für die anderen unhörbar, wie er meinte, Gustav Holsts *Planets*, Miles Davis' *Solar*, John Coltranes *Satellite*. Umso erstaunter waren sie, als sie den Raum an jenem Montag Ende April nach dem zweiten Klingeln menschenleer und vollkommen still vorfanden. Einige blieben vor ihren Stühlen stehen, weil sie hofften, dass Weers krank sei und der Unterricht ausfal-

ich bisher aus den Seen und Ausschachtungen herausgeholt habe. Ich werde mit Nella reden, ganz normal, voller Ehrfurcht, Respekt und wahrem Interesse an ihrem Leben, ohne mich von ihren Worten und Kleidern beeinflussen zu lassen, und ich werde Tobias treffen und ihm ein Freund sein, es zumindest versuchen. Ich kann die Zeit nicht zurückdrehen. Ich kann die Jahre, die wir beide verloren haben, nicht ersetzen, niemand kann das. Aber ich kann einen neuen Anfang wagen. Ich breite meine Arme aus, und er läuft hinein, ich umfange meine alte Familie, und sie umfängt mich. Ich kann das Ende absehen. Ich merke, wie es in mir aufsteigt, sich in meinen Lungen ausbreitet und mich von innen her reinigt, wie wenn ich erkältet bin und ein

len werde und man ihnen gleich ebendiese Nachricht überbringen werde und es sich deshalb nicht lohne, die Jacken auszuziehen und sich hinzusetzen, andere, weil sie dachten, dass sie sich im Stundenplan versehen hätten, und sie holten ihre Hefte heraus, um das zu überprüfen. Schließlich zogen doch alle ihre Jacken aus und setzten sich auf ihre Plätze. Sie sagten sich, dass er schon kommen werde oder eine Vertretung, Fischer vielleicht, der andere Musiklehrer, oder dass man ihnen zumindest eine Aufgabe stellte, damit sie für die nächsten fünfundvierzig Minuten beschäftigt waren.

Nach einer Weile entdeckte Daniel, der hier wie überall ganz vorn saß, Weers' Tasche neben dem Plattentisch, er ging hin, hob sie an, sie war nicht verschlossen, und ein Apfel und eine runde Blechdose kullerten heraus. Er machte die Dose auf, und ein süßlicher Duft breitete sich im ganzen Raum aus. Sie war bis oben hin voll mit Keksen. Einen davon nahm er in die Hand, und er wollte gerade hineinbeißen, als Rainer ihn am Arm packte. »Mensch, die sind genau abgezählt, das merkt der doch. Der ist

Dampfbad nehme oder mir Pinimenthol auf die Brust oder unter die Nase schmiere. Ich fühle mich leicht und frei und bin bereit, mich wieder auf jemanden einzulassen. Der Nebel lichtet sich. Ich habe alles im Griff. Ich habe mich im Griff, meine Geschichte. Ich bin wach, hellwach. Ich atme. Ich lebe. Nichts kann mich mehr aufhalten.

doch nicht blöd.« Und Daniel schloss den Deckel und schob die Dose und den Apfel in die Tasche zurück.

Irgendwann stand Susanne auf, um eins der Fenster zum Hof zu öffnen, die Luft, noch immer vom Duft der Kekse erfüllt, war stickig und verbraucht, so als wäre seit Stunden nicht gelüftet worden. Dabei sah sie, dass auch in anderen Klassenräumen die Lehrer fehlten. »Da drüben sind auch keine«, sagte sie. »Die sind alle weg.« Andere traten zu ihr hin und sahen es auch, und von da an sagte keiner mehr einen Ton.

Dann kam Weers herein. Er war bleich im Gesicht, die wenigen Haare standen wild vom Kopf ab und unter den Achseln hatte er Schweißflecken. Er tastete nach dem Tisch, als könnte er nicht schnell genug Halt finden, setzte sich, strich sich mit einer Hand durch den Bart, über die Stirn, atmete tief ein und wieder aus und blickte für einen Moment an die Decke, bevor er sagte, dass etwas Furchtbares geschehen sei, etwas Entsetzliches. »Euer Mitschüler Peter Peters ist tot. Man hat ihn heute Morgen am Bahndamm gefunden.« Einige Mädchen fingen an zu weinen, die Jungs schauten zu Boden oder schüttelten stumm die Köpfe, und Stephanie Beckmann fragte das, was allen auf der Zunge lag: »Echt?«

»Ja«, sagte Weers. »Echt.«

Peter Peters hatte nichts als seinen alten Schülerausweis bei sich gehabt, nichts, was außer der Nummer und dem Namen der Schule – das Einzige, das darauf noch lesbar war – Auskunft über seine Identität geben konnte, und das war der Grund, warum die Polizei zuerst im Gymnasium anrief und dann bei den Eltern.

Als Stefan, Onno, Rainer und Daniel an jenem Tag mit dem Fahrrad nach Hause fahren wollten, war der Weg, den sie sonst immer nahmen, an der Bahn entlang quer durch den Hammrich, abgesperrt, und sie mussten der Bundesstraße folgen, um ins Dorf zu kommen.

Daniel hing das Rennen noch nach, dass sie einfach so abgehauen waren, und er hatte einen Umweg genommen, am Güterschuppen, an Petersens Poolhalle vorbei; aber zum Abendessen war er wieder zu Hause. Der Einfachheit halber, aus Faulheit und Gewohnheit, betrat er das Haus durch das Geschäft. Die Klingel schellte, und alle im Raum wandten sich zu ihm um. Zwei Kundinnen, Frau Meinders und Frau Ahlers, hielten vor den Regalen inne und schielten über die Reihen hinweg zu ihm hin, und der Vater und dessen Freunde, Günter und Klaus, standen um den Tresen herum und waren in ein neues Gespräch vertieft, das dem alten so sehr ähnelte, dass man den Eindruck haben konnte, es hätte seit dem Vormittag keine Unterbrechung gegeben.

»Ich hab's doch gesehen, so doll ist der Doll nicht«, sagte Klaus, breit grinsend, »der ist völlig überschätzt, der überschätzt sich selbst.«

»Vielleicht ist er nur noch nicht richtig angekommen, bei uns«, sagte Günter, »vielleicht muss er sich erst mal akklimatisieren.«

»Ach was. Der wird sich nie akklimatisieren. Das werden die alle nicht. Nicht in zwanzig Jahren.«

»Das muss für Trainer Schock natürlich ein Schock gewesen sein«, sagte Hard ebenso breit grinsend wie Klaus, aber die Augen fest auf Daniel gerichtet, »seinen Schützling, seine große Hoffnung scheitern zu sehen.« Er hatte Klaus' Wortspiel toppen wollen, und das war ihm, seiner Meinung nach, auch gelungen. Doch anstatt in ein Lachen auszubrechen, wie er es sonst tat, wenn er einen Scherz gemacht hatte, über den niemand lachte, zogen sich seine Lippen jetzt wie auf Knopfdruck wieder zusammen. »Am Anfang weiß man ja noch nicht, was draus wird, aus diesen großen Talenten. Alles ist möglich. Sie können einen mit Stolz erfüllen, mit Genugtuung. Sie können einem am Ende des Lebens das gute Gefühl geben, alles richtig gemacht zu haben. Sie können sich aber auch als komplette Versager entpuppen, oder, schlimmer noch, als Lügner und Verräter, trotz der Liebe, die man in sie investiert hat.«

»Und des Geldes«, sagte Klaus.

»Und des Geldes«, sagte Hard. »Nicht zu vergessen.«

Daniel versuchte so schnell wie möglich an ihnen vorbeizukommen, um seine Abwesenheit vom Keller, hier, vor allen Leuten, nicht lang und breit entschuldigen zu müssen. Er hörte, wie sein Vater mehrmals nach ihm rief, mit einer sich stetig verfinsternden Stimme, wie Günter »Lass ihn doch« sagte, und Klaus »Er kann dir doch nicht entwischen, das ist ja das Gute an Kindern«, und dann war er im Büro und durch das Büro hindurch.

»Wo hast du denn den ganzen Tag gesteckt?«, fragte Hard, immer noch aufgewühlt und zu allem bereit, als sie, nur Minuten später, zusammen am Küchentisch saßen. »Ich hatte doch gesagt, dass ich eine Lieferung erwarte. Jetzt war ich den ganzen Nachmittag mit nichts andrem beschäftigt, als Sonnencreme auszupacken und einzuräumen, mit nichts andrem. Und ich hätte weiß Gott Besseres zu tun gehabt, viel Besseres.« Daniel wollte erst fragen: »Was denn?«, aber er ahnte, dass der Vater das nur gesagt hatte, um ihm einen Grund zu geben, nachzuhaken, und sich selbst einen, um seine Wut an ihm auszulassen. Er legte öfter solche Köder aus, und Daniel hatte gelernt, nicht anzubeißen. »Und mit dem Keller bist du auch noch nicht fertig!« Hard wollte weitersprechen, er hatte sich alles genau überlegt, aber die Zwillinge, die sich weigerten, etwas von dem Leberwurstbrot zu essen, das er ihnen geschmiert hatte, obwohl sie inzwischen alt genug waren, es selbst zu machen, nahmen für einen Augenblick seine ganze Aufmerksamkeit in Anspruch. Erst als er drohte, ihnen das Fernsehen zu verbieten, die Hand erhoben, zum Zeichen, dass er es ernst meinte, lenkten sie ein, und er wandte sich wieder Daniel zu. Seine Nasenflügel zitterten. »Hast du etwa geraucht?«

»Nein«, sagte Daniel und hielt sich die Hand vor den Mund, um seinen Atem gleichzeitig abzuschirmen und zu testen.

»Hast du etwa was von dem Zeug geraucht?«

»Von welchem Zeug?«

»Tu nicht so unschuldig. Du weißt genau, was ich meine.« Er war aufgestanden und beugte sich halb über den Tisch zu ihm hin.

»Weiß ich nicht.«

»Riecht aber so«, sagte er, setzte sich wieder und wandte sich zu Birgit um, als wüsste sie es besser. »Oder nicht?«

»Ja«, sagte Birgit. »Genau so riecht es.«

Hard nahm Gabel und Messer zur Hand, schnitt ein Stück seines mit Käse belegten Schwarzbrots ab, stippte damit noch ein paar Krümel vom Brett auf und schob es sich in den Mund. »Mach nur weiter so«, sagte er, nachdem er den Bissen heruntergeschluckt hatte.

Wieder ein Köder. Daniel wusste, dass sein Vater »Mach ich« hören wollte, er hatte schon öfter daraufhin »Mach ich« gesagt, und sich dadurch eine eingefangen, aber heute tat er ihm nicht den Gefallen.

»Du weißt hoffentlich, was das heißt«, sagte Hard. »Und ich nehme nicht an, dass du für das, was du in den letzten zwei Wochen geleistet hast, nicht nur einen Handschlag haben willst.«

»Stefan und Onno haben geraucht«, sagte Daniel, ohne den Vater, die Mutter anzusehen.

»Gewöhn dir das bloß nicht an.« Birgit zeigte mit dem Finger auf ihn. »Das bringt den Stoffwechsel durcheinander. Vor allem im Wachstum. Oder willst du so enden wie Volker? So«, sie machte eine Pause und formte mit ihren Händen eine Kugel, »rund?«

»Du bist mir der Richtige«, sagte Hard, während er sich mit der Serviette den Mund abtupfte, »kaum drängt man dich in die Ecke, schon lieferst du deine Freunde ans Messer, um die eigene Haut zu retten. Die Inquisitoren im Mittelalter hätten kein Vergnügen an dir gehabt.« Dann schüttelte er den Kopf, als wäre ihm etwas eingefallen, was noch verwerflicher war. »Du bist also wieder nach den Kompunisten hin gewesen!« Viele, vor allem die Alteingesessenen, deren Familien seit Generationen in Jericho lebten, sahen in den Bewohnern des Komponistenviertels nichts als kiffende Kommunisten. *Kompunisten.* Niemand konnte sich daran erinnern, wer den Begriff aufgebracht hatte. Hard brüstete sich damit, es gewesen zu sein, und wann immer sich die Gelegenheit dazu ergab – und die ergab sich oft, wenn er dabei war –, benutzte er ihn ausgiebig. An der Bar des Strandhotels verging kein Abend, ohne dass irgendjemand über Ausländer oder Kompunisten schimpfte und die anderen auf dieses Stichwort hin eigene Geschichten zum Besten gaben. Für sie war es ganz gleich, ob die Leute des Komponistenviertels rechts oder links waren, wo sie herkamen, wen sie tatsächlich wählten und was sie rauchten, spritzten oder schnupften, um sich zuzudröhnen, ein Teil der dort wohnenden Männer hatte studiert, sogar einige der Frauen, und das allein reichte aus, um sie im Auge zu behalten, falls plötzlich, aus irgendeinem Grund, die Revolution ausgerufen wurde und beide Seiten zu den Waffen greifen mussten, zu den Schrotflinten und Kleinkalibergewehren einerseits, den Harken und Schaufeln oder was Pazifisten sonst noch Gefährliches in ihren Schuppen lagerten, andererseits.

»Ja«, sagte Daniel, der Mühe hatte, dem Drang, den Vater zu verbessern, nicht nachzugeben. »Bin ich.«

»Deine Mutter und ich, wir hatten gehofft, das ist jetzt vorbei.«

»Ist es ja auch.«

»So«, sagte Hard und sah ihn ungläubig an. »Ist es das?«

»Ja«, sagte Daniel. »Das ist es.«

An jenem Abend ging Daniel noch einmal aus dem Haus. Die Sonne war untergegangen, aber es war noch nicht ganz dunkel. Am Horizont, hoch über dem Deich, schimmerte ein buntes Leuchten durch die Wolken hindurch wie von einem weit entfernten Feuerwerk. Es nieselte immer noch etwas, aber nicht so stark, dass er die Stiefel anziehen oder seine Kapuze aufsetzen musste. Er ging die Dorfstraße entlang, über die Schienen, am Stellwerk vorbei und in den Hammrich hinein. Er wollte noch einmal zu den Gleisen hin und nachsehen, ob er die Latte, die er weggeschmissen hatte, wiederfand. Er dachte, wenn er sie fand und aufbewahrte oder in der Erde vergrub, würde er nicht mehr an Peter Peters denken müssen. Aber er fand sie nicht. Nicht an dem Tag und auch nicht an einem anderen.

Niemand wusste, ob es Zufall oder Absicht gewesen war, dass Peter Peters am ersten Montagmorgen nach den Osterferien an der Hoogstraat auf den Schienen gelegen hatte. Er hatte keine Andeutungen gemacht, sich nicht merkwürdig, jedenfalls nicht merkwürdiger als sonst verhalten und keinen Abschiedsbrief hinterlassen, nur einige volle Packungen Diazepam, und daraus zogen viele Jerichoer den Schluss, dass er beim Überqueren der Gleise einen Anfall gehabt haben musste. Das Einzige, was dagegensprach, war, dass der Weg, den er eingeschlagen hatte, nicht zu seiner neuen Schule führte, sondern zu seiner alten. Aber das, sagte Doktor Ahlers später gegenüber der Polizei, dem Staatsanwalt, könne genauso gut auf die Verwirrung zurückzuführen sein, auf die Aura, die Zeit vor dem eigentlichen Krampf.

Rainer Pfeiffer kam drei Jahre später bei einem Verkehrsunfall ums Leben. Nicht mit seinem frisierten Mofa und auch nicht mit dem Roller, den er im Jahr darauf kaufte – von dem Geld, das er in den Ferien in der Puddingfabrik verdient hatte –, sondern mit einem Auto: einem silberfarbenen VW Golf III, Baujahr 1993, 75 PS, dem Geschenk seiner Eltern zum achtzehnten Geburtstag.

Sie hatten ihn »von den Höllenrädern«, wie sie sagten, befreien wollen und waren mit der ganzen Familie nach Wolfsburg gefahren, um den Wagen im Werk abzuholen. Auf dem Rückweg waren Marcel und seine Mutter vorausgefahren, und er und sein Vater hatten ihnen eine Minute Vorsprung gegeben.

Rainer vermisste den Fahrtwind und die Vibrationen des Motors unmittelbar unter ihm, das Gefühl, eins zu sein mit der Landschaft und der Maschine. In Höhe von Hattorf und Flechtorf kurbelte er das Fenster herunter und streckte den Kopf halb hinaus, bis sein Vater ihn anschrie, den Quatsch sein zu lassen.

Die Mädchen, die er von nun an mitnahm, würden sich nicht mehr automatisch an ihn schmiegen, und die Jungs würden nicht mehr überall mit ihrer Höchstgeschwindigkeit prahlen, weil diese jetzt weit weniger vom eigenen Geschick abhing als von der vorgegebenen Leistung – und vom Mut, bis an die Grenzen des Möglichen zu gehen.

»Und«, fragte sein Vater. »Gefällt's dir?«

»Ja.«

»Ist doch viel besser.«

»Ja«, sagte Rainer. »Viel besser.«

Die einzigen Vorteile des Autofahrens bestanden seiner Meinung nach darin, während der Fahrt Musik hören und nach den Partys, nach der Disko die Rückbank nutzen zu können.

»Da vorne sind sie schon«, sagte sein Vater und zeigte vom Beifahrersitz aus durch die Windschutzscheibe auf die Straße.

Etwa einen Kilometer entfernt war ein Punkt zu sehen, der langsam größer und größer wurde.

»Ja«, sagte Rainer und gab Gas. »Die haben wir gleich.«

»Fahr nicht zu dicht auf«, sagte sein Vater. »Wir überholen sie auf der A2.«

Und das taten sie.

Es passierte nicht an dem Tag und auch nicht am nächsten.

Es passierte am Wochenende darauf, nach einer Party bei Stephanie Beckmann – der einzige Mensch, den er persönlich kannte, der jemals im Fernsehen gewesen war. Beckmanns gehörte eine Reederei, ein mittleres Unternehmen mit zwanzig Schiffen, Gastanker vor allem, aber auch zwei Frachter mit mehr als achttausend Bruttoregistertonnen Ladekapazität, die Kohle und Zellulose von einem gottverlassenen Ort der Welt zum anderen transportierten. Sie waren wohlhabend genug, in einem Haus zu leben, das fünf Schlaf- und drei Wohnzimmer hatte, eine Villa, direkt am Dollart, dreißig Kilometer von Jericho entfernt, aber zu dumm, ihre einzige Tochter, ihr einziges Kind, über Silvester darin allein zu lassen.

Rainer wusste nicht mehr, wer ihn eingeladen hatte, ob es Stephanie selbst gewesen war oder jemand anderes. Seitdem sie bei *Wetten, dass ..?* gegen Thomas Gottschalk gewonnen hatte, war sie zu einer Berühmtheit geworden. Die eine Aufgabe hatte andere nach sich gezogen, und wann immer in den Monaten danach ein Autohaus eingeweiht oder ein Schiff getauft werden musste, war Stephanie Beckmann diejenige, die das Band zerschnitt oder die Flasche an der Bugwand zerschellen ließ. An ihren Geburtstagen kamen seitdem mehr Gäste als in den Jahren zuvor, und auch zu diesem Fest schien sich die Jugend der Kreisstadt eingefunden zu haben. In jedem Raum traf Rainer auf Dutzende Leute, die er noch nie zuvor gesehen hatte. Die Tische und Anrichten waren von halbleeren Flaschen voller Zigarettenstummel übersät, irgendwo fiel immer ein Glas zu Boden, und Stephanie lief mahnend herum, ohne von irgendwem beachtet zu werden. Die Betten im oberen Stockwerk waren von Beginn an belegt, jedenfalls waren die Türen verschlossen, und aus dem Innern drang entweder ein Kichern oder ein Stöhnen, so laut und hoch, dass jeder, der daran vorbeiging, es für gekünstelt hielt und zurückstöhnte. Die Bässe ließen die Wände vibrieren und versetzten die Gäste in Schwingung, das ganze Haus bewegte sich im Rhythmus der Musik: Möbel, Bilder, Vasen, Schiffsmodelle, aufgereiht in den Regalen, Kissen, federleicht und schwerelos, tanzten durch die Luft.

Rainer hatte nur ein Bier getrunken, aus Angst, die Kontrolle zu verlieren und kein Ende zu finden, wenn er erst einmal damit anfing, und sich den Rest des Abends an Cola gehalten. Die meiste Zeit hatte er verloren im Raum gestanden und mitangesehen, wie Stefan und Onno so schnell wie möglich den Verstand zu verlieren versuchten. Sie tranken und rauchten und aßen alles, was sie in die Finger kriegen konnten, und es dauerte keine zwei Stunden, bis sie, kurz nach dem Jahreswechsel, als draußen und drinnen die Böller hochgingen, lallten und schwankten und in einem der Wohnzimmer auf einem der Sofas gleichzeitig nebeneinander einschliefen. Er wollte nicht, dass sie ihm ins Auto kotzten, und dachte, dass sie morgens wieder einigermaßen nüchtern sein würden, nüchtern genug, ihn darauf hinzuweisen, rechts ranzufahren, bevor es aus ihnen herausschoss.

Einmal, gegen eins, hatte er getanzt. Er hatte sich zwischen die anderen gedrängt und, ohne die Beine vom Boden zu heben, den Kopf geschüttelt und den rechten Arm hochgerissen, den Zeigefinger und den kleinen Finger abgespreizt, den Rest zur Faust geballt. Aber währenddessen hatte er sich immerzu selbst beobachten müssen, und jede seiner Bewegungen war ihm falsch vorgekommen, so als gäbe es irgendwelche Regeln, die er nicht beherrschte. Kaum war das Lied zu Ende, war er aus dem Gewühl herausgetreten und hatte sich, die Arme vor der Brust verschränkt, an die Wand gelehnt. Er hoffte, dass niemand ihn beobachtet hatte, und als er sich im Raum umblickte, sah er, dass alle mit sich selbst oder miteinander beschäftigt waren – alle bis auf Stephanie Beckmann.

»Gerade, als du getanzt hast, also, da musste ich an euch denken«, sagte sie zu ihm. Sie lallte etwas und hatte Schwierigkeiten, die richtigen Worte zu finden.

»An wen?«, schrie Rainer, überrascht, dass sie ihn überhaupt ansprach, und weil er kaum verstanden hatte, was sie gesagt hatte.

»An euch. An Kill Mister.«

»Lange her«, sagte Rainer.

»Ja«, sagte Stephanie. »Was hatte Kill Mister eigentlich zu bedeuten?«

»Was?«, schrie Rainer, verzog das Gesicht und zeigte auf sein rechtes, ihr zugewandtes Ohr. »Ist so laut hier.«

Sie traten ein Stück zur Seite, zur Tür hin, weg von den Boxen, und Stephanie wiederholte die Frage, aber Rainer zuckte mit den Schultern. »Was hast du gesagt? Ich kann dich nicht verstehen.«

»Ach, vergiss es.« Stephanie nahm seine Hand, zog ihn in den Flur hinein und wechselte das Thema. »Bei mir im Deutsch-LK ist übrigens eine Neue, von der Realschule, die kannte Daniel auch.«

»Ach ja?«

»Ja.«

»Wer denn?«

»Simone.«

»Kenn ich«, sagte Rainer. »Kennt jeder bei uns.«

»Ja, das hat sie auch gesagt.«

»Weißt du«, sagte Rainer, schaute durch die offene Tür in eins der Wohnzimmer hinein und beugte sich gleichzeitig näher zu ihr hin, »ich habe beschlossen, etwas weniger an früher zu denken und etwas mehr an die Zukunft.«

»An das, was du nach dem Abi machen willst, an einen Job, ans Studium?«

»Nein«, sagte Rainer, keine fünf Zentimeter von ihrem Mund entfernt, »an uns.«

»Steht auf«, sagte Rainer und schüttelte erst Stefan, dann Onno. Beide machten kurz die Augen auf – Onno nannte seinen Namen, »Rainer, Mensch, Rainer«, Stefan lachte wie im Wahn – und fielen wieder in den Dämmerzustand zurück, aus dem er sie mit Gewalt gerissen hatte. Er schüttelte sie noch einmal, aber mehr als vorhin brachte er damit nicht zustande.

»Diesindtot«, sagte jemand neben ihm, ein Junge in T-Shirt und Holzfällerhemd, fünfzehn, höchstens sechzehn, und ähnlich zugedröhnt wie alle anderen, die ringsum tief in die Sitze gerutscht waren. »Diekannstduvergessen.«

Rainer beachtete den Jungen nicht weiter und begann Stefan und Onno abwechselnd mit der flachen Hand ins Gesicht zu schlagen. Und das schien zu wirken. Beide sahen ihn an, mit einem erstaunten, leeren Blick, wie einen Fremden.

»Steht auf, wir fahrn jetzt.«

»Jetzt?«, sagte Stefan. »Warum jetzt?«

Onno hielt mit der linken Hand den rechten Arm fest und beugte sich über seine Uhr. »Die Party ist doch noch gar nicht vorbei.«

»Doch«, sagte Rainer. »Ist sie.«

»Ist sie nicht«, sagte Onno. »Ist erst halb zwei.«

»Entweder ihr kommt jetzt mit oder nicht. Ist mir egal. Ich fahr jetzt.« Aus dem Flur warf er ihnen ihre Jacken zu, und zu seiner Überraschung zogen sie sie an. Gemeinsam, einander haltend, strumpelten sie auf ihn zu. Draußen verschlug ihnen die Kälte für einen Moment den Atem. Stefan schnappte nach Luft, und Onno zeigte nach oben in den Nachthimmel. »Guck mal, die Sterne.«

»Da«, sagte Stefan. »Der eine bewegt sich.«

»Tut er nicht«, sagte Rainer.

»Tut er wohl. Seht doch: Er bewegt sich, und er blinkt. Er gibt uns ein Zeichen.«

»Ja«, sagte Onno. »Er hat recht. Das könnte ein Code sein.«

»Das ist ein Flugzeug«, sagte Rainer, die Autoschlüssel schon in der Hand. »Kommt jetzt. Ich hab keine Lust, hier noch länger dumm rumzustehen.«

Sie setzen sich ins Auto, Rainer und Onno vorn, Stefan hinten. Rainer wischte mit den Ellbogen über die Scheiben und machte die Heizung und das Gebläse an, aber es dauerte volle fünf Minuten, bis er etwas sehen konnte. Onno machte das Licht an und wühlte, wie schon bei der Hinfahrt, im Handschuhfach nach einer Kassette.

»Was suchst du?«

»Guns N' Roses.«

»Ist drin.«

»*Use Your Illusion?*«

»Ist drin.«

»Wirklich?«

»Hast du vorhin selbst eingelegt. Bevor wir reingegangen sind.«

»*Eins* oder *Zwei*?«

»Was weiß ich denn?«, sagte Rainer. »Was macht das für einen Unterschied?«

»Einen gewaltigen. *Eins* ist schlimm, aber *Zwei* nicht zu ertragen.«

»Warum willst du die dann überhaupt hören?«

»Wegen *You Could Be Mine*. Wegen des Solos am Anfang. Meinetwegen könnte das immer so weitergehen. Nur Schlagzeug. Zehn Minuten lang, zwanzig, dreißig. Ohne Gitarre. Ohne Gesang. Ohne irgendwas. Eine Schlagzeugsonate.« Onno zog die Kassette raus und hielt sie unter die Lampe. »Steht nix drauf.«

»Nein«, sagte Rainer seufzend. »Nur auf den Hüllen. Das Thema hatten wir schon.«

»Macht doch keinen Sinn, die Hüllen zu beschriften, die Kassetten selbst aber nicht.«

»Das Thema hatten wir schon, hab ich gesagt.«

Und Stefan sagte von hinten: »Mir ist schlecht.«

»Können wir jetzt endlich fahren?«

»Wie willst du denn da den Überblick behalten?«

»Mir ist schlecht«, wiederholte Stefan.

»Dann mach die Tür auf und kotz raus«, sagte Rainer und drehte den Schlüssel um.

»So schlecht ist mir auch wieder nicht.«

Rainer legte den Rückwärtsgang ein, und Onno schob die Kassette ins Kassettendeck. Mit durchdrehenden Reifen fuhren sie aus der Auffahrt auf die Straße.

Schon bei den ersten Klängen von *Right Next Door To Hell* sagte Onno: »Verdammt, ist doch *Eins*«, drückte auf Stopp und begann hektisch im spärlich erleuchteten Handschuhkasten nach *Zwei* zu suchen. Er förderte ein paar Kassetten ohne Hülle zutage und schob sie nacheinander ins Kassettendeck, bis Rainer, völlig entnervt, das Gerät ausmachte. »Was soll das?«, fragte Onno und stellte es wieder an, wobei er den Lautstärkeregler für eine Sekunde ganz aufdrehte.

»Du machst mich wahnsinnig.«

»Du bist wahnsinnig. Bist du immer gewesen.«

Rainer kurbelte sein Fenster herunter und drückte auf die Eject-Taste, aber bevor er die Kassette herausziehen und hinauswerfen konnte, hatte Onno sie in der Hand und hielt sie wie eine Trophäe über den Kopf, so weit wie möglich von Rainer entfernt.

»Gib das her«, sagte Rainer und versuchte, mit einer Hand nach der Kassette zu greifen.

»Nein.«

»Gib das Scheißding her.«

»Nein. Die gehört dir nicht.«

»Ach nein? Wem gehört die denn? Dir etwa?«

»Nein. Niemandem.«

»Aber ich hab die Kassette gekauft, und ich hab die Musik darauf aufgenommen. Und sie liegt in meinem Auto. Also kann ich sie rausschmeißen, wenn ich das will. Und das will ich.«

»Du kannst mich auch nicht rausschmeißen, obwohl du das willst.«

»Du bist ja auch keine Kassette.« Rainer konnte nicht fassen, dass er das wirklich gesagt hatte.

»Musik gehört allen«, sagte Onno. »Du darfst sie nicht zerstören. Egal wie schlecht sie ist.«

»Das werden wir ja sehen.« Rainer packte Onno an der Schulter, woraufhin die Kassette aufs Armaturenbrett fiel. Jetzt lag sie fast genau in der Mitte zwischen ihnen, und beide griffen instinktiv danach. Aber während Rainer seine rechte Hand ausstreckte, verrutschte ihm die linke, mit der er das Lenkrad umklammerte. Der Wagen scherte nach links aus, schlingerte auf den Club 69 zu, und die Kassette klatschte auf Onnos Seite gegen die Verkleidung. Rainer versuchte gegenzusteuern, um den Pfosten auszuweichen, die auf dem Grasstück zwischen Fahrbahn und Fahrradweg standen, und riss das Lenkrad herum. Dabei rutschte die Kassette in seine Richtung, aber nur ein paar Zentimeter, nur bis zur Mitte zurück. Onno hatte sie abgefangen und hielt sie wie zuvor, über sich an die Blende gepresst.

»Gib das Scheißding endlich her«, sagte Rainer, der die Kontrolle über das Fahrzeug zurückerlangt hatte. Seine Stimme klang ruhig und beherrscht, siegesgewiss. Der Fahrtwind, der ihm um den Kopf peitschte und die Haare zerzauste, tat ihm gut. Er fühlte, wie der Stolz und der Hass vom ihm abfielen und die Kälte ihm neue Kraft gab. Plötzlich wusste er genau, was zu tun war, und er lachte darüber, dass es ihm nicht eher eingefallen war, dass er es nicht schon viel früher getan hatte, bei sich oder jemand anderem. Gleichzeitig, in einer durchgehenden Bewegung, drückte er aufs Gaspedal und auf den schwarzen Knopf mit dem Symbol einer brennenden Zigarette. Er wartete, bis der grüne Lichtkranz erloschen war. Die Nacht rauschte an ihm vorbei. Er spürte die Geschwindigkeit, das Zittern der Zylinder.

Dann bohrte er Onno die glühende Metallspirale in die Stirn.

»Pass auf«, schrie Stefan von hinten in den Schrei von Onno hinein und zeigte, halb vorgebeugt, durch die Vordersitze auf die Windschutzscheibe, auf das ihnen entgegenzischende Licht.

Onno Kolthoff vollendete – wiederum drei Jahre später – mit einem Schlag sein Leben. Er benutzte keine Pistole, obwohl er als Mitglied des Schützenvereins Zugang zu Waffen gehabt hätte. Er nahm keine Schlaftabletten, schnitt sich nicht die Pulsadern auf, lief nicht vor einen Zug. Er stürzte sich auch nicht vom Kirchturm auf einen der mit Spitzen bewehrten Grabzäune, was manche taten, die auf Nummer sicher gehen wollten. Onno wählte eine ganz und gar neuartige Methode: Er gab ein Konzert.

Die halb herabgelassenen Rollläden ließen nur wenig Licht herein, gerade so viel, dass er die Umrisse des Schlagzeugs erkennen konnte, dass er sah, was er traf, obwohl er die Becken und Toms auch mit verbundenen Augen getroffen hätte. Lustlos trommelte er eine Weile vor sich hin, bis ein anderes, dumpferes Klopfen ihn aus dem Takt brachte.

»Was ist?«, rief Onno in die selbst verschuldete Dämmerung hinein.

»Du musst was essen«, sagte seine Mutter, nachdem sie eingetreten war, einen Teller in der Hand.

»Ich hab schon gegessen.«

»Das Zeug da?«, sie nickte zu dem mit leeren Tüten und Flaschen und Kippen übersäten Tisch hin und schob alles beiseite, um Platz für den Teller zu schaffen. »Das ist doch nichts Richtiges.«

»Ach nein?«, sagte Onno. »Und was ist was Richtiges?«

»Was Gesundes. Hier: Kartoffeln und Bohnen, das isst du doch so gern. Hab ich extra für dich gemacht.«

»Kartoffeln, Bohnen und Speck.«

»Kein Speck.«

»Kein Speck!«

»Kein Speck.«

»Dein Gemüse wird mich auch nicht wieder gesund machen, egal wie viel ich davon esse.«

»Fleisch auch nicht.«

»Wer weiß?«

»Und du solltest mal wieder rausgehen«, sagte sie, ging zu den Fenstern hin und griff nach einem der Gurte für die Rollläden.

»Lass das sein!«

»Draußen ist so schönes Wetter.«

»Lass das sein, hab ich gesagt. Bist du taub?«

Seine Mutter ließ die Arme sinken. »Die Sonne scheint!«

»Na und?«

»Du kannst doch nicht immer nur hier drin hocken!«

»Warum nicht?«

»Du könntest zum See fahren.«

»Und was soll ich da? Schwimmen?«

»Stefan hat angerufen. Er ist über Ostern bei seinen Eltern und will später noch vorbeikommen.«

»Schön für ihn.«

»Wenn du willst, kannst du zum Essen auch nach unten kommen. Walter und ich sitzen im Garten.«

»Walter-ich-habe-plötzlich-Anne-Marie-Kolthoff-für-mich-entdeckt-Baalmann.«

»Hör auf damit! Du weißt genau, wie sehr ihn das damals mitgenommen hat mit eurem Freund.«

»Mit welchem Freund?«

»Peter Peters.«

»Der war nicht unser Freund.«

»Dacht ich.«

»Da hast du falsch gedacht.«

»Auf jeden Fall sollst du dich nicht über Walter lustig machen, der hat's schwer genug gehabt.«

»Schwerer als ich?«

»Schwerer als wir alle.«

»Walter-ich-habe-plötzlich-Gott-für-mich-entdeckt-Baalmann.«

»Das reicht jetzt. Wir sitzen jedenfalls im Garten. Du kannst es dir ja überlegen. Vielleicht bringt dich das ja auf andere Gedanken.«

»O ja«, sagte Onno. »Ganz bestimmt.«

»Und hör mit diesem Krach auf«, sagte sie, die Klinke schon in der Hand. »Heute ist Karsamstag.«

Kaum hatte sie die Tür hinter sich geschlossen, schleuderte er ihr mit links beide Drumsticks hinterher. Dann hob er eine Flasche Bier vom Boden auf und nahm einen so kräftigen Schluck, dass es ihm zu beiden Seiten aus dem Mund herauslief. Nichts würde ihn auf andere Gedanken bringen. Nichts als das. Und auch das nur, wenn er genug davon getrunken hatte.

Er konnte sich an kaum etwas erinnern, was dem Unfall vorausgegangen war. Sie waren von dieser Silvesterparty bei Stephanie Beckmann gekommen, Rainer und er hatten im Auto um eine Kassette gekämpft, und er hatte zu Rainer gesagt, dass man Musik nicht zerstören dürfe, egal wie schlecht sie sei. Immer wenn er daran dachte, wunderte er sich über seine Worte, weil er selbst nie etwas anderes gemacht hatte, als Musik zu zerstören, vor allem die schlechte. Auch nachdem man ihn aus dem Krankenhaus entlassen hatte, war es ihm nur darum gegangen, mit möglichst viel Kraft auf alles einzuschlagen, was in Reichweite war. Aber genau diese Kraft hatte nachgelassen. Mit links war sie nie besonders stark ausgeprägt gewesen, und mit rechts bekam er seitdem nicht mehr als ein zaghaftes Klopfen hin, genug um mit einem Jazz-Besen übers Fell zu streichen, aber zu wenig, um es zu zerbrechen. Saß er hinterm Schlagzeug, musste er mit der linken Hand die rechte auf die Snare oder eine der Toms legen und einen Stick zwischen Daumen und Zeigefinger klemmen und zusehen, dass die Hand zwischendurch nicht von der Kante rutschte.

Meist hing der Arm schlaff herab. Wenn ihn jemand per Handschlag begrüßen wollte, stand er, abgesehen von einem kaum merklichen Kopfnicken, reglos da. Onno begab sich selten unter Menschen. Stattdessen verbrachte er Stunden um Stunden in seinem Zimmer hinterm Schlagzeug, in der Hoffnung, wieder das Niveau zu erreichen, das er vor dem Unfall erreicht hatte, oder ein neues, ein durch seine veränderte Schlagtechnik originelleres, spektakuläreres. Aber wie sehr er sich auch mühte, wie sehr er auch als Ausgleich mit den Pedalen arbeitete, es gelang ihm nicht, etwas zu spielen, das der Wut über seine Behinderung Ausdruck verlieh.

Der Arm klebte wie etwas Fremdes an ihm, und wenn er sich darauf konzentrierte, ihn zu heben, was der Physiotherapeut, zu dem er dreimal in der Woche ging, von ihm verlangte, dann begann er am ganzen Körper zu schwitzen. Mehr passierte nicht. Hinterher war er so erschöpft, dass er, während Elektrostöße seine Muskeln massierten, im Behandlungsraum auf der Liege einschlief und erst wieder erwachte, wenn die Stunde vorbei war.

In solchen Momenten wünschte er sich, den Arm wie Rick Allen, der Schlagzeuger von Def Leppard, ganz verloren zu haben. Er konnte immer noch den Takt schlagen, es reichte, um bei einer der vielen Grunge-Bands einzusteigen, die sich überall formierten, ungeachtet der nachlassenden Begeisterung für diese Musik, aber für Heavy Metal war er einfach zu schwach. Manche, das wusste er von Stefan, nannten ihn deswegen Krüppelhoff, andere, die ihn noch von früher kannten, aus einer Zeit, als er mit bloßem Oberkörper spielte und noch voll und ganz über beide Arme verfügte, The Hoff – in Anlehnung an David Hasselhoff und auch, weil inzwischen das fehlte, was sie mit dem ersten Teil seines Nachnamens verbanden, die Stärke, die Energie, die Gewalt – was immer es war –, und so kam er sich auch selbst vor, wie ein Cowboy ohne Colt. Der einzige Vorteil, der sich im

Nachhinein aus dem Unfall ziehen ließ, war der, keinen Wehr- oder Zivildienst leisten zu müssen. Selbst Stefan hatten sie nach der Musterung, nach dem Abitur nicht eingezogen, obwohl er im Gegensatz zu Onno keinen sichtbaren Schaden davongetragen hatte.

Onno stellte das Bier ab und stand auf, wobei der Hocker, auf dem er gesessen hatte, umfiel und auch die Flasche daneben zu Fall brachte. Auf dem Teppich breitete sich ein dunkler Fleck aus und vermischte sich mit anderen, beständigeren dunklen Flecken. Er kümmerte sich nicht darum. Stattdessen zog er *Master of Puppets* aus dem Regal, nahm die Platte aus der Hülle und legte sie auf. Er schob den Starthebel nach links, setzte die Nadel mitten in *Welcome Home (Sanitarium)* ab und drehte den Laut- stärkeregler bis zum Anschlag. Dann ging er zu den Fenstern hinüber, öffnete eins nach dem anderen und zog die Rollläden hoch. Die Boxen stellte er auf die Fensterbank. Unten sah er sei- ne Mutter und Walter Baalmann am Tisch sitzen. Beide schauten gleichzeitig zu ihm auf. Seine Mutter beschirmte ihre Augen. Sie sagte etwas, was im Aufbrausen der Gitarren, im Sperrfeuer des Schlagzeugs unterging.

Nach der Auflösung von Kill Mister hatte er in Bands gespielt, die sich Necrosis, Decomposed oder Final Death nannten und in der sich jedes Mitglied als Künstler verstand: Der Sänger meinte stets, eine göttliche Stimme zu haben, obwohl die Laute, die er von sich gab, eher an ein Bellen oder Grunzen erinnerten, nicht an Worte. Der Bassist war mehr daran interessiert, Soli zu spie- len, als auf den Beat oder die Riffs zu achten. Und die beiden Gi- tarristen stritten sich darum, wer von ihnen den Rhythmus und wer die Melodie übernehmen sollte. Für die Texte ihrer Songs – *Rotten Flesh, Burning in Heaven, Satan's Salvation* – fühlten sich alle gleichermaßen verantwortlich, ungeachtet der Tatsache, dass keiner von ihnen ein Englisch sprach, das über das, was sie in der Schule gelernt hatten, hinausging.

Was ihre Fähigkeiten anging, überschätzten sie sich maßlos, aber Onno gefiel der Gedanke, dass diese Art des Metal, in der sich jeder mit seinen schnellen und wilden Improvisationen in den Vordergrund schob, seinem Ideal, dem Metaljazz, am nächsten kam. Oft liefen die Songs völlig aus dem Ruder, die Einsätze kamen zum falschen Zeitpunkt, chromatische Tonleitern wechselten mit diatonischen, die Akkorde passten nicht zu den Tonarten, und keiner scherte sich um Takt, Rhythmik oder Artikulation. Und doch war dieser Lärm Musik in seinen Ohren, so als hätten sie *You Suffer* auf eine Stunde ausgedehnt oder, besser noch, als hätten sie *You Suffer* dreitausendsechshundert Mal hintereinander gespielt und gleichzeitig immer wieder neu interpretiert.

Aber diese Zeiten waren vorbei, für ihn und für die anderen auch.

Zu den Konzerten, die er zuletzt, noch vor dem Unfall, mit Final Death gegeben hatte, waren kaum noch Zuhörer gekommen, was vor allem daran lag, dass die meisten Metal-Fans nach dem Abitur, nach dem Zivildienst nach Hamburg, Berlin oder Münster gezogen waren und nur noch in den Semesterferien oder im Urlaub nach Ostfriesland zurückkehrten und die Veranstalter auf die Jugend setzten, auf Schülerbands, die, wie einige Booker meinten, nicht nur zivilisierter aussahen und besser spielten, sondern, was für sie ausschlaggebender war, auch weniger Gage verlangten und mehr Profit versprachen.

Im Krankenhaus, in der Reha hatte er nicht glauben wollen, was ihm Stefan und Stephanie sagten, dass Metal tot war, und Pläne geschmiedet, ihnen das Gegenteil zu beweisen, sobald er wieder zu Hause sein würde. Aber als es dann so weit war, als er, die Sticks in der Hand, quer durchs Dorf marschierte, merkte er, dass sie recht gehabt hatten, Stefan und Stephanie.

Er konnte die Stille schon von Weitem hören, schon von der Dorfstraße her, während er an den Edelstahlkesseln der stillgelegten Molkerei vorbeiging, die wie am Boden gebliebene Treibstofftanks eines Space Shuttle in den Himmel ragten. Überall lagen Scherben. An die Mauern hatte jemand Hakenkreuze gesprüht, aber keine mit Phosphorspray so wie Daniel fünf Jahre zuvor, sondern in Schwarz und Weiß, und jemand anderes hatte sie durchgestrichen oder zu vier Vierecken umgestaltet. Die Fenster im Erdgeschoss waren mit Holzlatten vernagelt, in der Regenrinne wuchs eine Birke, und an der alten Betriebshalle, dort wo früher in glänzend weißer Leuchtschrift *Raiffeisen-Molkerei Jericho* gestanden hatte, fehlten jetzt bei *Jericho* zwei Buchstaben, das J und das o, und die, die noch da waren, waren verwittert, vom Rost zerfressen.

Normalerweise drang ein Krachen und Wummern aus dem Keller, den Proberäumen herauf, der Asphalt vibrierte, und die wenigen intakten Scheiben zitterten unter der Wucht der Bässe. Aber nachdem Onno die Tür geöffnet hatte, war da erst nur ein Scheppern wie von einem Schellenkranz, dann, auf der untersten Treppenstufe angekommen, vernahm er hohe, helle Stimmen und etwas, was nach einer Akustikgitarre klang. Er fühlte sich wie ein Kriegsheimkehrer, jedenfalls stellte er sich vor, dass sich Kriegsheimkehrer so fühlen mussten: aller Illusionen über die Heimat beraubt, und wie sie fügte er sich in sein Schicksal.

Jetzt hießen die Bands Marble Juice, Violent Green oder Spoonmen und die Songs *Jonathan* oder *Fridge* oder *Ear Pollution*. Die Haare waren kürzer – außer Onnos –, die Kleidung bunter und flauschiger und die Texte zu verstehen, nicht unbedingt zum Vorteil ihrer Urheber. Anders als früher, als Onno darauf bestanden hatte, mit seinem Drumset neben allen anderen zu sitzen, war es ihm recht, wenn man ihn jetzt hinten, am Bühnenrand, hinter den Becken kaum erkannte. Er glaubte, dass er nur noch dazu tauge, die anderen Musiker zu begleiten, und begnügte sich mit der Rolle desjenigen, der den Takt vorgab.

Er hatte nie Kompromisse machen wollen und verachtete Konzerte, bei denen zwölf Meter große Schweineballons über den Köpfen der Menschen schwebten, Blut ins Publikum gespritzt oder die Instrumente mit brennenden Kettensägen zerteilt wurden. Nichts sollte von der Musik ablenken. Bei Marble-Juice-Auftritten war das Licht auf die Fans gerichtet, während die Bühne im Dunkeln lag, bei Violent Green war jede Gitarre für jeweils einen Song gestimmt, und Spoonmen benutzten Plastiklöffel statt Plektren, die ständig zerbrachen, was weder den Gitarristen noch den Bassisten daran hinderte, an diesem Ritual festzuhalten. Selbst Onno hatte sich einmal dazu hinreißen lassen, mit Holzlöffeln auf die Trommeln und Becken einzuschlagen, aber sofort gemerkt, dass das Ergebnis seinen Ansprüchen nicht genügte. Den einen hatte er dem Sänger, der die Idee dazu gehabt hatte, an den Kopf geschleudert, den anderen, weil er mit rechts nicht ausholen konnte, einfach fallen lassen. Dann war er aufgestanden und nach Hause gegangen und erst nach drei Wochen wieder im Proberaum erschienen.

Als Onno seine Mutter »Der ist oben, in seinem Zimmer« sagen hörte, lag er, den rechten Arm unter den Kopf geklemmt, auf dem Sofa. Er rauchte einen Joint, bestes Gras, das er sich erst vor ein paar Tagen jenseits der Grenze, in Winschoten, gekauft hatte, und starrte an die Decke, auf die Vertäfelung, die Maserung, die Textur des geschnittenen Holzes. In den Linien und dunklen Astbildern meinte er, Gesichter und Gegenstände zu erkennen und in ihrer Anordnung eine Botschaft. Er stand kurz davor, sie zu entschlüsseln.

»Na, Alter«, sagte Stefan und riss ihn aus seinen Gedanken. »Was geht?« Seit er in Münster Mathematik, Biologie und Informatik studierte, sagte er ständig solche Sachen, und er fragte sich, ob er mit Stephanie auch so redete, so pseudo. »Krass, Alter. Wie sieht's hier denn aus? Ist ja schlimmer als bei uns in der WG. Und ich dachte schon, Hegel sei das Maß aller Dinge, aber bei dem gibt's wenigstens noch ein Durchkommen, bei dem kann man sich wenigstens noch irgendwo hinsetzen.« Seine Haare waren kürzer und seine Klamotten weiter und tiefer hängend als noch vor ein paar Jahren, er sah aus wie ein Skater, aber er war keiner, jedenfalls hatte Onno ihn noch nie auf einem Skateboard gesehen. »Ist das sortiert?«

»Was?«, fragte Onno, ohne den Kopf zu bewegen.

»Die Hefte hier.« Jetzt wandte sich Onno doch um. Stefan zeigte auf einen Stapel *Metal Hammer*, der auf einem der beiden Sessel lag.

»Sieht hier irgendwas sortiert aus?« Onno glitt in seine Ausgangsposition zurück.

»Die Platten schon.«

»Die sind ja auch heilig.«

Stefan fegte die Hefte vom Sessel, und während sie neben ihm an beiden Seiten zu Boden fielen, setzte er sich hin und nahm einen Zug von Onnos Joint. »Korrekt, Alter, wo hast du das denn her? Besser als der Mist aus der Sputnikhalle. Das Zeug, das die da verticken, schmeckt wie Gras, und damit meine ich Gras und nicht Gras, wenn du verstehst, was ich meine.«

Während Stefan weiterredete, es ging um irgendeine Prüfung, die er ohne Gras niemals bestanden hätte, schloss Onno die Fenster, drehte die Boxen ins Zimmer zurück und den Lautstärkeregler auf zwei, steckte *Master Of Puppets* wieder in die Hülle und legte *Kill'Em All* auf.

Er hatte das Gefühl, für jede Bewegung Stunden zu brauchen.

»Ist das eine von denen, die deine Mutter damals weggeschlossen hat?« Stefan fragte das jedes Mal.

Onno drehte sich eine neue Zigarette, diesmal streute er nichts aufs Blättchen außer Tabak, ließ das Zippo-Feuerzeug auf- und zuschnappen, atmete ein und wieder aus.

»Hört man«, sagte Stefan und beugte sich zum Plattenspieler hinüber. »Sieht man auch.«

Onno ging zum Kühlschrank und holte eine neue Bierflasche heraus. Stefan sagte: »Für mich auch«, und wies erst auf die leeren Flaschen auf dem Tisch, dann auf seine Brust, aber Onno reagierte nicht darauf und ließ sich wieder aufs Sofa fallen.

»Du hättest wegziehen sollen«, sagte Stefan, nachdem er sich selbst ein Bier geholt hatte.

»Wohin?«, fragte Onno. »Etwa nach Münster?«

»Zum Beispiel.«

»Und was soll ich da?«

Stefan zuckte mit den Achseln. »Studieren.«

»Wie soll das denn gehen, ohne Abi?«

»FH.«

»Und was soll ich bitteschön deiner Meinung nach an der FH studieren? Pflegemanagement oder Gesundheitswesen oder so einen Schwachsinn, damit ich mich selbst heilen kann?«

»Immer noch besser als das, was du jetzt machst.«

»So, was mache ich denn jetzt?«

»Mit diesen Typen da auftreten.«

»Mit welchen Typen?«

»Spoonmen.«

»Woher weißt du denn davon?«

»Weiß doch jeder. Das hat sich doch schon bis Münster rumgesprochen.«

»So«, sagte Onno. »Hat es das?«

»Ja«, sagte Stefan. »Hat es.«

Bei Ankündigungen benutzte er ein Pseudonym – Ulrich Larsson –, auf Fotos war sein Gesicht der langen, nach vorn gekämmten Haare wegen nicht zu erkennen, und wenn jemand ein Interview mit der Band machen wollte, was selten geschah, schärfte er den anderen ein, auf keinen Fall die Wahrheit zu sagen. Trotzdem erkannten ihn natürlich einige seiner alten Metal-Kollegen auf Festivals, und trotzdem fielen sie vor ihm auf die Knie, wenn er irgendwo abseits der Bühne auftauchte. Sie erhoben die Hände über ihren Köpfen und verneigten sich vor ihm, nicht in Ehrfurcht über seine vergangenen Leistungen oder aus Respekt für das, was er durchgemacht hatte, sondern als ironische Geste. Der glühende Zigarettenanzünder, den ihm Rainer vor dem Unfall ins Gesicht gedrückt hatte, hatte auf seiner Stirn eine kreisrunde Narbe hinterlassen, und seitdem betrachteten ihn einige als Auserwählten, als jemanden, der sie alle erlösen könnte vor dem Niedergang des Thrash Metal. Nur er selbst wusste nicht, wie er das anstellen sollte, nicht mit seinem Arm.

»Selbst Hegel weiß Bescheid. Er hat euch neulich im Gleis gesehen. Und der geht sonst nie zu Konzerten. Ich konnt's nicht fassen, als er's mir erzählt hat. Alter, rat mal, wen ich gestern gesehen hab: Onno Kolthoff, deinen Freund Onno.«

Onno bereute, mit Spoonmen im Gleis 22 aufgetreten zu sein, ein Jugendclub, gleich neben dem Bahnhof, und er bereute auch, Stefan jemals in Münster besucht, jemals bei ihm in der WG übernachtet zu haben.

»Er war da wohl eher zufällig, wegen irgendeinem Mädel, einer aus der Fachschaft. Ich kenn die nicht, vielleicht stimmt das auch gar nicht, der hängt ja neuerdings ständig im Gleis rum. Steffi hat ihn auch ein paarmal da gesehen, aber immer allein oder mit andren Philosophen. Jedenfalls hat er gesagt, wusste gar nicht, dass Onno jetzt bei Spoonmen spielt, dachte, das wär dem zu blöd, Grunge. Er meinte, vielleicht machst du das aber ja auch mit Absicht, um zu zeigen, wie schlecht die wirklich sind, wenn sie sogar mit einem halbseitig Gelähmten spielen. Versteh das jetzt bitte nicht falsch. Er meinte, dass du extra schlecht spielst und unter deinen Möglichkeiten bleibst, um dem Grunge den Boden unter den Füßen wegzuziehen, um allen, die noch an Grunge glauben, zu zeigen, dass das nichts taugt und nicht lange halten wird. Das ist Hegels Meinung, nicht meine. Aber im Prinzip hat Hegel natürlich völlig recht. Nur seine Schlussfolgerung stimmt nicht. Du willst den Grunge nicht entlarven. Der entlarvt sich selbst. Du machst das nur, damit die andren nicht das Gefühl haben, weniger draufzuhaben als du. Damit ihr als Band funktioniert. So wie wir früher als Band funktioniert haben.«

»Wir haben nie als Band funktioniert«, sagte Onno. »Alle Bands, in denen wir beide je gespielt haben, basierten darauf, nicht zu funktionieren.«

Die Platte war zu Ende, und Onno stand auf, um eine andere aufzulegen.

Nachdem der Gesang eingesetzt hatte, fragte Stefan: »Ist das etwa Judas Priest?«

»Ja«, sagte Onno vom Kühlschrank her. Im Licht der kleinen grellen Lampe schimmerten die zwei verbliebenen Flaschenböden wie runde Smaragde, und er strich darüber hin wie über einen Schatz. Vor dem letzten Bier kniend hatte er das Gefühl, sich entscheiden zu müssen. Er wusste nicht, was er mit Stefan anstellen sollte. Er wusste nur, dass er sich entscheiden musste. Entweder ließ er ihn solange auflaufen, bis er von selbst ging, oder er schmiss ihn raus. Doch dann fragte er, ihm halb zugewandt: »Willst du noch eins?« Und in dem Moment, als er das fragte, konnte er beide Hände nicht mehr spüren und auch beide Beine nicht, und trotzdem sackte er nicht weg, sondern richtete sich wieder auf. Ihm war, als hätte jemand seinen Kopf auf einen Amboss gelegt und zu Brei geschlagen.

Stefan nickte. »Ich dachte, Judas Priest kannst du nicht leiden. Ich dachte, die seien dir zu weich.«

»*Painkiller* nicht«, sagte Onno, als er die beiden Flaschen auf den Tisch stellte und sich wieder hinsetzte. Langsam kehrte das Gefühl in seine Glieder zurück. »*Painkiller* ist in Ordnung. Vor allem wegen des neuen Drummers, Scott Travis.« *Judas Priest.* Plötzlich musste er daran denken, wie sie hier mit Daniel gesessen hatten, in völliger Stille. Der Artikel, den seine Mutter aus der *ZEIT* ausgeschnitten und an die Wand geheftet hatte, war verschwunden, und die Platten, die sie vor ihm versteckt hatte, standen wieder alphabetisch sortiert im Regal. Ansonsten sah das Zimmer immer noch genauso aus wie vor sechs Jahren, mit derselben alten Wohnzimmereinrichtung, demselben Schlagzeug, dem gleichen Durcheinander.

»Wir könnten's ja auch noch mal versuchen.«

»Was?«

»Auftreten.«

»Mit wem? Mit Decomposed?«

»Nee, nur wir beide. Gitarre und Schlagzeug. Total reduziert. Nicht dieser Bombastrock, nicht dieser ganze opulente Scheiß, sondern auf das Wesentliche reduziert: Minimetal. Im August gibt's in Wacken wieder ein Open Air, und die suchen noch Bands, Alter. Das wär doch genau der richtige Ort für ein Comeback.«

»Von was?«

»Von uns.«

»Damit?« Onno schob mit links seinen rechten Arm hoch und ließ ihn dann wieder fallen.

»Ich könnte dir ja auch so ein Schlagzeug bauen wie das, was Rick Allen hat. Das ist überhaupt kein Problem, Alter. Wir nehmen einfach ein paar Drumpads dazu und verbinden dein zweites Pedal mit dem PC. Du müsstest dann natürlich auf eine der

Bassdrums verzichten, aber im Prinzip kann man das auch so programmieren, dass es wie eine zweite klingt, tief und fett.«

»Du meinst, ein Behindertenschlagzeug.«

»Es geht doch nur darum, deine Schlagkraft zu verstärken. Überleg doch mal: Du könntest endlich wieder ein Double-Speed-Snare-Pattern spielen! Wir würden die Schläge deiner linken Hand aufnehmen, und über die Pads, über die piezoelektrischen Auslöser, würden wir die gesampelten Sounds dann aktivieren. Keiner wird den Unterschied merken.«

»Ich schon.«

»Weil du's weißt.«

»Dann kannst du ja gleich einen Drumcomputer nehmen. Wozu brauchst du mich dann noch?«

»Für die Show, Alter!« Stefan nahm den Tabak an sich, legte Blättchen und Filter zurecht, öffnete das Tütchen, das Onno aus Holland mitgebracht hatte, und baute einen Joint. »Für die Show«, sagte er noch einmal und ließ das Feuerzeug aufblitzen. »Ist das aus dem Coffeeshop, in dem wir bei der Braderienacht waren?«

Onno nickte. »*White Shadow.* Ist schon seit Jahren in Umlauf. Kannst du auch hier in Jericho kriegen, kostet bloß mehr.«

»Echt? Und wer vertickt das?«

»Iron Man.«

»Black Sabbath?«

»Auch das.«

»Was noch?«

»Mein auf drei Gebieten ausdauernd erfolgreicher Dealer.«

»Kenn ich den?«

»Mit Sicherheit.«

»Und wer ist das?«

»Ein Mann von Gemeinheit, List und Stärke.«

»Du gibst deine Quelle nicht preis.«

»Er würde mich umbringen. Und das ist ein Triumph, dem ich ihm nicht gönne.«

»Auf jeden Fall besser als das von Pfeiffers.«

»Viel besser«, sagte Onno und streckte die Hand aus. »Aber auch gefährlicher.«

»Gefährlicher?« Stefan reichte ihm den Joint, und Onno nahm ihn.

»Darf man nicht zu viel von nehmen. Das vernebelt dir das Hirn.«

»Ich dachte, das ist bewusstseinserweiternd.«

»Für dich vielleicht.«

»Dann könnte ich sogar deine Avantgardescheiße ertragen.«

»Apropos«, sagte Onno, gab ihm den Joint zurück, erhob sich aus dem Sofa und zog *Naked City* aus dem Regal.

»Scheiße, hätt ich bloß nix gesagt.«

»Zu spät«, sagte Onno und tauschte die Platten aus. Aber kurz vor Ende der ersten Seite schob er den Hebel auf Stopp.

»Was soll das? Ich hab grad Gefallen an der Scheiße gefunden.«

»So schnell werde ich nie wieder spielen können«, sagte Onno. »Selbst mit deinem Behindertenschlagzeug nicht.«

»In ein paar Jahren wird nicht einmal das mehr nötig sein«, sagte Stefan, kniff die Augen zusammen, nahm einen letzten Zug, obwohl der Joint schon fast bis zum Tip heruntergebrannt war, und drückte ihn im Aschenbecher aus. »Alter, geiles Zeug.« Er lehnte sich zurück und ließ Ringe aus seinem Mund aufsteigen. Dann richtete er sich auf und sah nach oben. »Krass.«

»Was?«

»Kohl.«

»Wo?«

»Da oben!«, Stefan zeigte an die Decke, auf die Holzvertäfelung. »Helmut Kohl.«

»Schwachsinn.« Onno sprang auf, ihm schwindelte von der schnellen Bewegung, und betrachtete die Stelle, die er vorhin, bevor Stefan hereingeplatzt war, die ganze Zeit angestarrt hatte.

»Original, Alter. Die Brille, die hohe Stirn, das nach unten hin zu beiden Seiten auslaufende Gesicht. Kohl. Unser ewiger Bunzkanzler.« Er rutschte vom Sessel auf die Knie und faltete die Hände wie zum Gebet.

»Du hast zu viel geraucht.«

Beide setzten sich wieder.

»Und du hast Helmut Kohl an der Decke hängen. Big Birne is watching you!« Er hielt inne, um einen neuen Joint zu bauen. »Hast du noch mehr davon?«

»Nur das in der Tüte da.«

»Vielleicht können wir die Tage noch mal rüberfahren. Bis zum Semesteranfang bin ich hier. Alter, wenn ich an den Mist aus der Sputnikhalle denke, wird mir jetzt schon schlecht. Das Zeug, das die da verticken, schmeckt wie Gras, und damit meine ich Gras und nicht Gras, wenn du verstehst, was ich meine.«

»Ja«, sagte Onno. »Das sagtest du bereits.«

»Alter, wenn du das nächste Mal nach Münster kommst, musst du das probieren. Ich glaube, das ist wirklich nur Gras, getrocknetes Gras von irgendeiner Wiese.«

»Was wird nicht mehr nötig sein?«, fragte Onno, um auf das zurückzukommen, was Stefan vorhin gesagt hatte, weil er sich nicht vorstellen konnte, neben einem zugedröhnten Stefan im Auto zu sitzen, sich von ihm ein paar Gramm feinstes Marihuana vor der Nase wegrauchen zu lassen und womöglich selbst wieder zurückzufahren in seinem Audi A4 Automatik, Baujahr 1995, 150 PS, den sein Vater ihm nach der Reha geschenkt hatte.

»Was?«

»Mein Schlagzeug.«

»Ach so, ja, das.« Stefan rollte das Blättchen zusammen und

versiegelte es mit seinem Speichel. »Man wird dir einfach einen Chip einpflanzen. Dann musst du nur an Schläge denken, um Töne zu erzeugen. Was glaubst du, wie schnell du dann spielen kannst, Alter? Dann sind die zweihundertachtundvierzig Bpm von Dave Lombardo auf *Necrophobic* nix, dann schaffst du locker mehr als vier Schläge pro Sekunde. Überleg mal, was da für Möglichkeiten drinstecken. Dein Arm, beide Arme werden völlig überflüssig sein, allein die Kraft deiner Gedanken ist entscheidend. Hier«, er tippte sich mit einem Finger gegen die Stirn, »wirst du spielen. Beethoven hätte noch bis ins hohe Alter weitermachen können, trotz seiner Taubheit. Und Schostakowitsch würde, ungeachtet seiner vielen Gebrechen, wahrscheinlich heute noch eine revolutionäre Sinfonie nach der anderen komponieren. Du kannst blind sein und taub und stumm, so wie Tommy, du kannst sogar komplett gelähmt sein, vollkommen steif, solange dein Gehirn lebt, und doch bist du ein musikalisches Genie: Du wirst die Beschränkungen, die dir dein Körper auferlegt, mit Leichtigkeit überwinden.«

»In zwanzig Jahren vielleicht.«

»Hast du eine Ahnung.« Stefan zündete sich den Joint an und nahm einen Zug. »Der technologische Fortschritt wächst exponentiell. Das kann Schlag auf Schlag gehen. Schon jetzt gibt es für Tinnituspatienten wie mich ein Gerät, das hinterm Ohr implantiert wird und auf Knopfdruck Medikamente freisetzt, die dieses verdammte Fiepen dämpfen.« Mit einem Finger bog er sein Ohr nach vorn und ließ es dann wieder zurückflappen. »In zwei, drei Jahren wird so eine Maschine bestimmt durch einen Chip ersetzt werden, durch einen lernfähigen Chip, einen, der sich von selbst weiterentwickelt. Am Anfang ist der vielleicht noch ziemlich primitiv, aber das Gehirn füttert ihn ja permanent mit Informationen, und bald wird er in der Lage sein, die Aufgaben, die an ihn gestellt werden, selbstständig zu lösen. Dieser

Prozess wird sich automatisieren, sodass die Rechenleistung irgendwann genauso effizient ist wie die eines rein biologischen Gehirns. Und weißt du, was das Beste daran ist, Alter?«

Onno hasste rhetorische Fragen, vor allem von Leuten, die gerade einen Laberflash hatten, vor allem von Stefan. Er wusste plötzlich, dass es besser gewesen wäre, ihn rauszuschmeißen. Aber dafür war es jetzt zu spät. Jetzt würde er ihn argumentativ auseinandernehmen müssen oder, falls das nicht gelang, wissensmäßig übertreffen, um nicht als Verlierer dazustehen.

»Das, was man dir einpflanzt, muss nicht einmal ein Chip aus Silizium sein. Es wäre sogar besser, wenn es nicht so wäre. Der könnte zwar relativ schnell rechnen, aber nur wenige binäre Informationen zeitgleich verarbeiten. Was man dir einpflanzen müsste, wäre ein Gen-Rechner, einer, der aus purer DNS besteht. Der wäre zwar langsamer, hätte aber den Vorteil, dass er seine Kalkulationen an Milliarden Stellen gleichzeitig ausführt.«

»Weißt du eigentlich, was du da für einen Schwachsinn redest? Niemand wird mir einen Chip einpflanzen.«

»Vielleicht hast du damit sogar recht.«

»Womit?«

»Dass dir niemand einen Chip einpflanzen wird.« Stefan hob den Zeigefinger. »Die Betonung liegt auf *wird*.« Er beugte sich vor und senkte seine Stimme. »Vielleicht *hat* dir nämlich schon jemand einen Chip eingepflanzt. Und mir auch. Wie sollen wir das wissen? Vielleicht werden unsere Gedanken schon kontrolliert und ferngesteuert.«

»O ja, deine ganz bestimmt.«

»Jetzt mal ohne Scheiß, Alter«, sagte Stefan. »Wäre das nicht möglich, dass wir Teil eines ganz großen Programms sind, dass wir alle hier«, er fuhr mit der Hand durch den Raum, »zu einem ganz bestimmten Zweck programmiert wurden?«

»Und was soll das für ein Zweck sein?«

»Konsum, Alter! Konsum!«

»Dafür musst du niemanden programmieren. Das machen die Leute ganz von selbst.«

»Das ist der Beweis!«

»Schwachsinn.«

»Findest du's nicht auch bemerkenswert, dass Zuse seinen ersten Rechner genau zu dem Zeitpunkt entwickelte, als Keynes seine *Allgemeine Theorie der Beschäftigung, des Zinses und des Geldes* veröffentlichte?«

»Nein«, sagte Onno. »Finde ich nicht. Das ist purer Zufall.«

»Zufälligkeit ist dasselbe wie äußerliche Notwendigkeit. Sagt Hegel.«

»Ist mir scheißegal, was Hegel sagt.«

»Nicht *der* Hegel, der andere, der richtige.«

»Entweder du hast nach dem Unfall zu lange im Koma gelegen, oder du kiffst zu viel!«

»In dieser Hinsicht solltest du ganz still sein, Alter. In dieser Hinsicht solltest gerade du ganz still sein. Willst du auch noch mal?« Stefan hielt ihm den halb abgebrannten Joint hin.

Onno schüttelte den Kopf. Er wollte sich jetzt nicht weichmachen lassen. »Mal angenommen, das stimmt, was du sagst, und irgendjemand oder irgendetwas hat mir einen Chip eingepflanzt, warum funktioniert dieser lebende Computer –«

»Gen-Rechner.«

»Meinetwegen. Warum funktioniert dieser Gen-Rechner nicht so, dass ich wieder Schlagzeug spielen kann? Das würde besser zu deiner geisteskranken Hypothese passen: Ich würde mir dann nämlich sofort ein größeres Drumset kaufen, mehr Konzerte geben, Platten aufnehmen, T-Shirts drucken lassen, um die Welt reisen und Backstage ein paar minderjährige Mädchen schwängern. Ich würde den Markt rundum bedienen und das ganze Wirtschaftsding am Laufen halten.«

»Weil die es nicht wollen.«

»Wer? Die Kapitalisten?«

»Die, die den Chip programmiert haben.«

»Und wer sind die? Die Plutonier?«

»Red keinen Scheiß, Alter.«

»Du hast doch damit angefangen«, sagte Onno. »Also wer?«

»Was weiß ich. Wenn ich das wüsste, würde ich hier bestimmt nicht mehr sitzen. Die würden mich doch abschalten, ehe ich den Gedanken gedacht hätte.«

»Die Gedankenpolizei!«

»Wenn du sie so nennen willst.«

»Okay. Okay. Du weißt also nicht, wer das ist. Aber ich verstehe immer noch nicht, warum die, wenn die so viele tolle, übernatürliche Fähigkeiten besitzen, mir nicht helfen. Ich würde hier doch sofort ausziehen. Ich würde mir, abgesehen von einem neuen Schlagzeug und allem, was dazugehört, vor lauter Glück doch erst mal eine eigene Bude und einen anderen, noch viel teureren Wagen kaufen und was weiß ich noch alles und für all das einen Kredit aufnehmen, den ich niemals abzahlen könnte. Die müssten sich doch die Hände reiben über den Deppen, der so billig und umfassend seine Seele an sie verkauft.«

Stefan schüttelte den Kopf. »Du darfst dabei nicht nur von dir ausgehen. Langfristig und gesamtgesellschaftlich rentiert sich das für die nicht. Du hast den Alkohol vergessen. Die Drogen und Medikamente.« Er drückte die Glut aus, obwohl der Joint noch ein paar Züge hergab. »Die Therapien. An einem deprimierten Krüppel verdienen die einfach mehr. Du bist ein negatives Vorbild. Die ganze Gesellschaft leidet unter so Typen wie dir.«

»Nicht unbedingt. Was, wenn ich früh sterbe? Was, wenn ich mich umbringe?«

»Das nützt dir gar nix. Im Gegenteil. Dann wärst du ein Märtyrer. Und das ist genau das, was die wollen. Schau dir Kurt Cobain an.« Stefan nahm einen kräftigen Schluck Bier, einen zu kräftigen, stellte die Flasche ab und wischte sich mit dem Handrücken über den Mund. Onno wartete darauf, dass er seinen Satz zu Ende brachte, weil er dachte, dass es sich um einen rhetorischen Imperativ handelte, aber Stefan sah ihn einfach nur an, mit einem müden, glasigen Blick.

»Was ist mit Kurt Cobain?«, fragte Onno schließlich.

»Nirvana verkaufen heute mehr Platten als je zuvor. Der ist nicht unser Jesus. Der ist nicht für uns gestorben oder für den Rock'n'Roll, der ist nur für sich selbst gestorben, um in die Geschichte einzugehen und sich als Marke zu etablieren.«

»Ich bin nicht Kurt Cobain.«

»Das stimmt«, sagte Stefan und unterdrückte ein Rülpsen. »Da hast du was Wahres gesagt.«

»Ich habe noch nix erreicht«, sagte Onno mit der gleichen irren Betonung wie Stefan. »Ich bin noch nicht fertig. Meine Mission ist noch nicht vollendet.«

»Deshalb warten die ja auch noch. Und dann, wenn's so weit ist, legen die den Schalter um.«

Schweigend tranken sie ihre Biere. Dann sagte Stefan: »Sag mal, isst du das hier noch?« Er zeigte auf den Teller mit den Kartoffeln und den Bohnen.

»Nein«, sagte Onno, der vor dem Plattenregal stand, auf der Suche nach etwas anderem, etwas, was er lange nicht gehört hatte und an dem sich Stefan, wie er hoffte, die Zähne ausbeißen würde.

»Da ist ja gar kein Speck drauf«, sagte Stefan mit vollem Mund. »Und kalt ist das auch.«

»Du musst das nicht essen. Niemand zwingt dich dazu.«

»Zu spät.« Er sah wieder an die Decke. »Höhere Mächte haben es mir befohlen.«

Das Cover zeigte ein grünes Monster, das den Teufel mit seinem Gewicht erdrückte. Onno hielt es so, dass Stefan es nicht sehen konnte, und brachte die Platte in Bewegung.

»Geil«, sagte Stefan, warf den Kopf vor und zurück, als hätte er noch genug Haare fürs Moshen, und reckte eine Hand, die, in der er die Gabel hielt, zur Faust geballt in die Höhe. »Flotsam and Jetsam, *Doomsday for the Deceiver*.«

Onno hob den Tonarm von der Platte und legte ihn zurück auf die Liftbank.

»Hey! Was soll das? Mach das wieder an. Das ist geil.«

»Vielleicht tun uns ein paar Minuten Stille auch mal ganz gut«, sagte Onno, während er Hülle und Platte wieder im Regal verstaute.

»Stille macht taub«, sagte Stefan. »Silence is deafening.«

»Ich hab das schon verstanden«, sagte Onno, »aber ich werde dir den Gefallen nicht tun und Napalm Death auflegen, selbst wenn du das auch noch auf Französisch oder Russisch oder Chinesisch sagst.«

»Le silence rend sourd. тишина оглущает. Chinesisch kann ich nicht.«

Wie blockiert stand Onno eine Weile vor dem Regal. Er überlegte, was jetzt am besten passen würde, thematisch, und entschied sich für Motörheads *Ace Of Spades*, obwohl er fürchtete, dass das Stefan wieder ein »Geil« entlocken würde.

Doch Stefan sagte nicht »Geil«, und er schüttelte auch nicht den Kopf oder reckte die Faust in die Höhe. Er saß einfach nur da, legte das Besteck auf den Teller zurück und sah ihn an. »Alter«, sagte er und klopfte sich dabei mit beiden Händen auf den Bauch. »Das war gut. Zwar ohne Speck und ein bisschen kalt, aber gut.« Er beugte sich vor. »Und jetzt sollten wir langsam mal zum Wesentlichen kommen.«

»Und das wäre?«

»Das Osterfeuer. Auf dem Platz hinter der Molkerei. Steffi ist auch da.«

Als sie dort ankamen, war der Berg aus Ästen und Tannenzweigen, Heuballen und Europaletten bereits an mehreren Stellen entzündet worden. Flammen schlugen hoch in den Abendhimmel. Funken stoben umher. Die Menschen standen dicht gedrängt ums Feuer und blickten vom Schein gebannt in die Glut. Onno konnte von Weitem Postloper Schmidt erkennen, Frau Nanninga, Bürgermeister Rosing, Simone, Iron Man, einige Schüler wie Tobias Allen, Volkers Schwestern Verena und Venja, die ihm das Gefühl gaben, in Jericho hängen geblieben zu sein, und seinen Vater, Achim Kolthoff, in der einen Hand ein Bier, in der anderen Susanne Haak. Onno wusste, dass sie Architektin werden wollte und eine Ausbildung bei ihm im Büro machte, aber er wusste nicht, worin diese Ausbildung bestand. Während sein Vater ihr etwas ins Ohr flüsterte, fing sie an zu lachen, und er lachte auch, aber mit einem Mal verfinsterten sich ihre Mienen. Die Mienen aller verfinsterten sich. Onno konnte nicht sehen, was es war. Etwas, das ihnen entgegenkam, nahm ihre Aufmerksamkeit in Anspruch, und sie wichen zurück. Dann sah er es selbst: Ein brennendes Kaninchen stürmte auf sie zu und rannte, von ihren Schreien geleitet, wieder ins Feuer hinein.

»Schrecklich. Der arme Hase.« Stephanie trat aus der Menge, den Reißverschluss ihrer Jacke bis zum Kinn hochgezogen, die Ärmel über die Hände geschoben, die Haare zum Zopf gebunden. Sie schlang ihre Arme um Onno, um Stefan, und stieß ihn gleich wieder von sich. »Spinnst du? Du bist ja total breit.« Auf dem Weg zu den anderen drehte sie sich um und streckte ihm beide Mittelfinger entgegen: »Fick dich, fick dich selbst.«

»Was war denn los?«, fragte Onno. »Was hast du gemacht?«

»Nix«, sagte Stefan. »Ich hab nix gemacht. Nix, was verboten wäre. Nix, was du an meiner Stelle mit einem gesunden Arm nicht auch getan hättest. Außerdem war das kein Hase.«

Eine Stunde später lehnten sie an einer der Buden, in denen Glühwein ausgeschenkt und Bratwürste verkauft wurden, und tranken Bier aus Halbliterdosen. Im schwindenden Licht der untergehenden Sonne zeichneten sich dunkel die Umrisse der alten Molkerei ab. Die Luft war erfüllt von Rauch, von Stimmen und dem Duft verbrannten Harzes. Keine zehn Meter entfernt raste ein Zug an ihnen vorbei.

»Wir brauchen noch einen Namen«, sagte Stefan schließlich. »Für unseren Auftritt.«

»Welchen Auftritt?«

»Den in Wacken.«

»Ich hab doch noch gar nicht gesagt, dass ich da mitmache.«

»Im Grunde genommen hast du gar keine Wahl. Das mit Spoonmen führt nämlich zu nix. Das weißt du, das weiß ich.«

»Du weißt gar nix«, sagte Onno. Aber nachdem er darüber nachgedacht hatte, musste er zugeben, dass Stefan recht hatte. Dass es besser war, seine Karriere mit einem großen, unvergesslichen Konzert zu beenden, als mit hundert kleinen und immer kleiner werdenden Konzerten langsam in Vergessenheit zu geraten. »Okay, aber lass uns vorher noch eine rauchen.«

»Und was trinken wäre auch nicht schlecht«, sagte Stefan und drückte die Dose zusammen. »Mein Kopf fühlt sich schon ganz trocken an.«

Gegen Mitternacht, das Holz war bis auf die dicksten Äste heruntergebrannt, diskutierten sie immer noch darüber, wie sie heißen könnten, ein Stadium, über das manche Bands, in denen beide gespielt hatten, nie hinausgekommen waren. Sie hatten schon Namen wie Axillaris, of Death und Naked Fear in die engere Auswahl gezogen, da sagte Onno plötzlich: »Aaaaaaarrghh!«

»Was ist los? Was ist passiert? Hast du was abgekriegt? Brennt das Scheißding?« Sie saßen auf einem Heuballen, und Stefan sprang auf, drehte sich um und setzte sich gleich wieder hin, erschöpft von der plötzlichen Bewegung.

»Alles in Ordnung«, sagte Onno.

»Warum hast du dann geschrien?«

»Ich habe nicht geschrien. Ich habe Aaaaaaarrghh! gesagt.«

»Ja«, sagte Stefan, »aber warum?«

»Weil wir so heißen werden.«

»Aaaaaaarrghh! Was ist das denn für ein Scheißname, Alter? Das ist ja noch bescheuerter als Kill Mister.«

»Das ist kein Name, das ist ein Zitat«, sagte Onno.

»Von wem?«

»Von Venom. Das ist –«

»Kenn ich. Ohne Venom wären wir jetzt gar nicht hier.«

»Wieso das denn?«

»Befruchtung«, sagte Stefan.

»Was haben denn deine oder meine Eltern mit Venom zu tun? Die haben so was bestimmt nicht gehört, nie im Leben, vor allem nicht, als sie –«

»Das meine ich nicht.«

»Was denn?«

»Osmose!«

»Osmose?«

»Ja. Geistige Osmose. Biologie. Das Durchdringen von Stoffen durch eine halbdurchlässige Membran in Richtung –«

»Ich weiß, was Osmose ist. Jeder weiß das. Die Mengs hat uns das ja alles bis zum Gehtnichtmehr auswendig lernen lassen.«

»Na dann ist ja gut.«

»Ja«, sagte Onno. »Das ist es.« Immer wieder fielen ihm die Augen zu.

»Jedenfalls«, sagte Stefan nach einer Weile, »gäb's ohne Venom kein Metallica, und ohne Metallica kein Thrash Metal, und du hättest dich nie für Musik interessiert, und wir hätten uns nie kennengelernt.«

»Wir haben uns in der Siedlung kennengelernt, lange bevor sich irgendeiner von uns für Musik interessiert hat.«

»Ist ja auch egal.«

»Ist es nicht.«

»Okay«, sagte Stefan. »Dann nennen wir uns eben Aaaaaaarrghh!« Er sagte noch einmal »Aaaaaaarrghh!«, aber diesmal lauter, wandte sich um und brüllte in die Nacht hinein: »Hört mal, Leute, wir heißen jetzt Aaaaaaarrghh!«

Onno riss noch einmal die Augen auf. »Für wen war das denn jetzt?« Dann fielen sie ihm wieder zu, und die Dose glitt ihm aus der Hand.

»Für's Protokoll.«

»Für welches Protokoll? Wir sind doch kein Verein!«

»Wir nicht. Aber die schon. Die zeichnen alles auf«, sagte Stefan. »Das wird alles gespeichert. Alles, was wir sagen. Alles, was wir denken. Sie sind da. Nicht da oben. Um uns herum. Sieh dir die Leute an, Alter. Sieh sie dir genau an. Wie ferngesteuert. Es könnte jeder sein. Der Briefträger, die Lehrerin, der Bürgermeister. Deine und meine Eltern. Wir selbst könnten es sein. Ihr Äußeres ist humanoid. Auf den ersten Blick sind sie von Menschen kaum zu unterscheiden. Du musst ihnen schon genau in die Augen schauen, Alter. Die Frequenz ihres Lidschlags verrät ihre wahre Identität. Ihre Tarnung ist fehlerhaft, aber im Dunkeln undurchschaubar. Und doch weiß ich, dass sie da sind. Jetzt. In diesem Moment. Ich spüre ihre Gegenwart. Ich höre ihre Stimmen, ihre Befehle. Sie rufen mich. Sie sagen: Bleib ruhig, bleib sitzen, wir sind gekommen, dich zu holen.«

So endete der Stille Samstag, und die Auferstehung des Erlösers begann.

Stefan Reichert schloss sich am 19. September 1999 an die Welt an und verglühte. Er saß, fast vollständig angeschnallt, auf einem alten Friseurstuhl und wand sich in Krämpfen. Sein rechter Arm zuckte durch die Luft, als wollte er auf etwas zeigen. Schaum trat aus seinem Mund. Das Blut gerann in seinen Adern. Für einen Moment stand die Zeit still, und der Raum verschwand. Dann schlugen ihm Flammen aus dem Kopf – ein Feuerkranz umgab sein Gesicht –, und es knisterte, bevor die ersten Funken in einem kurzen, heftigen Zischen zu Boden fielen und erloschen.

Der Anruf kam am frühen Morgen. Stephanie lag noch im Bett, als das Telefon klingelte. Sie nahm den Hörer ab, und Britta, Stefans Mutter, war dran. »Du musst kommen.« Ihre Stimme zitterte. »Stefan hat sich im Keller eingeschlossen.«

»Das ist doch nix Neues«, sagte Stephanie, genervt, deswegen geweckt worden zu sein.

»Nein«, sagte Britta. »Diesmal ist es anders. Er schreit rum. Er hat die ganze Nacht über geschrien.«

»Was schreit er denn?«

»Wir können nicht alles verstehen, aber es klingt fürchterlich.«

»Schreit er Zahlen?«

»Ja.«

»Rationale oder irrationale?«

»Irrational, würde ich sagen. Total irrational.«

»Gib ihn mir mal.«

»Das geht nicht.«

»Warum nicht?«

»Er redet nicht mehr mit uns.«

»Dann ruf ihn, sag ihm, dass ich ihn sprechen will.«

»Das haben wir auch schon versucht. Er kommt nicht hoch, egal was wir sagen.« Sie schluchzte, fing aber nicht an zu weinen. »Steffi?«

»Ja?«

»Was hat das alles zu bedeuten?«

Stephanie sah auf die Uhr: Viertel nach sieben. »Ich nehm den nächsten Zug.«

»Wunderbar. Ich hol dich vom Bahnhof ab.«

Stephanie nahm nicht den nächsten Zug, und auch nicht den übernächsten. Wenn es nach ihr gegangen wäre, hätte sie gar keinen Zug genommen, sondern den Tag im Bett verbracht, Chips gegessen und ferngesehen. Sie war spät und betrunken von einer Party zurückgekehrt, und jetzt schwirrte ihr von zu viel Wein und zu wenig Schlaf der Kopf. Es ärgerte sie, dass sie wegen Stefan wieder nach Ostfriesland zurückmusste, auch wenn der Anlass, so bestürzend er für seine Mutter auch sein mochte, ein erfreulicher war. Am Anfang der Semesterferien, vor nicht einmal zwei Monaten, waren sie gemeinsam dort gewesen, sie bei ihren Eltern und er bei seinen, und nach einer Woche wieder zurückgefahren, erschöpft von den Ritualen, denen sie sich unterwerfen mussten: Frühstück, Mittagessen, Abendbrot und dazwischen zweimal Tee, begleitet von Kommentaren über ihr Aussehen, ihren Lebenswandel.

»Musst du unbedingt diesen Müll tragen, diese Second-Hand-Klamotten? Geben wir dir nicht genug? Oder gibst du unser Geld für andere Sachen aus?«

»Fang ja nicht mit Drogen an, Frollein. Du siehst ja, was sie aus diesem Nichtsnutz gemacht haben.«

»Ich verstehe nicht, wie du das tun kannst, dich so für ihn aufopfern. Der saugt dich doch nur aus, bis auf den letzten Tropfen.«

»Wann bist du denn endlich mit dem Studium fertig? Und was willst du dann damit überhaupt machen? Mathematiker – das ist doch kein Beruf.«

»Was soll eigentlich diese alberne Sonnenbrille? Man kann dir ja überhaupt nicht mehr in die Augen schauen.«

»Wenigstens hat er keine langen Haare mehr.«

Darum hatte sie auch nicht verstanden, warum er vor zwei Wochen wieder dorthin gefahren war, warum er das, was er ihr sagen wollte, nicht auch hier sagen konnte und ihm plötzlich, wegen dieser Sache, die Anwesenheit seiner Eltern so viel bedeutete. Außerdem fragte sie sich, weshalb er sie, wenn sie deshalb schon zu ihm kommen musste, nicht schon zehn Tage früher einbestellt hatte. Der 9.9.99 wäre doch ein viel besserer Termin gewesen, der ideale Zeitpunkt.

Und es ärgerte sie auch, dass sie jetzt, wo sie darauf angewiesen war, nicht ihren eigenen Wagen, einen schwarzen Mini Cooper MK VI, Baujahr 1996, 63 PS, nehmen konnte. Irgendetwas war mit dem Motor nicht in Ordnung. Er sprang zwar an, machte aber ein seltsames Geräusch. Und da sie meinte, eine Weile auf ein Auto verzichten zu können, zumindest solange sie für ihre Nachprüfung in Zahlentheorie lernte und in der Stadt blieb, hatte sie ihn am Freitag in eine Werkstatt gebracht.

Wenigstens konnte sie im Zug schlafen oder lesen.

Lange stand sie unter der kalten Dusche, die Arme eng an den Körper gepresst und nach Luft ringend, als drohte sie zu ertrinken. Und während sie ihr bestes Kleid anzog, das sie sich vor Kurzem in London gekauft hatte, und ihre Tasche packte, trank sie drei Tassen Kaffee, heiß und schwarz und so stark, dass sie davon Herzklopfen bekam. Trotzdem fühlte sie sich wie betäubt. In ihren neuen Pumps geriet sie bereits im Flur ins Wanken, und der taillierte Blazer, den sie sich für diesen Anlass extra gekauft hatte, erschien ihr mit einem Mal doch zu eng geschnitten, aber das war ihre festlichste Garderobe. Sicherheitshalber steckte sie noch ein Paar Turnschuhe ein. Kurz bevor sie die Wohnung verließ, rief sie noch einmal bei Reicherts an, um ihnen die neue Ankunftszeit durchzugeben. Es war nur der Anrufbeantworter dran, und sie sprach ihre Nachricht aufs Band.

Auf dem Weg zum Bahnhof hielt sie beim Bäcker an der Ecke. Es war die Filiale eines großen Unternehmens. Das Brot wurde angeliefert, und die Brötchen wurden aufgebacken, aber der kleine Laden war immer voll. Er lag direkt am Eingang zur Altstadt, und jeder, der zur Uni musste oder in die Fußgängerzone wollte, kam daran vorbei. Selbst an Tagen wie diesem, an denen sogar die Bibliothek und sämtliche Geschäfte geschlossen hatten, standen die Menschen dicht gedrängt vor der Auslage, gaben ihre Bestellung auf und schätzten ihr Kleingeld.

Stephanie konnte sich nicht erinnern, wie oft sie schon hier drin gewesen war, allein oder zu zweit, mit oder ohne Stefan, aber immer, wenn sie darauf wartete, bedient zu werden, musste sie an einen ihrer Professoren denken, Professor Ischebeck. Sie war ihm nur einmal hier begegnet, vor zwei Jahren, aber der Gedanke, dass es wieder geschehen könne, ließ sie seitdem nicht mehr los. Sie war vom Joggen gekommen, hatte auf der Promenade die Innenstadt umrundet, und es war ihr unangenehm gewesen, in ihrem verschwitzten Trainingsanzug neben ihm zu stehen. Erst hatte er sie gar nicht bemerkt, und sie hatte gehofft, dass es dabei bleiben würde, doch beim Hinausgehen hatte er sie angesprochen: »Guten Morgen, Frau Reichert.« Er kannte weder ihren Vor- noch ihren Nachnamen, obwohl sie bei ihm Seminare über Zahlentheorie und Geometrie besucht hatte, er wusste nur, dass sie mit Stefan zusammen war, und das war alles, was ihn interessierte. »Wie geht's?«

»Gut.«

»Was macht die Arbeit?«

»Es geht voran.«

»Das hoffe ich. Wir sind alle sehr gespannt.« Er meinte nicht ihre Arbeit, keiner der Professoren, die sich danach erkundigten, tat das. Für sie war Stephanie nur der Mond, der die Erde umkreiste.

Während andere Studenten im ersten und zweiten Semester Vorlesungen über Infinitesimalrechnung oder Stochastik besuchten, hatte sich Stefan gleich mit den großen Themen beschäftigt: mit der Arithmetik der Abel'schen Mannigfaltigkeit, der Grothendieck-Kohomologie, dem Minimalen Supersymmetrischen Standardmodell, der Analyse der dreidimensionalen inkompressiblen Navier-Stokes-Gleichungen und Hilberts bisher unbeantworteten Fragen, ob die Physik axiomatisiert werden kann, ob alle nichttrivialen Nullstellen der Riemann'schen Zetafunktion den Realteil $\frac{1}{2}$ besitzen und wie sich der Satz von Kronecker-Weber auf beliebige Zahlkörper verallgemeinern lässt.

Er las die wichtigsten Aufsätze und Abhandlungen zu den jeweiligen Aufgaben, sprach mit älteren Kommilitonen, die daran gescheitert waren, um ihre Fehler nicht zu wiederholen, und bat seine Dozenten, ihm die Bedeutsamkeit der Vermutungen und Probleme zu bestätigen. Erst dann begann er, sich Notizen zu machen.

Professor Ischebeck war auf ihn aufmerksam geworden, als ihm Stefan während eines Stochastik-Seminars gezeigt hatte, wie sich Gregori Margulis' Arbeiten über Ergodentheorie vereinfachen ließen, und er hatte ihn ermutigt, weiterzuforschen – in alle Richtungen.

Und das hatte Stefan getan.

Tagelang.

Wochenlang.

Monatelang.

Es dauerte, bis er sein Thema gefunden hatte. Er meinte, erst alle Teilgebiete beherrschen zu müssen, um sich einer Sache widmen zu können. Er wollte das Ganze überschauen, bevor er sich dem Einzelnen zuwandte. Am Anfang waren es immer nur Ideen, die, für sich genommen, nicht funktionierten. Wenn er mit Stephanie darüber sprach, was selten und nur in Andeutungen geschah, klagte er über sein Unvermögen, die vielen verschiedenen Einfälle miteinander zu verknüpfen. Er hoffte, dass ihm das, was ihm einmal gelungen war, wieder gelingen würde, wenn er nur hart genug daran arbeitete. Im Kopf waren die Sätze klar und geordnet, aber sobald er sie aufschrieb, verschwamm alles. Mit jedem Wort verloren die Beweise an Präzision und Eleganz.

Je länger er in der Bibliothek saß oder auf der Brücke – ein voll verglaster, mit Tischen und Stühlen ausgestatteter Gang zwischen Hauptgebäude und Hörsälen –, desto weiter schien er sich von der Lösung eines Problems zu entfernen. Manchmal brachte Stephanie ihm vor ihren Didaktik-Vorlesungen einen Kaffee vorbei, aber wenn sie später wieder nach ihm sah, stand der Becher immer noch an derselben Stelle, ohne dass er auch nur einen einzigen Schluck daraus genommen hatte. Stefan war vor ihr in der Uni, und er ging nach ihr nach Hause, oft schlief er über Bücher oder seinen Laptop gebeugt ein, und oft hatte sie das Gefühl, er wache gar nicht mehr auf, weil er alles, was nicht mit Mathematik oder Biologie oder Informatik zu tun hatte, mit einer nahezu völligen Teilnahmslosigkeit hinnahm.

Sie hatte sich daran gewöhnt, allein auszugehen, ins Gleis 22 am Bahnhof oder in die Luna-Bar oder wie gestern auf eine Privatparty, sie lernte andere, weniger interessante Männer kennen, fuhr mit Charlotte, Antonia oder Julia Hamm, ihren Freundinnen, in Urlaub, und wenn sie zurückkam, schien Stefan gar nicht zu bemerken, dass sie weg gewesen war. Nur sie bemerkte ihre Abwesenheit: In der ganzen Wohnung stapelten sich dreckiges Geschirr und leere Pizzakartons, und seine Bücher und Zettel lagen über alle Zimmer verstreut. Ihren Kommilitonen, die sich von einem Abenteuer ins nächste stürzten, hatte sie sich immer überlegen gefühlt, und ihre Entscheidung, mit Stefan zusammengezogen zu sein, hatte sie nie bereut, aber das Chaos, das er hinterließ, sobald sie ihm den Rücken zukehrte, brachte sie jedes Mal aufs Neue aus der Fassung.

Einmal war sie in ihrer Wut darüber sofort wieder abgereist. Den Koffer noch in der Hand war sie in ihren Wagen gestiegen und nach Hause gefahren – zu ihren Eltern. Und bei drei, vier Gläsern Wein hatte sie sich dazu hinreißen lassen, ihnen ihr Herz auszuschütten. Von da an nannte ihr Vater Stefan einen Nichtsnutz, und ihre Mutter betrachtete sie seitdem stets mit einem vorwurfsvollen, mitleidigen Blick, als bedauerte sie ihre Tochter darum, im Leben die falsche Wahl getroffen zu haben. Sie hatten sie nie offen dazu gedrängt, Stefan zu verlassen, aber sie selbst hatte schon darüber nachgedacht, vor allem, weil sie nie wusste, an was er gerade arbeitete, und das war für sie schmerzhafter als alles andere.

Jedes Mal, wenn sie von seiner Schweigsamkeit genug hatte, stellte sie ihn zur Rede, und jedes Mal erhielt sie die gleiche Antwort.

»Ich kann's dir nicht sagen.«

»Warum nicht?«

»Weil's mir sonst entgleitet.«

»Was entgleitet dir sonst?«

»Alles. Alles, was ich sage, verselbstständigt sich.«

»Ich werd's niemandem verraten. Ehrenwort.« Stephanie hob wie zum Schwur die rechte Hand. Sie stritten nicht, sie stritten fast nie. Diese Gespräche, in denen er sich ihr offenbaren sollte, blieben immer in der Schwebe.

»Das meine ich nicht.«

»Was meinst du denn?«

»Ich sag's dir, wenn ich fertig bin, okay?«

Und als er fertig war, als sie beide fertig waren, damals, im Sommer vor zwei Jahren, hatte er ihr eines Morgens mehrere Notizhefte überreicht, Hunderte Seiten voller Sätze, Formeln und Gleichungen. Danach war er auf dem Sofa eingeschlafen und erst am nächsten Tag wieder aufgewacht.

Sie studierte zwar Mathematik, aber sie war eine von denen, die Mathe auf Grundschullehramt studierten und deshalb von den Diplommathematikern als »Primimäuse« verspottet und von den Professoren nicht ernst genommen wurden. Sie betrieb keine Forschung und hatte kein Interesse daran, es zu tun. Sie wollte mit Kindern arbeiten, ihnen Rechnen und Schreiben und die Grundlagen des christlichen Glaubens beibringen, ihrer Meinung nach das Wichtigste im Leben, das, worauf alles weitere aufbaute. Obwohl sie eine gute Schülerin gewesen war, eine der besten, fiel ihr das Studium schwer, die meisten Klausuren bestand sie nur mit Stefans Hilfe. Und sie versuchte ihm auf ihre Weise zu helfen, indem sie ihm ermöglichte, sich voll und ganz auf die Wissenschaft zu konzentrieren. Dann ging sie einkaufen, kümmerte sich um den Haushalt, das Abendessen. Das war der Grund, warum ihre Mutter ihr Vorwürfe machte, die feministischen Ideale, das, wofür sie während ihres eigenen Studiums in den frühen Siebzigerjahren gekämpft hatte, verraten zu haben. Aber Stephanie kochte und putzte gerne, es gefiel ihr, neue Gerichte auszuprobieren, durch eine saubere Wohnung zu gehen und in einem frisch gemachten Bett zu liegen. Diese Tätigkeiten gaben ihr das Gefühl, am Ende des Tages etwas Sichtbares und Notwendiges erreicht zu haben – ein Gefühl, das sie im Studium vermisste. Und es störte sie nur wenig, dass Stefan sich kaum daran beteiligte. Alles, was sie von ihm in dieser Hinsicht verlangte, war, nicht allzu viel Dreck zu machen.

Sie verstand zu wenig von Mathematik, um Stefans Beweis der Riemann'schen Vermutung richtig einschätzen zu können, aber genug, um zu erkennen, dass er, wenn alles stimmte, was in den Notizbüchern stand, Außergewöhnliches geleistet hatte. Die Professoren, die seinen Beweis begutachtet hatten – unter ihnen Professor Ischebeck –, meinten zwar, einige Lücken und Ungenauigkeiten in der Argumentation entdeckt zu haben, und sie waren nicht ausnahmslos positiv überrascht von seiner unkonventionellen Methode, zollten ihm aber dennoch Respekt für seine Leistung und drängten ihn, seine Arbeit so schnell wie möglich zu veröffentlichen. Stefan hatte sich auch grundsätzlich dazu bereit erklärt, unter der Voraussetzung, alle Fehler, die zweifellos darin enthalten waren, vorher zu beseitigen. Er sagte, er wolle nur etwas Vollkommenes abgeben, einen bis ins Detail schlüssigen Beweis. Tatsächlich aber hatte er die Manuskripte in die unterste Schublade seines Schreibtischs gelegt und sich, wie er meinte, drängenderen Aufgaben gewidmet, der Molekulargenetik, der Bioelektronik.

Immer wieder sprachen die Professoren ihn und sie auf die Notizhefte an, fragten, wann mit einer Abgabe zu rechnen sei, und boten ihre Unterstützung bei der Fertigstellung an. Aus aller Welt kamen Anfragen – einige Mathematiker, die seinen Beweis überprüft hatten, mussten Kopien angefertigt und weitergegeben haben. Stefan versprach, bald so weit zu sein und jedem von ihnen ein persönliches Exemplar zur abermaligen Begutachtung zukommen zu lassen, aber irgendwann kam eine neue Vermutung auf, die Reichert'sche Vermutung, und die besagte, dass er den Beweis nicht allein geführt habe und noch ältere, erfahrenere Wissenschaftler daran beteiligt gewesen seien. Einige behaupteten, den ganzen Aufbau seines Beweises zur gleichen Zeit entwickelt zu haben wie er, waren aber nicht in der Lage, das zu beweisen; andere schrieben Briefe an den Dekan der mathematischen Fakultät, die belegen sollten, dass Stefan einzelne Sätze und Hilfssätze von ihnen übernommen habe, ohne sie als Zitat kenntlich zu machen, und forderten ihn auf, Stefan, seinen besten Studenten, unverzüglich zu exmatrikulieren, andernfalls würde man sie beide wegen Betrugs anzeigen – was nie geschah.

Und als man Stefan ungeachtet dieser Vorwürfe für eine der Fields-Medaillen ins Gespräch brachte, die zu der Zeit zum ersten und bisher einzigen Mal in Deutschland verliehen werden sollten, wurde auch noch die Presse auf ihn aufmerksam. Journalisten riefen bei ihnen zu Hause an; sie lauerten ihnen auf, wenn sie die Wohnung verließen oder von der Uni kamen; manche begleiteten sie sogar bis in die Bäckerei hinein, in der Hoffnung, so ihr Vertrauen zu gewinnen, oder, falls das nicht gelang, sie wenigstens zu einer Aussage zu provozieren. Obwohl er alle Interviews ablehnte, gab es in den Zeitungen, im Radio und Fernsehen Dutzende Beiträge über ihn, das Genie, den Hochstapler, den Fall Reichert. Das und die heftigen, zwischen Verehrung und Verachtung schwankenden Reaktionen auf Vorträge, die er in Münster und an anderen europäischen Universitäten hielt, bestätigten ihn darin, besser nichts als nichts Abgeschlossenes zu veröffentlichen.

Während dieser Zeit kam ein Mann im Mathe-Institut auf Stefan und sie zu, er hatte keine Kamera, kein Tonbandgerät, keinen Schreibblock dabei, er stellte auch keine Fragen, er sagte bloß: »Sie mit Ihren Fähigkeiten und Sprachkenntnissen könnten es im höheren Dienst weit bringen, bei uns gibt es viel zu wenige, die politisch einwandfrei sind, fließend Russisch sprechen und etwas von Algorithmen verstehen«, gab ihm seine Karte, »München ist eine sehr schöne Stadt, mit den besten Grundschulen der Republik, Ihre Frau würde sich dort bestimmt wohlfühlen«, und verabschiedete sich, ohne Stephanie ein einziges Mal angesehen zu haben. »Rufen Sie mich jederzeit an, und damit meine ich jederzeit.« Sie fragte sich, ob das der Grund dafür war, dass sich Stefan vollkommen von der Welt zurückgezogen hatte, außerhalb der Wohnung eine verspiegelte Pilotenbrille trug, noch mehr Zeit im Labor oder der Bibliothek verbrachte, nachts aufstand, um endlos Nachkommastellen zu berechnen,

Basen zu benennen, Aminosäuresequenzen zu übersetzen und in der Bibel zu lesen, als hätte er das Geheimnis der Menschheit entdeckt.

»So, und was darf's bei Ihnen sein?«

Stephanie war in der Schlange endlich bis zum Tresen vorgerückt. Der Mann neben ihr nahm seine Papiertüte entgegen, trat einen Schritt zurück und stieß, als er sich umdrehen wollte, mit ihr zusammen. »'Tschuldigung.« Es war Professor Ischebeck. »O, guten Morgen Frau … Beckmann? Wie geht's?«

»Gut. Und Ihnen?«

»Haben Sie nicht bald eine Nachprüfung bei mir? Zahlentheorie oder Geometrie?«

»Zahlentheorie«, sagte sie. »Ich bereite mich gerade drauf vor.«

»Das hoffe ich. In Ihrem eigenen Interesse. Viel Zeit bleibt Ihnen nicht mehr.« Mit diesen Worten verließ er die Bäckerei, und Stephanie gab ihre Bestellung auf.

Sie hatte, als sie nach Münster gezogen war, endlich weg von zu Hause, geglaubt, sich ausprobieren zu müssen, und alle, die sie noch von der Schule her kannte, gemieden. In den ersten Wochen sprach sie jeden Tag nach den Vorlesungen Fremde an, Männer und Frauen. Manche hatten Allerweltsnamen wie Thorsten und Anja oder Michael und Julia, und sie verband diese Namen mit Attributen, mit ihrer Haarfarbe, ihrer Herkunft, um sie von anderen Thorstens und Anjas, Michaels und Julias unterscheiden zu können, wenn später von ihnen die Rede war. Thorsten Braun, Anja Schwarz, Michael Kassel, Julia Hamm. Manche hatten aber auch Namen, die ihr bisher nur in Büchern begegnet waren: Robert, Charlotte, Gregor, Antonia.

Viele davon sah sie nie wieder, weil sie sich entschlossen hatten, doch eine zeitlich besser gelegene Vorlesung zu besuchen oder etwas anderes zu studieren, in einer anderen Stadt. Aber denen, die sie wiedersah, erzählte sie ihr Leben, vom Kindergarten bis zum Abitur, alles, woran sie sich erinnern konnte. Sie erfand nichts. Sie dachte sich keine Geschichten aus, was einige taten, um sich interessant zu machen, um die Reaktionen ihrer Zuhörer zu testen, und sie fügte ihren Erlebnissen, ihren Eindrücken auch nichts Neues hinzu. Sie ließ lediglich Dinge, die ihr unangenehm waren, ungesagt.

Auch mit ihren Mitbewohnern saß sie stundenlang zusammen in der Küche und redete. Zum ersten Mal verfügte sie allein über ihre Erinnerungen. Es gab niemanden, der ihr widersprach, niemanden, der sie verbesserte.

Nie zuvor hatte sie so viel von sich preisgegeben. Und so viel verheimlicht.

Nach einer Vorlesung über Paul Celan ging sie mit Thorsten Braun in die Mensa. Danach tranken sie in einem Café am Prinzipalmarkt ein Bier. Sie kamen sich verwegen vor, weil es erst drei Uhr war und sie so etwas mitten in der Woche noch nie gemacht hatten, nachmittags trinken. An einem Kiosk kauften sie zwei neue Flaschen, schlenderten über die Promenade, bewarfen sich gegenseitig mit Laub und mieteten am Aasee ein Tretboot in Form eines weißen Schwans. Thorsten erzählte ihr von seiner Vergangenheit und sie ihm von ihrer. Sein Vater war Pastor und seine Mutter früh an Krebs gestorben, und einer seiner Brüder war beim Spielen von einem Auto angefahren und schwer verletzt worden. Sie sprachen über Bücher, ihre Lieblingsautoren. Er gestand ihr, selbst auch zu schreiben, Gedichte. Sie bat ihn, eins zu zitieren, und er bot ihr an, ihr welche vorzulesen, sobald sie bei ihm seien, in seiner WG, in seinem Zimmer, hinter verschlossenen Türen.

Am späten Abend, es war schon dunkel, gingen sie noch einmal nach draußen und aßen in einem italienischen Restaurant am Rosenplatz eine Pizza. Mit ihren Eltern war sie zwar oft im Urlaub gewesen, in Skandinavien, England und Amerika, aber nie in Italien. Ihr Vater hatte dort keine Schiffe und keinen Hafen, den er anlaufen konnte. Auf der Karte standen Dutzende ungewöhnliche Sorten mit gewöhnlichen Belägen, Chiosco, Lungomare, Foglie, Pedalo, Poesia, Cigno, Pastore. Stephanie konnte sich nicht entscheiden. Thorsten empfahl ihr eine mit Rucola, und die nahm sie, weil Rucola etwas war, was sie noch nicht kannte, und sie an dem Tag das Gefühl hatte, alles zum ersten Mal zu machen, trinken, essen, küssen, lieben.

Von Anja Schwarz, die mit Thorsten Braun zur Schule gegangen war, erfuhr sie, dass sein Vater als Gerüstbauer arbeitete und seine Mutter noch lebte und eine seiner Schwestern ein Kind überfahren hatte, das jetzt in einem Heim für Schwerstbehinderte wohnte, und Antonia sagte: »Hat er dir auch Gedichte vorgelesen?«

»*Der Lagertinnitus*«, sagte Anja Schwarz, vollkommen ausdruckslos.

Antonia schloss die Augen und unterdrückte ein Lachen. »Das Trommeln der Knochen –«

»In meinem Ohr –«, stimmte Stephanie in die Rezitation mit ein und sah Anja an, damit sie Thorstens Todesfuge fortsetzte.

Von da an ging es reihum.

»Ich höre es noch –«

»Nach all den Jahren.«

»Der kleine Mann –«

»In meinem Ohr –«

»Der fiept und pfeift –«

»Der schlägt die Knochen –«

»Der bleibt im Takt –«

»Schlägt an den Todesmarsch und hört nicht auf zu trommeln, nach all den Jahren.« Die letzten Verse sprachen sie gemeinsam, und danach jubelten sie und klatschten sich gegenseitig ab wie Sportlerinnen, die gegen einen übermächtigen Gegner überraschend einen Punkt geholt haben.

Gregor war ihr zuerst gar nicht aufgefallen. Dabei war er niemand, den man leicht übersehen konnte, groß und schlank und bunt gekleidet: Grüne Trainingsjacke, braune Cordhose, verschiedenfarbige Turnschuhe aus rauem, mattem Wildleder. Schwarze Hornbrille. Sommersprossen. Blaue Augen. Dunkles, halblanges, selbstgeschnittenes Haar. Er stand leicht schräg, wie an eine Wand gelehnt, das eine Bein über das andere geschlagen, und sprach sie an.

Es war kurz vor zehn, sie hatte gerade eine Vorlesung zu den Logischen Grundlagen hinter sich. Der Professor, Professor Diller, hatte alle sechs Tafeln so schnell vollgeschrieben, nach oben und unten geschoben und wieder abgewischt, dass sie meinte, er sei mit dem Schwamm auch einmal durch ihren Kopf gefahren. Nur die Sätze »Der folgende Satz ist falsch: Der vorhergehende Satz ist wahr« klangen in ihr noch nach, als sie auf den Gang trat und Gregor kennenlernte.

»Hallo«, sagte er und schob, ehe sie seine Begrüßung erwidern konnte, die Frage hinterher, ob sie mit ihm ein Eis essen würde. Er wolle sie einladen, bevor die Zeit für Eis endgültig vorbei sei und eine andere, weniger köstliche Eiszeit beginne.

»Wir kennen uns doch gar nicht.«

»Was nicht ist, kann niemals sein?«

Nach ihrer eigenen Logik war jeder Mensch, der sich ihr nüchtern und offen näherte, keine Gefahr. Er würde sie nicht verletzen können, weil er den ersten Schritt ins Nichts gewagt hatte, weil er über dem Abgrund schwebte und nicht sie. Schon viele Männer hatten sie angesprochen, aber die meisten davon waren dabei nicht sie selbst gewesen. Sie hatten den Mut, sich ihr zu nähern, nur unter dem Einfluss von Drogen aufgebracht, und das war nichts, was ihre Anerkennung verdiente.

»Stracciatella oder Nuss?«

»Beides.«

Auf dem Weg zum Eiscafé sagte er: »Sag mir alles, was du weißt, wo du wohnst und wie du heißt.«

Und das tat sie. Natürlich sagte sie ihm nicht alles, was sie wusste, aber wo sie wohnte und wie sie hieß und warum sie nach Münster gezogen war und welche Fächer sie studierte und wofür sie sich interessierte: Mathematik und Literatur, England und Finnland. Die ganze Zeit über sah er sie aufmerksam an und leckte an seinem Eis. Manchmal stellte er eine Frage, manchmal forderte er sie auf, ins Detail zu gehen, und erst als sie wieder in der Uni saß und an der Übung zu den Logischen Grundlagen teilnahm, fiel ihr auf, dass sie von ihm nicht viel mehr wusste als seinen Vornamen. In einem Anflug von Panik fürchtete sie, jetzt selbst drei Schritte vom Abgrund entfernt zu sein; sie fürchtete, dass er ihr auflauern könnte, schließlich kannte er ihre Adresse, und das machte er auch, aber nicht vor ihrem Haus, vor dem Hörsaal, vor dem sie ihm zum ersten Mal begegnet war. Diesmal gingen sie kein Eis essen, sondern Fish 'n' Chips.

»Bist du Samstag hier?«, fragte sie.

Er nickte.

»Dann bist du die Ausnahme. Alle fahren am Wochenende nach Hause.«

»Ich nicht.«

»Samstag ist Send.«

»Samstag ist Selbstmord.«

»Man müsste was machen, was sie zum Bleiben zwingt, etwas, was besser ist als dieses blöde Volksfest, ein Festival oder ein Rave, was ganz Großes.«

»Die Idee ist gut«, sagte er, »doch die Welt noch nicht bereit.«

Trotzdem gingen sie hin, fuhren Autoscooter, Geisterbahn, Riesenrad und danach zu ihr. Dort stellte sich heraus, dass alles an ihm schräg und groß und doch schwer zu fassen war.

Als sie nachts aufwachte und die Leiter ihres Hochbetts hinunterkletterte, noch benommen vom Alkohol, vom Stoßen und Kreisen der Fahrgeschäfte, ihren und seinen Bewegungen, waren er und seine Sachen verschwunden. Auf dem Schreibtisch lag ein Blatt Papier, zusammengefaltet wie ein Brief. Sie beschloss, ihn zu lesen, sobald sie von der Toilette zurück war. Sie dachte, das war's, ich hab's versaut. Im Kopf ging sie den Abend, die Nacht noch einmal durch, das, was sie gesagt, was sie gemacht hatte. Dann dachte sie für einen Moment, er hat mir seine Nummer hinterlassen, er will mich wiedersehen, es hat ihm gefallen.

Seine Nummer hatte er nicht hinterlassen, und falls es ihm gefallen hatte, dann so, dass er sie nicht wiedersehen wollte. Auf dem Zettel stand: *Gott sei Dank haben wir beide uns gehabt.*

Anfang November gab eine neue Band aus Hamburg ein Konzert im Gleis 22. Julia Hamm hatte eine Karte übrig und bot Stephanie an, sie mitzunehmen. Der Name Tocotronic sagte ihr nichts, und sie hatte ihn sich erst auch nicht merken können. Sie war nur Julia zuliebe mitgekommen. Die Zuhörer, alle in Trainingsjacken und Cordhosen wie Mitglieder einer Sekte, standen dicht gedrängt bis zur Theke. Stephanie kaufte Bier, und als die Musik einsetzte und sie sich mit ihren Flaschen endlich durch die wogende Menge zur Bühne vorgekämpft hatten, sahen sie Gregor direkt neben der Box stehen, die Haare im Gesicht und jeden Satz mitgrölen.

»Gott sei Dank haben wir beide uns gehabt.«

»Die Idee ist gut, doch die Welt noch nicht bereit.«

»Samstag ist Selbstmord.«

»Was nicht ist, wird niemals sein.«

Sätze, die ihr ins Herz stachen, ganz gleich, ob sie wahr oder falsch waren.

Robert besuchte mit ihr zusammen ein Pädagogikseminar über die *Schule der Zukunft*. Er sah nicht aus wie einer, der auf Lehramt studierte, er trug keine Strickpullover und Schlaghosen, sondern weiße Hemden und schwarze Anzüge. Seine Haare waren kurz, über den Ohren, an den Seiten getrimmt, am Nacken ausrasiert. Er kam immer zu spät, schrieb nichts mit und beteiligte sich nie an den Diskussionen über alternative Lehrmethoden. Stephanie hielt ihn für steif, aber einmal, als sie nach der vierten oder fünften Stunde gemeinsam den Raum verließen, sagte er etwas, was sie selbst auch schon über die Veranstaltung gedacht hatte: »Was für ein Scheiß.«

In der Woche darauf, sie hatte verschlafen, traf sie ihn vor der Uni, als er gerade sein Fahrrad abstellte. »Es hat schon angefangen«, sagte sie, und er sagte: »Umso besser, dann ist es schneller vorbei.« Er hielt ihr die Tür zum Institut auf, und während sie die Treppe hochstiegen, machte er ihr den Vorschlag, das Seminar zu schwänzen und stattdessen ins Kino zu gehen, ins Cinema, wo ab Mittag alte französische Filme gezeigt wurden, *Die Verachtung, Die Unverschämten, Der eiskalte Engel*. Und Stephanie willigte ein. Um rechtzeitig anzukommen, nahmen sie ein Taxi, hinterher gingen sie noch in eine Bar, und als sie sich um Mitternacht wieder trennten, spendierte er ihr eine Heimfahrt, ohne das Geld zurückzuverlangen oder darauf zu bestehen, sie zu begleiten.

An einem Abend im Dezember lud er sie zum Essen zu sich nach Haus ein, er wohnte in einer Zweier-WG im Kreuzviertel und tischte ein Fünf-Gänge-Menü auf: Artischocken in Senfsahnesauce, Tomatensuppe mit Schwarzbrotcroutons, Wildschweinragout mit Kastanien und Kartoffeln, Crème brulée und Mandeltarte. Dazu tranken sie Rotwein, ein Châteauneuf-du-Pape, Jahrgang 1995. Später, als er aus dem Keller Nachschub holte, kam seine Mitbewohnerin kurz in die Küche, zwinkerte ihr zu und sagte: »Das hat er noch nie gemacht, für eine Frau gekocht.«

Sein Zimmer war voller Bücher, aufgereiht in schlichten, bis zur Decke reichenden Kiefernholzregalen, großformatige Bildbände und Ausstellungskataloge, Gesamtausgaben von Kierkegaard, Nietzsche und Schopenhauer, mythologische und kunsthistorische Lexika, Romane von Kafka, Sartre und Camus und Titel wie *Entdeckungen des Schmerzes, Vom Nachteil, geboren zu sein, Von der Verführung,* die sie neugierig machten – nicht auf die Texte selbst, auf den, der sie gelesen hatte.

In der Mitte des Raumes stand ein großes, breites Bett mit weißem Laken und weißem Bezug, umgeben von Kerzen und roten Rosen, wie ein Altar, auf dem er sich selbst ein Opfer darbringen wollte. Nachdem die Flammen heruntergebrannt waren, gestand er ihr, dass er nicht Pädagogik studiere, sondern Kunstgeschichte und Philosophie auf Magister und nur zu dem Seminar gehe, weil der Dozent sein Vater sei. Er sprach von seiner Kindheit, von Demonstrationen, Konzerten und Landkommunen, von Umzügen, Urlauben und Pilgerreisen nach Indien, davon, wie sehr er Geschwister vermisst und sich nach klaren Regeln gesehnt habe. »Irgendwo«, sagte er und kramte im Dunkeln in einer Kiste, »muss noch eine Kassette sein, ich als siebenjähriger Knirps.« Und während sie in seinen Armen lag und ihm zuhörte, seiner Kinderstimme, meinte sie, ihn seit Jahren zu kennen.

Beim Frühstück, am nächsten Mittag, fragte er, was sie heute vorhabe, ob sie mit ihm nach Paris fahren wolle, er habe einen Wagen.

»Jetzt?«

»Ja, jetzt.«

Innerhalb von zehn Minuten hatte er zwei Croissants gegessen, eine halbe Kanne Kaffee getrunken, und sie saß immer noch vor einem leeren Teller und einer vollen Tasse, unfähig, auch nur an Essen oder Trinken zu denken. Sie wollte es diesmal langsam angehen lassen, nicht so schnell wie bei Thorsten, bei Gregor. »Klingt verlockend. Aber sonntags gehe ich immer mit einer Freundin in die Sauna.«

Eine Weile sah er sie einfach nur an, mit einem kalten, durchdringenden Blick. Dann sagte er: »Kann ich mitkommen?«

Abgesehen von ihrem Vater war sie noch nie mit einem Mann, den sie kannte, in der Sauna gewesen, aber sie mochte auch nicht spießig und verklemmt erscheinen, und deshalb sagte sie: »Klar, warum nicht?«

»Ist es okay, wenn ich noch jemanden mitbringe?«

»Klar. Ich hab nix dagegen. Und Charlotte bestimmt auch nicht. Ist ja sowieso gemischt.«

Charlotte besuchte ebenfalls das Seminar über die *Schule der Zukunft*. Stephanie war nur einmal mit ihr in der Westsauna gewesen, und obwohl sie sich vorgenommen hatten, regelmäßig hinzugehen, war es bei dem einen Sonntag geblieben.

Sie würde sie anrufen müssen, sie würde ihr erklären müssen, warum sie heute dorthin wollte, und sie fürchtete, dass Charlotte absagen würde, wenn sie erfuhr, wer ihnen Gesellschaft leisten wollte. Aber das tat sie nicht. »Wenn er da auch so ist wie im Seminar, wird das sicher ein Spaß«,

»Was meinst du?«

»Na, so steif«, sagte Charlotte, und beide mussten lachen.

Sie verabredeten sich um fünf. Zuerst standen sie draußen an die Wand gelehnt und sahen auf den Schlosspark gegenüber, auf die dunklen, kahlen Bäume. Charlotte steckte sich eine Zigarette an, und Stephanie ließ sich von ihr auch eine geben, obwohl sie jahrelang nicht geraucht hatte. Beim ersten Zug musste sie husten, beim zweiten traten ihr Tränen in die Augen, beim dritten wurde ihr warm ums Herz, und sie ärgerte sich, Roberts Angebot, nach Paris zu fahren, nicht angenommen zu haben.

»Der kommt bestimmt zu spät«, sagte Charlotte, nachdem sie ihre Kippe ausgetreten hatten, »der kommt doch immer zu spät.«

»Gestern Nacht nicht«, sagte Stephanie, und wieder lachten beide. Aber Charlotte hatte recht, Robert kam tatsächlich zu spät, und da sie angesichts der Kälte besser in der Sauna auf ihn und seine Begleitung warten konnten, gingen sie hinein. Sie verstauten ihre Sachen im Spind, duschten und breiteten ihre Handtücher auf der obersten Bank aus. Stephanie war froh, dass sie genug Platz hatten und fast nur Frauen gekommen waren, Freundinnen, Mütter mit ihren Töchtern. Ein Mann, der direkt neben dem Ofen saß, schöpfte mit der Kelle Wasser aus dem Holzbottich und kippte es über die Steine. Stephanie spürte, wie sich ihre Poren öffneten und ihr der Schweiß der Nacht den Rücken herunterlief.

Dann öffnete sich die Tür, und Robert und sein Vater kamen herein.

Stefan sah sie nur von Weitem. Er winkte ihr zu, und sie winkte zurück. Aber sie hörte ihn zu anderen Leuten Sätze sagen wie »Ey, Alter, was geht ab«, »Krass geile Bräute, Alter, voll scharf hier«, »Mann, das Kraut schießt dir direkt in den Kopf«, die er in ihrer Gegenwart nie gesagt hatte, und sie hörte andere Leute über ihn sprechen, über seine Fähigkeiten, sein Talent. Über das, was er in den Seminaren zu den Professoren sagte, und über die Ergebnisse seiner biologischen Experimente, als wäre er einer von ihnen. Manchmal, wenn sie in Mensa II in der Schlange standen oder sich auf der Brücke begegneten, sprachen sie auch miteinander. Aber sobald jemand dazukam, verabschiedete sie sich von ihm. Nicht weil sie fürchtete, er würde sie mit peinlichen

Anekdoten ihrer gemeinsamen Vergangenheit brüskieren, sondern weil sie nicht wollte, dass sich ihr altes Leben mit ihrem neuen mischte. Bald musste sie erkennen, dass eine Stadt wie Münster zu klein war und viel zu dicht besiedelt von Exilostfriesen ihres Alters, um diese Trennung dauerhaft aufrechtzuerhalten.

»So«, sagte Michael Kassel auf einer Party zu ihr. »Du warst also schon mal bei *Wetten, dass ..?*«

»Ja, stimmt«, sagte Antonia. »Ich hab bei Gesa Fotos von dir gesehen.«

»Echt? Was denn für Fotos?«

»Aus der Zeitung. Mit Thomas Gottschalk. Und vor irgend so 'nem Autohaus. Zur Eröffnung. Wie du da das Band durchschneidest.«

»Die kenn ich gar nicht. Aber war nicht mal bei euch im Haus so eine legendäre Party? Ich meine, davon mal Fotos gesehen zu haben. Da ging's ja ganz schön ab.« Er schüttelte den Kopf. »Mann, ich wünschte, ich wär dabei gewesen. Scheint 'ne richtig geile Party gewesen zu sein.«

Antonia nickte. »Die Party des Jahrhunderts.«

»Seid ihr danach eigentlich ausgezogen?«

»Nein, eigentlich nicht«, sagte Stephanie und holte sich etwas Neues zu trinken.

Stefan traf sie zwei Tage später wieder, in der Uni. Erst machte sie ihm Vorwürfe, weil sie dachte, dass er Fotos von ihr herumgezeigt hatte, aber dann sagte er: »Ich kann mich ja nicht mal mehr an den Abend erinnern.« Und da fiel ihr wieder ein, dass sie mehr verband als die Schulzeit, dass sie beide mit Rainer einen Freund verloren hatten. Vielleicht, dachte sie, habe ich ihn deswegen gemieden, um nicht daran erinnert zu werden, und vielleicht war das ein Fehler. Vielleicht sollten wir darüber reden. Vielleicht sollten wir uns zusammentun und darüber reden.

Und das taten sie, nicht ahnend, dass sie dadurch bald einen weiteren Freund verlieren würden.

Stephanie stellte ihr Fahrrad in der neuen, unterirdischen Radstation ab, stieg die Treppe zum Bahnhof hinauf, kaufte ein Ticket und einen Kaffee zum Mitnehmen und wartete oben am Bahnsteig auf den Regionalexpress nach Norddeich. Der Wind war scharf und kalt und fuhr ihr immer wieder unters Kleid, sie knöpfte ihren Blazer zu und suchte hinter einem der Getränkeautomaten Schutz. In den letzten Tagen waren die Temperaturen bis auf unter fünfzehn Grad zurückgegangen, und sie war froh, etwas Warmes zu halten, auch wenn es nur ein mit Kaffee gefüllter Pappbecher war.

Jetzt, im Nachhinein, kam ihr die Begegnung mit Ischebeck unwirklich vor. Früher, als Kind, war sie fest davon überzeugt gewesen, dass Menschen erschienen, wenn sie nur stark genug an sie dachte – sei es, dass sie ihnen im Laufe des Tages tatsächlich begegnete, in der Schule, im Dorf, in der Firma ihres Vaters, sei es, dass sie anriefen oder jemand ihren Namen erwähnte. Eine Zeit lang hatte sie sogar geglaubt, Tote wiedererwecken zu können, allein durch die Kraft ihres Geistes. Und später hatte ihr Stefan am Ende eines langen diskussionsreichen und haschhaltigen Abends bei ihm in der WG von Biologen erzählt, die meinten, die Welt existiere nur im Kopf, die Wirklichkeit sei ein Konstrukt des Gehirns, und Hegel, sein Mitbewohner, hatte daraufhin gesagt: »Diese Idee ist ja nicht neu, philosophisch betrachtet. Nennt man Solipsismus: Ich bin ich, und sonst ist nix. Und demnach ist das alles hier«, er fuhr mit der Hand durch die Küche, »nur eine Projektion, der Tisch, der Stuhl, der Herd, und auch ihr beide seid nix als ein Traum.«

»Ja«, sagte Stefan damals, »aber einer, der dir gleich so große Schmerzen zufügt, dass du dir wünschst, nie eingeschlafen zu sein.« Stefan hasste es, wenn andere mehr wussten als er, besonders Hegel, ein Grund, weshalb es so leicht gewesen war, Stefan dazu zu bewegen, aus der WG aus- und mit ihr zusammenzuziehen. Und seitdem war es ihr egal, ob die Welt nur in ihrem Kopf existierte oder nicht, Hauptsache, sie konnte sie angucken und riechen und anfassen und schmecken.

Gegenüber, auf dem anderen Gleis, hielt ein Zug, und niemand stieg aus. Minuten vergingen, der Schaffner prüfte jeden einzelnen Wagen, indem er von außen durch die Fenster sah. Einmal klopfte er gegen eine der Scheiben, und mit einem Zischen öffneten sich die Türen doch noch. Ein Mädchen trat auf den Bahnsteig, gebeugt wie eine alte Frau. Auf dem Rücken hatte sie einen Trekking-Rucksack und in beiden Händen Tragetaschen. Erst lief sie in die eine Richtung, dann, nachdem sie ihren Irrtum bemerkt hatte, ging sie an ihr vorbei auf die Treppe zu. Stephanie musste daran denken, wie sie selbst hier angekommen war, vor vier Jahren, mit nichts als einem Stadtplan und ein paar Adressen. Einige Studenten, Jungs, die sie aus dem Ufo kannte, hatten ihr bei dumpfem Lärm schreiend von der Schlossuniversität vorgeschwärmt, von den Bürgerhäusern und gotischen Kirchen, und ihr geraten, dort mit dem Studium anzufangen, weil die Stadt genau die richtige Größe habe. Groß genug, um sich aus dem Weg zu gehen. Klein genug, um sich wiederzusehen. Ein Ort, an dem man zurechtkomme, an dem man sich in aller Ruhe entwickeln könne, an dem man nie die Kontrolle verliere.

Damals, bei ihrer Ankunft, war sie enttäuscht gewesen: Auf ihrer Fahrt von Wohnung zu Wohnung hatte sie weder Schloss noch Bürgerhäuser gesehen, sondern nur Fünfzigerjahrebauten mit niedrigen, viel zu teuren Zimmern. Und später, als sie die Altstadt sah, das Rathaus, die Lambertikirche, den Dom, war ihre anfängliche Begeisterung einer noch größeren Enttäuschung gewichen, nachdem sie erfahren hatte, dass auch diese Gebäude im Krieg zerstört und danach originalgetreu wieder aufgebaut worden waren. Jedes Mal, wenn sie daran vorbeikamen, sagte Stefan: »Siehst du: Fälschungen werden akzeptiert. Münster ist das Zentrum der Illusion.«

Trotzdem hatte sie ihre Entscheidung nie bereut. Und bald standen neue Entscheidungen an. Ihr Studium würde, falls sie die Nachprüfung bestand, nur noch wenige Monate dauern, und sie hatte schon mit Stefan darüber gesprochen, dann nach Hamburg oder Berlin zu ziehen. Sie hoffte, dass ihn das auf andere Gedanken bringen würde. Einige aus ihrem Semester hatten dort eigene Unternehmen gegründet und verdienten viel Geld mit der Zukunft: Sie entwickelten Websites, Datenbanken oder mobile Geräte, von denen noch niemand mit Sicherheit sagen konnte, was man damit eines Tages alles machen sollte – außer telefonieren, Kurznachrichten schreiben, Fotos machen, Radio hören und ins Netz gehen.

Stefan hatte sich stets abfällig über diese Dinge geäußert, für ihn waren sie Zeichen des geistigen und moralischen Verfalls, Symbole für den Untergang der Welt. Die New Economy vereinte alles, was er am Kapitalismus hasste: Maßlosigkeit, Unvermögen und die Preisung einer sich als unkonventionell gerierenden Jugend. CEO, B2B, IPO, Venture Capital, Content Development, E-Commerce, Synergieeffekte, Nemax, flache Hierarchie. Blendwerk, nichts als Blendwerk, um die wahren Ziele, Ausbeutung und Kontrolle der Menschen, zu verschleiern. Sie kannte seine Theorie, dass die Geschichte der Computertechnologie an die des Kapitals geknüpft war, dass das eine nur existierte, um dem anderen zur Weltherrschaft zu verhelfen, und sie konnte sie nicht mehr hören. »Richard Nixon, der größte Kapitalist aller Zeiten, wird Präsident – und das Pentagon verwirklicht das Arpanet-Projekt. Milton Friedman veröffentlicht seine Kritik am Sozialstaat – das wichtigste Werk nach *Kapita-*

lismus und Freiheit –, und IBM bringt den PC auf den Markt. Tim Berners-Lee schreibt das Hypertext-Transfer-Protocol, die Grundlage unsrer Zivilisation – und die Mauer fällt. Auf einmal: grenzenlose Freiheit auf allen Ebenen, des Reisens, der Kommunikation, des Handels. Und das soll ein Zufall sein? Zweifellos sind wir damit in ein neues Zeitalter eingetreten. Willkommen im Paradies: im neunten Kreis der Hölle! Wir glauben jetzt, wir könnten tun und lassen, was wir wollen, weil sie wollen, dass wir das jetzt glauben! Über jeden Rechner, jedes Modem Nachrichten abschicken und abfangen. Spiele mit Millionen Mitspielern spielen. Menschen kennenlernen und dabei total ehrlich sein. Oder total verlogen. Und trotzdem nicht zurückgewiesen werden. Musik hören. Filme sehen. Bücher lesen. Ein Archiv in der Tasche tragen, ein gigantisches, multimediales Tagebuch. Die Welt erkunden, ohne das Zimmer zu verlassen. Niemals die Orientierung verlieren. Immer erreichbar sein. Überall Freunde haben. Und wissen, wo sie sich mit wem gerade aufhalten. Das alles ist doch nichts weiter als eine permanente Simulation von Realität.

Damit will ich nicht sagen, dass es das nicht gibt. Oder geben könnte. Aber das, was du brauchst, um dir all diese Wünsche zu erfüllen, kostet dich eine Menge Geld und sehr viel Zeit, vielleicht dein ganzes Leben. Du meinst, ständig auf dem Laufenden sein zu müssen, aktualisierst deine Software, tauschst deine alte Hardware gegen eine neue, leistungsfähigere aus und bist trotzdem immer einen Tick zu langsam. Andrerseits: Wer nicht mitmacht, bleibt auf der Strecke. Wer aussteigt, ist raus. Und deshalb loggst du dich immer wieder ein. Du registrierst dich und gibst deine Daten preis, du surfst und hinterlässt Spuren, du benutzt das Netz, und plötzlich, ohne es zu merken, hängst du selbst mittendrin. So wird es sein.

Die Wahrheit ist, dass wir uns mit dem Internet wieder versklaven lassen, nur viel subtiler und umfassender als zuvor. Mehr Demokratie, mehr Freiheit! Dass ich nicht lache. Wer profitiert denn davon? Du? Ich? Die Gesellschaft? Oder das Kapital, die Macht? Und du willst mir erzählen, dass es da keinen Zusammenhang gebe, dass ich mir das alles nur ausgedacht habe? Wach auf, Steffi! Du wirst doch schon nervös, wenn du fünf Tage deine Mails nicht gecheckt hast.« Gegen diese Reden kam sie nicht an. Jeden Einwand von ihr erdrückte er mit Namen und Daten, vermeintlichen Beweisen.

Stephanie sah auf die Uhr und trat einen Schritt vor an die Bahnsteigkante. Kein Zug zu sehen. Sie ging zum Aushang, weil sie meinte, sich mit der Abfahrtszeit vertan zu haben, und als sie davorstand, kam die Durchsage, dass der Regionalexpress nach Norddeich circa zwanzig Minuten Verspätung habe, was im gleichen Moment auch auf der Klapptafel über ihr angezeigt wurde. Stefans Mutter konnte rationale Zahlen nicht von irrationalen unterscheiden, vielleicht hatte er weder π noch e geschrien und war einfach nur an einem gescheiterten Experiment verzweifelt oder an einem neuen Beweis. Sie fragte sich, ob es unter diesen Umständen überhaupt noch Sinn machte, nach Jericho zu fahren. Bestimmt hatte sich Stefan längst beruhigt, so wie immer, und sie würde ganz umsonst zu ihm und seinen Eltern fahren. Gleichzeitig erregte sie die Vorstellung, sich mit ihm zu verbinden, und sie beschloss, noch einmal dort anzurufen, in der Hoffnung, ihn selbst an den Apparat zu bekommen. Sie trank einen letzten Schluck Kaffee und warf den Becher in den Mülleimer.

Auf der Suche nach einer Telefonzelle lief sie den Bahnsteig entlang, stieg die Treppe hinunter, fand eine freie auf dem Bahnhofsvorplatz und zückte ihre Telekomkarte, aber das Guthaben von zwölf Mark war verbraucht, und ihr Kleingeld hatte sie beim Bäcker gelassen. Obwohl sie Handys affig fand, jetzt ärgerte sie sich, keins zu haben.

Als sie am Kiosk in der Bahnhofshalle vorbeiging, überlegte sie kurz, einen Schein zu wechseln, oder ein Wasser zu kaufen und mit dem Rest wieder nach draußen zu gehen, verwarf diese Gedanken jedoch sofort wieder, zu umständlich, stieg erneut die Treppe hinauf und verharrte an der gleichen Stelle, an der sie fünf Minuten zuvor, wild entschlossen, in Münster zu bleiben, aufgebrochen war, im Schutz des Getränkeautomaten.

Ihre Füße schmerzten.

Der Wind war stärker geworden.

Auf der Anzeigetafel stand: *Ca. 30 Minuten später*.

Erschöpft setzte sie sich in eins der gläsernen Wartehäuschen und tauschte ihre Pumps gegen die Turnschuhe aus. Auf der Holzbank, ihr gegenüber, lag jemand, schwer schnarchend, aber hingestreckt wie tot. Sie war sich sicher, dass es ein Mann war. Er wandte ihr den Rücken zu, Jeansjacke, Lederhose, Turnschuhe, glatte, lange Haare, die bis zum Boden reichten, mehr war von ihm nicht zu sehen. Aber so wie er dalag, die Hände untergeschlagen, die Beine angezogen, und von der Statur her konnte es auch eine Frau sein. Sie erhob sich, um ihm ins Gesicht zu sehen, aber die Haare umgaben den ganzen Kopf, und sie nahm wieder Platz. Rainer, Stefan und Onno hatten ihr früher immer Geschichten erzählt, daran erinnerte sie sich jetzt, dass Leute sie auf der Straße angesprochen und gefragt hatten: »Junge oder Mädchen?« Und von da an hatte sie selbst auch oft gedacht, dass sie wie Mädchen aussahen, wie oberschlaue, ungepflegte Mädchen. Nur hatten sie sich nie wie Mädchen verhalten. Keiner von ihnen war je imstande gewesen nachzugeben. Vielleicht wäre dann alles anders gekommen. Vielleicht wäre Rainer nicht mit dem Wagen verunglückt, und Onno hätte sich nicht umgebracht, und Stefan wäre normal geblieben.

Vor ein paar Monaten, als sie von einem Kinoabend mit Julia Hamm zurückkam – *Notting Hill* im Schlosstheater –, hatte sie

Stefan im Wohnzimmer auf dem Teppich kniend gefunden, inmitten von Schallplatten. Aus den Boxen dröhnte Heavy Metal.

»Ich Idiot«, schrie er sich selbst über die Musik hinweg an, und sie hatte den Eindruck, dass er es schon eine ganze Weile schrie, lange bevor sie die Tür aufgemacht hatte.

»Was ist denn los?«, fragte sie und drehte den Lautstärkeregler ein Stück nach links. »Was soll das?«

»Ich hätte es wissen müssen!«

»Was?«

»Onno! Er hatte das alles längst geplant. Bei meinem Besuch bei ihm, als ich ihn dazu überredet habe, wieder aufzutreten, da hat er es mir vorgespielt. Aber ich war mal wieder viel zu bekifft, um irgendwas zu schnallen.«

»Was hat er dir vorgespielt?«

»Seinen Tod. Wie er's machen würde. Hier!« Er erhob sich, kam auf sie zu und hielt ihr eine leicht gewellte Plattenhülle entgegen. »Metallica, *Kill 'Em All.*«

»Ja und?«

»Was siehst du?«

»Einen Hammer. Und Blut. Eine Blutlache. Und eine Hand. Den Schatten einer Hand.«

»Hammer und Blut! Das war die erste Platte, die wir an dem Nachmittag gehört haben. Und weiter. Hier!« Er ging zum Plattenspieler rüber und tauschte die eine Platte gegen die andere aus. »Judas Priest, *Painkiller,* siebtes Lied.« Er kam zu ihr zurück, hielt ihr das Cover hin und tippte mit dem Zeigefinger auf eine Stelle auf der Rückseite.

Stephanie las den Titel laut vor. »*Between the Hammer and the Anvil.*«

»Zwischen Hammer und Amboss. Dann hat er Naked City aufgelegt.« Stefan nahm Judas Priest vom Plattenteller und legte Naked City auf. »Lied zwölf.«

»*Hammerhead*«, las Stephanie.

Stefan stoppte den Plattenspieler und griff eine weitere Platte vom Boden auf.

»Flotsam and Jetsam, *Doomsday for the Deceiver,* erste Seite, erstes Lied.«

»*Hammerhead.*«

»Kleiner Spaß von ihm. In dem Song geht's um Sex.« Mit der Zunge beulte er seine Wange aus und bewegte sie vor und zurück, vor und zurück.

Stephanie verzog das Gesicht, gab ihm die Hülle wieder, und er warf sie zu den anderen. »Und jetzt, der krönende Abschluss.« Abermals tauschte er die Platten aus, der Plattenarm schwenkte automatisch auf seine Umlaufbahn ein, und Stefan ließ ihn an einer Stelle, nahe der Mitte, herab. »Motörhead, *Ace of Spades,* Lied zwölf.« Er hielt ihr die Hülle hin.

»*The Hammer.*«

»*The Hammer,* genau. Ich war so blöd!«

»Aber das konntest du doch nicht ahnen.« Sie wollte auf ihn zugehen, ihn umarmen, aber er wich ihr aus und ging zur Kommode hinüber, wo sich Papiere stapelten, Kopien und Ausdrucke.

»Ich hätte nur eins und eins zusammenzählen müssen: eins, sieben, zwölf, eins, zwölf.«

»Dreiunddreißig? Was soll das bedeuten?«

»Nicht dreiunddreißig. A-G-L-A-L. AGLAL. In diesem Fall ist es umgekehrt: Jede Zahl steht für einen Buchstaben.«

»AGLAL?«

»AGLA ist ein Akrostichon, ein kabbalistisches Akronym und steht für *Athah Gabor Leolah Adonai.* Heißt so viel wie: Du, O Herr, bist mächtig bis in alle Ewigkeit. Für Samuel Mathers, den Gründer des Geheimordens Golden Dawn, stand A für den Anfang und das Ende, G für die Dreifaltigkeit in Einigkeit und

L für den Abschluss des Großen Werkes, für das vollkommene Opus Magnum. Dem Graf von St. Germain zufolge ist AGLA der Name Gottes, in Gestalt einer der beiden Engel, die Lot vor dem Verderben retten. Das angehängte L verweist entweder auf Lot selbst oder auf Lord, also Gott. Oder es hat noch eine andere, darüber hinausgehende Bedeutung, die nicht genannt werden darf.«

Sie hatte Dutzende Fragen, aber alles, was sie sagte, war: »Wer ist der Graf von St. Germain?«

»Abenteurer. Geheimagent. Komponist. Okkultist. Alchemist. Ich nenne ihn den Obersten Diplomaten. Viel ist über ihn nicht bekannt, die meisten Berichte über ihn sind widersprüchlich. Manche meinen, es handele sich um den Sohn eines transsylvanischen Fürsten, andere, er sei ein Nachfahre des englischen Philosophen Francis Bacon, ein italienischer Geigenspieler namens Catalani oder der uneheliche Sohn des portugiesischen Königs Peter II. Im achtzehnten Jahrhundert soll er den Kriegsminister am französischen Hof beraten, Casanova in Venedig einige Damen ausgespannt haben und gleichzeitig Gouverneur der indischen Stadt Chengalpattu gewesen sein. Während des Ersten Weltkrieges versuchte er, als Zivilist getarnt, die deutsche Grenze an der Vogesenfront zu passieren und prophezeite beim Verhör einem Soldaten Niederlage, Revolution und Inflation und die Herrschaft des Antichrist. Aus seiner Fähigkeit, an mehreren Orten zur gleichen Zeit sein zu können, leiten manche ab, dass er auch für die rasante Ausbreitung der Spanischen Grippe verantwortlich ist. 1944 wollte er Hitler auf seinem Berghof bei Berchtesgaden töten, diesmal in der Uniform eines Ordonnanzoffiziers, wurde aber, anders als sonst üblich, nicht zum Führer vorgelassen. Das Attentat auf John F. Kennedy konnte er nicht verhindern, obwohl er von dem Plan wusste, einige meinen, weil er da noch als echter Paul McCartney mit den Beatles unterwegs war, um ihr zweites, an dem Tag erschienenes Album *With The Beatles* vorzustellen – daher der Titel – und seinen Ruhm auskosten wollte, aber das halte ich für nicht sehr wahrscheinlich. Kennedys Tod kam ihm nämlich ganz gelegen. Schließlich machte er ihn für den Selbstmord seiner Geliebten Norma Jeane Baker verantwortlich. Und er wollte den Präsidenten der Vereinigten Staaten von Amerika vor laufender Kamera sterben sehen, vor aller Augen. Dann tauchte er 1989 in Ostberlin bei einer Pressekonferenz auf und gab einem italienischen Journalisten den Tipp, Schabowski nach den Ausreiseregelungen zu fragen. Und das sind nur die einigermaßen gesicherten Hinweise auf ihn. Niemand außer ihm selbst weiß, was er noch alles gemacht hat. Er spricht sechs verschiedene Sprachen und beherrscht mehrere Musik-«

»Halt! Stopp! Das reicht.« Sie hatte Geschichte nie leiden können, nicht wegen der vielen Daten, sondern weil es immer nur um Schlagworte gegangen war, um das stumpfe Abfragen von Wissen. Das hatte sie erst unterfordert, dann, als sie den Anschluss längst verpasst hatte, entnervt. Und so ging es ihr jetzt auch. Namen und Zahlen, die in oberflächlicher Verbindung zueinander standen, rauschten durch ihren Kopf und ließen nur einen Schluss zu: »Heißt das, er lebt?«

»Voltaire zufolge ist er ein Mann, der niemals stirbt und alles weiß.«

»Weißt du, wie sich das für mich anhört?«

»Ich kann's mir denken.«

»Und was hat das alles mit Onno zu tun?«

»Das weiß ich noch nicht. Aber dieser Graf hat mehrere Bücher geschrieben.« Stefan nahm eine der Kopien in die Hand. »Und in einem davon erwähnt er nicht nur AGLA, er beschreibt sich selbst auch als einen, der über den Dingen steht, hier, als Ergründer der gesamten Natur, der vom großen All Prinzip und

Erde erfahren hat. Erinnerst du dich noch an Daniel aus unserer Klasse?«

»Daniel Kuper?«

Stefan nickte. »Er hat doch mal behauptet, von Außerirdischen entführt worden zu sein.«

»Ja, klar. Die Superausrede. Hat bloß nicht funktioniert.«

»Vielleicht war es gar keine Ausrede.«

»Ja, klar. Er war ja auch nicht für die Hakenkreuze verantwortlich. Die waren ja auch plötzlich ganz von selbst an den Wänden.« Bisher war sie sich nicht sicher gewesen, ob das, was Stefan sagte, noch einen Sinn ergab oder nicht. Sein Beweis der Riemann'schen Vermutung enthielt viele Hilfssätze, verschlungene Pfade, die, so idiotisch sie auf den ersten Blick auch erscheinen mochten, letztendlich doch zu einem Ziel führten. Und auch in Biologie und Informatik, wovon sie noch weniger verstand, sollte er auf ähnlichen Umwegen zu erstaunlichen Ergebnissen gelangt sein. Aber hier ging es nicht um Mathematik oder Biologie oder irgendeine andere allgemein anerkannte Wissenschaft. *Golden Dawn. Der Graf von St. Germain. Außerirdische.* Stefan musste den Verstand verloren haben.

»Hier«, Stefan nahm eine weitere Kopie vom Stapel. »Der Graf von St. Germain berichtet von einem ganz ähnlichen Erlebnis: In einem Augenblick hatte ich die Sicht auf die unten liegenden Ebenen verloren. Die Erde erschien mir nur noch wie eine verschwommene Wolke. Man hatte mich zu riesiger Höhe emporgehoben. Eine ganze Weile zog ich durch den Weltraum dahin. Ich sah Himmelskörper um mich herum sich drehen und Erdkugeln zu meinen Füßen versinken.«

»Wo hast du das alles eigentlich her?«

»Aus dem Internet.«

»Du warst im Internet? Ich dachte, das ist Teufelswerk.« Sie kreuzte ihre Zeigefinger wie zur Abwehr eines Vampirs. »Ich dachte, das Internet ist böse, eine böse Droge, die uns abhängig und gefügig macht.«

»Das Internet ist für mich nur Mittel zum Zweck. Ich versinke nicht darin. Ich gerate nicht in Versuchung, jedem Link zu folgen, sondern sehe mir nur das an, was ich wirklich sehen will. Außerdem habe ich alles überprüft. Ich habe die Quellen gelesen, die Urtexte, bedrucktes Papier, in Schweinsleder gebundene, halbzerfallene Bücher. Das wahre Problem liegt ganz woanders.«

»Ach ja? Und wo?«

»Bei uns. Bei uns selbst.«

»Für mich klingt das alles total verrückt.«

»Für mich auch. Aber die Hinweise, die Onno mir gegeben hat, sind ziemlich eindeutig, findest du nicht?«

»Nein.«

»Was glaubst du, warum er mir vorher seine ganzen Platten vermacht hat?«

»Damit sie nicht wieder seiner Mutter in die Hände fallen?«

»Er hat etwas gewusst, Steffi, vielleicht zu viel.«

»Du spinnst. Du machst dir doch bloß Vorwürfe, dass du es nicht früher erkannt und verhindert hast.«

»Du doch auch. Du warst doch auch dabei.«

»Aber ich stand nicht mit ihm auf der Bühne.«

»Nein, aber davor.«

»Ja, eingeklemmt zwischen all den anderen.« Es war das erste und einzige Mal, dass sie über das Konzert von Aaaaaaarrghh! in Wacken sprachen.

Und jetzt sah sie Onno wieder vor sich. Wie er seine Sticks über sie hinweg ins Publikum schleudert und hinter seinem Schlagzeug hervorkommt, einen Hammer in der Hand. Wie er damit auf die Becken und Trommeln einschlägt, bevor er die Spitze mit voller Wucht gegen sich selbst richtet. Wie die Mitte der Stirn aufplatzt, die kreisrunde Narbe, die Rainers Zigarettenanzünder darauf hinterlassen hatte. Wie Onno umfällt und wieder aufsteht und sich blutüberströmt vor ihr verbeugt, als hätte ihm der letzte Schlag nichts anhaben können.

In dem Moment fuhr der Zug ein.

In Greven stieg ein Mann mit fünf Kindern zu, fünf Jungs. Drei quetschten sich neben ihn auf den Sitz, zwei saßen neben Stephanie – in einigem Abstand, ganz an die Armlehne gepresst, die Beine über dem Boden baumelnd. Alle paar Minuten sprangen sie auf und rannten durchs Abteil, aber die Schiebetüren waren zu schwer für sie, und der Mann tat ihnen nicht den Gefallen, sie zu öffnen, damit sie den ganzen Zug in Beschlag nehmen konnten. »Stefan! Ansgar! Setzt euch wieder hin«, sagte er immer wieder, mal mit mehr, mal mit weniger Nachdruck, und manchmal hörten sie auf ihn und manchmal nicht.

»Entschuldigung«, sagte der Mann zu ihr.

»Macht nix«, sagte Stephanie, obwohl es ihr in Wirklichkeit doch etwas ausmachte. Sie hatte gehofft, im Zug für Zahlentheorie lernen oder schlafen zu können, als Entschädigung dafür, dass sie nicht mit dem Auto unterwegs war, und beschloss am nächsten Bahnhof aus- und in einen anderen, ruhigeren Waggon wieder einzusteigen, aber in Salzbergen stürmte eine Gruppe Fußballfans die Abteile, und an jedem Bahnhof kamen weitere hinzu, sodass bald nicht nur alle Plätze besetzt, sondern auch die Gänge von trunkenen, in den Vereinsfarben gekleideten Sängern bevölkert waren.

Der Mann zog das Fenster runter, die Jungs saßen auf ihren Plätzen, Stephanie knöpfte ihren Blazer auf, packte ihr Croissant aus und begann es, halb in die Papiertüte gesteckt, zu essen. Immerhin erfuhr sie auf diese Weise, dass der Mann der Vater von Stefan und Ansgar war, von der Mutter getrennt lebte – wobei er ihr zuzwinkerte –, Stefan Geburtstag hatte, sie alle zusammen auf dem Weg zur Küste waren, um eine Wattwanderung zu machen, von Dornum nach Baltrum, und abends wieder zurück sein mussten. »Morgen steht die Schule wieder an«, sagte er. »Für sie und für mich auch.« Es stellte sich heraus, dass er Mathe und Sachkunde unterrichtete, und als er sie fragte, was sie beruflich mache, antwortete sie: »Ich bin arbeitslos.«

»O, das tut mir leid.«

Sie wollte nicht unhöflich sein, sie wollte sich aber auch nicht unterhalten, vor allem nicht mit jemandem, der ihr in fünf Minuten sein ganzes Leben offenbart hatte, womöglich in der Hoffnung, ihn und die Jungs an die Küste zu begleiten. Und wie sie erwartet hatte, wandte sich der Mann daraufhin wieder den Kindern zu. Sie sah aus dem Fenster, die Sonne schien und der Himmel war blau und klar. In der Ferne, über den Baumwipfeln, konnte sie die rot-weißen Marinefunkmasten erkennen.

Stefan, ihr Stefan, hatte seine Geburtstage nie gefeiert, auch als Kind nicht. Es gab Fotos, auf denen er eine von seiner Mutter gebackene Zahl in die Kamera hält, aber keine, die ihn mit anderen Jungs oder Mädchen seines Alters zeigen oder mit Verwandten oder wie er Geschenke auspackt oder eine Kerze auspustet, Dokumente von normalen Menschen.

Ihre Geschenke hatte er immer halbherzig entgegengenommen und sich halbherzig dafür bedankt. An seinem letzten Geburtstag, vor vier Monaten, hatte sie mit ihm eine Reise machen wollen, der Flug und das Hotel waren schon gebucht, endlich mal raus aus Münster, raus aus Deutschland, und er hatte ihr versprochen, seine Bücher, Notizen, sogar den Laptop zu Hause zu lassen und mit ihr zusammen ein paar Tage am Mittelmeer zu verbringen. Als sie an jenem Morgen erwachte, war seine Seite des Bettes zerwühlt und leer – so wie jeden Morgen. Erst hatte sie angenommen, er sei schon ins Bad gegangen oder nach draußen, um Brötchen zu holen, bei ebenjenem Bäcker, bei dem sie jetzt auch gerade gewesen war.

Während sie in der Küche an der Anrichte lehnte, einen Kaffee trank und einen Blick auf ihren Koffer warf, der schon gepackt im Flur stand, dämmerte ihr, dass er es sich anders überlegt hatte oder, schlimmer noch, dass er von Anfang an nichts anderes vorgehabt hatte, als am Boden zu bleiben. Sie dachte daran, allein nach Spanien zu fliegen, aus Trotz. Sie dachte daran, ihre restlichen Sachen in Kartons zu packen und sich eine neue Wohnung zu suchen mit einem neuen Freund, aus Rache. Sie dachte an Messer, Kerze, Kuchen und den schweren Aschenbecher aus Glas, der neben ihr auf der Fensterbank stand, aus Hass. Sie dachte an ihn, an seine Worte, seine Haut, seinen Geruch, und fuhr in die Uni.

Er saß in der Bibliothek, an dem Platz, an dem er morgens, bevor er ins Labor ging, immer saß, ein einzelner Tisch, flankiert von Bücherregalen, am Ende des Lesesaals, von allen anderen weit genug weg, um in aller Ruhe arbeiten zu können, aber doch zu dicht an ihnen dran, um einen Streit in der Öffentlichkeit auszutragen.

»Was soll das?«, schrie sie ihn an. »Was machst du hier?«

Er drehte sich zu ihr um, die verspiegelte Pilotenbrille vor den Augen, einen Kugelschreiber in der Hand. »Ich arbeite.«

»Wir wollen doch wegfahren. Wir müssten längst auf dem Weg nach Düsseldorf sein. Hast du das vergessen?«

»Nein. Ich weiß –« Er hob beide Hände wie zur Beschwichtigung.

»Du weißt gar nix.«

»Reg dich nicht auf.« Er legte den Kugelschreiber zwischen die Seiten eines dicken Buches und klappte es zu. Auf dem schwarzen Umschlag war nichts abgebildet als ein großes goldenes Kreuz.

449

»Ich soll mich nicht aufregen! Ich zeig dir gleich, wie sehr ich mich aufrege.« Sie griff ins Regal, zog ein paar Bücher heraus und drohte damit, sie ihm entgegenzuschleudern. Aber sie hielt sie nur in der Hand. Stefan stand auf und sah Stephanie ein paar Sekunden lang in die Augen, bevor er ihr die Bücher abnahm und sie an ihren Platz zurückstellte. Dann steckte er sein Brillenetui ein und führte Stephanie hinaus, vorbei an den Strebern und Verzweifelten, die wie er auf der Suche nach Unsterblichkeit waren. Auf dem Weg zum Ausgang wehrte sie sich, sie schlug die Hand aus, mit der er sie umklammerte, hielt sich an einem Pfeiler fest, als er sie weiterzuziehen versuchte, und verlangte von der Aufsicht, die Polizei zu rufen, sie werde entführt.

»Von dem da?« Die Aufsicht war ein Kommilitone von ihnen. »Der entführt niemanden. Höchstens sich selbst.«

Und dann waren sie draußen, auf der Brücke, und sie sah ihn an, voller Spannung, voller Zorn.

»Es ist so«, sagte Stefan. »Ich kann hier nicht weg. Ich kann meine Arbeit jetzt nicht im Stich lassen.«

»Welche Arbeit denn?«

»Kannst du bitte etwas leiser sein?« Er sah sich auf dem Gang um, aber außer ihnen war niemand da.

Jetzt schrie sie erst recht. »Wozu? Damit du hier nicht auffällst. Das kennst du vergessen. Dich kennt hier nämlich schon jeder. Und ich kann dir sagen, was die Leute von dir halten.«

»Ich weiß, was sie von mir halten. Und es ist mir egal.«

»Aber mir nicht. Mir nicht.« Sie ließ sich auf einen der Stühle fallen, erschöpft von ihren Gefühlen, und blickte auf ihre Armbanduhr. Die Hoffnung, den Flieger doch noch zu erreichen, hatte sie inzwischen aufgegeben. »Wir haben ab morgen Pfingstferien«, sagte sie, ohne zu ihm aufzublicken. »Nimm wenigstens diese scheußliche Brille ab. Ich hab's satt, mich selbst zu sehen.«

»Das geht nicht.«

»Es scheint ja nicht mal die Sonne.«

»Mit der Sonne hat das nix zu tun.«

»Womit denn sonst?«

Er setzte sich neben sie, sah unter den Tisch, unter ihren und seinen Stuhl und richtete sich wieder auf.

»Was machst du da?«

»Nix. Ich habe nie Ferien. Wenn ich jetzt eine Pause mache, brauche ich Wochen, um wieder reinzukommen. Und dazu habe ich keine Zeit mehr. Mir, uns läuft die Zeit davon.«

»Jetzt mach mal halblang. Du bist fünfundzwanzig. Und ich auch.«

»Mit fünfundzwanzig formulierte Einstein die Relativitätstheorie. Von Neumann bewies mit fünfundzwanzig das Min-Max-Theorem. Und Ramanujan –«

»Du hast Riemanns Vermutung bewiesen.«

»Hab ich nicht. Mein Beweis war ungenau.«

»Und warum drängen dich dann immer noch alle, ihn zu veröffentlichen?«

»Weil sie ihn nicht verstehen. Ich bin der Einzige, der das Problem, mein Problem, vollkommen durchschaut. Und deshalb sehe auch nur ich die Schwächen, die sie nicht sehen können.«

»Das sind doch nur Kleinigkeiten. Im Ergebnis ist er stimmig. Jedenfalls lässt er sich nicht widerlegen.«

»Es ist niemandem damit geholfen, einen fehlerhaften Beweis zu veröffentlichen.«

»Es werden andauernd fehlerhafte Beweise veröffentlicht.«

»Von mir nicht.«

»Von dir nicht. Von dir wird überhaupt nix veröffentlicht.«

»Das könnte sich bald ändern.«

»Was soll das heißen?«

»Bisher ist es nur ein Ansatz. Aber ich bin auf dem richtigen Weg.«

»Um was geht's denn diesmal?«

»Um alles.«

»Bei dir geht's doch immer um alles.«

»Ich meine, die Theorie von Allem.«

»Es gibt keine Weltformel.«

»Das haben sie uns im Studium weismachen wollen. Deshalb bin ich auch nicht mehr zu den Vorlesungen gegangen. Sie wollen nicht, dass wir es herausfinden.«

»Wer will was nicht?«

»Erinnerst du dich noch an unseren Code?«

»Den Quersummencode?«

Der Quersummencode war eine Geheimsprache, die sie in ihrer Anfangszeit, ihrem persönlichen ersten und zweiten Semester, benutzt hatten. Auf dem Lehrplan, ihren Taschenkalendern, standen Veranstaltungen mit Titeln wie *Soziologie der Emotionen*, *Übungen zur praktischen Biologie* oder *Einführung in die Stephanie Beckmann*. Und nach einer dieser Veranstaltungen, die damals noch auf ihrem oder seinem Hochbett stattfanden, hatte er ihr von den Mädchennamen erzählt, von Clarissa, Gabriele und Bett-Tina, und von dem Suffix Oah, das Daniel, Rainer, Onno und er an jeden Satz gehängt hatten, und sie hatte ihn daraufhin »Fünfundsechzigoah« genannt – stellvertretend für S-T-E-F-A-N. Von da an wandelten sie alle Wörter in Zahlen um, addierten diese und verständigten sich mit den Ergebnissen, was oft zu Missverständnissen führte, weil ein Ergebnis mehrere Bedeutungen haben konnte. Aber zu der Zeit waren die Missverständnisse noch solcher Art, dass diese sie immer wieder zum Ursprung ihrer Geheimsprache zurückführte, ganz gleich, was er gemeint und sie verstanden hatte.

Wenn sie auf Mathepartys in einer Gruppe beieinanderstanden und sich langweilten, konnte es zum Beispiel passieren, dass Stefan »Achtundvierzig« sagte, und Stephanie »Zweiundvierzig«

– ohne irgendeinen Bezug zu dem Gespräch, das die anderen gerade führten, obwohl es dabei meistens ebenfalls um Zahlen ging. Einmal war es sogar vorgekommen, dass jemand »Achtundvierzig ist falsch« gesagt hatte, und ein anderer »Und zweiundvierzig auch«. Stefan und Stephanie schenkten solchen Einwänden keinerlei Beachtung, sie hatten ohnehin kaum zugehört. Stattdessen stellten sie ihre Flaschen oder Gläser ab, zogen ihre Jacken an und fuhren so schnell sie konnten mit ihren Fahrrädern zu ihr oder zu ihm. Sie hatte ihm nie erzählt, dass zweiundvierzig neben vielen anderen Möglichkeiten nicht nur »Klar« bedeuten konnte, sondern auch »Nein«, aber er hatte auch nie gefragt, warum sie nicht einfach »Elf« sagte, was naheliegender gewesen wäre, und deshalb nahm sie an, dass er es wusste: dass sie sich bis zum Schluss alle Optionen offenhalten wollte.

Sie hatten den Code noch bei anderen Gelegenheiten und zu anderen Zwecken benutzt, bei Elternbesuchen und Klausuren, als Schimpfwörter und Kosenamen. Aber irgendwann waren sie wieder davon abgekommen, nicht weil jemand ihn durchschaut hätte, sondern weil das Spielerische, mit dem ihre Beziehung begonnen hatte, einer Ernsthaftigkeit gewichen war, einer Trauer über die Allgegenwart des Alltags.

»Zweiundvierzig.«

»Ja«, sagte Stefan. »Zweiundvierzig.«

»Was ist damit? Willst du mir etwa sagen, dass der Quersummencode die Weltformel ist?«

»Sei nicht albern.«

»Was dann?«

»Es geht hier nicht um die Stringtheorie oder die Schleifenquantengravitation. Oder sagen wir mal, es geht nicht nur darum. Natürlich spielt der Urknall dabei eine Rolle, der Beginn des Universums. Hast du dich schon mal gefragt, was dahinter ist?«

Sie sah aus dem Fenster, auf den Vorplatz, Hunderte Fahrräder, die zu beiden Seiten in Betonkübeln steckten, auf die Einsteinstraße und die Bäume gegenüber. »Ein Ort jenseits von Zeit und Raum. Das große Nix.«

»Das meine ich nicht.«

»Was denn?«

»Was dahintersteckt. Der Sinn des Lebens.«

»Ich sag ja: zweiundvierzig. *Per Anhalter durch die Galaxis.* Nimm dir ein Handtuch, und die Reise kann losgehen.« Sie lachte, sie glaubte, er mache bloß einen Witz, wenn auch einen, der sie ein paar Hundert Mark für einen nicht angetretenen Urlaub und einige Illusionen mehr gekostet hatte.

»Nein«, sagte Stefan. »Die Frage, wer wir sind. Und ob wir die sind, für die wir uns halten.« Wieder blickte er sich um. »Ich weiß selbst noch nicht genau, wie weitreichend meine Entdeckung ist, aber ich versichere dir, von ihr hängt alles ab.«

»Was hängt davon ab?«

»Alles. Die Vergangenheit und die Zukunft.«

»Unsere Vergangenheit und unsere Zukunft?«

»Die der ganzen Welt.«

»Wenn's weiter nix ist.«

»Steffi«, er fasste sie mit beiden Händen an den Schultern, »ich mach keine Witze. Hör mir jetzt genau zu: Falls wir den elften August nicht gemeinsam verbringen, warum auch immer, sieh nicht in den Himmel, egal was passiert, egal wer dich zu diesem Jahrhundertereignis überreden will. Keine Sonnenfinsternis, hast du das verstanden?«

Sie nickte enttäuscht.

»Hey, es gibt auch gute Nachrichten: Wir wissen jetzt Bescheid. Wir haben DES gecrackt. In zweiundzwanzig Stunden und fünfzehn Minuten.«

»DES?«

»Data Encryption Standard, einer der sichersten symmetrischen Verschlüsselungsalgorithmen der Welt, offizieller Standard der US-Regierung. Dauert nicht mehr lange, und wir sind simultan dazu in der Lage. Wir sollten vorbereitet sein, wenn's so weit ist. Wir sollten die Grundlagen kennen.«

»Wer ist wir?«

Aber Stefan ging nicht darauf ein. »Und noch was: Wenn ich irgendwann in nächster Zeit mal irrationale Zahlen erwähne, π oder e, egal in welchem Zusammenhang, egal wo, dann heißt das, es geht los, dann müssen wir zusammen sein. Und dann gibt es kein Zurück mehr. Weder für dich noch für mich.«

Sie zog ihre Augenbrauen hoch und ihre Mundwinkel auseinander. »Ist das etwa ein Antrag, Stefan?«

»Nein«, sagte er. »Ein Auftrag, ein verbindlicher Auftrag.«

Und dann küsste er sie, und deshalb fasste sie es doch als Antrag auf, als seine verquere Art, ihr mitzuteilen, dass er sie liebe, dass er das ganze Leben mit ihr verbringen wolle, bis dass der Tod sie scheide – oder für immer vereine.

»Und setz die hier auf«, er nahm eine weitere verspiegelte Pilotenbrille aus dem Etui, »als Zeichen unserer Verbundenheit.«

Am Bahnhof in der Kreisstadt stand nicht Stefans Mutter, sondern sein Vater – Bernd –, ganz in Weiß, weiße Schuhe, weiße Hose, weißes Poloshirt. Er umarmte sie, wie sich Menschen auf Beerdigungen umarmen, voller Schmerz und Ohnmacht, und nahm ihr die Tasche ab. Während sie durch die Unterführung gingen, die den Mittelbahnsteig mit dem Hauptgebäude verband, stellte er ihr nur unbedeutende Fragen, ob der Zug voll gewesen sei und was das Studium mache, und sie gab ihm nur unbedeutende Antworten.

»Tut mir leid, dass ich so spät dran bin.«

»Macht nix. Bin auch grad erst angekommen.«

Aber kaum saßen sie ihm Auto, brach es aus ihm heraus. »In die Praxis ist eingebrochen worden.«

»Nein! Wann?«

»Gestern oder heute Nacht. Hab's vorhin erst gemerkt. Ich wollte auf dem Weg zum Bahnhof da noch was abholen, und wie ich reinkomme, sind alle Schränke offen.«

»Und? Fehlt was?«

»Ja, aber nicht viel, nix Wertvolles. Spritzen. Desinfektionsmittel. Tupfer. Besteck. Einige Medikamente. Vermutlich Junkies.«

»Ja«, sagte Stephanie.

»Oder eine unserer Aushilfen. Wir hatten in letzter Zeit Probleme mit einer, aber nicht wegen so was. Die hat sich nicht an Absprachen gehalten, und da hat Britta ihr die Meinung gesagt, und das konnt sie nicht ab. Freitag ist sie als Letzte raus. Deshalb hab ich auch noch nicht die Polizei gerufen.«

»Aber das kannst du ihr doch nicht durchgehen lassen. Du musst die anzeigen.«

»Das mach ich auch. Aber erst, wenn ich mit ihr geredet habe, wenn ich mir sicher bin, dass sie es war.«

Sie schweigen eine Weile. Dann sagte er: »Warum muss eigentlich immer alles zusammenkommen?«

»Was denn noch?«

»Stefan.«

Im Zug war sie trotz des Lärms eingeschlafen und kurz darauf wieder aufgewacht, und seitdem fühlte sie sich vollkommen ausgelaugt, unfähig, einen klaren Gedanken zu fassen. Für einen Moment hatte sie vergessen, weshalb sie überhaupt hier war, weshalb Stefan sie herbeordert hatte, und welche Zweifel sie bei dem Gedanken daran überkamen, und welche Gewissheit, dass er und sie genau das brauchten, Stabilität, ein neues Level ihrer Beziehung.

»Ich erkenne ihn nicht wieder. Ich weiß nicht, wer das ist. Aber eins weiß ich genau: Das ist nicht mehr mein Sohn. Wäre ich kein Arzt, würde ich sagen, er ist besessen.«

»Er ist besessen«, sagte Stephanie, ohne ihn anzusehen.

»Von was? Einem Dämon?« Er lachte für zwei Sekunden.

»Von einer Idee.«

»Von was für einer Idee denn?«

Sie zuckte mit den Schultern. »Weiß ich auch nicht. Er redet mit mir ja nicht über seine Arbeit«, sie hob beide Hände und krümmte zweimal ihre Zeige- und Mittelfinger, als sie »solange sie nicht abgeschlossen ist«, sagte.

»Ich frage mich, was er vorhat. Seit er hier ist, hat er allen möglichen Schrott weggebracht und neuen angeschleppt. Und jetzt ist er im Keller zugange.«

»Was für Schrott?«

»Sperrmüll hauptsächlich. Zwei Riesenkühlschränke, alte Halogenstrahler, höhenverstellbare Sessel, Trockenhauben und noch einiger andrer Kram von Dettmers, Friseur Dettmers.«

»Kenn ich nicht.«

»Macht nix. Gibt's auch nicht mehr. Gibt vieles nicht mehr in Jericho.«

»Nur Stefan, der ist jetzt wieder da. *Die Rückkehr des Stefan Reichert.*«

»Wann hat das alles angefangen, Steffi?« Er sah sie an. In seinen Augen war ein Flackern, so kurz und schnell, als bewegten sich die Lider nicht. »Den Unfall damals hat er doch halbwegs überstanden.«

»Dachte ich auch immer.« Offenbar hatte Stefan seinen Eltern nichts erzählt, noch nicht einmal Andeutungen gemacht. Und was immer er mit ihr, mit ihnen vorhatte, sie wollte ihm die Überraschung nicht nehmen, seine Neuigkeit selbst zu enthüllen. »Aber wir haben uns danach auch eine Zeit lang nicht gesehen.«

»Es gab keine Anomalien, keine Komplikationen.«

»Bis auf das Koma.«

»Das war vielleicht sogar sein Glück. Nur komisch, dass er danach perfekt Russisch konnte. Russisch! Niemand hat je Russisch mit ihm gesprochen, nicht mal sein Opa, und der war da in Gefangenschaft. Ich meine, wie kommt so was?«

»Na ja. Und für Mathe hat er sich davor ja auch nie sonderlich interessiert. Er war nie richtig gut darin.«

»Vielleicht war das ja auch alles einfach zu viel für ihn. Vielleicht hat ihn das, seine Intelligenz, überfordert. Wie eine Sicherung, die durchbrennt, weil zu viele Geräte gleichzeitig angeschlossen sind. Anders kann ich mir das nicht erklären.«

»Vielleicht liegt's aber auch an Onno.«

»Kann sein.«

»Das hat ihn ganz schön beschäftigt. Und mich auch.«

»Ja, aber das gesteht er sich ja nicht ein. Das will er ja nicht wahrhaben.«

»Erst danach hat er sich voll in die Arbeit gestürzt.«

»Mathe – allein bei dem Gedanken daran verknoten sich meine Synapsen.«

»Nicht nur deine. Ich glaube, seine auch.«

»Nimmt er noch Drogen? Raucht er noch dieses Zeug, *White Shadow*? Ich will ja nix sagen, Britta und ich haben früher auch viel gekifft, und wir haben ihm diesbezüglich auch nie Vorhaltungen gemacht, aber das Zeug«, er schüttelte den Kopf, »nee, nicht gut.«

»Er trinkt nicht mal mehr. Er ist jetzt total *straight edge*. Aber manchmal verhält er sich so als ob.«

»Warum bist du damit nicht zu mir gekommen?«

»Ich dachte, er würde sich wieder fangen, so wie sonst.«

»Stefan braucht Hilfe, Steffi.«

»Mit Sicherheit.«

»Ich meine, medizinische Hilfe.«

»Was er braucht, ist ein guter Psychotherapeut.«

»Falls du dabei an mich denkst, keine Chance. Das habe ich schon versucht. Er lehnt sogar die Kollegen ab, die ich ihm empfohlen habe, Koryphäen auf dem Gebiet.«

»Auf welchem Gebiet?«

»Schizophrenie.«

»Sag nicht so was.« Stephanie erschrak bei dem Gedanken, Stefan könnte ernsthaft verrückt sein, obwohl alles dafür sprach, dass es so war. »Glaubst du wirklich?«

»Absolut. Die Halluzinationen, die Wahnvorstellungen, die Briefe, die Anrufe, die Wut, mit der er seiner Mutter und mir begegnet.«

»Welche Briefe?«

»Irre Collagen aus Zeitungsartikeln, Formeln und Fotos, total bunt und kryptisch, schwer zu verstehen. Vorhernachherbilder, die belegen sollen, dass wir uns verändert haben, dass wir nicht mehr dieselben sind – harmlos im Vergleich zu den Anrufen.«

»Welche Anrufe?«

»Er hat bestimmt fünfzig Mal am Tag bei uns angerufen, bevor er hergekommen ist, auch nachts. Meist um drei, vier Uhr morgens. Das musst du doch gemerkt haben. Jede Nacht hat er hier angerufen, und bei den Nachbarn auch. Zum Schluss haben wir den Hörer danebengelegt.«

»Was hat er denn gesagt?«

»Er hat uns beschimpft. Er sagte, ihr seid nicht meine Eltern, meine Eltern sind tot. Ihr habt euch ihrer bemächtigt.«

Sie starrte geradeaus. Plötzlich war sie sich nicht mehr sicher, ob die Voraussetzungen, unter denen sie hergekommen war, noch galten. »Was will er dann hier?«

»Er will uns überführen, denke ich. Unsere Lügen entlarven. Uns die Maske vom Gesicht reißen. Uns umbringen. Wer weiß?

Britta hat Angst vor ihm. Und ich auch. In dem Zustand ist er zu allem fähig.«

»In was für einem Zustand?«

»Ich kenne das von anderen Patienten her, weniger starke Fälle, und doch ganz ähnlich gelagert. Er befindet sich in einer Art Fundamentalopposition. Stefan gegen den Rest der Welt. Selbst zu Dani und Kerstin hat er den Kontakt abgebrochen. Und seine Schwestern waren immer sein Ein und Alles. Du scheinst der einzige Mensch zu sein, dem er noch vertraut.«

»Das Gefühl habe ich nicht.«

»Zur Not müssen wir ihn eben einweisen.«

»Erst mal muss er aus dem Keller raus.«

Von der Bundesstraße bogen sie nach Jericho ab, umkreisten den Dorfkern, um schneller ans Ziel zu gelangen, streiften den Hammrich, in dem selbst durch geschlossene Scheiben weithin hörbar das Betonwerk lärmte, und schwenkten in das Komponistenviertel ein. Dort angekommen, überwanden sie mehrere Gummipoller, Bremsschwellen und Aufpflasterungen, umkurvten einige Beete, die zur Befriedung inmitten der Straße angelegt worden waren, und gewährten entgegenkommenden Fahrzeugen per Handzeichen Vorfahrt, weil die Spur für zwei Autos zu schmal war.

»Bedankt sich nicht mal«, sagte Bernd, als sie am letzten Wagen vorbei waren. »Typisch. Auch einer von den Neuen, den Spätaussiedlern.«

Vor dem Haus der Reicherts stand Stefans VW T3, Baujahr 1990, 70 PS, ein olivgrüner Transporter, der alle paar Hundert Kilometer den Geist aufgab.

Als sie aus dem Auto stiegen, kam Britta aus dem Garten, eine Heckenschere in der Hand. Auf der Wiese, zwischen den Blumen lagen haufenweise Äste und Blätter, und vor dem Fischteich stand eine Schubkarre, beladen mit Unkraut. »Die Natur kennt keinen Sonntag«, sagte Britta wie zur Entschuldigung, dass sie Stephanie nicht abgeholt hatte, streifte die Gartenhandschuhe ab, ließ die Schere ins Gras gleiten, umarmte Stephanie und führte sie ins Haus. »Endlich. Schön, dass du da bist. Und wie du aussiehst! So fein! Wunderbar. Ganz wunderbar.« Ihre Augen waren klein und feucht und zuckten vor Müdigkeit. Ihre Haut war blass, und die Haare standen wild vom Kopf ab, so als wäre sie eben erst aufgestanden. »Vielleicht kannst *du* ihn ja zur Vernunft bringen.«

»Ich glaube nicht«, sagte Stephanie. »Aber ich werd's versuchen.«

»Er ist immer noch da drin«, sagte Britta und wies auf die Tür, die zum Keller führte, auf das Schild *Zutritt verboten*.

»Ich hab ihm schon ein paarmal den Strom abgedreht«, sagte Bernd. »Aber das hat alles nur noch schlimmer gemacht. Da fing er erst recht an zu toben.«

Stephanie klopfte an die Tür, erst zaghaft, dann, als Stefan nicht reagierte, heftiger, bis sie schließlich mit beiden Fäusten gegen das Holz schlug.

»Hast du schon die Polizei angerufen?«, fragte Britta hinter ihr.

»Noch nicht«, sagte Bernd. »Ich wollte erst mit Anita sprechen. Hab sie von der Praxis aus nicht erreicht. Und, na ja, du weißt schon, mir gefällt der Gedanke nicht, die Bullen einzuschalten. Ich will keine schlafenden Hunde wecken.«

»Vielleicht reicht es, wenn wir sie hierherbestellen, wenn wir erst mal hier mit ihnen reden. Du kennst doch Rhauderwiek, du bist doch mit dem zur Schule gegangen.«

»Eben.«

»Wer ist da?«, hörte sie Stefan fragen.

»Ich bin's.«

»Wer ist ich?«

»Steffi.«

»Ist jemand bei dir?«

»Deine Eltern.«

»Das sind nicht meine Eltern. Meine Eltern sind tot. Die sollen verschwinden. Die sollen weggehen, niemand darf bei dir sein.« Sie drehte sich zu seinen Eltern um und begann zu wiederholen, was er zu ihr gesagt hatte, aber sie hatten es verstanden und gingen ins Wohnzimmer. Im Türrahmen stehend signalisierte Bernd ihr, dass er sie beobachten werde, indem er mit zwei Fingern erst auf seine Augen zeigte, dann auf ihre.

»Sind sie weg?«

Stephanie wartete, bis sie die Tür hinter sich geschlossen hatten, dann sagte sie: »Ja.«

»Gut. Ich komm jetzt rauf.«

Sie hörte Schritte auf der Treppe, den Schlüssel im Schloss und trat einen Schritt zurück, da die Tür zu ihr hin aufging. Stefan öffnete sie nur einen Spaltbreit, und sie musste sie zu sich heranziehen. Sie hatte erwartet, dass er auf sie zukommen würde, aber selbst als sie auf die oberste Treppenstufe trat, konnte sie ihn nicht sehen. Sie konnte nichts sehen, er musste unten die Oberlichter zugehängt haben. Plötzlich wurde sie von etwas angestrahlt. Unwillkürlich kniff sie die Augen zusammen.

»Was ist das?«, fragte sie. »Was machst du da?«

»Sieh mich an.«

»Mach erst das Licht aus. Das blendet mich.«

»Das ist der Sinn der Sache. Ich will dich angucken.«

»Du siehst mich doch.«

»Ich will dir in die Augen sehen.«

Sie versuchte die Augen zu öffnen, aber das Licht war zu stark. »Mach das verdammte Licht aus.«

»Jetzt besser?« Er musste an einem Dimmer gedreht haben, denn als sie die Augen öffnete, konnte sie zwar immer noch nur das Licht sehen, eine Lampe mit der Strahlkraft eines Blitzes, aber es war jetzt nicht mehr so stark, dass sie es nicht ertragen konnte.

»Was soll das? Bist du jetzt total durchgeknallt?«

»Ich nicht, aber du vielleicht. Wenn du die Brille aufgesetzt hättest, die ich dir geschenkt habe, dann hättest du dir diesen Test sparen können. Noch fünf. Noch vier. Noch drei. Zwei. Eins. Okay. Alles in Ordnung. Du kannst passieren.« Er drückte auf zwei Schalter, und mit einem Flackern ging das Licht aus und ein anderes, weniger grelles an. »Aber pass auf, wo du hintrittst.«

»Was ist mit deinen Haaren passiert?«

»Ab.«

Stephanie strich ihm über den Kopf. »Ganz schön kahl.«

»Musste sein. Zu viel Widerstand.«

»Du wirst doch nicht etwa erwachsen, Stefan?«, sagte sie und ging an ihm vorbei. »Oder passt du dich einfach nur den Bedingungen an?«

»Welchen Bedingungen?«

»Den biologischen. Dem Alter.«

»Wohl kaum.«

Sie war nur einmal hier unten gewesen, vor Jahren. Damals hatte in seiner Werkstatt, dem ehemaligen Partykeller der Familie Reichert, totales Chaos geherrscht. Ein Gebirge aus CDs und Schallplatten, Büchern und Zeitschriften, eine Notizzettel-tapete, ein Gewirr von Kabeln und Antennen, Flokatis voller Asche und Kippen und getrocknetem Lötzinn. Und es überraschte sie, dass jetzt alles sauber und aufgeräumt war. Keine Vertäfelung mehr, keine Theke mit Barhockern, keine Teppiche. Stattdessen: ein nackter Sperrholzboden mit wenigen, sich darüber hinschlängelnden Kabeln und daran angeschlossenen Steckdosenleisten, Noppenschaumplatten an Decke, Tür und Wänden, mit Rettungsfolie verkleidete Oberlichter.

»Machst du jetzt wieder Musik?«

»Diese Schalldämmung wäre für Aufnahmen nicht geeignet. Keine Höhen, zu starke Reflexionen und Probleme mit mittleren Frequenzen. Es ist eher andersrum. Nix soll eindringen. Ein Studio der Stille.«

Die Wände verschluckten jedes seiner Worte. Falls er irrationale Zahlen geschrien hatte, dann draußen vor der Waschküche, der Vorratskammer, auf der Treppe, oben im Flur. Sie sah sich um. Aus vier kugelförmigen Lautsprechern, die in jeder Ecke von der Decke hingen, kamen andere Geräusche, andere Stimmen. Es war, als höre er vier Radiosender gleichzeitig.

»Na ja, richtig still ist es hier ja nicht gerade.«

»Wieso?«

»Die Stimmen.«

»Welche Stimmen?«

»Die da.« Sie zeigte auf einen der Lautsprecher. »Was ist das? Radio?«

»Polizeifunk.«

In einer Ecke surrten zwei Kühlschränke. In einer anderen, auf einem langen, selbst gezimmerten Rolltisch, lagen nebeneinander aufgereiht ein Tapeband, eine Schere, ein Haartrimmer und vier verschiedene Aufsätze, mehrere Ampullen mit der Aufschrift *Etomidate*, eine weiße Plastikdose, zwei Flaschen, eine mit Aceton, eine mit Kochsalzlösung, ein Eimer voller Putzlappen, drei in Plastikfolie eingeschweißte Kanülen und Nadeln, eine mit einer farblosen Flüssigkeit aufgezogene Spritze, zwei Starterkabel und eine Packung Einweghandschuhe. Auf der Werkbank standen ein Binokularmikroskop, Bücher, Verstärker, Drucker, etwas, das wie eine kleine, kompakte Waschmaschine aussah, wie ein Minitoplader, Computer und Monitore – Bildschirme, auf denen Ziffern aufleuchteten und wieder verschwanden.

Die Mitte des Raumes nahmen zwei Chromsessel mit abgeschabten schwarzen Lederbezügen ein, zwei Friseurstühle mit ausklappbaren Fußstützen. Über den einen war ein weißer Kittel geworfen, und weil es keine andere Sitzgelegenheit gab, setzte sie sich auf den anderen. Sie stellte ihre Tasche ab und zog ihren Blazer aus. Die Armlehnen und die Fußstützen waren mit Riemen, angetuckerten Gürteln, versehen. Über ihr, am Kopfende, hing eine an der Wand befestigte Trockenhaube, ein weißes, an einen Astronautenhelm erinnerndes Modell, von dem ein Kinnbügel herabbaumelte. Sie lehnte sich zurück und sah nach oben. Dort, wo die Löcher für das Gebläse gewesen waren, steckten jetzt blaue und rote Elektroden.

»Und was soll das hier werden, wenn's fertig ist? Ein Friseursalon? Im Keller? So was wie ein Dunkelrestaurant? Blind schneiden? Stefans Schnittstelle – schnell und kurz?«

»So ungefähr.«

»Falls das die einzige Frisur ist, die du draufhast, bleib ich bei meiner.«

Er schloss die Tür ab und schob auf Hüfthöhe einen Balken davor, ein breiter, verzinkter Balken aus Eisen wie von einem Scheunentor.

Sie erhob sich. »Ich will hier raus.« Sie glaubte zwar nicht, dass er zu allem fähig sei, und sie hatte auch keine Angst vor ihm, aber sie wollte die Kontrolle behalten.

»Das ist nur zu unserem Schutz. Vor denen.« Er wies mit dem Finger an die Decke.

»Ich will hier sofort wieder raus!«

»Jetzt hör mir doch erst mal zu.«

»Mach die Tür auf!«

Er nahm den Balken weg und drehte den Schlüssel um. »Zufrieden?«

»Ja.«

»Du kannst gehen, wenn du willst.«

Sie setzte sich wieder. »Ich bin nur etwas müde. Die Party gestern war ziemlich heftig, und um sieben hat deine Mutter angerufen, um mir zu sagen, dass du die ganze Nacht über rumgeschrien hast. Irrationale Zahlen. Ich hab mir das irgendwie anders vorgestellt, Stefan.«

»Ich auch.«

»Und dann die Zugfahrt mit diesen ganzen Fußballprolls, das hat mir den Rest gegeben.«

»Du bist mit dem Zug gekommen?«

»Womit denn sonst? Hallo? Weißt du noch: Mein Wagen ist kaputt.«

»Scheiße, hast du unterwegs jemanden getroffen?«

»Ischebeck.«

»Wo?«

»Beim Bäcker.«

»Und? Was hat er gesagt?«

»Wir haben über meine Prüfung gesprochen, die Nachprüfung. Stell dir vor, er wusste sogar meinen Namen. Hat sich also doch gelohnt, in seine Sprechstunde zu gehen.«

»Hat er nach mir gefragt? Hat er mich grüßen lassen?«

»Nein.«

»Weil er es weiß!«

»Weil er was weiß?«

»Dass du zu mir fährst, mein Gott, dass du herkommen würdest.«

»So ein Quatsch. Woher denn? Ich hab ihm jedenfalls nix gesagt. Und wenn du es –«

»Hast du sonst noch mit jemandem gesprochen?«

»– nicht getan … Was? … Nein.«

»Auf dem Bahnhof? Im Zug?«

»Nein. Das heißt, nur kurz, mit einem Mann, der mit seinen Söhnen ans Meer wollte, aber den kannte ich nicht.«

»Ist dir irgendwas Ungewöhnliches an ihm aufgefallen?«

»Was soll das? Wozu willst du das wissen?«

»Das ist wichtig. Sah er mir ähnlich?«

»Nein. Obwohl, der Penner vielleicht.«

»Welcher Penner?«

»Auf dem Bahnhof lag ein Penner. Im Wartehäuschen. Wie ihr früher, mit langen Haaren.«

»Und der Typ im Zug?«

»Der nicht. Aber einer der Söhne hieß Stefan.«

»Das ist es!«

»Das ist was?«

»Sie ahnen, dass etwas vor sich geht. Verdammt, ich hätte es wissen müssen. Steffi, sie haben versucht, deine Wahrnehmung zu beeinflussen, vielleicht sogar die Kontrolle über dein Bewusstsein zu übernehmen.«

»Wer?«

Er ballte beide Fäuste, lief vor der Werkbank auf und ab, sah auf einen der Bildschirme und wandte sich dann wieder ihr zu.

»Entschuldige. Ich wollte dich erst anrufen, aber ich habe hier unten kein Telefon. Und das oben darf ich nicht benutzen. Sie wissen nicht, was ich vorhabe, weil ich außerhalb des Studios nicht dran gedacht habe. Hier unten sind wir sicher, Steffi, hier kann uns niemand hören und sehen. Ihre Strahlen dringen nicht zu uns durch. Jedenfalls vorläufig, für ein paar Stunden, bis sie ihre Suchfrequenzen angepasst haben.«

»Was hast du denn vor?«

»Das wirst du gleich sehen. – Ich habe dir doch von der Kabbala erzählt.«

»Hast du?«

»AGLA. Das Akrostichon, das kabbalistische Akronym.«

»Ach ja, die Geschichte.«

»Der kabbalistische Grundgedanke besteht darin, dass Mikro-

und Makrokosmos eins sind, jeder Mensch ist ein Abbild Gottes. Das ganze Universum liegt in uns verborgen. Wir sind vollkommen. Von Natur aus. Wir wissen nur mit unserer Vollkommenheit nicht umzugehen. Warum ist das so?«

»Keine Ahnung«, sagte Stephanie, aber Stefan hatte keine Antwort erwartet.

»Was hält uns zurück? Die eigene Beschränktheit ist ein Problem, mit dem ich mich seit einiger Zeit beschäftige. Warum sind wir nicht in der Lage, Rechenaufgaben zu lösen, wenn wir Rechnern doch in vielerlei Hinsicht überlegen sind? Gibt keine Erklärung dafür. Weder in der Mathematik, noch in der Biologie oder Medizin. Nur Vermutungen. Deshalb habe ich, ausgehend von Onnos Hinweis auf AGLA, angefangen, die Bibel zu lesen, zum ersten Mal in meinem Leben. Von vorne bis hinten. Das ganze Programm. Und die ganze Zeit hatte ich dieses Gefühl, dass irgendetwas nicht stimmt, dass irgendetwas grundsätzlich falsch läuft. Ich hab mich gefragt, was sollen all diese vielen Namen und Zahlen? Diese Geschlechtsregister, die doch zu nix führen? Viele der darin erwähnten Personen tauchen nie wieder auf, sie leben, gedeihen, werden tausend Jahre alt und verschwinden auf Nimmerwiedersehen. Wäre die Bibel ein Roman, würde ein Lektor ihn um die Hälfte kürzen. Und dann las ich dieses Buch«, er nahm eins von der Werkbank und hielt es ihr hin wie ein Kreuz, »den *Bibelcode*, und da wurde mir klar, was das Problem ist: der Text selbst. Hebräisch wird von rechts nach links geschrieben, und Aramäisch, die Muttersprache Jesu Christi, auch. Weißt du, was das bedeutet? Wir haben die Bibel immer verkehrt herum gelesen! In der Sprache der Mörder! Die, die sie richtig herum lasen, haben wir versklavt und vergast! Im Lateinischen steckt die teuflische Botschaft! Über Jahrhunderte sind wir den falschen Propheten gefolgt. Nicht das Neue Testament ist für uns entscheidend, sondern das Alte, nur in umgekehrter

Reihenfolge. Und deshalb ist auch die Offenbarung des Johannes wertlos, wir müssen uns an Jesaja halten. An Ezechiel. An Daniel. Die Zeichen –«

»Daniel Kuper?«

»Ich mein's ernst, Steffi. Die Zeichen lagen die ganze Zeit offen vor uns, wir haben sie nur nicht erkannt.« Er ließ das Buch sinken. »Ich weiß, du hältst mich für krank.«

»Nein, es ist –«

»Alle tun das. Aber mir geht's so gut wie nie zuvor. Ich hab's ja selbst nicht geglaubt, als ich drauf gestoßen bin. Du kennst mich doch besser als jeder andere, du weißt, dass ich mein größter Kritiker bin, dass ich nix sage oder veröffentliche, ohne es ein Dutzend Mal überprüft zu haben. Die Fakten sprechen für sich: Gott ist ein Außerirdischer. Das wirst auch du nicht leugnen wollen. Er ist der einzige Außerirdische, dessen Existenz von Millionen Menschen anerkannt wird. Und die Bibel ist sein Wort, seine Botschaft an uns, wir müssen sie nur lesen lernen. Drosnin hat recht, die Bibel enthält tatsächlich einen Code, einen Text im Text, aber keinen, der die Zukunft voraussagt, sondern einen, der uns hilft, die Vergangenheit zu verstehen, unseren eigenen Ursprung, das Wesen der Menschheit.«

»Wer ist Drosnin?«

»Der Autor des *Bibelcodes*. Amerikanischer Journalist. Hat das alles hier aufgeschrieben.« Er ließ ein paar Seiten durch seine Finger flattern. »Die Geschichte dieses Bibelcodes, nur in Bezug auf die Thora. Und hier schließt sich der Kreis zur Kabbala. Manche Kabbalisten sehen in der Thora nämlich einen lebenden Organismus mit beweglichen Lettern, in dem jedes Wort unendlich viele Bedeutungen hat. Jeder einzelne Buchstabe zählt. Nix darf korrigiert oder verändert werden. Für sie ist die Thora Gott selbst. Ihr ist das große Mysterium, die Formel der Schöpfung, eingeschrieben. Und zu diesem Mysterium ist bisher nur ein Mensch vorgedrungen: Moses. Er hat das weiße Licht gesehen, das Urlicht der Schöpfung. Aber als er vom Berg Sinai hinabstieg und das Goldene Kalb erblickte, beschloss er, dieses Wissen mit ins Grab zu nehmen. Und genau das hat er getan. Newton hatte ja bereits eine geheime Wahrheit in der Bibel vermutet. Doch erst zweihundertfünfzig Jahre später gelang es einem Rabbi aus Prag, den Code zu knacken, unvollständig natürlich und letztlich unbrauchbar. Was ihm fehlte, war eine einfache und schnelle Suchmaschine, ein Computer, und ein genialer Mathematiker.«

»Du!«

»Nein, Eliyahu Rips von der Universität in Jerusalem.« Stefan legte das Buch zurück, ging zu den Bildschirmen hinüber und deutete auf zwei rot unterlegte Worte, die Stephanie von ihrem Platz aus nicht entziffern konnte. »Ich hab seine Methode der konstanten Buchstabenfolge nur auf die lateinische Ausgabe, die Vulgata, angewandt und darin nach Mustern gesucht, nach Sequenzen, Buchstaben, die im Text denselben Abstand voneinander aufweisen, horizontal, vertikal, diagonal, vorwärts, rückwärts, in einer Form, die dem zweidimensionalen metrischen System Euklids entspricht.«

»Warum auf die Vulgata? Ich dachte, nur die Thora ist Gotteswort.«

»Auch hier hat mir das Hebräische den ersten Hinweis geliefert. Der Name Gottes ist Yod, He, Waw, He – JHWH, Jahwe, im Hebräischen hat jeder Buchstabe einen eigenen Zahlenwert, in diesem Fall zehn, fünf, sechs, fünf.«

»Sechsundzwanzig.«

»Genau. Sechsundzwanzig.«

»Es sei denn, man nimmt auch davon wieder die Quersumme, also acht.«

»Auch das. Acht für das Unendliche. Sechsundzwanzig für das Alphabet. Das Lateinische, nicht das Hebräische. Das war der erste Schlüssel. Dann habe ich Buchstabenfolgen ohne Leerstellen oder Satzeichen definiert, und zwar die, auf die Onno mich mit seiner Playlist hingewiesen hat, eins, sieben, zwölf, eins, zwölf. AGLAL. Das war der zweite Schlüssel. Und das, was mich alle Zweifel ablegen ließ, war eine Entdeckung, die ich gleich am Anfang machte, in der Genesis. Dort treffen sich nämlich bei sieben und eins im S *malleus* und *sucni*, also *incus* – *Hammer* und *Amboss*. Nirgendwo sonst in der Bibel tauchen diese Worte in dieser Konstellation ein zweites Mal auf, weder im Alten noch im Neuen Testament treffen sie derart bezeichnend aufeinander. Und obwohl ich nicht an Zufälle glaube, habe ich einen Zufallstest durchgeführt, und siehe da, der p-Wert war sehr gering, fast null. Das hat mich darin bestärkt, weiterzumachen und nach weiteren auffälligen Kombinationen zu suchen. Ich habe Auslassungssequenzen im Intervall von eins, sieben, zwölf, eins, zwölf programmiert. Und in den Büchern der großen Propheten stieß ich dadurch auf codierte Worte in einer Verknüpfung, die ebenso weit über das Maß hinausgeht, das die Statistik zufälligen Abweichungen einräumt.« Wieder sah er auf einen der Bildschirme. Mit dem Finger zeigte er auf einzelne Buchstaben. »Hier. *Homines, somata, machinae, orbis, Hiericho, hostes,* wobei *somata* natürlich Griechisch ist, aber jetzt kommt's: *Moriantur plutonii! – Tod den Plutoniern!* Und das an der Stelle, an der Ezechiel beschreibt, wie sich über ihm der Himmel öffnet und ein Feuerball auf die Erde herabschwebt.« Stefan nahm ein dickeres, mit Dutzenden Lesezeichen versehenes Buch von der Werkbank und schlug es auf. »Aus dem Feuer strahlte es wie Gold. Mitten darin erschien etwas wie vier Lebewesen. Und das war ihre Gestalt: Sie sahen aus wie Menschen. Und bei Jesaja, in seiner Ankündigung des Weltgerichts, findet sich, wenn man jeden zwölften Buchstaben nimmt, der Satz *nos transformamur totaliter in deum et convertimur in eum* – Wir werden komplett umgestaltet in Gott und gewandelt in ihn. Was ist das? Ein frommer Wunsch von Hieronymus, dem Übersetzer? Ein Scherz? Eine versteckte Kritik am Papst? Oder die geheime Botschaft an uns, die Nachgeborenen? Die Botschaft eines Mystikers oder Häretikers, eines Auserwählten oder Abtrünnigen? Ein Hinweis darauf, dass die Menschen ihre Identität verlieren, indem sie durch etwas anderes, Höheres ersetzt werden? Wenn das so ist, dann sind nur die, die sich unterwerfen, die Gerechten. Nur sie werden verschont. Nix anderes will uns doch der für alle lesbare Bibeltext sagen: Folgt den Geboten – oder fahrt zur Hölle! Aber das wäre das Ende der Menschheit, die wahre Apokalypse, eine Herde Lämmer auf dem Weg zur Schlachtbank. Es sei denn, wir begegnen ihnen auf Augenhöhe und machen uns selbst zu Göttern. Und wie? Hier!« Er legte die Bibel beiseite, drückte auf eine Taste und wies auf den Bildschirm. »Dort, wo Daniel davon berichtet, wie der Große Engelsfürst erscheint und die Zeit der Not beginnt und er das Buch mit den sieben Siegeln empfängt, treffen sich die Worte *nostra salus* und *ortus computator* im ersten O: Unsere Rettung, der Berechner des Ursprungs.«

»Du siehst, was du sehen willst«, sagte Stephanie. »In jedem großen Text steckt das Universum, wenn du ihn auf diese Weise zerlegst.«

»Das mag schon sein, aber nicht jeder fügt sich, benutzt man Onnos Schlüssel, auf diese Weise wieder zusammen. Hier greift alles absolut harmonisch ineinander wie die Basenpaare einer Doppelhelix. Unsere DNS ist die perfekte Entsprechung dafür: ein Datenspeicher von gigantischen Ausmaßen, auf kleinstem Raum komprimiert und richtig eingesetzt in der Lage, die komplexesten Probleme in wenigen Sekunden zu lösen. Verstehst du? Die Antwort ist schon da, Steffi. Es kommt nur auf die Fragestellung an.«

»Und die wäre?«

»Was du willst. Die Antwort liegt in dir verborgen. Aber du allein wirst sie nicht finden, dafür ist deine Rechenleistung zu schwach und deine Lebenserwartung zu kurz. Außerdem nimmt die Kapazität ab, je länger du darüber nachdenkst. Unser Gehirn verbraucht ein Viertel des eingeatmeten Sauerstoffs und der einverleibten Glukose, und trotzdem bleibt ein Großteil unseres geistigen Potenzials ungenutzt. Und das wenige, das wir nutzen, wird immer weniger. Im Prinzip sind wir auf Standby. Das Leben ist nicht mehr als ein Traum. Deshalb sind wir für die auch so leichte Beute. Sie überfallen uns im Schlaf, und wir bekommen es nicht mit. Dabei wäre es ziemlich einfach, ihr System zu hacken und auszuschalten, wir müssten unser Gehirn nur auf hundert Prozent bringen.«

»Und wie soll das gehen?«

»Jede Zelle in unserem Körper verarbeitet in DNS kodierte Informationen. Das geschieht ununterbrochen. Dein Körper handelt ohne dein Zutun. Genau an diesem Punkt setzt ein Gen-Rechner an. Seine Aufgabe besteht darin, auf Befehl hin zu handeln. Und alles, was man tun muss, um ihn zum Laufen zu bringen, ist, die Moleküle zu manipulieren. Vereinfacht gesagt: Wir füttern die Moleküle mit unseren Fragen, und unser Gehirn wird uns die Antwort liefern. Und zwar ohne Nachzudenken. Du musst deinem Herzen nicht sagen, dass es schlagen soll, es schlägt. Ebenso wenig wirst du deinem neuen Gehirn sagen müssen, ob diese Außerirdischen verwundbar sind, es wird die Stelle finden und wie ein Speer in sie eindringen. Jede Zelle wird durch den Gen-Rechner aufgewertet und zu einer eigenen Schaltzentrale, die autonom funktioniert und blitzschnell reagiert. Und das Beste ist: Die Zellen erneuern sich. Ein ungewollter Nebeneffekt, aber überaus vorteilhaft. Nix geht verloren. Alles wird gespeichert. Der Tod ist überwunden. Das ist, kurz gesagt, genau das, was ich in den letzten Wochen gemacht habe.

Ich habe mit NewMan 2000 hier«, er wies auf das Gerät, das aussah wie eine zu klein geratene Waschmaschine, »meine und deine DNS optimiert und unsere Moleküle mithilfe von Viren so modifiziert, dass sie Rechenoperationen von sich aus entwickeln.«

»Woher hast du denn meine DNS?«

Stefan strich sich über die Glatze. »Steffi, wir wohnen zusammen. Die Wohnung ist voll von dir. Du bist praktisch überall.«

»Und wie hast du das gemacht? Ich meine, wie hast du die DNS optimiert?«

Er drückte auf einen Knopf, und mit einem Zischen öffnete sich der kreisrunde Deckel der Maschine, die er NewMan 2000 nannte. Als sich der Qualm verzogen hatte, kamen paarweise angeordnete Reagenzgläser zum Vorschein, gefüllt mit einer durchsichtigen Flüssigkeit. »Indem ich einzelne Nukleinsäuren ausgetauscht und die Sequenz der DNS verändert habe. Die Schwierigkeit bestand natürlich darin, an den richtigen Stellen – « Stefan hielt inne, starrte auf einen der Lautsprecher und sagte: »Hast du das gehört?«

»Was?«

»Da hat doch gerade jemand Lortzingstraße gesagt.«

»Wo?«

»Da«, er zeigte auf die Box, die ihm am nächsten war, »im Polizeifunk«, und drehte einen der Regler auf, was zur Folge hatte, dass die Stimmen in allen Ecken lauter und lauter wurden.

»Also, ich hör nix.«

»Ganz deutlich. Lortzingstraße fünfzig. Es geht los. Sie sind auf dem Weg. Sie kommen hierher.«

»Weil bei euch eingebrochen wurde, in der Praxis.«

»Nein. Weil sie meine Entdeckung verhindern wollen.« Er drückte den Deckel des NewMan 2000 wieder herunter.

»So ein Quatsch.«

Er drehte den Regler zurück, trat zu Stephanie hin und kniete vor ihr nieder, sodass ihre Köpfe auf gleicher Höhe waren. Er legte eine Hand auf ihre Wange und strich ihr das Haar zurück. Sie hatte schon nicht mehr damit gerechnet, aber jetzt, dachte sie, jetzt kommt's. Es war alles nur ein Spaß, eine großartige, verrückte Inszenierung.

»Welcher Tag ist heute, Steffi?«

»Sonntag.«

»Welches Datum!«

»Der 19. September.«

»Der 19.9.1999. Weißt du, was das heißt?«

Stephanie schüttelte den Kopf.

»A-I-I-A-I-I-I.«

»Versteh ich nicht.«

Stefan richtete sich wieder auf. »*Artificial intelligence in action, artificial intelligence in Jericho.* Wobei das zweite A sowohl für *action* als auch für *artificial* steht und das letzte I ein J ist wie im klassischen lateinischen Alphabet. *Artificial* kann gleichbedeutend sein mit *alien*, es kann sogar beides in einem sein: künstlich und außerirdisch. Das ist es eben, was mir Sorgen macht. Wenn sie künstlich sind, wird es viel schwieriger sein, in ihr System einzudringen. Kann nämlich sein, dass die Methylgruppen nicht übereinstimmen, dass –«

»Du glaubst doch nicht, dass die, wenn die so intelligent sind, wie du sagst, so blöd sind, und einen so einfachen Code verwenden.« Sie verschränkte die Arme vor der Brust, enttäuscht, dass er, anstatt auf sie einzugehen, einfach weitermachte mit seiner Theorie, und sie hoffte, dass er seinen Irrtum erkennen würde, wenn sie diese Stück für Stück widerlegte.

»Das ist ja der Trick. So wie das bei uns damals der Trick war. Alle, die versucht haben, dahinterzukommen, was wir zueinander sagen, haben nicht damit gerechnet, dass wir den einfachsten Code der Welt nehmen würden. Deshalb ist uns auch nie jemand auf die Schliche gekommen. Wie bei dieser Geschichte vom entwendeten Brief: Er liegt für alle sichtbar auf dem Tisch – und ist gerade darum unsichtbar. Weißt du noch? Poe?«

»Kamin.«

»Was?«

»Er hing überm Kamin, der Brief.«

»Ist ja auch egal. Das ist ja auch nur ein Beispiel. Was ich damit sagen will –«

»Na schön. Nehmen wir mal an, du hast recht mit diesem Code. Könnte dann nicht auch ein anderes Jericho gemeint sein, eins, das bekannter ist?«

»Warum sollte ausgerechnet ich ihn dann entschlüsseln? Das ist nicht logisch. Die sind hier Steffi, hier in Jericho, Ostfriesland.«

»Und wer sind die?«

»Allem Anschein nach doch die Plutonier, was mich wundert, weil Schallenberg ein Spinner ist, seine Schriften taugen nix, die Belege, die er anführt, sind so rätselhaft wie seine Schlussfolgerungen. Ich frage mich, wie er auf den Begriff gekommen ist, Plutonier. Mit diesem mickrigen Planeten am Rande unseres Sonnensystems hat das alles jedenfalls nix zu tun. Da ist kein Leben möglich. Und so viel ist klar: Die Plutonier sind menschlicher, als uns lieb sein kann. Ich habe ihre DNS überprüft. Ihre Tarnung ist perfekt. Die da oben könnten wirklich meine Eltern sein.«

»Das sind deine Eltern.«

»Sind sie nicht. Das sind Wirte, lebende Hüllen, traurige Gestalten, ohne Bewusstsein für ihre wahre Identität. Ihre Verwandlung ist abgeschlossen. Die Plutonier brauchen eine erdähnliche Atmosphäre, und sie brauchen uns.«

»Warum?«

»Keine Ahnung. Ich bin mir über das Wesen dieser fremden Macht noch nicht vollkommen im Klaren. Ich weiß nicht, ob sie natürlichen Ursprungs ist oder aus Maschinen besteht und ob sie, falls es sich um Maschinen handelt, ferngesteuert wird oder sich selbst reproduziert hat und somit autonom funktioniert. Und ich habe auch noch nicht herausgefunden, wie sie es schaffen, unbemerkt in uns einzudringen. Es muss mit den Augen zu tun haben, mit der Art, wie sie uns ansehen. Vielleicht fixieren sie uns und gelangen über einen Strahl, über die Iris ins Hirn, um uns auszuschalten. Vielleicht funktioniert es aber auch über Worte, über das, was wir zu ihnen sagen oder sie zu uns, wie ein Passwort, mit dem sie uns knacken.«

»Vielleicht ist es ja eine Mischung aus beidem?«

»Gute Idee. Fragt sich nur, was zuerst kommt. Der Blick oder das Wort. Sobald der Rechner läuft, werd ich's wissen, dann werd ich alles wissen.«

»Das sind also alles nur Vermutungen?«

»Ich weiß, dass sie uns benutzen.«

»Wozu?«

»Um ihr Überleben zu sichern.«

»Also, für mich klingt das alles ziemlich nach *Matrix*.«

»Es gibt keine echte oder falsche Welt. Es gibt nur eine. Diese. Und die ist falsch. Aber in einem Punkt hat der Film recht: Alles, was du wahrnimmst, ist nix anderes als ein elektrisches Signal. Wir bestehen aus hundert Prozent Bioelektrizität. Wenn du so willst, sind wir kleine, wandelnde molekulare Kraftwerke. Nur haben wir diese Energie eben bisher vollkommen vernachlässigt. Alle Impulse, die wir senden oder empfangen, enthalten Informationen, und alle diese Impulse lassen sich umwandeln in rechnerkompatible Daten. Wir müssen uns aber nicht in irgendeine Matrix einwählen, wir brauchen keine Telefone, keine Ein- und Ausgänge. Wir selbst sind die Matrix.«

»Ganz bestimmt.«

»Steffi. Es ist viel einfacher, als du denkst. Das ganze Universum besteht aus Zahlen. Jeder Mensch ist eine Zahl. Das ist, grob gesagt, der Kern der Kabbala. Allein sind wir machtlos. Allein können wir gegen die Plutonier nix ausrichten. Deshalb müssen wir uns verbinden. Wir müssen unsere DNS optimieren und vernetzen. Nur so können wir die totale Invasion noch abwenden. Aber ich weiß, dass das nie geschehen wird. Nicht auf natürlichem Weg. Die Menschheit wird nie an einem Strang ziehen. Selbst bei einer globalen Bedrohung nicht. Es wird immer welche geben, die aus jeder Lage Profit zu schlagen versuchen, Verräter, Kollaborateure. Und außerdem hätte das jetzt auch keinen Sinn mehr. Wir sind schon infiltriert. Vielleicht von Anfang an, vielleicht geschah es auch in Intervallen, im Abstand von Jahrhunderten. Mit der Landung der vier geflügelten Wesen im Alten Testament. Dem Erscheinen des Grafen von St. Germain. Mit Daniel Kupers Vision im Kornkreis am 17. September 1986, um dreizehn Uhr dreizehn, mitteleuropäischer Zeit. Auf jeden Fall gibt es inzwischen zu viele, die sich absichtlich einem Anschluss verweigern würden. Das Programm wäre niemals vollständig. Deshalb habe ich alle möglichen Zahlen, alle potenziellen Werte konstruiert und in die Datenbank eingegeben. Was wir jetzt brauchen, ist ein Körper, der reagiert, der die Impulse, die auf ihn einströmen, verarbeiten kann. Darum werde ich mich anschließen. Ich werde der neue Moses sein. Ich werde das weiße Licht sehen, das Wissen, das die Welt im Innersten zusammenhält. Und dieses Wissen werde ich mit dir teilen. Wir werden verschmelzen, Steffi. Wir werden eins sein. Mann und Frau. Um den Gen-Rechner zum Laufen zu bringen, bedarf es nämlich noch eines weiteren Organismus. Und der wirst du sein.«

»Ich?«

»Zufällig bist du auch die einzige Zahl, die noch fehlt.«

»Und die wäre?«

»Die Null.«

»Du spinnst.«

»Das ist wie bei den Polen einer Batterie, Kathode und Anode, plus und minus. Ist nur eine Seite angeschlossen, geht gar nix, erst mit beiden, richtig angeordnet, entfaltet sich elektrische Energie.«

»Du wirst mich an gar nix anschließen.« Sie erhob sich wieder von dem Friseurstuhl, nahm ihren Blazer und ihre Tasche und ging auf die Tür zu. »Ich gehe jetzt.« Und das war sie, entschlossen zu gehen, nach oben, nach Hause, nach Münster zurück, falls es ihr nicht gelang, ihn von seinem Vorhaben – was immer das war – abzubringen. Das meinte sie, ihm, sich selbst schuldig zu sein.

»Schade«, sagte Stefan. »Ich dachte, du wärst auf meiner Seite.«

»Ich bin auf deiner Seite. Ich bin nur ziemlich fertig, und hier unten kriege ich Beklemmungen. Wollen wir nicht nach oben gehen und einen Kaffee trinken und noch mal in Ruhe über alles reden, bei Tageslicht?«

»Es gibt keinen Ort, der ruhiger wäre als dieser. Dies«, er breitete die Arme aus, »ist das Auge des Sturms, das Zentrum der Wirklichkeit. Und heute ist der Tag der Tage. Ich muss das hier und jetzt zu Ende führen. Und ich hatte gehofft, dass du mich dabei unterstützen würdest.«

»Das will ich ja auch. Später.«

»Später gibt's nicht. Aber vielleicht hab ich mich getäuscht, vielleicht reicht auch ein Körper, um den Rechner zu aktivieren, wenn ich –« Er wandte sich der Werkbank zu, betrachtete einen der Bildschirme und tippte auf ein paar Tasten. »Ja, könnte auch so funktionieren.« Über die Schulter hinweg fragte er: »Kannst du mir noch einen Gefallen tun?«

»Klar.« Jetzt, da sie sich entschlossen hatte zu gehen und sich sicher war, das tun zu können, war sie bereit, ihm jeden Wunsch zu erfüllen. »Um was geht's denn?«

»Kannst du mal auf den Schalter da drücken?«

»Welchen?«

»Den von der Steckdose da.«

Stephanie sah zu Boden. Neben dem Friseursessel, auf dem sie gesessen hatte, lagen zwei Mehrfachsteckdosen, beide ausgeschaltet.

»Den von der weißen oder der schwarzen?«

»Von der schwarzen.«

Mit dem Fuß drückte sie den Schalter, aber nichts passierte.

»Dann doch den von der weißen.«

Stephanie drückte auf den Schalter der weißen, und oben, im Flur, gab es einen Knall. Zeitgleich ging unten das Licht aus, und alle Geräusche erstarben.

Als sie zu sich kam, war der Raum wieder hell erleuchtet, und sie saß nackt und angeschnallt auf einem der Friseursessel, den Kopf halb in die Trockenhaube geschoben. Ihre Stirn fühlte sich kalt und feucht und schwer an, und ihre Glieder waren wie gelähmt. Sie wollte schreien, aber mehr als einen dumpfen Laut brachte sie nicht zustande. Sie bekam die Lippen nicht auseinander. »Entschuldige«, sagte Stefan. »Ich musste dich fixieren.« Er trug jetzt den weißen Kittel und weiße Einweghandschuhe. »Ich konnte dich nicht gehen lassen. Und das Tape dient nur deinem Schutz. Der Raum ist nicht komplett schalldicht, und ich kann es nicht riskieren, dass sie auf deine Schreie hin runterkommen, auch wenn nicht mehr davon bei ihnen ankommt als ein Flüstern. Sie stehen schon oben vor der Tür. Der Stromausfall hat sie aufgescheucht. Es wird nicht mehr lange dauern, bis sie das Schloss aufkriegen und an den Sicherungen rumspielen. Deshalb müssen wir uns beeilen. Das hier«, er strich ihr mit einem

Finger über den Kopf, die Brust, den Bauch, die Scham, »richtet sich nicht gegen dich, das hat nix mit dir oder mir zu tun. Du wirst mich jetzt vielleicht verfluchen. Aber ich will nur dein Bestes. Ich kämpfe für eine höhere Sache, wir beide tun das. Wenn wir erst in die Welt der Aktivierung eingetreten sind, wirst auch du das erkennen. Und du wirst mir dankbar sein, dass ich dir die Augen geöffnet habe. Dann wird dir schlagartig alles klar werden, was dir jetzt noch seltsam erscheint. Ich spüre deine Angst, und ich kann sie dir nicht nehmen. Auch ich habe Angst vor diesem Schritt. Aber er ist unvermeidbar. Ihn nicht zu wagen, hieße, sich selbst aufzugeben.« Mit einem Gürtel band er ihr den Unterarm ab. »Wir sind Pioniere, Steffi. Wir werden die Ersten sein, die ersten lebenden Computer, von Menschen entwickelt. Ich habe es bisher nur an Ratten getestet, und die haben überlebt, und die Geschwindigkeit, mit der ihre Gehirne rechneten, stimmt mich zuversichtlich, dass auch wir überleben werden, obwohl du dann nicht mehr die Steffi sein wirst, die du gekannt hast.« Er faltete ihre Finger zur Faust, sie konnte sich nicht dagegen wehren, und desinfizierte ihre Armbeuge mit einem Alcopad. »Ich werde dich auf eine neue Stufe des Daseins heben und in einen Zustand versetzen, den andere nicht einmal durch jahrelange Meditation erreichen würden. Du wirst mächtig sein, schnell und stark, du wirst keine Grenzen mehr spüren, weder körperlich noch mental. Leider hab ich nicht genug Zeit, dich richtig einzustellen. Wir tauchen gewissermaßen ohne Radar, und ich kann dich nicht einmal mehr das Schwimmen lehren. Die plötzliche Erkenntnis gleicht einem Schock. Am Anfang hast du furchtbare Kopfschmerzen. Du spürst eine Taubheit im Rücken, in den Beinen, bist unfähig, dich zu bewegen. Doch dann schwimmst du, wie du nie zuvor geschwommen bist, in einer unglaublichen Geschwindigkeit. Du siehst das weiße Licht und eilst darauf zu. Du bist dir der gewaltigen Strecke bewusst,

Tausende Kilometer, die du in wenigen Sekunden zurücklegst, aber du spürst sie nicht. Du spürst nicht mal den Druck, der dich umgibt und zusammenpressen will. Du spürst nur die Kraft, die dich vorantreibt. Und plötzlich bist du da. Und ich bin bei dir. Für alle Zeit. Dies«, er wies auf die beiden Stühle, »sind die Throne unserer Herrschaft. Unser Reich geht niemals unter. Denn wir leben in Ewigkeit.« Dann beugte er sich über sie, um das Klebeband zu küssen, mit dem er ihren Mund versiegelt hatte, aber sie wandte den Kopf ab, die einzige Bewegung, zu der sie noch fähig war, und dann sah sie, wie er zu den beiden Kühlschränken hinüberging und mit zwei Ampullen zurückkam. Auf der einen stand ihr Name, auf der anderen seiner. Und dann zog er den Beistelltisch zu sich heran, nahm zwei Kanülen aus der Verpackung, steckte die Nadeln auf, brach die Spitze ihrer Ampulle ab und zog mit einer der Spritzen die Flüssigkeit auf. Sie versuchte, sich zu befreien, die Arme, die Füße in Richtung Tür zu drehen, aber die Riemen waren zu fest angezogen, jede Regung stach ihr ins Fleisch. »Schone deine Kräfte«, sagte er, während die Nadel in sie eindrang. »Du wirst sie brauchen, am Anfang bist du weich und schwach, dein Körper muss sich erst an die neue Umgebung gewöhnen, am Anfang wirst du verwundbar sein, und das werden sie auszunutzen versuchen.« Er zog die Spritze ab und legte sie auf den Tisch zurück. Von oben drangen dumpfe Laute zu ihnen herab. Stephanie schaute zur Tür hin. »Sie kommen zu spät«, sagte Stefan und knöpfte seinen Kittel auf. Als er die Unterhose von den Beinen streifte, krachte es an der Tür, und ein Stück der Noppenschaumplatte fiel zu Boden. »Okay, pass auf, sie können uns jetzt hören, ich hatte eigentlich gehofft, dir wenigstens diese Dinge noch so sagen zu können, ehe sie uns finden. Sie sind wichtig für den Übergang, zu deinem eigenen Schutz.« Er nahm zwei Putzlappen aus dem Eimer, tränkte sie mit Kochsalzlösung und klemmte einen davon mit einem Starterkabel an ihren linken Fuß, den anderen an ihren rechten. »Erhöht die Eintrittsfläche. Wir brauchen etwas Schubkraft. Wir müssen die Welt erst überwinden, um wieder auferstehen zu können.« Er fischte zwei weitere Lappen aus dem Eimer, legte sich neben sie auf den anderen Friseurstuhl und klemmte an seine eigenen Füße zwei Lappen und zwei Starterkabel – jetzt waren sie mit der Steckdose und über Kreuz miteinander verbunden. Die Tür gab einen Spaltbreit nach, der Putz bröckelte von der Wand daneben. Stephanie meinte, ihre Fesseln sprengen zu können, indem sie sich im Sitz hin- und herwarf, aber was ihr wie eine Erschütterung erschien, war nur ein Zittern. Immerhin gelang es ihr, trotz des Kinnbügels den Kopf zu heben und Stefan anzusehen, in einem Moment völliger Klarheit. In aller Ruhe band er sich den Arm ab, desinfizierte die Stelle, an der die Nadel eindringen sollte, brach seine Ampulle auf und füllte die zweite Spritze mit der klaren, durchsichtigen Flüssigkeit, die sie vorhin in den Reagenzgläsern, im NewMan 2000 gesehen hatte. »Du musst mir jetzt genau zuhören, weil du dich, wenn du im Licht bist, daran erinnern musst, was ich zu dir gesagt habe. Und das wird schwer sein, so schwer, wie wenn du versuchst, dich nach dem Aufwachen an einen Traum zu erinnern. Ich hab dir doch von AGLAL erzählt, von dem zweiten L, dessen Bedeutung sich mir nicht sofort erschlossen hat. Ich hielt es erst für einen Fehler, für etwas Überflüssiges, Nebensächliches. Aber nix ist überflüssig oder nebensächlich. Jeder einzelne Buchstabe zählt. Das zweite L ist das Ende von allem. L ist Lucifer, der Lichtträger, der Teufel, der Satan, nenn ihn, wie du willst. Wer, wenn nicht er, war Gott ebenbürtig? Und das war sein Verderben.« Er zog die Spritze ab und warf sie zu Boden. Er rieb seinen Kopf mit Kochsalzlösung ein und schob ihn ganz in die Trockenhaube hinein. Er fixierte den Kinnbügel und begann, sich anzuschnallen. Nur ein Arm, sein rechter, blieb frei. »Und?

Spürst du's schon? Wie alles schneller und einfacher wird, wie klar plötzlich alles ist, selbst die kompliziertesten Dinge? Wie überschaubar? Wir schlagen sie mit ihren eigenen Waffen. Wir werden sein wie sie.« Eine Hand fuhr durch den Türspalt. Jemand rief ihren Namen. »Dies ist der dritte Schlüssel, der Code, der dich schützen wird«, sagte Stefan. »Wiederhole ihn, sobald du die Augen aufschlägst. Salted__ō◊8¡ö#ˇ#„µ÷|•r)ΩnÈ‹ „@ Ø⁻GóâmVPzD@ÀÄTDÑVP‡¸µ€,≤ËOl∞øcBNèw_Ω"µ−¡>°ā?í ¸]NÇßëÅn¸8>∞fÙè*/}€‰ÌÒo*m.«

Sie verstand kein Wort.

Dann legte er einen Finger auf den Startknopf: »Es kann losgehen, Baby!«

Das war das Letzte, was sie sah und hörte.

Mit Daniel Kuper geschah Folgendes.

Birgit Bleeker
bei Weber
Waldweg 3
61118 Bad Vilbel

1. August 1999

Liebe Frau Bleeker,

ich weiß nicht, ob die Adresse stimmt. Ich habe sie
von Ihrem Exmann. Und er sagte mir, daß sie womöglich
nicht mehr aktuell sein könnte. Ich bin ein Freund
Ihres Sohnes gewesen, von Daniel. Wir sind uns auch
ein paarmal bei Ihnen zu Hause begegnet. Und Sie ken-
nen meine Eltern. *die nicht mehr meine Eltern sind* Wenn ich Ihnen den Namen sagte,
wüßten Sie sofort, wer ich bin. Aber das muß ein Ge-
heimnis bleiben, solange ich die Grenze noch nicht
überschritten habe und ich mir nicht sicher bin, daß
die Plutonier mir nichts mehr anhaben können. Ich
kann mir vorstellen, was dieser Begriff bei Ihnen
auslöst. Auch ich habe lange Zeit an Markus Schallen-
bergs Thesen gezweifelt. Seine Interpretation mag *da sie immer noch, in welcher Schablone*
strittig sein, der Begriff ist es nicht. Ich weiß
nicht, wo er ihn herhat, und werde ihn auch nicht
danach fragen. Im Gegensatz zu ihm habe ich Beweise
für die Existenz der Plutonier auf der Erde gefunden,
die ich Ihnen nicht vorenthalten möchte.* Sie sind
das Ergebnis jahrelanger Recherche. Zuerst habe ich
überhaupt nicht durchgeblickt. Aber dann setzten
sich die einzelnen Zeichen zu einer Botschaft zusammen. Die Buchstaben und Zahlen, die unverbunden
nebeneinanderstanden, ergaben plötzlich einen Sinn.
✶ s. Anhang

486

Noch weiß ich nicht alles, noch gibt es mehr Fragen
als Antworten, doch wenn ich die Hinweise richtig
deute, werde ich schon in wenigen Tagen mehr Antworten als Fragen haben.

Ich bin Daniel gegenüber nicht immer aufrichtig gewesen. Ich habe ihn verleugnet, als er meinen Beistand brauchte. Er ist sich seiner Fähigkeiten nie
bewußt gewesen, seinem Einfluß. Und wir haben es ihn
nie spüren lassen, aus Stolz und Vorurteil. Wir meinten, besser zu sein als er, und erkannten nicht, daß
es eigentlich umgekehrt war. *hätten wir uns damals schon* Er hat nie viel von Ih-
nen gesprochen, aber ich nehme an, daß er zu Ihnen *vermehrt, jede mit seinen Fähigkeiten, wären alle noch*
noch das innigste Verhältnis hatte, jedenfalls bis *am Leben*
zu einem gewissen Alter, auch wenn Sie wahrscheinlich anders darüber denken.

Ich will keine alten Wunden bei Ihnen aufreißen, der
Schmerz über den Verlust eines Sohnes ist unermeß-
lich, und es gibt keine Worte, die Trost spenden
könnten. Ich wollte Ihnen nur mitteilen, daß ich
womöglich bald in der Lage sein werde, mit ihm Kontakt aufzunehmen. Nicht, was Sie denken. Nicht mithilfe eines Mediums. Es sei denn, ich selbst bin das
Medium. Doch er wird, wenn es gelingt, nicht durch
mich sprechen, ich werde mit ihm sprechen, ganz normal, von Angesicht zu Angesicht. Nur eben nicht in
unserer Welt, sondern in seiner. Ich weiß, das hört
sich ziemlich verrückt an, und ich kann Ihnen auch
nicht versprechen, dass ich ihn dort, wo ich hingehe,
tatsächlich treffe. Der Plan ist, nur wenige Sekunden zu bleiben, nur so lange, wie es dauert, mich
zu aktivieren. Niemand hat diesen Schritt bisher
gewagt. Das ist keine Nahtod-Erfahrung, obwohl das

das ganze ist so viel plopper als der verlust, und es gibt keine unraumben weise

Licht, von dem einige, die es erlebt haben, berichten, dem Licht, das mir vorschwebt, ganz ähnlich sein muß. Ich erinnere mich, wie Sie am nächsten Tag, als alles vorbei war und die Hälfte des Dorfes in Trümmern lag, in Rettungsfolie gehüllt vor den qualmenden Resten des Güterschuppens standen, während Polizei und Feuerwehr das tote Mädchen bargen und nach Daniels Leiche suchten. Sie haben gewartet. Aber nicht darauf, daß sie ihn fanden, sondern darauf, daß er zurückkehrte, vollkommen unversehrt und jünger als zuvor, wie ein Phönix aus der Asche. Sie warten immer noch auf ihn. Ich habe keine Kinder, ich bin Wissenschaftler. Aber ich kann mir auf eine sehr abstrakte Weise vorstellen, daß Eltern fühlen, was mit ihren Kindern passiert. Und wenn ich das tue, und das habe ich in den vergangenen Jahren oft getan, komme ich zu folgendem Ergebnis: Daniel ist nicht tot, und er ist auch nicht abgehauen, wie einige Zeitungen geschrieben haben. Daß er für uns nicht mehr sichtbar ist, heißt ja nicht, daß er unsichtbar ist. Außerirdische! Damals habe ich ihm so wenig geglaubt wie Sie auch. Ich hielt das für eine billige Ausrede dafür, nicht mehr zur Schule gehen zu müssen, weil er Angst vor Frau Zuhl hatte. Heute bin ich mir sicher, daß er im Maisfeld etwas gesehen hat und daß dieses Etwas, diese Plutonier, ihn auch gesehen haben. Plutonier, das habe ich inzwischen herausgefunden, verfügen über die erstaunliche Fähigkeit, sich Menschen gefügig zu machen. Sie dringen gewissermaßen in uns ein und machen uns zu Dienern ihres Willens. Dabei empfinden wir das nicht als Bürde. Im Gegenteil, wir sind nach wie vor

überzeugt davon, eine innere Freiheit zu besitzen,
vielleicht sogar mehr denn je. »Die Gedanken«, heißt
es in einem Volkslied, das auch der Männergesangsverein gern gesungen hat, »die Gedanken sind frei.«
Aber das trifft für diejenigen, die verwandelt sind,
nicht zu. Für sie ist Freiheit nichts weiter als eine
Illusion, ein schöner Traum, der niemals Wirklich-
keit wird oder permanent Wirklichkeit ist. Ich habe *Wer von uns würde*
an Daniel keine Anzeichen wahrgenommen, die für die *im Alltag das Paradies erkennen?*
Metamorphose charakteristisch sind, die Gleichgül- *Merkt man's nicht erst, wenn*
tigkeit, die Passivität, das Flattern in den Augen. *man's verloren hat?*
Und ich kann mir nicht erklären, warum er immun ist,
wie es ihm als Einzigem gelingen konnte, dem Blick
des Plutoniers standzuhalten. Ich folge seinem Beispiel. Aber auf meine Weise. Ich werde verschwinden
und im selben Moment als neuer Mensch zurückkehren.
Und wenn ich ihn unterwegs treffe, bringe ich ihn
mit. Aber erschrecken Sie nicht. Er sieht noch genauso aus wie damals. Was für ihn acht Tage sind,
sind für uns acht Jahre. Die Zeit läuft uns davon,
ohne daß er es merkt. Ich bin zuversichtlich, daß
Sie ihn bald wiedersehen werden. Seien Sie es auch.

*Bleiben Sie am 11. August im Haus. Widerstehen Sie der Versuchung,
nach draußen zu schauen. Das ist nicht der Mond, der sich vor
die Sonne schiebt, sondern ein Todesstern, ein gigantischer
plutonischer Augapfel, von dem Sie, weil er von hinten überstrahlt
wird, nur den Schatten sehen. Von dort, aus der Dunkelheit, kommt
der Große Blick über uns. Der erste Schritt der Invasion dient dem
Zweck, unsere Herzen zu öffnen, der zweite, sie für immer zu
verschließen.*

DRITTER TEIL

White Shadow

Im Rex

Innerhalb weniger Monate hatte sich das Leben von Daniel Kuper völlig verändert. Der Kontakt zu seinen Freunden vom Gymnasium, Rainer, Onno und Stefan, war abgerissen, und auf der Realschule, in der er wieder neben Volker saß, hatte sich eine Leere in ihm aufgetan, ein schwarzes Loch, das seine Gedanken anzog und verschlang. Er wusste nicht, wie es dazu gekommen war, er merkte nur, dass er an vielen Dingen, Modellbausätzen und Abenteuerromanen, Science Fiction und Heavy Metal, die lange Zeit sein Ein und Alles gewesen waren, kein Interesse mehr hatte und bisher nichts Vergleichbares an ihre Stelle getreten war – außer, für die Schülerzeitung zu schreiben.

Er hatte auch immer gerne Filme gesehen, Spielfilme, und das tat er auch jetzt noch, nur schien es ihm, als hätten sie plötzlich ihren Zauber verloren. Vor einem halben Jahr noch waren Volker und er jeden Donnerstag nach der Schule allein mit ihren neuen Rennrädern in die Kreisstadt gefahren. Sie hatten erst im Eiscafé Banana-Split gegessen – er eine Portion, Volker zwei – und dann im Kino gegenüber Karten für den Filmclub, für Klassiker wie *Die Reifeprüfung, Die Unbestechlichen* oder Trilogien wie *Zurück in die Zukunft, Krieg der Sterne* gekauft und Momente großen Glücks erlebt. Aber jetzt waren ihre neuen Mitschüler Paul Tinnemeyer und Jens Hanken mit dabei, die Vergangenheit war nicht mehr der Rede wert, und Daniel trank Bier und Schnaps und rauchte Zigaretten, weil er hoffte, dass dadurch alles wieder so sein würde wie am Anfang, neu und aufregend.

Mit Paul und Jens verband ihn keine Freundschaft. Im Hohlraum unterm Güterschuppen hatten sie zusammen eine Höhle gebaut und später die Scheiben des alten Gemeindeheims eingeworfen, und manchmal waren sie sich an einer der Ausschachtungen begegnet, hatten Zigaretten und Geschichten ausgetauscht, Geschichten über Mädchen, aber sie waren ein Jahr älter als Daniel, sie waren ihm immer ein Jahr voraus gewesen und würden es immer sein. Doch jetzt, da sie seit fast acht Monaten in eine Klasse gingen, da die Hoffnungen, die Lehrer und Eltern in sie gesteckt hatten, von ihnen nicht erfüllt worden waren, fanden sie zusammen. Sie teilten nicht die gleichen Interessen oder Ansichten, sie hegten nicht einmal Sympathie füreinander. Was sie einte, war das Gefühl der Enttäuschung, das sie erfahren hatten, das Gefühl, eigenen und fremden Ansprüchen nicht genügen zu können, vor sich und der Welt versagt zu haben.

Es gab niemanden, der sich zum Anführer aufschwang und die anderen zu Handlangern seiner Entscheidungen machte, es gab überhaupt keine Entscheidungen, nicht einmal gemeinsam getroffene, sie waren keine Jugendbande – auch wenn man von außen diesen Eindruck haben mochte. Sie hatten keinen Plan, was sie machen sollten, außer vielleicht den einen, die Zeit totzuschlagen und dabei etwas zu erleben, das die Leere in ihnen füllen würde. Obwohl sie nach der Schule nur spontan zusammenfanden, verfügten sie über eine Rangfolge, eine unbestimmte, unausgesprochene, die sich aus der Art der Enttäuschung ergab: Paul, der Rote Riese, wie sie ihn insgeheim nannten, hatte nie höhere Ambitionen gehabt und absichtlich schlechte Noten geschrieben, um nicht als Streber dazustehen. Er hatte beweisen wollen, dass man faul, rücksichtslos und erfolgreich zugleich sein konnte, und Jens, sein Trabant, war ihm auf dem Weg in die Verdammnis gefolgt. Bis zuletzt hatten beide, wider besseres Wissen, gehofft, mit drei Fünfen im ersten Halbjahr und ohne

Leistungssteigerung im zweiten doch noch versetzt zu werden. Daniel dagegen kam vom Gymnasium, er war in die Stratosphäre katapultiert worden und wieder auf die Erde gestürzt. Und Volker war ihre Sonne, der dicke, vor Fett glänzende Stern, der sie alle im richtigen Abstand voneinander in der Bahn hielt.

Paul war groß, einsneunzig, und aus der Zeit gefallen: Seine roten Haare hatte er stets zu einer Schmalztolle hochgekämmt – bis auf eine einzelne Strähne, die ihm, dick mit Gel bestrichen, in die Stirn fiel, und anstatt Jeans und T-Shirts trug er Bundfaltenhosen und Hemden. Sein Vater betrieb eine kleine Polsterei, und es hieß, er erlaube niemandem in seiner Familie, Jeans zu tragen, weil Jeans den Stoff, den er auf Sessel und Sofas aufzog, abnutze und seine Arbeit zunichte mache. Als Daniel von der Begründung hörte, als Volker ihm gleich in seiner ersten Woche an der Realschule erzählte, warum Paul aussah, wie er aussah, erschien ihm der Gedanke widersinnig, ein Polsterer lebte doch vom Verschleiß. »Wie dumm ist das denn? Wenn alle Jeans tragen und damit auf ihren Sofas rumrutschen würden, könnte er ein Wahnsinnsgeschäft machen. Paul sollte als gutes Beispiel vorangehen.«

»Als Beispiel für was?«

»Für Zerstörung.«

»Du kannst es ihm ja sagen.«

»Mach ich vielleicht auch.«

»Halt ich für keine gute Idee.«

»Warum?«

»Jens.«

»Was ist mit Jens?«

Volker tippte mit einem Finger an einen seiner Schneidezähne.

»Du meinst, Paul hat ihm den ausgeschlagen?« Jens fehlte kein ganzer Zahn, nur ein Stück, und oberhalb dieses Zahns war seine Lippe blau und geschwollen, wie bei einem Bluterguss – nur dass dieser Bluterguss im Gegensatz zu den anderen, den normalen, nicht verschwand.

»Lange her.« Volker zuckte mit den Schultern. »Jedenfalls würd ich ihn nicht auf seine Klamotten ansprechen. Und schon gar nicht auf seinen Alten. Da ist er empfindlich.«

»Wer nicht?« Als er das sagte, dachte Daniel an sich selbst, an den Vater und die Drogerie, aber er hätte ebenso gut Volker oder Jens meinen können. Volker genoss als Lehrerkind nicht gerade das höchste Ansehen an ihrer Schule. Jens' Vater hatte ein Sonnenstudio. Und Jens' Hautfarbe ließ darauf schließen, dass er selbst auch oft genug davon Gebrauch machte, was manche Mädchen, die keinen Ärger zu befürchten hatten, weil sie zu gut aussahen oder zu selbstbewusst waren, zum Anlass nahmen, ihn zu verspotten.

»Na, Jens, wieder am Strand eingeschlafen?«, sagte Simone, die beide Eigenschaften vereinte, wenn Jens, wie zuletzt, im Winter braun gebrannt den Klassenraum betrat.

Um sieben hatten sie sich vorm Bahnhof getroffen, am Kiosk eine Flasche Korn gekauft und waren dann trinkend und randalierend durch die Straßen gezogen. Dunkle Laternen, umgestürzte Fahrräder und auf dem Asphalt verteilte Glasscherben markierten ihren Weg zum Kino-Center, wo an diesem Frühlingsabend *Darkman* gezeigt wurde, *Der Mann mit der Gesichtsmaske,* obwohl sie ahnten, dass man sie nicht reinlassen würde, nicht in ihrem Alter. Paul behauptete, den Film schon mehrmals gesehen zu haben und nur ihnen zuliebe noch einmal mitgekommen zu sein. Paul behauptete auch, *Tanz der Teufel, Tanz der Teufel II, Hellraiser – Das Tor zur Hölle, Hellbound – Hellraiser II, Zombie* und *Zombie 2 – Das letzte Kapitel* gesehen und ausgehalten zu haben. Im Unterricht, in den Pausen beugte er sich manchmal zu Mädchen hin und sagte mit einer unnatürlich hohen oder tiefen Stimme: »Der Wald lebt! Es waren die Bäume selbst. Sie haben mich angegriffen!« – »Ich bin's, Frank«, wobei er Frank englisch aussprach, »ich bin's wirklich. Das Blut auf dem Boden brachte mich zurück. Aber jetzt brauche ich mehr. Komm zu Daddy! Komm zu Daddy! Komm zu Daddy!« Und dann streckte er die Hände nach ihnen aus und fasste sie überall an und erklärte ihnen, was er mit ihren Gehirnen vorhabe. Weil aber niemand von ihnen die Filme kannte und sie in der Videothek nicht zu leihen waren, weil nicht einmal Jens' ältere Brüder sie gesehen hatten, ließen sich Pauls detaillierte Beschreibungen der Gewaltszenen, der Schockeffekte nicht überprüfen.

Es war kurz vor acht, die Geschäfte hatten, wie an jedem langen Donnerstag, noch geöffnet, aber die Fußgängerzone war schon wie ausgestorben. Nur wenige Paare standen vor den erleuchteten Schaufenstern und zeigten auf die ausgestellten Waren. Daniel beobachtete sie eine Weile, beide Hände in den Taschen seines Parkas vergraben – ein Geschenk des Vaters zu Weihnachten –, bevor er sich zu den anderen umwandte, die hinter ihm, hinter den Schaukästen ihre Dosen leerten. Volker fiel eine volle herunter, und er hob sie auf und klopfte mit der Fingerspitze gegen den Deckel.

»Bringt doch nichts«, sagte Jens.

»Davon verstehst du nichts«, sagte Volker und klopfte weiter auf dem Aluminium herum. »Das hat mit Überdruck zu tun. Durch Schütteln wird nämlich Gas freigesetzt und –«

»Bei dir vielleicht«, unterbrach ihn Jens und bewegte seine hohle Hand vor dem Bauch auf und ab, als riebe er sie an etwas Unsichtbarem.

»Ja«, sagte Paul. »Mehr kriegst du aus dir ja nicht raus, Fettarsch.«

»Idioten«, sagte Volker. »Ihr habt von Chemie einfach keine Ahnung. Durch Schütteln wird Gas freigesetzt, hat mir mein Alter mal erklärt, und wenn man auf den Deckel klopft, lösen sich die Gasbläschen vom Rand her und steigen an die Oberfläche, und die Kohlensäure hat nichts mehr, woran sie sich festhalten kann, um zu entweichen.«

»Schwachsinn«, sagte Jens.

»Dein Alter ist ein Spinner«, sagte Paul, und Volker sagte: »Nein, wirklich, hier, ich mach das jetzt auf.« Er drückte den Tab-Verschluss rein, und das Bier spritzte raus. »Verdammt. Das war das erste Mal. Ehrlich. Das liegt nur an diesen neuen Verschlüssen. Als man die noch abziehen konnte, hat das funktioniert.«

Nachdem sie aufgehört hatten zu lachen, fragte Paul: »Haste was dabei?«

»Na logen«, sagte Jens.

»Und was ist mit dir?«

»Klar«, sagte Daniel, »immer«, obwohl er nicht wusste, was Paul meinte.

»Will ich auch hoffen«, sagte Paul, schnippte eine Kippe über den Denkmalsplatz, Richtung Ehrenmal, und ging hinein, um zu sehen, wer an der Kasse saß. Paul hatte nämlich prophezeit, dass es mit Kindern schwierig werden könnte, reinzukommen, je nachdem, wer Dienst hatte, und als er wieder rauskam, sagte er: »Keine Chance.« In den Ferien hatte er eine Zeit lang im Kino gejobbt. Er hatte Rollen geschleppt und Filme eingelegt und während der Vorführungen in der letzten Reihe gesessen. Hinterher hatte er die Säle gesäubert, leere Flaschen eingesammelt, Chips, Salzstangen und Popcorn vom Boden gefegt, Kaugummis unter den Lehnen weggekratzt und das Kleingeld, das er unter den Sitzen fand, für sich behalten. Irgendwann hatte er ein prall gefülltes Portemonnaie gefunden und ohne Angabe von Gründen, von einem Tag auf den anderen, gekündigt. Aber er kannte immer noch alle Angestellten, war, wie er sagte, mit einigen von ihnen befreundet und wusste, wer ein Auge zudrückte und wer nicht.

Sie schauten auf die grüne, von unten angestrahlte Holztafel über dem Eingang, auf der die vier Filme des Abends angeschlagen waren, und einigten sich auf *Das Schweigen der Lämmer*.

»Der soll sowieso besser sein als *Darkman*«, sagte Daniel.

Volker sagte: »Der ist bestimmt auch viel subtiler als *Man Eater*.« Er sagte es ganz ruhig, so als wüsste er Bescheid, als müsste er sich trotz seines Alters keine Sorgen machen.

Und Paul sagte, an Volker und Daniel gewandt: »Normalerweise sehe ich mir ja keine Kinderfilme an, aber mit euch bleibt mir wohl nichts andres übrig.«

Daniel wusste, dass es bei ihm nicht klappen würde, dass es bei ihm nicht einmal zu den sogenannten Kinderfilmen reichte, nicht bei seinem Aussehen. *Schweigen der Lämmer* war, wie fast alle Filme, die sie sehen wollten, ab sechzehn, deshalb sagte er, als er nach ihnen vorm Schalter stand: »Einmal *Zeit des Erwachens*, bitte.« Und gleichzeitig ärgerte er sich, es nicht einmal versucht, sofort klein beigegeben zu haben.

Von der Decke strahlte aus drei Scheinwerfern gleißendes Licht auf ihn herab wie auf einen Schauspieler im Theater. Tatsächlich fühlte er sich an die Schulaufführungen in der Aula erinnert: Er hatte eine Bühne betreten, auf der alle außer ihm ihren Text beherrschten und es niemanden gab, der ihm seinen einflüsterte. Stattdessen starrten sie ihn an, als könnten sie ihm mit ihren Augen Worte entlocken, Worte der Vergebung oder des Zorns, irgendetwas, was die Stille zerstörte und die Handlung vorantrieb.

Die anderen standen an der Treppe vor dem Aufgang zu den Sälen. Daniel hatte die Arme vor der Brust verschränkt. Die Frau am Schalter blickte abwechselnd ihn und den Geldschein an, den er auf den Tresen gelegt hatte, als bestünde zwischen ihm und Dürers *Jungem Mann* eine Ähnlichkeit, als wäre das ein stümperhaft gefälschter Pass oder ein billiger Bestechungsversuch, um in ihr Land einzureisen. Dann tauschte sie den Schein gegen zwei Münzen und eine Karte ein und brüllte der Abreißerin auf der anderen Seite des Raumes zu: »Nella, hab mal 'n Auge auf den kleinen Kuper hier«, sie zeigte auf Daniel, »der geht bestimmt rüber.«

Er fragte sich, woher sie ihn kannte, woher sie seinen Namen wusste, ob Paul ihr vorhin etwas gesagt hatte oder ob sie mit den Eltern bekannt war, aber er konnte sich nicht erinnern, sie außerhalb des Kinos schon einmal irgendwo gesehen zu haben. Die anderen lachten, er hörte, wie sie auf dem Weg ins Rex über ihn sprachen, bis sie hinter einem schwarzen Vorhang verschwunden waren. Die Abreißerin – Nella –, die neben dem Treppenaufgang stand, trug ein weißes, durchscheinendes Kleid. Der Stoff war so dünn, dass sich darunter ihre Unterwäsche abzeichnete. Als er aber von einem plötzlichen Verlangen getrieben genauer hinsah, meinte er, in den wellenartigen Streifen das Muster des Geländers zu erkennen, an dem sie lehnte, Form und Farbe stimmten überein, Vorder- und Hintergrund gingen bruchlos ineinander über. Er schätzte sie auf dreißig, höchstens vierzig, ihre Lippen glänzten, sie lächelte ihn mitleidig an und strich ihm, als er ihr die Karte gab, über die Hand. Ihre Haut war rau und rissig, verwittert wie die eines alten Mannes. Vor Schreck trat er einen Schritt zurück, fast hätte er eine der Dosen verloren, die unter seinem Parka verborgen waren.

Nachdem er die Frau hinter sich gelassen hatte, fühlte er sich leichter, als hätte er eine Prüfung bestanden und eine unsichtbare Grenze passiert. Aber je weiter er ging, desto stiller und dunkler wurde es. Die Geräusche wurden von den dicken Stoffen verschluckt, mit denen alles ringsum ausgekleidet war, das grelle Licht der Schalterhalle war nur noch ein fernes Glimmen, die Konturen verblassten mit jedem Schritt, und bald konnte er nicht mehr unterscheiden, wo die Wände links und rechts neben ihm aufhörten und die Decke und der Boden anfingen, sodass er auf dem abschüssigen Untergrund ins Wanken geriet und das Gleichgewicht zu verlieren drohte und sinnlos vor sich hintastete, in der Hoffnung, irgendwo Halt zu finden. Jetzt rächte es sich, dass er, weil er so nervös gewesen war, auf dem Weg vom Bahnhof zu schnell zu viel von dem Schnaps getrunken hatte. Ihm schwindelte, er begann zu schwitzen, zu zittern und beruhigte sich erst wieder, als er endlich, nach Stunden, wie ihm schien, die Tür erreichte, über der von hinten schwach beleuchtet und hektisch flackernd *Urania* stand, das kleinste der vier Kinos, in dem an diesen Tagen zum letzten Mal *Zeit des Erwachens* laufen sollte.

Bisher hatte er nur zwei Horrorfilme gesehen, *Das Ding aus dem Sumpf* und *Nightmare On Elm Street*, beide von Wes Craven, beide bei Onno, und danach Albträume gehabt, aber keine, in denen jemand ihn tötet, sondern solche, in denen er jemanden aufschlitzt oder erwürgt oder häutet, seine Eltern, seine Geschwister, seine Freunde. Wie er mit einem Messer in sie eindringt, wie er ihnen mit einem Gürtel die Luft abschnürt, wie er das Fleisch von den Knochen trennt, wie er Benzin über sie schüttet und sich an dem Feuer, das ihre Körper spenden, wärmt. Das hatte ihn mehr geschockt als alles andere, die Erkenntnis, dass er zu so etwas fähig war, auch wenn es nur in seinem Kopf und im Schlaf geschah und er sich nicht dagegen wehren konnte. Die Ohnmacht war kein Trost. Im Gegenteil: Sie gab ihm das Gefühl, dass Kräfte in ihm walteten, die sich seiner Kontrolle entzogen und irgendwann zutage treten würden. Er träumte auch nie, dass er von einem Haus fiel oder von einer Brücke in eine Schlucht, immer fielen das Haus und die Brücke in sich zusammen, und er schwebte über diesen Werken der Vernichtung wie ein Todesengel, der mit einer Geste, mit einem Wort die Welt ins Chaos gestürzt hatte.

Paul veranstaltete alle paar Monate, wenn seine Eltern auf Geschäftsreise waren und neue Stoffe einkauften, einen Horrorabend. Dann führte er einem kleinen, ausgewählten Publikum im heimischen Wohnzimmer Videos vor, Amateurfilme, die es, wie er sagte, nicht zu leihen gab, weil sie auf dem Index standen oder nie an die Öffentlichkeit gelangt waren.

»Und was gibt's da zu sehen?«, fragte Daniel Volker, der einmal dabei gewesen war.

»Nichts Besonderes. Unscharfe, verwackelte Bilder und eine echt miese Tonqualität«, antwortete er, bemüht, den Stolz zu verbergen, in diesen exklusiven Kreis aufgenommen worden zu sein. »Selbst die Schreie der gefolterten Frauen und Kinder sind kaum zu verstehen.«

Daniel war eine Einladung bisher verwehrt geblieben. Er hatte auch nie sein Interesse daran bekundet. Trotzdem fasste er den gemeinsamen Kinoabend als eine Art Probe auf, ob er sich dieser Ehre würdig erweisen würde oder nicht.

Er saß direkt neben dem Eingang. In jedem Saal gab es hinten, unterhalb des Projektorfensters, eine Bar, an der man, solange Werbung lief, Getränke, Snacks und Eis kaufen konnte. Früher, als er noch mit den Eltern hier gewesen war, hatten die Knöpfe noch funktioniert, die im Abstand von zwei Metern an der Ablage der Vordersitze installiert waren, um die Bedienung zu rufen und Bestellungen vom Platz aus aufzugeben. Aber inzwischen waren sie entweder kaputtgegangen, oder man hatte sie abgestellt, jedenfalls war niemand gekommen, wenn Volker und er draufgedrückt hatten, und auch jetzt kam niemand, wenn jemand vor oder neben ihm draufdrückte, und er war froh, sein eigenes Bier mitgebracht zu haben, denn die Frau, die vorhin die Karten abgerissen hatte, stand jetzt hinter ihm an der Theke.

Er klopfte mit den Fingernägeln auf eine der Dosen, weil er an Volkers Theorie mit dem Gas und der Kohlensäure glaubte und fürchtete, dass das Bier nach dem ganzen Hin und Her herausschießen könnte, wenn man es durch stetes Klopfen nicht bändigte. Aber als er den Tab-Verschluss reindrückte, spritzte es trotzdem, und er musste sich vorbeugen und den Schaum abschlürfen, damit nicht alles danebenging. Jens hatte recht, Volkers Theorie war Schwachsinn. Vielleicht trug das Klopfen weniger zur Beruhigung des Biers als zur Beruhigung des Klopfenden bei, und man musste die Dose einfach eine Weile stehen lassen, damit sich die Gase von allein lösten oder sie hatten beide die richtige Stelle noch nicht gefunden, den Punkt, der alles entschärfte. Er wartete, bis die Lampen an den Seiten erloschen waren und nur noch die grünen Notausgangsschilder leuchteten, bis die Frau ihren Posten verlassen hatte und alle nach vorn, auf die Leinwand, auf den ersten Trailer schauten, dann stand er auf und trat hinaus auf den Gang.

Nach ein paar Metern spürte er die Frau hinter sich. Ihre Schritte waren auf dem weichen Teppich nicht zu hören, ihre Umrisse in dem gedämpften Licht kaum zu erkennen, und doch wusste er, dass sie da war, ein weißer Schatten, der ihm in gleichbleibendem Abstand folgte, er musste sich nicht einmal nach ihr umdrehen, und er drehte sich auch nicht um, als sie sagte: »Wo willst du denn hin, Daniel? Das hat doch keinen Zweck.«

»Zur Toilette. Nur zur Toilette. Bin gleich wieder da.« Daniel beschleunigte seinen Schritt, als könnte er ihr dadurch entkommen und sein Ziel, das doch schon aussichtslos geworden war, schneller erreichen.

Sie bewachte ihn wie einen Häftling, blieb vor der Tür stehen, bis er fertig war, begleitete ihn zurück in den Saal und flüsterte ihm, als er sich setzte, ins Ohr: »Bleib, wo du bist, sonst –«

»Sonst was?«, fragte er übertrieben laut.

»*Namu Myōhō Renge Kyō*«, sagte sie wie zu sich selbst und dann: »Lass es nicht drauf ankommen.«

»Und was, wenn doch?«

»Ganz schlechtes Karma.«

Nach den Trailern und einem weiteren Bier unternahm er einen zweiten Versuch. Er blickte sich um, die Frau war nirgends zu sehen. Vielleicht hatte sie sich hingesetzt, vielleicht war sie auch gegangen, weil sie für eine andere Vorstellung wieder nach vorn musste und nicht damit rechnete, dass er es wagen würde, sich über ihr Gebot, ihre leere Drohung hinwegzusetzen. Wieder stand er auf und ging über den Gang zum Rex, einige Zuspätgekommene hetzten, wegen der fortgeschrittenen Zeit einander Vorwürfe machend, an ihm vorbei.

Er schob den Vorhang beiseite und schloss die Tür hinter sich, schlich an der Wand entlang, die Schräge hoch bis zur letzten Reihe. Er hatte es fast geschafft, er stand schon vor ihnen, wollte sich gerade an Paul und Jens vorbeidrängen und auf den freien Platz neben Volker setzen, dessen Pullover mit Popcorn übersät war, da sagte die Frau hinter ihm: »Netter Versuch.«

Daniel drehte sich um, wusste nicht, was er sagen sollte, sagte: »Hab nur meine Fluppen vergessen.«

»So«, sagte die Frau. »Fluppen vergessen.«

»Ja«, sagte Daniel, froh, dass die Ausrede ihre Wirkung nicht verfehlte.

»Ich hab den Typen noch nie gesehen, Nella«, sagte Paul.

Und Jens sagte: »Du stehst im Weg, ich kann gar nichts sehn«, wobei er auf dem Sitz hin- und herrutschte und links und rechts an ihm vorbeizuschauen versuchte.

Anthony Hopkins war noch nicht aufgetaucht, aber Jody Foster lief schon in ihrem schweißgetränkten grauen FBI-Pullover durch den Wald, und selbst Daniel und die Frau sahen sich nach ihr um, bis Volker sagte: »Der trägt hier eine Unruhe rein, die mir das Vergnügen an *Schweigen der Lämmer* völlig verleidet«, einige Popcornkrümel fielen aus seinem Mund, »könnten Sie den, ich meine, könnten Sie dieses Individuum bitte unverzüglich entfernen?« Manchmal, wenn Volker besonders gemein zu jemandem sein wollte, redete er so geschwollen, und Daniel erinnerte sich, dass er sonst immer über die gespreizten Sätze gelacht hatte, nur jetzt, da sie sich gegen ihn selbst richteten, lachte er nicht. »Hört endlich mit dem Scheiß auf«, sagte er. »Und gebt mir eine.«

Aber Paul und Jens sahen einander grinsend an, die Gesichter blass und blau, vom Widerschein der Leinwand entstellt, und hauchten ihm, als hätten sie das vorher vereinbart, gleichzeitig ihren Qualm ins Gesicht.

»Ich hab nicht den ganzen Tag Zeit«, sagte die Frau. »Wenn du nicht sofort mitkommst, lass ich dich rausschmeißen. Du weißt hoffentlich, was das bedeutet, Kinoverbot in dieser Gegend.« Außer dem Kino-Center, in dem ursprünglich nur ein Saal, das Delphi, untergebracht gewesen war, gab es kein anderes Kino mehr in der Kreisstadt. Für die Premieren hatte man, Anfang der Sechziger, neben dem Delphi das Rex errichtet, ein großer Saal mit fünfhundert Plätzen und paillettenbesticktem Vorhang. Das Apollo war erst an einen Discounter vermietet und dann abgerissen worden, einem Parkplatz gewichen. Und das Urania war von der Weserstraße ins Kino-Center zum Delphi, Rex und Apollo gezogen, weil es dem gleichen Betreiber gehörte, der alle seine Häuser unter einem Dach vereinen wollte. »Das nächste Kino ist zwanzig Kilometer entfernt«, sagte die Frau und wiederholte, um ihrer Aussage Nachdruck zu verleihen, noch einmal die Distanz, die Daniel erschüttern sollte: »Zwanzig Kilometer!« Aus der Dunkelheit kam von allen Seiten ein Zischen. Die Frau aber kostete ihre Macht voll aus, sie schien ihre kurze Predigt nicht zum ersten Mal zu halten. »Das Privileg, ins Kino zu gehen, willst du doch wohl nicht so einfach aufs Spiel setzen, in deinem Alter, wo's nur darum geht, mitreden zu können. Ich kenn das von meinem eigenen Jungen her.«

»Ich bin doch nur wegen den Fluppen hier«, sagte Daniel.

»Wegen der.«

»Was?«

»Wegen der Fluppen. Es muss wegen der Fluppen heißen.«

»Von mir aus«, sagte Daniel schnell und fügte, um das unangenehme Gefühl zu überspielen, einen Fehler gemacht zu haben und verbessert worden zu sein, hinzu: »*Schweigen der Lämmer* hab ich doch längst gesehen, den muss ich mir nicht noch mal angucken, das lohnt sich nämlich nicht.«

»Der ist doch gerade erst angelaufen«, sagte sie und zeigte auf die Leinwand. »Das hier ist die Premiere.«

»Na und?«, sagte Daniel, blickte, die Augen weit aufgerissen, von einem zum anderen und machte mit den Händen, den Lippen hektische Bewegungen. Er hielt den zum V geformten Zeige- und Mittelfinger schräg vor den wie zum Kuss gespitzten Mund und schob sie vor und zurück, vor und zurück. Diese Geste wiederholte er ein paarmal ohne Erfolg. Paul runzelte die Stirn, Jens zuckte mit den Schultern, und Volker schüttelte den Kopf.

Dann sagte Paul: »Im Tausch für ein Bier.«

»Ich hab keins«, sagte Daniel und sah zu der Frau hin. »Ehrlich nicht.«

»Ich dachte, du hättest was dabei.«

»Da musst du dich getäuscht haben«, sagte Daniel. »Ist nämlich verboten, Getränke mit reinzunehmen.«

»Ach so«, sagte Paul. »Wusste ich gar nicht. Als ich hier noch gearbeitet hab, durfte ich so viel Bier mit reinnehmen, wie ich wollte.«

»Also, ich schmeiß euch gleich alle zusammen raus«, sagte die Frau.

»Na schön.« Paul begann seine Taschen abzuklopfen. »Hier.«

Daniel streckte ihm in Erwartung einer neuen Zigarette eine Hand entgegen, aber stattdessen drückte Paul seine alte darin aus. Daniel ballte eine Faust, bis die Glut erloschen war, und ließ die Kippe zu Boden fallen, ohne das Gesicht zu verziehen. »Eine ganze«, sagte er. »Keine, an der du schon geleckt hast.«

Endlich gab Volker nach, reichte ihm die Schachtel, das Feuerzeug, und Daniel zündete sich eine Zigarette an. Er inhalierte kurz, ein, zwei Mal, und blickte auf Paul hinab. Und in dem Moment musste er an Peter Peters denken, an das, was Stefan, Onno, Rainer und er ihm angetan hatten, und daran, was mit ihm geschehen war, aber so wie er, vom Zug zerrissen, wollte Daniel nicht enden. Plötzlich wusste er, was er mit Paul machen würde: ihn zerteilen Stück für Stück angefangen bei den Füßen den Händen dem Schwanz und dann weiter bis zum Rumpf muss nur aufpassen dass er wach bleibt dass er mitkriegt was mit ihm passiert ich jag alles durch den Fleischwolf und stopf ihm einen Haufen Mett ins Maul Menschenmett zwing ihn zu schlucken und hol das Zeug mit bloßen Händen aus dem Bauch raus und stopf es ihm wieder rein und immer so weiter und immer so weiter und immer so weiter. Für eine Sekunde salbte diese Fantasie seine Wunde. Dann zog er die Hand weg, weil er nicht wollte, dass sie sahen, wie stark er zitterte. Lange würde er es nicht mehr aushalten, so dazustehen, so lässig und unberührbar wie ein Held, und er war der Frau fast dankbar, als sie die Worte sagte, die sie schon nach seiner plumpen Ausrede hatte sagen wollen: »*Zeit des Erwachens* ist ein Jugendfilm, im Urania ist Rauchen verboten.«

Er saß jetzt weiter vorn. Der Platz neben dem Eingang, auf dem er zuvor gesessen hatte, war besetzt. Fünf Reihen hinter ihm beobachtete die Frau jede seiner Regungen. Einmal hatte er sich nach ihr umgedreht, ihre Augen waren auf ihn, nicht auf die Leinwand gerichtet, und deshalb war er bald so weit in den Sitz hineingerutscht, dass sein Hinterkopf nicht mehr über die Lehne hinausragte, die Beine hatte er angewinkelt, die Knie hielt er an die Kante der Ablage gedrückt, um nicht vollends abzugleiten oder zwischen die Polster zu geraten. Von den Zehen aufwärts spürte er, wie seine Beine langsam taub wurden. Aus der Seitentasche seines Parkas nahm er eine neue Dose, hielt sie eine Weile in der Hand, um die Brandblase zu kühlen, und leerte sie mit wenigen Schlucken. Dann machte er sich daran, auch die letzte so schnell wie möglich zu trinken und das, was ihm widerfahren war, zu vergessen.

Der Film kam ihm bei diesem Vorhaben sehr entgegen. Er meinte die Szenen, die Figuren und Orte schon hundertmal gesehen zu haben. In der Rolle des Dr. Malcolm Sayer sah Robin Williams aus wie Herr Mengs, Volkers Vater, ihr Biologie- und Physiklehrer, brauner Anzug, Nickelbrille, Vollbart, die Füße beim Sitzen leicht nach innen gedreht, unsicher in seiner ganzen Erscheinung, ein Mensch, der Angst vor Menschen hat, und sich deshalb lieber mit Efeu und Würmern beschäftigt. Und die neurologische Abteilung, in der er arbeitete, mit ihren stumpf vor sich hin starrenden oder wirres Zeug redenden Patienten, erinnerte ihn derart stark an die Schule, dass er nach ein paar Minuten einschlief und erst wieder aufwachte, als die Lampen über ihm und an den Seiten leuchteten und alle anderen gegangen waren, auch die Frau war verschwunden.

Nur ein Junge fegte den Müll zusammen, den die Besucher zurückgelassen hatten. Hier und da bückte er sich und hob etwas vom Boden auf, aber meist hielt er den Besenstiel kraftvoll mit beiden Händen, die Muskeln an den Unterarmen zum Zerreißen gespannt, ein Körper voller Stärke und Erwartung, der im Zickzack von oben nach unten durch den Raum marschierte, und während er auf Daniel zukam, pfiff er, weil er sich allein wähnte, den *Imperialen Marsch* aus *Das Imperium schlägt zurück*, schöner und schrecklicher als alles, was Daniel je gehört hatte.

White Shadow

1

Die Zeichen waren überall. An den Wänden der leer stehenden Häuser, den Betonpfeilern der Brücken, den Bushaltestellen entlang der Dorfstraße. Drei Buchstaben, zwei Parolen, ein Hakenkreuz, *NPD, Ausländer raus, Deutschland den Deutschen,* leuchtend weiß. Daniel sah sie eines Morgens auf dem Weg zur Schule, und mittags, als er von der Schule nach Hause zurückkehrte, waren sie immer noch da. Am Tisch erzählte er den Eltern davon. Er saß da, vornübergebeugt, den Kopf auf beide Hände gestützt, wie benommen, wie betäubt. Er sah zu, wie die Geschwister in die Kummen langten, Kartoffeln und Blumenkohlröschen in Holländischer Tunke auf die Teller häuften, wie die Mutter reihum Kalbsfilets verteilte und das Kännchen mit der braunen Soße vor ihn hinstellte.

»Ess«, sagte sie und setzte sich auf ihren Platz, ihm gegenüber.

Immer wenn die Mutter »Ess« sagte, sagte er: »Iss.«

Immer wenn er »Iss« sagte, sagte der Vater: »Was?«

Immer wenn der Vater »Was?« sagte, sagte er: »Nichts.«

Dann sprach die Mutter das Tischgebet, und alle wünschten sich einen guten Appetit.

Diesmal erschien es ihm unpassend, sie auf ihren Fehler aufmerksam zu machen. Stattdessen sagte er: »Jemand sollte deswegen die Polizei rufen!«

»Wie wär's mit dir?«, fragte der Vater. »Dich kennen sie ja schon.«

»Eben.«

»Das haben die doch bestimmt selbst längst gesehen«, sagte die Mutter. »Solche Schmierereien sind ja nicht zu übersehen. Die werden die schon finden.«

»Ist nicht nötig«, sagte Daniel. »Ich weiß, wer's war.«

»So?«, sagte der Vater. »Wer denn?«

»Rosing.«

Der Vater fing an zu lachen, die Brust unter dem weißen Kittel bebte, als würde sie von Krämpfen geschüttelt. Die Geschwister lachten ebenfalls. Sie dachten, Daniel habe einen Witz gemacht. Bald ging das Lachen des Vaters in ein Husten über, weil er sich beim Lachen verschluckt hatte. Die Geschwister verstummten. Die Mutter schlug dem Vater auf den Rücken. Als er sich wieder beruhigt und ein Glas Wasser getrunken hatte, sagte er: »Also nee, Rosing kann ich mir nun wirklich nicht als Sprüher vorstellen, beim besten Willen nicht.« Er sagte »Sprüher«, nicht »Sprayer«, aus Angst, das Wort nicht richtig aussprechen zu können, vom Sohn darauf hingewiesen zu werden und eine Diskussion anzustoßen, aus der es keinen Ausweg gab.

Daniel sagte: »Ich meine nicht, dass Rosing selbst nachts durchs Dorf gezogen ist. Vielleicht hat er einen seiner Männer losgeschickt. Oder Eisen. Oder, was genauso wahrscheinlich ist, wahrscheinlicher noch: dass er durch seine Reden jemanden zu der Tat angestiftet hat.«

»Rosing«, sagte der Vater, »redet viel, wenn der Tag lang ist. Niemand nimmt das alles ernst, was er sagt. Obwohl, was Wahres muss schon dran sein, sonst wär er ja nicht so beliebt. Würd mich nicht wundern, wenn der im Oktober Bürgermeister wird.«

»Und was ist mit Didi?«, fragte die Mutter.

»Didi Schulz? Der ist weg vom Fenster. Der hat einfach zu wenig für die Einzelhändler gemacht. Was soll man auch von einem Schmied erwarten? Ist doch klar, dass der sich nur um seine Belange kümmert. Die Landwirtschaft. Die Industrie.«

»Dass der in seinem Alter überhaupt noch mal antritt. Der ist doch schon über siebzig.«

»Wird Zeit, dass mal ein frischer Wind durch Jericho weht. Auf meine Stimme kann Rosing aber nicht zählen. Ich wähle Wiemers von der FDP. Ich hab immer FDP gewählt und werd auch diesmal FDP wählen.« Daniel, der den Vater seit Langem nicht mehr so erregt erlebt hatte, wollte etwas sagen, kam aber nicht dazwischen. »Und was Rosing angeht, der ist nicht in der NPD, falls du das denkst, sondern parteilos. Das ist ein anständiger Mann. Auf den lass ich nix kommen. Der hat's nie leicht gehabt im Leben. Nie. Der hat seine Kinder ganz allein großziehen müssen, weil ihm früh, viel zu früh die Frau weggestorben ist.« Er sah zur Mutter hin und wandte sich dann wieder Daniel zu. »Wusstest du, dass er dieses Haus gebaut hat?«

Daniel schüttelte den Kopf.

»Hat er aber. Und nicht nur dieses. Praktisch alle hier«, er fuhr mit der Hand durch den Raum, »ohne den würd's Jericho gar nicht geben, das neue Jericho. Die Puddingfabrik, das Rathaus, das Fußballstadion, alles von ihm. Und mit dem Betonwerk da«, er zeigte aus dem Fenster, »im Hammrich, da wird er bestimmt noch mal ein paar Arbeitsplätze mehr schaffen. Zu behaupten, er würde das Dorf verunstalten, ist eine Verleumdung. Und ich rate dir eins, Freundchen: Wenn du nicht schon wieder Ärger haben willst, solltest du deine Ansichten in Zukunft besser für dich behalten.«

Hard lag auf dem Sofa im Wohnzimmer, die Augen mit der Hand beschirmt, und versuchte zu schlafen. Über ihm lärmten die Zwillinge. Er konnte sie von einem Ende des Flurs zum anderen laufen hören, hin und her, hin und her, unermüdlich. Jeder Schritt versetzte ihm einen Stich. Er hatte gehofft, dass sie, sobald sie zur Schule gingen, ruhiger werden würden, und sich Birgit gegenüber durchgesetzt, die sie noch ein Jahr länger in den Kindergarten hatte schicken wollen. Aber die Einschulung war für sie nicht der heilsame Schock gewesen, den er in Erinnerung hatte, wenn er an seine eigene Einschulung zurückdachte.

Seiner Ansicht nach waren die Lehrer zu nachsichtig, sie ließen den Schülern zu viel durchgehen, und die Tatsache, dass fast nur Frauen seine Jüngsten unterrichteten, selbst in Sachkunde und Sport und Mathematik, schien ihm ein Beleg dafür zu sein, wie sehr Kinder männliche Vorbilder brauchten, um ihre Grenzen kennenzulernen. Ein Schlag auf den Hinterkopf hatte noch nie jemandem geschadet, am wenigsten ihm selbst. Sein Klassenlehrer damals, Rektor Itzen, war durch und durch Soldat gewesen, erst bei der Wehrmacht, dann beim Bund, der Grund, weshalb Hard später selbst zum Bund gegangen war, und zwar nicht nur, um den Kriegsdienst abzuleisten wie alle anderen Jungs seiner Klasse, die als tauglich eingestuft worden waren, sondern um Feldwebel zu werden und Verantwortung zu übernehmen. Er betrachtete die Aufgabe, das Vaterland zu verteidigen, nicht als lästige Pflicht, ein notwendiges Hindernis auf dem Weg ins Familienleben. Für ihn war es eine Ehre, die Insignien der Macht tragen zu dürfen, und das hatte er diejenigen, die nicht mit gleicher Hingabe durch den Schlamm robbten wie er Jahre zuvor, auch spüren lassen.

Wenn man sich für eine Sache entscheidet, hatte sein Vater immer zu ihm gesagt, muss man auch mit ganzem Herzen dabei sein, ob als Zivilist oder Soldat. Und da sich die Jungs nun einmal für den Bund entschieden hatten, verlangte er vollen Einsatz von ihnen. Zumal sie dankbar sein mussten, unter ihm dienen zu dürfen: Die anderen Ausbilder in Aurich waren noch härter. Bangbüxen, die gleich nach der Musterung den Schwanz einzogen, kamen, wenn sie sich ganz dumm anstellten und total verweigerten, in den Bau, oder sie flüchteten damals noch nach

Westberlin, was, wie Oberfeldwebel Freese immer sagte, keinen Unterschied machte, das eine war ein Knast und das andere auch, nur größer und bunter und weniger streng.

Und zum Schutz dieses riesigen Biotops von Gammlern und Terroristen hatte er jahrelang Rekruten ausgebildet, bis sein Vater starb und er das Geschäft übernehmen musste. Und jetzt kam sein eigener Sohn auch schon mit solchen linken Anschuldigungen an, von wegen Nazi. Oben setzte Musik ein. Dabei musste sich erst einmal herausstellen, wer hier der Nazi war und wer nicht. Mit diesen Gedanken stand er auf, um im Haus für Ruhe zu sorgen – zumindest bis zum Ende der Mittagszeit.

Am nächsten Tag waren die Zeichen immer noch da und am übernächsten auch. Mit den Eltern sprach Daniel nicht mehr darüber, und in der Schule, dem Schulzentrum, zwei zweigeschossigen Blockbauten, saß er stumm zwischen den anderen. Im Sozialkundeunterricht ging es zwar um die im Herbst anstehende Kommunalwahl, und der Lehrer, Herr Engberts, teilte Daniels Empörung über die NPD und ihre Positionen, aber als das Wort Graffiti fiel und er von Jens wissen wollte, was er davon halte, ahnte Daniel, wohin das führen würde.

Jens sagte: »Graffitis sind cool.«

Herr Engberts verbesserte ihn. »Der Begriff stammt aus dem Italienischen. Der Plural von Graffito lautet Graffiti, nicht Graffitis.« Er hielt inne, sah sich im Raum um und sagte: »Ich würd gern noch 'ne andere Meinung hören.«

Paul, der zu allem eine Meinung hatte, sagte: »Graffitis sind eine moderne urbane Kunstform«, und fügte, um Engberts zu provozieren, hinzu: »Wer Graffitis grundsätzlich ablehnt, ist reaktionär.«

Simone, die Klassensprecherin, meldete sich. Dreimal schnippte sie mit den Fingern, bis Herr Engberts sie aufrief. »Es geht hier doch nicht um Graffiti«, sagte sie und strich ihre hennaroten Haare zurück, »sondern um die Inhalte, die sie transportieren.« Eine Stunde zuvor, in Geschichte, Kolonialgeschichte, Deutschsüdwestafrika, Herero-Aufstand, hatte sie dafür plädiert, Schwarze nicht mehr Schwarze zu nennen, sondern Farbige oder Afroamerikaner.

Deshalb sagte Paul jetzt: »Gerade Neger sind die größten Graffiti-Künstler.«

Simone bekam rote Flecken im Gesicht und nannte ihn einen Rassisten. Paul und Jens warfen von hinten über die anderen hinweg mit Papierbällen nach ihr. Herr Engberts bat um Ruhe.

Volker, der neben Daniel saß, fragte flüsternd: »Sag mal, wie spät ist das eigentlich? Ich hab Lungenschmacht.«

Daniel schaute auf seine Digitaluhr. »Gleich zehn.«

Volker stöhnte kurz auf, als hätte ihn der Schlag getroffen, und verstaute die eben hervorgeholte Zigarettenschachtel wieder in seiner Jackentasche. Er nahm zwei in Alufolie eingeschlagene und mit Leberwurst bestrichene Graubrothälften aus einer Plastikbox. Ein Tiefflieger donnerte über das Gebäude. Herr Engberts machte daraufhin einen Eintrag ins Klassenbuch. Dann klingelte es.

In der Pause saßen Simone und Daniel noch in der Cafeteria zusammen, im ehemaligen Lehrerzimmer, einem langen, hellen Raum zwischen beiden Hauptgebäuden. Sie wollten einen Bericht für die Schülerzeitung schreiben. Nachdem Daniel eins der an der Theke ausliegenden Mettbrötchen gegessen hatte, tranken beide Kaffee. Simone hatte ihre eigene Tasse mitgebracht, eine weiße Schale, die sie mit ihren dünnen Fingern umklammerte wie eine schwere Schüssel.

Daniel war über jeden Moment froh, den sie gemeinsam verbrachten. Manchmal schien es ihm, als wären sie die einzigen Menschen auf einem von Affen bevölkerten Planeten. Sie teilten das Schicksal, vom Gymnasium abgegangen zu sein, auch wenn beide die Entscheidung, die dazu geführt hatte, aus unterschiedlichen Gründen getroffen hatten: Daniel hatte das Schuljahr nicht wiederholen und Simone nicht länger mittelmäßig sein wollen, und sie hatte zu Hause so lange einen Aufstand gemacht, bis ihre Eltern nachgaben und sie auf die Realschule wechseln ließen. Während er aus der Not heraus gehandelt hatte, war sie ihrem Ehrgeiz erlegen, immer und überall – wenigstens in ihrer unmittelbaren Umgebung – die Beste sein zu müssen.

Daniel setzte den Becher ab. Er wollte etwas sagen; er hatte die Überschrift, den Text schon im Kopf. Aber Simone sagte: »Wie kannst du nur aus diesen Plastikbechern trinken? Ich hab dir doch erzählt, wie die alte Klautzki, oder wie die heißt, die aus den Mülleimern auf dem Hof wieder rausgeholt hat. Jeder weiß doch, dass es hier von Ratten nur so wimmelt. Im Prinzip befürworte ich ja Recycling, aber die Vorstellung, aus Bechern zu trinken, in die Ratten reingepisst haben, ekelt mich total an. Total! Und was die Mettbrötchen angeht, die du da dauernd in dich reinstopfst«, sie zeigte auf seinen Mund, »die sind bestimmt auch schon einen Tag älter. Darüber sollte man mal was schreiben. Alles, was außerhalb der Schule passiert, darf doch im *Kreidefresser* sowieso nicht erscheinen. Es sei denn, es geht um diese blöden Betriebspraktika, die im April anstehen. Solange niemand die Turnhallenwände oder die Betonpfeiler im Foyer beschmiert, kriegst du das Thema Nazis im *Kreidefresser* einfach nicht unter. Und du kennst doch Schulz. Wie oft hat der 'ne Geschichte im letzten Moment gekippt, weil sie nicht unmittelbar was mit der Schule zu tun hatte? Vielleicht wär's besser, eine Podiumsdiskussion in der Aula zu organisieren, mit der Antifa. Ich hab ganz gute Kontakte in die Szene. Ich kenn da jemanden, mit dem bin ich mal gegangen. Das war aber nichts Ernstes. Für mich jedenfalls nicht. Für mich ist das nie was Ernstes.«

Hard hatte Daniel schon oft mit einem Auftrag zu Rosing geschickt. Kleinigkeiten, die er sofort erledigt haben wollte und für die es sich nicht lohnte, den Weg selbst auf sich zu nehmen, wenn er telefonisch niemanden erreicht hatte. Die vom Frost gesprungenen Terrakottafliesen mussten alle zwei Jahre durch neue ersetzt werden, durchs Flachdach tropfte es nach jedem großen Regenschauer herein, stets an anderen Stellen, und die Betonplatten vor dem Lager hoben und senkten sich, nachdem zwei, drei Dutzend Vierzehntonner dort ihre Ware ausgeladen hatten.

Immer gab es im und am Haus etwas zu tun, aber nicht immer wandte sich Hard an Experten. Vieles erledigte er selbst, und vieles überließ er seinem Sohn. Er fand, dass Daniel jetzt in einem Alter sei, wo er lernen sollte, wie man eine Wand tapezierte, einen Bohrer bediente, einen Autoreifen wechselte, um später nicht auf andere angewiesen zu sein. Wann immer sich die Gelegenheit ergab, rief er Daniel zu sich, zeigte ihm, wie man's machte, und überwachte die Ausführung. Hard war kein Handwerker, und das, was er ihm beibrachte, hatte er von seinem Vater, Daniel Kuper senior, gelernt, der auch kein Handwerker gewesen war. Die Fehler hatten sich dadurch von einer Generation auf die nächste übertragen und, da alle Kupers den technischen Fortschritt ignorierten, vergrößert. Oft kam es vor, dass Daniel beim Bohren eine Leitung traf, zu viel Holz abhobelte oder den falschen Lack auftrug, obwohl er Hards Anweisungen genau befolgt hatte, und am Ende mussten sie doch einen Experten rufen, der den Schaden, den sie angerichtet hatten, beseitigte. Das hielt Hard allerdings nicht davon ab, beim nächsten Mal wieder zuerst Daniel mit der Instandsetzung zu beauftragen.

Manchmal, wenn in seinem Zimmer etwas zu Bruch gegangen war oder sein Rennrad einen Platten hatte, wandte sich Daniel an den Vater. Aber noch nie war er mit einem Problem zu ihm gekommen, das nicht ihn selbst betraf.

»Im Lager fällt Putz von der Wand.«

»Na und?«, sagte Hard, über die Bücher, die Bilanzen der letzten Jahre, gebeugt. »Da geht nie jemand rein.«

»Ich schon.«

»Dann kannst du das ja auch zuspachteln.«

»Meinst du nicht, dass wir diesmal besser gleich Rosing Bescheid sagen sollten?«

Hard sah zu ihm auf. »Ich dachte, der ist ein Nazi.«

»Auf jeden Fall ist er Bauunternehmer und kennt sich mit so was aus.«

»Mit was? Mit Putz?«

»Mit Schimmel.«

»Nix«, sagte Hard. »Die Wand ist in Ordnung. Wegen dem bisschen muss man nicht gleich einen Handwerker rufen.«

»Und was, wenn da noch mehr wegbricht?«

»Du kannst es ja ausprobieren.«

Und das hatte er getan. Er war mit einem Hammer und einem Eimer Wasser ins Lager gegangen, hatte den Putz abgeschlagen und das freiliegende Mauerwerk mit einem Schwamm abgewischt, damit es so aussah, als wäre die ganze Wand feucht. Dann hatte er den Vater gerufen. Und jetzt lief Daniel die Dorfstraße entlang, an der Post vorbei zu Rosing hin.

Aus Petersens Poolhalle, dem Keller des abgerissenen Bahnhofs, drang das helle Klacken der Kugeln zu ihm herauf, und auf der anderen Straßenseite, bei Möbel Kramer, ließen sich zwei Männer, die gerade einen Schrank ins Schaufenster gestellt hatten, in ein Sofa fallen, schlugen ihre Beine übereinander und holten ihre Tupperdosen und Thermoskannen hervor. Mit ihren Broten winkten sie ihm zu, und Daniel winkte zurück.

Rosings Büro war in einem weißen Bungalow untergebracht. Dahinter schlossen sich das Verwaltungsgebäude, die Lagerhallen und Werkstätten an. Von außen sah es wie ein ganz gewöhnliches Wohnhaus aus, das Flachdach mit braunen Schindeln verkleidet, die Fenster mit Gardinen behängt, die Simse voller Geranien. Nur über dem Eingang leuchtete den ganzen Tag lang in orangefarbener Schrift *Bauunternehmung Rosing*, und am Klingelschild stand in schwungvollen Lettern *JR*. Während der Geschäftszeiten war die Tür immer einen Spaltbreit offen, außer bei schlechtem Wetter. Doch an dem Tag, als Daniel sich aufmachte, das Dorf vor dem Untergang zu retten, war der Himmel zwar wolkenverhangen, milchweiß, aber es regnete nicht, und es stürmte auch nicht, und es fiel auch kein Schnee.

Die Empfangsdame, Frau Duken, sagte, der Chef sei im Hauptlager, und deutete auf die Wand. Das Hauptlager war der an den Bungalow angrenzende Güterschuppen aus Holz. Daniel erinnerte sich daran, wie er als Kind unter dem Schuppen gespielt hatte, im Hohlraum zwischen den Balken. Mit Paul und Jens und ein paar anderen Freunden hatte er dort einen Verschlag gebaut und mit Nachttischen vom Sperrmüll häuslich eingerichtet. Eine Weile hatten sie erwogen, in ihre Höhle einzuziehen, diesen Gedanken aber wieder verworfen, nachdem sie, in Schlafsäcke gehüllt, eine Nacht lang von Katzen, Mäusen und Spinnen bedrängt worden waren. Die Reste mussten andere Kinder nach ihnen abgetragen haben. Als er sich jetzt hinabbeugte, war nur noch die Matratze zu sehen, auf der er damals gelegen hatte, schwarz und geschrumpft, wie verbrannt, wie verkohlt.

Er stieg die Leiter hinauf und betrat die Rampe. Das Tor war halb aufgeschoben. In dem hohen, düsteren Raum lagerten Hunderte Ballen aufgerollter Glaswollebahnen, manche waren auf Europaletten übereinandergestapelt und in Cellophan verpackt, manche waren lose und standen aufrecht in mehreren Reihen hintereinander. Nur durch die Ritzen der Bretterwände fiel etwas Licht herein, in Scheiben geschnitten, schmale Streifen, stauberfüllt.

Es war niemand zu sehen. Bestimmt hatte die Sekretärin ein anderes Lager gemeint, das neue, das im neu ausgewiesenen Industriegebiet lag, jenseits der Bundesstraße, weit weg, zu weit zu Fuß. Anders konnte er es sich nicht erklären. Er horchte, ob nicht doch jemand da war. Er rief etwas und lauschte seinen Worten nach. Dann beschloss er, die Gelegenheit zu nutzen und in aller Ruhe nach Beweisen zu suchen, nach Spraydosen und Schablonen, nach Flugblättern, Büchern und Bildern. Manchmal schob er eine Hand zwischen die Ballen. Die Finger griffen immer ins Leere. Er lief die Reihen auf und ab. Bei jedem Schritt machten die Dielen ein ächzendes Geräusch. An einem Ende, zum Bungalow hin, war eine Tür, er drückte die Klinke herunter, zog daran, aber sie ließ sich nicht öffnen. Als er sich umdrehte und gerade gehen wollte, stand Wiebke vor ihm, in einem viel zu kurzen und viel zu bunten Kleid und mit Zöpfen, die seitlich vom Kopf abstanden wie verbogene Antennen. Manche sagten, damit empfange sie Signale aus einer fremden, weit entfernten Galaxie, Einflüsterungen von Außerirdischen, geheime Befehle. Tatsache war, dass sie Probleme mit dem Lesen und Schreiben hatte und deshalb auf eine Förderschule ging. Daniel war es egal, was manche sagten und was nicht. Er wusste nur, dass sie noch ganz andere Probleme hatte und an dieser Förderschule Lesen und Schreiben auf ebenso günstige Bedingungen stießen wie menschliches Leben auf dem Mars.

»Daniel, was machst'n du hier?«

»Woher weißt du, wie ich heiße?«

»Weiß jeder.« Wiebke zupfte an ihrem Kleid. »Willst du zu mir?«

»Nein, ich such deinen Vater. Ich muss was mit ihm besprechen.«

»Was denn?«

»Geht dich nichts an.«

»Ach nein?«

»Nein.«

»Vielleicht ja doch.«

»Wüsste nicht, wieso.«

»Weil du wissen willst, wo er ist.«

»Wo ist er denn?«

Sie zuckte mit den Schultern. »Gerade weggefahren. Vor fünf Minuten.«

Es konnte nicht stimmen.

»Wohin?«

»Keine Ahnung. Er hat gesagt, ich soll hier warten. Und dann bist du gekommen.«

»Ist er zur Baustelle gefahren? Zum Werk?« Obwohl die Baugenehmigung noch nicht durch war, hatte Rosing das dafür vorgesehene Land schon abgesteckt und eine Grube ausheben lassen, um die Beschaffenheit des Bodens zu prüfen.

Wieder zuckte sie mit den Schultern.

So kam er nicht weiter. Eine Weile sagten sie nichts, standen nur da, mitten im Güterschuppen und sahen sich an. Ihm fiel auf, dass sie keinerlei Ähnlichkeit mit Eisen hatte, auch nicht mit Rosing. An ihre tote Mutter hatte er keine Erinnerung.

»Willst mit mir spielen?«

Daniel schüttelte den Kopf. »Ich hab jetzt keine Zeit für so was.«

»Für meinen Vater hast du Zeit, für mich aber nich. Wenn du mit mir spielst, zeige ich dir auch mein Versteck. Hab hier nämlich 'n Versteck im Schuppen.«

Als er höflich ablehnte, in der Hoffnung, so davonzukommen, versprach sie, dem Vater auszurichten, dass er da gewesen sei. Von einem Bein aufs andere hüpfend verschwand sie aus seinem Blickfeld. Das elektrisierte ihn. Wenn Rosing erfuhr, dass er hier herumgeschnüffelt hatte, würde es Ärger geben. Er rief ihren

Namen. Gleichzeitig setzte er sich in Bewegung. Er lief die Reihen auf und ab. Wieder machten die Dielen bei jedem Schritt ein ächzendes Geräusch, diesmal erschien es ihm gewaltiger, wie ein Beben. Er fühlte den Schweiß unter dem Parka, unter den Achseln. Beim Tor angekommen stützte er die Hände auf und rief, noch völlig außer Atem: »Ich hau jetzt ab.«

Da kam sie heraus und zog ihn zwischen die Ballen in ihr Versteck: eine Lichtung inmitten der Glaswolle. Sie hockte sich vor ihn hin, breitbeinig, zurückgelehnt, sodass das Kleid bis über die Knie, bis zu den Oberschenkeln hochrutschte, und wies ihm einen Platz in der ihr gegenüberliegenden Ecke zu. Er zögerte. Mit jeder Minute, die sie zusammen waren, erhöhte sich die Wahrscheinlichkeit, dass sie ihrem Vater von seinem Besuch erzählte.

Kaum hatte er sich hingesetzt, forderte sie ihn auf, ihr aus einem der neben ihm aufgestapelten Bücher vorzulesen. »Wenn du fertig bist«, sagte Wiebke und öffnete ihre Beine weiter, »zeige ich dir mein Siel, meine Sieltore, vielleicht sogar meine Sielkammer, hängt davon ab.«

»Wovon?«

»Von dir.«

Er nahm ein Buch in die Hand. *Leben und sterben lassen.* Draußen heulte ein Motor auf und erstarb. Eine Autotür öffnete sich und schlug zu. Ein Mann drohte, das Tor zu verriegeln. Auf der Rampe schwor sie, dem Vater nicht zu sagen, dass er ein Spion sei, sofern er wiederkomme.

Ihm blieb keine Wahl.

Günter Vehndel und Klaus Neemann saßen schon an der Theke, ganz am Ende der Bar, auf ihren Stammplätzen, beide einen halben Liter Bier vor sich und einen Stapel Karten zwischen den Gläsern. Als Hard sich mit den Worten »So, wir sind vollzählig« auf den freien Hocker setzte und Enno Kröger, dem Wirt, mit einem Nicken zu verstehen gab, dass er jetzt auch bereit sei für ein frisch gezapftes Jever, trat Doktor Ahlers zu ihnen hin, die Wangen eingefallen, die Haut blass, das Haar so weiß wie der Rauch, der ihn umwölkte. »Und ich hatte schon gehofft, bei euch einsteigen zu können.«

»Keine Chance«, sagte Günter.

Und Klaus sagte: »Nicht, solange wir leben.«

»Das kann schneller vorbei sein, als ihr denkt.«

»Du musst es ja wissen.«

»Soll das etwa eine Drohung sein, Gerald?«

»Nur eine Feststellung.« Er nahm einen letzten Zug von seiner Zigarette und drückte sie zwischen ihnen im Aschenbecher aus. »Der Tod ist mein Beruf.«

»Ich dachte, das Leben«, sagte Hard.

»Wie man's nimmt«, sagte Doktor Ahlers und verabschiedete sich, eine Duftwolke 4711 hinter sich herziehend.

»Komischer Kauz«, sagte Klaus, nachdem die Tür hinter dem Landarzt zugefallen war.

»Ein Wunder, dass er diesen Zugunfall damals überhaupt überlebt hat.« Günter nahm einen Schluck von seinem Bier.

»Vielleicht hat er das ja gar nicht.«

»Gesund sieht er jedenfalls nicht aus.«

»Also, mir war er auch vorher schon nicht ganz geheuer«, sagte Hard.

»Ich dachte, er ist euer Hausarzt«, sagte Klaus.

»Ist er auch, aber bloß weil er einen Kittel trägt, heißt das ja nicht, dass ich Vertrauen zu ihm habe. Ich geh da schon lange nicht mehr hin. Muss ich auch nicht. Ich helf mir selbst. Aber Birgit war neulich da. Ihre ganze linke Seite war geschwollen, voller blauer Flecke, einfach so. Und meint ihr, er hat was gefunden? Nix. Meinte, das liegt an den Nerven. Drei Tage konnt sie kaum was sehen.«

»Also bei mir findet er immer was«, sagte Günter.

»Das kann ich mir vorstellen«, sagte Hard.

Und Klaus sagte: »Wenn ihr so unzufrieden mit ihm seid, dann geht doch woanders hin.«

»Wie denn? Das sind schließlich unsre Nachbarn und gute Kunden. Eiske jedenfalls. Die kommt alle naselang bei uns rein. Und im Moment können wir jede Mark brauchen – dank dir.«

»Hör mal Hard, wie oft soll ich dir das noch sagen? Ich musste das Sortiment umstellen. Wenn ich die Pflegeserie nicht mit aufgenommen hätte, wären mir die Kunden weggelaufen. Die Konkurrenz schläft nicht. Ich weiß gar nicht, warum du immer wieder davon anfängst, das sind doch alles Marken, die du gar nicht führst. Ich komm dir damit doch gar nicht in die Quere.«

»Und wo sollen wir auch sonst hin?«, fragte Hard, ohne auf das einzugehen, was Klaus gesagt hatte. »Seid ihr etwa bei Reicherts?«

Beide schüttelten den Kopf.

»Hätte mich auch gewundert, wenn ihr euch von den Kompunisten behandeln lassen würdet. Wer weiß, was die einem verschreiben.«

»Was immer es ist«, sagte Enno Kröger, der ihr Gespräch belauscht hatte und Hard sein Bier hinstellte, »da ist bestimmt mehr drin als in dem Zeug hier.«

Hard hob sein Glas. »Auf die notwendigen Drei.«

»Auf die notwendigen Drei«, sagten Klaus und Günter wie aus einem Mund.

Dann stießen sie miteinander an.

Nach einer Woche beschloss Daniel etwas zu unternehmen. Es war Donnerstag, nach Mitternacht, die Eltern, die Geschwister lagen längst im Bett. Auch er hatte im Bett gelegen, vollständig angezogen. Die Mutter war noch einmal in sein Zimmer gekommen, um nach dem Rechten zu sehen. Kaum waren alle Geräusche im Haus verstummt, zog er den Parka über und schlich auf Hosocken, die Schuhe in der Hand, die Treppe hinab in den Keller. Er nahm einen Eimer Latexfarbe und einen Pinsel mit; vor Kurzem hatte er mit dem Vater zusammen die Küche gestrichen. Er verließ den Keller über einen Aufgang neben der Garage. Die Straßen waren dunkel, die Laternen seit Stunden abgeschaltet. Nur das S an der Sparkasse und das A an der Apotheke erhellten die Nacht. Er ging an den leer stehenden Häusern vorbei, den Betonpfeilern der Brücken, den Bushaltestellen und übermalte die Hakenkreuze und Buchstaben mit weißer Farbe. Plötzlich wurde es hell. Zwei Scheinwerfer waren auf ihn gerichtet wie Gewehre auf einen zum Tode Verurteilten. Ein Polizist trat hervor, ein zweiter kam von der anderen Seite aus dem Dunkel auf ihn zu und schnitt ihm den Weg ab.

»Na also«, sagte der eine, den Daniel, jetzt, da er im Scheinwerferlicht stand, als Kurt Rhauderwiek erkannte. »Haben wir dich endlich erwischt.« Und der andere, ein ganz junger, vier, fünf Jahre älter als Daniel, sagte: »Der reuige Täter kehrt immer an den Tatort zurück. Weil er die Tat ungeschehen machen will. Klappt aber nicht. Klappt nie. Hängt mit der Zeit zusammen. Was geschehen ist, ist geschehen.«

Daniel fiel der Name nicht ein, aber das Gesicht erkannte er sofort. Dann erinnerte er sich an alles, an die Begegnung in der Schule, an den Nackengriff, daran, dass er ihn zwingen wollte, Eisens Schuhe zu lecken, damals, am Tag des Schnees, als er nackt im Maisfeld lag und sich ein Schatten auf ihn legte.

Daniel ließ sich widerstandslos festnehmen. Sie legten ihm trotzdem Handschellen an, »zur eigenen Sicherheit«, wie sie sagten, um ihn vor sich selbst zu schützen. Als sie ihn ins Auto setzten, sah er Eisen auf der anderen Straßenseite. Sein Motorrad. Seine Montur. Seine Brille.

Später, beim Verhör in der Kreisstadt, in einem weißen, fensterlosen Raum, erfuhr er, dass jemand ihn beobachtet und die Polizei verständigt hatte. Der Beamte, ein Mann in Zivil, wollte wissen, warum er das getan habe.

Daniel erklärte es ihm.

»Davon hör ich heut zum ersten Mal.« Er blätterte in einer Akte. »Von den Zeichen steht hier nichts. Und es liegt auch keine Anzeige vor.« Er legte den rechten Zeigefinger aufs Papier und langte mit der anderen Hand nach der Sprechanlage. »Frau Freese?«

»Ja.«

»Schicken Sie mir bitte diesen«, er sah auf den Zettel vor sich, »Tebbens rein, Frank Tebbens.«

»Sofort, Herr Saathoff.«

Saathoff ließ den Knopf los und sah Daniel an. Dann stand er auf, lief einmal um den Tisch herum und beugte sich, die Hände auf die Rückenlehne gestützt, von hinten über ihn.

»Ich hab auch einen Jungen in deinem Alter. Henning. Ich weiß, wie das ist, wenn man jung ist und sich ausprobieren will und allen möglichen Blödsinn anstellt, weil man die Folgen seines Tuns noch nicht abschätzen kann. Ich kann das verstehen. Henning hat auch mal Mist gebaut, mit fünf hat er was geklaut, nicht viel und nichts Wertvolles, das Modell eines Düsenjets, Plastik, *Made in China,* aus einem Guss, sehr primitiv, aber eben trotzdem: Diebstahl. Und obwohl er da noch nicht strafmündig war, hab ich ihn angezeigt. Ich wollte, dass er die Konsequenzen spürt, dass er versteht –«, es klopfte an der Tür, und Saathoff rief: »Herein!«

Der junge Polizist, der Daniel festgenommen hatte, betrat den Raum, die Schirmmütze unter den Arm geklemmt. »Sie wollten mich sprechen?«

Saathoff erhob sich und tippte Daniel an die Schulter. »Der

Junge hier behauptet, im Dorf hat's Schmierereien gegeben. Stimmt das?«

Frank Tebbens nickte. »Graffitis. Zacken und Striche.« Er zeichnete sie in der Luft nach.

»Was für Zacken und Striche?«

»Irgendeine Botschaft.«

»Was für eine Botschaft?«

»Schwer zu entziffern.«

Noch in der Nacht holten ihn die Eltern mit dem neuen Wagen ab, ein goldener Audi 100 C4, Baujahr 1990, 101 PS. Der Vater, die Mutter vorn, Daniel hinten. Die Mutter schwieg, sie hatte mit den Tränen zu kämpfen.

»Warum musst du uns immer wieder Kummer machen?«, fragte der Vater. »Hättest du diese Sache nicht einfach auf sich beruhen lassen können? Und was hat dir das jetzt gebracht?«

Daniel lehnte mit dem Kopf an der Scheibe, kühlte seine Wange und starrte aus dem Fenster. Im Osten, hinterm Deich, ging die Sonne auf. Er dachte: Bald fangen die Vögel an.

Als sie durchs Dorf fuhren, sah er, was er angerichtet hatte.

Der Vater sah es auch, zeigte auf die weißen Flecken an den Wänden, auf die weißen Schatten von Daniels Seele, und sagte: »Dein Verhalten ist geschäftsschädigend.« Er brüllte.

Die Mutter weinte endlich.

Das brachte den Vater noch mehr auf. »Morgen wird man über mich herfallen, über mich und die ganze Familie. Kuper. Das stand mal für was. Für Qualität! Für Service! Für Reinheit! Und jetzt? Du hast den Namen unsres Hauses in den Dreck gezogen. Als ob es nicht schon schwer genug ist, gegen die Konzerne zu bestehen, die sich mit ihren Niederlassungen auf dem Land ausbreiten wie Geschwüre auf der Haut. Erst vor 'nem halben Jahr hat 'ne Filiale von Schlecker in Achterup aufgemacht und den Kollegen vor Ort kaputt gemacht. Drogerie Hamann! Ein Traditionsunternehmen! Eins wie meins! Seit neunzig Jahren in Familienbesitz! In neun Wochen ruiniert! Und jetzt das!« Wieder zeigte er aus dem Fenster auf einen der weißen Flecken.

Daniel dachte: Ich weißle das Haus meines Vaters.

Beim nächsten Skatabend im Strandhotel sagte Hard: »Sieht übel für dich aus«, während er Zahlen auf einem Block notierte, Günters jüngste Niederlage. »Da ist nachher noch 'ne Runde fällig.«

»Es sei denn«, sagte Klaus, »sein Blatt bessert sich.«

»Heute hab ich einfach kein Glück.« Günter zog die Karten zu sich heran und mischte sie mehrmals durch, indem er einen Packen aufnahm und an anderer Stelle, davor oder dahinter, wieder ablegte, so schnell, dass keiner ihm folgen konnte, nicht einmal er selbst.

»Bei Skat ist alles möglich«, sagte Klaus.

»Wenn du schlechte Karten hast, kannst du so gut wie nix machen.«

Günter ließ Klaus abheben, gab an alle jeweils drei aus und legte zwei in der Mitte des Tisches ab. Dann gab er noch einmal vier aus, dann noch einmal drei.

Hard nahm sein Blatt auf. Herz-Ass, Herz-Zehn, Herz-König, Herz-Dame, Herz-Neun, Herz-Acht, Herz-Sieben, Pik-Ass, Pik-Zehn, Pik-Sieben. »Tja, Mädels, das war's dann wohl für euch.«

»Du hast doch nichts auf der Hand«, sagte Günter. »Du bluffst doch nur.«

»Macht er doch immer«, sagte Klaus.

»Kopf hoch, Mädels. Gibt auch wieder bessere Tage. Immerhin müssen wir jetzt doch nicht in den Krieg, was Günter?« Er klopfte ihm auf die Schulter. »Da hast du aber noch mal Schwein gehabt.«

»Du meinst, an den Golf, wegen Saddam?«, fragte Klaus. »Hätten wir sowieso nicht.«

»Wär aber besser gewesen, wenn«, sagte Hard. »Wozu ist denn der Bund da? Immer nur Manöver bringt uns doch auch nicht weiter. Muss doch auch mal wieder 'n Ernstfall her. Wär ja so, als würd der HSV nur trainieren und nie spielen.«

»Hast du vorhin das Ding gegen Bochum gesehen, wie Eck den reingemacht hat? Genau ins Eck. Junge, Junge, wenn die nächste Woche auch noch Werder schlagen, dann ist da diese Saison wieder was drin.«

»Wär ich vorsichtig mit«, sagte Günter.

»Womit?«, fragte Klaus.

»Mit solchen Aussagen.«

»Warum?«

»Weil du sonst am Ende wieder enttäuscht bist.«

»Das sagt der Richtige.«

»Du kriegst doch schon am Anfang Pipi in die Augen«, sagte Hard. »Bevor's überhaupt losgeht, malst du doch schon den Teufel an die Wand.«

»Du meinst«, sagte Günter und sortierte seine Karten, vier Buben, Karo-As, Karo-Zehn, Karo-Dame, Karo-Neun, Karo-Acht, Karo-Sieben, »so wie dein Sohn?«

Klaus sagte: »Achtzehn.«

Und Hard sagte: »Ja.«

»Zwanzig.«

»Ja.«

»Zwo.«

»Ja.«

»Null.«

»Ja.«

»Weg.«

Günter sagte: »Vierundzwanzig«, und bis »Fünfzig« ging Hard

noch mit, dann sagte auch er: »Weg.« Günter nahm den Skat auf, drückte zwei Karten und sagte: »Grang.«

»Bei Grang spielt man Ässe«, sagte Hard siegessicher und knallte sein Pik As auf den Tisch, »oder man hält die Fresse«, aber Günter stach ihn mit einem Buben aus und spielte selbst sein Karo As, sodass Klaus und Hard abschmeißen mussten.

»Ja, leck mich doch am Arsch«, sagte Klaus.

Und Hard sagte: »Was ist das: schwarz-rot, schwarz-rot, schwarz-rot – weiß?«

Günter sammelte die Karten ein, klopfte sie auf dem Tisch ab und schob den Packen zu Hard hinüber, Klaus bestellte für alle neues Bier, indem er auf Krögers Blick hin aufzeigte, und während Hard seine eigene erste Niederlage notierte – der an diesem Abend noch viele weitere folgen sollten –, murmelten beide immer wieder: »Schwarz-rot, schwarz-rot, schwarz-rot, weiß«, ohne dadurch der Lösung des Rätsels auch nur ein Stück näher zu kommen. Hard trank einen letzten Schluck und begann, genüsslich schmatzend, die Karten neu zu mischen. Das Spiel mochte er verloren haben, aber er wollte ihnen nicht auch noch die Genugtuung verschaffen, die Gespräche zu gewinnen.

»Die Reichsflagge?«, fragte Günter.

»Briketts«, sagte Klaus. »Schwarz kauft man sie, rot nutzt man sie, weiß werden sie.«

»Nee«, sagte Hard. »Ein Neger beim Onanieren.«

Kurz vor Beginn der Osterferien hieß es, die Anzeige gegen Daniel werde zurückgezogen, wenn er sich bereit erkläre, den Schaden, den er verursacht habe, selbst zu beseitigen. Der Vater drückte ihm einen alten Lappen und einen Kanister Nitroverdünnung in die Hand. Das kannte er schon. Einmal, vor ein paar Monaten, hatte jemand *Ich liebe dich* an die Hauswand neben dem Schaufenster gesprüht, und er hatte es abwischen müssen.

Einfach nur *Ich liebe dich*. Er wusste nicht, wer es geschrieben hatte und ob er gemeint gewesen war. Trotzdem hatte er es abwischen müssen. Niemand hatte sich zu *Ich liebe dich* bekannt, und seine Augen, seine Hände hatten hinterher gebrannt, als hätte er sie zu lange zu dicht über ein Feuer gehalten. Jetzt zog er Spezialhandschuhe aus Butylkautschuk an und lief von Wand zu Wand. Die Geschwister folgten ihm, wie Mücken, wie Hunde. Immer wieder schickte er sie weg, immer wieder kamen sie zurück.

Nach und nach sammelte sich eine Menschenmenge um ihn. Man schaute ihm dabei zu, wie er die Flecken entfernte. Einige feuerten ihn an. Andere gaben ihm Ratschläge, welche Wischtechnik am besten sei. Er kümmerte sich nicht um sie, tränkte den Lappen mit Nitroverdünnung und wischte gleichmäßig von oben nach unten über die Farbe. Der Vater brachte neue Lappen. Für jeden Fleck brauchte Daniel Stunden. Er schaffte es nicht an einem Tag.

Am nächsten Morgen, die Ferien hatten begonnen, war die Schar der Schaulustigen größer als am Tag zuvor. Auch seine alten und neuen Mitschüler waren gekommen, um an dem Spektakel teilzuhaben. Rainer und Marcel rollten auf ihren Vespas dicht hinter ihm her. Stefan folgte ihnen mit dem Fahrrad. Paul und Jens standen abseits, die Arme vor der Brust verschränkt, alle paar Minuten spuckten sie auf den Boden. Simone wollte ihm helfen, aber ihre Eltern hielten sie zurück. Volker rauchte und aß nach jeder Zigarette eins der mitgebrachten Leberwurstbrote. So ging es von morgens bis abends. Es kam ihm vor wie eine Prozession.

Am dritten und letzten Tag waren fast alle versammelt, fast das ganze Dorf. Der Vater, die Mutter, die Nachbarn und Bekannten. Die Lehrer Werner Pfeiffer, Jürgen Engberts, Dieter Kamps und Arne und Petra Mengs mit ihren Töchtern Verena und Venja, Klaus Neemann und Günter Vehndel mit ihren Familien, Heiner Oltmanns, Marco Klüver, Tobias Allen und Guido Groenewold, noch in ihren verdreckten Fußballtrikots, der alte Kramer mit seinen Angestellten, Schuster Schröder, Rechtsanwalt Onken und Frau Bluhm, Achim Kolthoff, Hankens und Tinnemeyers, Jost Petersen, Gerrit Klopp, Heiko Hessenius und Berger, sein Queue noch in der Hand, Fahrlehrer Kromminga, Reicherts und Hilligers, Fisch Krause und Postloper Schmidt, Eino und Klaas Oltmanns, der Fahrradhändler, der ehemalige Molkereivorsitzende Anton Leemhuis, Bankdirektor Hoyer, auch an seinem freien Tag in Anzug und Krawatte, Freerk-Ulf Dänekas von der Sparkasse, Uli Dettmers, die Frisur vom Wind zerzaust, Kapitän Fechner, Susanne Haak und Tanja Mettjes neben ihren Eltern und Geschwistern, Getränkehändler Stumpe und Harm Fokken vom Grillimbiss, Enno und Gerda Kröger vom Strandhotel, Meta und Alwin Graalmann, Pastor Meinders und Frau, die, weil Sonntag war, aus der Kirche kamen, Schulz, der Schmied und amtierende Bürgermeister, seinen Sohn, den Schulrektor, um einen Kopf überragend, die Bauern Appeldorn, Wübbena, Brechtezende, Harders und Watermann, Anne-Marie Kolthoff und Walter Baalmann, Hayo Hayenga vom Club 69 mit seinen Mädchen, Abbo und Ubbo Busboom, Doktor Ahlers mit Frau und Kindern, Wilfried Ennen, der Apotheker, Volker und Simone, und vorneweg Frau Nanninga, ihre neue Klassenlehrerin, Wiebke, Eisen und Rosing und die drei Polizisten, Kurt Rhauderwiek, Joachim Schepers und Frank Tebbens, mit einem jungen Reporter von der *Friesenzeitung*, der sich als Tammo Tammen vorstellte und sich, wie er sagte, ein Bild von der Situation vor Ort machen wollte. Gemeinsam traten sie aus der Menge hervor, als wären sie seit Langem miteinander befreundet. Rosing hatte den Mantel, das Hemd weit aufgeknöpft. Daniel dachte: Brusthaar wie ein Affe.

Rosing sagte, wie um sich für seine Anwesenheit zu entschuldigen: »Ich will nur wissen, ob an dem Gerücht was dran ist: Ich hab nämlich gehört, dass du mit der weißen Farbe was anderes übermalt hast, irgendwelche Zeichen. Wenn das stimmt, müsste man doch sehen, was unter dem Weiß verborgen ist.«

Daniel machte sich an die Arbeit, tränkte den Lappen mit Nitroverdünnung und wischte von oben nach unten über die Farbe. Weiße Schatten, die sich bei Licht in Nichts auflösten.

2

Mitte März, als Daniel das Praktikum bei der *Friesenzeitung* antrat, kam der Nebel. Er kam mit dem Regen, und viele meinten anfangs, dass er auch mit ihm wieder verschwinden würde, so wie der Frühnebel verschwand, sobald die Sonne hoch genug stand. Aber das tat er nicht. Er blieb auf den Feldern liegen. Mal war er dichter, mal dünner, mal reichte er kaum über die Halme hinaus, mal verschwanden zweistöckige Bauernhöfe darin. Wochenlang war das Gras vom Dorf bis zum Deich mit einer dünnen weißen Schicht bedeckt wie vom Qualm eines Torffeuers, das alle paar Jahre südlich von Jericho im Moor ausbrach. Von den Kühen, die die Bauern nach dem strengen Winter wieder aus den Ställen auf die Weiden getrieben hatten, war oft nicht mehr als die Köpfe zu sehen, und die wenigen kahlen Bäume ragten daraus hervor wie Wegweiser, deren Pfeile in alle Richtungen zeigten.

Hard brachte Daniel in die Stadt. Erst zwei Tage zuvor hatte er den Wagen auf Hochglanz poliert, und als sie jetzt aus der Einfahrt fuhren, schien auch noch die Sonne, so grell, dass sie vom Widerschein der Kühlerhaube geblendet wurden. Aber kaum hatten sie Jericho hinter sich gelassen, sahen sie die Wolken vom Meer her auf sich zukommen, eine graue Wand, die von der Erde bis in den Himmel reichte und das ganze Land in Dunkelheit hüllte. Hard glaubte seinen Augen nicht zu trauen, noch nie hatte er etwas so Großes gesehen, dann schaltete er das Licht ein und hielt das Lenkrad mit beiden Händen, um dem Sturm standzuhalten, der ihn von der Straße zu drücken drohte. Kahle Äste flogen über sie hinweg, welke Blätter, eine Tüte. Und dann fielen auch schon die ersten Tropfen, ungewöhnlich groß und hart, es kam ihm vor wie die Geschosse eines Raumschiffs. »Gut, dass du angeschnallt bist«, sagte Hard, während er die Scheibenwischer einschaltete, »da kann dir nix passieren. Diesmal müssen die sich schon etwas mehr Mühe geben, dich mitzunehmen.« Es sollte ein Scherz sein, obwohl ihm nicht nach Scherzen zumute war. Er fürchtete ums Blech, sollte der Regen in Hagel übergehen. Einmal, vor sieben Jahren, hatten faustgroße Körner Dellen in die Kühlerhaube, die Kotflügel und das Dach seines Opel Rekord gedrückt, und beim Versuch, den Schaden von innen mit einem Gummihammer auszubessern, hatte er Beulen hineingeschlagen, und deshalb sah er sich jetzt nach einer Unterstellmöglichkeit um, einem Carport, einer offenen Scheune. Doch sie waren schon zu weit draußen, links und rechts nichts als Wiesen und Wallhecken. Erleichtert stellte er fest, dass sich Wind und Regen nicht in Waffen verwandelten und das Wachs seine Wirkung entfaltete, und er hoffte, dass es für Menschen irgendwann einmal ein ähnliches Mittel gäbe, irgendwelche Tabletten, die Daniels verirrte Seele imprägnierten und sie vor den Naturgewalten in seinem Innern schützten.

Auf der Bundesstraße, in Höhe der Mülldeponie, sagte er: »Du kannst froh sein, dass du so glimpflich davongekommen bist. Onken hat aber gesagt, jetzt darf nix mehr passieren. Noch fällst du unters Jugendstrafrecht. Du hast es selbst in der Hand, hat er gesagt, liegt ganz bei dir, ob du dir selbst die Zukunft verbauen willst oder nicht.« Er sah zu seinem Sohn hin.

Daniel rieb sich den Schlaf aus den Augen. In der Nacht hatte er vor Aufregung nur wenig geschlafen. Seit Wochen hatte er sich auf diesen Tag gefreut. Jetzt fühlte er sich wie unter Wasser, wie Dustin Hoffman in *Die Reifeprüfung*: Die Worte drangen kaum zu ihm durch.

»Hast du mir überhaupt zugehört? Hast du überhaupt verstanden, was ich gesagt habe?«

Regen klatschte gegen die Windschutzscheibe, wurde weggewischt, ein Hase lief vor ihnen über die Straße, klatschte dagegen, verschwand im Gebüsch, wurde weggewischt, tauchte dahinter wieder auf, klatschte dagegen, duckte sich ins Gras, wurde weggewischt. »Ob du das verstanden hast?«, wiederholte der Vater, lauter als zuvor.

Daniel nickte. Er musste an den Tag denken, als sie Peter Peters im Hammrich aufgelauert hatten, und an den, als er durchs Dorf gelaufen war, um Stefan, Onno und Rainer zu besuchen. An beiden Tagen hatte es in Strömen geregnet, aber nicht so stark wie heute.

Hard redete weiter, er hatte sich alles genau überlegt, er sprach von Verantwortung, Anstand, gesellschaftlichen Pflichten: »So ein Verhalten kannst du dir bei der Zeitung da nicht erlauben. Wer aus Mutmaßungen Tatsachen macht, ist ein schlechter Journalist und muss mit Konsequenzen rechnen, mit weitaus drastischeren Konsequenzen, als irgendwelche Schmierereien abzuwischen. Bild dir ja nicht ein, dass du da irgendetwas schreiben darfst. Das kannst du dir gleich aus dem Kopf schlagen.« Er tippte auf die Mappe, die auf Daniels Schoß lag, auf den Block mit den Themenvorschlägen. »Aber es gibt ja noch die Buchhaltung, den Vertrieb, die Technik und was weiß ich noch alles. Wegen diesem Bericht heute, wegen diesem Foto von dir habe ich Martin, den Chefredakteur, Masurczak, merk dir den Namen, vorhin am Telefon nur mit Mühe von dir, von deiner Redlichkeit überzeugen können. Wir sind zusammen zur Schule gegangen, Masurczak und ich. Hab ihn damals immer Mamasurczak genannt, weil sein Vater im Krieg geblieben ist. Aber das mit Mamasurczak behältst du besser für dich. Sonst ist deine Karriere wieder vorbei, bevor sie überhaupt angefangen hat. Du kannst dir da keinen Fehler erlauben. Kuper ist zwar abgekürzt und dein Gesicht nicht zu erkennen, trotzdem weiß natürlich jeder in der Gegend, wer mit Daniel K. gemeint ist und was du getan hast. Du bist einschlägig bekannt.« Er schüttelte den Kopf. »Im Grunde für eine Zeitung untragbar. Deshalb hab ich für dich auch meine Hand ins Feuer legen müssen. Die einzige Alternative wäre nämlich gewesen, das Praktikum bei mir zu machen. In der Drogerie Kuper! Im väterlichen Geschäft!« Er hielt inne und griff sich an die Brust, auf den Aufnäher an seinem Kittel, den Schriftzug *drogerie kuper*. Dann sagte er: »Nichts ist peinlicher, als beim Vater in die Lehre zu gehen, und sei es nur für drei Wochen. Niemand weiß das besser als ich. Aber ein Praktikum bei einem Drogisten hast du bestimmt sowieso nicht gewollt. Und selbst wenn du's gewollt hättest, hätte ich's dir verboten. Ich kann mir dich nämlich nicht als Drogisten vorstellen, beim besten Willen nicht. Du taugst nicht als Drogist. Dafür fehlt dir das nötige Fingerspitzengefühl, das Temperament, die Menschenkenntnis. Als Drogist musst du dich in die Kunden reinversetzen können, in Hausfrauen genauso wie in Bankangestellte oder Bäuerinnen, in dicke und dünne, blonde und brünette, grob- und feinporige. Du musst die richtigen Cremes und Parfüms vorrätig haben und die passenden Binden und Tampons, Nagel- und Haarschneidescheren, Natur- und Kunststoffborstenbürsten, Massagegurte, Peeling-Schwämme, Schwangerschaftsöle, Saugeinlagen, Milchpumpen, Stillkissen, das ganze Sortiment. Schon beim Eintreten der Frau musst du erkennen können, was sie will. Du musst es an ihren Augen ablesen, an ihrer Figur, an ihrer ganzen Erscheinung, noch bevor sie den Mund aufgemacht hat. Mit einem Blick musst du ihre Wünsche erfassen und in ihr Innerstes eindringen können. Und das traue ich dir eben nicht zu. Das kann man aber auch von einem Jungen in deinem Alter nicht erwarten. Das setzt nämlich jahrelange Erfahrung mit dem andren Geschlecht voraus. Ich hab nix dagegen, wenn du Fehler machst. Jeder macht Fehler. Fehler gehören dazu. Aber ich kann's mir nicht leisten, dass du sie bei mir machst. Weil das sofort auf mich zurückfallen würde. Wenn du die entscheidenden ersten Sekunden falsch deutest, hast du schon verloren. Das kannst du nie wieder aufholen, egal wie viel du ihnen hinterher anbietest oder auf die Haut sprühst. Frauen haben ein feines Gespür dafür, ob ein Mann sie versteht oder nicht. Die haben einen sexten Sinn.« Hard lachte, er blickte zu seinem Sohn hinüber, um zu sehen, ob er in sein Lachen einstimmte, und als Daniel das nicht tat, schaute er wieder nach vorn. »Die Kundschaft ist eben fast ausschließlich weiblich. Da darf ich mir nix vormachen. Und da mach ich mir auch nix vor! Ohne Frau kein Geschäft. Würd ich keine Filme und Fotoapparate verkaufen und keine Angelsachen, kein Mann würde jemals meinen Laden betreten, weder für Spiritus noch für Schädlingsbekämpfungsmittel, von Rasierwasser und Kondomen ganz zu schweigen.«

Daniel starrte geradeaus. Die Worte des Vaters klatschten gegen seinen Kopf. »Und Fotos lässt ja längst keiner mehr bei mir entwickeln. Außer der alte Kramer natürlich«, wurden weggewischt, »höchstens Passfotos!«, klatschten dagegen, »Alle zehn Jahre mal!«, wurden weggewischt, »Alle zehn Jahre!«, klatschten dagegen, »Das musst du dir mal vorstellen! Davon kann doch kein Mensch leben! Ich jedenfalls kann nicht davon leben, zumindest nicht mehr lange.«

Der Vater redete und redete. Immer wieder griff er sich beim Sprechen an die Brust. Daniel hoffte, bald da zu sein. Aber wegen des Wetters und der Tiere, die um diese Jahreszeit die Straße überquerten, kamen sie nur langsam voran. Sobald es nämlich nicht mehr fror und der Müllberg auftaute, kamen Ratten, Hasen, Igel, streunende Katzen und Hunde von den Düften und Dämpfen angezogen, aus ihren Löchern, aus ihren Unterschlüpfen, rannten über die Felder, huschten unter den Zäunen hindurch und warteten am Straßenrand, im Gebüsch, auf den richtigen Moment.

»Kannst du nicht 'n bisschen schneller fahren?«, fragte Daniel. »Hier ist hundert.«

»Das heißt ja nicht, dass man hier auch hundert fahren muss.«

»Du fährst ja nicht mal fünfzig.«

»Hast du schon mal rausgeschaut?«

»Ja, aber wir sind spät dran.«

»Und an wem liegt das?«

»An mir.«

»Genau. Und was macht Zuspätkommen?«

»Einen schlechten Eindruck.«

»Genau das.«

»Und auf wen«, fragte Daniel, einen der Sätze des Vaters aufgreifend, »fällt der zurück?«

Unwillkürlich gab Hard Gas, er legte die Hand auf die Knüppelschaltung und schob den vierten, den fünften Gang hinein. Immer stärker klatschte der Regen gegen die Windschutzscheibe. Die Wischer flappten auf höchster Stufe hin und her, das Gebläse lief auf vollen Touren, und trotzdem war draußen außer den weißen Linien der Fahrbahnmarkierungen und dem Widerschein der Scheinwerfer kaum etwas zu erkennen. Hard beugte sich über das Lenkrad, um besser sehen zu können, und plötzlich, von einer Sekunde auf die andere, hörte der Regen auf und setzte wieder ein, und er sah den Hasen im Bann des Lichts, und er hörte den hohen, dumpfen Knall wie von einem Schuss.

Auf dem Parkplatz vor dem Verlagsgebäude, der Regen war in ein Nieseln übergegangen, begutachtete er den Schaden. Zweimal umkreiste er den Wagen. Er blieb vor dem Kühler stehen, fuhr mit der Hand an der Stoßstange entlang, beugte sich zu den Reifen hinab, konnte nichts finden.

»Was passiert?«, fragte ein Mann aus einem orange-braun gestreiften Transporter heraus, einem Mercedes MB 100, Baujahr 1990, 72 PS, auf dem groß und weiß *Johann Rosing* stand.

»Alles in Ordnung«, sagte Hard und streckte den Daumen aus. Dann klopfte er Daniel auf die Schulter, er wollte noch etwas sagen, etwas Wichtiges, etwas Väterliches, sagte: »Bis später«, und stieg wieder ein.

Die Glastüren glitten zur Seite, und Daniel betrat die Eingangshalle. Von der Decke hingen Kabel herab, einige der weißen, gemaserten Platten über ihm waren aufgeschoben, der Fußboden war mit Zeitungen bedeckt, und es roch nach frischer Farbe. Hinter einem Tresen, der fast den ganzen Raum einnahm, saß eine Frau und feilte ihre Fingernägel. An einer Wand, ihr gegenüber, waren zwei Männer in blauen Latzhosen damit beschäftigt, neue Steckdosen einzusetzen, während zwei andere, über ihnen auf einer Leiter stehend, Bohrlöcher spachtelten. Die Türen, die rechts und links abgingen, standen offen. Daniel konnte Männer und Frauen um Tische herum sitzen sehen, die Hände hinter den Köpfen verschränkt oder wie zum Gebet gefaltet oder wild gestikulierend. Ein Stimmengewirr umschwirrte ihn, das von überallher zu kommen schien, als flögen die Worte hier, an ihrer Quelle, so lange durch die Luft, bis sie auf Papier gebannt und ausgesandt waren. Er sah auf seine Digitaluhr: zehn nach zehn. Die Zeit des Schreibens war noch nicht gekommen. Ihn fröstelte.

»Was ist jetzt?«, rief die Frau vom Empfang her. »Rein oder raus?«

Die Handwerker hielten in ihren Beschäftigungen inne und sahen ihn an. Erst da merkte er, dass die automatischen Schiebetüren hinter ihm ständig auf- und zugingen, weil er immer noch in deren Einflussbereich stand.

Er machte einen Schritt auf den Tresen zu.

Die Türen schlossen sich.

Die Handwerker machten weiter.

Die Frau legte ihre Feile weg.

»Ich, äh, ich komme wegen des Praktikums.«

Die Frau griff zum Telefon und sagte in den Hörer hinein, dass der Junge jetzt da sei. Ein weißhaariger, weißbärtiger Mann kam die Treppe herunter und stellte sich, die Hand weit ausgestreckt, als Herr Sievers, sein Betreuer, vor. Während er Daniel herumführte und ihm erklärte, wo welche Abteilungen untergebracht waren, sagte er: »Daniel Kuper, Mannomann. Hab ja heute Morgen schon viel von dir gehört.«

»Was denn?«

»Du bist ja jetzt so was wie 'ne Berühmtheit«, sagte Herr Sievers. »*Jericho wieder sauber. Junge wischt Wände, Bürgermeisterkandidat Rosing begrüßt Aktion.* Jaja, das kann er. Dabei hat er doch damit angefangen, mit seinen Sprüchen, von wegen weniger Europa, mehr Ostfriesland. Die Wiemers hat mir alles erzählt, Mannomann.« Er klopfte Daniel auf die Schulter. »Wer wagt es schon, sich dem mächtigen Rosing entgegenzustellen? Rosing, dem Visionär, dem Baukönig, dem Anzeigenkunden! Von denen da oben ist keine Hilfe zu erwarten.« Er zeigte auf eine der Neonröhren. »Die sind ihm doch hörig, die fressen ihm doch aus der Hand. Für die ist Rosing doch 'ne Lichtgestalt. Aber ich lass mich von ihm und seinen Versprechen nicht blenden. Ich nicht! Riechst du das? Wie's hier stinkt! Nicht zum Aushalten! Seit dreißig Jahren bin ich jetzt in der SPD«, er nahm die Finger zum Abzählen, »seit zehn in der Gewerkschaft und seit drei im Betriebsrat. Ich kenn die Verträge, die Arbeitsbedingungen, die Machenschaften, Typen wie ihn. Ich kann dir Geschichten erzählen, Dutzende Geschichten, da würd dir Hören und Sehen vergehen. Na, besser nicht, du würdest blind und taub werden und vom Glauben abfallen, falls du einen hast. Falls nicht, umso besser. Diese Dämpfe hier machen mich noch ganz rammdösig, Mannomann. Das soll Farbe sein?«, er strich über eine frisch gestrichene Wand, ohne dass sich etwas auf seinen Fingern abzeichnete, »Gift ist das, pures Gift. Nur weiter so! Macht alles neu! Lasst es glänzen! Das neue Haus! Im neuen Gewand! Dass ich nicht lache. Ja, das können sie, Schandflecke schönschreiben. Rosing wird uns noch alle umbringen. Aber die Herrschaften da oben interessiert das ja nicht. Die interessiert nur, dass die Seiten voll werden, am besten mit Werbung.« Mit einem Stofftaschentuch tupfte er sich den Schweiß von der Stirn. Für einen Moment sah er Daniel irritiert an, als könne er nicht glauben, dass er ernsthaft mit einem Jungen über die Abgründe des Lokaljournalismus redete. Dann steckte er das Tuch zurück und nahm eine Papierschachtel aus der Innentasche seines Anzugs. Er schob die Plastikverpackung heraus, drückte ein paar Pillen in seine Hand und warf sie sich in den Mund. »Ich hätte nicht davon anfangen dürfen«, sagte er, nachdem er sie heruntergeschluckt hatte, und konnte, während sie weiterliefen und eine Treppe hinabstiegen, doch nicht aufhören, davon zu sprechen.

Unten angekommen, inmitten eines langen Gangs voller Gerümpel, öffnete Herr Sievers eine Feuertür mit der Aufschrift *Büro für Anfänger*. »So, da wär'n wir.«

Das Büro sah aus wie eine Abstellkammer. Die Regale waren bis unter die Decke voll mit vergilbten Zeitungen, verstaubten, abgenutzten Schreibmaschinen und zerlesenen Büchern, Adressverzeichnissen, Lexika, Duden, achtlos übereinandergestapelt. In der Mitte standen zwei Stühle und ein Fernsehschrank. Herr Sievers drückte auf die Knöpfe der Fernbedienung, bis der Bildschirm blau wurde. Er dimmte das Licht und versprach ihn hier abzuholen, wenn er sich den Film, eine Dokumentation über die Geschichte des Hauses, angesehen habe. Nach neunzig Minuten schaltete sich der Videorekorder automatisch aus. Daniel blieb noch eine Weile im Halbdunkel sitzen, starrte auf den flimmernden Bildschirm, dann stand er auf und ging zur Tür. Er schaute nach links, nach rechts, den Gang entlang, Herr Sievers war nirgends zu sehen. Es war überhaupt niemand zu sehen. Am Empfang erfuhr er, dass Herr Sievers nach Hause gegangen war. »Er hat sich nicht wohlgefühlt«, sagte die Frau hinterm Tresen und verdrehte die Augen. »Er hatte wieder einen seiner Anfälle.«

»Was denn für Anfälle?«

Sie winkte ab. »Nichts Ernstes, mach dir man keine Sorgen. Das kommt wohl öfter bei ihm vor. Das hat er wohl zweimal im Jahr. Für gewöhnlich nimmt er sich nach so 'ner Sache zwei, drei Wochen frei. Kann gut sein, dass du ihn hier nicht mehr siehst. Du kannst dein Praktikum aber auch ohne Betreuer machen. Ohne Betreuer ist sogar besser. Dann lernst du schneller, selbstständig zu arbeiten.«

Daniel kam in die Buchhaltung. Auch hier roch es nach frischer Farbe, am Fensterrahmen hing noch ein Klebestreifen, und der Fußboden davor war mit alten Zeitungen bedeckt. Zwei Frauen, Frau Geuken und Frau Wiemers, wie er dem Türschild entnehmen konnte, beide Ende fünfzig, saßen an zwei zusammengeschobenen Schreibtischen und wandten sich gleichzeitig zu ihm um, als er gegen die offene Tür klopfte und sich vorstellte.

»Er sieht aus wie Bernhard«, sagte die eine und wandte sich zur anderen um. »Findest du nicht auch, Theda?«

»Wie aus dem Gesicht geschnitten«, sagte Theda. »Nur jünger, viel jünger. Nicht so verbraucht.«

»Vielleicht ist er es ja. Vielleicht will er uns nur demonstrieren, wie jung diese Antifaltencremes tatsächlich machen. Komm, Bernhard, setz dich zu mir.«

»Nix«, sagte Theda und zog einen Stuhl heran. »Hard gehört zu mir. Ich will das Geheimnis ewiger Jugend als Erste erfahren.«

Daniel setzte sich zu ihr, und sie führte ihn ins Rechnungswesen ein. Sie erklärte ihm das Ablagesystem und bat ihn, die Belege, die sich hinter ihnen in den Fächern des Regals häuften, zu lochen und abzuheften. Immer wieder schichtete er unförmige Papierstapel vor sich auf, stanzte zwei Löcher in die Seite der Blätter und ließ die Hebel auf- und zuschnappen. Von der Hektik der Eingangshalle war hier, in diesem Raum, nichts zu spüren, die Lamellen der Rollschränke verströmten eine Atmosphäre absoluter Gelassenheit, alles ließ sich dahinter verbergen, Gewinne und Verluste, Vermögen und Verbindlichkeiten, die Geheimnisse eines Unternehmens. Man musste die Zahlen nur lesen können. Aber das konnte er nicht. Und das wollte er auch gar nicht können. Trotzdem fügte er sich ein, den beiden Frauen zuliebe und weil er hoffte, dass er, wenn er sich bewährte, doch noch in die Redaktion versetzt werden würde. Nach einer Weile, Daniel war ganz in seine Aufgabe versunken, sagte die andere Frau: »Wenn's doch so wäre.«

»Was?«, fragte Theda, blickte aber nicht zu ihr auf.

»Wenn wir jung bleiben könnten.«

»Ach, Irmi, jetzt fang doch nicht wieder damit an. Wir werden alle älter. So ist das Leben.«

»Ja«, sagte Frau Geuken. »Das weiß ich, trotzdem wär's doch schön, wenn wir in unseren Kindern weiterleben würden.«

»Ein Teil von uns tut das doch auch.«

»Ja«, sagte Frau Geuken. »Aber nicht immer der beste.«

Mittags saß Daniel allein in der Kantine, oben, im fünften Stock, direkt unterm Dach. Durch die großen Fenster konnte man weit übers Land blicken, bis zum Horizont, aber jetzt, wo der Nebel den Hammrich bedeckte und nur ein paar Bäume und Häuser, die Hochspannungs- und Marinefunkmasten daraus hervorragten, gab es nicht viel zu sehen, außer einer weißen, wogenden Masse. Daniel schaute lange auf dieses Panorama, alle paar Minuten stand er auf, tauschte das eine Tablett gegen ein anderes aus, die Vorspeise gegen das Hauptgericht, das Hauptgericht gegen den Dessert, und kehrte zu seinem Tisch zurück. Der Kaffee schmeckte besser als der in der Schule und das Mettbrötchen auch. Erst um drei war er wieder am Schreibtisch. Die alten Zeitungen auf dem Boden, der Klebestreifen am Fenster waren verschwunden. Aber kurz vor Feierabend kam ein Mann mit weißen Flecken auf einem blauen Overall von der Firma Farben Benzen herein und sah sich die Stelle noch einmal an. »Alles klar und trocken«, sagte er, »zumindest hier drinnen«, und begann, die Blumen wieder aufs Brett zu stellen.

Um vier bot eine der Frauen, Theda Wiemers, Daniel an, ihn nach Hause zu bringen, und rief gleich den Vater an, um ihm mitzuteilen, dass sie, wenn er nichts dagegen habe, während des Praktikums für den Sohn sorgen werde.

Abends schrieb Daniel den Tagesbericht: *Ausfüllen eines Überweisungsauftrags. Vergleichen von Rechnungen. Abheftung von Manuskripten.* Zwei Tage später wurde er in die Anzeigenabteilung versetzt. *Anzeigen sortieren. Umfang ausmessen. Datenbank vervollständigen.* Am Tag darauf kam er in den Vertrieb. *Eintüten und Verschicken der Gehaltsabrechnungen an die Zusteller. Beschwerden entgegennehmen und dokumentieren.* Für all diese Dinge brauchte er drei, vier Stunden, und es dauerte einige Zeit, bis er merkte, dass er, wenn er zu schnell mit ihnen fertig war, nutzlos herumsaß. Je nach Bedarf schickte man ihn in die Anzeigenabteilung, die Buchhaltung zurück.

Wilfried Ennen, der Apotheker, saß vor dem Klavier und haute mit einer Hand in die Tasten, während sich die anderen Männer im Halbkreis um ihn herum versammelten und Bonbons in ihre

Münder schoben. Einige fehlten, sie hatten sich telefonisch bei ihm abgemeldet, von Kopfschmerzen gesprochen, von Husten und Heiserkeit, und mit diesen Worten darüber hinwegtäuschen wollen, dass ihre Frauen, ihre Kinder sie nicht gehen ließen. Auch er unterlag dieser Macht, der Macht der Familie, aber als Chorleiter musste er bei der Probe erscheinen, egal wie er sich fühlte, egal wie es um seine Ehe stand.

Er spielte die ersten Takte von *Nicht lange mehr ist Winter*, ein Kinderlied, das er erst vor Kurzem für vier Stimmen umgeschrieben hatte und jetzt nur zum Warmwerden anschlug, um die Zungen zu lösen. Jede Chorprobe bedurfte einer Art Präludium, nichts geschah von selbst, und manchmal hatte er das Gefühl, jeden Donnerstag bei Null anzufangen. Er musste an den gestickten Spruch denken, *Singen heißt verstehen,* der in seinem Musikzimmer über dem Schreibtisch hing, ein Geschenk seiner Frau anlässlich des DSB-Chorfestes in Hamburg 1983, daran, dass dies, auf den Männergesangsverein Jericho bezogen, auf Menschen im Allgemeinen, nicht zutraf: Denn wenn Singen tatsächlich zu mehr Verständnis führte, zu einem besseren Auffassungs- und Erinnerungsvermögen, müssten sie nicht andauernd alles wiederholen.

Er begrüßte jeden Einzelnen mit einem Nicken und wies ihnen mit der freien Hand die Plätze auf den Stühlen zu, die er hier im großen Saal des Strandhotels für sie aufgebaut hatte. Vorne links der erste, dahinter der zweite Tenor, daneben der erste Bass und vorne rechts der zweite, das Fundament des Satzes, sieben kräftige Kerle, aber keiner beherrschte den so gut wie Klaus Neemann. Er mochte vielleicht nicht der beste Geschäftsmann sein – von den Supermärkten, die er im ganzen Landkreis aufgebaut hatte, waren vier wieder geschlossen worden –, doch im Gesangsverein machte er seinem Spitznamen, Superneemann, alle Ehre. Außerdem war er im Gegensatz zu einigen anderen immer pünktlich, was man, wie Wilfried Ennen fand, von einem Vereinsvorsitzenden aber auch erwarten durfte. Er musste mehr sein als ein einfaches Mitglied und mit gutem Beispiel vorangehen, selbst dann, wenn ihm niemand folgte. Und so saß Klaus vor ihm und trank ein Bier, und er wünschte, er hätte selbst ein Bier auf dem Klavier stehen, um mit ihm anzustoßen. Vor den Proben trank er nie und hinterher nie viel, nicht weil er Angst hatte, die Kontrolle zu verlieren, sondern weil er sich nicht mit ihnen gemein machen wollte. Er war nur ehrenamtlich tätig, und als genau das fasste er seine Position auch auf, als ein Ehrenamt, und er fürchtete ihren Respekt zu verlieren, sollte er ihnen nur ein einziges Mal Anlass zu Hohn und Spott geben. Dazu gab es nämlich schon Grund genug. Der alte Kramer, der den Chor nach dem Krieg mitbegründet hatte, war so schwerhörig, dass er, sangen sie einen Kanon, regelmäßig seinen Einsatz verpasste und von allen Seiten Stöße erhielt, was ihn jedoch nicht davon abhielt, einfach weiterzusingen. Und Günter Vehndel kam nach jedem Auftritt zu ihm, um sich nach seiner Leistung zu erkundigen. »Wie war ich, Willy? Ich hatte immerzu so 'n Kratzen im Hals. Jetzt rächt sich das Rauchen. Das mit den Stimmbändern, das ist doch wie mit den Gehirnzellen, wenn die einmal weg sind, sind die weg, oder nicht? Du als Pillendreher müsstest das doch wissen.« Immer meinte er, den Ton nicht richtig getroffen zu haben, womit er oft genug auch recht hatte, aber würde ein Chorleiter alle nach ihren Fehlern beurteilen, säßen nicht mehr als ein paar Männer vor ihm, die jüngsten, und viele davon auch schon um die fünfzig, Johann Rosing, Klaus Neemann, Anton Leemhuis und Bernhard Kuper – ein hervorragender Solist, der kein Notenblatt, keinen Dirigenten brauchte und das Publikum begeistern konnte, allein mit seiner Stimme, seinem Auftreten. Er brauchte dazu nicht einmal einen Chor im Rücken, zwei, drei Bier reichten, und er stand bei Geburtstagsfeiern oder Hochzeiten auf dem Tisch und stahl den Gastgebern die Schau. Wie üblich kam er als Letzter, und wie üblich trug er einen weißen Kittel, so als wäre er geradewegs aus der Drogerie hierhergeeilt. Wilfried Ennen wusste, warum er das tat, jeder wusste das: Er wollte allen zeigen, dass er mit ihm auf einer Stufe stand und genauso viel Ahnung von Medikamenten hatte wie ein Arzt oder Apotheker. »Dann können wir ja endlich anfangen.«

»Ich hatte noch einen Kunden«, sagte Hard, hängte seinen Kittel an die Garderobe und setzte sich auf seinen Platz in der ersten Reihe.

»Du meinst wohl eher, eine Kundin«, sagte Klaus.

Und in das Lachen hinein sagte Wilfried Ennen: »Zwei, drei, vier, eins – und!«

Und alle richteten sich daraufhin in ihren Stühlen auf und sangen aus voller Brust: »Nicht lange mehr ist Winter, schon glänzt der Sonne Schein, dann kehrt mit neuen Liedern der Frühling bei uns ein. Im Felde singt die Lerche, der Kuckuck ruft im Hain: kuckuck, kuckuck, da wollen wir uns freu'n!«

»Ja, danke, nur die Tenöre eben.«

»Müssen wir das singen?«, fragte Hard.

»Ihr müsst gar nichts«, sagte Wilfried Ennen. Er wusste, wie sehr es die Männer nervte, Lieder wie dieses zu singen, in denen sie Tierlaute nachahmten, aber es gab noch ganz andere im Repertoire, die nicht mehr von ihnen verlangten, als kindliche Worte zu wiederholen, *Bella Bimba, Diridonda* oder *Beim Kronenwirt* mit seinem mehrfach hervorgestoßenen *Heidideldei, heidideldei, heidideldei, hahahaha.*

»Warum singen wir's dann?«

»Weil Frühling ist.«

»Das nennst du Frühling?« Hard zeigte aus dem Fenster auf den vom Mond beschienenen Nebel.

»Das vergeht auch wieder. Also, noch einmal.« Er schlug wieder die ersten Takte auf dem Klavier an, und auf sein Kommando hin erhoben sich vor ihm die Stimmen. Er durfte keine Grundsatzdiskussion aufkommen lassen, dafür war die Zeit zu knapp, außerdem erwarteten sie von ihm, Entscheidungen zu treffen, auch wenn er dadurch schon Sänger verprellt hatte. Einmal, vor ein paar Jahren, hatte er *Kalinka* für den Männerchor ausgewählt, und der alte Kramer, der den Russlandfeldzug mitgemacht hatte, war daraufhin ausgetreten, allerdings nicht ohne die Einzelhändler, sein Gefolge, ebenfalls zum Austritt zu bewegen, und er war nur unter der Bedingung zurückgekehrt, in Zukunft keine »Russenlieder«, wie er sagte, mehr singen zu müssen. Jetzt waren sie noch weniger als damals, und es war gut möglich, dass, wenn Bernhard Kuper dem Beispiel Kramers folgte, Günter Vehndel und Klaus Neemann ebenfalls nicht mehr wiederkamen, und dann könnte er eine Stimme streichen und die Osterkonzerte in der Kirche absagen, und das wäre das Ende. »Ja, danke schön. Das reicht erst mal, wir üben das dann noch mal, wenn wir wieder vollzählig sind.«

»Wann wird das sein?«, fragte Hard.

»Nächste Woche.«

»Die Toten werden nicht wiederauferstehen.«

»Wer weiß? Jesus ist auch wiederauferstanden. Und in zehn Tagen ist Ostern«, sagte Wilfried Ennen und verteilte neue Notenblätter. »Meinders hat mich gebeten, an Karfreitag *Heilig ist der Herr* vorzutragen, und ich habe diesem Wunsch –«

»Ist das nicht katholisch?«, unterbrach ihn Hard. »Ich meine, ist das nicht Teil der Heiligen Messe?«

»– entsprochen … Was? Ja«, sagte Wilfried Ennen. »Das ist es.«

»Wir sind aber nicht katholisch. Und Meinders auch nicht.«

»Nee, weiß Gott nicht.«

»Also, warum singen wir's dann?«

»Weil Ostern ist«, sagte Wilfried Ennen, der es langsam leid war, sich für jedes Lied zu rechtfertigen, »und er mich drum gebeten hat, warum auch immer.« Und dann schlug er die Tasten an und rief die Stimmen auf, und die Köpfe der Männer senkten sich. »Nicht schon auf die Noten gucken, wenn wir noch nicht mal einen Ton gesungen haben – und!«

Und dann sangen sie, andächtig und schwankend: »Heilig, heilig, heilig, heilig ist der Herr, heilig, heilig, heilig, heilig ist nur er. Er, der nie begonnen, Er der immer war, ewig ist und waltet, sein wird immerdar. Ewig, ewig, ewig, ewig quillt sein Wort, weise, weise, weise, weise wirkt es fort.« – »Ja«, sagte Wilfried Ennen, »das haut noch nicht ganz hin. Müssen wir eben kurz einzeln durchgehen. Melodie ist klar, Franz Schubert«, er spielte sie auf dem Klavier noch einmal an, »erster Tenor – und!« Nach vier Versen rief er den zweiten auf, dann den ersten und dann den zweiten Bass. »Da, wo *fortissimo* steht, werden wir nicht laut singen. Wir fangen ganz leise an, so leise, wie wir können, und sind dann *mezzoforte*. Am besten, wir stehen eben mal auf – und!« Und das taten sie, bis auf ihn selbst, und sangen gemeinsam das Sanctus.

Er benutzte beim Spielen jetzt beide Hände und sah sie über den Rand des Klaviers hinweg an. So wie sie dastanden, in ihren Pullovern und Hemden, in ihrer Alltagskleidung, fehlte ihnen der Glanz, zwei Dutzend Männer, die sich zum Singen versammelt hatten. Aber sobald sie ihre Anzüge anzogen und ihre Krawatten umbanden und mit dem Vereinswappen auf der Brust in der Kirche auf der Empore standen, machten sie mächtig was her. Dann sahen ihre Frauen wieder zu ihnen auf und entdeckten etwas an ihnen, das sie verloren zu haben glaubten. Und vielleicht, dachte Wilfried Ennen jetzt, war das mit dem Spruch in seinem Musikzimmer gemeint: Singen heißt verstehen, dass mehr in ihnen steckt, mehr, als sie denken, dass sie gemeinsam über sich selbst hinauswachsen können.

Am Freitag ging Daniel auf eine Party. Jens' Vater hatte vor Jahren das Bauernhaus seiner Eltern in Drömeln geerbt, eigenhändig umgebaut und vorne zwei Ferienwohnungen eingerichtet. Die Scheune vermieteten Hankens für Familienfeste. Sofern keine Buchungen vorlagen, und außerhalb der Saison lagen nie Buchungen vor, durften die Kinder, wie sie selbst ihre bereits erwachsenen Söhne Freunden und Verwandten gegenüber noch immer nannten, darin feiern. Also feierten die Kinder jedes Wochenende, tranken Alkohol, rauchten, tanzten, machten rum. Das Haus stand abseits. Die Eltern ließen sich nie dort blicken. Der Bass wummerte weithin hörbar übers Land.

Als er sein Rennrad abschloss, erinnerte sich Daniel an den ersten Tag in der Realschule: wie er im Klassenraum steht und Volker fragt, ob neben ihm noch frei sei, wie er zu Paul und Jens geht und sie das Gleiche fragt, wie Frau Nanninga, die Klassenlehrerin, hereinkommt und wissen will, warum er sich nicht hinsetze, es seien doch so viele Plätze frei. Einige kannte er noch von der Grundschule, aus der Orientierungsstufe, aber sie sahen ihn immerzu an wie einen Fremden und rückten zusammen, sobald er sich ihnen näherte. Längst hatte er bereut, vom Gymnasium abgegangen zu sein. Hätte er das Jahr wiederholt, wäre er jetzt einer der Ältesten gewesen. Allerdings hätte er dann auch wieder Herlyn gehabt, in Latein und Deutsch, und alles noch einmal durchmachen müssen, die Blechbox, die Ansprache, die lateinischen Texte, die deutschen Gedichte, zwölf Monate Déjà-vu, zwölf Monate gefangen in einer Zeitschleife, in einer leicht verschobenen und doch seltsam vertrauten Welt ohne Stefan, Onno und Rainer – und ohne Peter Peters. Und während er darüber nachdachte, fiel ihm auf, wie wenig sich sein tatsächliches Leben von dem, das er sich vorstellte, unterschied, hier wie dort war er auf sich allein gestellt, und wann immer sich die Gelegenheit dazu ergab, wurde er mit seiner Vergangenheit konfrontiert.

Jedes Mal, wenn Daniel auf eine von Jens' Partys ging, musste er Eintritt zahlen. Paul und Jens und ein paar andere, die in der Zehnten waren, saßen an einem Tisch direkt neben dem Eingang. Sie begutachteten die Gäste und entschieden, wer zu welchen Bedingungen reindurfte.

»Was siehst du da draußen?«, fragte Paul und zupfte an seiner Haarsträhne.

Jens sah auf die Uhr und sagte: »Ticktack, ticktack, ticktack.«

»Nicht viel.«

»Und an was erinnert dich das?«

»Ticktack, ticktack, ticktack.«

Daniel zuckte mit den Schultern.

»An welchen Film?«

Wieder zuckte Daniel mit den Schultern.

»Ticktack, ticktack, ticktack.«

»Kleiner Tipp: John Carpenter.«

Jens ahmte eine Sirene nach.

»Okay«, sagte Paul, »das war's, wir haben's versucht, oder?«

»Na logen.«

Für Daniel füllten sie ein Glas mit Wodka, stellten es mit den Worten »Auf ex« vor ihn hin, warteten, bis er ausgetrunken hatte, und lachten, weil sie aus eigener Erfahrung wussten, was bald mit ihm geschehen würde. Ich hol das Schlachtermesser raus und ramms Jens in die Brust ziehs raus ramms wieder rein ziehs raus ramms rein ziehs raus ramms rein ticktack ticktack ticktack der Typ röchelt und gurgelt und schmatzt bei jedem Stich hört euch das an Leute die reinste Symphonie überall kommen rote Bläschen raus aus jedem Loch sogar aus den Augen blubberts und dann sackt er so komisch nach hinten so überrascht na logen und Paul steht nur dabei glotzt als hätte er nen Geist gesehen oder was und dann schapp hat er die Klinge im Hals aber die geht nicht durch die bleibt mittendrin hängen die Scheißklinge bleibt ihm mitten im Hals hängen Blut schießt mir ins Gesicht aber ich mach. Die eine Fantasie riss ab und wurde von einer anderen überlagert. Anerkennend klopften sie ihm auf die Schulter, drückten ihm den Kirschlikör in die Hand, den Korn, den Kruiden und zwangen ihn, Sätze zu schreiben, die er am nächsten Tag vergessen haben würde: *Das Manifest des Mülls.*

Eine Stunde später fuhr Daniel nach Hause. Unterwegs stieg er immer wieder ab und kotzte in die Vorgärten. Als er schließlich im Bett lag und sich die Wände um ihn herum drehten, fühlte er sich vollkommen leer, ohne Vergangenheit und ohne Zukunft. Am nächsten Tag hielt er länger durch. Er hatte Volkers Rat befolgt und eine ausreichende Grundlage geschaffen. Jetzt taumelte er von Raum zu Raum. Unten standen sie herum, oben, auf der Galerie, lagen sie in den Betten und rauchten ein neuartiges, aus Holland importiertes Gras, das so stark war, wie Paul und Jens nicht müde wurden zu beteuern, dass ein paar Milligramm ausreichten, um den Verstand zu verlieren. Daniel hatte bisher die Finger davon gelassen. Ihm reichte der Alkohol. Aber einmal war er auch oben gewesen und hatte es mit einem der Mädchen versucht. Er kannte ihren Namen nicht. Er hatte sie noch nie zuvor gesehen. Sie war nicht aus Jericho und auch nicht aus Drömeln, und sie ging auch nicht auf die Realschule oder aufs Gymnasium. Lange, braune Haare, naturbelassen, dunkle Augen, keine Halskette, keine Ohrringe, keine Schminke, ein Mädchen von einem anderen Stern. Er hatte sich neben sie gesetzt und mit ihr geredet, aber offenbar war ihr nicht nach reden, oder sie verstand seine Sprache nicht. Die ganze Zeit über hatte sie keinen Ton gesagt, ihm nur auf die Lippen geschaut. Irgendwann ließ sie sich einfach nach hinten fallen, und ein Junge, der dort saß, Ubbo Busboom, einer aus der Zehnten, begann sie zu küssen und ihr über die Brüste zu streichen. Dann schob er ihr T-Shirt hoch, und sie ließ es geschehen.

Daniel stand auf und lehnte sich ans Geländer, eine Dose Bier in der Hand. Er konnte sich nicht erinnern, wo er sie herhatte, ob sie neu war oder alt und er bloß noch nicht daraus getrunken hatte. Er nahm einen Schluck und dann noch einen und noch einen und noch einen. Unten tanzten sie zu einer Musik, die er nicht einmal im Radio hören würde. Jens stand am CD-Player, eine Hand am halb aufgesetzten Kopfhörer, eine in der CD-Kiste und schüttelte mit dem Kopf, sobald sich jemand zu ihm beugte und ihn ansprach. Paul lief, eine Palette Karlsquell auf der Schulter, durch die Menge. Volker hielt eine Tüte Chips so über dem Mund, dass ihm der Inhalt direkt in den Rachen rutschte.

Als er sich umdrehte, sah Daniel, dass die Betten neu belegt waren, nur das Mädchen, das er angesprochen hatte, lag noch da, und Ubbo Busboom, aber beide schliefen, eng aneinandergeschmiegt, als wären sie seit Langem ein Paar. Im pulsierenden Licht der Lavalampen erkannte er Simone. Sie hockte mit angezogenen Beinen auf den Dielen, die Füße nach innen gedreht, die Arme um die Knie geschlungen, alle paar Sekunden sackte ihr Kopf nach vorn und schnellte wieder hoch. Das Orange, das sie illuminierte, ließ ihr Gesicht weniger knochig erscheinen, weniger eckig. Ihre Haut bekam etwas Zartes und Weiches, etwas Kostbares, und Daniel ertappte sich dabei, wie er sie berührte, woraufhin sie sich gleich so gierig an ihn drückte, dass sie beide zur Seite hin wegsackten. Ihre Zunge fuhr über seine Zunge, seine Lippen, seine Zähne und ihre Hand zwischen seine Beine. Sie sagte etwas, das er erst nicht verstehen konnte, ein Wort, das wie »jetzt« klang, »jetzt«, »jetzt«, »jetzt«, wie eine Aufforderung, es ihr gleichzutun. Und das tat er. Und sie schlug die Augen auf, stieß ihn von sich und stolperte zur Treppe. Später sah er sie neben der Stereoanlage, an Jens' geschwollener, blauer Oberlippe saugend. Noch später draußen auf dem Feld, würgend über einen Weidezaunpfahl gebeugt, umwabert vom Nebel.

Am nächsten Tag weckten ihn die Geschwister zum Mittagessen, stürmten ins Zimmer und zerrten ihn, noch im Schlafanzug, nach unten in die Küche.

Die Mutter schlug die Hand vor den Mund und nahm sie wieder weg: »Wie siehst du denn aus? Hast du gestern gesoffen? Oder bist du wieder rumgegeistert?«

Daniel schüttelte den Kopf. Einmal, vor zwei Monaten, war er nachts aufgestanden und ins Wohnzimmer gegangen, und dort hatte ihn am nächsten Morgen die Mutter gefunden, auf dem Sofa liegend, bei laufendem Fernseher, und er hatte sich und ihr nicht erklären können, wie er dorthin gekommen war.

»Das war eine Oderfrage.«

»Weder noch.«

»Wohin soll denn das führen?«, fragte sie, während sie Kartoffeln, Erbsen und die halben Hühnchen auf den Tisch stellte. »Wenn dein Vater das mitkriegt, gibt's wieder ein Donnerwetter. Hard«, rief sie in Richtung Flur, »Essen ist fertig!«

»Wenn ich was mitkriege?«, fragte der Vater, schon im Türrahmen stehend.

»Na«, sagte die Mutter, »du siehst ja auch nicht viel besser aus. Demnächst könnt ihr ja beide zusammen weggehen, dann kann der eine auf den andern aufpassen.«

»So weit kommt's noch«, sagte der Vater und wischte sich den Schweiß von der Stirn. »Der ist ja genau wie du, der verträgt ja nix.« Er zog seinen Stuhl zurück und setzte sich neben Daniel. »Warst du spazieren? ... Oder hast du dich mal wieder übernommen? ... Ich versteh das nicht ... Wieso trinkst du eigentlich immer mehr, als reingeht? ... Ist doch klar, dass es dann wieder rauskommt.«

»Hard, bitte.«

»Was?«

»Wir sind beim Essen.«

»Na und?«

»So«, sagte die Mutter, »nun fangt man an.«

Die Zwillinge schaufelten sich die Teller voll, aber außer den Hühnerbeinen, dick mit Fondor bestäubt, rührten sie nichts an.

»Weißt du nicht ... wann Schluss ist? ... Kennst du ... deine Grenzen nicht? ... Oder bist du ... unzufrieden ... mit der Schule ... dem Praktikum ... mit dir selbst?«

Daniel hatte erwartet, dass der Vater ausflippen würde, wenn er ihn so sah, aber jetzt saß er einfach nur da und holte nach jedem zweiten, dritten Wort Luft, als müsste er fürs nächste Kraft schöpfen, um den Satz zu Ende sprechen zu können.

»Ist dir nicht gut?«, fragte die Mutter den Vater.

»Geht schon.« Er hob die Gabel, wie zum Zeichen, dass seine Kraft noch reiche, mit Daniel fertig zu werden. »Aber das sag ich dir ... Freundchen ... das nächste Mal ... kommst du anständig ... zum Essen runter ... nicht in diesem Aufzug ... das ist ja wohl ... das Mindeste ... was man erwarten kann.«

»Jetzt ess mal schön«, sagte die Mutter. »Sonst wird das noch kalt.«

»Iss«, sagte Daniel.

»Was?«, sagte der Vater.

»Nichts.«

Die Mutter sprach das Tischgebet, und alle wünschten sich einen guten Appetit.

Daniel hielt sich den Kopf und schob den Teller von sich, er wusste nicht mehr, wann und wie und ob er überhaupt nach Hause gekommen war. Einmal, vor ein paar Wochen, war er nach einer Party auf dem Bahnübergang an der Hoogstraat mit dem Vorderreifen in den Schienenfurchen hängen geblieben und gestürzt. Mit aufgeschlagener Schulter und blutender Hand hatte er nachts im Schlafzimmer der Eltern gestanden.

»Daniel, was ist denn los?«

»Wurd vom Rad geschubst.«

»Was? Von wem?«

»Weiß nicht, hab die Typen nicht gesehn.«

Die Mutter machte das Licht an. »Das sieht ja schlimm aus. Ich ruf Gerald an.«

»Nix. Das geht von selbst wieder weg. Zeig mal her.« Der Vater beugte sich zu ihm hin. »Ach was, bisschen Bepanthen, dann ist das morgen wieder zu.«

Aber die Mutter war schon im Flur am Telefon.

»Mit wem hast du dich da wieder eingelassen?«

»Mit niemandem.«

»Kannst du Problemen nicht einfach mal aus'm Weg gehen, wie jeder andere auch?«

Der Vater war dann mit ihm zu Doktor Ahlers gegangen.

»Schon wieder der Junge, Hard?«, fragte der Landarzt, die Haare zerzaust, den Kittel übergeworfen, einen Hauch 4711 verströmend.

»Wer sonst?«, sagte der Vater, ebenfalls im Kittel, und betrat die Praxis.

»Könnten ja auch die Zwillinge sein. Oder deine Frau. Bei mir sind alle Kupers in Behandlung. Alle, bis auf einen – na, lass mal sehn.« Er nahm Daniels Hand. »Gut, gut. Das muss auf jeden Fall genäht werden. Wie ist das denn passiert?«

Im Untersuchungszimmer hatte Daniel die Geschichte dann wiederholen müssen. Aber der Vater hatte gar nicht richtig hingehört. »Was gehst du da auch hin, nach Drömeln? Da hast du doch nix verloren. Da darfst du dich auch nicht wundern, wenn du eins drüber kriegst.«

Daran erinnerte er sich jetzt: Egal was er sagt und macht, das Urteil steht schon fest.

3

Wilfried Ennen wusste, dass es gewagt war, den Männern so kurz vor Ostern noch ein Kirchenlied vorzusetzen, aber sie klagten oft genug darüber, immer nur das Gleiche zu singen. Und jetzt, wo der gemischte Chor ausfiel – Meinders hatte sich mit dem Leiter, Alwin Graalmann, überworfen, wie er erst gestern von Meta, der Organistin, erfahren hatte –, bot sich die Gelegenheit, etwas Neues auszuprobieren.

»Sag mal … Wilfried«, sagte Hard, wieder etwas schwach auf der Brust, »was soll das eigentlich heißen, *ave verum corpus*?«

»Sei gegrüßt, wahrer Leib«, sagte Wilfried Ennen und übersetzte, um weiteren Nachfragen zuvorzukommen, gleich den ganzen Text für sie. »Geboren von Maria, der Jungfrau, der wahrhaft litt und geopfert wurde am Kreuz für den Menschen, dessen durchbohrte Seite von Wasser floss und Blut. Sei uns Vorgeschmack in der Prüfung des Todes.«

»Und warum können wir das nicht auch auf Deutsch singen?«, fragte Johann Rosing. »Das versteht doch so kein Mensch.«

»Das ist doch … auch wieder katholisch«, sagte Hard. »Müssen wir da … am Freitag … in der Kirche … etwa niederknien?«

»Nein«, sagte Wilfried Ennen, »ganz bestimmt nicht. Und ihr müsst auch keine Beichte ablegen. Keine Sorge.«

»Dann ist ja gut. Wär sonst … meine nächste Frage gewesen.«

»Ich weiß.«

»So viel Zeit haben wir da gar nicht, uns das alles anzuhören«, sagte Klaus Neemann.

»Was soll das denn heißen?« Hard erhob sich von seinem Stuhl, die Hände zu Fäusten geballt, setzte sich, weil ihm schwindelig wurde, aber gleich wieder hin.

»Nichts«, sagte Klaus.

»Meinst du etwa … ich hab was zu verbergen?«, fragte Hard, der immer noch glaubte, von Klaus und Günter beim Skat ausgebootet worden zu sein. »Ich muss mir nix … vorwerfen lassen … von dir schon gar nicht … Superneeman«, er zeigte mit dem Finger auf ihn, »bring du erst mal … deine Bilanzen in Ordnung.«

»Das musst du gerade sagen«, entgegnete Klaus ungerührt.

Und Wilfried Ennen sagte: »Zwei, drei, vier, eins – und!«, und haute in die Tasten.

Und alle bis auf Hard sangen daraufhin: »*Ave, ave, verum corpus, natum de Maria virgine.*« Diesmal waren mehr Männer da als in der Woche zuvor, aber längst nicht so viel wie noch vor ein paar Jahren, und so viele würden es auch nie wieder werden. Die Jugend hatte heutzutage anderes im Sinn, dachte Wilfried Ennen, und wenn sie sich doch für Musik interessierte, dann für solche, bei der der Gesang keine große Rolle spielte. Und er konnte sich auch nicht vorstellen, einen der Söhne seiner Sangesbrüder auszubilden, hier, im Kreis der Väter. »Ja, das ist ein ganz weicher Anfang, also *aaave*, und bei *Maria* ist da dies Zeichen für Crescendo, da haben wir die größte Öffnung, und bei *virgine* geht's dann wieder zurück. Noch mal. Alle zusammen – und!« Wilfried Ennen wusste nicht, was zwischen Bernhard und Klaus vorgefallen war, und egal, um was es dabei ging, die Chorprobe, die er Gründonnerstag wegen auf Dienstag vorgezogen hatte, war zum Singen da, nicht zum Streiten, aber so wie Bernhard Kuper aussah, so blass, fürchtete er, dass er weder das eine noch das andere durchstehen würde. »Jawoll«, sagte er, »so ist's richtig, und jetzt weiter – und!«

»*Vere passum immolatum in cruce pro homine.*«

»Ja, der erste Tenor muss bei *cruce* fünf aushalten und der zweite bei *immolatum*, bevor er bei *cruce* wieder einsetzt. Bei *pro* kommen dann beide wieder zusammen.« Er spielte die Melodie noch einmal an, die Motette war eins der letzten Werke Mozarts, sechsundvierzig Takte für Chor, Streicher und Orgel, die Wilfried Ennen für den Männergesangsverein umgearbeitet hatte. Seine Methode war dabei immer die gleiche: Zuerst schrieb er den ersten Tenor, dann setzte er den zweiten Bass ein, zum Schluss die anderen beiden Stimmen. Mozart dagegen hatte alles gehört, alles auf einmal. Immer wenn er an Mozart dachte, dachte er an das, was er über ihn gelesen hatte, an dessen erste Italienreise: wie Mozart beim Mittwochsgottesdienst in Rom das neunstimmige *Miserere* von Allegri hört und sich anschließend hinsetzt und das Stück Note für Note aufschreibt. Jahrelang hat der Vatikan die Partitur unter Verschluss gehalten, und dann kommt ein vierzehnjähriger Junge daher und nimmt sie ihm weg, ohne jemals einen Blick darauf geworfen zu haben. Diese Vollkommenheit der Wahrnehmung hatte Wilfried Ennen nie erreicht, und er würde sie auch nicht erreichen, ganz gleich wie viel er hörte und sang und komponierte, und damals wie heute schien ihm Mozart ein Android zu sein, ein Roboter, dem Menschen zum Verwechseln ähnlich.

Wilfried Ennen nahm die Stimmen nacheinander durch, aber erst als sie das Lied am Schluss noch einmal gemeinsam und von vorne bis hinten sangen, stimmte Hard mit ein, weil er Angst hatte, den Ton in seiner derzeitigen Verfassung nicht halten zu können, und er meinte, dass sein Versagen weniger auffallen würde, wenn alle mitmachten. Trotzdem stieg er bei *cruce* aus. Er hatte sein eigenes Kreuz zu tragen, er musste nicht hier sitzen und sich demütigen lassen, und er beschloss, in der Pause nach Hause zu gehen, aber Klaus kam ihm zuvor, stellte ein Bier neben ihn hin und sagte: »Na, trink erst mal 'nen Schluck.«

Und das tat er. Und schon ging es ihm besser.

»Am Freitag und Sonntag sind wir ja in der Kirche«, sagte Klaus an alle gewandt. »Und Meinders hat uns gefragt, ob wir nicht auch in Zukunft in der Kirche singen wollen. Nicht oft, vier, fünf Mal im Jahr. Und die nächsten Termine wären dann auch erst Christi Himmelfahrt, Pfingsten und im Oktober, an Erntedank, am Wahltag.«

»Der Supersonntag«, sagte Johann Rosing.

»Singen wir da nicht schon am Abend zuvor beim Schützenfest?«, fragte Günter, der Schriftführer, den Kalender aufgeschlagen vor sich liegend, von einer Seite zur anderen blätternd.

»Ja«, sagte Klaus. »Da können wir durchmachen und unsre Sachen bis zum nächsten Morgen anbehalten.«

»Und bei der Gelegenheit können wir dann auch gleich meinen Sieg feiern«, sagte Johann Rosing.

»Bei welcher?«

»Kannst du dir aussuchen.«

»Ist das denn auch mit Frauen?«, fragte Hard.

»Was?«, fragte Klaus.

»Abends, beim Königsball.«

»Wenn man Tanzen geht, ist das normalerweise mit Frauen,« sagte Klaus. »Es sei denn, du willst mit mir tanzen.«

»Bestimmt nicht.«

»Hauptsache, du lässt deinen Sohn zu Hause, sonst malt der uns noch das Festzelt voll«, sagte Johann Rosing, nachdem das Lachen abgeebbt war. »Obwohl. Vielleicht solltest du ihn doch mitbringen. Für später. Sauber machen kann er ja. Da hat er ja jetzt Erfahrung drin.«

Hard erhob sich wieder, aber ehe er etwas sagen konnte, klatschte Wilfried Ennen in die Hände: »So, Männer. Weiter geht's. Das Ganze noch mal von vorn. Zwei, drei, vier, eins – und!«

Theda Wiemers, die Buchhalterin, holte Daniel morgens von zu Hause ab und brachte ihn abends zurück. Um bei den Tagesberichten nicht immer das Gleiche zu schreiben, hatte er aus dem Büro für Anfänger ein altes Synonymwörterbuch mitgenommen. *Vervollständigen eines Zahlscheins. Kostenaufstellungen überprüfen. Annoncentreatments zu den Akten legen. Inserate ordnen. Größe erfassen. Adressverzeichnis komplettieren. Kuvertieren und Absenden der Einkommensbelege an die Austräger. Klagen empfangen und protokollieren.* Nach zehn Tagen wusste man nichts mehr mit ihm anzufangen.

Da in einem Bezirk gerade ein Zusteller krankheitsbedingt ausgefallen war, schlug eine Vertriebsangestellte vor, ihn mit dem Verteilen der Zeitungen zu beauftragen. Schließlich solle er den Beruf von der Pike auf lernen. Außerdem könne er nach dem Praktikum weiterhin als freier Mitarbeiter für sie tätig sein und sich etwas dazuverdienen. Als Frau Nanninga bei ihrer Praktikumsvisite davon erfuhr, redete sie mit dem Chefredakteur.

Hans Meinders stand in Talar und Beffchen draußen neben dem Eingang und reichte jedem, der an ihm vorbei in die Kirche ging, die Hand. Marie, seine Frau, gab im Vorraum, keine drei Schritte von ihm entfernt, die Gesangbücher aus. Er sah sie an, und sie erwiderte seinen Blick. Ohne sie wäre er in der Wüste geblieben. Ohne sie und Meta Graalmann. Die Glocken über ihm läuteten, und er hoffte, dass sie es zehn Kilometer weiter südlich, im katholischen Teil des Landes, auch noch hören konnten, trotz des Nebels, der das Dorf noch immer umgab. Auch hier gedenken sie der Kreuzigung Jesu! Und das, ohne zu fasten! Wir brechen sein Brot und trinken sein Blut! Bis sein Reich komme und sein Wille geschehe! Und dann werden wir ja sehen, wer erlöst und wer gerichtet wird.

Paarweise stiegen die Bewohner Jerichos die Warft hinauf, am Ehrenmal, an der Bauruine der Leichenhalle vorbei auf den Grabeshügel, den Friedhof, erst die Alten, dann die Jungen, die Konfirmanden, die Kinder. Mit jedem Jahr wurden es weniger, und selbst die, die noch kamen, wussten nicht, dass Karfreitag ein höherer Feiertag war als Heiligabend. Für die meisten war es nur ein Tag mehr, an dem sie frei hatten und bis mittags in ihren Betten liegen konnten. Auf dem Weg vom Pfarrhaus zur Kirche hatte er sie gesehen: die herabgelassenen Rollläden, die zugezogenen Gardinen, die schlaftrunkenen Menschen an ihren Frühstückstischen. Und er hatte ihnen gewunken, hatte sie eingeladen, mit ihm zu kommen, aber sie waren sitzen geblieben, und er war weitergegangen in der Hoffnung, dass sie ihm doch noch folgen würden. Nüchtern zu sein und zu bleiben war keine leichte Prüfung.

Er begrüßte Walter Baalmann, den Lokführer, seinen Nachbarn, mit dem er beim Angeln über seine Predigten sprach, und Anne-Marie Kolthoff, eine treue Seele, die darunter litt, dass ihr Mann sie für eine Jüngere verlassen hatte, und sich deshalb scheute, eine neue Bindung einzugehen. Gerald und Eiske Ahlers, beide in bester Garderobe, blieben bei ihm stehen, und gemeinsam gingen sie die Toten des Winters durch. Dine Kramer strich ihm über den Oberarm, als müsste sie ihm Mut zusprechen, dabei war sie es, die im Ort das *Karkblattje* verteilte und oft genug angewiesen wurde, die Postkästen nicht mit ihrem Müll vollzustopfen. Einige der neuen Konfirmanden gaben ihm die Hand, andere, wie Tobias Allen, Wiebke Rosing und Verena Mengs, gingen mit gesenkten Köpfen an ihm vorbei. Birgit Kuper nickte ihm zu, weil an ihren Händen die Zwillinge hingen, quengelnd und zu beiden Seiten fortstrebend.

»Entschuldigen Sie.«

»Wofür?«

»Die Kinder.«

»Ihnen gehört das Reich Gottes.«

»Ja«, sagte sie. »Wer's glaubt, wird selig.«

Dann gingen auch sie hinein.

Von Weitem sah er, wie Volker Mengs eine halb aufgerauchte Zigarette zu Boden fallen ließ und die Glut mit der Spitze seines Schuhs ausdrückte, und als er vor ihm stand, stieß er den Qualm, den er eingeatmet hatte, nach oben hin aus.

»Ein Rauch seid ihr, der eine kleine Zeit bleibt und dann verschwindet«, sagte Hans Meinders und streckte seine Hand aus.

Volker nahm sie und sagte: »Jakobus 4, Vers 14.«

Er war immer wieder verblüfft, wie fett und bibelfest der Junge war, sein Fleisch mochte schwach und träge sein, aber sein Geist war stark und schnell. Damals, während der Konfirmandenzeit, hatte er sich kaum am Unterricht beteiligt, obwohl er beim Schwerterhoch – beim Suchen und Finden von Bibelstellen – immer der Beste gewesen war, und jetzt war er der Einzige aus der Gruppe, die er fast auf den Tag genau vor einem Jahr gesegnet hatte, der noch zum Gottesdienst kam.

Und dann zog, in Anzug und Krawatte, die Liedermappen unter die Achseln geklemmt, der Männergesangsverein an ihm vorbei. Vorneweg Wilfried Ennen, der Leiter, und Klaus Neemann, der erste Vorsitzende, dann Günter Vehndel, der Schriftführer, und Johann Rosing, sein Stellvertreter, dann die Tenöre, die Bässe und ganz am Schluss mit einigem Abstand, ohne dass es einen sichtbaren Grund für diese Reihenfolge gab, Bernhard Kuper. Womöglich lag Zuspätkommen in der Familie.

»Moin Hans«, sagte Hard und streckte seine Hand aus.

Und Hans Meinders nahm sie in seine und sagte: »Sei willkommen, mein Sohn.«

»Spar dir deine Sprüche. Hier«, er holte eine Schachtel Klosterfrau Melissengeist unterm Jackett hervor und reichte sie ihm.

»Doch nicht jetzt.« Hans Meinders sah zu seiner Frau hin, aber sie war noch mit den anderen Sängern beschäftigt, und er faltete die Schachtel zusammen und versenkte sie im Gotteskasten.

»Du warst gestern nicht im Laden.«

»Gestern war Gründonnerstag.«

Hard zuckte mit den Schultern. »Na und? Wir sehen uns ja eine Zeit lang nicht.«

»Vier Tage.«

»Ich will das Zeug nicht bei mir rumliegen haben, und du siehst so aus, als ob du's brauchen könntest.« Und damit wandte er sich von ihm ab und zu Marie hin, er umarmte sie, und sie gab ihm einen Kuss auf die Wange, und es schmerzte Hans Meinders zu sehen, wie vertraut sie miteinander waren. Das Geläut verstummte, die Orgel setzte ein, der Küster schloss die Tür, und während Hard die Treppe zur Empore hinaufstieg, schritt Hans Meinders den Mittelgang entlang auf die Kanzel zu.

»Liebe Gemeinde«, sagte, als er oben angekommen war, »heute ist Jesus gestorben, er starb am Kreuz für uns, für unsere Sünden. Lasst uns beten.« Er faltete seine Hände, sprach die Worte vor, aber weil es seine eigenen Worte waren, fiel niemand mit ein. Dann rief er alle dazu auf, mit ihm zusammen das Lied *Holz auf Jesu Schulter, von der Welt verflucht* zu singen.

Hard kannte den Text, alle Männer um ihn herum kannten ihn, und sie fühlten sich berufen, ihn zu intonieren. Sie erhoben sich von den Bänken und sangen vom Zweifeln und Klagen und der Wiederauferstehung der Toten. Und nach den Bekanntmachungen, sie blieben gleich stehen, sangen sie *Heilig ist der Herr*. Ihre Stimmen hallten von den weißen Wänden wider, und die Menschen unter ihnen sahen zu ihnen hoch. Genauso, dachte Hard, sollte es sein, wenn sie auftraten, auf Augenhöhe mit dem Abgesandten Gottes, die Akustik einer heiligen Halle ausschöpfend und für die Zuhörer, das gemeine Volk, nicht zu erreichen.

So wie jetzt sollte er sich nie wieder fühlen: stark, erhaben, unantastbar.

Hans Meinders las die Geschichte der Kreuzigung aus dem Lukas-Evangelium vor, aber Hard hörte nicht hin, er saß, die Hände auf die Brüstung gestützt, in der ersten Reihe, dachte an die vier Evangelien, die vier Stimmen des Männergesangsvereins, die vier apokalyptischen Reiter und begann, über diesen Umweg hinweg, die Frauen zu zählen, welche von ihnen Kundinnen waren und welche nicht. Er wollte sichergehen, dass, egal wo, egal wann, seine Kundinnen in der Mehrheit waren, weil er das Gegenteil fürchtete, als untrügliches Zeichen dafür, dass die Konkurrenz aus den Nachbarorten, Schlecker vor allem, die Oberhand gewonnen hatte und seine Zeit gekommen war. Zufrieden mit dem Ergebnis seines Experiments versuchte er Marie Meinders, Eiske Ahlers oder Theda Wiemers durch dreimaliges Schnalzen der Zunge auf sich aufmerksam zu machen. Doch die einzige Frau, die ihn ansah, war seine eigene, und ihr Blick verhieß nichts Gutes.

Dann – Jesus war endlich tot – sprach Hans Meinders das Apostolische Glaubensbekenntnis, und die Gemeinde sprach es ihm nach. Auch Hard stand auf, senkte den Kopf und faltete die Hände: »Ich glaube an Gott, den Vater, den Allmächtigen, den Schöpfer des Himmels und der Erde…« Beim Bund war es nicht viel anders zugegangen. Ein Wort hatte das andere ergeben. Und jeder Soldat hatte sich auf die Rituale einlassen müssen. Ihr Gottesdienst war das Manöver, ihr Glaubensbekenntnis der Morgenappell, ihr Jüngstes Gericht der Krieg. Beide, die Kirche und der Bund, probten für einen Ernstfall, der, wenn ihre Missionen erfolgreich sein sollten, niemals eintreten würde.

Alle sangen wieder ein Lied, *Herr, wir denken an dein Leiden*, und noch ehe es still geworden war, sagte Hans Meinders: »Die Propheten sagen es voraus. Daniel sein Erscheinen: Es kam einer mit den Wolken des Himmels wie eines Menschen Sohn. Jesaja sein Ende: Er wird zu den Übeltätern gerechnet werden. Und so ist es. Der Messias ist da, aber die Zweifler erkennen ihn nicht. Er gibt sich als Gottes Sohn zu erkennen, aber sie bezichtigen ihn der Blasphemie. Judas verrät ihn, der Hohe Rat liefert ihn aus, Pilatus verurteilt ihn zum Tod am Kreuz. Bei seinem letzten Abendmahl spricht Jesus Christus von einem neuen Bund mit Gott, seinem Testament. Wir alle wissen, ein Testament kann erst wirksam werden, wenn derjenige, der es aufgesetzt hat, gestorben ist. Moses ließ Kälber und Böcke schlachten und besprengte mit ihrem Blut das Volk, auf dass es gereinigt werde. Das besiegelte den ersten Bund, das Alte Testament. Jesus, heißt es im Brief an die Hebräer, ist aber größerer Ehre wert als Moses, so wie der Erbauer des Hauses größere Ehre hat als das Haus. Denn jedes Haus wird von jemandem erbaut; der aber alles erbaut hat, das ist Gott. Jesus nahm keine Kälber oder Böcke, er opferte sich selbst. Und Gott ließ es geschehen. Das besiegelte den zweiten Bund, das Neue Testament.« Hans Meinders hielt inne und beugte sich weit über die Brüstung der Kanzel. »Und Gott ließ es geschehen. Ist das nicht eine abscheuliche Tat, unterlassene Hilfeleistung? Gott, der Allmächtige, lässt seinen Sohn, der aussieht wie ein Mensch, den er, wie uns alle, nach seinem Ebenbild geschaffen hat, verbluten. Von oben herab schaut er stundenlang zu, wie er krepiert. Verrät er dadurch nicht seine eigene Schöpfung? Missachtet er dadurch nicht die Botschaft, die er ihm mit auf den Weg gegeben hat? Heißt es nicht: Liebe deinen Nächsten wie dich selbst? Er aber sieht einen Leidenden und geht vorüber. Wiegt dieses Verbrechen nicht schwerer als der Verrat des Judas Ischariot?« Einen Moment lang herrschte absolute Stille, dann begannen sich einige untereinander zu fragen, ob er darauf wirklich eine Antwort wolle, bis Meinders ihre Zweifel beseitigte. »O nein! Denn der Vater gibt den Sohn zum

Wohle der Menschheit. Besser einer aus dem Volk stirbt, als wenn das ganze Volk stürbe. Das Opfer ist unvermeidlich. Ohne Tod kein Testament! Ohne Blutvergießen keine Vergebung! Doch äußerlich rein zu sein, reicht nicht aus. Nur wer innerlich rein ist, kann auf Erlösung hoffen. Und um uns daran zu erinnern, an Jesu Vermächtnis, trinken wir sein Blut und essen seinen Leib.« Und daraufhin stieg Hans Meinders von der Kanzel hinab und bat alle, zum Abendmahlstisch zu kommen. Der Vikar teilte Brotstücke aus, und Hans Meinders reichte jedem, der zu ihm kam, den silbernen Kelch. Er enthielt aber zur Feier des Tages keinen Traubensaft, sondern den besten israelischen Rotwein. Zwölfmal im Jahr zelebrierte er das Abendmahl, öfter als in den anderen reformierten Gemeinden der Umgebung, und jedes Mal empfand er es wie eine Prüfung. Er atmete den Duft des Weines ein und schenkte ihn aus und geriet nicht in Versuchung, ihn zu trinken.

Volker Mengs, das dicke Mengs, war der Erste in der Reihe. Von Weitem sah es so aus, als lasse er sich zwei Stücke Brot geben. Aber dem Vikar war eins heruntergefallen, und er gab ihm ein anderes, unbeflecktes. Dann traten Birgit und die Zwillinge vor ihn hin, dann die neuen Konfirmanden, Verena Mengs, Wiebke Rosing und Tobias Allen, und dann Dine Kramer, Eiske und Gerald Ahlers, Anne-Marie Kolthoff und Walter Baalmann. Auch aus dem Männergesangsverein gingen einige nach unten, bloß um, wie der alte Kramer auf der Treppe lautstark verkündete, »'n bietje Wien to supen« und »de Kehl to öljen«.

»Bestimmt der billigste, den er kriegen konnte«, sagte Günter Vehndel.

»Von mir hat er ihn nicht«, sagte Klaus Neemann.

»Also muss er etwas davon verstehen«, sagte Hard.

»Ich hab gehört, er ist zu Geld gekommen«, sagte Wilfried Ennen. »Man sagt, er macht Geschäfte.«

»Mit wem?«

»Mit dir.«

»Ach nee. Wer sagt das denn?«

»Die Leute.«

»Und was sind das für Geschäfte?«

»Keine Ahnung. Aber er scheint Gewinn dabei zu machen.«

»Ich dachte, er ist zu Armut verpflichtet.«

»Deshalb schenkt er seinen Reichtum, so gering er auch sein mag, ja auch an uns aus.«

Und als sie zurückgingen, diskutierten sie die Sorte.

»Noch nie getrunken.«

»Bestimmt aus Israel.«

»Du meinst, jüdisch?«

»De oll Jööd«, rief der alte Kramer dazwischen und ließ erkennen, dass er doch etwas von dem verstand, was seine Mitmenschen sagten, auch dann, wenn sie ihn nicht anschrien.

Klaus Neemann nickte. »Koscher.«

»Was heißt das eigentlich«, fragte Günter Vehndel, »koscher?«

»Das hat mit Fleisch zu tun«, sagte Hard. »Mit Rindfleisch oder Schweinefleisch. Eins von beiden essen Juden nicht, hab vergessen, was.«

Und ehe sie diese Frage klären konnten, waren sie schon wieder oben angekommen, und Wilfried Ennen ließ sie den Stimmen nach antreten. Hard hatte das *Ave Verum Corpus* zu Hause geübt. Er besaß eine Schallplatte vom Regensburger Domchor – er besaß Hunderte Schallplatten von Chören –, und die hatte er aufgelegt und das Stück wieder und wieder gehört, und dann hatte er sich Ennens Noten noch einmal vorgenommen und seine Stimme, den ersten Tenor, gesungen. Kein einziges Mal hatte er dabei etwas anderes gespürt als das leichte Zittern, das die lateinischen Worte in seinem Mund und Rachen erzeugten, keine Atemnot, kein Schwindelgefühl, kein Kribbeln im linken Arm.

Aber jetzt, als er, die Liedermappe aufgeschlagen, neben Günter Vehndel stand und das *cruce* hielt, merkte er, wie die Blätter vor ihm zu tanzen begannen. Die Noten verschwammen vor seinen Augen, sein Kopf füllte sich mit Nebel. Er konnte seine Lippen, seine Zunge nicht mehr spüren. Dann fiel ihm die Mappe aus der Hand und landete mit einem Knall auf den Sandsteinplatten im Mittelgang. Alle wandten sich zu ihm um, und für einen Moment sah es so aus, als würde er seiner Mappe auf dem Weg nach unten folgen, er hing halb über der Brüstung, die Männer um ihn verstummten, nur er sang noch weiter, lauter und höher als je zuvor, bis Johann Rosing ihn packte und auf die Bank zurückdrückte. Jemand, er konnte nicht genau sehen, wer, rief nach Doktor Ahlers, und daraufhin richtete Hard sich wieder auf und sagte: »Geht schon.«

»Liegt bestimmt am Wein«, hörte er Günter Vehndel sagen.

»Ist ja auch noch ein bisschen früh, noch nicht mal elf«, Johann Rosing.

»Ach was«, das war Klaus Neemann, »der verträgt die Höhenluft nicht.«

Wilfried Ennen fuchtelte mit beiden Armen vor seinem Gesicht herum und sagte: »Zwei, drei, vier, eins – und!«, und die Männer neben ihm setzten von Neuem an. Hard stimmte mit ein, aber kaum hatte er angefangen, hörten sie wieder auf, und Wilfried Ennen sagte: »Bernhard, wenn du das hier nicht singen willst, warum bist du dann überhaupt mitgekommen?«

»Aber ich singe doch.«

»Ja, aber wie.«

»Ja, wie denn?«

»Falsch.«

»Ich und falsch?«

»Das ist keine unmögliche Kombination.«

»Doch das ist es.«

»Dann machst du's also mit Absicht.«

»Was?«

»Du triffst die Töne nicht.«

»Du spinnst doch. Du hast sie doch nicht alle.«

»Jetzt muss man das Sprichwort wohl umdrehen.«

»Welches Sprichwort?«

»Wie der Vater so der Sohn.«

Hard stürmte auf Ennen zu, aber Johann Rosing hielt ihn auf, indem er sich mit seinem massigen Körper einfach in den Weg stellte. »Hard, reg dich wieder ab, wir sind hier in der Kirche.«

»Ich lass mich … doch von dem da … nicht beleidigen.«

»Niemand beleidigt dich«, sagte Wilfried Ennen über Rosing hinweg. »Ich sage nur, wie's ist. Und wenn dir das nicht passt, kannst du ja gehen.«

Und daraufhin stieg Hard die Treppe hinab und ging nach draußen. Mit einem Knall schlug die Tür hinter ihm zu. Erst wollte er weitergehen, an den Gräbern, der Leichenhalle, dem Ehrenmal vorbei, bis er zur Kirchstraße kam, aber dann hielt er inne. Durch die dünnen Fensterscheiben konnte er sie singen hören, gedämpft, abgeschwächt und doch vollkommen klar. Es war, als hätte die Wut seine Sinne geschärft. Noch nie war etwas so klar und rein gewesen, so deutlich. Die vier Stimmen, trotz all ihrer Kraft zart und leicht, schwebten über ihm und verschmolzen zu einer einzigen.

Am Dienstag nach Ostern kam Daniel in die Redaktion. Er saß in der Poststelle, einem kleinen, fensterlosen Raum, wo er die Leserbriefe öffnen und ins Fach legen sollte, die wichtigsten obenauf. Es waren Dutzende, und viele stammten von den gleichen sechs, sieben Absendern. Die Redaktionsassistentin, Frau Dettmers, eine kräftige Frau mit Narben an den Unterarmen, hatte ihm gesagt, dass er die Positiven von den Negativen trennen solle, man wolle eine ausgewogene Mischung im Blatt haben und jede Form der einseitigen Berichterstattung vermeiden. Das Problem war nur: Es gab keine positiven Leserbriefe. Manche fingen zwar mit einem Lob an, mündeten aber in einer umso schärfer formulierten Kritik an den Artikeln oder Bildern. Einige Leser beklagten sich darüber, falsch zitiert worden zu sein. Andere bemängelten die Auswahl der Fotos und warfen den Redakteuren vor, die Bilder zu ihren Ungunsten manipuliert zu haben. Die meisten verunglimpften Nachbarn, Politiker, Beamte oder schrieben über Themen, die unmittelbar mit ihnen selbst zu tun hatten und denen ihrer Meinung nach in der Öffentlichkeit zu wenig Aufmerksamkeit geschenkt wurde. Viele Leserbriefe endeten mit der formelhaften Drohung, das Abonnement zu kündigen, falls es nicht zu einem Abdruck komme.

Kurz vor Redaktionsschluss fragte Karl-Heinz Duken, der Chef vom Dienst, ob etwas Brauchbares dabei sei, man habe im Lokalteil ein Loch auf Seite zwölf, das auch er nicht zu füllen vermöge. Duken war groß und schlank. Wenn er in der Tür erschien, hielt er den Kopf gesenkt, und in manchen Räumen reichte er, vollständig aufgerichtet, bis an die Decke heran. Jeder, selbst der Chefredakteur, musste zu ihm aufschauen. »Duken, ducken!«, war ein Spruch, den man ihm zurief, damit er nicht gegen Türrahmen oder Lampen stieß; »Ducken, Duken!«, einer, den man sich zuraunte, wenn man ihn über die Trennwände hinweg in die Redaktion kommen sah. Aber nicht nur seine Erscheinung war Respekt einflößend. Obwohl niemand sagen konnte, was er außer Kaffee trinken und Kollegen kontrollieren den ganzen Tag machte, erwies er sich in den entscheidenden Momenten als zuverlässiger Organisator. Drohte eine Geschichte wegzubrechen, fand er Ersatz. Fiel ein Autor oder Gesprächspartner aus, beschaffte er einen anderen – und das alles in wenigen Minuten, ohne den geringsten Anflug von Hektik oder Nervosität. Seinen Schreibtisch flankierten zwei Karteischränke voller Adressen und Telefonnummern, und in seinem Kopf waren weitere gespeichert, die zu notieren ihm zu riskant erschien. Er arbeitete seit fast dreißig Jahren bei der *Friesenzeitung*, und es hieß, er wisse alles über alle, und das war auch der Grund, weshalb man sich nicht traute, ihn zu entlassen. Man fürchtete nämlich, dass er das, was er wusste, ausplaudern würde, sobald er nicht mehr an einen Vertrag gebunden wäre. Duken hatte ein halbes Dutzend Chefredakteure kommen und gehen sehen, und die meisten davon waren wegen ihm gekommen und gegangen. Oft konnte man seine Stimme über den ganzen Flur hin hören, und es war nicht ratsam, ihn aufzusuchen oder anzurufen, weil man ihn garantiert bei etwas störte, das wichtiger war, als das, was man von ihm wollte. »Was ist denn jetzt schon wieder?«, sagte er, noch ehe man ihn angesprochen hatte. Oder er sagte: »Duken? Nein!«, mehr nicht, schon knallte der Hörer auf die Gabel.

Daniel reichte ihm ein Bündel Papiere. Alle handelten von Rosing, von ausstehenden Gehältern, nicht gezahlten Rechnungen, Unregelmäßigkeiten bei der Auftragsvergabe des Betonwerks. Duken überflog die Ausdrucke, Faxe und handgeschriebenen Zettel. »Das hier sind Fälle für die Justiz, nicht für die Medien. Du musst dir nur mal die Namen der Absender ansehen, Willms, Bunger, Klaaßen, und mit denen im Branchenbuch vergleichen.« Er zeigte auf die Gelben Seiten, die neben dem Telefonbuch auf Daniels Schreibtisch lagen. »Dann merkst du, dass diese Beleidigungen aus dem unmittelbaren beruflichen Umfeld Rosings kommen. Das sind alles selbst Bauunternehmer. Nirgendwo sonst ist die Konkurrenz so groß und erbarmungslos wie im Baugewerbe. Klar, dass die Rosing den Erfolg neiden. Angesichts seiner Leistungen absolut verständlich. Eine seriöse Zeitung darf diesen persönlich motivierten Kleinkrieg aber nicht abbilden. Sie hat sich neutral zu verhalten und objektiv zu berichten.«

»Aber Journalisten haben doch die Aufgabe, Hinweisen nachzugehen und ihren Wahrheitsgehalt zu prüfen.« Daniel spürte, wie ihm das Blut in den Kopf schoss. »Das hat jedenfalls jemand in dem Dokumentarfilm behauptet, den man mir am Anfang des Praktikums gezeigt hat.«

Duken nickte. »Das ist auch absolut richtig. Ein Kollege aus der Wirtschaft ist schon seit Monaten an dem Thema dran. Die Recherche hat aber ergeben, dass die hier geäußerten Vorwürfe haltlos sind. Alle Gehälter wurden ordnungsgemäß überwiesen, Forderungen fristgerecht beglichen, die Auftragsvergabe hat sich an den geltenden Vorschriften orientiert. Rosing hat alle Mitbewerber um den Bau dieses Betonwerks ganz einfach durch eine besonders raffinierte Kalkulation ausgestochen. Und weil er sein Material ausschließlich von Firmen aus der Region bezieht, fördert er nicht nur die lokale Wirtschaft, er vermeidet auch lange Anfahrtswege und schont die Umwelt. Wer ihm daraus einen Vorwurf macht oder ihn seiner Heimatverbundenheit wegen als Nazi bezeichnet«, er zwinkerte Daniel zu, »dem geht es nur um den eigenen Profit, der kann den Hals nicht vollkriegen. Diese Briefe«, sagte er, wobei er die Blätter in die Höhe hielt und mehrmals hin und her schüttelte, »sind nichts als üble Nachrede, die man eigentlich weiterleiten müsste, allein schon der Ordnung halber.« Dann unterbrach er sich und sah auf die Uhr. Daniel wollte ihn fragen, an wen man die Briefe weiterleiten müsste, aber Duken, als hätte er den Einwand geahnt, kam ihm zuvor. »Ich hab jetzt keine Zeit, mit dir lang und breit über journalistische Tugenden zu diskutieren. Ist denn nichts andres dabei, irgendwas Positives, ein Lob vielleicht?«

Daniel schüttelte den Kopf.

Enttäuscht ließ Duken die Hände sinken, wobei einige Blätter zu Boden fielen. »Dann müssen wir eben eine Eigenanzeige auf die Seite stellen. Für die Aufmachung ist das sowieso besser. Zu viel Text schadet den Augen, das ist wissenschaftlich erwiesen. Und wer außer Leserbriefschreibern liest schon Leserbriefe? Denen geht's doch gar nicht um den Inhalt, die wollen doch bloß ihren Namen in der Zeitung sehen. Indem sie andere schlechtmachen, wollen sie sich selbst aufwerten. Solche Art von Werbung hat in meinem Blatt keinen Platz.« Mit diesen Worten ging er aus dem Zimmer über den Flur in sein Büro.

Das neue Gemeindeheim lag direkt neben dem Pfarrhaus, Rosing hatte es in Sichtweite vom alten im Auftrag der Kirche gebaut, ein Flachbau, der aus drei Räumen bestand, einer Toilette, gleich neben dem Eingang, einer Küche und einem Saal, in dem Tische und Stühle vor einer Bühne standen, die bisher, anders als vorgesehen, nicht für Theaterstücke, Ten-Sing-Konzerte oder Ansprachen genutzt worden war. Ursprünglich hatten hier der Konfirmandenunterricht und die Treffen der EC-Jugend stattfinden sollen, aber dann hatte der Kirchenrat beschlossen, die Toten in diesem Saal aufzubahren – vorübergehend, nur so lange, bis die Leichenhalle ausgebaut war, in der nie mehr als ein Sarg und ein Dutzend Trauernde Platz gehabt hatten. Doch dieser Zustand dauerte jetzt auch schon drei Jahre, weil sich herausgestellt hatte, dass der Boden, auf den der Anbau der Leichenhalle gesetzt werden sollte, nicht tragfähig war, und es besser war, ein anderes Gebäude an einem anderen Ort, auf der Westseite des Friedhofs, zu errichten. Diese Umstände und Überlegungen hatten zu neuen Ratssitzungen, geologischen Gutachten, architektonischen Entwürfen und Kostenvoranschlägen geführt und zu der Erkenntnis, dass ein weiterer Neubau vorläufig nicht zu bezahlen war. Und obwohl Pastor Meinders in seinen Predigten immer wieder darauf hinwies, dass die Kollekte bis auf Weiteres nur ihnen selbst zugutekommen sollte, hatte das nicht zu höheren Spenden geführt. Kein Jerichoer, der sonntags den Gottesdienst besuchte, steckte mehr als ein paar Mark in den Klingelbeutel.

Wenn Hard morgens vor die Schaufenster trat, um die Fahrräder aus der Garage zu holen und in den Ständer zu stellen, konnte er am Ende der Straße das neue Gemeindeheim sehen. Und jedes Mal, wenn er dorthin sah, rieb er sich die Hände. Jahrelang hatte er versucht, Enno Kröger davon zu überzeugen, dass er mit seinem Strandhotel einen Haufen Geld machen könne, wenn er ihm erlaube, seine Wetten hinten, im großen Saal abzuschließen anstatt vorn an der Theke. »Dann können wir das ganz anders aufziehen, Enno, viel professioneller, mit Quoten und so, in ganz großem Stil.« Aber darauf hatte sich der Wirt nicht eingelassen. Und bei ihm in der Drogerie konnte er, seit er Birgit eingestellt hatte, solche Geschäfte nicht mehr machen. Jedes Mal, wenn sie ihn dabei erwischt hatte, hatte sie ihn wochenlang spüren lassen, wie sehr sie sein Hobby missbilligte.

»Was ist los?« Er wälzte sich zurück auf seine Seite des Bettes.

»Wann hörst du endlich damit auf?«, fragte sie, ohne ihn anzusehen.

»Womit?«

»Das weißt du ganz genau.«

»Dich zu begehren?«

»Mit diesen Glücksspielen.«

»Das sind doch keine Glücksspiele.«

»Ach nein, was denn dann?«

»Ein todsicheres Geschäft.«

»Für wen?«

»Für uns.«

Jetzt drehte sie sich doch zu ihm um. »Wir haben Schulden, Hard. Der Anbau ist immer noch nicht abbezahlt. Nach mehr als sieben Jahren! Und jetzt kommst du auch noch mit dieser neuen Ladeneinrichtung an.«

»Ich weiß«, sagte er und legte ihr die Hand auf den Bauch. »Aber bald werden wir frei sein.«

Manchmal stand er noch mit Anlegern, wie er Kunden nannte, die nur aus Verlegenheit Fotoapparate, Filmpatronen oder Angeln kauften, am Tresen und redete mit ihnen über Fußball, beiläufig und ohne die Gebote, die Quote zu erwähnen, aber meist verwies er sie da schon ans alte Gemeindeheim, wo sie sich seit dem Bau des neuen allabendlich versammelten und ihre Tipps für die Ligen des Landes abgaben. Jeden Tag gab es irgendwo ein Spiel, und jeden Tag erschien in der Zeitung, im Fernsehen eine Meldung, die einen Einsatz wert war. Sie wetteten nicht nur auf Ergebnisse, auf Sieg oder Niederlage, Tore oder Punkte, sondern auch auf Auslosungen, Eckbälle, Torschützen, Gelbe und Rote Karten, Trainerwechsel, Verletzungen und sogar auf die Art der Verletzungen. Er selbst setzte in einem anderen Wettbüro – eins in der Kreisstadt, ebenso unangemeldet wie seins – nach Jahren der Enttäuschung gegen den HSV, und er glaubte daran, dass Germania Jericho mit Rosings Hilfe in nicht allzu ferner Zukunft zu einer Spitzenmannschaft werden und den Aufstieg in die Oberliga schaffen würde, anders als Richard Wiemers, Anton Leemhuis, Klaus Neemann und Manfred Kramer, und das bescherte ihm in seinem eigenen Wettbüro erstaunliche Gewinne. Und im Gegensatz zu früher, als er das Geld sofort wieder auf den Tisch legte und verlor, behielt er jetzt den größten Teil für sich. Sein Problem war, dass er bei der Fußballweltmeisterschaft in Italien *gegen* Deutschland getippt hatte. Nur deshalb gehörten das Lager, der Keller, die Hälfte des Ladens immer noch der Bank. Aber vor der Saison hatte er viel Geld auf Kaiserslautern gesetzt, und da sie seit einer Woche die Tabelle anführten – durch den Sieg über Bayern München –, hoffte er, dass sich sein Mut diesmal auszahlen würde.

Anfangs hatte sich Hans Meinders gegen seinen Vorschlag gewehrt und gesagt: »Ihr macht meine Kirche nicht zum Kaufhaus.« Dann, vor zwei Jahren, war er selbst auf ihn zugekommen, kurz vor Feierabend. »Sag mal, brauchst du eigentlich noch einen Ort?« Er schwankte und hielt sich am Tresen fest.

»Einen Ort für was?«

»Zum Spielen.«

»Kann ich immer brauchen. An welchen hast du dabei gedacht?«

Und nachdem sie sich auf die Konditionen geeinigt hatten – Hard wollte ihm zwanzig Prozent des Gewinns überlassen –, hatte Hans Meinders ihm den Schlüssel in die Hand gedrückt.

»Sobald die Leichenhalle steht, seid ihr wieder raus.«

Einmal, als sie sich im alten Gemeindeheim wie zufällig begegneten, fragte Hard: »Wie passt das eigentlich zusammen? Ist das nicht ein Widerspruch: Kirche und Kommerz?«

»Falls du das hier meinst«, Hans Meinders zeigte auf den Tisch voller Papier, voller Zahlen und Zettel, »ein Wettbüro verstößt nicht gegen die Zehn Gebote.«

»Kommt ganz auf den Einsatz an.«

Und ein anderes Mal, nachdem er sich bei Marie schlaugemacht hatte, fragte Hard: »Ist Gier nicht eine der Sieben Todsünden?«

»Allerdings.«

»Aber wie kannst du das hier dann zulassen?«

»Sag mal, Bernhard, was willst du mit deinen Fragen eigentlich bezwecken? Soll ich dich wieder rausschmeißen? Oder willst du, dass ich dich von jeder Schuld freispreche?«

»Ich frag ja bloß.«

»Und ich antworte dir: Freche Gier richtet ihre Opfer zugrunde und macht sie zum Gespött des Feindes. Gute Gier verhilft den Gebeugten zum Recht.«

Jeden Abend, außer sonntags, kam Hans Meinders bei ihm in

der Drogerie vorbei, und jeden Abend überreichte Hard ihm ein Bündel Scheine, zusammengerollt in einer leeren Schachtel Klosterfrau Melissengeist. Immer wieder war er überrascht, den Pastor in zivil zu sehen, ohne sein Ornat. Hard meinte, dass alle seinem Beispiel folgen müssten, nie ohne Verkleidung aufzutreten, um sich dauerhaft Respekt zu verschaffen. Das Osterfest hatte zwar sein Ende im Männergesangsverein besiegelt, aber es hatte auch seine Taschen gefüllt. Am Wochenende war viel geschehen: Die Frauen hatten ihre Familien zweimal hintereinander mit einem Sonntagsmahl beschenkt, die Kinder hatten im Garten Eier gesucht und gefunden, und die Männer waren nach vier freien Tagen in bester Spiellaune. Sie glaubten, da der Papst sie vorgestern im Fernsehen gesegnet hatte, Gott auf ihrer Seite zu haben, und hatten daraufhin ihre Einsätze verdoppelt.

Und jetzt, nachdem die letzten Kundinnen gegangen waren und Birgit aufgebrochen war, die Zwillinge vom Schwimmen abzuholen – sie machten gerade ihr Seepferdchen –, zählte Hard ein paar blaue Scheine ab und rollte sie zusammen.

Die Buchhalterin hielt vor der Drogerie und stellte den Motor ab. Oft unterhielt sie sich noch mit Daniel, erzählte ihm Geschichten über Hard, sah sehnsüchtig zum Haus hinüber und bat ihn, den Vater von ihr zu grüßen. Daniel hatte es ihr versprochen, aber sich nicht daran gehalten. Ihm waren diese Gespräche unangenehm, am liebsten wäre er selbst zur *Friesenzeitung* gefahren, obwohl er mit dem Rennrad mehr als eine Stunde für die Strecke gebraucht hätte, doch ihr Angebot, ihn abzuholen und wieder zurückzubringen, war einfach zu verlockend gewesen, und deshalb ließ er, die Hand schon am Türgriff, ihre Reden über sich ergehen. »Sieht voll aus«, sagte sie. »Er hat bestimmt viel zu tun.«

»Eigentlich nicht.«

»Aber vor der Tür stehen doch allerhand Fahrräder.«

»Ach die, die stehen immer da. Die gehören uns.«

»Was soll das denn?«

Daniel zuckte mit den Schultern und wiederholte den Satz, mit dem der Vater auf seine eigene Frage hin geantwortet hatte. »Das ist Psychologie. Zweiflern fällt es leichter, reinzukommen, wenn sie annehmen, es ist schon jemand drin.«

»Ah ja«, sagte die Buchhalterin. »Psychologie. Na, das war ja nun noch nie seine Stärke.«

Daniel sagte »Tschüss« und »Bis morgen« und sprang aus dem Wagen, ein roter Saab 900i, Baujahr 1989, 126 PS. Und anders als sonst hörte er nicht nur seine, sondern auch ihre Tür zuschlagen, zusammen betraten sie das Geschäft. Daniel wunderte sich, dass der Vater tatsächlich allein war, sonst stand er kurz vor Feierabend immer noch mit Klaus und Günter oder einem seiner anderen Freunde am Tresen, um die Lage zu besprechen, die Rote Gefahr, den Krieg im Irak, die Invasion der Kurden, oder, falls nichts anderes, nichts Weltbewegendes geschah, die Bundesliga-, die Oberligaergebnisse. Jetzt stand er, eine Schachtel Klosterfrau Melissengeist in der Hand, mitten im Raum, nicht einmal die Frauen, die sonst um diese Zeit den Laden bevölkerten, waren da. »Na, junger Mann, wie ist es gelaufen?«

»Gut«, sagte Daniel und ging an ihm vorbei aufs Büro zu.

»Danke, dass du ihn hin- und herbringst, Theda«, hörte er den Vater noch sagen. »Das spart mir viel Zeit. Wenn ich irgendwas für dich tun kann?«

»Ich könnte eine Creme gebrauchen. Ich hab in letzter Zeit immer so trockene Hände, und ich dachte, du könntest mir da vielleicht was empfehlen.«

»Das kann ich auch. Empfehlen kann ich immer. Aber bei dir stoße auch ich an meine Grenzen. Ich weiß wirklich nicht, wie deine Haut noch sanfter werden soll.«

Daniel vernahm noch weitere Sätze: »Du hast sie lange nicht gespürt« und »Das stimmt«, dann war er auf der Treppe, auf dem Weg nach oben. Im Flur blieb er einen Moment stehen. Kein Kindergeschrei, kein Klimpern aus der Küche, keine Stimmen, vertraute oder fremde. Er warf den Parka und den Bundeswehrrucksack mit dem *KUPER*-Aufnäher – auch ein Geschenk des Vaters zu Weihnachten – auf den Telefontisch, ging ins Wohnzimmer und schaltete den Fernseher ein. Er kippte den Sessel nach hinten, zappte sich durch die acht Programme und blieb bei *Riskant!* hängen. Vor den Osterferien hatte er die Quizsendung fast jeden Nachmittag mit seiner Mutter zusammen gesehen. Und jedes Mal, wenn Hans-Jürgen Bäumler, der Showmaster, das Studio betrat, hatte sie im Bügeln innegehalten und gesagt: »Der war mal Eiskunstläufer. Der hat sogar mal was bei Olympia gewonnen, aber nur im Paartanz, mit der Kilius.«

Seitdem schien ihm von allen Moderatoren mit Vergangenheit – »Karl Dall ist ja in Leer zur Schule gegangen« – »Joachim Fuchsberger war Schauspieler« – »Rudi Carrell kommt aus Holland« – Hans-Jürgen Bäumler der traurigste zu sein: Er würde sein altes Leben nicht wieder aufnehmen können, ohne sich zu blamieren, und seine größten Erfolge hatte er nur mithilfe einer Frau erreicht, die jetzt nicht mehr an seiner Seite war. Stattdessen stand er Tag für Tag allein in dieser bunten, dem Innern eines Computers nachempfunden Kulisse und las von der Spielwand Antworten ab, zu denen drei Kandidaten passende Fragen finden mussten.

»Kurz oder lang einhundert: Damit der Gerstensaft besser läuft, kippt man diesen hinterher.«

»Was ist ein Kurzer?«

»Lebensarten dreihundert: bläulichweiße Backwürze, Arzneidroge, Papaver, Somniferrum.«

»Was ist Schlafmohn?«

»Drachen und Sirenen vierhundert: Er ist schnell wie der Wind. Seine Sandalen haben Flügel.«

»Wer ist Hermes?«

Maik aus Erfurt, wasserstoffblonde Haare, Ohrringe, Jeanshemd, war fast immer der Schnellste. Die rote Lampe an seinem Pult leuchtete auf, fünf Sekunden verrannen, und als sie vorbei waren, fiel ihm nicht mehr ein, was er hatte sagen wollen.

Sinikka aus Kiel, die Älteste in der Runde, große Brille, Goldkette, bunte Bluse, kam mit den umgekehrten Fragen nicht klar.

»Kurz oder lang dreihundert: Wegen anatomischer Eigenheit laufen Lügen nicht sehr weit.«

»Lügen haben kurze –«, sagte sie, brach ab, fuhr sich mit der Hand durchs Gesicht, versuchte es noch einmal: »Was haben Lügen für Beine?«

»Was sind kurze Beine?«, fragte Cord, der Champion, und entschied diese Runde, wie alle in den Wochen zuvor, für sich.

Hans-Jürgen Bäumler kam hinter seinem Pult hervor und trat vor die Kandidaten hin. Er stellte ihnen Fragen, deren Antworten er schon wusste. »Sinikka, Sie haben einen interessanten Namen. Das kommt aus dem Skandinavischen, hab ich da recht?«

Sinikka schloss die Augen, lächelte und sagte: »Das ist ein ganz alter finnischer Name.«

»Sie haben einen schönen Beruf. Sie machen Menschen Freude, nehme ich doch an.«

»So ist es, ich bin –«

»Sie haben eine Tanzschule!«

»Ja.«

»Und wer kommt zu Ihnen? Ältere Menschen oder hauptsächlich die Jugend?«

»Hauptsächlich junge Paare«, sie schaute erst nach links, dann nach rechts, dann wieder nach vorn, »geradeso wie meine Mitkandidaten hier. Die sind in einer Zeit aufgewachsen, der Beatzeit, wo jeder für sich getanzt hat, und jetzt wollen sie die Mädchen wieder anfassen.«

Hans-Jürgen Bäumler breitete die Arme aus, machte einen Schritt zur Seite und tat so, als umarme er eine unsichtbare Partnerin. »Ich wollte die Mädchen immer schon anfassen.«

Bei diesem Satz überkam Daniel wieder das Gefühl großen Mitleids, das ihn dazu veranlasste auszuschalten und nach draußen zu gehen. Während er aus dem Haus trat, dachte er, dass es womöglich mit allem so war, dass die Leidenschaft irgendwann verbraucht war oder nicht mehr hinreichte, Wünsche zu erfüllen, dass dann das zweite, weniger verheißungsvolle Leben begann und man sich einfügen musste, ob man wollte oder nicht, es sei denn, und der Gedanke ließ ihn erschauern, man machte es wie Peter Peters.

Theda Wiemers Wagen war verschwunden, stattdessen stand der goldene Audi der Eltern vor dem Geschäft. Die Mutter, noch im Mantel und umklammert von den Zwillingen, klopfte von innen ans Schaufenster und bedeutete ihm, den Reißverschluss zuzumachen. Auch sie, dachte er weiter und zog den Reißverschluss hoch, war schon in dieses zweite Leben eingetreten, nachdem sie, wie er aus ihren Erzählungen wusste, bei Knipper aufgehört und bei Kuper angefangen hatte.

Im Parka lief er ziellos durchs Dorf, an der Post, der Poolhalle vorbei, über die Schwellen, auf den Gleisen balancierend zum alten Güterschuppen hin. Die Sonne war in den Nebel überm Hammrich eingetaucht und leuchtete als weißer Punkt daraus hervor. Daniel legte Geldstücke auf die Schienen und wartete, bis ein Zug darüber hinwegrollte. Manche verschwanden zwischen den Steinen am Damm, manche verschmolzen mit den Schienen. Er lief weiter, ohne zu wissen wohin. Auf den Feldern neben den Gleisen brachten Bauern die Saat aus. Schwärme von Dohlen flogen von den Bäumen auf und ließen sich auf den

Äckern nieder. Ein Tiefflieger donnerte über ihn hinweg. Die Luft war warm und frühlingshaft.

Plötzlich stand Wiebke vor ihm. »Da bist du ja endlich«, sagte sie, Kaugummi kauend. »Ich warte schon seit Tagen auf dich. Du hattest doch versprochen wiederzukommen.«

»Hatte ich nicht.«

»Hattest du wohl. Wo hast du gesteckt?«

»Gearbeitet.«

»Zählt nich.«

»Was zählt denn?«

»Du weißt doch, was passiert, wenn du dich nich an Versprechen hältst.« Sie machte einen Schritt auf ihn zu, sodass er ihren Atem riechen konnte, fruchtig, künstlich, als hätte sie ihren Mund mit Apfelshampoo ausgespült. »Papa hat gesagt, das nennt man Hausfriedenbruch.«

»Was?«

»Wenn man wo einbricht.«

»Ich bin nirgendwo eingebrochen. Das Tor war auf.«

Wiebke stellte sich auf die Zehenspitzen, reckte sich zu seinem Ohr hin und schirmte mit der Hand ihren Mund ab. »Ich hab's ihm jedenfalls nich erzählt, falls du das denkst.« Sie glitt in ihre Ausgangsposition zurück. »Noch nich.«

»Was hast du ihm nicht erzählt?«

»Na, das mit uns.«

Ein brauner Mercedes 560 SE Coupé, Baujahr 1987, 279 PS, stoppte neben ihnen. Der Motor erstarb, die Seitenscheibe fuhr nach unten, ein Mann mit Sonnenbrille beugte sich heraus. »Hier bist du«, sagte Johann Rosing. »Ich hab schon überall nach dir gesucht.«

4

Am nächsten Tag wurde Daniel ohne Angabe von Gründen in die Sportredaktion versetzt. Auf den Tischen ringsum standen Monitore mit grün schimmernden Bildschirmen, an den Wänden hingen Wimpel und Poster, und in den Regalen standen Pokale und kleine, silbern glänzende Figuren mit Fußbällen und Tennisschlägern im Arm, aufgereiht wie Auszeichnungen für besondere journalistische Leistungen. Die Redakteure hatten sich nebenan im Konferenzzimmer versammelt. Durch die Glastür konnte er dumpf ihre Stimmen hören. Er vernahm einzelne Worte, »Lautern«, »Labbadia«, »Bumbumsbecker« und dröhnendes Gelächter. Einmal kam jemand zu ihm herein und warf ihm einen Packen alter *Kicker*-Hefte hin. »Hier, lies dich erst mal ein.«

Beim Mittagessen oben in der Kantine dachte er, sie wollen nicht, dass ich tauge. Und tatsächlich, auf Nachfrage hin erfuhr er von Masurczak, dem Chefredakteur, dass man ihn nicht für geeignet halte, Leserbriefe zu beurteilen. »Vielleicht bist du doch noch ein bisschen zu jung, um Kritik richtig einordnen zu können.«

»Gestern bin ich nicht zu jung dafür gewesen, heute schon«, sagte Daniel, als er ihm in dessen Büro gegenüberstand. »Dabei bin ich heute älter als gestern.«

Masurczak lachte. Er bat Daniel, auf einem der beiden Ledersessel Platz zu nehmen und bot ihm einen Espresso an. Daniel setzte sich. Den Espresso trank er wie Wodka: Er stürzte ihn in einem Zug die Kehle hinunter. Für eine Weile war seine Zunge, sein Rachen ganz taub, als hätte man ihm ein Beruhigungsmittel gespritzt, um gleich darauf die Weisheitszähne zu ziehen. Dann begann es zu brennen. Masurczak lehnte sich zurück, schlug die Beine übereinander und verschränkte die Arme vor der Brust. »Ich hab schon gehört, dass du alles, was man sagt, sehr genau nimmst. Deshalb darfst du die Versetzung auch nicht als Rüffel verstehen. Das ist eine Beförderung. In der Sportredaktion wirst du an den Redaktionssitzungen teilnehmen, und am Wochenende kannst du mit zu Fußballspielen fahren. Davon träumt doch jeder Junge.« Masurczak begann, an seinen Fingernägeln zu kauen.

»Das Praktikum ist am Freitag zu Ende«, sagte Daniel. »Bis zum Wochenende gibt's keine Spiele.«

»Ach was«, sagte Masurczak, erhob sich halb aus dem Sitz, kratzte sich am Hinterkopf und ließ sich wieder zurückfallen. »Da gibt's immer was zu tun. Die meisten Sportberichte erscheinen doch unter der Woche. Gestern zum Beispiel, am Dienstag, da war auch Bundesliga, wegen Ostern. Und jetzt geht die Saison zu Ende. Die Leute wollen bei der Stange gehalten werden. Du musst die Spannung hochhalten. Ängste schüren. Spekulationen nähren. Gewissheiten zerstören. Es reicht doch nicht, die Wettkämpfe zu sehen oder die Ergebnisse zu lesen. Entscheidend sind doch die Geschichten dahinter. Sie geben den Zahlen eine Bedeutung, der Trauer und dem Triumph ein Gesicht. Außerdem bist du doch hier, um den Beruf des Journalisten kennenzulernen, und als Journalist muss man immer flexibel sein, sich jeder Situation anpassen, sofort umschalten können.«

»Das gilt aber auch für den Chefredakteur«, sagte Daniel. »Wenn es also in der Sportredaktion nichts für mich zu tun gibt, warum lassen Sie mich dann nicht einfach einen Artikel für ein anderes Ressort schreiben, probehalber.«

»An welches hast du dabei gedacht?«

»Politik.«

»Auf gar keinen Fall.« Masurczak griff in eine Schale, die auf seinem Tisch stand und nahm ein Bonbon heraus, bot Daniel auch eins an und zog seine Hand erst zurück, nachdem Daniel mehrmals den Kopf geschüttelt hatte. »Im Moment sind wir voll mit Rohwedder und mit den Irak-Flüchtlingen, diesen Kurden. Wenn das so weitergeht, kommen die am Ende noch alle zu uns. Und außerdem, du hast schon ein paar krumme Sachen gemacht. Wir alle wissen das. Erst die Geschichte mit dem Ufo, jetzt diese Schmierereien. In der Politik kann ich dich unmöglich einsetzen. Da hast du einfach ein Glaubwürdigkeitsproblem.« Schmatzend schob er den Bonbon von einer Seite des Mundes zur anderen. »Aber ich will dir eine Chance geben, schließlich bin ich kein Unmensch und auch mal jung gewesen. Niemand weiß das besser als dein Vater. Du kannst ihn ruhig fragen, wenn du willst. Aber er wird dir nichts erzählen. Wenigstens hoffe ich das. Wäre jedenfalls besser für ihn. Und für dich übrigens auch. Einen Moment«, sagte er, wühlte auf seinem Schreibtisch herum und fischte einen Notizblock aus einem Stapel. »Aus der Buchhaltung hab ich nur Gutes über dich gehört.« Masurczak sah zu ihm hin, hob einen Kugelschreiber auf und ließ die Mine ein paarmal vor- und zurückschnappen. »Und aus der Anzeigenabteilung auch.« Er zwinkerte ihm zu. »Deshalb kannst du mir, wenn du Ideen hast, ruhig Vorschläge machen. Für die Kultur beispielsweise. Die Seite leite ich gerade kommissarisch. Da haben alle Texte ein Kürzel, und die Wahrscheinlichkeit, dass man dich hinter deinen Initialen erkennt, ist nicht sehr groß.«

Daniel willigte ein.

Masurczak gab ihm einen Termin. Am Abend – es war Mittwoch – sollte er ein Konzert von Cpt. Kirk &. im Jugendzentrum der Kreisstadt besuchen, aber es war so spät angesetzt, nach zehn Uhr abends, dass er nur bis zum Beginn bleiben durfte. Der

Vater wartete draußen im Wagen. Vor dem Gebäude, einer Gründerzeitvilla, parkten Dutzende Autos mit fremden Nummernschildern, die meisten aus Bremen und Hamburg. Der Raum war voller Menschen. Dicht gedrängt standen sie bis zur Bühne. Daniel zwängte sich durch die Menge hindurch und machte während der Tonprobe Fotos vom Gitarristen, Bassisten, Schlagzeuger, Keyboarder, Sänger. Aus diesem Abstand, von hinten an die Bühne gepresst, war eine Totale unmöglich. Von seinem Standpunkt aus konnte er das Ganze nicht erfassen. Bevor er die Tür hinter sich zuzog, hörte er noch, wie der Schlagzeuger mit seinen Stöcken den Takt für den ersten Song angab. Dann war er draußen. Der Vater ließ den Motor an.

Am nächsten Tag, als die Abzüge vor ihm lagen, stellte er fest, dass alle Bilder unscharf waren. In der Redaktion legte er die CD ein, die er gestern bei Negativland gekauft hatte, und drehte die Lautstärke der Stereoanlage auf, um den Baulärm unter ihm zu übertönen, dann zog er die Tastatur zu sich heran und fing an zu schreiben, direkt ins Redaktionssystem, in den für alle einsehbaren Bereich.

Keiner der Redakteure konnte etwas mit der Musik oder dem Namen der Band anfangen.

»Captain Kirk und – was soll denn das heißen?«, fragte Tammo Tammen, der Volontär, über die Trennwand hinweg.

»Captain Kirk und«, sagte Daniel wie zu sich selbst.

»Und was? Und Commander Spock? Und Lieutenant Uhura? Da fehlt doch was!«

Als eine Panoramaredakteurin, die von Masurczak für die Kultur eingeteilt worden war, den Text gegenlas, bat sie ihn, in Zukunft keine Romane mehr zu schreiben. Sie kürzte den Artikel auf die Hälfte zusammen – zwanzig Zeilen – und schickte ihn auf einen neuen Termin.

Diesmal musste er eine Lokalband interviewen, Necrosis, die

gerade ihr erstes Demotape mit dem Titel *Necato* veröffentlicht hatte: fünf Langhaarige in Lederkluft, im Keller der seit Januar stillgelegten Molkerei. Einige von ihnen kannte er vom Sehen, von der Schule, vom Gymnasium. Auf dem Boden lagen mehrere Schichten alter Teppiche übereinander, und die Wände waren mit Eierkartons ausgeschlagen. Daniel setzte sich auf einen Verstärker, holte Notizblock und Kugelschreiber hervor und stellte ihnen Fragen, wie sie hießen, welche Bands sie beeinflusst hatten, wo sie herkamen und hinwollten, und alle antworteten ihm bereitwilliger und ausführlicher, als er erwartet hatte – alle bis auf einen, den Schlagzeuger. Die ganze Zeit über saß er stumm in der Ecke und trommelte mit zwei Stockenden gegen seine Oberschenkel.

Daniel blickte immer mal wieder kurz zu dem Jungen hin, aber erst als er ihn direkt ansprach, sah er ihn sich genauer an. Die Haare reichten ihm bis zur Hüfte und fielen ihm von beiden Seiten ins Gesicht, es war nicht viel davon zu sehen, trotzdem bestand kein Zweifel: Es war Onno, Onno Kolthoff. Seit dem Wettrennen im Hammrich hatte Daniel ihn nicht mehr gesehen. Ihm schlug das Herz bis zum Hals. »Und was ist mit dir, Onno?«

»Was soll mit mir sein?«, fragte Onno und klemmte sich eine Strähne hinters Ohr.

»Was willst du nach'm Abi machen?«

»Ich mach kein Abi. Ich verschwende meine Jugend doch nicht in der Schule. Wenn ich noch ein Jahr in diesen«, er fuchtelte mit einem der Stöcke in der Luft herum, »Klassenräumen verbringe, bin ich tot, geistig und körperlich abgestumpft, abgerichtet, gesellschaftsfähig.«

Die anderen, die im Halbkreis um ihn herumsaßen, stimmten im Prinzip zwar mit ihm überein, wollten aber auf Nummer sicher gehen. Der Sänger sagte: »Falls es mit unserer Metalkarriere nichts wird, haben wir immerhin 'nen Abschluss.«

»Genau das ist doch das Problem«, sagte Onno zu ihnen. »Der Abschluss ist ein Abschluss und dieses Sicherheitsdenken auch der Grund, warum es mit eurer Metalkarriere nie vorangehen wird.«

»Mit deiner aber auch nicht«, sagte Daniel.

»Was meinst'n damit?«

»Als Schlagzeuger kannst du dich ja schlecht selbstständig machen. Es sei denn, du fängst an zu singen, Gitarre und Bass zu spielen, und nimmst dann alles nacheinander auf.«

»Wer sagt denn, dass man das alles braucht, um Metal zu machen? Metal ist 'ne Frage der Einstellung, der Entschlossenheit, nicht der Instrumente. Und deshalb werd ich auch nach der Zehnten abgehen. Das kannst du ruhig schreiben in deinem«, wieder fuchtelte er mit einem der Stöcke in der Luft herum, »Bericht da. Die Lehrer sollen sich schon mal an den Gedanken gewöhnen.«

»An welchen?«

»Dass ich bald nicht mehr da bin. Beziehungsweise, dass ich bald nur noch da bin.«

Diesmal fragte Daniel, was er damit meine.

Onno sagte, dass er viel zu viele Fragen stelle und nur noch Zeit für eine habe.

»Also gut«, sagte Daniel. »Was hat der Titel eures Albums *Necato* eigentlich zu bedeuten?«

»Eigentlich«, sagte Onno, »ist *necato* lateinisch, und bedeutet: *ich habe getötet.*«

»Ich bin zwar wegen einer Fünf in Latein sitzen geblieben«, sagte Daniel, »und wegen der Fünf in Latein vom Gymnasium auf die Realschule gewechselt, um die Klasse nicht zu wiederholen, aber ich kann dir mit Sicherheit sagen, dass *necato* nicht *ich habe getötet* bedeutet. *Necato* leitet sich nämlich von *necare* ab. *Ich habe getötet* müsste demnach *necavi* heißen.«

Daraufhin sagte Onno: »Also, jetzt hab ich von deinen Spitzfindigkeiten aber endgültig die Nase voll.«

Diesmal stimmten die anderen nicht nur im Prinzip mit ihm überein.

Von zu Hause aus rief Daniel abends seinen ehemaligen Lateinlehrer an. Herlyn konnte sich nicht sofort an ihn erinnern, aber während er laut überlegte, indem er immer wieder »Kuper, Kuper« vor sich hin murmelte, dämmerte es ihm. Daniel hörte es an der Stimme, sie wurde mit jedem Mal höher und lauter.

»Ich hab da mal eine Frage, Herr Herlyn, eine dumme womöglich, die Antwort ist bestimmt ganz einfach, bloß ich komm nicht drauf.«

»Dumme Fragen gibt's nicht«, verbesserte ihn Herlyn. »Es gibt nur dumme Schüler. Worum geht's denn?«

Obwohl Daniel annahm, dass Herlyn nichts mit der Musik anfangen konnte, nannte er das Genre, den Namen der Band und den Titel des Albums.

»*Necato*«, wiederholte Herlyn.

»Genau«, sagte Daniel. »Der Schlagzeuger, übrigens ein Schüler von Ihnen, Onno Kolthoff, meint, das heißt: Ich habe getötet. Aber ich glaube nicht, dass das stimmt.«

»Da hast du also doch was bei mir gelernt. Leider kann ich die Note jetzt ja nicht mehr zurücknehmen. *Necato* erfüllt unter Umständen, zum Beispiel in dem Satz *Caesare necato Brutus eiusque amici gavisi sunt* die syntaktische Funktion eines Prädikats im abl. abs. Dann ist es ein selbstständiges Satzglied und keinem anderen formal verbunden, also absolut.« Herlyn machte eine Pause. »Wie nennt man diese Partizipialkonstruktion?«

»Keine Ahnung.«

»Ich hab's doch grad schon gesagt. Außerdem haben wir das immer wieder durchgenommen. Daran musst du dich doch erinnern! *Cursus Novus I,* Lektion 68, Ablativus absolutus: Funktion und Zeitverhältnis. *Militibus fortiter pugnantibus Drusus Germanos superavit!* Drusus erobert Germanien, *Florus, Epitome II.* In diesem Fall handelt es sich allerdings nicht um einen Ablativus absolutus, sondern um den seltenen Imperativ II, Imperativ Futur, und das heißt, *Necato* bedeutet: Er soll töten! Oder: Du sollst töten!«

Für einen Moment hatte Daniel das Gefühl, etwas Wichtiges entdeckt zu haben. Das erste Gebot des Teufels. Es kam ihm vor wie eine Prophezeiung. Um sich selbst aufzuwerten, schrieb er, dass die Band des Lateinischen nicht mächtig sei. Am Freitag, als er die Zeitung aufschlug und unter der dpa-Meldung, dass Max Frisch gestorben sei, seinen Artikel fand, war es wie bei den Leserbriefschreibern: reines Gewissen, aber keine Resonanz. Nur der Sänger von Necrosis gab ihm am Telefon zu verstehen, dass die Band nichts mehr mit ihm zu tun haben wolle. »Wär besser, wenn du dich in nächster Zeit nicht mehr auf Konzerten rumtreibst. Könnt nämlich sein, dass Onno und ich sonst unsren Albumtitel in die Tat umsetzen.«

»Welchen? Den Richtigen oder den Falschen?«

»Beide. Erst den Falschen, dann den Richtigen. Kommt am Ende aufs Gleiche raus.«

»An welchem Ende?«

»An deinem.«

Theda Wiemers kannte Hard vom Tanzen her. Sie war ein paar Jahre älter als er, und trotzdem war sie es gewesen, die er beim Maifest im Friesenhuus aufgefordert hatte, während sich seine Freunde auf die jungen Mädchen gestürzt hatten. Damals, Mitte der Sechziger, waren Richard und sie und Birgit und er noch nicht verheiratet gewesen, aber sie fühlte sich Richard, der an dem Abend krank im Bett gelegen hatte, verbunden und dachte bei jedem Schritt, den sie mit Hard auf dem Parkett machte, daran, was er wohl denken würde, wenn er sie so sähe, in den Armen eines anderen Mannes. Dann war Hard ihr auf den Fuß getreten, und sie waren beide hingefallen.

Hard hatte ihr aufgeholfen und ein Glas Sekt ausgegeben und sich an der Bar für sein Missgeschick entschuldigt. »Das ist mir noch nie passiert. Ich weiß auch nicht, irgendwie muss ich die Kontrolle verloren haben.«

»Macht nichts. Wir sind ja wieder hochgekommen.«

»Ich glaube, es liegt an Ihnen.« Damals siezten sie sich noch.

»An mir?« Sie nahm einen Schluck und versuchte seinem Blick auszuweichen. Die ganze Zeit über sah er sie nämlich an, aber er sah ihr nicht in die Augen, sondern auf die Lippen.

»Ja.« Er hatte noch nie solche Lippen gesehen. »Sie machen mich schwindelig.«

Und darüber hatte sie derart lachen müssen, dass ihr der Sekt aus dem Mund auf seinen dunklen Anzug geschossen war.

»Jetzt sind wir quitt«, sagte Hard ungerührt.

»Nein. O Gott. Warten Sie«, sie nahm eine Serviette vom Tresen und begann damit über den Stoff zu reiben.

»Sekt macht keine Flecken.«

»Auf Seide schon.«

»Von der Sorte hab ich fünf, alle von Vehndel und alle zum Freundschaftspreis.« Er strich von oben nach unten über die Krawatte und berührte dabei ihre Finger. »Da kommt's auf eine mehr oder weniger auch nicht an.«

»Man müsste die einweichen.«

»Nix. Das muss nicht sein. Wirklich nicht.«

Aber da hatte sie schon seine Hand genommen und ihn zur Damentoilette geführt, fest entschlossen, den Fleck, den sie auf seinem Anzug, seiner Krawatte hinterlassen hatte, zu beseitigen. Und während sie ihm vor einem der Waschbecken den Knoten öffnete, drückte er sie an sich, so wie vorhin auf der Tanzfläche, und sie ließ es geschehen, auch wenn sie sich jetzt nicht mehr im Rhythmus der Musik drehten, sondern dem Takt ihrer Herzen folgten. Dann war die Tür aufgegangen, sie hatten sich voneinander gelöst, und Eiske Ahlers, die damals noch Eiske Folkerts hieß, sagte: »Ich hab nichts gesehen.«

Kurz danach hatte sich Theda mit Richard verlobt und Hard mit Birgit, aber immer wenn sie sich irgendwo begegneten, suchten sie nach einer Möglichkeit, allein zu sein. Und dann öffnete sie seinen Knoten, und er drückte sie an sich. Sie taten so, als würden sie aus Versehen zu Boden gleiten, als wäre das alles nur ein Missgeschick, etwas, was sie nicht kontrollieren konnten. Und jedes Mal, wenn sie sich hinterher wieder anzogen, sagte er: »Ich hab nix gesehen.« Und sie antworte: »Das ist gut. Es gab ja auch nix zu sehen.« Er wusste, dass das nicht stimmte, und sie wusste es auch. Er hatte etwas in ihr gesehen, was sie selbst nicht sah und Richard auch nicht, und das hatte ihr gefallen, aber sie traute sich nicht, offen mit ihm darüber zu sprechen, weil sie Angst hatte, dass ihr Leben sonst aus dem Gleichgewicht geraten würde. Irgendwann hatte Richard ihr einen Antrag gemacht, und sie hatte angenommen, hauptsächlich um ihm für den Mut zu danken, eine Entscheidung getroffen zu haben, die Bernhard nicht treffen wollte, und damit war die Episode, wie sie ihre Affäre nannte, vorbei. Und sie war froh, dass sie vorbei war. Trotzdem hatte es lange gedauert, bis sie damit aufhörte, den einen Hard mit dem anderen zu vergleichen. Sie war nie wieder unter einem Vorwand in die Drogerie gekommen, und er hatte sie nie wieder auf einem Fest beiseite genommen und ihr Komplimente über ihre Haut, ihren Geruch, ihre großen, weichen Lippen gemacht. Stattdessen unterhielten sie sich auf der Straße, beim Spaziergang im Hammrich wie zwei alte Freunde, die eine Vergangenheit, aber keine Gegenwart und Zukunft haben, höflich und aufmerksam, aber ohne echtes Interesse.

»Wie geht's?«

»Gut. Und dir?«

»Alles bestens.«

»Was machen die Kinder?« Sie fragte nie nach Birgit, und er erwähnte Richard mit keinem Wort.

»Die Zwillinge werden sich mit jedem Tag ähnlicher. Und Daniel, na ja, die Sache mit dem Ufo hast du ja mitbekommen.«

»Ja.«

»Aber jetzt ist er wieder in der Spur.«

»Gut.«

»Und was machen deine beiden?«

Und dann erzählte sie ihm von ihren Töchtern, die schon älter waren, schon fast erwachsen, und manchmal, während sie ihm gegenüberstand, dachte sie daran, was sie beide gemacht hätten, wenn sie trotz Pille von ihm schwanger geworden wäre, wenn ihre Kinder seine wären und seine ihre. Und dann überkam sie jedes Mal eine Sehnsucht, die sie dazu veranlasste, mitten im Satz auf ihre Uhr zu blicken und sich von ihm zu verabschieden. »Ach Mensch, du, ich muss los.«

»War schön, dich wiederzusehen.«

»Ja, fand ich auch.«

Plötzlich waren zwanzig Jahre vergangen, die Töchter aus dem Haus, der Mann ganz in seine zweite Liebe, die Politik, die FDP, vertieft und sie allein mit Zeitungen und Zahlen und Rechnungen und Irmgard Geuken. Zwanzig Jahre, in denen alles anders hätte kommen können, wenn sie selbst damals eine Entscheidung getroffen hätte, anstatt sie den Männern zu überlassen. Sie hatte das Gefühl, mit fünfzig noch nicht zu alt zu sein, um ihr Leben in die Hand zu nehmen, und das, was sie verpasst hatte, nachzuholen. Und als sie von Harald Sievers hörte, welcher Schüler ihnen als Praktikant für die nächsten Tage Gesellschaft leisten würde, beschloss sie die Gelegenheit zu nutzen, um den Fleck zu beseitigen, den Hard in ihrem Herzen hinterlassen hatte.

Zu ihrer Überraschung hatte er sich vorgestern gleich darauf eingelassen: »Die ist wirklich gut.« Sie stellte die Handcreme auf den Tresen und nahm ihr Portemonnaie aus der Tasche. »Was kostet die?«

»Nix.«

»Hard, ich will nicht in deiner Schuld stehen.« Sie hielt ihm einen Schein hin.

»Das tust du nicht.« Er verschränkte die Arme vor der Brust. »Kann ich sonst noch was für dich tun, Theda?«

»Ja.«

»Und das wäre?«

»Ich brauche noch einen Fleckentferner.«

»Was für ein Fleck?«

»Ein ziemlich hartnäckiger.«

»Dann bin ich dein Mann.« Und dann war er tatsächlich mit ihr zu dem Regal mit den Reinigungsmitteln gegangen und hatte ihr einige Tuben Dr. Beckmanns Fleckenteufel gezeigt, bis sie ihn in eine Ecke gezogen und ihm erklärt hatte, was sie meinte.

Jetzt, zwei Tage später, lagen sie im alten Gemeindeheim nebeneinander auf dem losen Parkett und einem Haufen Geld, nackt und erschöpft, und wischten sich mit den Scheinen den Schweiß von ihren Schenkeln. Draußen war es schon dunkel, aber der Nebel reflektierte das Licht der Straßenlaternen und erhellte auf eine, wie sie fand, geisterhafte Weise den Raum.

»Weiß Meinders davon?«

»Klar. Hier läuft doch nix ohne seinen Segen.«

»Und das gehört alles dir?«

»Zum Teil schon. Das ist ja nur der Einsatz, nicht der Gewinn.«

»Und wer hat das Risiko?«

»Die Anleger.«

»Klingt nach einem guten Geschäft.«

»Machen die Banken auch nicht anders.«

»Alles oder nichts.«

»So ist es.«

»Hard.« Sie blickte ihn an. »Wollen wir's noch mal miteinander versuchen?«

»Jederzeit.« Er beugte sich über sie und schob mit seinem Becken ihre Beine auseinander.

Aber sie stieß ihn weg. »Das meine ich nicht.«

»Was denn?«

»Ob wir es noch mal miteinander versuchen wollen, nur du und ich.«

»Theda, wir sind nicht mehr zwanzig.«

»*Wir* waren nie zwanzig.«

»Ich schon.«

»Was würde Birgit machen, wenn sie hiervon wüsste?«

»Du meinst, von meinen Nebeneinkünften?«

»Nein.« Sie stützte sich auf und sah seinem Schwanz beim Schrumpfen zu. »Von uns.«

An seinem letzten Arbeitstag wollte Daniel dem Chefredakteur ein Thema vorschlagen, das ihn seit dem Gespräch mit Simone in der Schulcafeteria beschäftigte und das ihm in der *Friesenzeitung* besser aufgehoben schien als im *Kreidefresser*. Während der Morgenkonferenz hatte er in einer Ecke gesessen, auf die Worte in seinem Notizblock gestarrt und diese rot umkreist wie Robert Redford in *Die Unbestechlichen*. Danach hatte er sich an den Schreibtisch gesetzt und Zeitung gelesen. Zweimal hatte das Telefon geklingelt, und er war aufgestanden, um sich Kaffee zu holen. Seitdem schaute er auf seine Digitaluhr: Viertel vor eins. Noch fünfzehn Minuten bis zur Mittagspause. Ein paarmal atmete er tief ein und aus, dann nahm er sein Arbeitsheft, seinen Notizblock und machte sich auf den Weg in den zweiten Stock. Er hatte sich alles genau überlegt. Er hoffte, mit einer einzigen spektakulären Geschichte im Blatt seine Glaubwürdigkeit wiederherstellen zu können. Er musste sich beweisen, am besten dadurch, dass er einen kleinen Skandal aufdeckte, um so, über diesen Umweg, an den großen, an Rosing heranzukommen.

Auf dem Flur, der mitten durch die Politik führte, hörte er im Vorbeigehen, wie jemand am Telefon sagte: »Das sind alles sehr gute Vorschläge ... Ja, wirklich ... Großartig ... Der dritte gefällt mir besonders. Den werde ich aber wohl selbst übernehmen müssen ... Was? ... Nein ... Das ist einfach zu groß für dich ... Die anderen? ... Die scheinen mir noch nicht ganz ausgereift. Da müsstest du noch mal nachhaken ... Ja ... Genau ... Du kannst mir aber gerne weitere Vorschläge machen ... Ja ... Dir auch ... Nichts zu danken.« Dann hängte er ein, trat auf den Flur hinaus – es war Tammo Tammen, der Volontär – und hastete an Daniel vorbei, der Geschichte entgegen. Daniel blieb stehen, sah ihm nach und wusste plötzlich nicht mehr, was er machen sollte. Er sah zu einem Handwerker auf, der gerade einen länglichen Metallkasten, einen Blendschutz für Neonröhren, an der Decke befestigte. Während er die eine Seite festschraubte, hing die andere halb herunter und wippte bei jeder Drehbewegung des Schraubenziehers auf und ab.

In dem Moment kam der Chefredakteur aus seinem Büro, eine Hand in der Tasche seines Jacketts, eine im Gesicht, eine glühende Zigarre vom Mund abziehend. Jetzt gab es kein Zurück mehr. »Na«, sagte Masurczak, während er den Qualm zur Seite hin wegblies, »was machst du denn für ein Gesicht? Hast wohl einen Außerirdischen gesehen, was?« Er lachte und hustete gleichzeitig. Dann sagte er: »War nur ein Scherz. Nichts für ungut. Bin ja nicht nachtragend. Oder wolltest du dich bei mir beklagen?«

»Nein, ich, äh –«

»Na also, gibt ja auch keinen Grund, unglücklich zu sein.« Masurczak machte einen Schritt auf ihn zu, nahm seine Hand aus der Tasche und legte sie Daniel auf die Schulter. »Du bist doch auf einem guten Weg. Zwei Artikel in einer Woche. Davon können viele hier«, er wischte mit der Zigarre über den Flur, »nur träumen. Du hast eine große Zukunft vor dir. Als ich in deinem Alter war, bin ich noch von Haus zu Haus gefahren und hab Zeitungen ausgetragen. Und du bist jetzt schon einen Schritt weiter. Wenn ich nicht aufpasse, sitzt du in ein paar Wochen auf meinem Stuhl.« Er lachte wieder. »War nur ein Scherz, Junge. Masurczak macht Scherze. Aber jetzt mal im Ernst: Wenn du noch was für uns hast, nur zu. Immer her damit.«

»Also, die Sache ist die«, sagte Daniel. Er durfte jetzt nichts falsch machen. Vor allem durfte er sich das Ding nicht aus der Hand nehmen lassen, weder von Tammo Tammen noch von jemand anderem. Er musste es selbst machen, er allein. »Heute ist ja mein letzter Tag hier, und mein Praktikumsheft muss noch abgezeichnet werden, die Tages- und Wochenberichte.« Er hielt das Heft hoch. »Ist der Herr Sievers schon wieder da?«

Masurczak nahm seine Hand weg und trat einen Schritt zur Seite, um dem Handwerker Platz zu machen, der mit der Montage der einen Seite des Blendschutzes fertig war und seine Leiter verrückte, um die andere anzubringen. »Sievers? Bestimmt nicht. Wart mal.« Er ging zu einer der offenen Türen hin, die alle paar Meter vom Flur abzweigten, steckte den Kopf hinein und rief: »Ist der Sievers heut schon aufgetaucht?« Daniel konnte nicht hören, ob ihm jemand antwortete, aber keine fünf Sekunden später stand Masurczak wieder neben ihm. »Hätte mich auch gewundert. Vor Montag lässt der sich nicht wieder blicken.«

»Sie rauchen wieder?« Duken erschien mit einer Kaffeetasse in einem der Türrahmen. »Seit wann?«

»Seit jetzt«, sagte Masurczak und sah dabei seine Zigarre an, als könne er es selbst noch nicht fassen.

»Weiß sie's schon?«

»Wer?«

»Ihre Mutter.«

»Wenn Sie's ihr nicht sagen. Ich werd's bestimmt nicht tun.«

»Wie sollte ich? Ich wohne ja nicht mit ihr zusammen«, sagte Duken, blinzelte und lief, Masurczaks »Duken, ducken«-Ruf ignorierend, Richtung Treppenhaus, bis er gegen den Blendschutz stieß.

»Passen Sie doch auf!«, sagte der Handwerker.

Duken rieb sich die Stirn, betrachtete erst den Blendschutz, dann den Handwerker, sagte: »Passen Sie doch selbst auf!«, und »Idiot!«, und verschwand im Treppenhaus.

Nachdem Duken gegangen war, fragte Masurczak, das Gesicht gerötet, die Stirn dünn mit Schweiß bedeckt: »Wo waren wir stehen geblieben?«

»Sievers«, sagte Daniel.

»Ach ja, richtig«, sagte Masurczak, dankbar, das Thema wechseln zu können. »Der steht in letzter Zeit unheimlich unter Druck. Jetzt, wo durch den ganzen Umbau hier wieder mal Entlassungen anstehen, wird der Betriebsrat praktisch zwischen der Geschäftsführung und den Angestellten zerrieben.« Masurczak drehte die Handballen gegeneinander und grinste, die Zigarre von einem Mundwinkel in den anderen bugsierend. »Sicherlich hast du schon von den Umstrukturierungen gehört. Die Zusammenlegung der Redaktionen, Verschlankung des Vertriebs. Hat ja alles in der Zeitung gestanden. Mit diesem Zeug darfst du dich aber nicht belasten. Du stehst ja noch ganz am Anfang, du hast das ganze Leben ja noch vor dir. Wenn es nur um eine Unterschrift geht, kein Problem. Das kann ich auch machen.« Daniel schlug die Seiten auf. Masurczak nahm einen Kugelschreiber aus seiner Brusttasche, zeichnete alles ab und wiederholte seine Aufforderung, ihm mehr zu liefern.

»Auch für die Politik?«, fragte Daniel.

»Nein, aber überzeug mich vom Gegenteil«, sagte er. »Und grüß deinen Vater von mir.«

Morgens, wenn die Kinder aus dem Haus waren, kam Birgit zu ihm ins Bett zurück. Sie hoffte, noch eine halbe Stunde im Dunkeln einfach so daliegen zu können, bevor sie ihr Nachthemd gegen eine Hose und eine Bluse und ein Paar Schuhe eintauschen würde. Sie hoffte das jedes Mal. Doch er spürte die Erschütterung, die Bewegung, die von ihrer Matratze auf seine überging, und wachte davon auf. Und dann drehte er sich zu ihr um, streckte eine Hand nach ihr aus und flüsterte mit brüchiger Stimme: »Wir sind allein.«

Er wusste, dass ihr das, was sie früher selbst herbeigesehnt hatte, eine Stunde zu zweit zu haben, jetzt nicht mehr so wichtig war wie damals. Immer wieder sagte sie ihm, wie sehr sie die Augenblicke genoss, in denen sie in seinen Armen lag, in der Badewanne, auf dem Sofa, im Urlaub am Strand, die seltenen Momente reiner Zärtlichkeit. Ihr reichte es, ihn zu küssen, zu berühren, seine Wärme zu spüren – und dann zu duschen, fernzusehen oder mit den Zwillingen im Sand zu spielen. Aber ihm reichte das nicht.

Im Geschäft machte sie sich gut, besser, als er erwartet hatte. Ihre Anwesenheit hatte ihm eine ganz neue Kundschaft erschlossen: Frauen, die sich von ihm nicht beraten ließen, weil sie meinten, er als Mann würde ihre Nöte nicht nachvollziehen können oder weil sie sich schämten, mit ihm darüber zu sprechen, über ihre Tage, die Orangenhaut, den weichen, schlaffen Bauch. Dabei kannte er das wahre Ausmaß ihrer Problemzonen: Sie hatten Angst, nicht mehr attraktiv zu sein, sich ihm und ihren eigenen Männern nicht mehr zeigen zu können, und er sah seine Aufgabe darin, ihnen ihr Selbstbewusstsein zurückzugeben – mit welchen Mitteln auch immer.

Manche kamen herein und fragten gleich nach Birgit, und wenn sie nicht da war und in der nächsten halben Stunde auch nicht zurückkommen würde, gingen sie wieder hinaus. Er versuchte, sie zu halten, indem er ihnen versicherte, dass nichts Weibliches ihm fremd sei, aber selten ließen sie sich dadurch überzeugen. Vor allem die Mädchen, die früher Bonbons bei ihm gekauft hatten und nun zum ersten Mal Binden brauchten, fühlten sich in seiner Gegenwart unwohl. Sie drucksten in den Gängen herum, lasen sich stundenlang die Hinweise auf den Verpackungen durch, und wenn er sie fragte, ob er ihnen helfen könne, schüttelten sie ihre Köpfe oder sagten, kaum verständlich, dass sie sich nur umschauen wollten, um dann grußlos für immer zu verschwinden. Früher waren sie in Ermangelung einer nahe gelegenen Alternative irgendwann wieder zu ihm zurückgekommen, aber jetzt würden sie, wenn Birgit nicht wäre, zu Superneemann oder zu Schlecker in Achterup gehen, die Anonymität dieser Läden ausnutzen und sich von der Vielfalt ihres breiter und breiter werdenden Angebots betäuben lassen.

Mit Genugtuung hatte er bemerkt, dass auch Birgit von ihrer nicht ganz freiwillig getroffenen Entscheidung profitierte, bei ihm zu arbeiten anstatt für seine beiden Freunde. Seitdem war sie ausgeglichener, selbstbestimmter und aufgeschlossener. Sie kochte auch besser. Wenn sie in die Kreisstadt zum Wochenmarkt fuhr, brachte sie jetzt Gemüse mit, das sie bisher nicht gegessen hatten, Zucchini, Auberginen, Mangold, und briet dazu Gehacktes – halb Rind, halb Lamm –, Schweineschnitzel oder Huhn in der Pfanne an. Aber den ganzen Vormittag in der Drogerie zu stehen und anschließend das Essen vorzubereiten, strengte sie auch an. Unter einem Dach zu leben und zu arbeiten, bedeutete, immer und zu jeder Zeit für alle da zu sein. Wurde eins der Kinder krank, blieb sie oben, um es zu pflegen, hörte sie mehrmals hintereinander im Geschäft die Klingel schellen, ging sie nach unten, um die Kunden zu bedienen. Und kaum lag sie nachts oder morgens neben ihm im Bett, völlig erschöpft vom Verkaufen, Kochen, Sprechen, rutschte er zu ihr hinüber und sagte: »Wir sind allein.«

Er wähnte sich im Recht, sie hatten nur wenig Zeit für sich, und die wenige Zeit, die sie hatten, wollte er auskosten, bevor der Tag anfing und jedes Gefühl zunichte machte. Morgens standen sie beide im Laden, und nachmittags passte sie auf die Zwillinge auf. Immer wieder versuchten Andreas und Julia ihnen einzureden, keine Hausaufgaben machen zu müssen. Oder sie erfanden Ausreden, weshalb sie heute keine aufbekommen hatten. »Die hab ich schon in der Schule gemacht.« – »Morgen ist kein Mathe.« – »Frau Wolters ist krank.« Sie verlangten permanente Kontrolle. Außerdem musste jemand sie zum Sport bringen, zum Musikunterricht, zu den Kindergeburtstagen überall im Dorf oder in den Nachbardörfern. Daniel machte zwar immer noch Schwierigkeiten, unvermeidbar in seinem Alter, aber Hard hoffte, dass er durch das Praktikum eine Perspektive dafür bekam, was er mit seiner Wut auf die Welt anfangen könnte. Erst gestern hatte Theda ihm erzählt, wie gut er in der Redaktion angekommen sei, und das stimmte ihn zuversichtlich, dass Daniel von nun an etwas tat, was nicht gleich wieder auf ihn selbst zurückfiel. Und abends war Hard unterwegs, entweder bei Meinders oder im Strandhotel, auch wenn er dort kein Skat mehr spielte, sondern Klaus und Günter dabei zusah, wie sie sich von Gerald, ihrem neuen dritten Mann, ausnehmen ließen.

Solange er seine Freizeit nicht zu Hause verbrachte und ihr den Platz vor dem Fernseher streitig machte, würde Birgit nicht auf falsche Gedanken kommen. Er hatte kein schlechtes Gewissen. Seiner Meinung nach betrog er Birgit nicht mit anderen Frauen, er betrog andere Frauen mit Birgit. Sie musste ihm dankbar sein für die Aufmerksamkeit, die er ihr entgegenbrachte. Den größten Teil des Glücks, das allen zufallen sollte, durfte sie für sich beanspruchen, und obwohl er sie oft genug darauf hinwies, auf ihr Privileg, machte sie selten Gebrauch davon.

Seine Strategie, sie morgens im Bett dezent auf ihre herausragende Stellung hinzuweisen, war bisher nur alle paar Wochen aufgegangen. Trotzdem hatte er fast täglich daran festgehalten. Umso überraschter musste sie sein, als er an diesem Morgen auf seiner Seite liegen blieb. Die Rollläden waren herabgelassen, nur durch die Löcher zwischen den Lamellen fiel etwas Licht herein, sie sah, wie sich seine Bettdecke hob und senkte, er atmete, er lebte, und sie lehnte sich zurück, schloss die Augen und dachte an ihn, Hard, de geile Hingst, an wen sonst, daran, wie er letzte Nacht erst spät von einem Treffen mit Meinders nach Haus gekommen und im Dunkeln, frisch geduscht und noch berauscht von einem unverhofften Gewinn, über sie hergefallen war. Er wusste, dass sie wusste, was er dort trieb, sein schmutziges Spiel mit Worten und Zahlen, und er wusste auch, dass sie nicht mehr wissen wollte als das. Jeder, darin waren sie sich am Beginn ihrer Ehe einig gewesen, sollte Geheimnisse haben dürfen. Und das galt auch jetzt noch, nach fast zwanzig Jahren.

Birgit war ungeduldig. Hatte er ihr versprochen, ein Reklameschild gegen ein anderes auszutauschen oder eine neue Glühbirne fürs Schlafzimmer zu besorgen, erinnerte sie ihn so lange daran, bis er es erledigt hatte; an ihrem Geburtstag konnte sie es nicht erwarten, endlich ihre Geschenke öffnen zu dürfen; und alles, was nicht so war wie immer, weckte sofort ihr Misstrauen. Ein paar Sekunden würde sie so liegen bleiben, den Blick zur Decke gerichtet, die Arme eng am Körper, erleichtert, von ihm nicht bedrängt zu werden, aber dann würde sie sich fragen, ob mit ihm etwas nicht stimmte, ob ihn etwas bedrückte, das ihn davon abhielt, sie wie üblich zu empfangen, und sie würde sich zu ihm beugen, um es herauszufinden.

»Hard?«

»Mmh?«

»Alles in Ordnung?«

»Mmh.«

Sie legte eine Hand auf seine nackte Schulter, die unter der Bettdecke hervorragte. »Geht's dir gut?«

»Mmh!«

»Ich glaube, du solltest dich mal wieder entspannen und dir nicht so viele Gedanken machen. Du darfst das alles nicht so persönlich nehmen, diese Sache mit Klaus und Günter. Du sagst doch selbst immer, ein Spiel ist ein Spiel. Und vielleicht solltest du auch noch mal mit Ennen reden. Wie lange bist du jetzt im Männergesangsverein gewesen? Fünfundzwanzig Jahre? Da steigt man doch nicht einfach so aus. Du hast Karfreitag in der Kirche wirklich nicht gut gesungen. So was kann doch mal passieren. Selbst den besten Sängern. Selbst dir.« Langsam strich sie ihm über den Oberkörper, die Brustwarzen, die Brusthaare, und als sie den Bauchnabel erreichte, merkte sie, dass er, anders als sonst, weder Boxershorts noch Pyjamahose trug. Unwillkürlich zog sie ihre Hand zurück, aber er hielt sie fest und sagte: »Biggi.«

»Was?«

»Wir sind allein. Wir sind doch jetzt endlich mal allein.«

5

Noch waren Osterferien, noch war die Schule, die Cafeteria geschlossen, niemand da, den er befragen konnte. Aber Daniel kannte jemanden, Simone hatte ihm von jemandem erzählt, einem älteren Schüler, der eine Zeit lang dort gearbeitet hatte und dann, von einem Tag auf den anderen, entlassen worden war.

»Ach, du meinst Ronnie.« Ihre Stimme überschlug sich fast.

»Ja«, sagte Daniel. »Ronnie.« Er hörte den Namen zum ersten Mal.

»Warte mal eben, da muss ich erst nach der Nummer suchen. Aber sag ja nicht, dass du die von mir hast.«

»Warum nicht?«

Es raschelte und krachte auf der anderen Seite der Leitung. Dann gab es einen Knall. »Scheiße. Was hast du gesagt?«

»Warum nicht?«

»Sag's einfach nicht, okay?«

»Okay«, sagte Daniel und klemmte den Hörer zwischen Ohr und Schulter. »Also: Warum nicht?«

»Gott!«, sagte Simone. »Weil ich versprochen habe, die nicht weiterzugeben. Deshalb.«

»Und weil da was lief, zwischen euch.«

»Woher weißt du das? Hat Volker dir das erzählt?«

»Seit wann sprichst du mit Volker über solche Sachen?«

»Volker kann sehr verschwiegen sein. Im Gegensatz zu dir.«

»Du hast doch nicht etwa was mit ihm, oder?«

»Mit wem?«

»Mit Volker.«

»Spinnst du?«

»Also doch.«

»Ganz ehrlich, ich glaub ja, dass Volker eher was für Typen übrighat. Wenn überhaupt.«

»Ach quatsch. Bloß weil er noch keine Freundin hatte, heißt das doch noch lange nicht, dass –«

»Da kenne ich übrigens noch jemanden.«

»– er auf Typen ... Was?«

»Da kenne ich übrigens noch jemanden.«

»Gibst du mir jetzt die Nummer von diesem Ronnie, oder nicht?«

»Jetzt sei doch nicht gleich beleidigt.« Sie atmete hörbar ein und wieder aus. »Mann, bist du empfindlich. Das ist doch nicht schlimm. Du wirst schon noch die Richtige finden. Oder den Richtigen.«

»Simone!«

»Schon gut. Ich hör ja schon auf. Warte. Hier ist sie. Also. Hast du was zu schreiben?«

Mit Marie Meinders hatte Hard schon als Kind gespielt. Ihre Großmütter, beide Bäuerinnen, die Bauern geheiratet hatten, waren Cousinen, sie waren drei Jahre auseinander, und auf Familienfesten hatte sie sich um ihn gekümmert wie um einen Bruder, den sie nie hatte. Dann, als sie älter wurden, sah sie in ihm mehr als das, einen Freund, einen Vertrauten. Und irgendwann lagen sie trunken von ihrem ersten Bier nebeneinander im Heu, er in Hemd und Hose, sie im Dirndl, und während er ihr Halme aus dem Haar strich, dachte er, dass es für sie beide an der Zeit war, sich noch ein bisschen besser kennenzulernen. Er küsste sie, aber nur kurz, dann folgte seine Zunge seinen Fingern bis zum äußersten Ende ihres Dekolletés. Er schob ihr den Rock hoch, und mit einer Hand zog er ihr den Schlüpfer über die Beine, als hätte er das schon hundertmal gemacht. Sie wollte ihm die Hose aufmachen, schaffte aber, da sie zitterte, nur den obersten Knopf, sodass er den Rest selbst erledigen musste. Bevor er in sie eindrang, fragte sie, ob er sie heiraten werde, und er, außerstande, etwas anderes zu sagen, versprach es.

Von da an trafen sie sich regelmäßig nach der Schule auf dem Hof, verbrachten Stunden und Stunden in der Scheune, sahen den Kühen beim Kalben zu, den Schweinen beim Säugen und dem Knecht beim Erschlagen der Welpen. Bis die eine Großmutter starb und die andere ins Pflegeheim kam und das Haus und das Land verkauft wurden. Er suchte nach neuen Plätzen, im Weizen, im Hafer, im hohen Gras auf den Feldern diesseits des Deiches. Und sie folgte ihm, mit einer Decke, einem Zelt, einer Tasche voller Brot und Früchte.

Aber irgendwann sagte sie: »Das geht so nicht.«

»Was geht so nicht?« Er zog seine Hand aus ihrer Bluse.

»Wir können nicht ewig so weitermachen. So unverbunden. Das wäre nicht richtig.«

»Wer sagt das?«

»Gott.«

»Seit wann hörst du denn auf den?«

»Seit er mir die Augen geöffnet hat.«

»Ich dachte, ich wär das gewesen.«

»Hard, ich mein's ernst.«

»Dann muss mir wohl was entgangen sein.«

»Ich hab bisher bloß nicht davon angefangen, weil ich Angst hab, dass du Schluss machst, wenn ich's dir sage.«

»Zu Recht. Ich dulde keinen Mann neben mir.« Er sprang auf, stieß trotz seines eingezogenen Kopfes gegens Zeltdach und ballte die Fäuste. »Gott heißt der Typ? Und wie weiter? Wo finde ich den Kerl?«

Und da wusste sie, dass es für ihn auch nur ein Spiel war.

Kurz darauf heiratete sie den neuen Pastor Hans Meinders. Die Empörung war groß, als bekannt wurde, dass ein so alter Mann – er war damals Mitte dreißig – ein so junges Mädchen – sie war neunzehn – ehelichen würde, noch dazu eine Minderjährige. Aber wer sie zusammen im Dorf oder in der Kirche sah, musste sie für ein glückliches Paar halten. Wenn sie spazieren gingen, fassten sie einander an den Händen, vor dem Gottesdienst begrüßten sie jeden mit einem Lächeln, und Meinders sprach in seinen Predigten vom Paradies, von Lichtern am Himmel, von Tieren und Pflanzen auf der Erde, von Adam und Eva, von goldenen Flüssen, fruchtbaren Äckern und süßen Samen, die aufgehen und die Welt mit ihrem Duft und ihrer Schönheit betören. Nur sein Same ging in ihr nicht auf. Und das warf einen Schatten auf ihre Liebe.

Sie spazierten weiterhin händehaltend durchs Dorf, und sie lächelten weiterhin allen Gläubigen vor dem Gottesdienst zu, aber Pastor Meinders' Predigten wurden mit jedem Sonntag härter und dunkler. Plötzlich handelten sie von Mord und Totschlag, von Katastrophen und Plagen, von erstgeborenen Söhnen und Menschenopfern – davon, dass es unter Umständen besser war, keine Kinder zu bekommen.

»Mehret euch«, rief Meinders von der Kanzel. »So steht es in der Schöpfungsgeschichte geschrieben. Doch wohin führt uns dieses Wachstum? Sind wir nicht jetzt schon zu viele? Wann ist das Meer leer und das Land voll? Und wann wird es zu spät sein, das Elend, das durch Gottes allererstes Gebot in die Welt gesetzt wurde, zu beenden?« Viele, vor allem die Jüngeren, sahen in ihm einen Propheten, der die Überbevölkerung, die Ursache für Armut und Krieg und Ausbeutung, anprangerte und die Grenzen des Wachstums aufzeigte, aber die Älteren wandten sich von ihm ab, und es kostete Marie einige Mühe, sie wieder in den

Schoß der Gemeinde zurückzuholen. Doch schon einige Jahre später fing er wieder davon an. Diesmal ging es ihm nicht ums große Ganze, sondern um »die Bande«, wie er sagte, »die unser Land in Angst und Schrecken versetzt«. Er schlug die Bibel zu und stützte sich mit beiden Händen auf die Brüstung der Kanzel. »Den Kindern, heißt es bei Matthäus, gehört das Himmelreich. Aber was ist mit denen, die, noch ehe sie erwachsen sind, zu Sündern werden? Wie gehen Vater und Mutter damit um? Was geht in den Eltern vor? Fragen sie sich nicht: Haben wir nicht alles in unserer Macht Stehende getan, um sie zu gütigen und gerechten Menschen zu erziehen? Und was ist aus ihnen geworden? War es der Mühe wert? Hat es sich gelohnt? Oder wünschen sie sich, ihre Brut wäre nie geboren?«

Und diesmal war es umgekehrt: Die Jungen fühlten sich von ihm verraten und die Alten – der alte Kramer vor allen anderen – in ihrer Einschätzung über die Jugend bestätigt. Aber wieder war es Marie, die die Wogen seiner Worte glättete. Sie organisierte Kinderbibeltage, überzeugte Konfirmanden, dabeizubleiben, die am Sinn der Segnung zweifelten, und übernahm, da sie sich selbst sinnlos fühlte, den Religionsunterricht an der Grundschule, auch wenn sie darin keine Ausbildung erfahren hatte.

Je mehr sie mit Kindern zu tun hatte, desto schmerzhafter war es für sie, keine eigenen zu haben. Ihre und seine Eltern hatten längst aufgehört zu fragen, wann es bei ihnen so weit sei, doch wenn sie mit ihren Freundinnen zusammensaß und die von ihren Söhnen und Töchtern schwärmten, meinte sie, aus jedem Satz eine Anspielung auf ihre Kinderlosigkeit herauszuhören.

Maries Frauenärztin konnte nichts finden, was auf eine Unfruchtbarkeit hindeutete, und Hans Meinders weigerte sich, zu einem Urologen zu gehen und in einen Becher zu spritzen: »Wenn Gott gewollt hat, dass wir allein bleiben, dann bleiben wir es.«

Darüber gerieten sie in Streit, monatelang schliefen sie nicht miteinander. Und irgendwann hörten sie ganz auf, es zu versuchen, und als sie sich, kurz nach ihrem vierzigsten Geburtstag, wieder versöhnten, klappte es nicht mehr. Das war zu der Zeit, als sie Hard in eins der größten Geheimnisse des Dorfes einweihte, nicht, indem sie es ihm beichtete, sondern indem sie bei ihm einkaufte.

»Marie«, sagte er, nachdem sie die Dose mit Maca-Pulver vor ihn hingestellt hatte. »Ich weiß, wie sehr du dich danach sehnst, Kinder zu haben. Jeder weiß das. Und ich kann dir helfen. Ich kann euch beiden helfen.« Aber als sie erfuhr, auf welche Weise, lehnte sie ab, verließ das Geschäft, ohne das Allheilmittel mitzunehmen, und schwor sich, niemals wiederzukommen.

Sie hielt ihren Vorsatz genau vier Wochen durch. Dann stand sie wieder vor seinem Tresen. Und bald zählte sie zu Hards Hauptabnehmerinnen von Maca, das, wie die beiliegende Werbung versprach, beim Mann Wunder wirken sollte, aber bei Hans Meinders auf Widerstand stieß. Sie mischte es ihm ins Essen, sie löste es ihm im Wasser auf, über einen Hamburger Großhändler bestellte sie sogar Macawurzeln direkt aus Peru und tischte ihm tagelang nichts anderes auf als das, aber der einzige sichtbare Erfolg – wenn es überhaupt einen gab – war, dass all diese Maßnahmen seinen Durst anregten, seinen Durst auf Schnaps.

Sie fühlte sich Hans verbunden, in guten wie in schlechten Zeiten, sie würde sich nie von ihm scheiden lassen, auch wenn sie für seinen und ihren Geschmack zu selten »ein Fleisch« waren, wie er sagte. Er litt darunter genauso wie sie, er hatte ihr schon eine Adoption vorgeschlagen, ein Kind aus Afrika, das ohne sie verhungern würde, als ein Akt der Barmherzigkeit, doch dagegen hatte sie sich verwehrt, nicht des Kindes wegen, sondern um ihrer selbst Willen. Und langsam lief ihr die Zeit davon, die gute und die schlechte. Schon jetzt, in ihrem Alter, hatte ihre Frauen-ärztin zu ihr gesagt, sei eine Schwangerschaft für sie ein großes Risiko.

»Jeder Eisprung könnte Ihr letzter sein.« Diese Worte hallten noch in ihr nach, als sie am Nachmittag aus dem Pfarrhaus trat und die Kirchstraße, die Dorfstraße entlangging auf die Droge-rie zu. Im Grunde, dachte sie, während sie die Hand nach der Türklinke ausstreckte, wäre es kein Ehebruch, schließlich war Hard ihr erster Mann gewesen, auch wenn sie den Bund des Le-bens nicht vor Gott, sondern nur vor sich selbst geschlossen hat-ten. Für ein paar Minuten würde sie eine alte Liebe wieder auf-wärmen und danach für immer erkalten lassen.

»Hallo?« Die Stimme klang hart und brüchig.

»Ronnie?«

»Wer will das wissen?«

»Daniel. Daniel Kuper. Ich bin ein Freund von Simone und –«

»Hör mir bloß auf mit der.«

»Es geht nicht um sie.«

»Um was geht's denn?«

»Um die Cafeteria im Schulzentrum. Simone sagte, du hast da 'ne Weile gearbeitet.«

»Auch kein gutes Thema.«

»Ja, genau darüber will ich mit dir sprechen.«

»Ich aber nicht mit dir. Wer bist du überhaupt?«

»Daniel Kuper.«

»Ja, das sagtest du bereits.«

»Meinen Eltern gehört die Drogerie.«

»Kondomekuper! Bei dir ham'se wohl nicht aufgepasst.«

»Wohl nicht«, sagte Daniel. »Also, die Sache ist die, ich schrei-be gerade einen Artikel für die *Friesenzeitung* über die hygieni-schen Zustände da, und Simone sagte, dass du –«

»Hast du was mit den Ohren? Ich hab gesagt, das Thema ist abgehakt. Außerdem dachte ich, das ist nichts für euch, ich dachte, das interessiert euch nicht.«

»Wen?«

»Euch Journalisten. Ich hab's meiner Mutter schon gesagt, die arbeitet da in der Buchhaltung, und die meinte, das nimmt mir da sowieso niemand ab.«

»Wir können ja auch 'n Hintergrundgespräch führen«, sagte Daniel. Ihm fiel wieder der Dokumentarfilm über die Geschichte der *Friesenzeitung* ein, in dem jemand in einem abgedunkelten Raum mit dem Rücken zur Kamera mit verstellter Stimme gesprochen hatte. »Du bleibst dabei vollkommen anonym.« Dann dachte er an *Die Unbestechlichen*, an Deep Throat, den Informanten in der Tiefgarage. »Oder du bestätigst mir einfach, was ich weiß.«

»Was weißt du denn?«

»Nicht viel.«

»Das kann ich bestätigen.«

»Jetzt komm schon, lass mich nicht hängen.«

»Du musst taub sein.«

»Ich dachte, du hast auch 'n Interesse daran, dass die Cafeteria dichtgemacht wird, nach allem, was passiert ist. Aber wenn du nicht willst, dann –«

»Moment«, sagte Ronnie. »So hab ich das nicht gemeint. Und du versprichst mir, dass mein Name ganz sicher nirgendwo auftaucht?«

»Klar.«

»Wann und wo treffen wir uns?«

Nachmittags, wenn Birgit sich um den Haushalt und die Kinder kümmerte, empfing Hard seine Stammkundinnen. Manche kamen auch vormittags, aber das waren Rentnerinnen, die nur darauf warteten, dass er aufmachte, und sich stundenlang von ihm beraten ließen, um die Zeit totzuschlagen. Anfangs war er selbst überrascht gewesen, wie viel Geduld er ihnen entgegenbrachte, um ihre Gewohnheiten zu durchbrechen. Nichts war schwieriger, als Frauen, die seit vierzig Jahren ihre Gesichter mit Nivea einschmierten, ein neues, auf ihre Haut abgestimmtes Produkt zu empfehlen, aber ihm gelang es. Er nahm ihre Hände in seine, zeigte ihnen, worauf sie achten sollten, und gab ihnen dann davon so viele Proben mit, dass sie dem Drang, diese zu Hause auszuprobieren, nicht widerstehen konnten. Er war deshalb überrascht gewesen, weil er Birgit nie so viel Geduld entgegengebracht hatte. Anstatt sie mit Argumenten zu überzeugen, machte er ihr Komplimente, massierte ihr den Nacken mit einem Spezialöl vom Toten Meer und schenkte ihr Blumen, und wenn das nicht zum Ziel führte, hörte er damit auf und setzte seinen Plan – was immer das war – auch ohne ihre Zustimmung um. Und wenn sie sich darüber aufregte, dass er sie wieder einmal ausgeschlossen hatte, sagte er: »Ich hab's dir gesagt.«

»Ja, aber ich hab's nicht gewollt. Und du hast es trotzdem gemacht.«

»Und jetzt siehst du, dass diese Investition nur zu unsrem Besten war.«

»Was soll an einer neuen Ladeneinrichtung zu unsrem Besten sein? Die Alte hätte es auch noch 'ne Weile getan.«

»Wir müssen mit der Zeit gehen, Biggi. Wir müssen uns ständig erneuern, sonst werden wir von anderen erneuert.«

»Von wem?«

»Von Menschen, die mächtiger sind als wir.«

»Und wer soll das hier«, sie zeigte auf die neuen Regale, »bezahlen?«

»Da mook di man kien Kummer um.«

»Doch Hard, darum mache ich mir Sorgen. Dein Geld ist

nämlich auch mein Geld. Und wenn du untergehst, reißt du mich mit. Mich und die Kinder auch.«

»Weißt du, wie sich das für mich anhört?«

»Nein, das weiß ich nicht.«

»Wie Günter Vehndel.«

Und das war meist das Ende dieser Diskussionen. Die Vorstellung, einem seiner Freunde – Günter oder Klaus – auch nur im Entferntesten zu ähneln, stimmte nicht mit Birgits Selbstbild überein, nicht nachdem beide, auf seine Anweisung hin, ihre Bewerbung abgelehnt hatten. Und sobald er sie jetzt mit einem von ihnen in Verbindung brachte, wurde sie so wütend, dass sie das Zimmer verließ, weil sie ihm, wie sie hinterher immer sagte, nicht mehr in die Augen sehen konnte, ohne schreien zu müssen.

Manchmal kamen nachmittags auch Marlies und Sabine vorbei, erst bei ihm, dann bei ihr, und dann saßen sie bei angelehnter Tür – Birgit war auf Abruf oben, und er wollte nicht erst durchklingeln müssen – und Tee und Kuchen im Wohnzimmer, und er hörte sich von unten, vom Büro aus, ihre Geschichten an.

»Hast du das hier schon ausprobiert? Escape?«

»Nee«, sagte Sabine. »Riecht wie Sandelholz.«

»Das ist Sandelholz. Unter anderem jedenfalls.«

»Also mir wär das zu streng.«

»Du bist eben nicht der Typ dafür.«

»Nee, ich bin eine Blume«, Sabine sprach jetzt mit verstellter Stimme, »eine Akazie, Hyazinthe, Magnolie. Und zu Blumen gehören Blüten.«

»Und Stängel.« Marlies fing an zu kichern und sagte dann noch einmal: »Und Stängel!«

»Ja, Marlies. Ich hab's gehört. Aber ich hab auch was. Besser als alle Stängel der Welt. … Hier … Halt … Moment … Dafür ist es noch zu früh. Warte, bis sich die Herznote entfaltet. Das wird dich umhauen.«

Fast alles, was sie sagten, »Sandelholz«, »Typ«, »Blume«, »Blüte«, »Stängel«, »Herznote«, hatten sie von ihm, und er wunderte sich immer wieder darüber, wie stark seine Worte die Urteilskraft der Kundinnen betäubten, ein paar Ausdrücke, die sie noch nicht kannten, schon lagen sie ihm zu Füßen. Dabei hatte er sich nur die Beschreibungen in den Katalogen durchgelesen und sich von jedem Parfüm ein paar Eigenheiten gemerkt, aber nicht immer waren es die Worte, die sie dazu verführten, ein Produkt zu kaufen, sondern die Art der Präsentation. Er drängte ihnen nichts auf, was sie nicht haben wollten. Meist stand er abseits, zwei, drei Schritte von ihnen entfernt, und trat erst auf sie zu, wenn sie ihn um seine Meinung baten. Und dann konnte es passieren, dass er wie heute etwas sagte, was jedem Geschäftssinn zuwiderlief: »Das ist das Teuerste, was ich hier im Laden habe, Frau Kromminga. Und trotzdem, durch diese penetrante Süße, die es ausstrahlt, wirkt es billig. Das könnte Begehrlichkeiten wecken oder einen falschen Eindruck hinterlassen, je nachdem, bei welchem Anlass Sie's tragen. Lassen Sie sich von der Marke nicht täuschen. Für eine Frau wie Sie, mit Ihrer natürlichen Eleganz, reicht ein dezenter Duft vollkommen aus, um ihre Aura zu unterstreichen, ein Hauch von Bergamotte, Papaya, Ananas, etwas Frisches, hier«, er reichte ihr ein Flakon, »versuchen Sie das mal.« Bis zum Schluss ließ er ihnen die Wahl, sich dafür oder dagegen zu entscheiden, er sprach lediglich Empfehlungen aus, um sie in die Richtung zu lenken, in die er sie schicken wollte, aber irgendwann sagte er: »Sie können auch gerne eine Probe davon mit nach Hause nehmen und Ihren Mann fragen.«

»Meinen Mann? Der hat doch keine Ahnung davon.«

»Sagen Sie das nicht. Wer, wenn nicht er, ist ein Experte Ihres Geruchs?«

»Dem ist es doch egal, wie ich rieche, Hauptsache ich stinke nicht. Nein, nein, ich nehm das hier, mit Ananas, was Frisches.«

Und während er abkassierte und mit einem Seitenblick Marie vor dem Schaufenster registrierte, dachte er daran, dass er Birgit nach dem Tanzabend auf der Insel auf ganz ähnliche Weise von sich überzeugt hatte. Damals war er noch Soldat gewesen und hatte den Kittel nur angezogen, um bei den Urlauberinnen Eindruck zu schinden. Und als er sie aufs Parkett führte, sagte er: »Ihre Haut ist wie Alabaster.« Sein Vater hatte kurz zuvor ein Dutzend Duftleuchten aus diesem Mineral ins Sortiment aufgenommen, Hard war am Wochenende eine davon beim Auspacken zerbrochen, und er meinte, dass Birgit ebenso zerbrechlich sei, weil ihre Haut durchscheinend war und sich darunter Adern abzeichneten, aber sie dachte, er habe ihr ein besonders originelles Kompliment gemacht. »O, vielen Dank. Alabaster. Hab ich ja noch nie gehört. Was ist das denn?«

»Ein Kristall.« Er hätte auch, ohne lügen zu müssen, »ein Stein« sagen können. Und da fiel ihm auf, was ein Wort bewirken konnte, und dass es, je nachdem, wie und wo und gegenüber wem es ausgesprochen wurde, eine eigene Bedeutung bekam, wie Kompunistenviertel, wie Hard, wie nix. Alles war möglich. Vielleicht hatte er ihr wirklich ein Kompliment machen wollen, ohne böse Absicht dahinter – außer der, sie ins Bett zu kriegen. Ein Wort hatte sein Leben verändert. Und Birgits auch. Aber nach Daniels Geburt war das Alabasterhafte an ihr einer gleichmäßigen, teigigen Blässe gewichen.

Am Samstag gab es wieder eine Party. Am Telefon hatte Daniel sich mit Simone verabreden wollen, hatte ihr vorgeschlagen, gemeinsam dorthinzufahren, aber sie hatte gesagt, sie habe keine Zeit und schon etwas anderes vor, etwas Besseres.

Als er ankam, stellten Paul und Jens gerade das Bier kalt, und er half ihnen, alles herzurichten. Trotzdem musste er den Wodka trinken, mehr als sonst, weil er die Frage, in welchem Horrorfilm außerirdische Parasiten auf der Erde landen und alle Figuren die Namen berühmter Horrorfilmregisseure tragen, nicht beantworten konnte. Zuerst waren sie die Einzigen, dann, gegen zehn, füllten sich die Räume, bald gab es kein Durchkommen mehr. Lange saß Daniel allein an einem Tisch in der Ecke, eine volle, noch verschlossene Dose in der Hand. Niemand schenkte ihm Beachtung, bis Volker sich zu ihm setzte und ihm eine Tüte Salzstangen hinhielt.

»Willst du?«

Daniel schüttelte den Kopf.

»Komm schon. Das ist ganz leicht. Selbst meine Schwestern gewinnen gegen mich.« Und als Daniel nicht darauf reagierte, sagte er: »Um ein Gramm von diesem Wunderstoff. Der macht dich schwerelos.«

Wieder schüttelte Daniel den Kopf, er wusste nicht, was Volker damit meinte, aber dann sah er, wie er gegen sich selbst Salzstangenmikado spielte und nach jeder Runde eine neue Packung aufmachte und den Inhalt auf den Tisch streute und sich für jeden Punkt belohnte.

Im Rhythmus der Musik ließ Daniel den Tab-Verschluss gegen das Metall ticken, mal mehr, mal weniger schnell, er spürte, wenn er einen Schluck nahm, wenn er sie bloß öffnete, wäre es vorbei mit ihm. Er wollte endlich einmal bis zum Schluss durchhalten, sehen, was passierte, miterleben, wovon die anderen später immer erzählten: dass es ausartete, dass für jeden eine übrig blieb, dass Väter ihre Töchter mitnahmen und die Bullen den Verstärker. Irgendwann ließ er die Dose fallen, stand, beide Hände auf die Lehnen gestützt, auf und wankte nach unten. Auf der Treppe begegnete er Paul, das Haar hochgegelt, das Hemd aufgeknöpft. »Na Kuper, willst du deinem *Manifest* noch was hinzufügen? Obwohl, so wie du aussiehst, besser nicht.« Los Daniel du musst ihm voll in die Eier haun das ist die Art von Gewalt die du sehn willst wenn auch nicht spüren willst du musst ihn so haun dass er sich krümmt dass er vor dir auf die Knie geht dass er um Gnade fleht dann Anlauf und mit voller Wucht gegen seinen Kopp immer wieder bis ihm das Ohr abfällt bis er die Treppe runter der Arsch richtig mit Überschlag und allem dass man die Knochen krachen hört und bevor er wieder zu sich kommt von oben auf ihn drauf mitten ins Gesicht mitten rein in die Fresse rein und dann machst du mit ner Sprosse seine Hackfresse zur Hackfresse Mädchen kreischen im Takt deiner Schläge Mädels kommt ran an die Brüstung zieht eure Höschen aus und werft sie mir zu. Von unten traf das Licht einer alten Tütenlampe auf Paul, und für einen Moment stand Daniel in Pauls gewaltigem Schatten, und er sah nichts als seinen dunklen Kopf und die Korona, die seinen Schädel umgab wie bei einer Sonnenfinsternis. Dann trat Daniel beiseite. Paul ging an ihm vorbei und zog Simone hinter sich her. Mit ihren blonden Haaren hätte er sie fast nicht erkannt. Im Flur stieß er mit Eisen zusammen, den Motorradhelm unter die Achsel geklemmt, eine Sporttasche über die Schulter geworfen, die Nickelbrille beschlagen, wie vernebelt. Sie waren jetzt gleich groß und hatten die gleiche Statur, und Daniel hielt dem Stoß, den Eisen ihm versetzte, stand.

Als er die Tür öffnete, hörte er Paul noch sagen: »Ah, der Shadowman ist da. Endlich kommt Nachschub, Leute.«

Und Jens: »Das wurde aber auch Zeit. Ich kann nämlich schon wieder denken.«

Dann war er draußen. Auf dem Heimweg versuchte er das Gleichgewicht zu halten. Die Sicht reichte, wenn er aufschaute, keine zehn Meter weit, und wenn er zu Boden sah, überschnitten sich die Konturen in seinem Kopf. Immer wieder schrammte er mit den Pedalen an Büschen entlang, oder er geriet auf den Grasstreifen neben dem Radweg. Als er an einer der Bushaltestellen in der Dorfstraße vorbeikam, meinte er etwas gesehen zu haben.

Ein Hakenkreuz, einen Spruch, eins der Zeichen, die er übermalt und weggewischt hatte, aber als er zurückfuhr und stehen blieb, war da nichts, nur Beton.

Bevor Eiske Ahlers die Drogerie betrat, betrachtete sie für einen Moment ihr Spiegelbild in der dunklen Türscheibe, ihre neue Frisur, ihren neuen Lippenstift, die neue Perlenkette an ihrem Hals. Dann stand sie vor ihm. Sie hatte ein kurzes Kleid mit einem tiefen Ausschnitt angezogen, obwohl es für diese Jahreszeit dafür eigentlich noch zu kalt war. Im Sommer drohten ihr die Mädchen den Rang abzulaufen, aber jetzt, im Frühling, war sie die einzige Frau in Jericho, die sich so knapp wie möglich kleidete, und niemand, nicht einmal ihr Mann, konnte es ihr verbieten.

Sie kam einmal im Monat vorbei, aber nicht immer am gleichen Tag zur gleichen Zeit. Hard wusste nie, wann sie auftauchen würde, und manchmal hatte er das Gefühl, sie lauerte ihm auf, wartete draußen auf der Straße, auf dem Bürgersteig, gegenüber in der Post und sah nach, ob die Luft rein war, ob Birgit im Geschäft war oder oben in der Wohnung, bevor sie ihn besuchte. Seit fünfundzwanzig Jahren fieberte er diesen Begegnungen entgegen, aber nach dem Abend mit Theda Wiemers im Gemeindeheim, nach der Ankündigung von Marie Meinders, seine Hilfe jetzt doch in Anspruch nehmen zu wollen, fürchtete er, Eiske Ahlers nicht mehr gewachsen zu sein.

»Was ist los, Hard?«

»Nix.«

»Du wirkst so nervös. Es ist doch niemand da außer uns.«

»Das liegt nur an dir.«

»Ach was. Ich bin dir doch schon zur Gewohnheit geworden.«

»Wie kann das sein, wo du doch jedes Mal anders und jedes Mal schöner und jünger aussiehst?«

»Das wiederum liegt nur an dir.«

»Apropos. Ich hab da was Neues für dich, extra zart und feuchtigkeitsspendend.«

»Und das, dieses neue Produkt, ist im Lager, nehme ich an. Und du kannst es allein nicht holen, weil es zu lang und zu groß ist.«

»Woher weißt du das?«

»Ich hab da so eine Ahnung.«

»Na, dann wollen wir doch mal sehn, ob sie stimmt.«

Er ging voran, und sie folgte ihm. Die Regale reichten vom Boden bis zur Decke. An einer Seite ging es in den Keller, an der anderen, unterhalb eines kleinen Fensters, stand ein Arbeitstisch aus Stahl, auf dem eine feine Staubschicht lag. In der Wand darüber klaffte ein Loch, der Putz war abgeschlagen, das Mauerwerk freigelegt. Und daneben lagen ein paar Kartons, Kartons voller Watte und Windeln und Küchenrollen. Und darauf steuerten sie zu. Viel Zeit hatten sie nicht. Viel Zeit hatten sie nie. Es sei denn, Birgit war mit den Kindern bei ihren Schwestern in Bad Vilbel.

In all den Jahren, die sie auf diese Weise zusammen verbracht hatten, war es zwei-, dreimal vorgekommen, dass sie die Klingel schellen und jemanden nach ihm rufen hörten, als sie gerade mittendrin waren – immer wenn Hard, wenn sie wie heute vergessen hatte, das Schild an der Tür umzudrehen.

»Entschuldige mich einen Augenblick.« Er erhob sich von ihr, knöpfte seinen Kittel zu und ging ins Geschäft zurück. Sie blieb noch eine Weile im Halbdunkel liegen, ordnete ihre Kleider und wartete, bis es weitergehen konnte. Dann, als ihr die Zeit zu lang wurde und das Gespräch von nebenan zu langweilig, probierte sie die Präparate aus, die um sie herum lagerten, und steckte welche davon ein. Sie nahm immer etwas aus der Drogerie mit, auch wenn sie vorn im Laden stand und Hard noch eine andere Frau bediente – als ein Andenken ihres Abenteuers. Und immer war es etwas, was sie nicht kannte. Manchmal erzählte sie Hard davon, und manchmal ließ sie sich von ihm dabei erwischen.

Die Namen auf den Verpackungen klangen exotisch – Ginseng, Guarana, Maca und Kava Kava –, und sie musste an ferne Welten denken, Gegenden, in denen sie noch nie gewesen war und nie sein würde. Einige bekam Hard geliefert, andere – wie Nachtmilchkristalle, kolloidales Silber oder das Haarwuchsmittel Procapillaris – stellte er selbst her. Viele Patienten, die zu ihrem Mann in die Arztpraxis kamen, nannten Gerald scherzhaft den Medizinmann, aber für die meisten Frauen war der wahre Schamane des Dorfes Bernhard Kuper.

»So«, sagte Hard, als er wieder hereinkam. »Wo waren wir stehen geblieben?«

»Wir waren überhaupt nicht stehen geblieben.«

»Ach ja.« Er beugte sich über sie und drückte sie mit seinem Oberkörper auf die Kartons zurück. Dabei fielen einige Tuben und Dosen und Schachteln zu Boden, und während er sie aufhob und ins Regal stellte, sagte er: »Das hast du doch gar nicht nötig.«

Ihr war nie klar, was er damit meinte, ob er auf ihr Geld oder ihren Gesundheitszustand anspielte, und sie fragte nie nach.

Dann sagte er: »Na warte, du Miststück, ich habe da etwas viel Wirksameres für dich, vollkommen natürlich«, schlug ihr mehrmals mit der flachen Hand ins Gesicht und knöpfte seinen Kittel auf.

Die Hausmittel, die Eiske regelmäßig mitgehen ließ, damit er sie für ihr Vergehen bestrafte, hatte er von seinem Vater geerbt. Er glaubte nicht an alles, was diesen Stoffen an Eigenschaften zugeschrieben wurde, aber damals, kurz bevor er das Geschäft von seinen Eltern übernommen hatte, waren sie die einzige Möglichkeit gewesen, sich von den Apotheken abzugrenzen. Anfangs hatte er überlegt, das ganze Zeug wegzuschmeißen, um allen zu zeigen, dass in der Drogerie Kuper jetzt ein neuer Wind wehte. Dann hatte Birgit ihn davon überzeugt, es zu behalten, weil auswärtige Kundinnen gerade deswegen zu ihnen kamen. »Lass es drin. Selbst wenn der Effekt bloß darin besteht, den Leuten ein besseres Gefühl zu geben.«

»Das ist doch Beschiss.«

»Du musst es ja nicht ins Schaufenster stellen.«

Und das tat er auch nicht, er machte überhaupt keine Werbung dafür, aber er verbarg die homöopathischen Präparate auch nicht unterm Tresen. Trotzdem gab es Frauen, die erst warteten, bis sie mit ihm allein waren, ehe sie sich trauten, danach zu fragen. Außer Frau Zuhl, Daniels ehemaliger Klassenlehrerin, hatte sich keine von ihnen je bei ihm beschwert, und das hatte ihn darin bestärkt, das Sortiment auszuweiten. Dadurch war das Lager enger und enger geworden, und er vermisste den Platz, den sie vorher zur Verfügung gehabt hatten.

Ihr gefiel die Vorstellung, es mit Hard im Hinterzimmer zu treiben, umgeben von den Elixieren des Teufels, wie Gerald die Tuben und Flaschen und Dosen nannte, mit denen sie nach jedem ihrer Treffen nach Hause kam. Schon auf dem Weg zur Drogerie fühlte sie sich schmutzig, und wenn sich über ihnen durch seine und ihre Stöße der Staub löste und auf sie legte, empfand sie das wie eine Segnung des Bösen, die sie mehr erregte als alles andere. Was sie an ihren Besuchen aber am meisten mochte, war die Gefahr, aufzufliegen. Es machte ihre kurze gemeinsame Zeit zu etwas Kostbarem.

Sie hatten sich jedoch nicht immer im Lager getroffen. Nachdem sie Hard und Theda in der Damentoilette des Friesenhuus' begegnet war, hatte sie sich oft mit ihm in Aurich verabredet. Gerald dachte, sie würde ihre Eltern und Geschwister im Nachbarort Haxtum besuchen, und das machte sie auch, aber sie hängte immer noch eine Nacht dran, nahm sich ein Zimmer in der Stadt und wartete darauf, dass Hard aus der Kaserne kam. Und später, als Frau Bluhm bei ihm gearbeitet hatte und Birgit mit den Kindern beschäftigt gewesen war, mehr als jetzt, waren sie mit einem ihrer Wagen in den Hammrich gefahren, an weit entlegene Stellen, an die nur Bauern fuhren, um zu ihren Feldern zu gelangen.

»Ich bin dir *doch* zur Gewohnheit geworden.«

»Nein.« Hard hatte aufgehört, sich zu bewegen. »Ich weiß auch nicht.« Er musste immerzu an Theda Wiemers denken, an das, was sie gesagt, was sie ihn gefragt hatte. Und fast gleichzeitig kam ihm Marie Meinders in den Sinn. Normalerweise half ihm seine Disziplin, solche Gedanken auf Abstand zu halten und sich voll und ganz auf alte oder neue vor ihm liegende Aufgaben zu konzentrieren.

»Das ist dir ja noch nie passiert.« Eiske strich ihm über den Rücken, aber Hard setzte sich auf, griff in einen der Kartons und holte eine Küchenrolle hervor, damit sie ihm den Lippenstift abwischte. Erst verspielte er sein Glück, dann versagte ihm die Stimme und jetzt das.

»Vielleicht solltest du etwas Maca nehmen.«

»Das bringt doch nix.«

»Den Frauen, die das für ihre Männer kaufen, erzählst du das Gegenteil.«

»Ich sage ihnen nur, was sie hören wollen.«

»Und das funktioniert?«

Er nickte. »Nur bei mir selbst nicht.«

»Vielleicht sollten wir mal wieder rausfahren.«

»Du meinst, in den Hammrich?« Dort würde sie das Kommando übernehmen.

»Ja«, sagte sie, während sie mit dem zusammengeknüllten Stück Papier über seine Wange wischte. »Wir sollten den Nebel ausnutzen, solange er noch da ist.«

Das Strandhotel war mehr als eine Herberge für Handelsvertreter und Touristen. In den oberen Stockwerken waren die Zimmer, aber unten gab es eine Bar, in der abends Männer und Frauen am Tresen saßen und um die Wette tranken oder – wie der Vater und dessen Freunde – Skat spielten. Und nach hinten raus, zum See hin, gab es zwei Säle, einen großen und einen kleinen, in denen sich einmal die Woche Vereinsmitglieder trafen und über Kaninchen, Munition und Fußball diskutierten oder Lieder sangen, bis sie zu heiser oder zu betrunken waren, um weitermachen zu können. Tagsüber, vor allem am Wochenende, war das Strandhotel ein Café und Restaurant und die einzige Gaststätte im Dorf, die um halb zehn Uhr morgens schon geöffnet hatte.

Als Daniel den Raum betrat, sah er viele alte Frauen in ihren besten Kleidern an den Tischen sitzen, bereit für den Gottesdienst, und nur einen jungen Mann gleich neben dem Eingang. Selbst wenn Ronnie nicht die Hand gehoben hätte, wäre Daniel sich sicher gewesen, dass er es war. Kein normaler Mensch unter zwanzig ging sonntagvormittags ins Strandhotel.

»Bist du nicht der aus der Zeitung?«, fragte Ronnie, nachdem sie sich vorgestellt hatten. »Der mit den Hakenkreuzen?«

»Ich wollte die wegmachen.«

»Das ist dir ja auch gelungen.«

»Aber nicht so, wie ich mir das vorgestellt hatte.«

»Also«, sagte Ronnie. »Was willst du wissen?«

»Warum bist du entlassen worden?«

»Weil ich mich beschweren wollte.«

»Bei wem?«

»Bei Schulz.«

»Worüber?«

»Über die Zustände.«

»Darüber, dass Plastikbecher aus den Mülleimern rausgeholt und wieder verwendet werden?«

»Nicht nur das.«

»Die Ratten!«

Ronnie winkte ab. »Du kennst doch diese Mettbrötchen, oder?«

»Ja«, sagte Daniel tonlos. Plötzlich meinte er, den Geschmack von rohem Fleisch und Zwiebeln im Mund zu haben. »Kenn ich.«

In dem Moment trat eine junge Frau mit schwarzem Hemd und schwarzer Schürze an ihren Tisch. »Was darf's sein?«

»Ein Kaffee«, sagte Daniel.

»Ein Kaffee, bitte.«

»Was?«

»Ach, vergiss es«, sagte die Frau und sah zu Ronnie hinüber. »Sitzt du noch lange hier?«

»Warum?«

»Weil Enno schon nach dir gefragt hat.«

»So? Hat er das?«

»Ja, hat er.«

»Dann sag ihm, dass meine Schicht erst in 'ner halben Stunde anfängt.«

»Sag's ihm doch selbst«, sagte die Frau und drehte sich um.

»Mach ich«, rief Ronnie ihr nach. »Wenn ich ihn sehe.«

»Du arbeitest hier?«, fragte Daniel.

»Hinten«, sagte Ronnie. »In der Küche.« Er nickte zum Tresen hinüber.

»Also«, sagte Daniel. »Die Mettbrötchen.«

Ronnie schaute nach rechts und links und beugte sich zu ihm hin. »Wenn davon welche nach der letzten Pause übrig bleiben, träufeln sie Zitronensaft drauf«, er hielt die Hand über den Tisch und rieb drei Finger gegeneinander, »packen die in den Kühlschrank und mischen die Alten am nächsten Tag unter die Neuen. Am Ende weiß niemand mehr, welche welche sind. Und wenn davon wieder welche übrig bleiben, wandern sie über Nacht wieder in den Kühlschrank. Als ich einmal morgens eins in der Hand hatte, das schon ziemlich angegammelt war, halb grau, halb gelb, und es gerade wegwerfen wollte, kam die Chefin rein und fragte, was das soll. Ich sagte, das sei schlecht. Und weißt du, was sie dann gesagt hat?« – Daniel schüttelte den Kopf. – »Kann man immer noch Frikadellen draus machen.« Ronnie lehnte sich wieder zurück. »Und dann hab ich ihr gesagt, dass ich mich über sie beschweren werde. Und sie hat dann gesagt, das kannst du ruhig machen, aber dann erzähl ich Schulz, dass du das Geld geklaut hast.«

»Welches Geld?«

Ronnie zeigte mit dem Finger auf Daniel. »Genau das hab ich sie auch gefragt. Und sie hat dann gesagt, das, was du mir gestohlen hast.«

»Du hast Geld gestohlen?«

»Wem hast du Geld gestohlen?«, fragte die Frau von vorhin und stellte die Tasse Kaffee vor Daniel ab. »Enno?«

»Niemandem.«

»Ich werd Enno fragen.«

»Wirst du nicht.« Er griff nach ihrer Hand, aber sie wich ihm aus und trat einen Schritt zurück.

»Hast wohl Schiss?«

»Hab ich nicht.«

»Na, dann ist ja gut«, sagte sie. »Dann hast du ja nichts zu befürchten, wenn ich Enno frage.«

»Mach, was du willst. Mir egal.«

»Echt?«

»Ja, echt.«

»Na, dann. – Und was dich angeht«, sie wandte sich Daniel zu, »Danke sagen hat noch niemandem geschadet.«

»Danke«, sagte Daniel, aber so leise, dass er es selbst kaum verstehen konnte.

»Wie bitte?«

Und Daniel sagte noch einmal »Danke«, diesmal lauter.

»Geht doch«, sagte sie und verschwand hinterm Tresen.

»Wer ist das denn?«, fragte Daniel.

»Gesa.«

»Gesa wer?«

Ronnie zuckte mit den Schultern. »Keine Ahnung. Studiert in Münster. Arbeitet hier nur am Wochenende und in den Ferien.«

»Also«, sagte Daniel. »Was ist jetzt mit dem Geld aus der Cafeteria, hast du das jetzt geklaut oder nicht?«

»Natürlich nicht. Das hat die Alte doch nur behauptet, um mich schlechtzumachen. Sie hat gesagt, dass in meiner Schicht Geld verschwunden ist. Angeblich. Und dass sie das damals schon melden wollte, gleich nachdem sie's gemerkt hatte, es dann aber mit Rücksicht auf meine Zukunft nicht getan hat. Sie meinte, sonst würde ich auch noch von der Schule fliegen. Und dann hat sie mich rausgeschmissen.«

»Aber du hast doch gar nichts gemacht.«

»Ich konnte ihr aber auch nicht das Gegenteil beweisen. Da steht Aussage gegen Aussage. Und wer glaubt schon einem Schüler? Dreimal darfst du raten.«

»Hast du's schon gesehen?«

»Was?«

»Die Anzeige.«

»Welche Anzeige?«

»Die hier. In der *Sonntagszeitung*. Unter dieser Geschichte mit den Kurden, die das Büro von Wiemers besetzt haben. Als ob die FDP den Leuten da im Irak helfen könnte.«

Birgit wischte sich die Hände an der Schürze ab und sah Hard über die Schulter.

»Schrecklich, als wenn jemand gestorben wär.«

»Es stirbt ja auch jemand.«

»Ja, aber normalerweise heuern Auftraggeber ihre Killer nicht in der Öffentlichkeit an.«

»Bisher haben sie ja keinen gefunden.«

»Könnte aber bald so weit sein.«

»Wieso?«

»Ich hab gehört, die Heißmangel neben Vehndel macht zu.«

»Wann?«

»Jetzt, Ende April. Hat Sabine heute erzählt. Günter kann es sich wohl nicht leisten, die Räume leer stehen zu lassen. Sie brauchen die Miete, und du weißt ja, wie schwer es ist, jemanden zu finden.«

»Erst Klaus mit seinem neuen Sortiment und jetzt Günter.«

»Das heißt ja nicht, dass sie an die da vermieten.« Birgit wandte sich wieder den Kochtöpfen zu. »Wieso steht da eigentlich nichts bei?«

»Was weiß ich, aber die ist bestimmt von Schlecker, die sieht genauso aus wie die anderen.«

»Schlecker. Was ist das überhaupt für'n Name? Klingt eher wie 'ne Eis-Firma.«

»Das sind ja auch keine Drogisten, nur Kassiererinnen, die haben überhaupt keine Ahnung von Pharmazie, Medizin, Chemie, Kosmetik, Botanik. Mir schleierhaft, wie die jemanden beraten sollen. Aber das wollen die Leute ja heute auch gar nicht mehr, Hauptsache billig.«

»Hör auf zu jammern.«

»Ist doch wahr.«

»Weißt du, wie sich das jetzt für mich anhört?«

»Sag's nicht.«

»Was ist da zwischen Günter und dir eigentlich vorgefallen?«

»Nix.«

»Dann red doch mal mit ihm.«

»So weit kommt's noch. Wenn hier jemand mit jemandem reden müsste, dann er mit mir, nicht ich mit ihm.«

»Dann kann ich dir auch nicht helfen.«

»Das musst du auch gar nicht. Niemand muss mir helfen. Das mach ich schon selbst.«

6

Am Montag berichteten in der Schule alle von ihren Praktikumserlebnissen. Frau Nanninga befragte sie der Reihe nach. Viele waren ernüchtert. Die meisten sagten, die drei Wochen hätten ihnen gezeigt, dass sie für den angestrebten Beruf nicht geeignet seien. Ihre Vorstellungen seien nicht mit der Wirklichkeit in Einklang zu bringen gewesen. Man habe es ihnen aber auch schwer gemacht. Oft hätten sie den ganzen Tag nur herumgestanden und aus versicherungstechnischen Gründen nicht richtig mit anpacken dürfen.

»Jens«, fragte Frau Nanninga. »Wie ist es dir ergangen?«

Er zuckte mit den Schultern. »Schlecht.«

»Wieso?«

Wieder zuckte er mit den Schultern. »Ich hab halt gemerkt, dass Klempner doch nicht das Richtige für mich ist.«

»Warum nicht?«

»Bis zur Rente die Scheiße anderer Leute wegmachen, das stimmt irgendwie nicht mit meinem Lebensentwurf überein, das ist mir irgendwie zu dröge.«

»Was hast du denn erwartet?«

Er zuckte ein drittes Mal mit den Schultern. »Weiß nicht, was andres halt. Man kommt zwar viel rum, hat auch viel mit Menschen zu tun, aber ich glaub, ich mach jetzt doch was andres.«

»Was denn?«

»Erst wollt ich das ja nicht, aber ich glaub, ich mach jetzt doch 'ne Ausbildung bei meinem Vater.«

»Im Sonnenstudio?«

»Ja, genau.« Er leckte über seine Oberlippe. »Das scheint mir jetzt doch irgendwie aussichtsreicher zu sein.«

»Welche Aussicht meinst du?«, fragte Paul, der neben ihm saß, und zupfte an seiner Haarsträhne.

Die Jungs lachten und grölten. Die Mädchen warfen ihm vor, oberflächlich und primitiv zu sein. Um wieder für Ruhe zu sorgen, fragte Frau Nanninga Paul, wie ihm sein Praktikum bei der Polizei gefallen habe.

»Scheiße.«

»Warum?«

»Weil nichts passiert ist. Nichts Geiles jedenfalls, keine Überfälle, keine Morde. Wir sind immer bloß dumm in der Gegend rumgefahren, stundenlang. Und bei den meisten Einsätzen ging's bloß um laute Musik, kleine Unfälle und verwirrte Alte, die wir verfolgt haben wie entlaufene Tiere. Eine mussten wir sogar von 'nem Baum runterholen. Und das Schlimmste war, auf der Rückbank hab ich mir dann immer die ganze Lebensgeschichte anhören müssen. Dass sie im Krieg waren und auf der Flucht vor den Russen und so Zeug. Oder das, was davon übrig geblieben ist, da ging alles durcheinander bei denen, total irre. So will ich bestimmt nicht enden.«

Simone meldete sich. Dreimal schnippte sie mit den Fingern, bis Frau Nanninga sie aufrief. »Ich seh da keine Entwicklung«, sagte Simone zu Paul. »Ich kenn dich nur verwirrt auf der Rückbank.«

Jetzt bekam Paul rote Flecken im Gesicht. Die Jungen, die Mädchen lachten. Frau Nanninga bat um Ruhe.

Volker beugte sich zu Daniel hin und fragte flüsternd: »Wie spät ist das eigentlich? Ich hab Lungenschmacht.«

Daniel schaute auf seine Digitaluhr. »Kurz nach acht.«

Volker stöhnte kurz auf und verstaute die eben hervorgeholte

Zigarettenschachtel wieder in seiner Jackentasche. »Das Beste an meinem Praktikum sind die Rauchpausen gewesen«, sagte er so leise wie möglich, was wegen seiner tiefen, kratzigen Stimme nie leise genug war, um nicht von allen anderen auch gehört zu werden. »Alle halbe Stunde sind wir bei Busbooms auf den Autohof und haben eine durchgezogen. Das Dumme ist, jetzt hab ich mich an diesen Rhythmus gewöhnt. Deshalb muss ich ab heute auch verstärkt auf Ersatzdrogen zurückgreifen«, sagte er, griff in seinen Schulranzen und nahm vier in Alufolie eingeschlagene und mit Leberwurst bestrichene Graubrothälften aus einer Plastikbox. »Vorsorglich hab ich die tägliche Dosis verdoppelt, um mögliche Entzugserscheinungen von vornherein abzuschwächen.« Ein Tiefflieger donnerte über das Gebäude. Frau Nanninga machte einen Eintrag ins Klassenbuch. Bevor es klingelte, sammelte sie die Praktikumshefte ein.

Während der zweiten großen Pause kaufte Daniel in der Cafeteria eins der hinter der Glastheke ausliegenden Mettbrötchen und trat damit hinaus auf den Gang. Er wickelte es in Klarsichtfolie und steckte es in seinen Bundeswehrrucksack. Er lief durchs Foyer über den Busparkplatz zum Fahrradstand, ließ das Schloss zurückschnappen und fuhr los, in den immer dichter werdenden Nebel hinein, über die Felder, die Deiche, hinter der Mülldeponie vorbei, an den Schienen entlang, ein schmaler Weg voller Schlaglöcher und Scherben, denen er erst im allerletzten Moment ausweichen konnte. In der Kreisstadt, jenseits des Flusses, dort, wo die Luft klar war, strampelte er gegen den Wind an. Jede Straße, in die er einbog, war wie eine Wand. Es schien ihm, als drehte der Wind immer in die Richtung, aus der er gerade kam, als wollte er ihn aufhalten.

Als er vor dem Ordnungsamt stand, Amt für Veterinärwesen und Lebensmittelüberwachung, Amt 23, eine Villa aus Backstein, direkt an der Friesenstraße, sah er, dass er zu spät dran war, dass es erst morgen wieder geöffnet hatte. Er drehte um und fuhr gegen den Wind, gegen die Wut an, nichts ausrichten zu können, den ganzen Weg ins Dorf zurück. Am nächsten Tag kaufte er wieder ein Mettbrötchen, wieder wickelte er es ein und fuhr damit in die Stadt zum Ordnungsamt, er schwänzte die fünfte, die sechste Stunde. Die Eltern würden ihm eine Entschuldigung schreiben müssen. Er würde ihnen erzählen, er habe sich nicht wohlgefühlt, man habe ihn nach Hause geschickt und auf dem Heimweg sei ihm schwindlig geworden, er habe sich auf eine Wiese gesetzt und für kurze Zeit das Bewusstsein verloren. Sie würden ihn, wie so oft, zu Doktor Ahlers schicken. Und der würde ihn untersuchen und nichts feststellen. Vorsichtshalber würde er ihn krankschreiben und ihm einen neuen Termin geben oder an einen Neurologen überweisen oder sagen, Kreislaufprobleme seien in dem Alter keine Seltenheit. Das könnte ihn eine Woche vom Unterricht befreien, eine Woche Zeit.

Das Amt war in einem Wohnhaus untergebracht, von außen unterschied es sich nicht von den anderen Wohnhäusern der Straße, allesamt Villen, aber als er eintrat, hörte Daniel gleich aus mehreren Zimmern das Geratter elektrischer Schreibmaschinen. An den Wänden hingen Schaubilder von aufgeschnittenen Kühen und Schafen und Pferden, und im Flur stand eine Vitrine, in der, von einer Lampe angestrahlt, Darmnadeln, Wangenspreizer, Zahnzangen, Hautstanzer, Knochenhebel und Augenhaken glänzten. Zu allen Seiten hin gingen Türen ab, die meisten waren nur angelehnt, und Daniel trat auf eine zu, klopfte gegen den Rahmen und machte einen Schritt in den Raum hinein. Zwei Frauen, die in einer Ecke beisammenstanden, drehten sich gleichzeitig zu ihm um und fragten, was er wolle. Daniel sagte, dass er eine Probe dabei habe und hielt wie zum Beweis das Mettbrötchen hoch. »Das ist oben«, sagte die eine Frau, »im ersten Stock, Zimmer eins null eins.« Erst im Hinausgehen sah er, dass sie ein Skalpell in der Hand hielt und von ihren Fingern Blut auf das Linoleum troff.

Oben waren alle Türen verschlossen, und falls es daran Schilder mit Nummern gegeben hatte, waren diese inzwischen abmontiert und durch Namen ersetzt worden. Er klopfte erst an eine Tür, dann, als niemand antwortete, an eine andere, auf der *Theo Houtjes* stand und darunter *Lebensmittelkontrolle*. Ein Mann rief von drinnen: »Einen Moment.« Daniel hielt die Klinke gedrückt, wartete aber minutenlang auf eine Aufforderung, einzutreten zu dürfen, eine Ewigkeit, so schien ihm, verharrte er in dieser Stellung, bis ein lautes »Herein« ihn erlöste.

Daniel hatte ein Labor erwartet mit dampfenden Schalen und Apparaturen und gekachelten Wänden. Stattdessen stand er in einem Büro voller Aktenschränke und Bücherregale, das ebenso gut Teil der Redaktion hätte sein können. Sogar der Mann, der ihn hereingebeten hatte, saß über eine Schreibmaschine gebeugt und spannte gerade ein neues Blatt Papier ein. Das Einzige, was ihn von einem Redakteur unterschied, war, dass er einen weißen Kittel trug wie ein Arzt oder Apotheker oder Drogist.

An die Pinnwand, die fast die gesamte Rückwand des Zimmers einnahm, war neben Zetteln auch ein Foto geheftet, das den Mann in Flanellhemd, Armeehose und schweren Schuhen zeigte, einen großen grünen Fisch an die Brust gedrückt.

Daniel kam gleich zur Sache und legte das Mettbrötchen vor ihn auf den Schreibtisch.

»Woher hast du das?«

»Aus'm Imbiss.«

»Aus welchem?«

»Kann man das noch essen?«

»Man kann fast alles noch essen.«

»Sollte man das noch essen?«

»Warum willst du das wissen?«

»Ich bin da an 'ner Geschichte dran.«

»An was für einer Geschichte denn?«

»Ich schreib gerade 'nen Artikel über diesen Imbiss, und mir hat jemand erzählt, dass sie da, in diesem Laden, verdorbene Mettbrötchen verkaufen. Und anscheinend ist auch mit dem Kaffee irgendwas nicht in Ordnung oder mit den Kaffeebechern, weil sie die aus den Mülleimern wieder rausholen. Hab ich jedenfalls gehört.«

»Soso, das hast du also gehört.«

»Ja, ich weiß zwar selbst noch nicht so genau, ob an den Vorwürfen was dran ist, und deshalb will ich jetzt auch nicht zu viel verraten. Aber wenn Sie den Laden jetzt überprüfen, fliegt vielleicht alles auf und jemand, der mehr Einfluss bei der Zeitung hat als ich, kommt mir zuvor. Das hab ich schon erlebt.«

»Soso«, sagte der Kontrolleur. »Das hast du also schon erlebt. Da hast du in deinem Alter ja schon einiges erlebt. Du bist doch der kleine Kuper, der mit den Graffitis. Ich kenne deinen Vater vom Angeln her. Hin und wieder habe ich in Jericho zu tun. Und wenn ich danach genug Zeit habe, fahre ich noch zu einer der Ausschachtungen oder zum Kolk in der Schulstraße. Und dann kaufe ich bei euch Köder, Tigernüsse, übrigens die besten der Gegend. Das mit dem Mettbrötchen ist so, wie du dir das vorstellst, aber nicht zu machen. Solange ich nicht weiß, wo das hier«, er nahm das Mettbrötchen in die Hand, »herkommt und wie die räumlichen und hygienischen Bedingungen in diesem Imbiss sind, darf ich sowieso keine Untersuchung beim Landesamt in Auftrag geben. Und selbst wenn ich's täte, würde das nur beweisen, dass dieses eine Mettbrötchen hier verdorben ist. Mehr nicht. Um dem Betreiber eine Verwarnung auszusprechen oder die Zulassung zu entziehen, ist das viel zu wenig. Und auch für einen Artikel würd's nicht reichen. Außerdem sieht mir das hier eher nach Zwiebelmett aus, nicht nach Schweinehack, riecht auch so, etwas säuerlich vielleicht, etwas zu säuerlich, aber das kann viele Ursachen haben.« Er drehte sich mit dem Stuhl um, zog eine Schublade auf, nahm einen Hängehefter heraus und kehrte in seine Ausgangsposition zurück. »Ich mach dir einen Vorschlag. Ich schicke die Probe hier ein, wenn du mir sagst, wo du die herhast, und sobald das Ergebnis vorliegt, werd ich eine Verdachtskontrolle machen. Und obwohl ich nicht dazu verpflichtet bin, obwohl ich das eigentlich gar nicht dürfte, werd ich dir Bescheid sagen. Das kann aber ein paar Tage dauern.«

Daniel willigte ein und fuhr durch den Hammrich, den Nebel, nach Jericho zurück.

Sie hatten Hards Wagen genommen. Eiske hatte zwar einen eigenen, einen Peugeot 205 CTI 1.6, Baujahr 1987, 104 PS, aber der war zu klein und zu offen für das, was sie vorhatten.

»Ich versteh immer noch nicht, warum du dir nach Geralds Unfall keinen Kombi angeschafft hast«, sagte Hard und fuhr im Schritttempo über die Feldwege. »Man hätte die Sitze zurückklappen können.«

»Gerald hat einen Kombi.«

»Ja, aber den Unfall hatte er mit deinem Wagen.«

»Weil meiner schneller war als seiner.«

»Musste es denn danach unbedingt ein Cabrio sein?«

»Ich hatte nicht gedacht, dass es danach noch mal dazu kommen würde.«

»Zu was?«

»Zu uns. Ich denke das jedes Mal.«

»Und warum stehst du dann seit fünfundzwanzig Jahren einmal im Monat vor meiner Tür? Vielleicht sollten wir bald mal so was wie Silberhochzeit feiern.«

»Ich versuche ja, damit aufzuhören, aber ich kann nicht. Jedes Mal sage ich mir, jetzt reicht's, das war's.«

»Vielleicht ist es das ja auch, vorbei meine ich.«

»Das liegt ganz an dir.«

»Ich kann wieder.«

»Das will ich auch hoffen. Für dich. Und für mich auch. Ich könnte ohne nicht leben.«

»Es ist wie eine Sucht.«

»Ja, genau.«

»Du kannst mir nicht wiederstehen.«

»Mit dir hat das nichts zu tun.«

»Ach nein?«

»Nein.«

»Mit wem denn dann?«

»Mit mir.«

Sie bogen in die Hoogstraat ein, die Scheibenwischer flappten auf niedrigster Stufe hin und her, und die feinen Tropfen, die der Nebel auf dem Glas hinterließ, liefen an den Seiten herab, trotzdem konnten sie kaum mehr als den Asphalt vor sich sehen. Aus den weißen Wänden, die sie umgaben, tauchten Gatter, Bäume, Kuhköpfe auf und verschwanden wieder. Einmal sahen sie zwei Sonnen auf sich zukommen, die sich, als sie auf dem Grasstreifen anhielten, als Scheinwerfer eines Traktors entpuppten. Der Mann hinterm Steuer grüßte, und Hard grüßte zurück.

»Das war Watermann.«

»Ich weiß.« Hard ließ die Kupplung kommen.

»Hast du seine Augen gesehen?«

»Der guckt doch immer so irre.«

»Die wären ihm fast rausgefallen.«

»Na und? Wir machen hier nix Verbotenes.«

»Nicht? Ich dachte, dass sei der Grund, weshalb wir hergekommen sind. Was machen wir dann hier?«

»Eine Expedition ins Tierreich.«

»Gerald meint, das liegt am Deich.«

»Was?«

»Der Nebel. Am Deich und am Bahndamm. Der Hammrich ist wie ein Tal.«

»Das kann schon sein. Bloß seltsam, dass er sich hier so lange hält. Normalerweise ist der ja nach zwei, drei Tagen wieder verschwunden.«

»Vielleicht ist das ja Smog.«

»Hier? In dieser Gegend? Bestimmt nicht. Außer der Puddingfabrik gibt's hier doch nix, was Rauch ausstoßen könnte. Und wenn's so wäre, müsste man das doch riechen. Und ich riech nix. Du etwa?«

Eiske schüttelte den Kopf.

Aber während sie weiter in den Hammrich hineinfuhren, breitete sich im Wagen ein modriger Geruch aus, und das Glas beschlug auch von innen, sodass Hard die Heizung aufdrehte und die Lüftung einschaltete und beide ihre Jackenärmel über die Hände zogen und wie wild über die Scheiben zu wischen begannen.

»Wir sollten die Fenster aufmachen.«

»Das bringt auch nix.«

»Dann lass uns anhalten.«

»Das hier ist nicht unser Platz.«

»Dieser Platz ist gut genug«, sagte Eiske, legte eine Hand auf seinen Oberschenkel und ließ sie langsam nach oben gleiten.

»Wir stehen mitten auf der Straße.«

»Wir stehen mitten im Nichts.«

»Wir sind gar nicht da.«

»Genau.« Ihre Hand war jetzt da, wo sie seiner Ansicht nach immer sein sollte.

»Uns gibt's gar nicht.«

»Genug geredet.« Sie machte seinen Reißverschluss auf, und Hard schaffte es gerade noch, die Zentralverriegelung zu betätigen, bevor sie sich über seinen Schoß beugte. Für einen Moment dachte er, es würde auch heute wieder nichts werden, doch dann spürte er die feuchte Wärme ihres Mundes, und das ließ ihn alles vergessen, was sich in den vergangenen Tagen in seinem Kopf an Ängsten zusammengebraut hatte, dass Theda Wiemers möglicherweise Birgit von ihrem Verhältnis erzählte, dass Marie Meinders von ihm schwanger sein könnte, dass er selbst jetzt in das Alter kam, in dem es nur noch bergab ging. Tief in seinem Innern, im Rest seines Gehirns, der noch mit Blut versorgt wurde, bereute er, Birgit hintergangen zu haben, sollte es tatsächlich bald mit ihm zu Ende gehen, und Eiske nahm ihm den Druck, der auf seiner Seele lastete, und erteilte ihm die Absolution.

Hinterher saßen sie auf der Rückbank, beide nebeneinander, halb entkleidet. Eiske schlief, und auch Hard war kurz eingeschlafen und dann von einem Geräusch geweckt worden, vom Klacken des Türgriffs. Jemand war am Fenster. Erst sah er nur eine Hand, kurz darauf ein Gesicht, die Nase an die Scheibe gepresst, schemenhaft. Wer immer es war, er zog sich zurück. Hard atmete aus und griff nach seiner Hose, die, er wusste nicht mehr, wie, auf seine Knöchel gerutscht war, und gerade als er sie hochziehen wollte, gab es ein Klopfen, fünfmal hintereinander, sein Herz erzitterte unter den Schlägen, er meinte keine Luft mehr zu bekommen, Schweiß trat ihm auf die Stirn.

Eiske schreckte auf, flüsterte: »Was ist los?«

Und fast gleichzeitig hörte er die Stimme seines Sohnes: »Mama, bist du das?«

Als Daniel die Drogerie betrat, stand die Mutter hinterm Tresen und bediente eine Kundin, Simone Reents.

Simone errötete, sofern man bei ihrer Dauerblässe von Erröten sprechen konnte, sagte: »Hallo, Daniel«, und stopfte eine Schachtel o.b. in ihre Tasche.

»Wo kommst du denn so spät her? Du hast das Mittagessen verpasst. Hattet ihr heute länger?« Die Mutter sah erst Daniel an, dann Simone.

»Unser Wagen steht im Hammrich.«

»Dein Vater wollte sich den Nebel mal aus der Nähe ansehen.«

»Und den Ausblick genießen, oder was?«

»Was hast du denn im Hammrich gemacht?«

»Einen Umweg.«

»Einen Umweg von drei Stunden? Du hättest wenigstens Bescheid sagen können.«

»Mir war schwindlig. Ich hab die Orientierung verloren.«

»Schon wieder?«

»Nicht schlimm.«

»Nicht schlimm? Das kann ja sonst was sein. Lass dich mal ansehen.« Sie trat auf ihn zu und nahm seinen Kopf in ihre Hände.

Daniel trat einen Schritt zurück. »Und dann hatte ich das Gefühl, da ist jemand drin.«

»Wo? Im Nebel?«

»In unsrem Wagen.«

»Und? War da jemand drin?«

Er zuckte mit den Schultern. »Weiß nicht. Konnt nichts sehen.«

»Ich geh dann mal«, sagte Simone und ging an Daniel vorbei nach draußen. »Tschüss.«

»Tschüss«, sagte Birgit und dann, an Daniel gewandt: »Du solltest mal zu Doktor Ahlers gehen. Und dich von ihm durchchecken lassen.«

»Vielleicht war ich auch nur unterzuckert.«

»Kein Wunder, wenn du in der Schule nichts isst.«

»Das Zeug?«

»Dann nimm wenigstens die Brote mit, die ich dir schmiere.«

»Ich bin fünfzehn.«

644

»Deine Portion steht auf dem Herd. Und wie der angeht, weißt du ja wohl.«

»Ja. Mit der Fernbedienung.«

Er machte sich das Essen warm und setzte sich mit dem Teller ins Wohnzimmer. Im Fernsehen drohte bei *Riskant!* einer der neuen Kandidaten Cord, den Champion, zu schlagen. Er hieß Timo, kam aus Tübingen, hatte lange, zum Zopf gebundene Haare und zupfte alle paar Sekunden an seiner Nase. In der ersten Runde war er nicht nur der Schnellste gewesen, er hatte auch auf alle Antworten die richtigen Fragen gewusst. Auf seinem Pult stand eine Bronzefigur, ein Wesen mit vier Armen und einem Elefantenkopf.

In der Pause kam Hans-Jürgen Bäumler auf ihn zu und sagte: »Sechstausendsiebenhundert. Mensch, Timo, da haben Sie aber ganz schön abgeräumt.«

»Man tut, was man kann.«

Hans-Jürgen Bäumler faltete die Hände. »Sie haben mir erzählt, Sie haben das Studium fertig.«

»Nee, nicht ganz. Ich hab's abgebrochen, und jetzt fange ich wieder an.«

»Und was wollten Sie werden?«

»Eigentlich Germanist, aber in den Semesterferien war ich in Indien, und jetzt werde ich Grundschullehrer.«

»Soll ja jetzt auch wieder besser sein mit den Stellen.«

»Als Mann hat man's da sowieso leichter. Das will keiner machen. Aber ich habe jetzt mein Âtman erkannt, ich weiß jetzt, was meine wahren Wünsche sind.«

»Und die werden sich bestimmt erfüllen, Sie haben ja Ihren Talisman dabei.« Bäumler zeigte mit dem Finger auf die Bronzefigur auf Timos Pult. »Hat's schon geholfen?«

»Ganesha hilft mir, Hindernisse zu überwinden.«

»Ganesha?«

»Ganesha steht für den Neubeginn, er ist der Hüter des Glücks.«

»Na, bisher war das Glück Ihnen ja hold, wollen mal sehen, ob's in der zweiten Runde so bleibt.« Hans-Jürgen Bäumler trat einen Schritt zurück. »Jetzt geht's um doppelte Beträge und andere Wissensgebiete.« Die Musik setzte ein, und auf der Leinwand erschienen nacheinander die neuen Rubriken. »Pickelhauben. Zucker und Peitsche. Goethe und Co. Kopf und Zahl. Galaktika. Ganz intim.«

Aber schon bei der ersten Antwort fasste sich Timo an die Nase und blickte fragend in die Scheinwerfer über ihm.

»Ganz intim zweihundert: Kerker und Irrenhaus für einen Franzosen von Adel wegen Schriften über gewalttätige Unzucht.«

Die Zeit verstrich.

»Marquis de Sade«, sagte Hans-Jürgen Bäumler. »Ja, Timo. Das wär doch was für Sie gewesen. Zuffi.« Er schnippte mit den Fingern, und per Zufallsgenerator wurde einer der Kandidaten ausgewählt.

»Goethe und Co. vierhundert«, sagte Katharina, die bisher leer ausgegangen war.

»Goethes Kritik soll Mitschuld an seinem Freitod haben, nicht *Der zerbrochene Krug*.«

Cords Lampe leuchtete auf. »Wer war Kleist?«

»Richtig.«

»Goethe und Co. sechshundert.«

»Der Verlust der Sprache spielt bei ihm auch schon in der *Deutschstunde* eine Rolle.«

»Wer war Kästner?«, sagte Timo siegessicher.

»Falsch«, sagte Hans-Jürgen Bäumler. »Langsam verstehe ich, warum Sie Ihr Germanistikstudium abgebrochen haben.«

»Wer ist Lenz?«, sagte Cord. »Goethe und Co. achthundert.«

»Döblin lässt ihn scheitern, obwohl es Franz Biberkopf in diesem Roman ehrlich meint.«

Die Kandidaten schwiegen.

»Ist auch verfilmt worden«, sagte Hans-Jürgen Bäumler. »Von Fassbinder.«

Cords Lampe leuchtete auf. »Was ist *Berlin Alexanderplatz*?«

»Richtig.«

»Ganz intim eintausend.«

»Sancho Pansa, der treue Gefährte, versteht Don Quijote, der diese Liebste begehrt.«

Timos Lampe leuchtete auf. »Was sind Windmühlen?«

Beim Abendessen saß Hard ihm gegenüber. Daniel sah ihn an, und er erwiderte seinen Blick. Nur nicht nachgeben. Keine Schwäche zeigen. Seine Haare waren noch feucht von der Dusche, und anstelle des Kittels, der nach Eiskes Parfüm roch – Obsession – und in der Wäsche lag, trug er jetzt ein hellblaues Hemd und eine frische, neue Hose. Er schmierte Butter auf ein Schwarzbrot, legte Salami darauf und zerteilte es in zwei gleich große Hälften. Die Zwillinge puhlten die Rosinen aus ihren Brötchen und schoben sich den Teig in den Mund.

Birgit ließ einen Kandis in Hards Tasse fallen und goss warmen Tee darüber, dass es knisterte. »Wie war's im Hammrich?«

Falls sie etwas wusste, falls Daniel ihr etwas gesagt haben sollte, ließ sie es sich nicht anmerken.

»Ich hab dich gesehen«, sagte Daniel.

Für einen Moment fühlte er sich ertappt. »Nix. Ich hab ja nicht mal mich selbst gesehen.«

»Geht ja auch gar nicht«, sagte Andreas.

»Geht wohl«, sagte Julia.

»Geht nicht.«

»Doch«, sagte Julia. »Im Spiegel.«

»Im Hammrich gibt's gar keine Spiegel.«

»Ich hab da schon welche gesehen.«

»Wo denn?«

»Im See. Ganz viele.«

»Gar nicht wahr.«

»Wohl wahr.«

»Hört auf zu streiten«, sagte Birgit.

Und Hard sagte, an Daniel gewandt: »Ich hab gehört, dir ist wieder schwindlig geworden.«

Daniel sah seine Mutter an – und damit hatte Hard gewonnen. »Und du hast die Orientierung verloren. Ich frage mich nur, wann.«

»Wie, wann?«

»Wann du die Orientierung verloren hast.«

»Keine Ahnung«, sagte Daniel. »Kann bei dem Nebel ja auch leicht passieren.«

»Ja, schon«, sagte Hard, »aber die Schule liegt ganz woanders.«

»Ist das nicht das Wesen der Orientierungslosigkeit, dass man plötzlich auf der anderen Seite der Welt aufwacht, ohne sich daran erinnern zu können, wie man dahin gekommen ist?«

»Ich glaube, du solltest dich mal untersuchen lassen.«

»Das hab ich auch gesagt«, sagte Birgit. »Aber er will ja nicht auf mich hören.«

Daniel lag auf der ausgerollten Papierbahn wie ein Stück Fleisch, das gewogen und eingewickelt werden soll, und aus seiner Kehle kam ein tiefes, kratziges Brummen. Am Abend zuvor war er mit Paul und Jens und Volker ins Kino gegangen, um *Darkman* zu sehen, und sein Kopf pulsierte noch immer von Schnaps und Bier, und seine Hand brannte von der Zigarette, die Paul darin ausgedrückt hatte. Doktor Ahlers nahm den Holzspatel aus Daniels Mund. »Gut, gut. So weit alles in Ordnung.« Mit beiden Händen stieß er sich von der Pritsche ab und rollte auf dem Schreibtischstuhl zurück in den Raum. »Ist dir öfter schwindlig? Hast du Kopfschmerzen? Bedrückt dich irgendetwas?« Er schrieb etwas auf ein Blatt Papier. »Kommt das öfter vor, dass du die Orientierung verlierst? Läufst du nachts im Schlaf manchmal durchs Haus?« Er ließ den Stift fallen und schob sich wieder ein Stück näher an Daniel heran. Seine dünnen weißen Haare leuchteten im Neonlicht. »Und wo hast du dieses Wundmal her?« Er befühlte Daniels Handfläche. »Sieht frisch aus. Rauchst du? Kiffst du? Weißt du, woran mich das erinnert? An diesen Film, wie heißt der noch, *Flucht ins 21. Jahrhundert* oder wie der heißt, lief neulich im Fernsehen, da haben alle so Leuchtdioden in den Händen, und wenn die erlöschen, sind sie dreißig und werden erneuert oder so ähnlich. Tatsächlich bringt man sie um. Sei froh, dass du noch nicht dreißig bist. Andererseits, das hier scheint ja auch schon erloschen zu sein. Hast du in letzter Zeit irgendwelche Probleme? Du kannst mit mir über alles reden, Daniel. Auch über deinen Vater. Ich weiß, er kann manchmal ziemlich grob sein.« Dann erhob er sich, rieb die Hände aneinander, wie um Spannung aufzuladen, und umfasste von hinten Daniels Nacken. »Gut, gut. Dann eben nicht. Ich sage immer: Nichts muss, alles kann. Vielleicht ist der Schädel ja auch nur ein bisschen verrutscht.« Seine Finger legten sich um Daniels Hals und mit den Daumen machte er kreisende Bewegungen. »Ich spüre da starke Verspannungen auf der linken Seite, alles verkrampft, völlig verhärtet. Das kommt daher, dass du immer zu lange zu dicht vorm Bildschirm hockst. Schon als du reingekommen bist, ist mir gleich die für Computerspieler typische Körperhaltung aufgefallen, leicht gebeugt, die Schultern angezogen, den Kopf nach vorn geschoben. Ist bei meinen Kindern auch nicht anders, stundenlang starren sie auf den Bildschirm, beugen sich höchstens mal in die eine oder andere Richtung, je nachdem, wohin sie die Figuren oder Raumschiffe gerade steuern müssen, und verharren dann in einer Mittelstellung, bis meine Frau sie zum Essen ruft. Jeden Abend muss ich ihnen die Köpfe zurechtrücken. Ich sage immer, den Verstand wieder in Position bringen, und genau das habe ich jetzt auch mit dir vor. Du wirst sehen, gleich wird's dir besser gehen. Du wirst überhaupt nichts spüren, ein Knacken vielleicht, ein Stich wie von einer Nadel, ein Mückenstich, mehr nicht.« Noch ehe er seine Rede beendet hatte, ruckte es. Für einen Moment hatte Daniel das Gefühl, Doktor Ahlers habe ihm das Rückgrat gebrochen. Ihm wurde schwarz vor Augen, er konnte Sterne sehen, winzige Sterne, die aufblitzten und verglühten, der Feuerregen vor dem Weltende. »Gut, gut. Das hilft natürlich nicht immer. Falls dir wieder mal schwindlig sein sollte, werde ich dich wohl zu einem Kollegen schicken müssen«, sagte Doktor Ahlers und ging zum Schreibtisch, zum Computer hinüber und drückte auf ein paar Tasten. »Ich habe hier nicht die Geräte für eine umfassende neurologische Untersuchung. Du solltest dich jetzt erst mal schonen, viel frische Luft tanken, nachmittags einen Spaziergang durch den Hammrich machen, na, bei dem Nebel vielleicht besser nicht, wenn du da umkippst, findet dich keiner, also, bleib am besten im Ort. Ich verschreibe dir Diazepam, ein Beruhigungsmittel, für die Nerven. Und eine Salbe für die Hand. Meine Sprechstundenhilfe wird dir ein Rezept und ein Attest ausstellen, mehr kann ich im Moment nicht für dich tun.«

Nachdem sie die Zwillinge ins Bett gebracht hatte, war Birgit ins Wohnzimmer gekommen, und sie hatten zusammen die *Tagesschau* gesehen. Dann war Hard aufgestanden und zu Meinders gegangen, heute war der sechsundzwanzigste Spieltag der Fußballbundesliga, und als er zurückkam, holte er sich ein Bier aus dem Kühlschrank und betrat das Wohnzimmer. Birgit lag ausgestreckt im Fernsehsessel, in eine Decke gewickelt. Sie drehte nur den Kopf in seine Richtung. Ihre Wangen glühten vor Glück, und ihr Blick war glasig. Die Fußbank war hochgeklappt, und darunter, auf dem Teppich, lagen wie hingeworfen ihre Schuhe. Auf dem Tisch stand eine Flasche Rotwein, die vor seinem Abgang noch fast voll gewesen war. Und jetzt, durch die Stehlampe erleuchtet, sah er, dass nicht einmal mehr genug drin war, um sich noch ein Glas einzuschenken. Sie konnte eine Menge vertragen, und abgesehen von diesem Glanz auf ihrer Haut, in ihren Augen merkte man ihr die Trunkenheit nicht an. Sie wurde nie ausfallend, sie redete auch kein dummes Zeug oder verlor das Gleichgewicht. Alle Symptome, die andere in diesem Zustand zeigten, blieben in ihr verborgen. Und das, diese Undurchschaubarkeit, war etwas, was er an ihr schätzte und dem er auch ihren Erfolg im Geschäft zuschrieb, ihren Erfolg bei Männern. Die wenigen, die kamen, behandelte sie auf die gleiche zuvorkommende Weise, auch dann, wenn sie einige der Typen, wie sie ihm hinterher gestand, auf den Tod nicht ausstehen konnte. Nur ihm gegenüber ließ sie manchmal die Maske fallen, und was dann zum Vorschein kam, war nichts, an das er sich gerne erinnerte, ein kalter Blick, voller Verachtung. Er schloss die Tür hinter sich und rückte den Sessel zurecht, in dem er vorhin gesessen hatte, näher zu ihr hin.

»Was soll das denn werden, wenn's fertig ist?« Von einem Moment auf den anderen war die Farbe aus ihrem Gesicht verschwunden. Und sie sah ihn genauso an, wie er es erwartet hatte.

»Entschuldigung, ich wohne hier.«

»Heute ist Dienstag.«

»Ich weiß, der heilige Dienstag.«

»Musst du nicht ins Strandhotel?«

»Ich geh da nicht mehr hin. Ohne mich können die doch sowieso viel besser singen. Jetzt sticht ja keiner mehr heraus.« Seit

Ostern übte der Männergesangsverein dienstags statt donnerstags.

»Sonst hast du auch immer was Wichtigeres zu tun, als zu Hause rumzusitzen.«

»Heute nicht.«

»Und was ist mit Meinders?«

»Komm ich gerade her. War nicht viel los heute. Viele sind ja im Strandhotel. Und jetzt hab ich einen freien Abend.«

»Ich hab auch einen freien Abend, einen freien Abend von dir.«

»Ich weiß. Aber ich dachte, wir könnten den ausnahmsweise mal zusammen verbringen.«

»Das geht nicht.«

»Warum nicht?«

»Das widerspricht dem Prinzip.«

»Welchem Prinzip?«

»Dem meines freien Abends. Außerdem willst du bestimmt nicht mit mir *Dallas* gucken. Genau das hab ich nämlich jetzt vor.«

»Ich weiß. Dienstag ist *Dallas*.«

»Ja, aber nicht mehr lange. Obwohl, wer weiß, Bobby war auch schon mal tot, und dann, eines Morgens, ein halbes Jahr später, springt er quicklebendig aus der Dusche.«

»Ich versteh kein Wort.«

»Das hier«, sie zeigte auf den Fernseher, obwohl noch immer *Report* lief, ein Beitrag über das Verhältnis von Deutschen zu Ausländern und Asylanten, »ist die vorletzte Staffel. Im Herbst soll's vorbei sein. Und bevor's so weit ist, will ich jede Sekunde genießen.« Sie klappte die Fußbank zurück, warf die Decke von sich, stand auf und ging zur Schrankwand hinüber, um sich aus dem Barfach eine neue Flasche zu holen. »Und dabei werd ich mich betrinken.«

»Nur zu. Das ist dein gutes Recht.« Er hob sein Bier. »Und wenn du nix dagegen hast, mach ich mit.«

»Na gut«, sagte sie und setzte sich wieder. »Aber nur, wenn du dich nicht über mich lustig machst und nicht jede Szene kommentierst. Hier«, sie reichte ihm Flasche und Korkenzieher über den Tisch hinweg, »mach dich mal nützlich.«

»Mach ich.«

»Was? Über mich lustig?« Ihr Ton hatte sich verändert, war weicher geworden, und das gefiel ihm. Er hatte ihren Widerstand gebrochen, und wenn er nichts Falsches mehr sagte, würde sie nachher zu ihm kommen, auf seine Seite des Bettes.

»Nein.« Hard stellte das Bier auf den Tisch, drehte die Spirale in den Korken und zog ihn mit einem Plopp heraus. »Bestimmt nicht. Würd ich nie machen. Also, was ist bisher geschehen?« Er schenkte ihr Glas halb voll und stellte die Flasche neben sie, in ihre Reichweite.

»Letzte Woche haben Bobby und April endlich geheiratet«, sagte sie mit wachsender Begeisterung, »und Clayton hat sich mit McKay versöhnt, sehr zum Ärger von J.R., der kann McKay nämlich nicht ausstehen, weil sie sich zu ähnlich sind, beide ziemlich miese Typen, die über Leichen gehen, und –«

»Nein«, unterbrach er sie, »ich meine, von Anfang an.«

»Du hast das noch nie gesehen?«

»Einmal vielleicht. Vor zehn Jahren.«

»Da hast du ganz schön was verpasst.«

»Ein ganzes Leben.«

»Dutzende.«

»Kannst du nicht wenigstens versuchen, das alles in zwei, drei Sätzen für mich zusammenzufassen? Nur, damit ich weiß, worum's geht.« Er streckte seine linke Hand nach ihr aus.

Und sie nahm sie. »Nein. Und jetzt setz dich hin und halt die Klappe. Es geht los.«

7

Den ganzen Tag lief Daniel im Zimmer auf und ab. Er kaute an den Fingernägeln und an der Haut drum herum. Als er es nicht länger aushielt, ging er nach unten ins Geschäft und fragte die Eltern, ob jemand für ihn angerufen habe.

»Wer soll denn angerufen haben?«, fragte der Vater, während er vor ihm auf dem Boden kniete und mehrere Packungen mit Damenbinden der Saugkraft nach sortierte. »Biggi«, er erhob sich und reckte den Kopf über das Schild mit der Aufschrift *Hygiene-Artikel*, »hat jemand für Daniel angerufen?«

»Nein. Nicht, dass ich wüsste.« Die Mutter stellte eine Kamera, die sie gerade abgestaubt hatte, ins Regal zurück und wandte sich zu Daniel um. »Von wem erwartest du denn einen Anruf?«

An ihren Gesichtern, den aufgerissenen Augen, dem Lächeln, sah er, dass sie annahmen, er habe sich endlich verliebt. Alle Zeichen, das Schwindelgefühl, die Appetitlosigkeit und Nervosität, ergaben für sie plötzlich einen Sinn. Die Mutter hatte schon die Hände vor der Brust gefaltet, der Vater fasste ihr schon von hinten an die Schulter. Beide waren bereit für das Glück.

»Ich arbeite da gerade an so 'm Projekt in der Schule. In Biologie geht's gerade um Gesundheit, um Schadstoffe in der Nahrung, und ich hab mit'm Lebensmittelkontrolleur gesprochen und –«

Der Vater nickte. »Mit Houtjes.«

»Welcher Houtjes?«

»Theo Houtjes.«

»Theo Houtjes.« Die Mutter wiederholte den Namen mehrmals, ohne eine Verbindung zu irgendjemanden, den sie kannte, herstellen zu können. Dann sagte sie: »Wie heißt seine Frau auch noch?«

»Frieda. Frieda Voss.«

»Ja? Ich dachte, der ist mit der Kaselautzki verheiratet.«

»Mit Martins Stiefschwester?«

»Welcher Martin?«

»Martin Masurczak. Der Chefredakteur der *Friesenzeitung.* Mit dem bin ich doch zur Volksschule gegangen. Davon hab ich dir doch neulich noch erzählt.«

»Mamasurczak.«

»Genau. Seine Mutter hat doch vor ein paar Jahren den alten Kaselautzki geheiratet. Der gestorben ist. An Krebs.«

»Ja, jaja. Aber ich meine, die Tochter von ihm hätte mit einem Houtjes verkehrt.«

Der Vater schüttelte den Kopf. »Nein, du verwechselst die mit Hoyer von der Raiffeisenbank.«

»Ach ja.«

»Nicht Houtjes.«

Sie sah ihn immer noch ungläubig an.

»So ein Großer mit Vollbart. Theo Houtjes. Weißt doch wohl, der kommt hier immer her wegen der Köder. «

»Ach ja. Jaja. Und was hast du mit dem zu tun?«, fragte die Mutter, an Daniel gewandt.

»Ich will ihn zu uns in den Unterricht einladen.«

»Aber du bist doch krank. Kann das nicht Volker übernehmen?«

»Der hat schon 'n andres Projekt.«

»Du solltest jetzt wirklich wieder ins Bett gehen«, sagte die Mutter und drehte sich wieder zum Vater hin. »Er sieht immer noch ein bisschen blass aus, findest du nicht auch?«

»Nix. Wo soll denn die Farbe auch herkommen, wenn er den ganzen Tag im Bett liegt.«

Auf dem Weg nach oben ging Daniel am Badezimmer vorbei, öffnete den Spiegelschrank und drückte einige Tabletten aus der Verpackung, fünf, sechs auf einmal. Er sah nicht hin, als er sie einwarf, und spülte mit Wasser nach.

Beim Abendbrot fühlte er sich schlecht.

»Ess«, sagte die Mutter. »Ich hab extra Spiegeleier für dich gemacht.«

Daniel verbesserte sie nicht. Stattdessen hielt er sich den Kopf, den Bauch, beim Anblick des mit weißen Schlieren durchzogenen Eigelbs brach ihm der Schweiß aus.

»Du musst tüchtig essen«, sagte der Vater. »Dann kommst du auch wieder zu Kräften. Dann bist du bald wieder auf'm Damm, glaub mir.«

»Du siehst doch, dass es dem Jungen nicht gut geht«, sagte die Mutter empört. »Bestimmt hat er Grippe.«

»Ach was, er ist einfach nur unzufrieden mit sich selbst. Oder er hat wieder zu viel gesoffen.«

»Wann soll das denn gewesen sein? Das hätten wir doch gemerkt. Das würde man doch riechen.«

»Viele nehmen ja jetzt auch diese Dinger.«

»Was für Dinger?«

»Ekstase. So bunte Pillen. Da riechste nix. Das merkste gar nicht. Bis sie umfallen.«

»Jetzt hör aber auf«, sagte die Mutter. »Der Junge ist krank, mehr nicht.«

Die Geschwister spielten mit ihren Broten, bauten Türme aus den mundgerecht geschnittenen Stückchen, Brottürme und Brotmauern, Brotfestungen von Brotsoldaten, gegen die andere Brotsoldaten anstürmten, bis sie verspeist wurden. Die Mutter schickte Daniel wieder auf sein Zimmer. Später, als die Geschwister schliefen, brachte sie ihm Kamillentee und Zwieback. Er lag im Dunkeln und dämmerte von Traum zu Traum.

Am nächsten Tag kam Volker mit den Hausaufgaben vorbei. Englisch, Unit 5, Exercise 4a und 4b: *Finish the following short conversations.* Beispiel: Jim: *I feel terrible. I'm hot and my whole body is aching.* Mrs Ward: *You'd better not go to School then. You'd better stay in bed.* Biologie, Bau und Lebensweise der Plattwürmer. Bandwürmer und Leberegel haben keine Sinnesorgane und keine Verdauungsorgane. Warum können sie trotzdem überleben? Physik, Mechanik 2, Aufgabe 2: Ein Hamster läuft in seinem Laufrad und scheint doch nicht von der Stelle zu kommen. Beschreibe den Bewegungszustand des Hamsters, a) in Bezug auf die Innenfläche des Laufrades, b) in Bezug auf die Unterlage, auf der der Käfig steht. Ein Aufsatz in Deutsch. »Die Nanninga will auf die Klassenarbeit verzichten, wenn wir 'ne Novelle schreiben«, sagte Volker, eine Hand auf Daniels Bettdecke, langsam von oben nach unten streichend. »Kannst dir das Thema selbst aussuchen. Musst bloß die Form einhalten.«

Immer wieder fielen Daniel die Augen zu. Er versuchte, sich auf Volkers Worte zu konzentrieren, wollte wach bleiben, ihm antworten, die Hand nach ihm ausstrecken, aber er schaffte es nicht. Er kämpfte gegen etwas an, das ihn schwächte und lähmte, etwas in seinem Innern, das stärker war als er. Gegen die Tabletten? Rosing? Die Schule? Die Eltern? Gegen die Unzufriedenheit mit sich selbst? Er wusste es nicht. Er fühlte sich wie ein Leberegel im Laufrad: unfähig, die Geschwindigkeit, mit der er herumgewirbelt wird, zu drosseln. Er sah noch, wie Volker den Zettel mit den Aufgaben auf den Nachttisch legte, aufstand, sich nach ihm umdrehte, das Zimmer verließ. Dann schlief er ein.

Nach drei Tagen ging es ihm besser. Er setzte sich an den Schreibtisch und schlug den Spiralblock auf. Er zog den Deckel des Füllers ab und legte neue Patronen ein, als lüde er ein Gewehr. Immer wieder setzte er an und brach nach den ersten Sätzen ab, weil ihm das, was er geschrieben hatte, nicht treffend genug erschien. Er riss die Seiten heraus, knüllte sie zusammen, warf sie ziellos durch den Raum. Plötzlich, als wäre in ihm etwas geplatzt, ging es wie von selbst: *Ich bin unterwegs im Auftrag des Geheimen Rates. Die Eingeweihten haben die tieferen Beweggründe meiner Reise im selben Moment vergessen, als sie mich fortschickten, ihren Willen zu erfüllen. Niemand weiß, wohin ich fliege und warum. Die Dateien, die darüber Aufschluss geben könnten, habe ich vor der Reise gelöscht. Keiner kennt meinen Weg, selbst ich habe ihn aus den Augen verloren. Offiziell bin ich auf einer Erkundungsmission. Den Koordinaten nach müsste dort, wo ich mich jetzt befinde, nichts sein, nichts als die dunkle Leere des Weltraums.*

Am vierten Tag meldete sich der Kontrolleur. Der Vater stellte den Anruf zu ihm nach oben hin durch und sagte: »Ich leg jetzt auf.« Es gab auch ein Klacken in der Leitung, aber als Daniel die Stimme von Houtjes hörte, meinte er, in der Leitung noch jemand anderen atmen zu hören.

»Der Befund hier weist eine ganze Menge Bakterien auf, vor allem Laktobazillen und Pseudomonaden, die da in dieser Konzentration nicht drin sein dürften. Ich werd der Cafeteria jetzt mal einen Besuch abstatten. War sowieso an der Zeit. Hat die den ganzen Vormittag über auf oder nur während der Pausen?«

»Den ganzen Vormittag«, sagte Daniel. »Bis eins.«

»Sobald die Ergebnisse da sind, ruf ich dich wieder an.«

Nach dem Mittagessen verließ Daniel das Haus. Er fuhr mit dem Rennrad über die Gleise in den Hammrich, den Nebel hinein. Kurz hinterm Ortsschild blieb er stehen, sah auf die Grube, das Schlammloch, aus dem das Glück der Gemeinde wachsen sollte, und schwang sich, in Erwartung seines Triumphs, des ersten Etappensieges, wieder auf den Sattel. Je weiter er sich vom Dorf entfernte, desto dichter wurde der Nebel, er lag jetzt nicht mehr nur auf den Feldern, sondern reichte bis zu den Baumkronen, den Giebeln der Bauernhäuser hinauf, die Kühe, die Trecker waren darin verschwunden, und ihre Laute, ihre Geräusche klangen wie aus weiter Ferne. Als Daniel den Deich hinaufradelte, glaubte er für einen Moment, über den Wolken zu schweben. Unter ihm erstreckte sich ein weißes Meer, aus dem nur wenig hervorstach, die Spitze des Kirchturms, das Strandhotel, die Puddingfabrik, die Hochspannungsleitungen und – wie Leuchttürme, die Schiffer davor warnen, einen verfluchten Ort anzusteuern – die acht Marinefunkmasten.

Das Läuten des Telefons ließ Hard aufschrecken. Es war kein gewöhnliches Läuten, keins, das von außen kam, sondern ein dumpferes, weniger schrilles. Er hatte davon geträumt, von diesem Ton, aber jetzt, da er sich aufgesetzt hatte, konnte er sich nicht mehr daran erinnern, in welchem Zusammenhang. Er sah auf die Wanduhr über ihm, kurz vor drei, und als er aufstand, wurde ihm schwarz vor Augen und er hielt sich am Tisch fest, weil er Angst hatte, hinzufallen, wenn er es nicht tat. Dann ging er hinaus in den Flur zum Telefon, das Läuten zu beenden.

»Na? Endlich aufgestanden?«

»Ja«, sagte er, immer noch benommen. »Warum hast du mich nicht geweckt?«

»Du sahst müde aus. Ich dachte, du könntest ein bisschen Schlaf gebrauchen.«

»Aber doch nicht mitten am Tag.«

»Jetzt bist du ja wach.«

»Ich fühl mich aber nicht so.«

»Kannst du mal runterkommen? Hier ist jemand für dich.«

»Wer denn?«

»Theda Wiemers.«

Er hatte nichts mehr von ihr gehört oder gesehen, seit sie sich vor dem alten Gemeindeheim von ihm mit den Worten »Denk drüber nach« verabschiedet hatte. Und das war vor mehr als zwei Wochen gewesen. Theda Wiemers. War sie gekommen, um Birgit von ihnen beiden zu erzählen? Um ihr zu erklären, dass die Welt, ihre Welt, nur eine Simulation war und sich dahinter das wahre Leben abspielte? Er merkte, wie er in Panik geriet. Aber was wollte sie damit bezwecken? Sie würde zwei Familien zerstören, seine und ihre auch; sie würde etwas verlieren, in das sie sehr viel Zeit und Liebe investiert hatte, und abgesehen von ihrer Freiheit nichts Neues gewinnen, denn, das stand für ihn fest, er würde sich nicht auf sie einlassen. Dieses Spiel wurde nach seinen Regeln gespielt und nicht nach ihren. Im Bad schöpfte er sich mit beiden Händen Wasser ins Gesicht, minutenlang, so schien ihm, hielt er den Kopf unter den Hahn. Die Kälte war wohltuend und erfrischend, aber nicht stark genug, um den Schatten des Schlafes, der noch immer auf ihm lastete, zu vertreiben. Theda Wiemers. Was bildete sie sich eigentlich ein? Dass man die Zeit einfach so zurückdrehen und noch einmal von vorn anfangen konnte? Dass er alles, was er sich aufgebaut hatte, für sie aufgeben würde? Er nahm ein Handtuch vom Stapel, trocknete sich ab und schaute in den Spiegel. Die Falten mochten tiefer geworden sein, doch er hatte immer noch dunkles, volles Haar, das er mit Pomade zähmte und zurückkämmte, bis jede Strähne da lag, wo sie seiner Meinung nach hingehörte. Er spülte den Mund aus, putzte seine weißen, ebenmäßigen Zähne und entschied, nachdem er Kinn und Wange befühlt hatte, dass es für eine zweite Rasur noch zu früh war und er das, was zwischen Theda und ihm gewesen war, damals und heute, aus seinem Gedächtnis schneiden würde. Trotzdem schüttelte er ein paar Tropfen Aftershave in die Hand und verrieb sie auf seinen Wangen, seinem Hals. Alles war in bester Ordnung. Nichts und niemand konnte ihm, Hard, etwas anhaben. Er knöpfte sein

Hemd zu, band sich den Schlips um, den er nach dem Mittagessen auf den Wäschekorb gelegt hatte, und nahm seinen Kittel vom Haken.

»Da bist du ja endlich. Wo hast du so lange gesteckt?«

»Oben«, sagte Hard und nickte Theda zu. »Hallo. Wie geht's?«

»Gut. Und dir?«

»Bestens.«

»Der Fleck ist immer noch da.«

»Welcher Fleck?«

»Der von neulich.«

»Blut und so«, sagte Birgit und stellte eine Flasche Dr. Beckmanns Fleckenteufel – gegen Blut, Milch, Eiweiß – ins Regal zurück.

»Ach, tatsächlich?« Er wusste nicht, was ihn mehr verwunderte, dass seine Frau sich nach zwanzig Jahren Ehe immer noch nicht traute, das Wort Sperma auszusprechen, oder dass seine Geliebte es gewagt hatte, es ihr gegenüber zu erwähnen.

»Ja«, sagte Theda Wiemers und sah dabei Hard an. »Und ich hab sogar das Gefühl, dass er größer geworden ist.«

»Das kann schon mal vorkommen«, sagte Birgit, »dass sich Blut im Stoff noch weiter ausbreitet, aber nur so lange, bis es eingetrocknet ist.«

»Ja«, sagte Theda Wiemers, »aber was ist, wenn's wieder feucht wird?«

»Sie meinen, das Blut?«

»Na ja, wie ich schon sagte, wenn's wieder feucht wird.«

Sie hatte ihre Taktik geändert. Der angedrohte Frontalangriff war ausgeblieben, stattdessen versuchte sie den Gegner – Birgit oder ihn, er war sich noch nicht ganz im Klaren darüber, auf wen von ihnen beiden sie es abgesehen hatte – durch Guerillaaktionen mürbe zu machen. Die asymmetrische Kriegführung konnte Erfolg versprechend sein, Algerien, Kuba, Vietnam, niemand wusste das besser als er. Auch das, was er mit Schlecker vorhatte, lief auf nichts anderes hinaus. Aber er hatte einen Plan, während bei Theda zu befürchten stand, dass sie keinen hatte und vollkommen unorganisiert, flexibel und impulsiv handelte. Hätte sie Birgit ihr kleines, schmutziges Geheimnis enthüllt, hätte er es einfach abgestritten und sie für verrückt erklärt, darauf hatte er sich auf der Treppe, auf seinem Weg nach unten eingestellt. Jetzt musste er sich eine neue Strategie überlegen. Ihre Schritte waren nicht vorherzusehen.

»Du hast mir doch mal so ein natürliches Mittel empfohlen«, sagte Theda Wiemers, an Hard gewandt, »wie man alte Flecken wieder rauskriegt. Ein Hausmittel. Deine Frau wusste nicht, was ich meine. Wie hieß das noch mal? Kann man auch Soßen mit binden.« Sie schnippte mit den Fingern. »Verdammt. Ich komm grad nicht auf den Namen.«

»Du meinst, Stärke?«

»Ach ja, richtig«, sagte sie. »Mit Stärke kann man ja so einiges binden – und lösen.«

»Ja«, sagte Hard.

»Aber leider eben nicht alles. Manches kommt dann doch wieder durch.«

»Ja«, sagte Birgit. »Das kenn ich. Das gibt dann so hässliche Ränder. Der Fleck ist zwar weg, aber man sieht, dass mal einer da war.«

Am Montag ging Daniel wieder zur Schule. In Sozialkunde sprachen sie aus aktuellem Anlass über Hitlers Geburtstag und dessen Auswirkungen auf die Gegenwart. In Osnabrück hatten am Wochenende drei Skinheads eine Gruppe Kurden überfallen, die in Hungerstreik getreten waren, um auf das Schicksal der Flüchtlinge im Irak aufmerksam zu machen. In Oberweser schlugen fünfzehn Neonazis mit Baseballschlägern auf parkende Autos ein. In Wennigsen versuchten Unbekannte, ein Asylbewerberheim in Brand zu setzen. Und auch in Verden, Wunstorf, Hannover und Holzminden gab es Angriffe auf Ausländer. Herr Engberts erinnerte an den Test am Donnerstag und teilte zur Vorbereitung ein Heft der Bundeszentrale für politische Bildung und einige Hektografien aus, die sich die Schüler bis zum nächsten Mal anschauen sollten. Kaum hatte er sie aber aus der Hand gegeben, wollte er sie schon wieder einsammeln. Nicht nur, dass die Jungs minutenlang daran rochen, bevor sie einen Blick darauf warfen. Auf einem Blatt, auf dem Fluchtgründe von Asylbewerbern dargestellt wurden, war auch noch eine nackte Frau zu sehen, die Hände gefesselt, die Augen verbunden, die Beine gespreizt. Daneben stand: *Aus einem Feuerwehrschlauch wird Wasser mit starkem Druck an die Schamgegend der Frauen gespritzt. Sie sind richtig schockiert.* Paul und Jens waren nicht schockiert, sondern erregt. Immer wieder zeigten sie auf die Zeichnung.

Simone meldete sich. Dreimal schnippte sie mit den Fingern, bis Herr Engberts sie aufrief. »Das ist frauenfeindlich.«

»Ja«, sagte Herr Engberts. »Das ist es.«

»Das meine ich nicht.«

»Was denn?«

»Dass Sie das überhaupt als Beispiel ausgewählt haben, das ist frauenfeindlich.«

»Nein, Simone«, sagte Paul, ohne sich gemeldet zu haben. »Das ist geil.«

Simone bekam rote Flecken im Gesicht und nannte ihn einen Sexisten. Paul und Jens warfen von hinten über die anderen hinweg mit Papierbällen nach ihr. Herr Engberts bat um Ruhe. Daniel starrte auf das Bild. Die Vorstellung, eine nackte Frau zu bespritzen, und sei es nur mit Wasser, wühlte ihn auf. Auch Volker konnte sich nicht davon losreißen. Er schlang die Leberwurstbrote in sich hinein, als hätte er seit Tagen nichts gegessen. Ein

Tiefflieger donnerte über das Gebäude. Herr Engberts machte einen Eintrag ins Klassenbuch. Dann klingelte es.

In der ersten großen Pause sprachen alle auf dem Schulhof von der Frau und dem Feuerwehrschlauch, bis Paul und Jens auf dem Weg zur Turnhalle vom *Manifest des Mülls* anfingen und es als die einzig wahre Offenbarung bezeichneten. Keiner wusste, was das war, *Das Manifest des Mülls,* und keiner fragte nach – die einen aus Desinteresse, die anderen aus Angst, für ihr Unwissen von den beiden bestraft zu werden.

In der Umkleide sagte Rektor Schulz, der Sportlehrer, zu Daniel: »Du siehst ja immer noch ein bisschen blass aus. Fühlst du dich auch wirklich schon wieder kräftig genug mitzumachen? Wir machen heute keine halben Sachen.«

Daniel nickte.

»Wir trainieren heute drüben auf der Aschenbahn für die Bundesjugendspiele. Weitwurf, Weitsprung, Hochsprung, Hundert- und Achthundertmeterlauf.«

Daniel warf und sprang und lief.

In allen Disziplinen erreichte er Mittelwerte.

Wenn er etwas aufmerksamer gewesen wäre, hätte Hard die Zeichen richtig deuten können, aber es gab vieles, zu vieles, seiner Ansicht nach, das ihn zurzeit in Beschlag nahm. Klaus Neemann und Günter Vehndel waren ihm in den Rücken gefallen, der eine mit seinem Sortiment, der andere beim Skat, Wilfried Ennen hatte ihn mehr oder weniger deutlich aus dem Männergesangsverein ausgeschlossen, Theda Wiemers stellte ihm nach – wer wollte es ihr verdenken angesichts seiner herausragenden Qualitäten –, und Schlecker drohte, ihm das Geschäft kaputt zu machen. Und das alles war in nicht einmal vier Wochen passiert, nur mit seinem Sohn gab es, seit er im Schreiben den Sinn des Lebens gefunden hatte, keine Probleme mehr.

Am Sonntag war Birgit vom Gottesdienst gekommen und hatte beim Mittagessen – es gab Snirtje mit Rotkohl und Kartoffeln – gesagt: »Das war heute ganz schön zäh.«

»Das Fleisch? Also, ich find's genau richtig so.« Hard schob sich den letzten Bissen in den Mund.

»Nein, ich meine den Gottesdienst. Meinders wirkte zwar wie verwandelt, wie früher, wenn er so ganz emphatisch war, du weißt schon, so leidenschaftlich, bloß positiver, aber das, was er dann sagte –«

»Na, das ist doch gut. Endlich mal wieder was los in der Kirche, nicht immer diese drögen, abgehobenen Predigten, die außer ihm sowieso niemand versteht. Höchstens Berger vielleicht.«

»Berger?«

»Der Billardspieler. Der Verrückte aus Petersens Poolhalle. Hat bei uns immer Babypuder gekauft. Für sein Queue.«

»Ach ja. Ewig nicht gesehen.«

»Ich auch nicht.«

»Lebt der noch?«

»Mit Sicherheit. Solche Leute sind ja nicht totzukriegen. Es sei denn, sie machen's selbst. Irgendwann ticken die doch alle aus, spätestens dann, wenn sie merken, dass ihr Weltbild nicht mit der Realität übereinstimmt, dass sie die ganze Zeit über die falschen Götter angebetet haben. Heilige Kühe, die sich als ganz gewöhnliche Rindviecher entpuppen, oder«, er warf einen Blick zu Birgit, zu Daniel hinüber, »Menschen ohne Bauchnabel, bei denen sonst alles dran und drin ist, was dran und drin sein sollte. Oder Doppelgänger, die im Gegensatz zu euch«, er sah Andreas und Julia an, »eineiig, aber an zwei verschiedenen Orten aufgewachsen sind.«

»Er hat den ganzen Stammbaum von Jesus runtergeleiert. Du weißt schon: Abraham zeugte Isaak. Isaak zeugte –«

»Andreas, setz dich gerade hin und nimm den Ellbogen vom

Tisch, das gehört sich nicht. Und du Frollein«, er zeigte mit der Gabel auf Julia, »ess deinen Teller auf.«

»– Jakob. Jakob zeugte Juda und seine Brüder und so weiter und so weiter. Und dann kam er mit dieser ganzen Geschichte von Jesu Geburt an, und dabei ist es bis Weihnachten ja noch ein ganzes Ende hin. Aber es war wie an Heiligabend, als wenn der Heiland –«

»Sag mal, wovon redest du denn da eigentlich?«

»Von Meinders. Sag ich doch. Er war so anders als sonst, so seltsam, so glücklich, so entspannt. Und eigentlich war das ganz schön, ihn mal so zu sehen. Aber eben auch zäh.«

»Ach so, ja.«

»Und am Schluss hat er die Hände hochgerissen und Halleluja gerufen, und dann mussten wir Halleluja singen, immer wieder, dreimal hintereinander.«

Hard sprang auf, warf seine Hände zur Decke und sang: »Ha-lleluja, halleluja, halleluja! Ha-lleluja, halleluja, halleluja!«

Und die Zwillinge stimmten mit ein. »Ha-lleluja, halleluja, halleluja! Ha-lleluja, halleluja, halleluja!« Nur Daniel und Birgit blieben sitzen und sahen sich an, als wäre die ganze Familie außer ihnen von einer selig machenden Seuche befallen.

»Ha-lleluja, halleluja, halleluja! Ha-lleluja, halleluja, halleluja!«

Und dann, drei Tage später, war Marie Meinders bei ihnen im Laden gewesen, zu der Zeit, als Hard gerade in der Kreisstadt unterwegs war, offiziell, um bei der Konkurrenz, einem Fotogeschäft, Filmpatronen zu kaufen, weil er vergessen hatte, welche nachzubestellen, und der Kunde, Manfred Kramer, der alte Kramer, nicht länger warten wollte. Und als Birgit und er nach dem Abendessen, nach der *Tagesschau* den Tag Revue passieren ließen – er hielt die Quittungen in der Hand und fragte sie, wer was gekauft hatte –, unterbrach sie ihn irgendwann und sagte: »Marie Meinders.«

»Wann war die denn da?«

»Heute Morgen schon. Du warst gerade weg. Ich soll dich schön grüßen.«

»Und die hat das alles gekauft?« Er las jeden einzelnen Posten laut vor. »Pflaster, Essigreiniger, Magnesiumtabletten, Shampoo, Eisenkapseln, Haarspülung, Folsäure, Klopapier, Kräuterblut, Spülmaschinensalz, Pflegeöl, Tonikum –«

»Ja.«

»Was für Tonikum?«

»Doppelherz.«

»Die Kraft der zwei Herzen.«

»Ja, genau das.«

»Das ist ja ein richtiger Großeinkauf. Was ist denn mit der los?«

»Keine Ahnung.«

»Sonst achtet sie ja auch immer darauf, nicht zu viel auf einmal mitzunehmen.«

»Ja«, sagte Birgit. »Um möglichst schnell wiederzukommen.«

»Biggi, wir sind verwandt.«

»Als ob dich das abhalten würde.«

»Was denkst du eigentlich von mir?«

»Nur das Allerschlimmste.«

»So? Davon hab ich neulich Nacht aber nix gemerkt.«

»Welche Nacht meinst du?«

»Letzten Dienstag.«

»Kann mich nicht erinnern.«

»Das glaub ich gerne. Du warst ja auch ganz schön voll.«

»Musst du gerade sagen.«

»Ich kann mich aber noch an alles erinnern.«

»Ach ja? An was denn?«

»An das hier.« Und dann stand er auf, die Hände ausgestreckt kam er auf sie zu, und sie schrie »Nein« und »Verschwinde«, mit einer hohen, mädchenhaften Stimme, die ihm zeigte, dass sie das genaue Gegenteil von dem meinte, was sie sagte, er beugte sich über sie und drückte sie mit seinem ganzen Gewicht in den Sessel.

»Hard«, sagte sie, als er seine Zunge aus ihrem Mund genommen hatte, »was ist, wenn die Kinder reinplatzen?«

»Dann wissen sie wenigstens, wie's geht.«

»Lass uns ins Schlafzimmer gehen.« Sie versuchte sich aus seinem Griff zu befreien, und er ließ es, halb auf die Lehnen, halb auf den Boden gestützt, geschehen. Dann rutschte sie unter ihm durch und ging, ihre Bluse aufknöpfend, zur Tür. Und da es ihm egal war, wo und wie sie es machten – alle paar Wochen –, folgte er ihr nach nebenan.

Am Donnerstag saß Daniel neben Simone, sein Rucksack, ihre Tasche standen zwischen ihnen auf dem Tisch. Daniel schrieb: *Die wichtigste Unterscheidung für eine Auseinandersetzung mit faschistischen Jugendlichen ist die zwischen Protestverhalten und zielgerichteten politischen Aktionen. Letztere sind eingebunden in eine Strategie, die das demokratische System beseitigen will. Das Protestverhalten lässt sich auf eine Entfremdungssituation zurückführen, die von der konkreten Ablehnung eines Lehrers bis zur allgemeinen Perspektivlosigkeit in der Gesellschaft reichen kann.* Beim Schreiben hatte er das Gefühl, alles zu wissen. Bevor Engberts die Hefte einsammelte, las Daniel sich das, was er geschrieben hatte, noch einmal durch. Plötzlich kamen ihm die Sätze hohl vor, wie ein Gedicht, das er auswendig gelernt und nicht verstanden hatte.

Beim Essen sagte die Mutter, Houtjes habe am Vormittag angerufen und werde später noch einmal versuchen, ihn zu erreichen. Daniel konnte es nicht erwarten, stand auf und rannte in den Flur zum Telefon.

»Das sind Beamte«, rief der Vater ihm nach. »Um die Zeit sind die alle noch bei Tisch.«

Daniel wollte nicht einsehen, dass der Vater recht hatte. Er versuchte es wieder und wieder. Erst um drei kam er durch.

»Ja«, sagte Houtjes. »In dem Laden ist tatsächlich einiges zu beanstanden, vor allem, was die Höflichkeit angeht. Ein grober Verstoß gegen die Hygienevorschriften lässt sich aber nicht nachweisen.«

»Aber was ist mit dem Mettbrötchen, das Sie untersucht haben, und mit dem Mitarbeiter, mit dem ich gesprochen habe? Jeder an der Schule weiß, dass da was nicht stimmt.«

»Dein Verdacht war ja auch nicht ganz unbegründet, das Fleisch war nämlich mit Nitritpökelsalz behandelt, das ist Zwiebelmett, kein Schweinehack, da stimmt die Kennzeichnung nicht, aber bis auf diese eine Probe, die du mir abgeliefert hast, war die Gesamtpartie völlig in Ordnung. Alles tipptopp.«

»Könnten Sie nicht in ein paar Tagen noch mal da hin und die Kontrolle wiederholen?«

»Dazu besteht kein Anlass. Der Anfangsverdacht hat sich nicht bestätigt.«

Daniel versuchte, die Geschichte zu retten. Sie redeten hin und her. Als er auflegte, fühlte er sich, wie wenn er gegen den Wind anfuhr: unterlegen, aber entschlossen, nicht aufzugeben.

Der Name stand noch über dem Eingang, aber der Dampf, der die Wäscherei stets umgeben hatte, war verflogen. Von dem Schild neben der Tür war nicht mehr viel zu erkennen, nur die Worte *Mangelwäsche* und *schrankfertig* stachen deutlich aus den von der Witterung verblassten Zeichen hervor. Durch die Fenster, die bisher mit einer milchigen Folie beklebt gewesen waren, konnte Hard jetzt in die Halle hineinsehen: helle Fliesen, auf denen an einigen Stellen die Tische und Maschinen Abdrücke hinterlassen hatten. Sollte Schlecker hier tatsächlich einziehen, müsste nicht einmal der Boden ausgetauscht werden. Alles war ohne Mangel und sofort bezugsfertig. Das Sterben begann, erst die Heißmangel, dann Kuper, dann Vehndel, Superneemann, Möbel Kramer und all die anderen Geschäfte, bis das ganze Dorf tot war, und ausgerechnet Günter half dabei, ihr Grab auszuheben. Vielleicht wollte er auch nur miterleben, wie sich seine eigene Prophezeiung erfüllte, und eine unausweichliche Entwicklung beschleunigen, wenn er sie schon nicht aufhalten konnte.

Mit den Fingern fuhr er an den Türleisten entlang – Kunststoff, leicht aufzuhebeln. Vor ein paar Jahren war er bei sich selbst eingebrochen, Birgit und er hatten sich ausgeschlossen, und er hatte das Geld für den Schlüsseldienst sparen wollen. Hinterher musste das Panoramafenster dann doch ersetzt werden, weil es sich nach dieser Aktion nicht mehr richtig schließen ließ und seine Versuche, die Tat ungeschehen zu machen, die Beschläge endgültig ruiniert hatte. Er trat einen Schritt zurück, sah zu Vehndel hinüber, der Schneiderei dahinter. Das Textiltriptychon, wie Birgit die drei nebeneinanderliegenden Häuser einmal genannt hatte, war zerstört, auch ohne dass Hard Hand angelegt hatte. Jetzt galt es einer weiteren Zerstörung, seiner eigenen, durch Zerstörung zuvorzukommen. Die Arztpraxis. Die Apotheke. Die Drogerie. Sein Unternehmen war das schwächste Glied in der medizinischen Versorgungskette. Ihn würde es als Erstes treffen, und er musste sich verteidigen. Aber einbrechen? In ein leer stehendes Gebäude, in dem es ganz offensichtlich nichts mehr zu holen gab? Um dann was zu tun? Die nackten Fliesen in Brand zu stecken? Wenn wenigstens die dreckige Wäsche zurückgeblieben wäre, ein Haufen alter Stofffetzen, Putzlappen, irgendetwas, das mehr war als nichts. Es musste viel ungestümer aussehen, viel chaotischer, wie ein zufällig ausgewähltes Ziel, das Vandalen zum Opfer gefallen war, Jugendlichen. Die Scheiben eingeworfen, die Wände besprüht. Mit Brennspiritus gefüllte Flaschen fliegen durch die Nacht, ein loderndes Tuch in ihrem Hals, der Himmel erleuchtet von ihrem Feuerschweif.

In der Woche darauf gab Frau Nanninga die Aufsätze zurück. Unter Daniels stand: »Pointe weder zwingend noch überraschend. Zu viele Ausdrucksfehler, keine vollständigen Sätze. Ein vollständiger Satz hat drei Satzglieder: Subjekt, Objekt, Prädikat.« Simone hatte eine Zwei. Jens eine Drei. Volker eine Vier. Sie forderte Paul auf, nach vorn zu kommen, hielt ihm das Heft hin und fragte ihn, was das solle, ob das ein schlechter Scherz sei, eine Geschichte von Hebbel abzuliefern, *Pauls merkwürdigste Nacht,* eine der bekanntesten Novellen überhaupt, fehlerlos und fein säuberlich abgeschrieben. »Nichts hast du verändert. Bis auf den Namen des Verfassers. Du hättest wenigstens was verändern können. So aber muss ich annehmen, dass du mich für komplett bescheuert hältst. Das ist unerhört.«

»Eine unerhörte Begebenheit«, sagte Paul.

Daraufhin warf sie ihn hinaus, drohte mit einem Verweis und brüllte die geschlossene Tür an: »Das wird ein Nachspiel haben.« Niemand sagte etwas, alle schauten auf ihre Hefte. So hatten sie Frau Nanninga noch nie erlebt, so aufgelöst, so fertig. Nachdem sie sich wieder beruhigt hatte, sagte sie: »Ich habe die Aufsätze zwar benotet, aber bei einigen bin ich mir nicht sicher, ob sie den Text auch wirklich allein geschrieben haben. Insbesondere bei dir, Daniel, habe ich den Eindruck, dass du, zumindest teilweise, irgendwo abgeschrieben hast. Das hier«, sie hielt sein Heft hoch, »ist nicht mehr als eine aus Bruchstücken zusammengeleimte Geschichte.« Sie ließ es wieder sinken, stand auf und ging zum Fenster hinüber, unschlüssig, was sie jetzt tun sollte. Selbst während ihres Referendariats in Hameln war sie nicht so gedemütigt worden. Je mehr Freiheiten sie den Schülern gewährte, desto gemeiner und rücksichtsloser wurden sie. Lückentexte füllten sie mit Wörtern, die den Sinn verfälschten. Stillarbeit nutzten sie, um sich gegenseitig Briefe zuzustecken. Sahen sie sich eine Literaturverfilmung an, tobten sie im Dunkeln herum und sprachen die Sätze nach. Sie waren wie Sklaven, denen man nach Jahren der Gefangenschaft die Fesseln gelöst hatte: unfähig, etwas aus ihren Möglichkeiten zu machen. Sie drehte sich zu ihnen um. »Daher kann ich die Arbeit insgesamt nicht werten. Ich werde einen Termin festsetzen und mir eine Frage überlegen, die ihr dann hier im Klassenraum vor meinen Augen schriftlich beantwortet. Noch einmal lasse ich das nicht mit mir machen.«

Als es klingelte, bat sie Daniel zu bleiben. Sie wartete, bis alle gegangen waren, schloss selbst die Tür, kam auf ihn zu, zog einen Stuhl heran und setzte sich ihm gegenüber. »Ich spreche jetzt nicht als deine Deutschlehrerin zu dir oder als Klassenlehrerin. Wie du weißt, bin ich auch Vertrauenslehrerin. Du kannst mir alles erzählen. Es ist mir egal, von wem du was abgeschrieben hast und ob du was von Pauls Täuschungsversuch gewusst hast oder nicht. Es geht mir um etwas anderes, etwas Grundsätzliches.«

Von draußen drangen die hellen Stimmen der Schüler zu ihnen herein. Daniel schaute an ihr vorbei aus dem Fenster in den Hof, auf die dicht beieinanderstehenden Gruppen, auf die Bänke und Bäume und Betonkübel. Volker verschwand hinter der Turnhalle. Paul und Jens folgten ihm in einigem Abstand, die Hände in den Hosentaschen, schlendernd, den Turnbeutel über die Schultern geworfen, als wären sie wirklich auf dem Weg zu den Sportanlagen.

»Hallo Daniel, aufwachen!« Frau Nanninga fuchtelte mit der Hand vor seinem Gesicht herum, ein Duft, ein Parfüm, stieg ihm in die Nase, er kam nicht auf den Namen.

»Ich habe mit ein paar Kollegen über dich gesprochen, über dein Verhalten. Einige sind der Meinung, dass du dich seit den Osterferien ziemlich verändert hast, dass du seitdem nicht mehr ganz bei der Sache bist. Mir ist das auch schon aufgefallen. Du lässt dich, wie jetzt auch, zu leicht von anderen Dingen ablenken. Etwas, das spüre ich deutlich, beschäftigt dich, und der Aufsatz, den du abgeliefert hast, bestätigt meine Vermutung: dass du dich da in was hineingesteigert hast und allein keinen Ausweg mehr weißt, dass du dich verrannt hast. Du bist wie jemand in einem Labyrinth, der alle Gänge und Abzweigungen kennt und doch den Markierungen folgt, die er selbst hinterlassen hat. Sie alle weisen in die falsche Richtung, aber du folgst ihnen, als würdest du diesen Weg zum ersten Mal gehen. Darum kommst du auch nicht weiter. Du drehst dich mit hoher Geschwindigkeit im Kreis. Innerlich bist du auf Hundertachtzig. Beschäftigt dich noch immer diese Geschichte mit dem Ufo oder die Sache mit den Zeichen, die, die du weggewischt hast? Dein Vater hatte gehofft, das Praktikum bei der Zeitung würde dich auf andere Gedanken bringen, und ich auch. Johann Rosing ist bei vielen zu Recht umstritten. Weil er eine Position vertritt, die sich in Deutschland kaum jemand offen auszusprechen traut. Weil er an Tabus rührt und schwierige Themen aus einem anderen Blickwinkel betrachtet. Ich weiß, was du denkst, Daniel. Aber er ist nicht der Mann, für den du ihn hältst. Er ist kein Nazi. Jahrelang habe ich seinen weiß Gott nicht einfachen Sohn unterrichtet und trotz allem nie ein böses Wort von ihm über Michael gehört. Nicht ein einzigstes Mal. Er hat ihm Nachhilfe gegeben, Klassenfahrten nach Österreich und Polen mitorganisiert und bei Schulaufführungen hier in der Aula immer in der ersten Reihe gesessen. Wenn Michael einmal unentschuldigt gefehlt hat, dann ist Johann bei mir vorbeigekommen, um sich persönlich für das Verhalten seines Sohnes zu entschuldigen. Und im Gegensatz zu vielen anderen

Vätern und Müttern ist er bei Elternabenden immer da gewesen, pünktlich auf die Minute. Und das, obwohl er ein Unternehmen leitet und niemanden hat, der ihm was abnehmen kann. Wie du vielleicht weißt, ist seine Frau vor ein paar Jahren ums Leben gekommen. Und nach ihrem Tod hat er sich ganz der Erziehung der Kinder gewidmet. Die Familie kommt bei ihm immer an erster Stelle. Für die reibt er sich auf.«

Simone löste sich von den anderen Mädchen, wühlte in ihrer Tasche, ging an der Turnhalle entlang, sah sich um, bog ab, verschwand. Wieder fuchtelte Frau Nanninga vor seinem Gesicht herum. Diesmal erkannte er das Parfüm, das leichte, milde Aroma, das sie ihm zufächelte. Daniel musste an den Spruch denken, an das Plakat, das über dem Kosmetikregal hing: *Mit Tosca kam die Zärtlichkeit.*

»Hast du mir überhaupt zugehört? Hast du überhaupt verstanden, was ich dir damit sagen will? Überall siehst du Feinde und fühlst dich von ihnen umzingelt. Das kenne ich gut von meiner eigenen Schulzeit her, diese Ohnmacht, die einen niederdrückt und am Boden hält. Man will aufstehen und kann nicht. Man wehrt sich und steckt ein. Man kämpft und verliert. Sicher hast du es am Anfang nicht leicht gehabt, als du vom Gymnasium hierhergekommen bist. Wer vom Gymnasium kommt, hat's auf der Realschule immer schwer. Nicht wegen der Anforderungen, wegen der Mitschüler. Das ist völlig normal. Ein ganz natürlicher Vorgang. Am Anfang muss man sich eben den anderen ein Stück weit anpassen, wenn man nicht außen vor bleiben will. Und das hast du dann ja auch getan. Am Anfang hast du absichtlich schlechte Noten geschrieben, um den anderen zu zeigen, dass du nicht besser bist als sie, dass du schulisch nicht über ihnen stehst. Glaubst du, das hab ich nicht gemerkt? Inzwischen hast du ja wohl erkannt, wohin diese Strategie führt, auf die Hauptschule nämlich. Und da willst du ja wohl nicht hin. Aber die Gefahr abzurutschen besteht bei dir ja jetzt nicht mehr. Du hast ja, wie ich von einigen deiner Mitschüler erfahren habe, endlich Anschluss gefunden. Von den Partys, sagen sie zumindest, bist du nicht mehr wegzudenken.«

Die beiden Aufsichtslehrer, die Raucherjäger Herr Mengs und Herr Kamps, tauchten vor der Turnhalle auf und zeigten erst nach links, dann nach rechts. Der eine, Herr Mengs, nahm den Weg, den Volker, Paul, Jens und Simone eingeschlagen hatten, bog um die Ecke und verschwand wie sie zuvor im Gebüsch. Herr Kamps ging andersherum.

»Trotzdem, und das ist mir unbegreiflich, rennst du weiterhin mit dem Kopf gegen eine Wand. Aber das versichere ich dir: Nicht die Wand wird dabei zerbrechen, Daniel, sondern du.«

Sobald Hard das Ortsschild von Achterup sah, keine zehn Kilometer von Jericho entfernt, musste er an Hamann denken, Alfred Hamann. Lange Zeit sein größter Konkurrent. Fünfzehn Jahre älter als er, Anfang sechzig, aber noch nicht alt genug, um in Rente zu gehen. Doch genau das hatte er getan, nachdem fünf Häuser weiter eine Filiale von Schlecker eröffnet hatte, bei ihm schräg gegenüber. Früher war Hard zu ihm hingefahren, wenn er ein Produkt nicht am Lager hatte und es zu lange dauerte, eine neue Lieferung zu bestellen. Dann hatte er auch Hamanns Sprüche über sich ergehen lassen: »Nicht mal Frauengold hast du mehr da? Was ist das bloß für ein Laden, Drogerie Kuper? Jerichos Glanz und Gloria. Wär deinem Alten nie passiert. Der hat immer alles vorrätig gehabt. Da war's höchstens mal umgekehrt. Dass ich bei ihm angekrochen kam.« Aber jetzt fuhr er aus einem anderen Grund zu ihm hin.

»Was willst du denn hier?« Hamann hatte die Tür einen Spaltbreit geöffnet. Ein Hund bellte.

»Mit dir reden.«

»Wozu? Um dich an meinem Untergang zu weiden?«

»Um meinen zu verhindern.«

»Ist gut jetzt, Hero. Aus!« Der Hund verstummte. »Dir muss es doch prächtig gehen, seit ich nicht mehr bin.«

»Glaubst du, damit geben die sich zufrieden? Die hören doch erst auf, wenn's keine wie uns mehr gibt.«

»Wen meinst du mit uns? Dich und mich?«

»Ist deine Frau da?«

»Eine reicht dir wohl nicht mehr.«

»Eine hat mir noch nie gereicht. Mit einer wär ich längst tot, wirtschaftlich gesehen.« Hard wollte nichts von ihr, er wollte nur keine Zeugen haben für das, was er vorhatte.

»So tot wie ich?«

»Ist sie nun da oder nicht?«

»Nein, aber sie kommt gleich wieder.«

»Dann lass mich rein.«

Und das tat er. Der Hund, ein Beagle, beschnüffelte ihn, sprang an seinem Bein hoch, aber nachdem Hard ihn gestreichelt hatte, verlor er das Interesse und verschwand in einem der Zimmer. Hard kannte Alfreds Frau, er war ihr einige Male im Laden begegnet. An den Wänden im Flur hingen Schwarzweißfotos von ihr: eine kleine blonde Frau in weißer Kittelschürze, hinterm Tresen, vor dem Geschäft, mit ihren Kindern, seinem Hund, Heros Vorgänger. Doch in der Stube sah es so aus, als würde Hamann seit mehr als nur ein paar Stunden allein leben. Auf dem Sofa, den Sesseln lag ein Haufen Zeug – Tierfelle, Schrothülsen, eine Khakiweste, eine Ledertasche –, und auf dem Tisch standen leere Bierflaschen. Hamann räumte ein paar davon zusammen und ging damit an ihm vorbei. »Hab gestern gefeiert.«

»Einen Fang?«

»Meine Freiheit. Meine tägliche Freiheit.«

»Scheint dir nicht besonders gut zu bekommen.«

Gedankenverloren betrachtete Hard die Geweihe an den Wänden, die Zinnsoldaten in der Schrankwand, die dort aufgereiht vor einigen Büchern standen – *Die Nacht der Generäle, Die Toten schämen sich nicht, Die Wüstenfüchse, Die Gefangenen, Verbrannte Erde* –, fuhr mit dem Finger über ein Bajonett, zupfte an dessen Spitze. Sein Blick schweifte zu einem Foto hinüber, das Hamann in Uniform zeigte, ein Kind in Uniform, und da fiel ihm ein, dass er den Krieg noch mitgemacht hatte. Er war durch das Stahlbad gegangen. Er war getauft. Der ideale Partner. Der Hund hockte sich vor ihn hin, verfolgte jede seiner Bewegungen.

Aus der Küche rief Hamann: »Willst du auch eins?«

»Was?«

Aber anstatt darauf zu antworten, kam er mit zwei geöffneten Bierflaschen in der Hand zurück und stellte eine auf seine Seite des Tisches, eine auf die andere. Dann setzte er sich, nahm seine Flasche vom Tisch auf und hielt sie sich vors Gesicht. »Prost.«

Hard zog seine Jacke aus, es war heiß und stickig, er fühlte, wie ihm der Schweiß den Nacken hinunterlief, und ließ sich ihm gegenüber in den Sessel fallen. »Prost.«

»Auf die Vergangenheit.«

»Auf die Zukunft.«

»Komm«, sagte Hamann, ohne einen Schluck getrunken zu haben, und stand auf. »Ich zeig dir die Zukunft.« Der Hund bellte wieder, wedelte mit dem Schwanz. »Aus, Hero. Ist gut jetzt.«

Hard nahm die Bierflasche und folgte ihm und dem Hund nach nebenan. Und dann standen sie in seinem Laden. Mit einem Flackern gingen über ihnen die Neonröhren an. Vor den Fenstern hingen jetzt Gardinen, und die Regale waren leer und mit Staub bedeckt, aber sonst sah alles noch genauso aus, wie er es in Erinnerung hatte: ein heller, weißer Raum mit einem Tresen und einer Kasse und alten Reklameschildern an den Wänden, seiner eigenen Drogerie nicht unähnlich, nur kleiner, viel kleiner, weil es kein Fotostudio gab und keine Dunkelkammer und Hamann sein Geschäft nie umgebaut oder erweitert hatte. Es sah aus wie ein Museum ohne Exponate, als wäre es geplündert und verwüstet und danach wieder hergerichtet worden, um die entwendeten Ausstellungsstücke wieder aufnehmen zu können, falls einer der Verbrecher wider Erwarten Reue zeigte und sie zurückbrachte. Nur in einer Ecke standen noch ein paar blaue Kanister mit orangen Aufklebern voller schwarzer Kreuze und Flammen und Totenköpfe. »Sieht mir eher nach der Vergangenheit aus.«

»Nenn's, wie du willst. Macht keinen Unterschied.«

»Für dich vielleicht nicht.« Hard trank einen Schluck und ging über das staubstumpfe Linoleum zu den Fenstern hinüber, schob die Gardine beiseite und blickte nach draußen.

»Das ist die Gegenwart«, sagte Hamann in seinem Rücken.

»Bist du eigentlich noch bei der Feuerwehr?«, fragte Hard, ohne sich zu ihm umzudrehen.

»Im Moment lösche ich nur mein eigenes Feuer.«

»Ich hätte da nämlich einen Auftrag für dich.«

»Wo brennt's denn?«

8

An einem Abend hielt Rosing im Rathaussaal eine Rede. Draußen auf der Straße demonstrierte die Antifa, zehn, fünfzehn Jugendliche mit Trillerpfeifen und Transparenten: *Wer sich nicht wehrt, lebt verkehrt, Nazis raus, Nie wieder Deutschland.* Drinnen, in dem großen, vollkommen mit Holz ausgekleideten Raum, war davon nichts zu sehen, nichts zu hören. Die Fenster waren geschlossen, die Vorhänge zugezogen. Über die ganze Breite und Länge standen, ineinander verhakt, vierhundert Stapelstühle. Nur in der Mitte und an der Seite, dort, wo es zu den Toiletten und zur Theke ging, hatte man jeweils einen schmalen Gang frei gelassen, der sich aber, da alle Plätze besetzt waren, nach und nach mit Menschen füllte. Bald gab es kein Durchkommen mehr, weder in die eine noch in die andere Richtung.

Fast alle waren da, fast das ganze Dorf, Frau Wolters, Daniels ehemalige Grundschullehrerin, die Familien Kamps und Engberts, Pfeiffer und Reichert, vollzählig angetreten, Szkiolkas, Michalaks und Zywczgks und ein paar andere, erst vor wenigen Monaten aus Polen und der Sowjetunion ins Kompunistenviertel zugezogene Männer und Frauen, Schulz, der Schmied, der Bürgermeister, mit seinen Söhnen Philipp und Jörg, der eine fast doppelt so alt wie der andere, die Fußballer Heiner Oltmanns, Marco Klüver und Guido Groenewold neben Trainer Sandersfeld, Bäckermeister Wessels mit seinen drei Angestellten, den Hibben-Schwestern, die Haare noch von Mehl bestäubt, Wilfried Ennen, der, da er amtierender Schützenkönig war, über seinem Anzug eine Schärpe trug und eine Kette mit Orden, Zahnarzt Hilliger, Heiko Hessenius und Gerrit Klopp, die beiden wegen Trunkenheit meist beschäftigungslosen Fernfahrer, Theda und Richard Wiemers, Irmgard Geuken und Ronnie, der Koch vom Strandhotel, Rechtsanwalt Onken, Klaus Neemann und Günter Vehndel – Hards alte Freunde –, Jens Hanken und Paul Tinnemeyer – Daniels neue Freunde –, die Dorfpolizisten Frank Tebbens, Joachim Schepers und Kurt Rhauderwiek in Uniform neben der Eingangstür, Nella Allen in einem weißen, bodenlangen Tüllkleid, Tammo Tammen, der Volontär der *Friesenzeitung*, Harald Sievers, der wieder genesene Praktikumsbeauftragte, Karl-Heinz Duken, selbst sitzend alle überragend, Martin Masurczak und Inge Kaselautzki, die Betreiberin der Schulcafeteria, Postloper Schmidt, Ewald und Edith Reents, die nicht verstanden, wogegen ihre Tochter draußen protestierte, und sich lautstark darüber unterhielten, Dirk und Meidine Mettjes und Lüpke und Elfriede Haak mit ihren Töchtern, die Herren Willms und Bunger und Klaaßen, der Molkereivorsitzende Anton Leemhuis, der Direktor der Raiffeisenbank Albert Hoyer mit Frau, Freerk-Ulf Dänekas von der Sparkasse und Gesa, die Bedienung aus dem Strandhotel, Volker, der sich mit seinem Vater eine Dose Erdnüsse teilte, Eino Oltmanns mit seinem Sohn Klaas, dem Fahrradhändler, Kapitän Fechner, die Milchfahrer Schoon und Korporal, die jetzt, da die Molkerei stillgelegt war, mit ihrer Fracht ganz nach Oldenburg mussten, Fahrlehrer Kromminga, Enno und Gerda Kröger, denen das Strandhotel drüben am Deich gehörte, Fisch Krause, wie immer im Troyer und mit tief in die Stirn gezogener Prinz-Heinrich-Mütze, Freese von der Puddingfabrik, Hayo Hayenga vom Club 69, die Bauern Appeldorn, Veenhuis, Lüpkes, Wübbena und Gosseling in einer Reihe, Brechtezende, Tönjes, Harders und Watermann in der dahinter, Magda van Deest und Frau Bluhm, Hards ehemalige Angestellte,

Getränkehändler Stumpe mit seinen vier rotwangigen Söhnen, der Lebensmittelkontrolleur Theo Houtjes und der Lokführer Walter Baalmann, in ein Gespräch über Karpfen vertieft, Anne-Marie Kolthoff, die Handwerker mit ihren Gesellen: Elektro Plenter, Farben Benzen und Abbo und Ubbo Busboom, die, ihrem Aussehen nach zu urteilen, ölverschmiert und voller Farbstaub, von der Werkstatt direkt hierhergekommen sein mussten, Eiske Ahlers, Hals und Ohren perlenbehängt, Frau Spieker, Uli Dettmers, der Friseur, die Haare wie üblich von einer Seite zur anderen über seinen kahlen Kopf gekämmt, die Organistin Meta Graalmann und – dicht neben ihr, manche meinten, zu dicht – Hans Meinders, der Pastor, und daneben Marie, seine Frau, vorne, in der ersten Reihe, Frau Nanninga, Eisen und Wiebke und ganz rechts, am äußersten Rand, der alte Kramer, beide Hände hinter die Ohren geklemmt, obwohl Johann Rosing noch nichts gesagt hatte. Der stand im Halbschatten auf der Bühne hinter einem blumenverzierten Stehpult, nippte an seinem Wasserglas und sortierte die dicht mit Zahlen und Stichworten beschriebenen Zettel.

Daniel lehnte neben seinem Vater an der Rückwand. Hard hatte den obersten Knopf seines Kittels geöffnet und wischte sich mit dem Ärmel den Schweiß von der Stirn. Alle rangen nach Luft, aber die, die am Fenster saßen, trauten sich nicht, eins davon zu öffnen, aus Angst, dass dann die Rufe und Pfiffe von draußen die Worte drinnen ersticken könnten. Stattdessen ließ man die Türen offen, die in den Flur und zu den Toiletten führten. Dann gingen im Saal die Lichter aus. Jemand schrie auf. Ein Kind fing an zu weinen. Ein anderes stimmte mit ein. Ein Mann riet, den Schalter zu drücken. Und wie auf diesen Ratschlag hin wurde es auf der Bühne hell, und alle sahen dorthin und verstummten.

Rosing trug einen dunklen Anzug, ein weißes Hemd und eine

weinrote Krawatte, die Haare, gescheitelt, glänzten im Scheinwerferlicht. Mehrmals klopfte er mit den Fingern gegen das Mikrofon. Dann beugte er sich vor. »Guten Abend, meine Damen und Herren. Der Wahlkampf ist eröffnet.« Mit beiden Händen stützte er sich auf dem Pult ab und sah ins Publikum, konnte aber, da ihn das Licht blendete, niemanden erkennen. »Seit Monaten habe ich mich auf diesen Tag gefreut, darauf, dass es endlich losgeht, dass ich Ihnen mich und mein Programm vorstellen darf. Ich weiß«, er hob die Hand, »viele von Ihnen denken jetzt, was soll das, den kennen wir doch. Und tatsächlich«, er ließ die Hand wieder sinken, »viele von Ihnen kennen mich seit Jahren, manche von Kindesbeinen an. Aber das besagt gar nichts. Gerade die, die man am besten zu kennen glaubt, kennt man am wenigsten. Niemand kann in den anderen hineinschauen. Die Gedanken sind frei, wer kann sie erraten, sie fliehen vorbei, wie nächtliche Schatten, heißt es in einem Lied, das wir vom Männergesangsverein auch hin und wieder singen, die Gedanken sind frei, und das ist auch gut so. Jeder soll sich Gedanken machen und sie für sich behalten dürfen. Von mir als Politiker erwartet man aber, dass ich meine Gedanken offenlege, damit man versteht, was in mir vorgeht und welche Meinung ich vertrete. Ich weiß auch, dass viele Zweifler unter Ihnen sind, Wählerinnen und Wähler, die mit dem, was ich sage, nicht einverstanden sind. Aber was sage ich denn? Und womit sind sie nicht einverstanden? Woraus setzt sich ihr Bild von mir denn zusammen? Aus dem, was man sich in Jericho über mich erzählt? Aus den Artikeln der überregionalen Presse? Den Radio- und Fernsehbeiträgen? Der Medienkampagne gegen mich? Ich habe schon mit Hunderten gesprochen und werde noch mit Hunderten sprechen. Ich werde von Haus zu Haus gehen. Fünf Monate lang werde ich zu Fuß durch die Gemeinde marschieren und mich in jedem der«, er sah auf einen seiner Zettel, »zweitausendneunhundertfünfundfünfzig Haushalte persönlich vorstellen. Ich will jeden Einzelnen kennenlernen, und ich will, dass jeder Einzelne mich kennenlernt. Wer ein Gemeinwesen führt, muss dessen Mitglieder verstehen und bei seinen Entscheidungen deren Wünsche miteinbeziehen. Dafür spricht man ihm das Vertrauen aus. Natürlich kann ich wie die anderen Kandidaten Dutzende Reden halten, Reden wie diese, aber keine einzigste wird die gleiche Stärke und Wirkung haben wie ein Gespräch von Angesicht zu Angesicht.«

»Einzige«, sagte Daniel, so leise, dass nur der Vater es verstehen konnte.

»Trotzdem will ich hier und heute die Gelegenheit nutzen, mein Programm vorzustellen, das Programm, für das ich stehe und mit dem ich zur Wahl antrete. Dieses Programm ist untrennbar mit meinem Leben verbunden. Wer es wählt, wählt mich. Seit dreiundzwanzig Jahren leite ich das Bauunternehmen Rosing, die Firma, die mein Vater nach dem verlorenen Krieg gegründet und mir übertragen hat. Seit dreiundzwanzig Jahren baue ich Häuser und Hallen, Straßen und Plätze, so wie mein Vater vor mir, und alle Straßen und Plätze, alle Häuser und Hallen, die er gebaut hat, stehen noch da wie am ersten Tag. Kein Einzigstes ist bisher in sich zusammengefallen und wird auch nie in sich zusammenfallen.«

»Einziges«, sagte Daniel.

Der Vater sah ihn irritiert an.

»Bei jedem Projekt habe ich lokale Firmen in die Planung miteinbezogen und bewiesen, dass es, entgegen den Behauptungen mancher Manager, sehr wohl möglich ist, preisgünstig und qualitativ hochwertig zu arbeiten«, er zeigte aus dem Fenster, »ohne auf in Osteuropa oder Fernost produzierte Bauteile zurückzugreifen oder Arbeitskräfte aus dem Ausland zu beschäftigen.«

Keiner klatschte, aber jemand im Saal rief: »Genau.«

Und ein anderer: »Unsinn.«

»Ich habe ein Netzwerk der regionalen Zusammenarbeit geschaffen, um die Heimat wieder zu dem zu machen, was sie bis zur Wiedervereinigung gewesen ist: ein unschätzbarer Wert. Das System der sozialen Marktwirtschaft hat sich in den vergangenen vierzig Jahren bewährt, warum soll man das jetzt aufgeben? Nur damit es den Reichen noch besser geht und den Armen noch schlechter? Dieses Land braucht Europa nicht, aber Europa braucht dieses Land! Und genauso verhält es sich mit der Wirtschaft. Die muss dem Volk dienen und nicht umgekehrt.«

Zum ersten Mal gab es Applaus, und Rosing nutzte die Pause, um einen Schluck Wasser zu trinken. Dann fuhr er, den Applaus mit Worten niederringend, fort.

»Bei allem, was ich anpacke, hat mein Vater mich gelehrt, die drei Fs zu beachten«, er streckte die rechte Hand hoch und nahm die Finger zum Abzählen, »Fleiß, Familie, Freundschaft. Mit diesen dreien bin ich groß geworden, und zu diesen dreien stehe ich auch heute noch, weil sie das Fundament bilden, auf dem sich«, wieder nahm er die Finger zum Abzählen, »Glück, Sicherheit und Wohlstand gründen. Mit fünfzehn bin ich bei meinem Vater in die Lehre gegangen. Und von diesem Moment an habe ich für ihn und für mich selbst gearbeitet, manchmal zehn, zwölf Stunden am Tag, je nach Auftragslage. Nebenbei habe ich auf der Abendschule das Abitur nachgeholt und in Hannover Bauingenieurwesen studiert. Nicht um der Karriere willen, sondern weil ich ein Ziel habe, das größer ist als ich selbst: eine Region an die Weltspitze führen. Ich habe nie erfahren, was es bedeutet, arbeitslos zu sein, und ich wünsche auch niemandem diese Erfahrung, aber ich bin fest davon überzeugt, dass jeder, der arbeiten will, auch Arbeit finden wird. Und wer hier im Saal arbeitswillig ist«, er schwenkte mit der Hand durch die Dunkelheit des Raumes wie Pastor Meinders bei der Segnung in der Kirche, »dem verspreche ich, im oder durch das Betonwerk eine den jeweiligen Fähigkeiten angemessene Stelle zu schaffen. Das Werk wird nämlich andere Werke und andere Branchen nach sich ziehen und einen allgemeinen Aufschwung bewirken. So werden alle vom Erfolg profitieren, kein Einzigster wird auf der Strecke bleiben.«

»Einziger«, sagte Daniel, und der Vater: »Jetzt ist aber mal gut.«

»Ich habe nie in die eigene Tasche gewirtschaftet«, sagte Rosing, steckte die Hände in die Hosentaschen, zog wie zum Beweis den Stoff nach außen, was man, da er immer noch hinterm Pult stand, kaum erkennen konnte, und stopfte ihn wieder hinein. »Seit jeher beteilige ich meine Angestellten am Unternehmensgewinn. Das steigert nicht nur die Produktivität, sondern auch die Motivation, jeden Tag weiterzumachen und die Zukunft gemeinsam zu gestalten. Schwangeren Frauen gebe ich frühzeitig Urlaub, und die Mütter stelle ich nach der Geburt ihrer Kinder wieder ein. Jungen Vätern zahle ich mehr Gehalt, freiwillig, alles freiwillig. Weil sich das langfristig auszahlt. Denn nicht selten bilde ich später diese Kinder in meinem Betrieb aus. Und die verfügen dann schon, dank ihrer Eltern, über ein Wissen, das andere in ihrem Alter noch nicht haben und womöglich niemals haben werden. Das ist das, was ich unter einem Familienunternehmen verstehe. Und die Gemeinde ist im besten Fall nichts anderes als das.«

Wieder gab es Applaus.

»Wie jeder weiß«, sagte Rosing und hob die Hände, »gibt es in jeder größeren Familie auch einmal Streit. Aber wie in jeder größeren Familie kann man sich in einem Familienunternehmen immer, wenn es drauf ankommt, aufeinander verlassen. Zu einem Familienunternehmen gehört auch, dass man umsichtig haushaltet und die Einnahmen nicht verschwendet, sondern sinn- und maßvoll einsetzt«, er sah auf einen seiner Zettel, »für neue Kindergärten, Schulen und Seniorenheime, verbesserte Verkehrswege, einen familiengerechten und ökologischen Wohnungsbau, die Wiedererrichtung des Bahnhofs, die Stärkung der Polizei, die Erforschung, Weiterentwicklung und Förderung alternativer Energien, den Erhalt der Wallhecken, die Unterstützung der Landwirtschaft, den Ausbau des Industriegebietes zur Ansiedlung weiterer, größerer Betriebe.«

Bei jedem Stichwort klatschten andere Zuhörer. Es war ein Kanon des Klatschens, der durch den Saal wogte, wie wenn der Papst am Ostersonntag vom Petersdom aus sein *Urbi et Orbi* in mehr als sechzig Sprachen verliest. Rosing sortierte seine Zettel, nahm einen großen Schluck Wasser und streckte wieder den rechten Arm in die Höhe.

»Fleiß, Familie, Freundschaft, diese drei, habe ich gesagt, sind meine Maxime. Aber das ist nicht immer so gewesen. Anfangs dachte ich, Fleiß und Familie sind alles, was ich zum Leben brauche. Von montags bis freitags habe ich mich von morgens bis abends um die Firma gekümmert und am Wochenende um meine Frau und meine Kinder. Beide Bereiche wuchsen und entwickelten sich prächtig. Damit war meine Zeit ausgefüllt, und ich habe keinen Mangel gespürt, im Gegenteil. Manchmal dachte ich, so muss sich das Glück anfühlen, ein Zustand zwischen Erschöpfung und Zuversicht. Es gab Zeiten, schwierige Zeiten, da haben Monika und ich jeden Abend über den Büchern, den roten Zahlen gesessen und sind über der Frage eingeschlafen, ob es sich überhaupt noch lohnt weiterzumachen. Und irgendwann kam Michael reingestürmt mit irgendeinem seiner kleinen Probleme, einem verschwundenen Spielzeug oder einem aufgerissenen Knie, oder Wiebke schrie in ihrem Bettchen. Und das hat uns wieder aufgerichtet. Das hat uns Mut gemacht, gegen alle Widerstände anzukämpfen. Bis«, seine Stimme zitterte, brach ab, drohte zu versagen, setzte wieder an, redete über die Unsicherheit hinweg, »bis Monika diesen, bis sie«, er schluckte, »diesen Unfall hatte, kurz vor Weihnachten, am 21. Dezember vor zwölf Jahren. Ich war gerade auf der Baustelle, drüben am Sportplatz, da kam Kurt Rhauderwiek an, die Mütze in der Hand, und sagte, dass Monikas Wagen von der Bundesstraße abgekommen ist und sich auf einem Acker überschlagen hat, und dass das Baby, unsere Tochter, herausgeschleudert und wie durch ein Wunder nur leicht verletzt wurde. Und als ich mit Kurt ins Krankenhaus fuhr und Monika dort liegen sah, blutüberströmt und bewusstlos, dachte ich, jetzt ist alles vorbei. Nichts wird wieder so sein, wie es war. Ich fragte Kurt, wie das passiert ist, aber er konnte mir keine Antwort geben. Es gab keine Zeugen, kein Auto, keine Fußgänger, denen sie ausgewichen sein könnte, kein Tier, das sie gerammt hatte. Die Straße war sauber und trocken, und auf der Fahrbahn waren keine Bremsspuren. Drei Wochen hat Monika noch im Krankenhaus gelegen. Ich kann mich kaum an diese Tage erinnern, an Weihnachten, Silvester, Neujahr auf der Intensivstation, während die Ärzte alles versucht haben, sie zurückzuholen.«

Daniel konnte nicht glauben, dass Rosing die Leute mit seiner Trauergeschichte einwickelte, aber die meisten saßen jetzt da, gebeugt, wie hypnotisiert vor sich hinstarrend, als wären sie tatsächlich in der Kirche und sprächen lautlos und ohne die Lippen zu bewegen, ein Gebet.

»Erst nach ihrem Tod«, sagte Rosing in die Stille hinein, »habe ich gemerkt, wie wichtig und wertvoll, wie unverzichtbar Freunde sind. Natürlich waren sie damals nicht in der Lage, meinen Schmerz zu stillen. Aber seit dem Unfall sind sie immer da, passen auf Wiebke auf, hören zu, helfen im Alltag. Und das ist das, was ich mir auch für die Gemeinde wünsche, ein hohes Maß an Verständnis, Verantwortung und Solidarität. Das setzt natürlich voraus, dass man sich versteht, dass man die deutsche Sprache beherrscht und gelernt hat, aufeinander Rücksicht zu nehmen.«

Wieder gab es Applaus, und wieder nutzte Rosing die Pause, um einen Schluck Wasser zu trinken.

»Wegen dieser Meinung«, fuhr er fort, »ist mir oft der Vorwurf gemacht worden, ausländerfeindlich zu sein. Dabei besteht doch kein Zweifel, dass Integration nur möglich ist, wenn man miteinander sprechen kann. Jeder, der im Sommer nach Spanien, Italien oder Griechenland in den Urlaub fährt, weiß, wie wichtig es ist, eine gemeinsame kulturelle Grundlage zu haben. Integration ist Anpassung, und das erwarte ich von jedem, der hierherkommt. Deutschland ist ohne Ausländer nicht denkbar. Wer von einem Vierten Reich träumt, lebt in einer anderen Zeit, einer anderen Welt. Ausländer sind ein bedeutender Wirtschaftsfaktor. Ausländer sind bereit, für weniger Geld mehr zu arbeiten als Deutsche. Ausländer übernehmen Aufgaben, die niemand sonst erledigen will. Ihre jährliche Konsumnachfrage wirkt sich konjunkturunterstützend aus, und ihre Ersparnisse bei den deutschen Banken sind beträchtlich. Auch politisch Verfolgte, sogenannte Asylanten, das will ich an dieser Stelle ausdrücklich hinzufügen, sind jederzeit willkommen. Auch die Kurden aus dem Irak und der Türkei. Man muss ihnen aber die Möglichkeit geben eine Anstellung zu finden, ohne gleichzeitig einem Deutschen den Job wegzunehmen.«

Einige pfiffen, andere, Anhänger von ihm, klatschten das Pfeifen nieder.

»Angesichts von mehr als zweieinhalb Millionen Arbeitslosen in diesem Land ist die Begrenzung der Zuwanderung, die fachliche Auswahl von Ausländern, ein Gebot der Vernunft. Das ist parteiübergreifend Konsens. Eine Firma stellt ja auch niemanden ohne vorhergehende Prüfung, ohne schriftliche Bewerbung und anschließendes Bewerbungsgespräch ein, keine Einzigste.«

»Einzige«, sagte Daniel.

Und Hard sagte: »Jetzt reicht's aber.«

»Nicht jeder redet darüber so offen wie ich«, sagte Rosing. »Aber nicht jeder kandidiert für ein politisches Amt. Ich will niemandem Versprechen geben, die ich hinterher nicht halten kann, am wenigsten mir selbst. Aber ich will heikle Themen auch nicht umgehen, aus Angst zu versagen. Viel zu lange sind Probleme auf Bundesebene auf die lange Bank geschoben oder an die Länder und Gemeinden abgewälzt worden. Jetzt ist es an der Zeit aufzuräumen, und zwar gründlich. Ihre Stimme entscheidet, ob alles beim Alten bleibt oder sich zum Besseren wendet.«

Rosing ordnete seine Zettel neu. Er legte einige beiseite und klopfte den Rest zurecht. Die Zuhörer waren verstummt. Mit einer Hand schirmte er den Blick gegen das Scheinwerferlicht ab, aber er konnte trotzdem kaum jemanden erkennen, nur Brillengläser, Ketten, Broschen, Dinge, die das Licht reflektierten, und die Augen seiner Tochter. Jetzt kam der schwierige Teil seiner Rede, der Schluss.

»Die Gegenwart versucht mit Absicht, dem Menschen die Bedeutung des Begriffs Heimat auszureden. Das ist nötig, um das Volk für politische Wahnsinnstaten reif zu machen. Denn je mehr man es entwurzelt, je mehr man es an die Maschinen und in die Büros der Großstädte drängt, je mehr man es in einen Taumel hetzt, von Reklame, Kino, von Betrieb, Tempo, Verkehr, umso mehr entfremdet man es von seinem Boden, bis niemand mehr eine Vorstellung davon hat, woher das täglich Brot eigentlich kommt. Die Opfer dieser Entwicklung sind nicht die Millionäre, sondern die Bauern, die kleinen Unternehmer, die Angestellten. So beginnt die Katastrophe. Das internationale Kapital kann kein Volk brauchen, das noch bodenfest ist. Darum baut man Zölle ab, darum reißt man Grenzen auf, und darum wandert das Landvolk in die Städte ab. Dort ballt sich die Masse zusammen, und es erhebt sich der Schrei nach immer billigeren Lebensmitteln und immer billigerer Kleidung. Die Folge: steigende Vernichtung der Landwirtschaft, des Einzelhandels, der Familienbetriebe, steigende Unproduktivität, wieder Abwandern in die Städte. Ein grauenhafter Kreislauf, der das Land, das Dorf, Jericho zerstören wird.«

Beifall brandete auf.

»Das Schlimmste aber ist die Vernichtung des Vertrauens in unser Volk, die Beseitigung aller Hoffnungen und aller Zuversicht. Wie können wir diesem Schicksal entgehen? Der Grundgedanke der Hochfinanz besteht darin, dass es nur ein Glück gibt: das Diesseits. Dieses Glück hängt von der Lebensmöglichkeit ab, die der einzelne Mensch sich an materiellen Gütern verschafft. Sie alle kennen den Ausspruch: Jeder ist seines Glückes Schmied. Das wahre Glück hängt aber vom Grund und Boden ab, von der Mutter Erde, und von den Menschen, von der Qualität der Menschen. Jedes Volk kann nur dann glücklich werden, wenn es sein eigenes Leben lebt, wenn es die Güter bekommt, die es selbst zu erzeugen fähig ist. Genau wie der einzelne Mensch nur Befriedigung findet durch eigene Leistung. Nur auf das, was man selbst erreicht hat, aus eigener Kraft und Anstrengung, kann man stolz sein. Keine Lotteriekugel bringt wahres Glück.«

Rosing redete und redete. Daniel sah zu seinem Vater hin, der nickte nach jedem Satz. Diese stille Zustimmung. Daniel war wie gelähmt. Die Worte stachen ihm wie Nadeln ins Fleisch, aber er spürte keinen Schmerz, nur eine stumpfe Wut.

Rosing sagte: »Der Staat ist verpflichtet, für die Erwerbs- und Lebensmöglichkeit der Staatsbürger zu sorgen. Wer nicht Staatsbürger ist, soll nur als Gast in Deutschland leben können und muss unter Fremdengesetzgebung stehen.« Von irgendwoher gab es Buhrufe, irgendjemand pfiff auf zwei Fingern. »Erste Pflicht jedes Staatsbürgers muss sein, geistig oder körperlich zu schaffen«, sagte Rosing unbeeindruckt. »Die Tätigkeit des Einzelnen darf nicht gegen die Interessen der Allgemeinheit verstoßen, sondern soll im Rahmen des Gesamten und zum Nutzen aller erfolgen. Daher setze ich mich für die Abschaffung der Arbeitslosenhilfe ein.« Wieder sah er auf seine Zettel. »Für die Gewinnbeteiligung an Großbetrieben. Für einen großzügigen Ausbau der Altersversorgung. Für die Erhaltung eines gesunden Mittelstands. Für sofortige Kommunalisierung der Großwarenhäuser und ihre Vermietung an kleine Gewerbetreibende. Wer mich fragt, was meine Vision ist«, sagte er und schaute hoch ins Licht, »dem entgegne ich, eine neue Plattform zu schaffen, auf die jeder Deutsche treten kann, der den Willen hat, sich für sein Volk einzusetzen. Das ist mein Ziel, und jeder Weg, der dahinführt, ist recht. Widerstände sind da, um gebrochen zu werden. Wenn die Gemeinde zu Bewusstsein kommt und ihre Kraft logisch organisiert, wenn jeder von Ihnen hier im Saal seinen Platz einnimmt und seine Funktion erfüllt, dann entsteht eine unzertrennliche, eine unschlagbare Schicksalsgemeinschaft, eine wirkliche Familie.« Er sah von seinen Zetteln auf, streckte den rechten Arm aus und richtete den Zeigefinger ins Publikum. »Und an diese Familie glaube ich, für diese Familie kämpfe ich, und für diese Familie bin ich, wenn nötig, bereit zu sterben.« In den ersten Reihen erhoben sich einige Zuhörer von den Stühlen und klatschten wie wild in die Hände und animierten damit andere, die hinter ihnen saßen und sich bisher zurückgehalten hatten, ebenfalls aufzustehen und Rosing zu applaudieren. Die Bewegung rauschte wie eine Welle von vorn nach hinten durch den Saal.

»Und? Wie war's?«, fragte Birgit, als sie beide, Vater und Sohn, um kurz nach neun wieder zu Hause waren und einer nach dem anderen zu ihr ins Wohnzimmer kamen und sich in die Sessel fallen ließen. Im Fernsehen lief *Ein Schloß am Wörthersee*. Sie schaltete den Ton aus.

»Ziemlich voll«, sagte Hard. »Wir mussten die ganze Zeit stehen. Das halbe Dorf war da. Aber er hat mich nicht überzeugt. Das, was er da gesagt hat, über die Kommunalisierung der Großwarenhäuser, das ist ja alles schön und gut, aber praktisch läuft das ja auf Enteignung raus. So was grenzt ja schon an Sozialismus. Die Wirtschaft muss frei bleiben.«

»Zumindest die deutsche«, sagte Daniel.

»Überall. Das haben die da drüben«, er zeigte aus dem Fenster, »inzwischen ja auch erkannt.«

»Aber das hat er nicht gesagt. Er hat nur von Deutschland gesprochen. Und das ist Sozialismus, Nationalsozialismus, wenn du mich fragst.«

»Dich fragt aber niemand. Und außerdem: Wie willst du das wissen? Du hast ja nicht mal richtig zugehört.« Hard sah Birgit an. »Er hat ständig dumme Kommentare abgelassen.«

»Wer?«, fragte sie. »Rosing?«

»Daniel. Dabei hat er gut gesprochen, also, das muss man ihm lassen, reden kann er ja.«

»Daniel?«

»Nee, Rosing. Was er da über die Familie und Monika gesagt hat, über ihren Tod, und das man zusammenhalten muss, egal was passiert.«

»Kanntet ihr seine Frau eigentlich?«

»Monika? O ja, die war eine gute Kundin von uns.« Birgit sah Hard an. »Du hattest doch mehr mit ihr zu tun. Ich war damals ja noch nicht im Geschäft.«

»Soll das ein Vorwurf sein?«

»Nein.«

»Du hättest jederzeit auf Teilzeit einsteigen können. Aber du wolltest ja nicht. Du wolltest ja unbedingt unabhängig bleiben.«

»So wie du.«

»Was ist denn jetzt mit dieser Monika?«

»Die kam fast jeden Tag. Bildhübsch, sehr grazil, und immer sehr geschmackvoll gekleidet, belesen, gebildet, schlagfertig.«

»Das sind mehr Komplimente, als du mir je gemacht hast.«

»Vor allem war sie sehr lustig, ein lebenslustiger Mensch.«

»Bloß weil sie über deine Witze gelacht hat.«

»Hat viel Parfüm bei uns gekauft. Zu jedem Anlass eine andere Note.«

»Die wusste eben, wie sie die Männer rumkriegen kann, ohne dass es jemand merkt.«

»Das sind doch bloß Gerüchte.«

»Marlies hat sie gesehen.«

»Mit wem? Mit Klaus?«

»Die hat mit allen poussiert, auch mit dir, und du hast dich drauf eingelassen.«

»Entschuldige, Biggi, aber das ist die Grundlage unsres Geschäfts.«

»Was? Ehebruch?«

»Liebe.«

Birgit wäre vor Lachen fast vom Stuhl gefallen, aber Hard meinte es ernst.

»Die Liebe zum eigenen und zu fremden Körpern. Die Lust des Fleisches.«

»Wohl eher der Fluch des Fleisches.« Birgit hatte sich wieder beruhigt. »Seine Ausscheidungen, seine Unzulänglichkeiten, sein Verfall.«

Daniel fragte: »Wie ist das eigentlich passiert?«

»Was?«

»Der Unfall. Ich meine, wie ist sie gestorben?«

»Wenn du zugehört hättest, wüsstest du's. Hat Rosing doch gesagt. Im Krankenhaus.«

»Ich meine den Wagen. Rosing hat nur gesagt, dass sie von der Straße abgekommen ist.«

»Was weiß ich? Vielleicht war sie ja zu schnell. Oder die Lenkung hat blockiert. Ist bei dem Modell öfter vorgekommen damals.«

»Was für ein Modell?«

»Hatte sie nicht einen Scirocco?«

»Du weißt das besser als ich«, sagte Birgit. »Ich bin nie damit gefahren.«

»Ich auch nicht.«

»Aber du hast dringesessen.«

»Ein Mal. Sie hat mich ein Mal mit in die Stadt genommen, weil wir keine Windeln mehr hatten und du mit unserem Wagen unterwegs warst. Dass du immer wieder davon anfängst. Das werde ich mir noch bis an mein Lebensende anhören müssen.«

»Schon möglich.«

»Wo warst du eigentlich damals?«

»Ich musste ins Krankenhaus. Erinnerst du dich? Dein Sohn hatte was mit den Augen. Er musste operiert werden.«

»Ach ja.«

»Was hatte ich denn mit den Augen?«

»Die waren immer ganz verklebt. Du hattest immer so einen verschleierten Blick.«

»Du konntest nicht weinen.«

»Deine Tränendrüsen waren verstopft.«

»Was gucken wir da eigentlich? *Dallas?*«

»Heute ist Freitag.«

»Sieht auch nicht nach *Dallas* aus.«

»Billiger Abklatsch.«

»Dann mach's doch aus.«

Und das tat sie.

9

Birgit war vorhin ein Deoroller heruntergefallen und auf dem
Boden zersprungen, der letzte von bac, und jetzt sammelte sie
die Scherben ein und wischte mit einem Feudel die ausgelaufene
Flüssigkeit auf. Und Hard wollte gerade für die einzige Kundin
im Laden, Marlies Neemann, im Lager nachsehen, ob sie dort
noch einen vorrätig hatten, als Hans Meinders hereinkam. Hard
war erstaunt, ihn zu sehen. Sonst kam er immer eine halbe Stunde nach Ladenschluss, um sicherzugehen, dass sie allein waren.

»Na, du scheinst es ja heute nötig zu haben«, sagte Hard und zog
eine Schachtel, gefüllt mit einem Fünftel der gestrigen Wettein-
nahmen, hinter ihm aus dem Regal hervor.

»Lass man«, sagte Hans Meinders, hob beide Hände und nickte Birgit und Marlies zu.

»Wie? Heute keine Klosterfrau?«, fragte Hard. »Wie hältst du
das aus, Hans?«

»Es ist vorbei, Bernhard.«

»Was ist vorbei?«

»Ich brauch das nicht mehr«, sagte Hans Meinders und zeigte
auf die Schachtel. »Mir geht's jetzt viel besser. Keine Unruhe
mehr, keine Verspannungen.«

»Du solltest das noch 'ne Weile nehmen. Zur Sicherheit. Die
Symptome können immer wiederkommen, solange die Ursache
nicht beseitigt ist.«

»Das ist es ja. Ich glaube, ich bin geheilt.«

»Nix.«

»Doch Bernhard, und weißt du, was noch viel besser ist? Wobei, vielleicht hängt das auch zusammen.«

»Was?«

»Die Leichenhalle wird gebaut.«

»Wann?«

»Im Sommer schon. Rosing meinte, es wird wohl doch nicht so teuer wie ursprünglich gedacht. Wir haben uns nach seiner Rede gestern noch mal zusammengesetzt und über alles gesprochen. Nach dem ganzen Hin und Her war ich mir ja erst nicht mehr so sicher, was ich von ihm halten soll, ob ich ihn nun wählen soll im Oktober oder nicht. Wie du weißt, ist meine Stimme nicht ganz ohne Gewicht. Im Kirchenrat haben wir uns die Angebote der anderen Bewerber noch mal vorgenommen und über eine neue Ausschreibung gesprochen. Und stell dir vor: Er hat mir einen neuen Kostenvoranschlag gemacht.« Er sah zu den Frauen hin. »Und in den letzten Wochen hatten wir, dank einiger großzügiger Spenden, so viel im Klingelbeutel, dass wir uns das jetzt leisten können.«

»Das ist natürlich eine Erleichterung«, sagte Marlies Neemann.

Und Birgit sagte: »Fragt sich nur, für wen.«

Am Wochenende schrieb Daniel alles auf, das Gespräch mit Ronnie im Strandhotel, Simones Beobachtungen auf dem Schulhof, das Ergebnis der mikrobiologischen Untersuchung. Stundenlang saß er über die weiße Olympia-Schreibmaschine der Mutter gebeugt und tippte Buchstabe für Buchstabe aufs Papier – mit einer solchen Wucht, dass sich die Zeichen in die Walze drückten. Ab und zu hörte er einen Zug aus der Ferne herannahen und am Haus vorbeirasen, und er hob den Kopf und sah aus dem Fenster, auf die Straße, den Bahnübergang und das weite weiße Land dahinter. Nur wenn die Eltern ihn zum Essen riefen, verließ er für ein paar Minuten das Zimmer, hockte schweigend und schlingend am Küchentisch und sann, während der Vater unablässig auf ihn einsprach, über die passenden Worte nach.

Montagmorgen fuhr er in aller Früh mit dem Rennrad zur Schule und eilte gleich über den Pausenhof in die Cafeteria, um die Betreiberin zur Rede zu stellen. Der Raum war schon hell erleuchtet, und der Fußboden glänzte, als wäre er eben erst gewischt worden. Die Kaffeemaschine, ein breites, den halben Tresen einnehmendes Ungetüm, fauchte und dampfte, und der Duft, der von ihr aufstieg, erfüllte die Luft ringsum mit einem scharfen, würzigen Aroma. Aus der Küche drang ein jäh ausgestoßenes Lachen zu ihm hin, und durch den kleinen Spalt der Schwingtür nahm Daniel einen Schatten wahr. Als er darauf zuging, kam, den Rücken voran, Frau Kaselautzki heraus, hob ein Tablett mit Mettbrötchen auf die Glastheke und wischte sich die buttrigen Hände an der Kittelschürze ab.

»Wie alt sind die?«, fragte Daniel.

Ihr Lächeln erstarrte. »Von jetzt. Ganz frisch.«

»Da hab ich aber was ganz andres gehört.«

»So?«, sagte sie und verschränkte die Arme vor der Brust. »Was hast du denn gehört?«

»Dass die von gestern sind.«

»Gestern war Sonntag.«

»Dann eben Freitag.«

»Wer hat dir das denn erzählt?«

»Also geben Sie's zu.«

»Ronnie Geuken!« Sie ließ die Arme sinken. »Hätt ich mir ja gleich denken können. Ich wusste doch, dass es ein Fehler war, ihn nicht anzuzeigen. Was hat er dir denn noch so für Lügengeschichten erzählt? Das mit den Kaffeebechern?«

»Also geben Sie das auch zu.«

»*Ihr beide* habt mir diesen Kontrolleur auf den Hals gehetzt!

Natürlich! Jetzt wird mir alles klar. Warte mal eben«, erst runzelte sie die Stirn, dann zeigte sie mit dem Finger auf ihn, »irgendwoher kenn ich dich doch.« Daniel trat einen Schritt zurück. »Irgendwo hab ich dein Gesicht doch schon mal gesehen.« Als er schon fast auf dem Gang war, der zu den Klassenräumen führte, hörte er sie noch sagen: »Bist du nicht der, dein Vater hat doch –« Den Rest bekam er nicht mehr mit.

Während die anderen in den großen Pausen in die Cafeteria gingen, setzte sich Daniel draußen auf eine der Betonbänke und fügte handschriftlich das doppelte Geständnis von Frau Kaselautzki in den Artikel ein. Am Ende der letzten Stunde, in Biologie, las er sich das, was er geschrieben hatte, noch einmal durch. Er hatte alles, was er brauchte, zwei unabhängige Quellen und einen schriftlichen Beleg, auch wenn der Lebensmittelkontrolleur ihm den noch nicht zugeschickt hatte. Herr Mengs war in das Kapitel vertieft, das er seinen Schülern für heute zum Lesen aufgegeben hatte, *Sexualität des Menschen*. Davon inspiriert skizzierten Paul und Jens in groben Strichen, wie sie sich die Fortpflanzung mit Simone vorstellten, und reichten die mehrfach zusammengefalteten Zettel nach vorn zu ihr durch. Selbst Volker, schon voll vom baldigen Mittagessen eingenommen, wollte diesmal nicht wissen, wie spät es war. Ein Tiefflieger donnerte über das Gebäude. Herr Mengs machte einen Eintrag ins Klassenbuch. Dann klingelte es.

Hamann hatte Hard mit seinem Wagen abgeholt, ein weißer VW Passat, Baujahr 1987, 90 PS, mit dem er – und das war sein Vorteil gegenüber den anderen Drogisten gewesen – Bestellungen auch auf dem Land ausgeliefert hatte, an die alten Witwen in den entlegenen Dörfern. Und jetzt saßen sie am anderen Ende der Dorfstraße im Auto, jeder ein Bier in der behandschuhten Hand, und blickten zur ehemaligen Heißmangel hinüber. Die Laternen waren schon abgeschaltet, in keinem Fenster brannte noch Licht, nur das rote S über der Sparkasse und das rote A über der Friesenapotheke leuchteten in die Nacht hinaus. Ihren ursprünglichen Plan, das Haus während der Fahrt zu attackieren, hatten sie inzwischen aufgegeben, das Risiko, es zu verfehlen, war Hard zu groß erschienen, und Hamann wollte vermeiden, dass Vehndel seinen Wagen mit dem Anschlag in Verbindung brachte.

»Was ist da überhaupt drin?« Hard hielt eine der Flaschen hoch, die sich nur durch den Pfropfen von der in seiner Rechten unterschied, und betrachtete den Inhalt, obwohl bei der Dunkelheit nicht viel mehr als die Umrisse zu erkennen waren.

»Benzin und Schwefelsäure.«

»Und was ist das hier? Auf diesem Fetzen?«

»Kaliumchlorat.«

»Und das funktioniert?«

»Warum bist du damit eigentlich zu mir gekommen, Hard? Hier, bei euch, im Kompunistenviertel kennen die sich doch mit so was viel besser aus. Die haben das studiert: Straßenkampf, Mollis, bewaffneter Widerstand.«

»Ich dachte, du bist hier der Chemiker, der Mann für gefährliche Stoffe.«

»Das sind alles Sachen, die's auch in Drogerien gibt.«

»Zu deiner Zeit vielleicht.«

»Im Krieg haben die Finnen damit die Russen besiegt. Flaschen gegen Panzer. Satellit gegen Weltmacht. Dann sollte uns das auch gelingen.«

»Du musst es ja wissen.«

»Ich war nur an der Flak. Hitlers letztes Aufgebot.«

»Immerhin. Und außerdem«, nahm Hard Hamanns Frage wieder auf, wobei er die Flasche zurück in den Kasten stellte, so behutsam wie möglich, weil er Angst hatte, dass das Ding in seiner Hand hochgehen könnte, »du hasst die doch genauso sehr wie ich. Mehr noch.« Seit dem Skatabend im Strandhotel, seit seiner Flucht aus der Kirche wünschte er sich nichts sehnlicher als neue Freunde, einen neuen Bund, und er hoffte, dass Hamann, ähnlich wie Klaus und Günter zuvor, jemand war, dem er sich anvertrauen konnte und der ihn in seinen Plänen unterstützte, wenn es hart auf hart kam. Eine Kleinigkeit im Kosmos hatte sich verschoben: Ein Ladenbesitzer hatte den Mieter gewechselt – und schon war alles anders. Bisher hatten sie sich feindlich gegenübergestanden, und plötzlich, im Angesicht ihres Todes, kämpften sie Seite an Seite gegen das Böse. Was hatte Hans Meinders gesagt? Ohne Blutvergießen keine Vergebung.

Sein Reich komme.

Sein Wille geschehe.

Wie im Himmel so auf Erden.

Hamann sagte: »Ich frag mich bloß, ob unsere Botschaft auch ankommt. An dem Haus da steht ja nichts dran. Bist du dir sicher, dass die da einziehen?«

»Todsicher. Sonst ist in Jericho ja nix frei.«

»Aber das hier richtet sich einfach nur gegen ein leer stehendes Haus. Das könnten auch ein paar Jugendliche getan haben.«

»Deshalb ja.«

»Schon klar. Aber der Grund, weshalb wir hier zusammensitzen, ist doch Schlecker.«

»Genau.«

»Und was wir in der Zeitung lesen wollen, ist doch: *Anschlag auf Schlecker*. Und nicht: *Heißmangel in Flammen*.«

»Die sind da ja gar nicht mehr drin.«

»Vielleicht wär's besser, die Filiale in Achterup abzufackeln. Um unser Anliegen zu unterstreichen.«

»Das würde doch sofort auf dich zurückfallen.«

»Deshalb sollst du das ja auch machen. Ich hier. Du da.«

»Nix. Das ist doch ein ganz anderes Kaliber.« Er trank einen

Schluck Bier, mit einem Mal fühlte er jeden Muskel, jeden Nerv seines Körpers, dann sagte er: »Okay. Ich mach's. Das hier ist so irre, so absolut widersinnig, das verdient eine Gegenleistung. Ein Drogist, der eine Drogerie zerstört, und ein Feuerwehrmann, der Feuer legt.«

»Das ist doch nichts Neues. *Fahrenheit 451*.«

»Du sprichst in Rätseln, alter Mann.«

»Science Fiction.«

»Ein Buch?«

»Hab nur den Film gesehen. Lange her. Die stecken da Bücher in Brand.«

»Auch nix Neues.«

»Alle Bücher.«

»Auch die Bibel?«

»Die als Allererstes. Den Rest hab ich vergessen. Keine Spur mehr.«

»Verweht.«

Hamann tippte sich gegen den Kopf. »Vollkommen leer.«

»Wie das Bier.«

»Dann los.«

»Feuer marsch!«

Nach der Schule fuhr Daniel in die Redaktion. Er klopfte gegen den Türrahmen von Masurczaks Vorzimmer. Die Sekretärin hatte den Telefonhörer zwischen Ohr und Schulter geklemmt, hob die Hand, sagte, »jaja, ich werd's ihm ausrichten ... ja ... ja, ganz bestimmt ... Wiederhörn«, und legte auf. »Daniel, was gibt's?«

»Ähm, ich möchte mit Herrn Masurczak sprechen.«

»In welcher Angelegenheit?«

»In meiner.«

»Herr Masurczak ist gerade in einer Besprechung. Du kannst

gerne hier auf ihn warten.« Sie wies auf einen Ledersessel ihr gegenüber.

Daniel wollte aber nicht länger warten. Er hatte, wenigstens für sein Gefühl, lange genug gewartet, seine Zeit war gekommen. Im gleichen Moment, in dem er sich zur Tür hin umdrehte, sprang die Sekretärin hinterm Schreibtisch hervor.

»Ich … er«, stammelte sie, als sie beide in Masurczaks verqualmten Büro standen. »Er ist einfach so durchgegangen.«

»Schon gut«, sagte Masurczak, der, eine qualmende Zigarre in der Hand, mit Duken am Fenster stand und vom einen Nebel auf den anderen blickte. »Macht nichts. Komm nur rein, Daniel. Nimm Platz.« Er winkte ihn zu sich und schob ihm einen Stuhl hin. »Wir haben gerade über dich gesprochen.« Daniel nahm den Bundeswehrrucksack ab und setzte sich. »Was möchtest du trinken? Espresso?« Daniel nickte. Masurczak sah an ihm vorbei. »Frau Houtjes?«

»Kommt sofort.« Wenig später stellte die Sekretärin die Tasse vor Daniel auf den Schreibtisch und fragte, an die beiden Männer, gewandt: »Für Sie auch?«

»Nein, danke«, sagte Masurczak, jetzt halb auf der anderen Seite des Schreibtischs sitzend, ein Bein über dem Boden baumelnd.

Duken schüttelte den Kopf, »Ich hab noch«, und hielt seine Tasse hoch.

Lautlos zog die Sekretärin die Tür hinter sich zu.

Wieder trank Daniel den Espresso wie Wodka, und wieder brannte ihm danach die Zunge, als hätte er den Mund mit Feuer ausgespült.

Masurczak nahm einen letzten Zug und drückte den Zigarrenstumpen im Ascher aus. »Gut, dass du da bist, Daniel. Ich sagte gerade zu Herrn Duken, der kleine Kuper, der kann was. Der hat ein Auge für Themen und Situationen, und der traut sich auch was, der geht auf Leute zu, stellt die richtigen Fragen. Der ist nicht so wie andre Jungs, die hier alle naselang reinkommen und was werden wollen und dann den Mund nicht aufkriegen. Ist es nicht so?«

»Ja«, sagte Duken. »So ist es.«

»Der kommt ganz nach seinem Vater«, sagte Masurczak. »Bernhard Kuper! Der war in dem Alter auch nicht anders. Wissen Sie, wie er sich in der Volksschule genannt hat?«

»Nein«, sagte Duken ohne jede Begeisterung. »Wie denn?«

»Hard. Ich bin Hard! Nennt mich Hard! Immer eine große Klappe. Immer einen dummen Spruch auf den Lippen. Nicht immer passend und vor allem nicht immer zum passenden Zeitpunkt und meistens den falschen Leuten gegenüber, aber gut.« Er hob beide Hände. »Er hat damals gekriegt, was er wollte. Er hat's mir nicht krummgenommen und ich ihm auch nicht. Die Jugend, sage ich immer, ist die eine Sache und die Zeit danach die andere. Man kann die Leute nicht ein Leben lang für das verantwortlich machen, was sie als Kinder verbockt haben. Ich finde, jeder sollte eine zweite Chance bekommen, jeder sollte sich bewähren können. Aber dass er mir hier so ein Trojanisches Pferd reinsetzen würde«, er schüttelte den Kopf, »das hätte ich dann doch nicht gedacht. Man lernt eben nie aus.«

»Nein«, sagte Duken, immer noch ungerührt.

Daniel sah von einem zum anderen. Er hatte keine Ahnung, wovon die beiden sprachen.

Masurczak seufzte, fuhr sich mit der Hand durchs Haar und stand auf. »Also, was können wir für dich tun?«

Daniel holte die zwei mit Heftklammern zusammengeklemmten Seiten aus seinem Rucksack und reichte sie ihm. Nachdem Masurczak sich alles durchgelesen hatte, gab er sie Duken.

»Das ist schon ein dolles Ding«, sagte Masurczak. »Finden Sie nicht auch, Herr Duken?«

»Ja«, sagte Duken, den Blick aufs Papier geheftet. »Sehr mutig. Wirklich erstaunlich.«

»Ich hab schon davon gehört, dass du in dieser Sache recherchierst«, sagte Masurczak und räusperte sich. »Weißt du eigentlich, wem diese Cafeteria gehört?«

»Ja«, sagte Daniel. »Der Schule.«

»Nein, ich meine, wer sie leitet, wer diese Frau ist, die du da dauernd erwähnst.«

»Ja«, sagte Daniel. »Steht doch da.« Er zeigte auf die Blätter, die Duken in Händen hielt. »Frau Kaselautzki. Inge Kaselautzki.«

»Sag mal, willst du mich verarschen?« Masurczak packte beide Stuhllehnen und zog Daniel zu sich heran, das Gesicht rot vor Zorn. »Hast du mit deinem Vater eine Wette am Laufen oder was? Geht's darum, eine Grenze zu überschreiten? Von wegen, schau mal, wie weit du bei ihm gehen kannst, bis er merkt, was wirklich gespielt wird?«

»Ich weiß nicht, was Sie meinen«, sagte Daniel.

»Was ist der Einsatz? Wie viel hat er dir geboten? Fünfhundert? Tausend?«

»Wofür?«

»Wofür? Wofür? Dafür, dass dein Vater, dass du mich fertigmachst, stellvertretend für ihn, weil er sich nicht traut, der Feigling, war er immer schon, große Klappe und nichts dahinter.«

»Mein Vater hat doch mit der ganzen Sache nichts zu tun.«

»Nichts zu tun!« Masurczak wirbelte herum. »Sehen Sie ihn sich an, Herr Duken, wie er dasitzt, die Unschuld vom Lande.«

»Ich wollte einfach nur«, begann Daniel, brach ab, setzte wieder an, »ich wollte einfach nur eine gute Geschichte schreiben.«

»Eine gute Geschichte! Jetzt hör mir mal gut zu, mein Kleiner. Entweder bist du so dumm, wie du tust, oder –«

»Vielleicht weiß er's wirklich nicht«, sagte Duken.

»– das ist auch wieder nur ... Was?«

704

»Vielleicht weiß er's wirklich nicht.«

»Unmöglich. So blöd kann man doch gar nicht sein. Abgesehen davon, dass diese Anschuldigungen hier«, er zeigte auf die Blätter, »völlig aus der Luft gegriffen sind, wundere ich mich wirklich, dass dich der Name der Frau von der Cafeteria da nicht stutzig gemacht hat. Kaselautzki! Masurczak! In dieser Gegend heißt doch kein Mensch so! Kein Mensch. Niemand sonst trägt diese Namen, diese Flüchtlingsnamen! Dein Vater wird dir doch erzählt haben, dass Inge Kaselautzki meine Mutter ist. In der Schule hat er's jedenfalls jedem erzählt. Und dass sie später wieder geheiratet hat. In ihrem Alter! Mit fünfzig! Den alten Kaselautzki, der damals schon Krebs hatte. Und warum?« Er brüllte jetzt.

»Des Geldes wegen?«, fragte Duken.

Masurczak blickte ihn an, starr vor Wut.

»Aus Mitleid?«, fragte Daniel.

Ruckartig drehte Masurczak sich zu ihm um, die Hände zu Fäusten geballt. Ihm schwindelte. Seine Frage war rein rhetorisch gewesen, er hatte nicht erwartet, dass einer von ihnen sie beantworten würde, und jetzt überlegte er, wen von beiden er zuerst packen sollte. »O nein«, sagte Masurczak, nachdem er sich wieder gefangen hatte. »Geld hat meine Mutter nie interessiert. Und sie kennt auch kein Mitleid. Sie hat es aus Heimweh getan. Aus Heimweh!«

Duken gab Masurczak den Text zurück.

»Es fällt mir schwer, das hier richtig einzuordnen und nicht persönlich zu nehmen.« Er fuchtelte mit den Seiten vor Daniels Gesicht herum. »Habe ich dich während des Praktikums nicht gut behandelt? Habe ich nicht alles für dich getan? Wie soll ich das hier verstehen? Will dein Vater sich über diesen Umweg, über meine Mutter hinweg, an mir rächen? Ist es das?«

Daniel war auf dem Stuhl zusammengesunken.

Masurczak ging zum Fenster zurück und sagte, ohne ihn nochmals anzublicken: »Unter diesen Umständen kann ich dich hier natürlich nicht weiter beschäftigen.«

Die Worte trieben Daniel aus dem Raum.

Nach dem Telefonat hatte Hard ein Schild vor die Haustür gehängt – *Bitte Geschäftseingang benutzen* – und Birgit oben in der Küche erklärt, dass der Rahmen sich jetzt endgültig verzogen habe. »Wahrscheinlich müssen wir das ganze Ding austauschen.«

»Das wurde ja auch Zeit. Die ließ sich ja schon gar nicht mehr richtig schließen.«

»Und jetzt geht sie nicht mehr auf.«

Daraufhin war er wieder nach unten gegangen, um auf Daniel zu warten. Den ganzen Tag über war nicht viel los gewesen, ein paar Kundinnen und der alte Kramer, der aus aktuellem Anlass fragte, wann er die Bilder von seinem Sohn endlich abholen könne. Alle paar Monate brachte er einen Schwarzweißfilm zum Entwickeln vorbei, immer wenn sein Sohn, der in Berlin studierte, zu Besuch gekommen war – zuletzt an Ostern –, machte er Fotos von ihm, um, wie er sagte, »seinen Weg in den Untergrund zu dokumentieren«. Er war fest davon überzeugt, dass er sich der RAF angeschlossen hatte, und meinte das auch anhand des Fahndungsplakates, das gegenüber in der Post hing, beweisen zu können.

»Müssten morgen da sein«, schrie Hard.

»Was?«

»Morgen!«

»Morden?«, schrie der alte Kramer zurück, »ja, das können sie, da sind sie ganz groß. Buback, Schleyer und jetzt dieser Rohwedder. Aber nicht mehr lange«, er fuchtelte mit dem Stock vor Hards Gesicht herum, »dann haben wir sie, die kriegen wir alle, und dann knüpfen wir die auf. Wo sind jetzt die Bilder?«

Ein paar Mal noch hatte Hard versucht, es ihm zu erklären, und dann entnervt aufgegeben, ein frei erfundenes Datum auf ein Blatt Papier geschrieben und ihm die Zahlen hingehalten.

»So lange? Bei Schlecker dauert's nur drei Tage.«

»Dann geh doch da hin.«

»Was hast du gesagt?«, brüllte Kramer, wandte sich aber schon zum Gehen um. »Nächste Woche komm ich wieder. Verlass dich drauf. Und wehe, die sind bis dahin nicht fertig«, wieder drohte er ihm mit dem Stock.

Nach dieser Begegnung war Hards Wut verflogen, das Schreien hatte ihm gut getan. Aber er wusste, dass sie zurückkehren würde, sobald er Daniel sah. Und so war es auch.

»Was ist denn mit der Tür los?«

»Kaputt. Hat jemand zu oft zu stark zugeschlagen.«

»Also, ich war's nicht.«

»Nein. Du bist nie für irgendwas verantwortlich.«

Daniel zuckte mit den Schultern. »Dafür jedenfalls nicht.«

»Weißt du, wer mich gerade angerufen hat?«

»Keine Ahnung.«

»Martin Masurczak.« Hard kam hinterm Tresen hervor.

Im gleichen Moment wich Daniel zurück, machte einen Schritt in den Laden hinein, und als Hard auf ihn zustürmte, ließ er seinen Rucksack fallen und rannte los, am Parfümregal entlang, an den Hygiene-Artikeln vorbei auf die Rückwand zu und von da zum Tresen zurück. Und Hard hinter ihm her. Immer wieder hielt Hard inne, weil er nicht mehr konnte, jetzt rächte es sich, dass er in der Nacht kaum geschlafen hatte, und das verschaffte auch Daniel eine Verschnaufpause. Dann setzte sich Hard wieder in Bewegung und Daniel auch. Birgit, aufgeschreckt durch das Getrampel, kam die Treppe herunter, rief über den Tresen hinweg: »Was ist hier denn los? Seid ihr jetzt völlig bescheuert?«

Die Tür ging auf, die Klingel schellte, zwei Polizisten betraten die Drogerie, Kurt Rhauderwiek und Frank Tebbens, breitbeinig, beide Daumen hinter den Gürtel geklemmt. Hard und Daniel blieben auf gleicher Höhe stehen, in sicherem Abstand, getrennt durch eine Regalreihe.

»Entschuldigt die Störung, Leute«, sagte Kurt Rhauderwiek. »Ihr könnt gleich weiterspielen. Bei Vehndel hat's gebrannt.« Er hielt seine Mütze in der Hand und fingerte am Schirm herum.

»Hat mir Sabine heute Morgen schon erzählt«, sagte Birgit. »Die Heißmangel.«

»Hat sich schon rumgesprochen«, sagte Hard, immer noch außer Atem. »In Jericho bleibt eben nix verborgen.«

»Wenn das wahr wäre, hätten wir nichts mehr zu tun. Aber so einfach ist die Sache nicht, Hard. Leider. Und man sieht den Leuten im Normalfall auch nicht an, dass sie verrückt sind, Pyromanen, Kleptomanen und was es da sonst noch alles gibt, man spürt's nicht mal. Auch wenn manche da andrer Meinung sind. Aber die haben vielleicht eine Gabe, die wir nicht haben.«

Hard erinnerte sich jetzt wieder. Er war mit einer dieser *Verrückten* zusammen, mit dieser Kinotante, Nella Allen, sie missbilligte zwar alle Duftstoffe, kaufte aber trotzdem in der Drogerie ein, hauptsächlich das, was er selbst herstellte, und die wenigen Cremes und Lotionen, die absolut pH-neutral waren, *absolut rein, frei von Giften.*

»In Achterup hat's auch gebrannt«, sagte Kurt Rhauderwiek. »Bei Schlecker.«

»Und da gibt's einen Zeugen«, sagte Frank Tebbens und trat einen Schritt vor, stellte sich auf die Zehenspitzen und lugte über die Regalreihen hinweg.

»Ach nee, wen denn?«

»Ein Mann. Wohnt gegenüber. War nachts noch mal mit seinem Hund raus.« Frank Tebbens rutschte in seine Ausgangsposition zurück.

»Und der hat den Täter gesehen?«

»Genau das.« Frank Tebbens holte ein Notizheft hervor und schlug es in der Mitte auf. »Schwarze Mütze, schwarze Jacke, schwarze Hose. Größe: einssiebzig bis einsachtzig. Statur: sportlich, schlank.«

»Die Feuerwehr meint, es muss jemand sein, der Zugang zu Chemikalien hat und sich damit auskennt«, ergänzte Kurt Rhauderwiek und sah sich im Laden um.

»Und das engt den Kreis der Verdächtigen natürlich ganz schön ein.« Frank Tebbens klappte das Heft zu. »Da bleiben nicht mehr viele.«

»Wir sind uns eigentlich ziemlich sicher, wer dahintersteckt.«

»Und warum verhaftet ihr den Kerl dann nicht?«

»Das tun wir ja. Darum sind wir ja hier.« Kurt Rhauderwiek grinste, und Frank Tebbens stellte sich noch breitbeiniger hin als ohnehin schon.

Was wussten sie, was er nicht wusste? Für einen Moment war Hard irritiert. Er hatte damit gerechnet, dass sie auf Hamanns Beschreibung hin vorbeikommen würden. Nach allem, was in den vergangenen Jahren an Außergewöhnlichem in Jericho geschehen war, musste auch diese Geschichte, der Brandanschlag, seinen Anfang in der Drogerie Kuper genommen haben. Aber was, wenn sie es gar nicht auf seinen Sohn, sondern auf ihn abgesehen hatten? Wenn Hamann ihn verraten hatte? Oder, schlimmer noch, ihr Zeuge nicht sein Zeuge war? Dann war der ganze Plan hinüber.

»Und wie ich sehe«, jetzt stellte sich Kurt Rhauderwiek auf die Zehenspitzen, »ist er auch da. Du kannst rauskommen, Daniel Kuper, wir haben dich vorhin schon gesehen, von draußen, als du hier rumgerannt bist. Leider wirst du jetzt nicht in den Genuss einer wohlverdienten Tracht Prügel kommen. Ich wette, du hast dich schon drauf gefreut.«

»Bei uns bist du in Sicherheit.«

»Ich war das nicht.« Daniel tauchte aus der Versenkung auf.

Kurt Rhauderwiek fragte: »Wo warst du gestern Nacht?«

»Hier. Zu Hause. Im Bett.«

Birgit nickte. »Ich hab ihm noch Gute Nacht gesagt.«

»Das hat ihn beim letzten Mal auch nicht davon abgehalten, noch mal rauszugehen.«

»Ich war auf meinem Zimmer.«

»Wann?«

»Die ganze Zeit.«

»Auch zwischen drei und vier Uhr morgens?«

»Daniel, hast du was damit zu tun?«, fragte Birgit.

»Nee.«

»Lüg mich nicht an.«

»Wirklich nicht.«

»Wann ist das passiert?«, fragte Hard.

»Was?«

»Der Brand.«

»Welcher?«

»Beide.«

»Der eine um drei, der andere um vier. Wir gehen davon aus, dass es sich um ein und denselben Täter handelt.«

»Warum?«

»Sagen wir mal so: Es gibt auffällige Ähnlichkeiten.«

»Inwiefern?«

»Das ist Täterwissen.«

»Versteh ich nicht. Du weißt es doch auch. Und du bist ja wohl nicht der Täter, oder Kurt?«

»Mehr wirst du dazu von mir nicht hören.«

»Haben wir nicht um drei zusammen in der Küche gestanden?«, sagte Hard über das Regal hinweg.

»Was?«

»Du hast heiße Milch getrunken, weil du nicht schlafen konntest, du hattest einen Albtraum. Weißt du noch? Wann war das?«

Daniel zuckte mit den Schultern.

»Muss so um drei gewesen sein«, sagte Hard. »Ja, wir haben Radio gehört, die Nachrichten. Schlimm, was da in Bangladesch passiert ist. Zweihunderttausend Tote, sieben Millionen Obdachlose, kann man sich bald nicht vorstellen. Und dann haben wir da noch eine ganze Weile gesessen und darüber geredet, über das Leben, wie schnell alles vorbei ist und dass man jeden Augenblick genießen sollte, selbst die, wo man meint, es geht nicht mehr.«

»Ja«, sagte Daniel. »Du hast vom Bund erzählt. Von der Kaserne. Oberfeldwebel Freese. Stundenlang strammstehen und angebrüllt werden. Für nichts.«

Die beiden Polizisten sahen sich an.

»Als ich das heute Morgen von dem Brand hörte«, sagte Hard, »dachte ich auch: Wer außer meinem Sohnemann hier ist zu so was fähig? Aber er war hier, Kurt. Und der Junge kann ja wohl schlecht an zwei Orten gleichzeitig gewesen sein.«

»Soll's schon gegeben haben«, sagte Frank Tebbens. »Theoretisch ist das möglich.«

»Vielleicht solltet ihr dann mal besser zum alten Kramer rübergehen. Sein Sohn wohnt zwar in Berlin, aber wer weiß, ich hab hier ein paar hübsche Fotos von ihm, und wenn ihr mich fragt, er sieht einem dieser Terroristen da«, er zeigte aus dem Fenster, auf die Post gegenüber, »verdammt ähnlich. Und vielleicht war der letzte Woche gar nicht bei den Maikrawallen in Kreuzberg dabei, sondern hier, bei uns.«

Kurt Rhauderwiek setzte seine Mütze wieder auf und tippte mit dem Zeigefinger gegen den Schirm. »Schönen Tag noch.«

10

Daniel schlich, weil er nicht schlafen konnte und niemanden wecken wollte, über den Flur, an den Zimmern der Geschwister vorbei, zum Dachboden hin. Seit Stunden hatte er im Bett gelegen und nachgedacht, über den Vater, der ihm plötzlich zur Seite stand, über Masurczak und Kaselautzki – und über Rosing, über das, was er im Rathaussaal vor allen Leuten gesagt hatte. Die Worte *Wahnsinnstaten, täglich Brot, bodenfest, Lotteriekugel, Fremdengesetzgebung* und *Schicksalsgemeinschaft* waren ihm nicht aus dem Kopf gegangen, er meinte sie schon einmal irgendwo gelesen zu haben, und dann, als er gerade einzuschlafen drohte, war ihm eingefallen wo, in welchem Artikel, in welchem Buch.

Jetzt stand er oben im Flur vor der Tür des Dachbodens. Im Dunkeln tastete er nach dem Schlüssel, den der Vater auf den Rahmen gelegt hatte, und nachdem er ihn gefunden hatte, tastete er nach dem Schloss. Er steckte den Schlüssel hinein, drehte ihn um, drückte die Klinke herunter und schob die Tür auf, was ihm, nachdem er sich dagegengestemmt hatte, auch gelang. Ebenso leise, aber ohne jeden Widerstand schloss er sie hinter sich und knipste das Licht an. Erst da wurde ihm bewusst, welche Hindernisse es zu überwinden galt, um ans Ziel zu gelangen: Überall standen Kartons voller Spielzeug, Müllsäcke, prall gefüllt mit Kleidern und Bettwäsche und Gardinen – Sachen, die niemand aus der Familie mehr brauchte, die aber nach Ansicht der Mutter zu schade waren, um weggeschmissen zu werden. Möbel aus drei Jahrzehnten, ein Fernsehschrank, eine Musiktruhe, ein Nierentisch. Seit Monaten war er nicht mehr hier gewesen. Vorsichtig trat er auf die Dielen, das Schlafzimmer der Eltern lag direkt unter ihm. Als er sich einen Weg durch das Gerümpel bahnte, war ihm, als schreite er durch sein eigenes Leben, von der Gegenwart, die gleich hinter der Türschwelle begann, zurück zu seiner Geburt. Zuerst schob er Pappkartons beiseite, die seine alten Schulbücher enthielten, *Texte für die Sekundarstufe 8* und *7*, *praxis sprache 8* und *7*, *English 4B* und *3A*, *Musik um uns*, *Cursus Novus I* mit dem grammatischen Beiheft, vollgeschriebene Schulhefte, auf denen, je älter, desto klarer, sein Name stand, und einige zerfledderte Ausgaben des *Tafelbeißers*. Er hörte ein Auto vom Deich her kommen, den Motor, die Musik lauter und lauter werden und dann über den Bahnübergang, die Dorfstraße hinweg wieder leiser und leiser. Er rollte einen runden Hocker aus Kunstleder zur Seite und setzte den Stoff-E.T. darauf ab, den der Vater ihm beim Schützenfest geschossen hatte. Vor ihm türmten sich Müllsäcke, er öffnete einen aus Neugier – ein starker Lavendelduft stieg daraus hervor – und wühlte darin herum: Nickis, karierte Karottenjeans, Pullover mit Fledermausärmeln, Klamotten, für die er schon zu groß und die Geschwister noch zu kein waren. Als er die Säcke umstellte, fielen neben ihm mit Paketband zusammengehaltene, beidseitig bemalte Pappen um. Die oberste zeigte einen zweidimensionalen Düsenjet, der Bomben auf zweidimensionale Menschen warf – ein Thema, das ihn lange Zeit beschäftigt hatte und von dem es Hunderte Variationen gab. Er löste den Knoten und betrachtete einige Bilder von zerfetzten Körpern, aber das Licht war nicht hell genug, um jedes Detail seiner frühen Kugelschreiberzeichnungen erkennen zu können. Deshalb band er alles wieder zusammen, erhob sich – die Diele unter ihm knarzte –, lehnte das Bündel an die Musiktruhe und stieß dabei auf Schuhkartons voller *Bravo*-Autogrammkarten und Aufkleber von Schauspielern und Sängern und Bands. Dazwischen lagen immer wieder Dinge, die nicht ihm gehörten: Angelruten in allen Längen und Ausführungen, ein Angelkasten, ein Kescher, leere Reisekoffer, Schachteln mit Weihnachtschmuck und Osterdekorationen, eine Tüte mit Rasseln, Stramplern und Lätzchen, eine Liedermappe mit dem Aufdruck *MGV*, Bedienungsanleitungen für den Opel Rekord E2 2.0 S, die Spülmaschine G540 von Miele, die HiFi-Anlage studio 2000 von Grundig und den Spectra Color von Nordmende, den sie längst gegen einen Galaxy ausgetauscht hatten, mehrere Jahrgänge des *Kicker* und des *Karkblattje* – das Kirchenblatt, das die alte Frau Kramer ihnen nach jedem Gottesdienst in den Postkasten warf, ganz gleich, ob einer von ihnen in der Kirche gewesen war und sich selbst eins davon mitgenommen hatte oder nicht –, Werbezettel für die Drogerie Kuper: *Hausfrauen aufgepasst: Der Frühling steht vor der Tür!; Sommer, Strand und Sonnenschein! Reib ihr den Rücken ein!; Herbst – Zeit für Zweisamkeit! Babysachen zum Einstiegspreis!; Dem Winter einheizen! Mit Vitaminkapseln, Kräutertee und Kondomen!*, die Daniel alljährlich voller Scham im Auftrag des Vaters im Dorf hatte verteilen müssen, Zinnbecher, Kristallgläser und Porzellanhunde, Geschenke seiner Tanten aus Bad Vilbel, eine alte Eieruhr, die, als er dagegenstieß, zu ticken anfing, dann aber, keine zwei Schritte weiter, wieder verstummte, eine Truhe voller alter Kleider, ein Stapel Zeitschriften, obenauf eine vergilbte Ausgabe der *UFO-Nachrichten*, ein Dutzend durchscheinende Duftleuchten aus Stein, die Hälfte davon zerbrochen, und über allem verstreut Skatkarten, die Farben vieler verschiedener Blätter, bunt durchmischt.

Unter dem Klappfenster stand ein Stuhl mit abgebrochener Rückenlehne, die losen Stiele durchzogen von Spinnweben. Daniel trat mit einem Fuß auf die Sitzfläche und sah hinaus, aber außer seinem Spiegelbild konnte er nicht viel erkennen. Nur der

Schriftzug *Raiffeisen-Molkerei Jericho*, der für etwas warb, das es nicht mehr gab, stach aus der Nacht hervor und ließ alles andere um ihn herum noch dunkler und unendlicher erscheinen. Irgendwo da draußen lag das Flachdach, auf das Volker damals beim Versteckspielen hatte klettern wollen. Wäre es ihm gelungen, Daniels Leben hätte eine andere Wendung genommen: Er hätte sich nicht in Fantasiewelten geflüchtet; die Sache im Schnee wäre nie passiert, zumindest nicht ihm; er wäre mit Volker von Anfang an auf die Realschule gegangen, hätte Stefan, Onno und Rainer nie richtig kennengelernt und Peter Peters nicht auf die Schienen getrieben; mit Pastor Meinders hätte er kein Problem gehabt; die Zeichen an den Wänden wären ihm egal gewesen; das Schulpraktikum hätte er, wie die anderen Jungs, bei einem Klempner, einem KFZ-Mechaniker oder der Polizei gemacht; niemand hätte ihn verdächtigt, Scheiben eingeworfen oder Häuser abgefackelt zu haben. Ein Paralleluniversum. Diffus, verschwommen, schwer vorstellbar – es sei denn, er erlangte einen höheren Grad der Erleuchtung oder reiste wie Michael J. Fox in einem mit V8-Chevrolet-Motor, Atomreaktor und Flux-Kompensator ausgestatteten De Lorean DMC 12, Baujahr 1982, 132 PS, in die Vergangenheit und von dort zurück in die Zukunft. Die Bahnschranken schlossen sich, die Lichter einer Lok erhellten den Himmel, und solange die Waggons am Haus vorbeirauschten, blieb Daniel auf dem Stuhl stehen. Unter ihm hörte er die Eltern, die Schreie der Mutter, das Quietschen des Bettgestells. Die Vorstellung, wie sie es miteinander trieben, wühlte ihn auf. Er hielt inne, überlegte kurz umzukehren, weil er es abstoßend fand, ihnen so nah zu sein, und machte dann doch weiter, weil er hoffte, sich voll und ganz seiner Aufgabe widmen zu können, solange sie mit sich selbst beschäftigt waren.

Nachdem er eine Wand voller Reklameschilder umgestellt hatte, entdeckte er neue alte Gegenstände: Fisherman's Friend-

Dosen, in denen sich jetzt plattgefahrene Münzen, Schrauben und Nägel und Heftklammern befanden, ein Panini-Heft von der Fußballweltmeisterschaft in Italien, das er trotz der massiven Versorgung seines Vaters mit Aufkleberpäckchen nicht ganz voll-gekriegt hatte, ein C64 mit Floppy, Joystick und Disketten, inak-tiv, seit die Zwillinge Saft darübergeschüttet hatten, ein Paar un-dichte Stiefel, eine Schallplatte der Kelly Family, für die er sich so sehr schämte, dass er sie nicht in seinem Zimmer neben den an-deren Schallplatten aufbewahrte, ein Paar alte, vollkommen ver-schlammte Chucks, ein Zippo-Feuerzeug, das ihm Onno Kolt-hoff gegeben und nie zurückverlangt hatte und das er jetzt in einem Moment absoluter Entschlossenheit an sich nahm, meh-rere Dutzend aufgerollte Plakate vom Kill-Mister-Konzert in der Schulaula und ein gelbes Reclam-Heft *Gedichte und Interpre-tationen 2, Aufklärung und Sturm und Drang*. An einem Pfeiler, dem Schornstein, hing der Nylonfaden mit dem Glastropfen und seine Konfirmationsurkunde mit dem Denkspruch: *Und vor dem Thron war es wie ein gläsernes Meer, gleich dem Kristall, und in der Mitte am Thron und um den Thron vier himmlische Gestalten, voller Augen vorn und hinten.* Darunter lag sein alter Tornister, in dem immer noch Schulbücher steckten, als hätte er ihn gerade erst abgeworfen, *Texte für die Sekundarstufe 6* und *5, praxis spra-che 6* und *5, WUK – Welt- und Umweltkunde, English G,* Band 2 und *1,* die Federmappe mit seinen Zeichnungen von Raumschif-fen und Galaxien und außerirdischen Lebewesen, und dahinter türmte sich seine Perry-Rhodan-Sammlung auf, tausenddrei-hundertsechs Hefte und fünfundzwanzig Silberbände, nur ei-nen Schritt weiter die Abenteuerromane, *Gullivers Reisen, Ro-binson Crusoe, Die Schatzinsel, Wildtöter, Huckleberry Finn, Seewolf,* obenauf eine Blockflöte und ein Notenheft. In einer ver-staubten Vitrine standen aufgereiht Modellbausätze, die er nie vollendet hatte, und solche, die aufgrund der Temperaturschwankungen, die auf dem nicht isolierten Dachboden herrschten, schon wieder zerfallen waren, weil sich der Klebstoff gelöst hatte, eine Phantom, eine Cobra, eine Gazelle, ein Luchs, ein Marder, ein Fuchs, ein Biber, ein Leopard. Das Fahrrad, ein BMX 2000, die Belohnung für sein erstes Schulzeugnis, hatte er, um es vor den Ansprüchen der Geschwister zu schützen, an einen der Dachbalken gekettet und den Schlüssel so gut versteckt, dass er ihn selbst nie wiederfinden würde. Und da, ganz am Ende, unter dem Schrägbalken, unter einer abgenutzten Wachstischdecke, stand sie: die Holzkiste mit seinem Namen darauf, das Vermächtnis seiner Großmutter. Zwischen den Schreien der Mutter, dem Quietschen des Bettgestells hörte er wieder ein Auto vom Deich her kommen. Er kniete nieder – die Diele unter ihm knarzte – und hob den Deckel n. Fotoalben voller Schwarzweißbilder kamen zum Vorschein, Anatomieatlanten, der *Pschyrembel*, Zeitschriften wie *Der deutsche Christ* und *Der deutsche Drogist*, schmale Bände, deren Titel *Geschlechtliche Entwicklungsstörungen* und *Du sollst keusch und züchtig leben* von Stockflecken durchsetzt waren, eine Blumenfibel, das *Einmaleins des guten Tons, Schön sein – schön bleiben, Mein Weg zu Gott, Mein Sohn,* und zuunterst das, wonach er die ganze Zeit gesucht hatte: *Mein Kampf,* die Jubiläumsausgabe zum fünfzigsten Geburtstag des Führers im blauen Ledereinband mit goldenem Schnitt und goldenem Schwert. Als er das Buch jetzt in die Hand nahm, meinte er, dass das Schwert aussah wie ein umgedrehtes Kreuz. Und er schlug die Antibibel auf, das Werk des Teufels, und ein Zeitungsausschnitt über eine Rede Hitlers in Jever fiel heraus. Dann ging er zur Tür zurück – wieder knarzte die Diele – und begann im Gehen zu lesen. Seine Mutter unter ihm war verstummt. Kein Geschrei, kein Quietschen mehr. Mit jedem Satz, mit jedem Schritt wurde ihm leichter ums Herz.

In dieser ersten warmen Nacht des Jahres lag auch Hard lange wach, das Fenster stand auf Kipp, die Gardinen bauschten sich unter leichten Windstößen, und er lauschte den Geräuschen der Autos nach, die mit wummernden Bässen vom Deich her kamen, aus dem Hammrich, vorm Bahnübergang Gas wegnahmen und dahinter, kaum waren sie im Dorf angelangt, beschleunigten, dass die Motoren aufheulten. Ihre Lichter zuckten durch die Ritzen der Rollläden, erhellten den Raum für zwei, drei Sekunden, warfen lange bizarre Schatten, verschwanden auf Nimmerwiedersehen.

Im Kopf ging er noch einmal die Bilanz durch, die er Stunden zuvor im Büro aufgestellt hatte, seine ganz eigene Bilanz des gerade zu Ende gegangenen Monats. Über jedes Ereignis führte er Buch, und jedes Ereignis konnte, je nachdem, wie er es deutete, auf der Aktiv- oder Passivseite stehen. Die Krise, ausgelöst durch sein Ausscheiden aus der Skatrunde und dem Männergesangsverein, war überwunden – Aktiva. Pastor Meinders' Offenbarung hatte weniger Eindruck auf ihn gemacht, als er selbst für möglich gehalten hätte; seit sie ihre Vereinbarung getroffen hatten, hatte er mit einem schnellen Ende gerechnet, und obwohl sie ihm sinkende Umsätze bescherte, war er sich sicher, bald einen neuen, besseren Ort für seine Wetten zu finden – Aktiva. Die Gefahr, von Schlecker verdrängt zu werden, war erst einmal gebannt, und solange die Filiale in Achterup nicht wiedereröffnete, womit bis Juni niemand rechnete, erweiterte sich sein Einzugsgebiet um dreitausend potenzielle Kunden, von denen er durch persönliche Beratung und kleine Geschenke mindestens die Hälfte zu halten hoffte – Aktiva. Über ihm hörte er ein Knarzen, er wartete darauf, dass es sich wiederholte, und als es das nicht tat, kehrte er zu seiner Bilanz zurück. Nur Daniels Versagen bei der Zeitung war ein erneuter schwerer Schlag ins Kontor – Passiva. Der Junge entwickelte sich zu einem Problem, das durch körperliche Züchtigung allein nicht aus der Welt zu schaffen war. Und er fühlte, dass er sich ihm nicht mit der gleichen Hingabe widmen konnte wie sonst, weil er ihn brauchte, weil er sein Alibi war, seine Versicherung gegen ein noch viel größeres Problem, den Untergang des Hauses Kuper. Daniels Versagen bei der Zeitung hatte ihm zwar einen Stich versetzt, aber das zu einem Zeitpunkt, als er meinte, unverwundbar zu sein. Noch nie hatte Hard sich so lebendig gefühlt wie in diesem Frühling, so lebendig und so todesnah. Genauso stellte er sich den Krieg vor: Überall tun sich neue Fronten auf. Die Grenzen zwischen Freund und Feind verwischen. Kugeln durchschlagen sein Fleisch, und doch, angetrieben von einem unbändigen Siegeswillen, macht er reiche Beute. Seinem Gewehr, den eigenen schnellen Schüssen vermag nichts und niemand zu widerstehen, alle liegen ihm zu Füßen, ebenso lebendig oder tot wie er selbst. Und das Einzige, auf das er achten muss, ist, sich nichts einzufangen, was er später, wenn es vorbei ist, nicht wieder loswerden kann. Zwei Frauen, die er für immer verloren zu haben glaubte, waren zu ihm zurückgekehrt, und er hatte ihnen gegeben, wonach sie verlangt hatten – Aktiva. Er fand es nur natürlich, dass eine von ihnen jetzt, da sie nach Jahren des freiwilligen Verzichts auf gute Qualität wieder in den Genuss seines besten Stücks gekommen war, mehr forderte, als ihr zustand. Und auch für seine Ehe war der April, verglichen mit dem ersten Quartal, äußerst erfolgreich verlaufen; drei Mal hatten Birgit und er miteinander geschlafen, seltener als er mit anderen Frauen, aber öfter als sonst – Aktiva. Zwar hatte sie sich nur einmal auf sein morgendliches Werben eingelassen, doch die neuen Investitionen, Anteilnahme und Alkohol, hatten sich sofort ausgezahlt. Außerdem hatte er ihr Versprechen beherzigt, dass sie sich ihm hingeben würde, wenn er sie kommen ließ. Je mehr Raum und Zeit er ihr gab, desto mehr Liebe war sie ihm bereit zu geben. Je weiter er sich von ihr entfernte, desto stärker drängte sie zu ihm hin. Und so war es auch diesmal: Im Schutz der Dunkelheit öffnete sie sich ihm, er spürte ihre Hände sein Brusthaar streicheln, seinen Bauchansatz, seine Hüften und Schenkel, sie glitten durch den Schlitz seiner Pyjamahose und umschlossen seinen Schwanz, als müssten sie etwas Wildes bezähmen, mit einer Kraft und Entschlossenheit, die er an Birgit lange vermisst hatte.

»Ganz schön hart«, sagte sie mit einer tiefen, fast männlichen Stimme.

Und er sagte: »Hard, aber herzlich«, nahezu ausdruckslos, verwundert über ihren Ton, über die Gewalt, mit der sie ihn beherrschte.

Und als sie sich auf ihn setzte, im Gegensatz zu ihm vollkommen nackt, und er gierig nach ihren Brüsten griff, meinte er endgültig, ein Wesen aus einer fremden Welt habe sich ihrer bemächtigt, so willig kam sie seinem Wunsch, sie zu berühren, entgegen. Alles andere aber wehrte sie ab. Als er sie packte und herumwirbeln wollte, schlug sie seine Hände weg, und als er etwas sagen wollte, küsste sie ihn so ungestüm und lange, bis er Blut schmeckte, ihres oder seines oder das von ihnen beiden, nicht zu unterscheiden, endlich waren sie wieder eins geworden, ein Fleisch, ein Blut. Mit dem ganzen Gewicht ihres Körpers drückte sie ihn auf die Matratze. Ihre Beine umklammerten seine, und ihre Fingernägel, lang und spitz, gruben sich in seine Schultern. Sie gab den Rhythmus vor, und er, dankbar für diese Erfahrung, gab sich ihm hin. Er hörte auf zu bilanzieren, sich zu bewegen, an andere zu denken, überhaupt zu denken. Er war in einen Zustand höchsten Glücks eingetreten. Alle Posten hatten sich aufgelöst, alle Geräusche waren gedämpft, den Zug, der draußen heranraste, ja selbst Birgits Schreie nahm er wie aus weiter Ferne wahr. Er hörte nur noch sein Herz schlagen, so laut und heftig, dass er fürchtete, es würde platzen und ihn von innen her zerreißen. Aber das nahm er in Kauf. Besser im Bett oder auf dem Schlachtfeld sterben als im Krankenhaus, vollgepumpt mit Medikamenten, unter dem Skalpell eines Arztes. Und doch musste er sich zurückhalten, wenn er die wenigen Sekunden, die der Sex zwischen ihnen normalerweise dauerte, dehnen wollte, und das wollte er – zumindest solange, bis sie beide erschöpft waren, zu erschöpft, um in den nächsten Stunden wieder aufzustehen und ihr altes, gesittetes Leben wieder aufzunehmen. Birgit hatte sich in die Frau zurückverwandelt, die er geheiratet hatte, stolz, reif, unersättlich, er wusste nicht, wie und warum das geschehen war, und er schwor sich, sie nicht danach zu fragen, sondern schweigend jeden Moment ihrer Lust auszukosten. Er wusste nur, dass sie ihn früher, nach Tagen voller Trauer und Verachtung, auf ähnliche Art bestiegen hatte – um anschließend in seinen Armen liegen zu können. Jeder verstand unter Nähe etwas anderes, und vielleicht war es ja immer noch so, vielleicht hatte sie sich gar nicht geändert, vielleicht tauschten sie bloß ihre Interpretationen gegeneinander ein, und vielleicht gewannen beide, auf die ihnen eigene Weise, dadurch an Zuversicht, die Lücke zwischen ihnen über die Nacht hinaus zu schließen. Schweiß trat aus allen Poren seines Körpers, und er fühlte sich wie in der Sauna, wenn sich der Zweck seines Daseins erfüllte: Bisher war es einfach nur heiß gewesen, aber jetzt öffnete sich sein Innerstes, schwoll an, glühte, pulsierte, setzte aus – und wieder ein.

Wieder wummerte ein Auto heran, Lichtstreifen fielen auf ihren Körper, ihre langen, verschwitzten Haare, die glänzenden, wippenden Brüste. »Ja, Biggi, ja!« Mit immer schnelleren Stößen trieb sie ihn, sich selbst auf den Höhepunkt zu, aber dann, als sie gerade ihre Hand zu Hilfe genommen hatte, als beide bereit waren zu kommen, sie über ihm, er in ihr, hielt sie inne, und bedeutete ihm, den Zeigefinger an die Lippen gepresst, ein leises Zischen von sich gebend, still zu sein. Sie sah zur Decke hin.

Dann war das Auto vorbei, und der Bann war gebrochen.

»Was ist denn los? Warum hörst du auf?«

»Ich hab was gehört. Ein Knarzen.«

»Das waren wir selbst.«

»Es kam von oben. Irgendwas ist über uns.«

»Nix.«

»Doch, ganz bestimmt.«

»Im Moment bist du über mir. Das ist alles, was zählt. Und jetzt mach weiter.«

Aber sie stieg von ihm ab und ließ sich auf ihre Seite des Bettes fallen.

»Du kannst doch jetzt nicht aufhören.«

»Mach's dir selbst. Ich kann nicht mehr.«

Und er folgte ihrem Rat, bevor die Bilder, die sie in seinem Kopf heraufbeschworen hatte, wieder verblassten. Doch kaum hatte er damit angefangen, sich selbst zu erlösen, hörte er es auch, ein Knarzen, direkt über ihm, und er ließ von sich ab, knöpfte seine Hose zu und stand auf, um nachzusehen, wer oder was ihn so jäh um seinen Segen gebracht hatte.

Trotz der Tatsache, dass Daniel in der Nacht das Unangenehmste erlebt hatte, was Kinder seiner Ansicht nach erleben konnten – mitzukriegen, wie die Eltern Sex haben –, konnte er es kaum erwarten, ihnen seine Entdeckung zu zeigen. Er hatte das Buch zwar mit zur Schule genommen, aber sich nicht getraut, während des Unterrichts oder der Pausen einen Blick hineinzuwerfen, aus Angst, dabei von den Lehrern, den Schülern erwischt zu werden. Die einen hätten falsche Schlüsse daraus gezogen und sich in ihrer Meinung, dass er, der Ufo-Junge, für die Zeichen verantwortlich war, bestätigt gesehen. Und die anderen hätten ihn als Streber verspottet, etwas zu lesen, was sie nicht lesen mussten, und zu Hause womöglich erzählt, was er, der Spinner, herausgefunden hatte. Beide Befürchtungen erwiesen sich als unbegründet: Sie hätten ihm ohnehin keine Beachtung geschenkt. Alle redeten nur davon, dass es in Jericho und Achterup Brandanschläge gegeben habe und der Nebel im Hammrich über Nacht verschwunden sei. Die Lehrer, die Schüler spekulierten, wer die Feuer gelegt haben könnte, ohne zu einem Ergebnis zu kommen. Und anders als der Schnee fünf Jahre zuvor erregte der Nebel erst im Moment seines Verschwindens größere Aufmerksamkeit. In Erdkunde sprach Herr Kamps nicht über Erdbeben, sondern über Meteorologie, Wetterphänomene von globalem Ausmaß mit apokalyptischer Wucht und Wirkung. Frau Nanninga hatte Texte zum Thema mitgebracht: Gedichte von Eduard Mörike *(Septembermorgen)*, Theodor Storm *(Oktoberlied)* und Christian Morgenstern *(Novembertag)*. Und in Physik sollten sie mithilfe von Wasserdampf Nebel simulieren, was aber, da die Bunsenbrenner zur selben Zeit aus demselben Grund von der Parallelklasse genutzt wurden, nicht möglich war. Volker schlug vor, Rauch zu nehmen, und bot an, selbst dafür zu sorgen, dass sich der Raum damit füllte, doch darauf ließ sich sein Vater nicht ein. Daniel wusste, dass er Volker vertrauen konnte. Er war aufrichtig genug, alles, was man ihm sagte, für sich zu behalten, wenn man ihn ausdrücklich darum bat, wie Simone ihm neulich erst am Telefon bestätigt hatte, aber Daniel wusste auch, dass ihm Volkers Verbundenheit nichts nützte, dazu war seine Macht zu gering. Simone mit ihrer Antifa würde niemand glauben schenken, wenn sie die Vorwürfe publik machte. Was sie auch sagten oder taten, jedes Flugblatt, jede Demonstration, jede Handbewegung war nichts als Propaganda, ganz gleich, wie offensichtlich die Beweise sein mochten. An die *Friesenzeitung* konnte er sich jetzt nicht mehr wenden. Und Rosings politische Kontrahenten, Bernd Wübbena, Didi Schulz, Richard Wiemers oder Jürgen Engberts, wollte er nicht in sein Geheimnis einweihen, weil die diese Information bestimmt für ihren Wahlkampf missbrauchen würden, ohne ihn, den wahren Urheber, zu nennen. Dann wäre Rosing zwar am Ende, aber er, Daniel, nicht rehabilitiert. Den ganzen Vormittag hatte er über das Problem nachgedacht, wie die Nachricht am besten in die Welt zu setzen sei, und ganz am Schluss, auf dem Rückweg – er radelte gerade auf die Drogerie zu – war ihm klar geworden, dass es nur einen Menschen gab, der ihm raten konnte, wie er jetzt weiter vorgehen sollte. Er hoffte, dass der Vater ihn, seinen verlorenen Sohn, von nun an in einem anderen, besseren Licht sah und der neue Bund zwischen ihnen stark genug war, Rosing zu Fall zu bringen. Doch als er ihm in der Küche beim Mittagessen gegenübersaß, war er sich plötzlich nicht mehr sicher, ob die Eltern aufgeschlossen genug waren, ihn bei dem, was er vorhatte, zu unterstützen. Die Geschwister hatten die Tomatensoße, in der ihre Nudeln schwammen, über eine Seite des Tisches geschmiert, die Mutter spießte mit der Gabel Zucchinischeiben auf, ohne sie zum Mund zu führen, und der Vater saß vor seinem Teller, schnitt die Kartoffeln in immer kleinere Stücke und starrte ihn an, mit einem müden, angespannten Blick. »Wo warst du gestern Nacht?«

Daniel verdrehte die Augen. »Geht das schon wieder los?«

»Wo du warst, will ich wissen.«

»In meinem Zimmer.«

»Wann?«

»Die ganze Zeit.«

»Und du hast nix gehört?«

»Was soll ich denn gehört haben?« Er sah den Vater, die Mutter an.

»Nix.«

»Nix hab ich gehört.« Und um dem Vater keinen Grund zu geben, über den Tisch zu langen, obwohl er nicht so aussah, als ob er dazu fähig wäre, in seinem Zustand, bleich wie er war, fügte er hinzu: »Ich hab geschlafen. Bis du reingekommen bist.«

»Aha, das hast du also gemerkt.«

»Das war ja nicht nicht zu merken. Du hast ja das Licht angemacht.«

»Um zu sehen, ob du da bist.«

»War ich. Die ganze Zeit. Ich bin nachts immer da.«

»Dann ist ja gut.«

»Ja«, sagte Daniel. »Das ist es.« Er holte das Buch aus seinem Rucksack, weil er fand, dass jetzt der richtige Zeitpunkt gekommen war. »Es steht alles da.«

»Was steht wo?«

»Was Rosing gesagt hat. Bei seiner Rede im Rathaussaal. *Wahnsinnstaten, täglich Brot, bodenfest, Lotteriekugel, Fremdengesetzgebung, Schicksalsgemeinschaft.* Steht alles hier drin und in dem Artikel da.« Er hielt dem Vater das Buch hin, und der nahm es in die Hand, schlug es auf, gleich am Anfang, die Seite mit dem Foto des Autors, und schlug es wieder zu. »Wo hast du das denn her?«

»Aus der Kiste.«

»Welche Kiste?«

»Die von Oma.«

»Die vom Dachboden?«

Daniel nickte.

»Also warst du doch da oben.« Der Vater stand, eine Hand auf die Lehne gestützt, auf, setzte sich aber gleich wieder hin.

»Das da«, Daniel zeigte auf *Mein Kampf*, »hab ich schon lange. Das hab ich schon mein ganzes Leben. Aber erst gestern ist es mir wieder eingefallen, dass es zwischen dem, was Rosing gesagt hat, und dem, was hier drin steht, einen Zusammenhang gibt.«

»Das hier dürfte es eigentlich gar nicht mehr geben.«

»Ich weiß.«

»Nix weißt du. Das hier hätte deine Oma in der Erde lassen sollen, bei der Fahne und den Orden.«

»Welche Fahne denn? Und welche Orden?«

»Jeder hier in Jericho«, der Vater fuhr mit der Hand durch den Raum, »hatte eine Hakenkreuzfahne am Haus. Jeder. Und bevor die Polen kamen, hat sie jeder, der einigermaßen bei Verstand war, im Garten verbrannt oder vergraben. Zusammen mit diesem Buch hier. Bloß deine Oma nicht. Die Polen haben nämlich jedes Haus mit Hakenkreuzfahne abgefackelt. Jedes. Aus Rache. Und als die Polen wieder weg waren, hat deine Oma alles wieder rausgeholt aus dem Loch. Alles, bis auf die Fahne und die Orden.«

Die Mutter sah von ihrem Teller auf. »Bücher, hat sie immer gesagt, verbrennt man nicht, und die schmeißt man auch nicht weg, Bücher gehören gelesen.« Ihre Augen waren rot und geschwollen.

»Offenbar hat das hier aber niemand gelesen, sonst wär das doch alles nicht passiert.«

»Was wär dann nicht passiert?«, fragte der Vater.

»Auschwitz.«

»Steht hier etwa was von Auschwitz drin?«

»Nicht direkt.«

»Na also.«

»Aber man hätte ahnen können, wohin die Reise geht.«

»Wie willst du das wissen? Du warst doch gar nicht dabei.«

»Man muss ja nicht dabei gewesen sein, um zu wissen, wie's war.«

»Doch, das muss man, sonst kann man das nämlich gar nicht richtig einordnen. Damals«, sagte der Vater, der ebenso wenig dabei gewesen war wie Daniel, »hat man sich nämlich für eine Seite entscheiden müssen, für oder gegen Hitler. Von Auschwitz haben wir doch erst nach dem Krieg erfahren. Und deshalb konnten wir uns auch gar nicht dafür oder dagegen entscheiden. Das ist das, was dir deine grünen und roten Lehrer während ihrer Gehirnwäsche an euch nicht erzählt haben. Und die haben viel zu viel gelesen.«

Daniel wollte erst »Besser als nix« sagen, aber dann hätte er den Köder des Vaters geschluckt, und er durfte ihm jetzt keinen Angriffspunkt liefern, sonst nahm das Gespräch eine völlig andere Richtung als die, die er beabsichtigt hatte. »Auf jeden Fall beweist das, dass ich recht habe. Rosing hat das hier nämlich gelesen, *Mein Kampf,* er hat es zitiert.«

»Nix. Solche Worte tauchen doch in jedem Buch auf, und die Zeitungen sind voll davon.« Er faltete den Bericht von Hitlers Rede in Jever auseinander. »*Lotteriekugel.* Lese ich jeden Tag von. Kenne niemanden, der jemals mehr als ein paar Mark gewonnen hätte.«

»Ich schon«, sagte die Mutter, »Gerald … Doktor Ahlers hat doch mal ein Auto gewonnen. Diesen Porsche. Mit dem er den Unfall hatte.«

»Den Wagen hat Eiske gewonnen. Und außerdem war das nicht beim Lotto.«

»Wobei denn?«

»Was weiß ich? Renn ich da alle naselang hin oder du?«

Die Mutter sah aus dem Fenster. »Wenigstens ist der Nebel endlich weg. Sonst hätt's da *noch einen* Unfall gegeben.«

»Ich sehe ja ein, dass ich Mist gebaut habe«, sagte Daniel schnell, bevor sie das Thema wechselten. »Das bei der Zeitung war blöd. Und es tut mir leid. Aber jetzt, das hier, das ist eindeutig. Und ich finde, wir sollten es ihnen sagen.«

»Wem sollten wir was sagen?«

»Den Leuten. Dass Rosing ein Nazi ist.«

»Du begreifst es immer noch nicht, oder? Wir hängen hier alle zusammen. Und du solltest hier besser niemandem mehr irgendetwas sagen, wenn du nicht willst, dass sie dich aufknüpfen. Das haben sie nämlich vor.«

»Hard«, sagte die Mutter. »Was redest du denn da? Wer hat das vor?«

»Was glaubst du«, sagte der Vater, ohne auf das, was sie gesagt hatte, einzugehen, »was ich mir in den letzten Jahren wegen dir alles anhören musste?«

»Deshalb dachte ich ja auch«, sagte Daniel, »dass *du* es ihnen sagst.«

»Nix.« Der Vater hob das Buch an, als prüfe er dessen Gewicht, und ließ es wieder sinken. »Und selbst wenn, das ist ja auch alles schon ziemlich lange her. Daran kann sich doch kein Mensch mehr erinnern. Wir sollten die Vergangenheit bei kleinem mal ruhen lassen. Was vorbei ist, ist vorbei.«

»Geschichte wiederholt sich.«

»Der Geschichtsunterricht vielleicht.«

»Und dir vertrauen die Leute.«

»Das war mal. Der Name Kuper hat ja ziemlich gelitten in letzter Zeit.«

»Ich dachte, wir sollten die Vergangenheit ruhen lassen.«

»Tun wir ja auch.«

»Und was ist jetzt mit Opas Orden passiert? Liegen die immer noch im Garten?«

Und daraufhin bekam Daniel dann doch noch eine gelangt, eine wenig schmerzhafte, aber schallende Ohrfeige dafür, dass er ihre eben getroffene Abmachung sofort wieder gebrochen hatte.

Hard konnte sich nicht erinnern, wann er das letzte Mal so allein gewesen war, so vollkommen eins mit sich und der Welt. Keine Frauen, die ihn um seine fachmännische Meinung baten, keine Männer, die mit ihm über ihre offensichtlichen oder heimlichen Leidenschaften – Fotografie oder Angeln oder Wetten – sprechen wollten, keine Jugendlichen, die sich für ihre knospenden Körper und deren Pflege schämten – überhaupt keine Kundschaft. Es war kurz vor vier, er stand im Laden, hinterm Tresen, die Kinder waren aus dem Haus, Birgit war mit den Zwillingen wieder in der Kreisstadt beim Schwimmunterricht, und Daniel trieb sich irgendwo draußen herum, auf den Straßen Jerichos. Vermutlich suchte er nach einer anderen Möglichkeit, Rosings Wahl doch noch zu verhindern, aber Hard fragte sich, wie Daniel das gelingen sollte, jetzt, da er das Buch an sich genommen hatte. Bestimmt existierten im Dorf noch weitere Exemplare, sorgsam versteckt und weggeschlossen, damit keins der Kinder damit ankam und Fragen stellte, die niemand beantworten wollte. Obwohl, bei den Kompunisten war er sich nicht sicher, ob die bei denen nicht offen herumlagen, als Anschauungsobjekt und ständige Mahnung an die Nachgeborenen. Doch da ging Daniel ja nicht mehr hin. Und der Reichertsjunge und die anderen beiden Langhaarigen, mit denen Daniel auf dem Gymnasium immer herumgelungert hatte, ließen sich nicht mehr in der Drogerie blicken, seitdem Daniel auf die Realschule gewechselt war. Wobei sie die Drogerie auch vorher schon gemieden hatten, wie er sich jetzt erinnerte, nachdem er ihnen einmal allen Ernstes eine Haarkur empfohlen hatte. Und er nahm nicht an, dass Reents mit ihrer magersüchtigen, politisch übermotivierten Tochter *Mein Kampf* im Wohnzimmerschrank stehen hatten, oder Volkers Eltern – zumindest hoffte er das. Arne Mengs war alles zuzutrauen. Mit Schaudern dachte er an den Grillabend zurück, den Birgit und er für die Utlanners, die Neujerichoer, auf ihrer Terrasse veranstaltet hatten, und an Mengs völlig weltfremde Aussage, *dass man Kinder gewähren lassen muss, dass sie irgendwann von allein an ihre Grenzen stoßen, dass das Leben sie bestraft.* An Daniel konnte jeder sehen, wie wenig Kinder dazu in der Lage waren, aus eigenen Fehlern zu lernen – trotz strengster Erziehung. Er war froh, ihn unschädlich gemacht zu haben. Er hatte die Bombe entschärft, und irgendwann würde sich Daniel damit abfinden, dass es manchmal besser war, die Welt nicht verändern zu wollen, für ihn und für die Welt auch. Allerdings überlegte er selbst seit einiger Zeit, seit der letzten Begegnung mit Theda Wiemers, ob er seine Stimme nicht doch lieber Johann Rosing geben sollte. Wenn ihr Mann erst einmal Bürgermeister war, würde sie ihn womöglich nicht nur privat unter Druck setzen, sondern auch beruflich. Und vielleicht würde sie dann sogar dafür sorgen, dass Schlecker nach Jericho kam, zur Not unter Polizeischutz, nur um ihn in den Ruin zu treiben. Er meinte ihre Strategie genau zu kennen: Wenn sie ihn schon nicht für sich selbst haben konnte, wollte sie ihn wenigstens für seine Entscheidung, bei Birgit zu bleiben, leiden sehen. Diktatoren handelten angesichts ihrer eigenen Niederlage ganz ähnlich. Das Land, das Volk, für das sie eingetreten waren, durfte nicht dem Feind in die Hände fallen, jedenfalls nicht unbeschadet, nicht in seiner vollen Pracht und Größe.

Er sah sich im Geschäft um. Die Kartons waren ausgepackt, der Inhalt eingeräumt, die Regale standen voller Ware, und der Fußboden glänzte. In den Mipolamquadraten spiegelte sich das Grün der Zierahornblätter draußen vorm Haus. Endlich Frühling. Endlich hatte sich der Nebel aufgelöst, der draußen im Hammrich und der in seinem Innern. Alles war in bester Ordnung, und er fand, dass alles genauso bleiben konnte, wie es war. Er nahm einen Fotoapparat, eine weiße Dynax 8000i Prestige, das neueste Modell von Minolta, spannte einen Farbfilm ein und machte ein paar Aufnahmen, so wie er es sonst nur tat, wenn Kunden aus dem Urlaub oder nach Familienfeiern zu ihm kamen und ihm ihre Kameras in die Hand drückten mit der Bitte, den Film vollzumachen, zurückzuspulen und zu entwickeln, damit sie endlich ihre unscharfen Bilder vom Strand, von den Bergen oder von Hochzeiten, von Geburtstagen genießen konnten. Er fotografierte die Auslage, die leeren Gänge, die Reklameschilder oben an den Wänden, sich selbst vor und hinterm Tresen. Und als er damit fertig war, den Film herausgenommen und eingetütet hatte, drehte er das Schild in der Tür auf *Geschlossen*, was er während der Geschäftszeiten nie machte, es sei denn, Eiske war da und ließ vor seinen Augen ein Flakon irgendeines teuren Parfüms in ihrer Handtasche verschwinden. Er ging ins Büro, nahm *Mein Kampf* aus der Schreibtischschublade und stieg damit die Treppen hinauf in Daniels Zimmer, um es dort, hinter den Gesamtausgaben von Goethes und Schillers Werken, zu verstecken, weil er annahm, dass Daniel es bei sich selbst nie vermuten würde. Und er freute sich jetzt schon auf sein dämliches Gesicht, wenn er es fand, womit bis zum Ende des Jahres, bis Weihnachten, bis Daniel das nächste Mal aufräumte, nicht zu rechnen war, und er hoffte, dann dabei zu sein und den Sieg über seinen Sohn voll auskosten zu können.

Beim Abendbrot saßen sie alle wieder gemeinsam am Tisch. Hard und Birgit, Daniel und Julia und Andreas, die ganze Familie Kuper.

»Gibst du mir bitte mal die Butter«, sagte Daniel, und Hard gab sie ihm.

Über das, was während des Mittagessens geschehen war, verlor keiner von ihnen mehr ein Wort. Die Zwillinge gingen, ohne Widerstand zu leisten, ins Bett. Daniel räumte den Tisch ab, machte in der Küche seine Hausaufgaben und verschwand in seinem Zimmer. Und Birgit wandte sich nachts, als sie nebeneinanderlagen, noch einmal Hard zu, um ihr Gewissen zu erleichtern, wie sie ihm gestand, weil sie es gestern nicht geschafft hatte, ihn glücklich zu machen.

11

In der Nacht zu Christi Himmelfahrt kam der Vater ins Zimmer und sagte, dass er aufstehen müsse, es sei etwas geschehen. Daniel zog sich an und folgte ihm nach unten. Er fragte ihn, weshalb er ihn geweckt habe, was geschehen sei, aber der Vater antwortete nicht, sondern öffnete die Haustür und zeigte nach draußen. Der Himmel war wolkenverhangen. Die Straßen waren dunkel, die Laternen seit Stunden abgeschaltet. In den Fenstern der Häuser brannte kein Licht. Trotzdem war da – abgesehen vom S der Sparkasse und vom A der Apotheke – ein schwaches Glimmen, als habe jemand an verschiedenen Stellen gleichzeitig Feuer gelegt, um so, unlöschbar, das ganze Dorf in Brand zu setzen.

Dann sah Daniel die Leute. Im Halbkreis standen sie vor den Wänden. Einige trugen Schlafanzüge, andere hatten sich Jacken übergeworfen. Keiner drehte sich zu ihm oder dem Vater um. Gemeinsam gingen sie an den leer stehenden Häusern vorbei, den Betonpfeilern der Brücken, den Bushaltestellen, und überall standen Leute, starrten auf die Zeichen, die Daniel vor Wochen mit Nitroverdünnung weggewischt hatte und die jetzt glommen wie an die Decke geklebte Leuchtsterne über Kinderbetten.

Der Vater packte ihn am Arm, zerrte ihn nach vorn und zeigte auf eins der Hakenkreuze: »Warst du das?«

Daniel schüttelte den Kopf.

»Wie hast du das angestellt, dass das Zeug wieder durchkommt?«

Wieder schüttelte Daniel den Kopf.

»Hör auf damit! Hör sofort auf!« Der Vater hob die Hand und holte zum Schlag aus.

Daniel spürte, wie sich alle um sie drängten, wie sie von überallher auf ihn zutraten und einen Kreis bildeten, aus dem es kein Entkommen gab.

Am nächsten Tag waren die Zeichen verschwunden, aber sobald es dunkel wurde, kamen sie wieder zum Vorschein, und mit jeder Nacht wurden es mehr. Anfangs waren nur die Geschäfte längs der Dorfstraße betroffen, Schuh Schröder, Friseur Dettmers, Bäckerei Wessels, Fisch Krause, Textil Vehndel und die Blumentenne; dann die in der Bahnhofstraße, Möbel Kramer, Farben Benzen, Solar Hanken, Polsterei Tinnemeyer, Elektro Plenter, Auto Busboom, Fahrrad Oltmanns und Fahrschule Kromminga; dann, nach einer Woche, auch die Wohnhäuser in den Neubaugebieten, die Bauernhäuser im Hammrich, die alte Molkerei, das Strandhotel, die Puddingfabrik, sogar die Kirche, überall Hakenkreuze, *NPD, Ausländer raus, Deutschland den Deutschen*. Nur neben dem Schaufenster der Drogerie stand *Ich liebe dich*. Deshalb versammelten sich die aufgebrachten Bewohner vor Kupers Tür, klingelten, hämmerten mit den Fäusten gegen die Rollläden, brüllten etwas zu den hell erleuchteten Fenstern hinauf. Hard fürchtete, dass etwas zu Bruch gehen könnte, und rief die Polizei.

Kurt Rhauderwiek und Frank Tebbens, die mit laufendem Motor schon vor dem Haus gewartet hatten, bahnten sich den Weg durch die Menge, eskortierten Daniel unter tosendem Beifall zu ihrem Wagen und brachten ihn aufs Revier in die Kreisstadt. Der Beamte, der ihn schon beim ersten Mal befragt hatte, Uwe Saathoff, befragte ihn jetzt wieder, in dem gleichen weißen und fensterlosen Raum wie wenige Wochen zuvor.

»Du kannst dich also an nichts erinnern?«

»Ich war nicht da.«

»Hier steht«, er beugte sich über ein Blatt Papier, »du bist Schlafwandler.«

»Bin ich nicht.«

»Wie lange schon?«

»Das war ein Mal.«

»Ein Mal reicht.«

»Wofür?«

»Henning macht das auch manchmal, steht nachts auf, setzt sich ins Wohnzimmer, guckt mit geschlossenen Augen Fernsehen, obwohl um die Zeit gar nichts mehr läuft, nur schwarz-weißes Rauschen, und legt sich wieder hin.«

»*Poltergeist.*«

»Was?«

»Ein Horrorfilm.«

»Hast du den gesehen?«

»Nee.«

»Siehst du dir öfter solche Filme an?«

»Nee.«

»Kennst du Kenneth Parks?«

»Nee.«

»Hätte mich auch gewundert. Interessanter Fall. 1987. Eine Kleinstadt in Kanada. Kenneth Parks ist dreiundzwanzig Jahre alt. Er arbeitet als Projektmanager für eine Elektronikfirma, hat eine Frau, eine fünf Monate alte Tochter und ein Problem: Er hat einige Wetten verloren, Pferderennen, und ist hoch verschuldet. Um die zu begleichen, stiehlt er seinem Chef einen Haufen Geld und wird daraufhin entlassen. Trotzdem: Alle in der Familie halten zu ihm, vor allem seine Schwiegereltern. Eines Nachts, es ist der 23. Mai, steigt er in seinen Wagen und fährt dreiundzwanzig Kilometer weit zu ihrem Haus hin. Mit einem Brecheisen stemmt er die Tür auf, verletzt seinen Schwiegervater, ersticht seine Schwiegermutter und fährt, weil seine Hände blutig sind und er sich nicht erklären kann, warum, zur Polizei. Und das alles –«

»Mit dem Brecheisen?«

»– im Schlaf. Er konnte sich ... Was?«

»Ob er seine Schwiegermutter mit dem Brecheisen erstochen hat.«

»Die Polizei hat ihm anfangs auch nicht geglaubt. Stundenlange Verhöre, an verschiedenen Tagen von unterschiedlichen Leuten durchgeführt: keine Inkonsistenzen. Lügendetektor: keine Auffälligkeiten. Immer die gleiche Geschichte. Aber dann untersuchen ihn auf Antrag der Verteidigung ein paar Schlafforscher, Neurologen, und die stellen fest, dass mit seinen Hirnaktivitäten was nicht stimmt und er zur Tatzeit tatsächlich schlafgewandelt ist.«

»Ja klar«, sagte Daniel. »Das ganze Leben ist ein Traum, und irgendwann wachst du auf und bist tot.«

»Kann schon sein. Will ich gar nicht ausschließen. In seinem Fall befanden ihn die Geschworenen trotzdem für schuldig. Der Prozess soll nächstes Jahr wieder aufgerollt werden. Würd mich nicht wundern, wenn das Oberste Gericht Schlafwandeln dann als neue Geisteskrankheit einstuft und er diesmal freigesprochen wird.«

»Wer?«

»Kenneth Parks. Hast du mir überhaupt zugehört?«

»Nicht die ganze Zeit.«

Am nächsten Tag wurde Daniel einem Haftrichter vorgeführt und sofort wieder freigelassen, weil sich, wie man ihm sagte, der Zeuge in Widersprüche verstrickt habe und man ihm nichts nachweisen könne. Die *Friesenzeitung* machte eine Jugendbande für die neuerlichen Schmierereien verantwortlich. In der Schule brüsteten sich Paul und Jens mit der Tat. Auch sie wurden von zu Hause abgeholt, befragt, vorgeführt, freigelassen. Die Eigentümer postierten sich vor ihren Grundstücken. Schützen und Jäger standen mit geladenen Waffen in Einfahrten. Die Polizei fuhr Streife. Es half nichts. Niemand kletterte im Schutz der Dunkelheit über die Zäune und markierte die Mauern der Menschen. Und doch geschah es. Kein Haus wurde verschont.

Abends, sobald es dämmerte, wischten sie von oben nach unten über die Farbe. Bei Superneemann, bei Kuper waren Schwämme und Lappen bald ausverkauft, die Bestellungen für Spezialhandschuhe liefen, im Raiffeisen-Markt gingen die Kanister mit Nitroverdünnung zur Neige. Manche versuchten es auch mit härteren Mitteln. Die, die es sich leisten konnten, beauftragten Reinigungsfirmen von außerhalb. Andere benutzten Sandstrahlgeräte. Ein Chemiekonzern bot einen atmungsaktiven Graffitischutz an und lieferte gleich mehrere Wagenladungen zum Sonderpreis. Tagsüber leuchtete das Dorf in neuem Glanz. Aber nachts waren alle Zeichen wieder da.

Am Samstagabend schaffte es die Meldung in die Fernsehsendung *Berichte vom Tage*. Am Sonntag fielen Reporter und Kamerateams über das »Geisterdorf«, das »Nazidorf« her wie Fliegen über die Kuhköpfe hinter der Schlachterei. Wie damals, als die Meldung vom Kornkreis um die Welt ging, säumten Übertragungswagen mit Satellitenschüsseln und Lichtmasten die Straßen. Aus allen Teilen des Landes reisten Touristen an, mit Bussen und Bahnen, die meisten mit eigenen Wagen, Neonazis vor allem, die beim Campingplatz am See, am Deich ihre Zelte aufschlugen. Trugen sie Anzüge und Halbschuhe und das Haar länger als kopfhautkurz, konnten sie ein Zimmer im Strandhotel anmieten oder eine Ferienwohnung. Nachts zogen sie durchs Dorf, einige hielten Fackeln in Händen, andere Bierdosen, Videokameras, Fotoapparate. Sie filmten und fotografierten die Zeichen und die Kameraden davor. Manche streckten den Arm aus, manche nicht. Die Bilder ließen sie bei Kuper entwickeln, aber alle waren missraten: Mit Blitz war es zu hell, ohne zu dunkel. Hard machte eigene Aufnahmen mit Langzeitbelichtung und bot sie unterm Tresen zum Kauf an. Aber kurz nachdem eins davon im *stern* abgebildet worden war, tauchte Kurt Rhauderwiek bei ihm auf und sagte: »Pack das Zeug hier weg, Hard. Dat dürt nich. Die Leute reden sowieso schon.«

»So«, sagte Hard. »Was reden die denn?«

»Sie finden's nicht richtig, dass du damit auch noch Gewinn machst.«

»Womit?«

»Mit der Sache hier. Die, die dein Sohn verbockt hat.«

»Daniel hat doch damit gar nix zu tun. Hat der Richter selbst gesagt.«

»Die Leute sehen das anders. Die denken, Daniel hat damit angefangen, also ist er auch dafür verantwortlich, egal, wer das da«, Kurt Rhauderwiek zeigte aus dem Fenster, »jetzt macht. Und du solltest kein Geld damit verdienen.«

»Ach, und die anderen dürfen das, ja? Krögers, die haben das ganze Haus voll. Hayo Hayenga musste in seinem Club extra neue Mädchen aus'm Osten holen, weil die Kerle ihm die Bude einrennen. Bei Fokken, bei Neemann, überall stehen sie Schlange. Und Vehndel verkauft jetzt sogar Bomberjacken. Aber ich darf damit kein Geld verdienen.«

»Hard, es ist nur zu deinem Besten. Halt dich dran. Sonst kann ich für nichts garantieren.«

»Für was kannst du nicht garantieren?«

»Für eure Sicherheit.«

»Für was wirst du eigentlich bezahlt, wenn nicht dafür?«

»Die Leute sind wütend, Hard, das musst du verstehen.«

»Ja, glaubst du, ich nicht?«

Später, beim Abendessen, hatte er sich immer noch nicht beruhigt. »Da hat man mal zu tun, und schon kommt der Staat und verdirbt einem alles.«

Birgit legte ihre Hand auf seine. »Du darfst dich nicht immer so aufregen. Rosing wird den Spuk schon beenden. Von Marlies hab ich gehört, er hat da so ein Mittel, das benutzt er auch auf'm Bau, um alte Klinker aufzupolieren, und –«

»Rosing! Rosing! Gar nichts wird der!« Hard wollte noch etwas sagen, aber dann hörten sie das Geräusch, Schritte, Hunderte, Tausende Schritte, die näher kamen, und ein Gewirr von Stimmen, das von unten, von der Straße her, zu ihnen heraufdrang: »Wer sich nicht wehrt, lebt verkehrt.« – »Nazis raus.« – »Nie wieder Deutschland.« Sie standen auf, schauten aus dem Fenster und sahen, wie Demonstranten mit Transparenten vorbeimarschierten, umringt von Polizisten, wie Nachbarn und Neonazis die Kreuzung blockierten und sie mit Fäusten begrüßten, wie Steine und Stöcke durch die Luft flogen, Einsatzwagen und Wasserwerfer heranfuhren und die Gruppen auseinandertrieben. »Gesocks«, sagte Hard, und schob die Gardine vor. »Mit der Ruhe ist es jetzt auch vorbei.«

Auf Sat1, *Wir in Niedersachsen,* sah Daniel die Drogerie, den Vater, wie er die Rollläden des Geschäfts hochzog, die Mutter, wie sie die Geschwister in die Grundschule brachte, sich selbst, wie er, an der Meute vorbei, sein Rennrad aus der Garage holte und zur Schule fuhr, verfolgt von Journalisten. RTL plus bot ihm Geld für ein Exklusivinterview, viel Geld. Die Eltern drängten ihn das Angebot anzunehmen, auszusagen, seine Sicht der Dinge darzustellen, an seine und ihre Zukunft zu denken, den Namen der Familie reinzuwaschen.

Die Bürgermeisterkandidaten nutzten die Aufmerksamkeit

für den Wahlkampf. Bernd Wübbena, der Kandidat der CDU, sagte, jemand, der sich in die falsche Richtung entwickle, müsse die ganze Härte des Gesetzes spüren. Didi Schulz von der SPD war dagegen. Richard Wiemers wies auf das Recht der freien Meinungsäußerung hin, fügte aber hinzu: »Sachbeschädigung ist ein Straftatbestand.« Jürgen Engberts hoffte, dass sich die Farbe ohne Folgen für die Umwelt beseitigen lasse. Johann Rosing wehrte sich gegen den Ausdruck »Nazidorf«: »Ein ganzer Ort wird zu Unrecht in Sippenhaft genommen. Es handelt sich um einen Einzeltäter. Nee, nicht um mich. Jeder kennt seinen Namen.« Paul und Jens berichteten von den Partys, davon, dass Daniel keinen Alkohol vertragen und jedes Mal die Kontrolle über sich verloren habe. »Wie er da drangekommen ist, weiß ich auch nicht«, sagte Paul schulterzuckend. »Vielleicht hat er die Flaschen irgendwo auf'm Weg deponiert, zum Vorglühen. Um sich Mut anzutrinken.« – »Mit Mädchen hat er ja bisher keine Erfahrungen gehabt«, sagte Jens, Pauls Gedankengang vollendend, »jedenfalls keine guten.« Volker sagte: »Das liegt an der Ernährung. Daniel ist oft unterzuckert. Er hat immer schon zu wenig gegessen, vor allem zu wenig Fleisch.« Frank Tebbens blätterte in einem Hefter und las, ohne in die Kamera zu blicken, daraus vor: »Daniel ist schon früh auffällig geworden. Mit sieben auf 'nem Privatgrundstück geangelt, mit neun die Scheiben des Gemeindeheims eingeschmissen, mit zehn 'n Maisfeld verwüstet, mit vierzehn den Pastor beleidigt und, und, und.« Nella Allen strich sich ihre Haare aus dem Gesicht und sagte: »Ich habe es ihm gesagt, *Namu Myōhō Renge Kyō,* aber er hat nicht auf mich gehört.« Frau Nanninga hatte keine Erklärung für sein Verhalten. »Nach außen hin hat es kein Anzeichen von Aggressivität gegeben.« Martin Masurczak sagte: »Daniel hat ein gestörtes Verhältnis zur Realität. Er befindet sich im Krieg. Die Schlachtlinie teilt sein Hirn durchgängig und andauernd in zwei ungleiche Hälften: er gegen die anderen.« Dasselbe, aber ausführlicher, schrieb er in einem Kommentar, der am nächsten Tag in der *Friesenzeitung* erschien. Doktor Ahlers forderte ein generelles Verbot von Computerspielen. Pastor Meinders rief, die Hände zum Himmel erhoben: »Dann aber soll das Blut euer Zeichen sein an den Häusern, in denen ihr seid: Wo ich das Blut sehe, will ich an euch vorübergehen, und die Plage soll euch nicht widerfahren, die das Verderben bringt.« Ein Wissenschaftler sagte, die Farbe enthalte mit hoher Wahrscheinlichkeit Zinksulfid, Kupfer und Salz, daher das Leuchten. Wiebke fragte einen der Reporter, ob er lieber ihre Sieltore sehen wolle oder ihre Sielkammer, und fügte hinzu, Daniel habe immer beides zu sehen bekommen, er sei ganz wild darauf gewesen. Der Vater sagte nichts. Die Mutter sagte: »Ja, schon, in letzter Zeit hat sich Daniel sehr verändert. Das hängt aber vielleicht auch mit dem Alter zusammen. Da sind Jungs häufig überfordert.« Vorwürfe, sie habe sich nicht intensiv genug um ihn gekümmert, ihn um der jüngeren Geschwister willen vernachlässigt, wies sie zurück. Ein Psychologe meinte, es liege an den mangelnden Entfaltungsmöglichkeiten im Dorf, der Täter habe in der Schule, in seinem privaten Umfeld keine Form der legitimen Anerkennung gefunden und nach einem Ausweg gesucht. »Meiner Ansicht nach ist er von Eltern, Betreuern und Lehrern alleingelassen worden, und deshalb hat er sich in eine Parallelwelt geflüchtet. Die Zeichen sind nichts anderes als ein Ausdruck von emotionaler Verzweiflung. Wie sonst ist der Satz *Ich liebe dich* an der eigenen Hauswand zu erklären? Fremdenhass und Eigenliebe liegen oft dicht beieinander. Im fortgeschrittenen Stadium dieser Persönlichkeitsstörung kommt es allerdings häufig zu einer Umkehr der Denkvorgänge. Dann schlägt Fremdenhass in Nächstenliebe um, Eigenliebe in Selbsthass.«

Hard war außer sich. Jemand hatte die Schaufenster eingeschmissen und die Auslage geplündert, obwohl er wie jeden Abend die Rollläden herabgelassen hatte. Sie waren an den Seiten mit Latten hochgeschoben und fixiert worden, um freie Bahn für die Steine zu haben. Er fürchtete, dass es nicht bei den Steinen blieb und ihm das gleiche Schicksal drohte wie Schlecker in Achterup. Deshalb beauftragte er den alten Kramer, den ganzen Laden mit Spanplatten gegen neue Angriffe zu verbarrikadieren, nachdem Polizei und Versicherung – mit Genugtuung, wie ihm schien – den Schaden aufgenommen hatten.

»Das bringt doch nichts«, brüllte Manfred Kramer, der alte Kramer, als er mit seinem Gesellen kam, um die Abmessungen vorzunehmen. »Anstatt dich einzuschließen, solltest du das Problem aus deinem Haus schaffen.«

»Und wo soll ich's hinschicken, das Problem?«, brüllte Hard zurück. »Etwa nach Berlin? In die Hauptstadt der Probleme?«

»Vielleicht bleiben sie ja doch in Bonn.«

»Hör mir bloß auf mit Bonn.«

»Besser da als hier. Dann hast du's wenigstens vom Hals.«

»Du meinst«, schrie Hard mit nachlassender Kraft, »so wie du deins?«

»Mainz?«, rief der alte Kramer. »Was soll er denn da?«

Hard winkte ab und ging wieder hinein. Der Laden war ebenso menschenleer wie vor einer Woche, aber jetzt war die Stille bedrohlich. Er meinte, sie spüren zu können, die Ruhe vor dem Sturm. Obwohl alle Gegenstände im Raum noch an der gleichen Stelle standen, da, wo er sie hingestellt hatte, schienen sie plötzlich eine andere Bedeutung bekommen zu haben. Er fragte sich, ob man das auf den Bildern erkennen könne, wenn er jetzt welche machte, den Unterschied, dass das Licht direkt hereinkam, anstatt durch blitzblanke Scheiben zu fallen. Doch ihm war nicht nach Fotografieren zumute. Am liebsten hätte er die Regale leer gefegt und die ganze neue Inneneinrichtung kurz und klein geschlagen. Er war nicht religiös, aber wenn er's wäre, wenn es eine Religion gäbe, die sein Geschäft zum Gott erhob, dann würde er dessen Schändung als größte Sünde ansehen. Und deshalb klaubte er die Steine aus der Auslage und fegte die Scherben zusammen und warf den Müll in den Container hinter der Garage. Dann zog er einen frischen Kittel an und erlebte ein Gefühl, das ihm bisher fremd gewesen war: auf Kundschaft zu warten. Den ganzen Vormittag kam niemand, der bei ihm etwas kaufen wollte, einige Frauen sprachen ihm, als sie die Trümmer sahen, ihr Mitleid aus, und einige Männer gaben ihm zu verstehen, dass er noch Glück gehabt habe und alles noch viel schlimmer kommen könne, aber keiner von ihnen nahm etwas mit, als wäre der schlechte Ruf, den die Drogerie Kuper jetzt in ihren Augen besaß, auf deren Waren übergegangen. Am Nachmittag brachten zwei Handwerker, der Geselle und ein Gehilfe, die Spanplatten an. Einer der beiden fing sich dabei einen Splitter ein, und als er ihn entfernte, tropfte auch etwas Blut heraus, und er schmierte es von außen aufs Holz.

»Brauchen Sie 'n Pflaster?«, fragte Hard.

»Geht schon«, sagte der Mann. »Ist gleich vorbei.«

Unter normalen Umständen wäre Hard auch dieser Ansicht gewesen, aber er wollte nicht, dass jemand sah, dass an seinem Geschäft auch noch Blut klebte, ganz gleich, was Hans Meinders sagte, und er ging hinein, um dem Mann ein Pflaster zu holen. Erst versuchte er sich in der Dunkelheit zurechtzufinden, dann schaltete er doch das Licht ein, und als wie auf diese Bewegung hin das Telefon zu klingeln anfing, zuckte er zusammen und blieb regungslos neben der Tür stehen. Seit dem Morgengrauen riefen Leute an, nicht um etwas zu bestellen oder um Rat zu fragen, weil sie mit ihrer neuen Kamera nicht klarkamen, sondern um ihn zu beschimpfen. Anfangs hatte er sich noch mit »Kuper,

Jericho« gemeldet und sich die Tiraden angehört, die danach auf ihn niedergingen, er wollte keine Kunden verlieren, und er meinte, die Anrufer vom Gegenteil überzeugen zu können, wenn er Verständnis zeigte, aber sie ließen ihn gar nicht erst zu Wort kommen, sie hatten ihn nur angerufen, um ihren Hass bei ihm abzuladen. Er sah, dass jemand oben abnahm, ein kleiner grüner Punkt leuchtete über der Wählscheibe auf, und als er später in die Küche kam – die Kinder waren schon auf ihren Zimmern –, völlig fertig von dem Gefühl, sich ständig gegen alles und jeden verteidigen zu müssen, sagte Birgit, ein Schluchzen unterdrückend: »Margret hat angerufen, sie hat uns im Fernsehen gesehen.«

»War ja klar. Hätte ich auch drauf wetten können.«

»Fragt sich nur, mit wem.«

»Mit dir.«

»Jochen und sie haben uns angeboten, Daniel zu holen. Sie würden morgen mit dem Wagen hochfahren. Sie hat gesagt, er kann doch so lange in Bad Vilbel bleiben, bis Gras über die Sache gewachsen ist. Und Gerhild hat uns auch ihre Hilfe angeboten, vielleicht sollten wir alle für ein paar Tage da runterfahren.«

»Auf gar keinen Fall. Die haben mir gerade noch gefehlt.«

»Aber wenn er erst mal weg ist, und der Spuk geht weiter, dann merken die Leute doch, dass er's nicht gewesen sein kann.«

»Darum geht's doch schon gar nicht mehr, Biggi. Daniel hat die Idee in die Welt gesetzt, und andere führen sie jetzt aus, größer und gründlicher als er.«

»Und wenn er mit ihnen redet?«

»Wer? Daniel?«

»Ja, wenn er ihnen sagt, dass sie aufhören sollen.«

»Er weiß doch nicht mal, wer das da macht.« Er zeigte aus dem Fenster.

»Vielleicht doch.«

»Glaub mir«, sagte Hard und nahm den Arm wieder herunter. »Wenn er's wüsste, hätte er's mir gesagt.«

»Vielleicht ist das der Grund.« Jetzt fing sie doch an zu schluchzen.

»Was willst du denn damit sagen? Dass ich am Ende an allem schuld bin? Wer hat denn damit angefangen? Er oder ich?«

Birgit zuckte mit den Schultern.

»Er oder ich?« Ohne es selbst zu merken, schlug er den gleichen Ton an wie beim alten Kramer, als wäre sie schwerhörig oder bescheuert oder beides.

»Er«, sagte sie und wandte sich von ihm ab.

Kurz nach Pfingsten gab es auch unter der Woche Partys in Hankens Scheune.

»Was ist *Das Ding aus einer anderen Welt*?«, fragte Paul und schob Daniel ein Glas Wodka hin.

Jens sah auf die Uhr und sagte: »Ticktack, ticktack, ticktack.«

»Ein Film«, sagte Daniel.

»Okay, lass es mich unmissverständlich formulieren«, sagte Paul und zündete sich einen Joint an. »Was ist das Ding in John Carpenters Film *Das Ding aus einer anderen Welt*?«

»Ein Mensch«, sagte Daniel, obwohl er den Film nicht gesehen hatte.

Paul und Jens sahen sich an.

»Nicht ganz richtig«, sagte Paul, »aber auch nicht ganz falsch«, und reichte Daniel zur Belohnung seinen Joint.

Und Daniel nahm ihn an – zu seiner eigenen Überraschung.

Am frühen Morgen, als die Polizei kam und das Haus durchsuchte, lagen alle noch in ihren Betten. Kurt Rhauderwiek und Frank Tebbens fingen unten im Keller an und arbeiteten sich dann von Raum zu Raum bis in Daniels Zimmer vor.

»Wollt ihr nicht bei uns einziehen?«, fragte Hard, nachdem er sich angezogen hatte. Die Polizisten holten im Lager die Kartons aus den Regalen, öffneten einen nach dem anderen und verstreuten den Inhalt auf dem Boden. »Dann müsst ihr nicht immer extra herkommen. Spart euch und uns Zeit und Geld.«

»Du stehst im Weg«, sagte Kurt Rhauderwiek. »Oder willst du uns bei unserer Arbeit stören?«

»Ich frag mich bloß, was ihr hier unten zu suchen habt. Warum fangt ihr nicht oben an? Dann haben wir's hinter uns. Ich dachte, ihr seid wegen Daniel hier.«

»Hast du etwa was zu verbergen?«

»Nix.«

»Dann kannst du ja ganz beruhigt sein und uns unseren Job machen lassen.«

Birgit folgte ihnen mit Eimer und Putzlappen, wischte über die frei gewordenen Ablagen und begann jedes Buch, jede Akte, jede Schachtel mit ihren eigenen Habseligkeiten, die sie in die Hand genommen hatten, wieder einzuräumen, aber die Zwillinge weinten, als die Männer in ihren Spielsachen herumzuwühlen begannen, und waren nicht zu beruhigen. Sie rief in der Schule an, packte die beiden ins Auto und fuhr mit ihnen ans Meer.

Daniel stand, als sie endlich sein Zimmer in Augenschein nahmen, stumm daneben.

»Willst du uns nicht sagen, wo du das Zeug versteckt hast?«, fragte Frank Tebbens, die Hand am Holster. »Würde die ganze Sache hier ein bisschen beschleunigen.«

»Welches Zeug?«

»Lass nur, finden wir auch so. Gibt neue Erkenntnisse. Jemand hat dich gesehen. Gestern und vorgestern auch.«

»Wer?«

»Dein Verhalten macht alles nur schlimmer für dich. Ich weiß ja nicht, wie du das anstellst, Nacht für Nacht. Aber eins weiß ich: Früher oder später wird alles auffliegen, früher oder später wird man die Beweise finden, wie damals bei dieser Ufo-Geschichte. Jeder hinterlässt Spuren. Die kann man nicht verwischen. Das wäre wieder eine eigene Spur. Liegt in der Natur der Sache.« Er zeigte aus dem Dachflächenfenster auf die Straße, auf die Leute, die sich dort versammelt hatten und nach Daniel riefen; die einen, weil sie ihn für das, was er getan oder nicht getan hatte, verehrten, die anderen, weil sie ihn dafür verachteten. »Wie weit willst du's eigentlich noch treiben? Hast du keinen Anstand?«

Bei diesen Worten musste Daniel an Pastor Meinders denken. An die Ohrfeigen im alten Gemeindeheim, an die Halskette mit dem Glastropfen, den Denkspruch, den er ihm bei der Konfirmation in der Kirche mitgegeben hatte und der jetzt in Gold gerahmt an einem Balken auf dem Dachboden hing. Er fragte sich, ob es helfen würde, ob der Glaube ein Ausweg sei. Dann aber sagte er sich, dass er nichts gemacht habe. Und er musste an Volker denken, an das, was er über die Erstgeborenen gesagt hatte. Dass sie keine Chance hätten, egal wie sehr sie sich auch anstrengten. Er schüttelte den Kopf, wie um wieder zu sich zu kommen. Alles drehte sich, alles bewegte sich um ihn herum. Er schloss die Augen und machte sie wieder auf. Er versuchte sich zu konzentrieren, den Blick auf einen Punkt zu fixieren, sich daran festzuhalten wie alle anderen auch. Es ging nicht. Er dachte immer dieselben Gedanken, an Eisen und den Kornkreis, an Peter Peters und *du auch*, an die Zeichen, an Rosing, die Eltern und Geschwister, an Wiebke und ihr Siel, an die Partys, drüben bei Hankens, an Simone, an Paul und Jens, an Volker mit den Leberwurstbroten, dem Lungenschmacht, an die Zeitung und die Cafeteria, an Pastor Meinders und die Polizisten, an die Schule, den Unterricht und die Lehrer, deren Antworten nicht zu seinen Fragen passten. Es war wie im Fernsehen, wie bei *Riskant!*

Daniel stützt sich auf ein Ratepult. Vor ihm, auf der Anzeigetafel, steht in Schreibschrift sein Vorname. Er schaut auf die Videowand und wählt ein Wissensgebiet aus. Hans-Jürgen Bäumler liest den Text vom Bildschirm ab, obwohl dieser für Daniel, fürs Publikum deutlich sichtbar ist. Ehe er den Satz zu Ende spricht, drückt Daniel den Knopf. Die rote Lampe leuchtet auf. Er weiß alles im Voraus. Trotzdem wird er nicht gewinnen.

Drehspulmessgeräte für Wechselspannungen und Wechselströme enthalten einen eingebauten Gleichrichter. Sie sind so gebaut, dass sie die jeweiligen Effektivwerte anzeigen.

Womit lässt sich Glück messen?

Diese Kategorie wird verwendet, um etwas Zukünftiges zu kenn-
zeichnen.

Wird Deutschland auf Jahre unschlagbar sein?

Die Reichsbank druckte immer mehr Geld, damit die Bevölkerung die immer schneller steigenden Preise zahlen konnte.

Bleibt man sich nur dann treu, wenn man sich ändert?

In einem Käfig befinden sich insgesamt 35 Hühner und Kaninchen. Zusammen haben sie 94 Beine.

Wie viele Möglichkeiten kann man vergeben, ohne die Hoffnung zu verlieren, eine wahrzunehmen?

Trifft ein Scheinfüßchen auf Nahrungsteilchen, werden diese umflossen. Dadurch entsteht eine Blase.

Was ist das Leben?

Riskant doppelt!

GEFÜHLE 200

Ihre Kathode besteht aus einem schwer schmelzbaren Wolfram-
draht, der durch einen Heizstrom von etwa 40 A bis auf Weißglut erhitzt werden kann.

Was ist Wut?

Beim Mischen ergeben sie weißes Licht.

Gibt es hier wirklich nichts zu sehen?

Hierbei handelt es sich um eine vereinfachte Darstellung der Wirklichkeit.

Was ist Literatur?

PUBERTÄT 800

Auf einer Wanderkarte (Maßstab 1:25000) beträgt die Entfernung zwischen den Kirchen zweier Ortschaften 8 cm.

Wie weit bin ich von mir selbst entfernt?

Durch umherspritzende Tropfen können die Schwärmer auf weibliches Moos übertragen werden. Sie dringen in die Archegonien ein und befruchten die Eizellen.

Wie konnte es so weit kommen?

Finalrunde! Hans-Jürgen Bäumler sagt, Daniel müsse jetzt den Betrag eintippen, den er zu riskieren bereit sei. Daniel setzt nichts. Das ist alles, was er hat. Obwohl er allein ist und von niemandem abschreiben kann, fordert Bäumler ihn auf, einen der Blickwinkelkonzentratoren aufzusetzen, eine Art Kopfhörer mit Scheuklappen. Bäumler sagt, er solle jetzt die Schreibunterlage nehmen, den Schreibstift, sich schreibklar machen, schreibbereit für seine Aufgabe im Wissensgebiet

WIDERLEGTE HYPOTHESEN

1848, 1918, 1989.

Daniel schreibt: *Ist Widerstand zwecklos?*

Die Antworten auf die Fragen und die sich daraus ergebenden neuen Fragen rauschten in einer Sekunde durch, als hätte jemand ein Loch in sein Gehirn gesprengt, um es mit Informationen zu überschwemmen, seine Erinnerung durcheinanderzuwirbeln und in einen Strudel zu reißen, der alles verschlingt. Dann war es still. Die Geräusche waren verstummt, die Bewegungen erstarrt. Er fühlte sich wie hinter Glas, eingesargt in ein gläsernes Meer. Frank Tebbens hielt ihm etwas hin. Er hatte vier Augen und vier Arme, und in seinen vier Händen hielt er vier Bücher, zwei identische Ausgaben von Goethes *Farbenlehre* und Hitlers *Mein Kampf*.

12

Als Daniel wieder zu sich kam, war es hell und weiß. Ein weißer Raum. Zuerst meinte er im Verhörzimmer zu sein, aber dann sah er ein Fenster, Dächer von Häusern, Baumkronen, Vögel am Himmel, Wolken. Er lag in einem Bett und wurde von einer Frau versorgt, die einen weißen Kittel trug. Sie hängte einen neuen Beutel über ihm auf, aus dem eine durchsichtige Flüssigkeit in einen Schlauch, in seinen Arm tropfte. Die Frau drehte sich um, sagte: »Ich glaube, er wacht jetzt auf«, und verschwand aus seinem Blickfeld.

Die Mutter beugte sich über ihn. Sie weinte, ihre Tränen fielen ihm ins Gesicht. Sie umarmte und drückte ihn und sprach ihm etwas ins Ohr, das er, weil ihr Mund gegen seine Wange drückte, nicht verstehen konnte. Sie trat einen Schritt zurück, holte ein Taschentuch hervor und schnäuzte sich. Daniel richtete sich auf, mit aller Kraft stemmte er sich im Kissen hoch. Der Vater stand, die Hände auf dem Rücken, am Fenster und starrte nach draußen.

Daniel sagte: *Ich will.*

Die Mutter hielt im Weinen inne. »Hard, komm mal her, er hat was gesagt.«

»Was denn?« Der Vater ging auf ihn zu.

»Ich konnt's nicht verstehen.«

Daniel sagte noch einmal: *Ich will.*

Von beiden Seiten traten sie an ihn heran, beugten sich zu ihm herab, schüttelten die Köpfe.

»Ich hol mal einen Arzt«, sagte der Vater und ging hinaus.

»Du musst dich jetzt schonen«, sagte die Mutter und strich Daniel sanft über die Hand. »Du hast 'ne Menge durchgemacht. Aber die haben dich hier völlig durchleuchtet und nichts gefunden.«

Ein Arzt kam herein, der Vater hinterher, beide in weißen Kitteln. Der Arzt schaute ihm in die Augen, blendete ihn mit einer Taschenlampe und fragte: »Kannst du mich verstehen?«

Daniel nickte.

»Gut.« Er nahm die Taschenlampe weg, steckte sie zurück in die Tasche. »Wie viele Finger sind das?« Er zeigte ihm drei.

Daniel sagte: *Drei.*

»O Gott«, sagte die Mutter und brach wieder in Tränen aus.

»Das ist normal«, sagte der Arzt. »Das kommt wieder.« Er wandte sich Daniel zu und forderte ihn auf, den rechten Zeigefinger an die Nasenspitze zu führen, mit den Augen dem Stift zu folgen, den er vor ihm hin und her bewegte, die Finger, die er ihm zeigte, selbst auch anzuzeigen. Dann schlug er die Decke zurück, klopfte mit einem Gummihammer Daniels Arme und Beine ab, strich ihm mit dem Ende des Stiels von unten nach oben über die Fußsohlen, bat ihn sich aufzusetzen, sich hinzustellen, auf zwei Beinen, auf einem. »Kannst dich jetzt wieder hinlegen.« Der Arzt sah zu den Eltern hin. »Haben Sie's ihm schon gesagt?«

»Was?«, fragte der Vater.

»Was mit ihm passiert ist.«

»Was ist denn mit ihm passiert?«

Daniel zog die Decke heran und lehnte sich zurück.

»Du bist ohnmächtig geworden und hast dir den Kopf angeschlagen. Drei Tage sind ungewöhnlich. Wir dachten schon, das war's.« Der Arzt drehte sich zu den Eltern um. »War wohl doch nur ein Anfall. Aber um ganz sicherzugehen, werden wir ihn noch dabehalten, zur Beobachtung.« Er stand auf, gab der Mutter, dem Vater die Hand, drückte auf einen Seifenspender neben der Tür und rieb sie sich die Hände mit Desinfektionsmittel ein.

»Wie geht's denn jetzt weiter?«, fragte der Vater. »Was machen Sie denn jetzt mit ihm?«

»Liquorpunktion, CCT, EEG. Wir schauen uns noch mal alles ganz genau an, vor allem, wie er jetzt, wo er wieder ansprechbar ist, reagiert.«

»EEG?«

»Wir messen die Hirnströme, überprüfen die Nervenbahnen, und wenn wir da nichts finden, können Sie ihn zum Wochenende hin wieder mitnehmen.«

»Und dann?«

»Wie, und dann?«

»Was ist, wenn er wieder umfällt?«

»Das kann man nie völlig ausschließen.«

»Aber dieses Mittel hat er nicht vertragen«, sagte die Mutter.

»Welches Mittel?«

Der Vater sagte: »Diazepam.«

»Ich würde Ihnen Tegretal empfehlen, das hat weniger Nebenwirkungen und hemmt die Erregbarkeit der Nervenzellen und die Erregungsausbreitung im Gehirn. Das hilft den Nervenzellen, ihr Membranpotenzial stabil zu halten.«

Als sie wieder allein waren, sagte Daniel noch einmal, was er ihnen die ganze Zeit schon hatte sagen wollen. »Ich will allein sein.« Er sagte es ganz sanft und leise mit einer rauen, belegten Stimme. Trotzdem fing die Mutter an zu weinen.

»Komm, Biggi«, sagte der Vater und half ihr auf. »Der Junge weiß ja gar nicht, was er da sagt. Der ist ja noch gar nicht ganz da.«

Der Vater führte die Mutter aus dem Zimmer, sie ließen die Tür offen, eine Schwester kam herein, klappte die Ablage des Beistelltisches aus und stellte das Tablett mit dem Mittagessen darauf ab – Kalbsfilet in brauner Soße, Erbsen und Möhren und Kartoffelpuffer –, und bevor der Krankenhauslärm ihre Stimmen verschluckte, vernahm er noch einzelne Sätze: »Doktor Ahlers sagt, dass er es auch hat.«

»Was?«

»Epilepsie.«

»Bloß weil er einmal hingefallen ist, heißt das doch noch lange nicht, dass er krank ist.«

»Erst der Sohn von Peters und jetzt Daniel.«

»Peters?«

»Die Bauern. Aus Drömeln. Du weißt schon, der, der vom Zug überrollt wurde.«

»Ach ja. Aber das war doch ein Unfall.«

»Ich weiß.«

»Der war doch zur falschen Zeit am falschen Ort.«

»Glaubst du, dass es ansteckend ist?«

»Ich glaube, dass wir noch eine zweite Meinung einholen sollten.«

Hard fuhr mit dem Wagen in die Kreisstadt und holte ihn ab. Trotz der Lage, das Geschäft lief schlecht, und Birgit war mit den Nerven am Ende, hatte er das Gefühl, alles wieder in den Griff zu kriegen. Daniel saß im Trainingsanzug auf der Bettkante, die prall gefüllte Sporttasche schon in der Hand, und als Hard sie ihm abnehmen wollte, stand er auf und wankte zur Tür. Hard packte ihn gerade noch rechtzeitig, bevor er wieder hinfiel. Einander haltend gingen sie den Gang entlang zum Ausgang hin.

»Wo ist Mama?«

»Zu Hause. Die ist völlig fertig. Die geht nicht mehr raus. Die belagern uns, Daniel.«

»Journalisten?«

Hard nickte. »Die sind die Pest.«

»Hier waren die auch schon. Haben sich als Patienten ausgegeben. Einer von denen war sogar bei mir auf'm Zimmer. Aber nicht lange. Die haben den sofort wieder rausgeschmissen.«

»Sind aber immer noch da.«

»Wo?«

»Vor der Tür.«

»Hinten auch?«

»Vorhin noch nicht.«

Doch als sie nach draußen kamen, stand schon ein Kamerateam vor seinem Auto, eine Frau – Mitte dreißig, dunkle lange Haare, tief ausgeschnittenes Kleid, unter normalen Umständen hätte Hard mit ihr geflirtet – hielt ihnen ein Mikrofon hin und fragte: »Wie geht's dir, Daniel? Was sagst du denn dazu, dass jetzt auch in anderen Orten Hakenkreuze aufgetaucht sind? Glaubst du, das entlastet dich? Glaubst du, das spricht dich frei?«

Hard schob sie beiseite, öffnete die Beifahrertür und ließ Daniel einsteigen. Kaum saß er selbst drin, verriegelte er per Knopfdruck alle Türen. Die Frau klopfte gegen die Scheibe, der Kameramann ging in die Hocke. Hard ließ den Motor an.

Auf der Bundesstraße, in Höhe der Mülldeponie, lagen noch immer Kadaver auf der Fahrbahn, platt und zerrissen, ausgetrocknete Stücke aus Haut und Knochen und Haaren. Und Hard musste an den Tag denken, als er Daniel mit dem Wagen zur Zeitung gebracht hatte, an den Regen und den Hasen, und fuhr über die toten Tiere hinweg wie über Laub im Herbst. Dann sagte er: »Gestern waren übrigens zwei Typen vom Jugendamt da, wollten sich davon überzeugen, dass du in geordneten Verhältnissen lebst.«

»Und?«

»Haben sich davon überzeugt.«

»Na dann ist ja gut.«

»Ja, es läuft super. Bis auf die Tatsache, dass sie uns angezeigt haben, dich wegen Sachbeschädigung und Vandalismus und mich wegen Verletzung der Erziehungspflicht.«

»Wer? Die vom Jugendamt?«

»Praktisch alle im Dorf.«

»Die spinnen doch.«

Hard zuckte mit den Schultern. »Onken meint, dass sie damit nicht durchkommen, die Beweise gegen dich reichen einfach nicht aus, aber ein Haufen Leute glaubt steif und fest, dich gesehen zu haben.«

»Während ich im Koma lag?«

»Ist mir auch schleierhaft, wie das gehen soll, im Bett liegen, völlig weggetreten und unter ständiger Beobachtung, und gleichzeitig durchs Dorf ziehen und die Häuser besprühen. Hab lange drüber nachgedacht, wie du das machst, unbemerkt zu verschwinden und wiederzukommen, bevor morgens im Krankenhaus der ganze Trubel losgeht. Entweder du hast einen Komplizen oder einen Doppelgänger.«

»Weder noch.«

»Oder du machst es doch selbst. Vielleicht gibst du anderen Jungs ja Befehle – allein durch die Kraft deiner Gedanken, Jungs, die dir zum Verwechseln ähnlich sind.«

»Ja klar.«

»Dann solltest du aber schleunigst damit aufhören.«

»Warum?«

»Macht dich kaputt. Dieser Anfall, das war doch ein Signal, ein Alarmsignal. Bei mir würden alle Glocken läuten bei so was. Dein Körper wehrt sich gegen deinen Verstand. Kommt oft vor in deinem Alter.«

»Was?«

»Dieses Phänomen.«

»Komisch, dass ich noch nie was davon gehört habe.«

»Ich schon. Ist medizinisch bewiesen.«

779

»Von wem hast du denn den Scheiß?«

»Von Ahlers.«

»Ich dachte, den kannst du nicht leiden?«

»Kann ich auch nicht. Hab's auch nicht direkt von ihm. Aber er hat recht: Wenn du so weitermachst, richtest du dich zugrunde, dich und die Familie mit. Deine Mutter hat seit Tagen nicht mehr geschlafen, seit du uns weggeschickt hast. Sie fragt sich, was sie falsch gemacht hat, und ich frag mich das auch, ich frag mich das schon lange. Hast du's nicht immer gut bei uns gehabt? Hast du nicht alle Freiheiten gehabt? Jeden Wunsch haben wir dir erfüllt. Erst dieses Geländerad, dann diesen Computer, den du unbedingt haben musstest, die besten Jeans, die teuersten Schuhe, immer nur vom Feinsten. Jeden Tag werde ich auf der Straße auf dich angesprochen, jeden Tag, ich kann praktisch nirgendwo mehr hingehen, ohne dass von dir die Rede ist, und jeden Tag nehme ich dich in Schutz. Mein Sohn? Was soll mit ihm los sein? Dem geht's gut. Dem fehlt nix. Und weißt du, was die dann zu mir sagen? Nix außer eine anständige Tracht Prügel.«

Daniel starrte in die Landschaft. Auf den Weiden zwischen den Wallhecken grasten Kühe, auf den Feldern blühte der Weizen, der Mais stand halbhoch. Eine gleichmäßige Landschaft, die an ihnen vorbeiwischte, grün und gelb und schwarz-weiß, darüber der Himmel, weiß und grau und blau. Dann bog Hard von der Bundesstraße ab, und sie passierten das Ortsschild von Jericho. An den Laternen hingen Plakate, von Wübbena, Schulz, Wiemers, Engberts und Rosing. *Immer eine klare Linie. Unbequem. Unabhängig. Überparteilich. Bodenständig. Kompetent. Bürgernah. Selbstbewusst. Einer für alle. Einer von hier. Einer von uns. Einer, der's kann. Taten statt Worte. Anpacken statt abwarten. Arbeit statt Armut. Für ein neues Deutschland.*

»Was ist denn hier los?«

»Wahlkampf.«

»Die sehen ja alle gleich aus.«

»Eigentlich«, sagte Hard, um seinen Gedankengang von vorhin zu Ende zu bringen, »ist der Mensch doch auch bloß ein Fernseher. Manchmal muss man kräftig draufhauen, damit's wieder funktioniert.«

»Hat bei mir wohl nicht geholfen.«

»Vielleicht hab ich die richtige Stelle noch nicht gefunden.«

»Den Hinterkopf kannst du ja schon mal ausschließen.«

»Du meinst, ich sollte es vorne noch mal versuchen?«

»Auf jeden Fall«, sagte Daniel, hielt ihm erst die linke Wange hin, »hier«, dann die rechte, »und hier auch. Und diesmal bitte etwas fester.«

»Ich denk drüber nach.«

»Aber nicht zu lange. Sonst kommt dir noch jemand zuvor.«

»Er vielleicht?« Hard zeigte aus dem Fenster.

»Vielleicht.«

»Er hätte immerhin einen guten Grund, mehr als einen.«

»Würd ich ihm zutrauen. Ihm oder Eisen.«

»Eisen?«

»Sein Sohn.«

Johann Rosing kam ihnen auf dem Bürgersteig entgegen, auf seinem Weg von Haus zu Haus, und Hard grüßte ihn, indem er die Finger vom Lenkrad abspreizte, indem er nickte und »Moin« sagte, obwohl Rosing ihn nicht hören konnte. »Er ist noch nicht bei uns gewesen, sonst war er schon fast überall, in Utstürven, Verlaten, Swaarmodig, Achterup, Uphangen, Drömeln und Drömelnermoor. Drei Paar Schuhe hat er schon durch. Dauert nicht mehr lang, dann kommt er auch zu uns.«

»Das wird bestimmt ein Fest.«

»Fragt sich nur, für wen. Mich hat er mit seiner Rede nicht überzeugt, und das wird er auch bei Tee und Kuchen nicht schaffen. Hab lange drüber nachgedacht, wen ich wählen soll.«

»Ich dachte, du bist für die FDP?«

»Bin ich ja auch, aber ich hab ernsthaft gezweifelt, an mir und meiner Entscheidung. Ich hab mich gefragt: Ist das richtig, an einer Sache ein Leben lang festzuhalten, wenn sich die Zeiten ändern? Muss man nicht auch mal was aufgeben, sich von Menschen und Meinungen verabschieden, wenn man von ihnen immer nur enttäuscht wird?«

»Und jetzt siehst du wieder klar?«

»Ja. Jetzt sage ich: Ja zu Wiemers. Und Ja zur FDP. Das ist meine Partei, und der bleibt man treu, so wie man seiner Konfession und seinem Beruf und seiner Familie treu bleibt.«

Am Montag ging Daniel wieder zur Schule. In Geschichte sprachen sie über den Nationalsozialismus, die Endlösung, aber viele kannten das Thema schon und zeigten, wie überflüssig sie es fanden, noch einmal darüber reden zu müssen. Der Lehrer, Herr Engberts, interpretierte mit ihnen einen Text, den die Klasse während Daniels Abwesenheit gelesen hatte, *Das Protokoll der Wannseekonferenz*. Bis auf Daniel und Simone starrten alle auf ihre Tische, schrieben, weit vorgebeugt, etwas, was nichts mit dem Unterricht zu tun hatte, in ihre Hefte oder zeichneten das Kreuz und den Stern ab, die in ihrem Geschichtsbuch abgebildet waren. Und als Herr Engberts von Jens wissen wollte, was die Formulierung »entsprechend behandeln« bedeuten könnte, ahnte Daniel, dass sie sich, was immer Jens auch sagte, im Kreis drehen würden.

»Alles Mögliche.«

»Was denn zum Beispiel?«

Und weil Jens mit den Schultern zuckte, sagte Herr Engberts: »Paul, was meinst du denn dazu?«

»Das kommt ganz auf den Kontext an.«

»Auf welchen Kontext denn?«

»In dem es gesagt wurde.«

»Und das ist in diesem Fall? – Ja«, er sah sich im Raum um, »noch mal jemand anderes.«

Simone meldete sich, dreimal schnippte sie mit den Fingern, bis Herr Engberts sie aufrief. »Entsprechend behandeln bedeutet töten.« Eine Stunde zuvor, in Deutsch, Literaturkritik I, Interpretation von Liedtexten, hatte sie darauf hingewiesen, dass sich der von Udo Jürgens gesungene Protestsong *Lieb Vaterland* nicht nur auf Deutschland beziehe, sondern vielleicht auch, vielleicht sogar ausschließlich auf Österreich, da Jürgens aus Klagenfurt stamme. Deshalb sagte Paul jetzt: »Entsprechend behandeln kann auch ausweisen, wegsperren, umerziehen bedeuten«, und fügte, um Simone und Herrn Engberts zu provozieren, hinzu, »wenn man von der Judenfrage in Deutschland spricht, muss man auch von der Negerfrage in Amerika sprechen.« Simone bekam rote Flecken im Gesicht und nannte ihn einen Relativisten. Jens und Paul warfen von hinten über die anderen hinweg mit Papierbällen nach ihr. Herr Engberts bat um Ruhe.

Volker fragte flüsternd: »Sag mal, wie spät ist das eigentlich? Ich hab Lungenschmacht.«

Daniel schaute auf seine Digitaluhr. »Viertel vor neun.«

Diesmal stöhnte Volker aber nicht auf, er seufzte nur, als habe er eingesehen, dass die Zeit immer gegen ihn sei, und verstaute die eben hervorgeholte Zigarettenschachtel wieder in seiner Jackentasche. Er nahm sechs in Alufolie eingeschlagene und mit Leberwurst bestrichene Graubrothälften aus der Plastikbox und erklärte, dass er die Ration zum Schuljahresende hin erhöht habe, wegen seiner Prüfungsangst. »Hab mich entscheiden müssen. Entweder mehr Zigaretten oder mehr Leberwurstbrote. Nächtelang hab ich die Vor- und Nachteile gegeneinander abgewogen und mich dann für den Mittelweg entschieden: mehr Zigaretten *und* mehr Leberwurstbrote, aber beides in Maßen.«

Herr Engberts räusperte sich und sagte: »Volker, wir alle würden gerne erfahren, was du dazu zu sagen hast.«

»Wozu?«, fragte Volker mit vollem Mund.

»Zum Holocaust.«

Um nicht noch einmal mit vollem Mund antworten zu müssen, schüttelte er den Kopf.

»Und hör auf, im Unterricht zu essen, dafür sind die Pausen da.«

»Dafür«, Volker schluckte, »dafür sind die doch viel zu kurz.«

»Für dich vielleicht«, sagte Paul, aber außer Jens lachte keiner darüber.

»Und was ist mit dir?«, fragte Herr Engberts und wandte sich Daniel zu, »das ist doch dein Thema, da kennst du dich doch aus.«

Daniel wollte auch etwas sagen, er wusste genau, was er sagen wollte.

Aber dann sagte Herr Engberts: »Sonst hast du doch auch immer was dazu zu sagen gehabt.«

Es klang wie ein Vorwurf, als wollte er ihm etwas entlocken, was er später gegen ihn verwenden könnte, ein Bekenntnis, ein Geständnis. Also sagte er nichts, schaute nach draußen, auf die Tiefflieger, die durch die Wolken brachen und in Sekundenschnelle über die Schule hinwegschossen. Herr Engberts machte einen Eintrag ins Klassenbuch. Dann klingelte es, und während alle aufstanden und ihre Sachen packten und den Raum verließen, kam Herr Engberts zu ihm an den Tisch. »Hör mal, ich will nicht, dass du deswegen, wegen deiner Krankheit, das Jahr wiederholen musst. Du hast ja ein Attest. Es ist ja alles beglaubigt. Aber den Stoff musst du natürlich aufholen. Du kriegst hier keine Extrawurst.«

Daniel nickte zerstreut. Er schaute an Herrn Engberts vorbei aus dem Fenster auf den Hof, sah Volker, Paul und Jens und –

in einigem Abstand – Simone hinter der Turnhalle verschwinden.

»Bis zum Beginn der Prüfungen ist ja noch eine Woche Zeit.«

Als Daniel nach draußen ging, entschlossen, seinen Freunden zu folgen, kamen Herr Kamps und Herr Mengs, die Aufsichtslehrer, die Raucherjäger, von zwei Seiten auf ihn zu.

»Na«, sagte Herr Kamps, »wo willst du denn hin?«

»Zur Turnhalle.«

»Ihr habt doch jetzt gar kein Sport.«

Daniel überlegte, was er sagen sollte. Sie wussten, dass er keine Wahl hatte, entweder er schwieg oder er sprach, in beiden Fällen machte er sich schuldig. Also sagte er: »Na und?«

»Hast du Volker gesehen?«, fragte Herr Mengs.

»Der ist in die Cafeteria gegangen. Hatte Hunger.«

»Der hatte doch heute Morgen einen Haufen Leberwurstbrote dabei.«

»Hat ihm wohl nicht gereicht.«

Herr Mengs ging zur Cafeteria hin, und Herr Kamps folgte ihm, und bevor sie merkten, dass sie in die falsche Richtung geschickt worden waren, rannte Daniel auf die Turnhalle zu, um seine Mitschüler zu warnen.

Auf dem Nachhauseweg bot ihm Simone zum Dank ihre Hilfe an und reichte ihm eine Liste mit den wichtigsten Aufgaben der versäumten Stunden: Mathe, Umkehrung quadratischer Funktionen, Wurzelfunktionen. 5 a) Zeichne zunächst den Graphen der gegebenen Funktion $f = [x \rightarrow (x-1)^2 - 4; x \in \mathbb{R}]$. Schränke den Definitionsbereich dann geeignet ein, sodass die neue Funktion f_1 eine Umkehrfunktion $f_1{}^*$ besitzt. Bestimme Zuordnungsvorschrift und Definitionsbereich von $f_1{}^*$. b) Verfahre entsprechend für die restliche Funktion f_2. c) Kontrolliere dein Ergebnis durch Spiegelung des Graphen von f an der Hauptwinkelhalbierenden. d) Verfahre ebenso: (1) $[x \rightarrow 1/2 \, (x - 2)^2; x \in \mathbb{R}]$

(2) $[x \rightarrow -((x + 2)^2 - 4); x \in \mathrm{IR}]$. 6) Begründe: Wenn der Graph einer Funktion entweder nur steigt oder nur fällt, dann ist die Funktion umkehrbar. Physik, Optik, Die Ausbreitung des Lichts, 1. Zeige, dass die Gleichung A = B/G = b/g auch für Schattenbilder gilt, wenn man g und b jeweils von der Punktlichtlampe aus misst. 2. Eine Lichtquelle besitzt 3 cm Durchmesser. In einer Entfernung von 4 cm befindet sich ein Körper mit dem Durchmesser 2 cm. Konstruiere Kern- und Halbschatten des Körpers auf einem 6 cm von der Lichtquelle entfernten Schirm. Zeige, dass kein Kernschatten auftritt, wenn der Abstand des Schirms mehr als 12 cm beträgt. 3. Erkläre, warum eine Sonnenfinsternis nur in bestimmten Gegenden auf der Tagseite, eine Mondfinsternis dagegen an allen Orten auf der Nachtseite der Erde beobachtet werden kann. Biologie, Lebensraum Wald, Generationswechsel beim Frauenhaarmoos. Sobald von einer reifen Sporenkapsel das Deckelchen abgesprengt ist, wird das Peristom sichtbar, ein Kranz spitzer Zähnchen, die am Kapselrand sitzen und sich über die Öffnung neigen. Die Zähnchen bestehen aus dickwandigen Zellen; sie spreizen sich bei Trockenheit auseinander und nehmen bei Feuchtigkeit wieder ihre ursprüngliche Stellung ein. Untersuche das Peristom. Benutze dabei eine starke Lupe. Welche Bedeutung haben die Bewegungen der Peristomzähne? English, Unit 6, Exercise 5:

Here's a question for you to think about:

The more we learn, the more we know.
The more we know, the more we forget.
The more we forget, the less we know.
The less we know, the less we forget.
The less we forget, the more we know.
So why learn?

Zu Hause schlug er die Bücher, die Hefte auf. Die Frage *So why learn?* ließ ihn nicht mehr los, immer wieder blieb er an ihr hängen: Warum lernte er? Wozu? Für sich? Die Eltern? Das Leben? Er wusste es nicht. Er wollte die Frage beantworten, setzte an, brach ab, die Seiten flogen, halb beschrieben, durchs Zimmer. Über diese neuen Fragen kam er nicht hinaus. Er stand auf, lief hin und her, hin und her, minutenlang. Dann ging er zur Stereoanlage hinüber und legte eine Platte auf. Er drehte die Laustärke auf und schloss die Augen, er wollte nichts hören, nichts sehen, nur springen, gegen den Schrank, die Wand, irgendwas. Für einen Moment fühlte er sich wie in *Zeit des Erwachens*, und gleichzeitig spürte er, dass seine Zeit des Erwachens noch nicht gekommen war. Erschöpft legte er sich aufs Bett. Kaum lag er, meinte er nie wieder aufstehen zu können, er war wie fixiert. Simone wollte ihm helfen, ausgerechnet Simone, die ihn auf der Party in Hankens Scheune zurückgewiesen hatte, bei der immer alles glattging, die immer in allem die Beste war und genau wusste, wie man durchkam, ohne Schaden zu nehmen. Was konnte sie ihm schon geben, außer die richtigen Antworten, das, was von ihm erwartet wurde? Aber was war richtig? Und was falsch? Wer legte das fest? Wer prüfte das nach?

Die Mutter kam herein. »Was ist denn mit dir los? Hast du nicht gesagt, du musst lernen?«

»Ich ruh mich nur 'n bisschen aus.«

»Wie willst du dich denn bei dem Lärm ausruhen?« Sie schaltete die Stereoanlage aus und legte ihm eine Hand auf die Stirn. »Geht's dir nicht gut? Du siehst so blass aus.« Sie nahm ihre Hand weg.

»Sehe ich immer.«

»Hast du deine Tabletten auch genommen?« Sie nahm die Packung Tegretal vom Tisch und faltete die Beilage auseinander. »Nebenwirkungen: Doppeltsehen, Augenzittern, Kopfschmerzen, Gewichtsverlust, Teilnahmslosigkeit, Bewusstseinsstörungen, Koordinationsstörungen, Gedächtnisstörungen, Denkstörungen, Sprachstörungen, Durchfall, Verdauungsbeschwerden, Wahrnehmungsstörungen, Appetitlosigkeit, Müdigkeit, Blickstarre, Übelkeit, Erbrechen, Schüttelkrämpfe, Schwindel, Zittern, Abgeschlagenheit, zunehmende Erregbarkeit.« Sie schüttelte den Kopf. »Zunehmende Erregbarkeit – wie bescheuert ist das denn? Das macht doch keinen Sinn, was einnehmen, was genau das auslöst, was es verhindern soll.«

Kaum war er wieder allein, dachte er weiter über die Frage nach, warum er lernte, er schaute, die Hände vor dem Bauch gefaltet, nach oben, als hinge dort die Lösung, und sah sich selbst, gespiegelt im Dachflächenfenster. Er war kein Graph, keine Funktion, er stieg nicht nur, er fiel nicht nur, er war nicht umkehrbar, ein weißer Halbschatten auf der Nachtseite der Erde.

Dann untersuchte er sein Peristom.

»Heut Morgen hab ich Johann gesehn.«

»Johann?«

»Rosing. War bei Vehndels im Laden.«

»Wir haben ihn neulich auch gesehen. Kam uns in der Dorfstraße entgegen.«

»Bei Neemanns ist er auch schon gewesen. Marlies sagt, er schafft zehn bis fünfzehn Häuser pro Tag.«

»Dann hatte er im Hammrich, bei den Bauernhöfen, ja ganz schön zu laufen.«

»Da hat er den Wagen genommen.«

»Was du nicht alles weißt.«

»Interessiert mich eben.«

»Politik oder Johann Rosing?«

»Beides.«

»Ich dachte, er geht den ganzen Weg zu Fuß. Ich dachte, das ist so was wie 'ne Missionsreise. Seht her: Ich geißle mich für eure Sünden. Wählt mich, und euch gehört das Himmelreich.«

»Bei Neemanns hat er nur *eine* Tasse Tee getrunken und *ein* Stück Kuchen gegessen.«

»Und das macht er da – Tee trinken und Kuchen essen?«

»Nee, er hat ihnen sein Programm vorgestellt, ganz kurz nur, nach 'ner Viertelstunde ist er schon wieder weiter.«

»Da hab ich aber was ganz anderes gehört.«

»Was denn?«

»Eine Kundin hat mir erzählt, dass er den ganzen Nachmittag bei ihr war und den halben Frankfurter Kranz verdrückt hat.«

»Welche Kundin?«

»Eiske Ahlers.«

»Die lügt ja schon, wenn sie den Mund aufmacht. In Wirklichkeit kann's bei der doch keiner lange aushalten.«

»Woher willst du denn das wissen?«

»Weil ich schon mal da war.«

»Wann?«

»Vor ein paar Monaten hat sie uns doch eingeladen, Marlies, Sabine und mich. Das hab ich dir doch erzählt. Sie wollte uns mal kennenlernen – nach zwanzig Jahren.«

»Ach ja?«

»Findest du das nicht auch seltsam – eine Frau, die keine Freundinnen hat?«

»Auch nicht seltsamer als ein Mann, der keine Freunde hat.«

»Du meinst, so wie du?«

»Ich meine, ganz allgemein.«

»Ich wär fast versunken in diesen tiefen, schweren Sesseln. Der Tee war ganz bitter. Und ihre Schwarzwälder Kirschtorte, die war aus'm Katalog, die hatte sie von Bofrost.«

»Hat sie das gesagt?«

»Nee, das hab ich geschmeckt. Die hatten wir auch schon «

789

»Aber du hast doch auch 'nen Kuchen für ihn eingefroren.«

»Aber nur für den Notfall. Er kündigt sich ja vorher nicht an. Und außerdem hab ich den selbst gebacken.«

»Deshalb backst du neuerdings ständig Kuchen – für ihn.«

»Und für uns auch. Beschwerst du dich etwa? Kriegst du bei mir etwa nicht genug?«

»Doch, davon schon. Aber ich finde, es könnte auch mal was anderes sein als Johannisbeer-Flockentorte.«

»Ich will eben vorbereitet sein.«

»Aber warum ausgerechnet Johannisbeer-Flockentorte? Die hast du sonst nie gemacht.«

»Wegen des Namens.«

Die Zwillinge riefen: »Flockentorte, Flockentorte, Flockentorte«, klopften mit den Gabeln, mit den Fäusten auf den Tisch und weigerten sich, weiterhin Speckbohnen mit Birnen und Kartoffeln zu essen.

»Ihr esst das jetzt auf«, sagte Hard. »Flockentorte gibt's als Nachtisch.«

»Flockentorte, Flockentorte, Flockentorte.«

»Wenn ihr noch einmal Flockentorte sagt, geht ihr auf eure Zimmer. Dann könnt ihr den Nachmittag am See vergessen. Und das bei dem Wetter«, er sah nach draußen, auf den klaren, blauen Himmel.

»Flockentorte, Flockentorte, Flockentorte.«

»So, jetzt reicht's.« Hard knüllte seine Serviette zusammen und schlug mit der flachen Hand auf den Tisch, dass das Geschirr klirrte.

»Ach, lass man. Ich hab ja mehr als genug. Hauptsache, sie essen überhaupt was.«

»Sie sollen was Gesundes essen.«

»Meine Johannisbeer-Flockentorte ist gesund. Und für dich fällt sicher auch noch ein Stück dabei ab.« Birgit ging nach nebenan und holte die Tortenplatte. Sie schnitt den Kindern zwei Stücke ab und Hard und Daniel und sich selbst auch. Und als alle fertig waren, wollten sie noch eins und noch eins. »Eins muss aber übrig bleiben.«

»Ich will aber noch eins«, sagte Hard im gleichen, quengelnden Tonfall wie zuvor die Zwillinge, weil ihm plötzlich eingefallen war, wie er Rosings Besuch verkürzen konnte.

»Das ist für Johann.«

»Wer ist dir wichtiger?«, fragte Hard, jetzt wieder ganz ernst. »Er oder ich?«

»Du«, sagte sie, und Hard spießte es mit seiner Gabel auf und schob es sich zur Hälfte in den Mund.

»Jetzt weiß ich gar nicht, was ich ihm anbieten soll, wenn er heute kommt.«

»Den Eingefrorenen.«

»Das«, sie zeigte auf die Krümel, »war der Eingefrorene. Hab ich heut Morgen extra rausgenommen.«

Daniel, der die ganze Zeit über schweigend dagesessen hatte, den Kopf aufgestützt, den Ellbogen auf dem Tisch, sagte: »Dann mach doch altdeutschen Napfkuchen.«

»Das dauert doch viel zu lange. Da bin ich ja bis heut Nachmittag nur damit beschäftigt. Außerdem hab ich keine Mandeln mehr. Und ich muss noch Wäsche waschen und bügeln.«

Hard faltete seine Serviette zusammen und stand auf. »Na, dann fang am besten gleich damit an.«

Eine Stunde später stand Johann Rosing vor der Tür. Hard hatte sich, weil Samstag war, gar nicht erst hingelegt und gleich mit der Abrechnung begonnen, und Birgit war immer noch in der Küche zugange gewesen, als es klingelte. In Kittel und Schürze liefen sie, aus unterschiedlichen Räumen kommend, in den Flur, ins Treppenhaus.

Trotz der Hitze trug Rosing einen Anzug, eine Krawatte. Die Haare, dunkel und verklebt, hingen ihm ins Gesicht. Er umarmte Birgit und küsste sie auf die Wange, Hard gab er die Hand. »Alles neu macht der Junei: neue Schaufensterscheiben und eine neue Tür. Gute Wahl.« Er war heiser, bei jedem Wort drohte seine Stimme zu versagen.

»Ist ja auch von dir«, sagte Birgit und stieg, ihnen voran, die Treppe hinauf.

»Ich hab sie euch nur empfohlen.«

»Hauptsache, sie hält auch stärkeren Erschütterungen stand.« Hard reckte den Zeigefinger, flüsterte: »Er ist oben.«

»Und die Kleinen?«

»Beim See. Da können sie sich austoben.« Hard führte ihn ins Wohnzimmer, in die gute Stube, wo Birgit bereits damit beschäftigt war, den Tisch zu decken.

»Hat sich nichts verändert.« Rosing schritt einmal durch den Raum, den er vor Jahren noch selbst gemauert und verputzt hatte, strich über die Wände, die Fensterrahmen und blickte gedankenverloren, die Hände in den Hosentaschen, aus dem Panoramafenster auf die Terrakottaterrasse, den Bahnübergang, die alte Molkerei, den Hammrich.

»Ist ja auch deutsche Wertarbeit.« Hard trat von hinten auf ihn zu, und als sie dicht nebeneinanderstanden, nahm er einen ungewöhnlichen Geruch wahr. »Was ist das?«

»Schweiß.«

»Nee, das andere, das dahinter.«

»Du meinst, mein Parföng? Hab ich von dir.«

»Will ich hoffen.«

»Du kommst nicht drauf.«

»Wetten wohl?«

Birgit verdrehte die Augen und ging in die Küche.

»Wie viel?« Rosing streckte ihm die Hand hin.

Und Hard nahm sie. »Hundert. Tosca.«

»Davidoff. Bin ich eine Frau?«

»Wer weiß? Riecht mehr wie Tosca.« Hard wies ihm einen Platz am Kopfende des Tisches zu, er selbst setzte sich ihm gegenüber in den Fernsehsessel. »Könnte auch abgefärbt sein – von einer Frau.«

»Du musst es ja wissen.«

»Johann, was soll das? Das ist jetzt wie lange her? Vierzehn Jahre? Und das war ein Mal. Ich weiß, wir hatten nicht immer das beste Verhältnis, aber man darf auch nicht immer alles nachtragen, wir haben beide Fehler gemacht, und wir haben beide dafür bezahlt.«

»Das stimmt.«

»Darauf sollten wir anstoßen. Biggi«, er drehte sich zur Tür um, die Stimme erhoben, »haben wir noch Schnaps kalt?«

»Ich geh schon«, rief sie in gleicher Lautstärke, durch zwei Räume gefiltert, zurück.

Und während Birgit nach nebenan ging, um aus dem Gefrierschrank eine Flasche zu holen, positionierte Hard zwei Gläser auf dem Tisch. Birgit schenkte ihnen Schnaps ein, und die beiden Männer stießen auf ihre neue Freundschaft an.

Kaum hatten sie ihre Gläser abgesetzt, sagte Rosing: »Willst du nicht wieder bei uns mitsingen?«

»Um mir noch mehr Sprüche anzuhören?«

»Wer austeilt, muss auch einstecken können.«

Birgit, darum bemüht, die Stimmung nicht sofort wieder kippen zu lassen, legte Rosing eine Hand auf die Schulter. »Jetzt hab ich gar nichts für dich da.«

»Was hast du nicht für mich da?«

»Kuchen.«

»Um so besser. Ich bin mit Kuchen voll bis oben hin. Eine Tasse Tee geht aber bestimmt noch rein.«

»Mach ich dir«, sagte Birgit und verschwand in der Küche.

»Und was ist mit mir?«, rief Hard, aber Birgit hörte ihn schon nicht mehr. Und als Daniel hereinkam und sich, ohne Rosing die Hand zu geben, aufs Sofa setzte, sprang Hard auf und sagte: »Du«, und ging auf ihn los, aber Rosing hielt ihn zurück. »Lass man. Ich will keinen Streit.«

»Ich schon«, sagte Daniel.

»Du hältst mich wohl immer noch für einen Nazi.«

»Mehr denn je.«

»Vielleicht kann ich dich heute ja vom Gegenteil überzeugen.«

»Wenn Sie das Gegenteil von dem sagen, was Sie im Rathaussaal gesagt haben, dann schon.«

»Ich hab bloß mein Programm umrissen, ich wollte bloß deutlich machen, worum —«

»Bevor du mit deiner Rede anfängst, Johann«, unterbrach ihn Hard, »will ich gleich mal klarstellen, dass ich dich nicht wählen werde, egal was du sagst. Das hat nix mit deiner politischen Überzeugung zu tun oder mit dir selbst. Teilweise hast du ja an und für sich auch ganz vernünftige Ansichten. Und bei dem ein oder anderen Thema bin ich ganz auf deiner Linie, auch wenn ich, was den Einfluss des Staates auf die Wirtschaft angeht, überhaupt nicht deiner Meinung bin. Es ist nur so, ich hab immer schon FDP gewählt, mein Leben lang.«

»Ich weiß«, sagte Rosing. »Aber der Bürgermeister wird ja direkt gewählt. Ich muss die absolute Mehrheit haben, sonst kommt's zur Stichwahl. Sollte dein von uns allen geliebter und verehrter Richard Wiemers nicht unter den Auserwählten sein, machst du vielleicht zum zweiten Mal von deinem Recht zu wählen Gebrauch und entscheidest dich dann für mich.«

»Vielleicht. Vielleicht auch nicht.«

»Vielleicht ist's deine Stimme, auf die's ankommt.«

»Alles hat seinen Preis.«

»Niemand weiß das besser als du.«

»In der Tat.«

»Aber was mich wirklich wundert, ist, dass du immer noch zu einer Partei hältst, die dir seit Jahren das Wasser abgräbt. Der freie Markt macht uns kaputt. Und das nicht nur wirtschaftlich, auch kulturell. Guck dir doch bloß mal an, wie's bei der Molkerei aussieht«, er wies aus dem Fenster, »oder bei Vehndel.«

»Wieso Vehndel?«

»Die Heißmangel. Kaum steht was leer, schon kommen die Chaoten.« Rosing warf Daniel einen vielsagenden Blick zu.

»Oder die Konzerne«, sagte Hard, »was aufs Gleiche rauskommt.«

»Endlich verstehen wir uns. Ich will dich ja zu nichts verleiten, was du grundsätzlich ablehnst. Ich bin kein Zeuge Jehovas«, er holte ein Faltblatt heraus, »der mit dem *Wachtturm* in der Hand von Haus zu Haus zieht und die Leute bekehren will. Hier stehen bloß meine Ziele drin, das, woran ich gemessen werden will, wenn ich im Amt bin. Und vielleicht hast du bis zur Wahl ja mal Zeit, einen Blick reinzuwerfen.«

Rosing reichte Hard das Faltblatt, und Hard nahm es, obwohl auch Daniel seine Hand danach ausgestreckt hatte. »Das hättest du wohl gerne«, sagte Hard, »um zu sehen, ob du recht hast.«

»Womit?«, fragte Rosing.

»Daniel meint nämlich, dass du bei deiner Rede da was abgeschrieben hast.«

»Abgeschrieben? Woraus?«

»Aus *Mein Kampf*«, sagte Daniel.

»Das ist doch verboten.«

»Tja, zu dumm«, sagte Hard. »Wenn man bloß ein Exemplar hätte, um's beweisen zu können.«

»Und?«, fragte Rosing, immer noch an Daniel gewandt. »Hast du eins?«

Daniel blickte zu Hard hin. »Jetzt nicht mehr.«

»Seins ist bei der Polizei«, sagte Hard, lustlos das Faltblatt überfliegend, »wo's auch hingehört.«

»Dabei stellt sich natürlich die Frage, warum du überhaupt eins in deinem Zimmer hattest.«

Birgit kam mit einer Kanne herein, sie hatte sich umgezogen, ein geblümtes Kleid und rote Pumps, und selbst Parfüm aufgelegt, 4711.

»Du hast dich ja ganz schön rausgeputzt«, sagte Hard.

»Zur Feier des Tages.«

»Für mich ziehst du dich nie so an.«

»Du bist ja auch immer da.«

»Soll ich gehen?«, Hard erhob sich halb aus dem Sessel, ließ sich aber, als niemand auf das, was er gesagt hatte, einging, gleich wieder hineinfallen. »Ist es das? Willst du, dass ich verschwinde? Du musst bloß was sagen, schon bin ich weg.«

Birgit verdrehte die Augen und schenkte allen Tee ein. Der Kandis knisterte, die Sahne wölkte an der Oberfläche.

»Das sind aber große Kluntjes«, sagte Rosing. »Passen kaum in die Tasse.«

»Von Knipper.«

»Ach ja, da hast du ja mal gearbeitet.«

»Lange her«, sagte Hard.

»Vor deiner Zeit.«

»Ich frage mich, wie du das schaffst«, sagte Hard.

»Was?«

»Politik und Geschäft.«

»Ich hab mir Urlaub genommen.«

»Wir können keinen Urlaub nehmen, Johann. Das Geschäft nimmt ja auch keinen Urlaub.«

»Ich hab meinem Sohn die Leitung übertragen.«

»Eisen?«, fragte Daniel.

»Michael.«

Hard warf seinem Sohn einen strafenden Blick zu. Ihm die Drogerie Kuper zu übertragen, hatte er sich nie vorstellen können und jetzt, nach allem, was er angestellt hatte, erst recht nicht. Aber er musste zugeben, dass es ihn schmerzte, mit welcher Selbstverständlichkeit andere Unternehmer den Stab an ihre Sprösslinge weiterreichten. »Wie alt ist der jetzt?«

»Neunzehn, und damit voll geschäftsfähig.« Rosing räusperte sich. »Ich will ihn anlernen, schließlich soll er mal die Filiale in Jerichow übernehmen.«

»Du meinst, das andere, das im Osten?«

Rosing nickte. »Das W macht den Unterschied.«

»W wie witzig«, sagte Daniel, woraufhin Hard ihm wieder einen bösen Blick zuwarf.

»Nein«, sagte Rosing. »W wie Wiedervereinigung.«

»Als ob die beiden Dörfer je zusammengehört hätten.«

»Das nennt man PR. Könntest du auch gebrauchen. Für dein Image. Das ist nämlich ganz schön ramponiert.« Er räusperte sich wieder. »Wir haben drüben nach 'nem Standort gesucht, Michael und ich. Sind da rumgefahren, Schwerin, Parchim, Wittenberge, Stendal, und mehr so aus Jux auch durch Jerichow durch, und da sagt er: Warum nicht hier? Wir hätten sowieso gekauft, da oder woanders. Und so schlecht ist das nicht. Berlin ist dicht bei, und die A2 ist auch nicht weit weg. Bald sind die Claims abgesteckt. Wer jetzt nicht expandiert, verliert.«

»Wer zu spät kommt, den bestraft das Leben.«

»Wer jetzt kein Haus hat, baut sich keines mehr – mein Motto.«

»Auch geklaut«, sagte Daniel.

»Ist das da nicht alles total runtergekommen?«, fragte Birgit. »Da war neulich doch was im Fernsehen drüber. Also nein, wie das da aussieht.«

Rosing nickte. »Desolater Zustand. Völlig marode.«

»Die haben da überall noch Kopfsteinpflaster. Und die Häuser.« Birgit schüttelte den Kopf.

»Wird Zeit, dass einer das da wieder aufbaut.«

»Einer wie du«, sagte Hard.

»Ich sag's ja, wir verstehen uns.« Rosing nahm einen Schluck Tee. »Es wird euch vielleicht überraschen, aber ich bin nicht hier, um übers Geschäft oder Politik zu reden.«

»Allerdings«, sagte Hard. »Ich dachte, deshalb machst du jetzt einen auf Prediger.«

Birgit fragte: »Worüber denn dann?«

»Über euren Sohn.« Rosing sah Daniel an, und Hard und Birgit folgten seinem Blick. »Ich mach mir nämlich bei kleinem große Sorgen.«

»Da bist du nicht allein«, sagte Hard.

»Das kann ich mir denken. Daniel hat viele Fehler gemacht, und dass er ganz Jericho gegen sich aufgebracht hat, ist vielleicht sein größter. Sein Verhalten wirkt sich doch bestimmt negativ auf den Umsatz aus.«

»Allerdings«, sagte Hard.

Rosing beugte sich vor und sagte, jetzt wieder an Daniel gewandt: »Denkst du denn nicht auch mal an deine Eltern? Die haben's doch schon schwer genug. Die müssen sich nicht nur gegen Konzerne behaupten, jetzt verlieren sie wegen dir auch noch ihre Stammkunden.«

Hard sah Rosing an und überlegte plötzlich wieder, ob es nicht doch besser war, ihn zu wählen anstatt Wiemers.

»Bald können sie den Laden dichtmachen. Und dann? Was ist dann? Wovon sollen sie dann leben? Und du? Was wird dann aus dir? Hast du darüber schon mal nachgedacht? Nur ein einzigstes Mal?«

»Einziges«, sagte Daniel.

»Was?«, fragte Hard, ließ das Faltblatt fallen und erhob sich wieder halb aus dem Sessel.

»Nix.«

Hard setzte sich wieder hin, hob das Faltblatt auf und wischte sich mit der Hand über die Stirn.

»Geht's dir nicht gut?«, fragte Birgit.

»Schon gut«, sagte Hard. »Alles in Ordnung. Ich hab manchmal bloß das Gefühl, als ob dein Sohn auf mir hockt und mir das Herz rausreißt, weil er gerade Appetit drauf hat.« Er fasste sich an die Brust, um ihr zu zeigen, welche Stelle er meinte.

»Das ist dein Sohn genauso wie meiner.«

»Da bin ich mir nicht mehr so sicher.«

»Was soll das denn heißen?«

»Als Mann«, sagte Hard und sah zu Rosing hinüber, als erhoffte er sich gerade von ihm Beistand in dieser Sache, »kann man sich nie sicher sein, von wem das Kind ist, das aus der Frau rauskommt.«

»Willst du damit sagen, ich hatte 'nen anderen?«, fragte Birgit, mit ferner, zittriger Stimme.

»Ich will gar nix sagen.«

»Warum sagst du's dann? Wir haben uns damals gegen den Kaiserschnitt entschieden, trotz der Komplikationen, und jetzt müssen wir eben auch beide zu ihm stehen.«

»Was für Komplikationen?«, fragte Daniel.

»Du lagst die ganze Zeit falsch rum«, sagte Birgit so knapp wie möglich, weil sie Rosing gegenüber nicht auch noch die Details erwähnen wollte.

»Du hast dich dagegen entschieden«, sagte Hard. »Letztlich war das ganz allein deine Entscheidung. Selbst Ahlers hat dir damals dazu geraten und ich auch, weil ich Angst hatte, dich bei der Geburt zu verlieren.«

»Es ist ja dann auch alles in Ordnung gewesen«, sagte Birgit, jetzt weinend, den Kopf gesenkt und sich nach einem Taschentuch umsehend. »Mit mir und mit ihm auch.«

»In Ordnung? Das«, er zeigte auf Daniel, »nennst du in Ordnung? Die haben ihm doch erst die Tränendrüsen durchstechen müssen. Das ist doch nicht normal, ein Kind, das nie schreit und heult und einen stattdessen immer bloß mit so großen Augen anstarrt.« Mit zwei Fingern schob er seine Lider nach oben.

»Ich spreche hier ja nicht für mich«, sagte Rosing. »Diese Sache ist ja eigentlich nicht mein Thema. Aber sie ist im Wahlkampf zwangsweise zu meinem Thema geworden. Und derjenige, der mir das aufgezwungen hat, bist du. Das mit den Schmierereien muss ein Ende haben. Du musst endlich verraten, wie du das gemacht hast, mit welchem Zeug. Das geht bei kleinem an die Substanz.«

»Allerdings«, sagte Hard und fügte, da er es selbst satt hatte, immer nur »allerdings« zu sagen und Rosing in allem und jedem zu bestätigen, hinzu: »Du siehst ja, Birgit und ich können nicht mehr. Wir sind fertig mit den Nerven.«

»Ich meine die Bausubstanz«, sagte Rosing. »Von den ganzen Reinigungsmitteln lösen sich nämlich die Häuser auf.«

13

Nach ein paar Tagen war es fast wie früher. Die Zeichen waren zwar immer noch da, aber nachts ließen sie jetzt die Straßenlaternen und Gartenlampen an, das Glimmen war kaum noch zu sehen. Viele Jerichoer hatten vor ihren Häusern Efeu oder Wein gepflanzt und Blenden oder Reklametafeln angebracht. Und Rosing hatte neue Wände hochgezogen und alte neu verputzt. Die Reporter, die Kamerateams warteten nicht mehr vor der Drogerie, begleiteten Daniel nicht mehr zur Schule, waren weitergezogen zum nächsten Schauplatz. Vereinzelt marschierten noch Demonstranten durchs Dorf und ein paar Neonazis, aber seit sie nicht mehr gefilmt wurden, seit sie nur noch sich selbst filmten, trugen sie keine Fackeln mehr vor sich her. Die Eigentümer standen nicht mehr vor ihren Grundstücken, die Schützen, die Jäger nicht mehr mit geladenen Waffen an den Kreuzungen, in den Auffahrten. Nur die Polizei war noch da, vor der Bank, dem Rathaus, der Drogerie, zur Sicherheit – falls doch noch etwas passierte.

Daniel fuhr auf seinem Rennrad durch die Straßen wie durch einen Tunnel. Rechts und links war es dunkel, nur vorn und hinten nicht, aber egal wie stark er in die Pedale trat oder welche Richtung er einschlug, er fand nicht hinaus. An den Wänden blitzten Dias auf, tausend Dias in prächtigen Farben, wohin er auch sah, das gleiche Bild: Das Unkraut ist gejätet, die Rasenflächen sind gemäht, in den Vorgärten blühen die Blumen, die Autos glänzen im Sonnenlicht. Morgens stehen sie auf und arbeiten – wenn sie Arbeit haben –, und abends sitzen sie vor dem Fernseher, eingelullt von Serien, Talk- und Quiz-Shows, den Nachrichten aus aller Welt. Am Samstag machen sie sauber oder fahren in die Kreisstadt und laufen die Fußgängerzone rauf und runter, lassen sich das Teuerste und Billigste zeigen, kleiden sich neu ein, bis sie müde und glücklich genug sind, um in ihre Einfamilienhäuser oder Reihenhaushälften zurückkehren zu können. Am Sonntag gehen sie in die Kirche oder ins Kino und schauen sich mit ihren Kindern einen Film an, oder sie machen einen Ausflug ans Meer, in irgendein Restaurant mit Seeblick, vielleicht fahren sie auch in den Hansa- oder Heide-Park oder wandern durchs Moor, durch den Wald. Die einen haben Geburtstag, die anderen heiraten oder bekommen Kinder, irgendein Anlass zum Feiern ist immer. Scheint die Sonne, kann man grillen, wenn nicht, gibt's Fußball oder Tennis oder die Bar im Strandhotel, die Disko, das Ufo im Industriegebiet. Männer gehen auf Jagd oder sitzen nachts am Kolk, an einer der Ausschachtungen, die Rute in der einen, das Bier, die Zigarette in der anderen Hand, und warten darauf, dass einer anbeißt. Frauen nehmen VHS-Kurse in Seidenmalerei, Ikebana oder Nähen für Anfängerinnen und Wiedereinsteigerinnen. Kinder lernen Schwimmen, Tennis, Fußball, Handball, Volleyball, Schach, Reiten, Gitarre, Akkordeon oder Flöte, und wenn sie älter sind, singen sie im Schulchor, treten der Freiwilligen Feuerwehr bei oder den Pfadfindern. Einmal im Jahr fliegen alle in den Süden oder Osten oder Westen, in ein fremdes Land, dem man die Armut vom Hotel aus nicht sofort anmerkt, auf eine Insel oder Halbinsel, mit oder ohne Palmen, das ist nicht so wichtig, wichtig ist, woanders zu sein, den Alltag hinter sich zu lassen, wenigstens für ein paar Tage, bevor es weitergeht, mit dem, was sie ihr Leben nennen. Irgendwann werden sie pensioniert oder entlassen, weil sie zu alt sind und man sie nicht mehr braucht, oder sie hören einfach auf, weil sie selbst genug haben, sie machen's noch ein paar Jahre, schleppen sich so hin, unterstützen die Kinder, die Enkelkinder, dann bekommen sie Krebs, Parkinson, Alzheimer oder, wenn sie Glück haben, einen Infarkt, einen Schlag, und fallen tot um. Daniel konnte mit niemandem darüber reden, niemand würde ihn verstehen, er verstand ja selbst nicht, woher das plötzlich kam, diese Angst, sich den Notwendigkeiten zu fügen, sich damit abzufinden, dass es so war wie es war. Aber wie war es denn? War es so? Oder anders? Wer konnte das sagen? Wer wusste das schon? Er wusste nur, dass sie ihn bei Superneemann nicht mehr bedienten, dass sie, wenn er für die Eltern Besorgungen machte und im Supermarkt an der Kasse stand, seine Waren vom Band nahmen wie etwas, das zurückgeht, weil er nicht genug Geld dabei hat, um alles bezahlen zu können, dass sie ihn nicht mehr grüßten und sich abwandten, wenn er ihnen entgegenkam, dass sie auflegten, wenn er den Hörer abnahm, dass die Tanten in Bad Vilbel der Mutter am Telefon rieten, ihn wegzugeben, in ein Internat, ein Heim, am besten im Ausland. Nur auf den Partys verzichteten sie jetzt auf den Eintritt. Die Tabletten, die er nehmen musste, um den Nervenzellen zu helfen, *ihr Membranpotenzial stabil zu halten*, wie der Arzt im Krankenhaus gesagt hatte, und die Joints, die er jetzt rauchte, ersetzten die Wirkung des Wodkas.

Einmal wachte er an einem Sonntagmorgen in seinem Bett auf, und alles lag auf dem Boden verstreut da, als wäre ein Puk durchs Zimmer gewirbelt. Jemand hatte die Schallplatten aus dem Regal gerissen und zerbrochen, die Bücher im Raum verteilt, die Kommode mit der Stereoanlage, den Schreibtisch leergefegt. Daniel stand auf und zog sich an. Er sah nach, ob etwas fehlte, aber alle Wertgegenstände, die er besaß, lagen vor ihm ausgebreitet. Manches, wie die Schreibmaschine und der Radiowecker, war ganz geblieben, aber das meiste war in alle Einzelteile zerlegt. Die Poster hingen in Fetzen von den Wänden. Den Büchern fehlten die Umschläge, den Platten die Hüllen. Das, was von der Bibel noch übrig war, unzählige Papierschnipsel, schwarz-weißes Konfetti, lag über allem verstreut wie Schnee. Aus den Buchstaben und Ziffern ergaben sich neue Kombinationen, der Geist der Wahrheit, wenn der ganze Leib Auge wäre, Menschen, 19, 99, vier Reiter, Propheten, ein Tag der Wolken und des Nebels, Gestirn, Gott, Gog und Magog, 22, ich lebe, und ihr sollt auch leben, Städte sind zerstört, bekehre dich, Wahnsinn, Zeichendeuter, geh hin zur Ameise, du Fauler, sieh an ihr Tun und lerne, Siegel, Reich Gottes, 23, Bündnis, Urzeit, Weisheit, Lichter der Welt, daß sie umhergehen sollen wie die Blinden, Schild, verwandelt, 33, Rettung, Geist ausgießen, Blick, seid aber Täter des Worts, einen großen, weißen Thron, Ursprung, 26, das Meer gab die Toten heraus, Wörter und Zahlen, die in seinem Bewusstsein aufblitzten und wieder erloschen. Dann schloss er die Tür auf, ein Windzug fuhr durch den Raum, wie Schneeflocken tanzten die Schnipsel in der Luft, und er ging nach unten in die Küche und fragte die Eltern, die Geschwister, wer nachts in seinem Zimmer randaliert habe.

»Niemand«, sagte die Mutter.

»Du selbst«, der Vater.

Sie folgten ihm nach oben, die Geschwister hinterher. Der Vater kam kaum die Treppe hoch. Er keuchte bei jedem Schritt.

»Mein Gott«, sagte die Mutter, als sie das Chaos sah. »Was ist denn hier passiert?« Die Geschwister drängten an ihr vorbei, aber sie hielt sie zurück. »Ihr bleibt hier. Das ist nichts für euch.« Dann begann sie die Scherben einzusammeln, die Bücher ins Regal zurückzustellen, die Kleider zusammenzulegen.

»Ich war das nicht«, sagte Daniel. »Jemand war in meinem Zimmer, während ich geschlafen hab.«

»Und wer soll das gewesen sein? Die Plutonier?« Sie lachte

kurz und schrill auf und schüttelte den Kopf, als könne sie es selbst nicht fassen, das gesagt zu haben.

»Sehr witzig.«

Die Mutter trat zu ihm hin, das Lächeln war aus ihrem Gesicht gewichen. »Du bist ja jetzt noch völlig daneben.«

»Ein Bier, höchstens zwei.«

»Von Alkohol hab ich nichts gesagt.«

Die ganze Zeit über stand der Vater gegen die Wand gelehnt dabei. »Von innen abgeschlossen, sagst du. Sehr seltsam.« Nachdem er wieder zu Kräften gekommen war, strich er mit einer Hand übers Türschloss, den Türrahmen. »Sieht auch nicht danach aus, als ob hier jemand eingebrochen wäre. Vielleicht ist er durch die Wand. Oder er kam aus einer der Steckdosen.« Er beugte sich zu der Erstbesten hinab und steckte den Finger hinein. »Oder«, er erhob sich wieder, zuckte herum, als verfolge er eine Fliege, »er ist immer noch hier drin, und wir sehen ihn bloß nicht.«

»Ein Geist«, sagten die Geschwister wie aus einem Mund und rannten laut schreiend in den Flur hinein, auf ihre Zimmer zu.

»Hard, hör auf die Kinder zu erschrecken.«

»Wir sehen ihn nicht, weil er mitten unter uns ist.« Er sah Daniel an, und instinktiv wich Daniel zurück, fast wäre er über den Schreibtischstuhl gestolpert, der, die Rollen erhoben, hinter ihm lag. Aber der Vater beließ es bei einem Blick, breitete die Arme aus und sagte: »Jetzt siehst du, wohin das führt, was mit dir geschieht, in solchen Momenten.«

»In welchen Momenten?«

»Du vergisst dich, und dann kommt es heraus, dann zeigt es sich.«

»Was zeigt sich?«

»Dein wahres Ich.«

Die Sonne stand hoch am Himmel, und Hard lief, nur mit Hemd und Hose und Halbschuhen bekleidet, über die Bahngleise in den Hammrich hinein. Kühe grasten auf den Weiden, Schafe auf den Deichen. Vom See her schallte helles Kinderlachen zu ihm herüber. Er hoffte, so, durch einen langen, sonntäglichen Marsch, seine Sorgen zu vertreiben: dass Daniel sein Drogenproblem nicht in den Griff bekam, dass Theda Wiemers Birgit und ihn weiter bedrängte, dass die Kunden fortblieben und er den Wettgewinn durch Lauterns Meisterschaft niemals voll ausschöpfen könnte, jetzt, da alle, die bei ihm auf Bayern gesetzt hatten, nach Meinders Aufkündigung mit ihren Einsätzen ausgestiegen waren.

Unterwegs kamen ihm viele Fahrradfahrer und Spaziergänger entgegen, sodass er oft gezwungen war stehen zu bleiben. Einige, die ihren Hund dabeihatten, fragten ihn nach Futter und Flohhalsbändern, ob die mit Dimpylat schon eingetroffen seien, andere, wie er über die Bundesligaergebnisse denke, ob er am letzten Spieltag der Saison mit einem so hohen Sieg Kaiserslauterns über Köln gerechnet habe, aber die meisten wollten wissen, welche Maßnahmen er gegen seinen Sohn zu ergreifen gedenke oder ob er, was sie nicht glauben mochten, immer noch hinter ihm stehe.

Bald bog er in einen Seitenweg ein, er fürchtete, nicht genug Bewegung zu bekommen, wenn er auf der Hoogstraat blieb. Den Schweiß auf der Stirn, unter den Achseln, auf seinem Rücken schrieb er der Hitze zu, die sich zum ersten Mal in diesem Jahr aufs Land gelegt hatte. Die Kurzatmigkeit, den Druck auf der Brust führte er auf die Tatsache zurück, dass er wegen der Journalisten, der Touristen seit Wochen kaum noch aus dem Haus gegangen war, höchstens mit dem Wagen, um Besorgungen zu machen, die Zwillinge irgendwohin zu bringen oder Daniel im Krankenhaus zu besuchen.

Die Luft war voller Schmetterlinge und Fliegen und Vögel, Katzen saßen träge auf den mit weißer Plane und schwarzen Reifen bedeckten Silagebergen, und rund um ihn herum waren Löwenzahne und Ringelblumen in die Höhe geschossen. Im Wallschloot schwammen Papierschiffchen, stauten sich am Wehr. Je länger er lief, desto lichter wurden seine Gedanken. Schlimmer als jetzt, meinte er, könne es nicht mehr kommen. Daniel machte eine schwere Zeit durch, wie alle Jungen in seinem Alter, und eines Tages, davon war er überzeugt, werde er über das, was er getan hatte, lachen können, so wie er selbst manchmal über seine eigene Jugend lachte, über die Schulstreiche, die Wettrennen, die Schüchternheit, auf Mädchen zuzugehen und sie anzusprechen und zum Tanz aufzufordern. All das hatte er überwunden, und Daniel würde seinen Zorn auch überwinden und eine andere Aufgabe finden, als schreibend das Geheimnis des Lebens zu lüften. Er würde sich verlieben und mit dem Trinken und Rauchen aufhören und einen Schulabschluss machen und einen Beruf ergreifen und eine Familie gründen. Und er, Hard, werde als gutes Beispiel vorangehen, allen Frauen, mit denen er nicht verheiratet war, entsagen, seine Schulden auf ehrliche Weise begleichen, Klaus und Günter verzeihen, wieder in den Männergesangsverein eintreten, weniger trinken und mehr Zeit mit den Kindern verbringen.

Manchmal sah er sich um, doch außer dem immer kleiner werdenden Schornstein der Molkerei war hinter den blühenden Wallhecken Jerichos nicht viel vom Dorf zu erkennen. Er ging bis zum Deich. Schafe hielten im Kauen inne, starrten ihn an und kauten weiter. Er stieg an einer Seite hoch und an der anderen wieder hinab, er watete mit erhobenen Händen durchs Schilf, kletterte auf die wackligen Steine einer Buhne, stand minutenlang an dem trübe und träge dahinfließenden Fluss und sah den Frachtschiffen nach, die stromabwärts trieben.

Dann machte er sich auf den Rückweg. Birgit hatte ihn ermahnt, rechtzeitig zum Mittagessen wieder zu Hause zu sein, zum Ende der Spargelsaison gebe es ein Festmahl – Maischollen mit Krabben und Salzkartoffeln und Spargel und Salat –, und er hatte ihr versprochen, auf die Zeit zu achten. Er stieg den Deich wieder hinauf und hinab und ging den Weg entlang, den er gekommen war. Nicht weit von ihm, auf dem eingleisigen Bahndamm, der nach Holland führte, fuhr ein Zug vorbei. Einige der Passagiere winkten ihm durch die offenen Fenster hindurch zu, mit Taschentüchern oder bloßen Händen, und er winkte zurück.

Wolken zogen über ihn hin, ihre Form alle paar Sekunden wandelnd. Eine Minute, eine Stunde blieb er stehen und sah einen Hund, einen Wal, einen Panzer, das Gesicht einer Frau, ihre Brüste, Bomben, die über der Erde schwebten. Wind frischte auf. Er hörte die Blätter in den Bäumen rauschen und die Halme auf den Feldern gegeneinanderschlagen. Er spürte ein Kitzeln auf dem Kopf wie von etwas, das ihm ins Haar geweht war und sich darin verfangen hatte, ein Zweig, ein Blatt, ein Tier, aber als er danach griff, konnte er nichts finden. Weiße Lichter tanzten vor ihm in der Luft, Glühwürmchen, mitten am Tag. Eine Wespe umschwirrte ihn, heftete sich an sein Hemd in Höhe des Herzens, er fühlte, wie die Vibrationen ihrer Flügel auf ihn übergingen und ihn sanft erschauern ließen.

Plötzlich war es still. Rücklings lag er im Gras zwischen Weg und Wallschloot. Er streckte die Arme, die Beine, wollte weitergehen, es war Zeit. Jeder Muskel strebte danach, jeder Gedanke, und er kam auch voran, mit großen Schritten, schwerer und langsamer als vorhin, aber doch schnell genug, um die kilometerweit entfernten Höfe, die vom Sommerdunst flirrende Hoogstraat bereits erreicht zu haben. Dann machte er die Augen auf und sah, dass er schlief.

Die Mutter stand über ihm am Bett, das Haar zerzaust, die Augen verheult. Immer wieder dämmerte Daniel weg, fiel in den Traum zurück, aus dem sie ihn gerissen hatte. Sie sagte etwas, »Steh auf« und »Hammrich« und »halbtot«. Die Worte ergaben keinen Sinn. Sie schüttelte ihn unentwegt. Es dauerte, bis er klar genug war, um aufstehen zu können. Er folgte ihr über den Gang, ging an den Zimmern der Zwillinge vorbei, die, noch in ihren Schlafanzügen, auf dem Fußboden hockten, umgeben von Puppen und Plastikfiguren, ganz in ihre Spiele versunken.

Unten lag der Vater im Doppelbett, das Gesicht schweißglänzend, das Hemd bis zum Bauchnabel aufgeknöpft. Doktor Ahlers hörte ihm die Brust, den Arm ab, pumpte eine Manschette auf, sah auf die Uhr. »Gut, gut. Du hättest eher zu mir kommen sollen, Hard. Jetzt kann ich nichts mehr für dich tun.« Er nahm das Stethoskop ab und packte das Messgerät in den Koffer. »Du musst ins Krankenhaus. Führt kein Weg dran vorbei.«

Die Mutter lief in den Flur zum Telefon, um einen Wagen zu rufen. »Was ist mit ihm?«, fragte sie, nachdem sie aufgelegt hatte.

»Herzinfarkt.«

»Kommt er durch?«

»Kann ich nicht sagen, Biggi. Das werden die nächsten Stunden zeigen.«

Während sie Doktor Ahlers zur Tür begleitete, ging Daniel ins Schlafzimmer zurück, der Vater winkte ihn heran und erzählte ihm mit schwacher Stimme, was geschehen war. Nach jedem Satz machte er eine Pause. Daniel reichte ihm ein Glas Wasser. Der Vater trank es in einem Zug leer.

»Ich bring Juli und Andi jetzt zu Marlies«, sagte die Mutter im Türrahmen stehend, »und du«, sie nickte Daniel zu, »ziehst dir was anderes an und wartest auf den Krankenwagen.«

»Ich kann doch auf sie aufpassen.« Nichts behagte ihm weniger, als ein Krankenhaus von innen zu sehen. »Wirklich, das macht mir nix aus.« Dafür nahm er sogar in Kauf, mit den Geschwistern allein zu sein.

»Ich will nicht, dass sie was davon mitkriegen.«

Als die Männer endlich kamen, nach Stunden, wie ihm schien, legten sie den Vater auf eine Trage, trugen ihn nach unten in den Krankenwagen, klappten die Türen hinter ihm zu. Mit Blaulicht fuhren sie in die Stadt.

Kurz darauf stand die Mutter hupend in der Einfahrt. Daniel rannte aus dem Haus, mit einem Knall fiel die neue Tür hinter ihm zu.

»Na, das hast du ja toll hingekriegt«, sagte sie, als er neben ihr saß.

»Was?«

»Das weißt du genau.« Dann legte sie den Rückwärtsgang ein, setzte zurück, ohne in den Rückspiegel zu schauen, schaltete in den ersten Gang, gab Gas, in den zweiten, den dritten, den vierten, den fünften, und so, viel zu schnell für Jericho, schossen sie die Dorfstraße entlang. Über ihnen hörten sie die Glocken läuten, die Straßen waren leer, nur einige Fußgänger, die zur Kirche, zum Gottesdienst pilgerten, kreuzten ihren Weg. Daniel erkannte Volker auf dem Bürgersteig, ein wandelnder Ballon, den massigen Körper in einen viel zu kleinen Anzug gezwängt. Zum Gruß hob Daniel die Hand, und Volker, mit den Armen rudernd, den Kopf weit vorgereckt, als müsste er seine eigene Last ziehen, grüßte zurück.

Auf der Bundesstraße überholte die Mutter einen Trecker mit Hundertzwanzig, in der Kreisstadt raste sie bei Gelb über eine Kreuzung, und in Höhe des Krankenhauses, einer Dreißiger-Zone voller Einbahnstraßen, missachtete sie konsequent alle Verkehrsschilder. Daniel hatte sie noch nie so fahren sehen, so rücksichtslos, so gegen jede Regel. Quietschend kamen sie auf einem Behindertenparkplatz direkt vor dem Eingang zum Stehen.

»Notfall«, war alles, was sie dazu sagte, als sie, ihm voran, auf die Notaufnahme zusteuerte. Am Empfang erkundigte sie sich nach dem Vater.

»Bernhard Kuper?«, sagte die Schwester.

»Gerade eingeliefert.«

»Diagnose?«

»Herzinfarkt.«

»Dann ist er auf der Intensivstation. Einfach hierdurch«, die Schwester wies auf eine Glastür am Ende des Ganges. »Warten Sie, ich führe Sie hin.«

»Landen denn nicht alle hier«, die Mutter sah sich im Raum um, »auf der Intensivstation?«

»Nee, die meisten landen nirgendwo«, die Schwester wies auf einige Patienten, die rechts und links von ihnen auf Bänken saßen, sich Kopf oder Bauch hielten und stöhnten und weinten und fluchten, »die schicken wir gleich wieder nach Haus.«

Daniel dachte, dass sie sofort zu ihm konnten, stattdessen saßen sie stundenlang in einem Aufenthaltsraum mit billigen Drucken und krakeligen Kinderzeichnungen an den Wänden. Das kalte Licht der Neonröhren spiegelte sich auf dem Linoleum. Daniel holte der Mutter einen Kaffee aus einem Automaten und sich selbst eine Cola. Ein Arzt kam und sagte: »Frau Kuper? Sie können jetzt rein.«

»Wie geht's ihm?«

»Nicht gut. Hat ihn ziemlich erwischt.«

»Ist er, ich meine, wird er sterben?«

»Werden wir alle. Früher oder später.«

»Und er?«

»Bin ich Gott?«

Das Zimmer, in das er sie führte, war abgedunkelt. Der Vater lag im Bett, auf der Brust klebten Elektroden, fünf links, eine rechts, aus dem Arm, der Nase kamen Schläuche, angeschlossen an blinkende und surrende Geräte. Der Vater sagte etwas zur Mutter. Von seinem Standpunkt aus, vom Vorraum neben der Tür, konnte Daniel nicht verstehen, was. Die Mutter wischte sich die Tränen aus den Augen, winkte ihn heran. Die Hand des Vaters lag auf dem Laken, die Finger bewegten sich kaum, es war mehr ein Zittern, trotzdem schaffte er es, nach Daniel zu greifen. Der Vater flüsterte: »Pass gut auf deine Geschwister auf. Und mach deiner Mutter keinen Kummer mehr, hörst du? Du bist jetzt der Mann im Haus.«

Die Tische waren auseinandergeschoben und im Raum verteilt. Daniel saß wieder neben Simone. Diesmal war die Klasse in zwei Gruppen geteilt, alle hatten unterschiedliche Aufgabenblätter bekommen, damit sie nicht voneinander abschreiben konnten, auf seinem stand oben ein *A*, auf ihrem ein *B*, seine Aufgaben, seine Ergebnisse stimmten nicht mit ihren überein. Daniel rechnete und schrieb, er hatte keine Ahnung, was. Immerzu musste er an den Vater denken. In dieser Woche gab es drei Tests, in der nächsten auch, in der übernächsten auch, Geschichte, Musik, Deutsch, Physik, Sozialkunde, Englisch, Religion, Chemie, Mathe. Was haben die Reichsparteitage mit Beethovens neun Sinfonien zu tun? Was Karl Kraus' *Nächtliche Stunde* mit dem radioaktiven Zerfall? Die soziale Marktwirtschaft mit der Bevölkerungsentwicklung in Afrika? Das Past participle mit den Antithesen der Bergpredigt? Säuren und Basen mit der Normalparabel? Beim Lernen hatte er versucht, einen Zusammenhang zu erkennen; er hatte gedacht, es müsse ein System geben, ein Ziel, auf das alles hinauslief, wie bei zwei Geraden, die sich im Unendlichen schneiden, nur dass es hier Dutzende, Hunderte Geraden waren, die von ihm fortstrebten, ins Dunkle, ins Universum hinein, Dutzende, Hunderte Wege und Möglichkeiten, denen er folgen musste, immer weiter, bis sie sich berührten und durch die

Kraft dieser Berührung entzündeten und explodierten und in seinem Kopf eine Energie freisetzten, die gewaltiger war als tausend Atombomben.

Alle paar Minuten schaute er auf die Uhr, er kam nicht weiter. Simone legte den Stift beiseite, rieb sich die Augen, gab aber nicht ab. Stattdessen nahm sie einen neuen Zettel und fing wieder von vorn an. Als sie ihre Sachen packte, alles bis auf den Zettel vom Tisch räumte und nach vorn ging, wollte er erst aufspringen, ihr sagen, dass sie etwas vergessen habe, aber er blieb sitzen, sagte nichts, bestand die Prüfungen.

Er wusste nicht, was das sollte, was sie von ihm wollte, woher das plötzlich kam, dieses Interesse. Weil er sie neulich auf dem Schulhof nicht an die Aufsichtslehrer verraten hatte? Immer wieder dachte er darüber nach, ohne zu einem Ergebnis zu kommen. Er traute sich aber auch nicht, sie zu fragen, nahm es hin wie ein Geschenk. Er sagte sich, sie will nicht, dass ich sitzen bleibe oder die Schule wechsele, um nicht sitzen zu bleiben, dass ich gerade jetzt, wo mein Vater im Krankenhaus liegt, vollends abrutsche. Sie will, dass ich bleibe, warum auch immer.

Den Vater besuchten sie jeden Tag. Die Geschwister durften nicht mit. Daniel stand am Bett wie an einem Sarg. Manchmal war ihm, als wäre der Vater schon tot. Daniel wollte etwas sagen, er sagte auch etwas, fing an, von der Schule zu erzählen, dass er durchkomme und versetzt werde, brach aber gleich wieder ab, weil der Vater nicht reagierte, einfach nur dalag, das Gesicht bleich und eingefallen, der Körper schlaff, nicht einmal die Decke hob sich beim Atmen. Der Oberarzt bat sie in sein Büro, zeigte ihnen Aufnahmen des Herzens, weiße Linien und weiße Schatten, und erklärte ihnen, was geschehen sei. »Ihr Mann hatte einen Hinterwandinfarkt.«

»Und was heißt das jetzt?«

»Das Herz wird von seinen eigenen Gefäßen versorgt. Es gibt zwei Hauptgefäße, hier und hier. Die Hinterwand wird von der *arteria coronaria dextra* und vom *ramus interventicularis posterior* versorgt. Diese kann man theoretisch auch beim Hinterwandinfarkt stenten. Bei der Koronarangiographie haben wir aber festgestellt, dass das betroffene Gefäß zu starr ist und sich nicht aufweiten lässt. Einen Bypass zu legen, ist im Moment zu riskant, sein Zustand ist immer noch kritisch. Deshalb müssen wir das konservativ behandeln. Und das bedeutet: Es kann Wochen dauern, Monate, bis er wiederhergestellt ist. Was er jetzt braucht, ist absolute Ruhe.« Auf der Rückfahrt sprachen sie kein Wort. Erst als sie mit laufendem Motor in der Garage standen, sagte die Mutter, dass er den Vater auf dem Gewissen habe.

»Scheiße, das mit deinem Alten«, sagte Paul, an die Mauer der Turnhalle gelehnt, in Sichtweite der Aufsichtslehrer.

»Ja«, sagte Jens und fuhr sich mit der Zunge über die Zähne. »Hast ihm ja auch ganz schön zugesetzt.«

Sie führten einen Dialog, bei dem Daniel und Volker für sie nicht mehr waren als ein Publikum. Dass sie sich überhaupt mit ihnen abgaben, war allein dem Umstand zu verdanken, dass sie in dieselbe Klasse gingen und dass sie, sobald die Zehntklässler verschwunden waren, alte Verbündete brauchten, um ihre neue Macht zu behaupten.

»Ich versteh das nicht. Da wollen immer alle ins Fernsehen, machen sich zum Affen, um da reinzukommen, und kaum sind sie drin, kippen die Leute davor um, die einen vor Begeisterung, die anderen, na ja, weil's schlechte Nachrichten gibt.«

»Der Schock ist einfach zu groß.«

»Welcher Schock?«

»Sich selbst zu sehen.«

»Scheint unserem Freund hier nichts auszumachen.« Er klopfte Daniel auf die Schulter. »Im Gegenteil, sieh ihn dir an: Er blüht sogar richtig auf bei der ganzen Aufmerksamkeit.«

»Seid ihr endlich fertig?«

Jens sagte: »Oho, er kann sprechen.«

Paul legte den Arm um Daniel, so weit, dass er ihn, wenn er wollte, mühelos in den Schwitzkasten nehmen konnte. »Die aus der Zehnten machen ein Fest.«

»Die Abschlussfeier.«

»Du weißt also Bescheid.«

»Weiß doch jeder.«

»Was du aber nicht weißt, ist, dass die von Schulz den Schlüssel haben.«

»Welchen Schlüssel?«

»Für unsere schöne Schule hier.« Er streckte den anderen Arm aus und ließ die Hand über die beiden zweigeschossigen Blockbauten schweifen. »Am Abend davor dürfen die rein, Zugang zum Foyer, zur Aula, zu allen Gängen. Freier Eintritt die ganze Nacht über.«

»Und wir haben ihnen unsere Hilfe angeboten«, sagte Jens. »Damit sie alles vorbereiten können.«

»Was vorbereiten?«

»Der kapiert aber auch gar nichts«, sagte Jens zu Paul.

»Zu jung, um zu verstehen. Lass es mich so formulieren: Das ist die Gelegenheit, um's den Ökos mal so richtig zu zeigen, um ihrem Scheißverständnis und Weltverbesserungswahn mal was Anständiges entgegenzusetzen.«

»Was denn?«, fragte Daniel, die Stimme kratzig vor Anspannung.

Paul lockerte seinen Griff etwas und sagte: »Du bist ja regelmäßiger und gern gesehener Gast auf unseren Partys. Wir haben viel Spaß zusammen. Aber so eine Party macht auch viel Arbeit. Das kann man sich als Außenstehender oft gar nicht vorstellen.

Getränke organisieren, was zu Rauchen besorgen, Musik aus-
wählen, Mädels klarmachen.«

»Da habt ihr bestimmt viel zu tun.«

»Na logen«, sagte Jens. »Und der ganze Dreck hinterher.«

»Nicht zu vergessen. Fällt viel Müll an bei so was. Jeder Spaß
hat seinen Preis. Und dass du Spaß hattest, war ja nicht zu übersehen. Du hast viel getrunken, manchmal vielleicht ein bisschen
zu viel auf einmal und vor allem zu viel durcheinander. Du hast
geraucht, den besten Stoff, den's zurzeit auf dem Markt gibt. Du
hast getanzt und gelacht und geweint, sah jedenfalls so aus, vielleicht war's auch nur Rotz. Du hast Mädels am Start gehabt,
nicht immer erfolgreich – aber wer außer mir kann schon behaupten, darin immer erfolgreich zu sein? Du hast eine Menge
erlebt, Daniel Kuper, Dinge, die andre niemals erleben werden,
in hundert Jahren nicht. Du hast den Himmel gesehen. Und jetzt,
finden wir, ist es an der Zeit, dass du dafür bezahlst.«

»Du meinst, ich soll richtigen Eintritt zahlen? Geld?«

»Nein, Mann, ich meine, du bist uns was schuldig, was mit
Geld nicht wieder aufzuwiegen ist: dabei zu sein. Volker hat das
gleich gecheckt, dass man dafür was leisten muss, und uns seine
Seele verkauft. Und jetzt wollen wir deine. Und deshalb haben
Jens und ich beschlossen, dich mitzunehmen.«

»Wohin?«

»Zur Abschlussfeier. Wir wollen dich an den Vorbereitungen
teilhaben lassen.«

»Welche Ehre.«

Paul klemmte Daniels Kopf ein, bis der mit den Armen ruderte. Lass mich los du Penner wenn ich hier rauskomm dann mach
ich dich fertig dann schlag ich dich zu Brei dann wollen wir doch
mal sehen wer hier der große Macker ist aber jetzt nicht mehr
nur theoretisch nicht mehr nur du glaubst du könntest alles mit
mir machen du glaubst ich wehr mich nicht ich trau mich nicht

Daniel das Weichei der Schwächling der Klappspaten der lass mich los du dumme Sau ich krieg keine Luft mehr mit ner Zange spreiz ich dir die Wangen und zieh dir die Zunge raus ich verseng dir deine Scheißklamotten und deine Scheißhaare ich steck dir Stecknadeln in jede Pore deines Körpers mit glühenden Eisen stanz ich dir fick dich fick dich fick dich in die Haut bis kein Platz mehr da ist um fick dich in dich reinzustanzen du Wichser ich übergieß dich mit Benzin und wenn du. Dann ließ Paul ihn los. »Du musst dich langsam mal entscheiden, Kuper, auf welcher Seite du eigentlich stehst. Entweder du bist dabei, bei uns, und dann musst du das auch zeigen, nach außen hin, und dafür einstehen, wenn was schiefläuft. Oder du bist raus. So einfach ist das.«

Immer wieder driftete Hard weg, das Liegen machte ihn schläfriger als alle Medikamente. Ärzte kamen, begutachteten seine Werte, sprachen mit anderen Ärzten über seinen Zustand und gingen wieder, ohne mit ihm geredet zu haben. Er wusste nicht, ob ihn niemand besuchte, weil Birgit das nicht wollte, damit er sich nicht aufregte, oder ob alle Angst hatten, ihn so zu sehen, so schwach. Aber es war ihm auch ganz recht, allein zu sein und mehr Zeit für die Schwestern zu haben.

Als es ihm besser ging, wurde er auf die Kardiologie verlegt, in ein Zweibettzimmer. Der Mann, der dort bereits lag, – poröse Haut, gelbe Fingernägel, schütteres Haar und zehn Jahre älter als er – war keine Konkurrenz. Trotzdem ärgerte er sich darüber, von jetzt an alle Aufmerksamkeit teilen zu müssen. Birgit kam abends nach Geschäftsschluss vorbei, legte ihm frische Wäsche in den Schrank, füllte das Glas auf dem Beistelltisch mit Mineralwasser auf und saß einen Moment auf der Bettkante, bevor sie einen Grund fand, wieder aufzustehen: Die Blumen waren verwelkt, die Fenster zu weit offen, die Rollläden zu weit oben.

»Biggi, jetzt setz dich doch mal, du machst mich ganz nervös.«

Sie setzte sich aber nicht, sondern lehnte, die Hände auf dem Rücken ineinandergelegt, neben ihm an der Wand.

»Kommst du klar?«

»Womit?«

»Dem Geschäft.«

»Bis auf die Bücher hab ich alles im Griff. Und das hat Zeit, bis du wieder da bist.«

»Dauert nicht mehr lang, dann übernimmst du den Laden.«

»Das könnte dir so passen. Ich schufte, und du genießt deinen Lebensabend.«

»So ist es doch jetzt schon.«

»Ach, Hard«, sie trat zu ihm hin, strich ihm ein Haar aus der Stirn, »du bist Mitte vierzig, du wirst dich langweilen, wenn du jetzt schon aufhörst.«

»Nein. Ich werd's genießen.«

»Mit wem?«

»Mit dir«, er zog sie zu sich hin, und als er merkte, dass es ihr unangenehm war, in Gegenwart eines Fremden geküsst zu werden, ließ er sie wieder los. »Können Sie mal kurz rausgehen«, sagte er zu dem Mann neben ihm, »ich hab mit meiner Frau was zu besprechen, was Persönliches.«

»Sehr witzig.« Raucherstimme. Raucherhusten.

»Er schnarcht.«

»Er auch.«

Als der andere wieder auf den Bildschirm über ihm starrte, erklärte Hard: »Wird morgen operiert. Kriegt'n Bypass.«

»Warum du eigentlich nicht?«

»Zu komplex.«

»Was?«

Hard schlug sich mit der rechten Faust gegen die Brust. »Mein Herz.«

Manchmal brachte sie nun die Zwillinge mit, manchmal nicht. Daniel war drei- oder viermal bei ihm gewesen, hatte auf dem Stuhl neben dem Bett gesessen und nur einsilbig auf seine Fragen geantwortet, weil Birgit beiden eingeschärft hatte, sich auf keinen Fall gegenseitig zu provozieren. »Wie geht's?«

»Gut.«

»Wie läuft's in der Schule?«

»Gut.«

»Und im Dorf?«

»Gut.«

Dann hatte Hard entschieden, dass er noch nicht stark genug war, sich diese Lügen weiterhin anzuhören, und Daniel gebeten, zu Hause zu bleiben, bis er sich vollständig erholt habe. Der Oberarzt machte ihm zwar Hoffnung, bald entlassen zu werden, empfahl ihm aber, nicht sofort wieder ins Geschäft einzusteigen, sondern in Kur zu gehen. »Möglichst lange. Zwei Monate mindestens.« Und zu seinem eigenen Erstaunen willigte Hard ein. Die Aussicht, endlich mal aus Jericho herauszukommen, löste in ihm einen solchen Euphorieschub aus, dass seine Werte für einen Tag durcheinandergerieten. Er konnte sich nicht erinnern, wann er das letzte Mal Urlaub gemacht hatte, noch dazu allein. Und die Vorstellung, welche Möglichkeiten ihm diese Freiheit bot, nach Jahren des Familienlebens, ließ ihn fiebern.

Nach zwei Wochen war er so weit wiederhergestellt, dass er meinte, jede neue Nachricht, die Birgit ihm überbrachte, überleben zu können. Doch als sie geballt auf ihn niedergingen, war ihm, als träfe ihn der Schlag.

»Rat mal, wer heut im Laden war?«

»Theda Wiemers.«

»Fast – Richard.«

»Was wollte der denn? Werbung machen?«

»Das hat er bei dir doch gar nicht nötig. Er hat Parfüm gekauft. Obsession.«

»Für Theda?«

»Nee.« Birgit zog die Augenbrauen hoch. »Für seine Freundin.«

»Das hat er dir erzählt?«

»Er nicht, aber Marlies. Und die hat es von Klaus.«

»Damit ist die Wahl für ihn dann wohl gelaufen.«

»Sieht so aus.«

»Und wer ist es? Ich meine, wer ist seine Freundin?«

»Eiske Ahlers. Offenbar ging das schon länger mit den beiden.«

»Kann ich mir nicht vorstellen.«

»Ich schon. Ich hab dir doch gesagt, die hat nur Augen für Männer. Und so oft, wie die unterwegs ist. Ihr eigener Mann hat sie ja kaum noch zu sehen gekriegt. Der hat sich gelangweilt.«

»Woher willst du denn das wissen?«

Sie errötete, wandte den Blick ab. »Hab ich gehört.«

»Und was hast du noch alles gehört?«

»Marie Meinders ist schwanger. Ich hab mir ja schon so was gedacht, so gut wie die drauf ist in letzter Zeit, die kommt ja gar nicht mehr aus dem Grinsen raus. Und man sieht's auch schon ein bisschen. Und Hans, der ist sonntags jetzt wie ausgewechselt. Wohl aber auch, weil die endlich angefangen haben mit der neuen Leichenhalle. Das war ja auch kein Zustand.«

Hard fühlte sein Herz stolpern.

Für eine Sekunde meinte er, es sei stehen geblieben.

Dann setzte es wieder ein.

»Ach, und stell dir vor, die wissen jetzt auch, wer das Feuer gelegt hat.«

»Welches Feuer?«

»Na, das in Achterup und in der Heißmangel neben Vehndel.«

»Wer?«

»Hamann. Rhauderwiek war heute noch mal da, mit diesem Jungen, wie heißt der noch«, sie sah wieder zu ihm hin und schnippte mit den Fingern, »Tebbens. Die haben da 'ne ganze Menge Chemikalien bei ihm zu Haus gefunden.«

»Und deswegen sind die bei dir vorbeigekommen, um dir das zu sagen? Haben die nix Besseres zu tun?«

»Nee, die wollten dein Alibi noch mal überprüfen, weil Hamann meinte, du wärst das gewesen.«

»Was?«

»Das mit dem Feuer.«

»War ich aber nicht.«

»Hat Daniel auch gesagt.«

»Na dann ist ja gut.«

»Ja, vor allem, weil Sabine und Günter jetzt auch bald Geld sehen werden. Die hatten's ja schwer, einen Mieter zu finden, wo das alles so mall war mit den Scheiben und den Brandflecken.«

»Und jetzt sag bloß, da kommt Schlecker rein.«

»Nee, aber ein Wettbüro.«

»Von wem?«

»Wie, von wem?«

»Wer leitet das?«

»Ich glaub, Günter selbst. Ganz offiziell. Mit Konzession und allem.«

Hard fuhr im Bett hoch. »Der hat doch da überhaupt keine Ahnung von.«

»Reg dich nicht gleich wieder auf. Der Arzt hat gesagt, du musst Stress vermeiden.«

»Wie denn, wenn du mir solche Sachen erzählst. Günter Vehndel. Gütiger.«

»Er muss ja nicht selbst mitmachen.«

»Würd ich ihm auch nicht raten.«

»Nicht so wie du.«

Hard überging ihre Stichelei. »Und das alles ist heute passiert, an einem Tag?«

»Mehr oder weniger. Ich wollte warten, bis du wieder auf'm Damm bist.«

»Bin ich.«

»Das seh ich.«

»Ich krieg ja gar nix mehr mit hier. Außer das, was im Fernsehen läuft.«

»Da passiert ja genug.«

»Ja, aber nix, worauf ich Einfluss hab.«

»So soll es ja auch sein.«

»Vollkommen aus dem Verkehr gezogen.«

»Wär sonst dein Tod gewesen.«

»Und nach mir hat keiner gefragt?«

»Es fragen immer alle nach dir, ob du noch lebst.«

»Und? Leb ich noch?«

»Sieht so aus.«

14

Es war Mittwoch, nach Mitternacht, die Mutter, die Geschwister lagen längst im Bett. Auch er hatte im Bett gelegen, vollständig angezogen. Die Mutter war noch einmal in sein Zimmer gekommen, um nach dem Rechten zu sehen. Kaum waren alle Geräusche im Haus verstummt, zog er den Parka über und schlich auf Hosocken, die Schuhe in der Hand, die Treppe hinab in den Keller. Er nahm ein paar Zeitungen und Zeitschriften aus dem Altpapierkorb und die Säcke mit den Dosen und Bechern, viel war es nicht, am Montag war die Müllabfuhr da. Nur die leeren Pappkartons türmten sich an einer Wand bis unter die Decke, weil Daniel während seines Praktikums nicht dazu gekommen war, sie einzustampfen und mit dem Vater zur Deponie zu bringen. Er zurrte die großen Tüten am Lenker fest, steckte ein paar von den kleinen in die Jackentaschen und stopfte die Zeitungen und Zeitschriften in seinen Rucksack.

Er fuhr einen Umweg, durchs Kompunistenviertel, an den Weiden, den Feldern vorbei, quer durch den Hammrich. Er hörte die Kühe an den Tränken, das Schaben und Stampfen und Schnauben. Als er an einem Bauernhof vorbeikam, schlug ein Hund an und scheuchte andere Hunde auf. Dann war es still und blieb still, minutenlang. Der Himmel war sternenklar. Über ihm in der Ferne das rote Blinken der Marinefunkmasten, vor ihm die Umrisse des Kleiwegs, auf dem Doktor Ahlers unter die Bahn geraten und die Kelly Family mit ihrem Doppeldeckerbus liegen geblieben war. Dann, beim Bahnübergang, bog er in die Hoog-

straat ein, auf der sich Rainer und Marcel Pfeiffer ein Rennen geliefert hatten. Hundertmal war er hier schon entlanggeradelt, als
Kind mit dem Vater an Sonntagvormittagen und später sams-
tagsabends allein zum Ufo hin. Er hätte hier blind fahren können, ohne irgendwo gegenzuknallen, und jetzt fuhr er blind.

Einmal, vor ein paar Monaten, hatte ihn die Polizei angehalten. Jedes Wochenende standen sie auf der anderen Straßenseite
in Höhe der Bushaltestelle und kontrollierten den Alkoholpegel
der Autofahrer, die von der Disko kamen. Er war fast an ihnen
vorbei, da kurbelte der Fahrer die Scheibe herunter, streckte den
Kopf heraus und rief: »Hey du da, Licht an.«

Während der Fahrt tippte Daniel mit dem Fuß gegen den Dy-
namo, um ihn an den Reifen zu drücken, und da merkte er, dass
er nicht funktionierte, dass er sich drehte und drehte und außer
Drehen nichts passierte. Aber anstatt abzusteigen und den Rest
der Strecke zu gehen, hatte er in die Pedale getreten. Er hörte den
Motor hinter sich aufheulen, sah das Blaulicht durch die Nacht
zucken und hoffte, es noch bis ins Kompunistenviertel mit seinen Absperrgittern und Pollern und Bremsschwellen zu schaffen. Doch sie überholten ihn, stellten sich quer zur Fahrbahn und
sprangen mit gezückten Waffen aus dem Wagen.

»Stehen bleiben«, sagte einer von ihnen – Kurt Rhauderwiek –,
und Daniel blieb stehen.

Und der andere – Joachim Schepers – sagte: »Das wird teuer.«

Im Scheinwerferlicht nahmen sie seine Personalien auf. Obwohl beide ihn kannten, musste er sich ausweisen. »Er hat ihn
dabei, Jo«, rief der eine dem anderen übers Wagendach hinweg
zu.

»Sehr vorbildlich.«

»Mildernde Umstände?«

»Null Toleranz.«

»Das macht dann zwanzig Mark.«

Daniel zeigte ihm sein Portemonnaie. »Ich hab nur zehn.«

»Nehmen wir auch.«

»Wir nehmen alles.«

»Kann ich das nicht überweisen?«

»Er will's überweisen, Jo.«

»Das kostet natürlich extra.«

»Sonst muss ich nämlich wieder nach Haus und Geld holen.«

»Wo willst du denn um diese Zeit noch hin – nach zwölf?«

»Zum Ufo.«

»Ufo? Sagtest du Ufo, Junge?« Joachim Schepers kam um den Wagen herum.

»Du hast es also auch gesehen?« Den Witz machten sie bei jedem.

»Muss er ja, das war ja auch nicht zu übersehen, da war doch so ein Licht, wahnsinnig kurz und wahnsinnig hell.«

»Wie ein Blitz.«

»Eine Sternschnuppe.«

»Ein Meteorit.«

»Verdammt gute Tarnung.« Joachim Schepers gab ihm den Ausweis zurück und legte ihm eine Hand auf die Schulter. »Du hast deine Mission erfüllt, und jetzt sind sie gekommen, dich zu holen, stimmt's? Du wirst in den Stein steigen und mit ihnen davonfliegen. Und dann werden sie die Erde, ihre eigene Schöpfung, zerstören.«

»Nimm uns mit.« Kurt Rhauderwiek sank vor ihm auf die Knie. »Bitte. Wir werden uns dir auch unterwerfen. Hier«, er holte wieder seine Pistole heraus, »wir legen unsere Waffen in deine Hände. Verfüge über uns. Mach mit uns, was du willst. Wir sind dir zu Diensten, Meister des Universums.«

Daniel sagte: »Ich meine die Disko.«

»Schon klar.« Kurt Rhauderwiek steckte die Waffe zurück ins Holster, stand auf und klopfte sich die Hose ab.

»Da darfst du doch jetzt gar nicht mehr rein.«

»Schlafenszeit.«

Und dann schickten sie ihn nach Hause und folgten ihm im Schritttempo bis zur Drogerie.

Wenn sie ihn jetzt erwischten, ohne Licht und vollbeladen, wäre es vorbei. Sie würden ihn nicht davonziehen lassen, nicht für alles Geld der Welt. Sie würden ihn mitnehmen und verhören, und er würde alles gestehen, auch wenn er ihnen sein Vergehen, mitten in der Nacht mit einem Haufen Müll durch die Gegend zu fahren, nicht erklären konnte. »Bring Müll und Tüten mit«, hatte Paul gesagt. »Du weißt schon: Tüten.«

Daniel schob das Rennrad in den Fahrradständer, ließ das Schloss zuschnappen und ging von dort, am Lehrerzimmer vorbei, zum Haupteingang hinüber. Er beschirmte die Augen und presste die Nase ans Fenster, drinnen war alles dunkel. Als er gegen das Glas klopfte, tauchte Paul aus dem Nichts auf und ließ ihn hinein. Im Foyer standen Jens und Volker und einige Ältere, die er von der Schule, von den Partys her kannte, und traten nach etwas, das er nicht erkennen konnte. »Spinnst du? Bleib mir bloß weg damit.«

»Ich glaub, ich bin auf was getreten.«

»Jetzt ist 'ne Runde fällig.«

»Das war nicht die Katze. Fühlte sich eher an wie eine von deinen vergammelten Orangen.«

»Musstest du denn unbedingt dieses Viech anschleppen?«

»Paul hat doch gesagt, wir brauchen ein Tier.«

»Aber kein totes. Was Lebendiges, hat er gesagt.«

»Greif doch mal rein, dann weißt du's. Orangen haben kein Fell.«

»Deine waren aber schon ganz schön pelzig.«

»Gib mir mal die Taschenlampe.«

»Jetzt nicht. Sonst haben wir gleich die Bullen am Hals.«

»Ich dachte, die wissen Bescheid.«

»Die schon, aber die Nachbarn nicht. Und wenn die die rufen, müssen die kommen. Das geht dann über die Leitstelle.«

»Gut, dass ich Gummistiefel angezogen habe.«

Der Boden war weich und fedrig. Was immer das war, in das Daniel mit seinen Turnschuhen einsank, es stank wie ausgekotzt. Paul und Jens nahmen ihm die Tüten und den Bundeswehrrucksack ab und verstreuten den Inhalt vor ihren Füßen.

»Nur Plastik«, sagte Paul.

Und Jens sagte: »Und Papier.«

»Na Toll. Hast du keinen Kompost dabei? Das hier bringt doch nichts.«

»Ich hab dir gleich gesagt, lass die Kinder da raus.«

»Volker ist von selbst draufgekommen.«

»Volker ist ja auch ein Fuchs.«

»Einiges davon kann man noch essen.«

»Du vielleicht. Du isst ja auch alles.«

Daniel bereute schon, hergekommen zu sein, aber dann gab ihm Paul ein Bier, wie um seine Zweifel zu betäuben, und alle stießen miteinander an. »Willkommen im Club.«

»In welchem Club?«

»In deinem.«

»Gib mir mal einen Zettel. Hier.« Paul reichte Daniel einen Flyer und knipste die Taschenlampe an.

»Und jetzt ist das okay mit dem Licht, oder was?«, sagte einer.

»Lies vor.«

Daniel brauchte eine Weile, um die Schrift, seine Schrift, zu entziffern. »Das kann ja kein Mensch lesen.«

»Du bist ja auch kein Mensch.«

»Was ist das?«

»Lies vor, hab ich gesagt.«

»Die Lehrer … stellen … sich die Welt, in der sie … herrschen, als die beste vor.« Er hangelte sich von Wort zu Wort, wie früher in Deutsch, in Latein. »Alles, was ihren … Idealen … zuwiderläuft, ist wertlos. Darum sind sie nur darauf … bedacht, unsere … Energien zu … entschärfen. Der tägliche … Unterricht, das ständige … Prüfen und … Bewerten, dient nur dem … Zweck, uns … mürbe zu machen, unsere … Gedanken von allen … Gefühlen zu … befreien und mit … Wissen, das wir niemals … anwenden können, abzulenken. Wir sind die … Unordnung, das … unberechenbare, das … revolutionäre, die Schule … auslöschende … Element. Möge der … Müll mit uns sein!«

Und dann warfen die anderen eine Handvoll Kopien davon in die Luft.

»Das ist nicht von mir.«

»Von wem denn sonst? Ist das deine Unterschrift oder nicht?«

»Kann schon sein.«

Paul knipste die Taschenlampe aus. »Kennst du noch einen Daniel Kuper mit so 'ner Sauklaue? Und jetzt lasst uns rausgehen. Wir haben noch viel zu tun.«

Auf dem Hof kippten sie die Mülleimer um und zogen weiter zum Geräteschuppen des Hausmeisters. Einer hatte eine Brechstange dabei, ein anderer eine Rohrzange. Damit knackten sie das Schloss. Paul mähte mit einer Sichte die Sonnenblumen rund ums Biotop. Jens hob mit einem Spaten Erde aus und warf sie in den Goldfischteich. Volker riss mit bloßen Händen die Blumen aus den Beeten.

Ubbo Busboom, einer aus der Zehnten, fragte Daniel, warum er die Schule verschont habe.

»Verschont?«

»Na, mit den Hakenkreuzen überall.«

»Ich hab damit nix zu tun.«

»Ja klar«, er zeigte auf einen Baum ohne Äste, »und hiermit hast du auch nix zu tun.«

»Vielleicht hat er das gar nicht«, sagte Volker.

»Was?«

»Vielleicht sieht man nur deshalb nix, weil die Wandverkleidung im Erdgeschoss weiß ist, weil's sich nicht davon abhebt.«

»Gar nicht mal so dumm, der Gedanke«, sagte Paul.

»Ich sag doch, der ist ein Fuchs, auch wenn man ihm nicht ansieht, dass er einen Schwanz hat.« Jens setzte die Säge wieder an.

»Und warum hat er dann keine andre Farbe genommen? Ist doch bescheuert: weiß auf weiß.«

»Zur Tarnung. Weißer Adler auf weißem Grund.«

»Was meinst 'n damit?«

»Das, was ich sage. Weißer Adler auf weißem Grund.«

»Willst du mich verarschen, Speckbacke? Du hast zwar ein ganz schönes Polster, aber irgendwann dringen die hier«, Ubbo Busboom hielt Volker beide Fäuste hin, »auch zu dir durch.«

Dann hörten sie einen Motor, ein Lichtstreifen huschte über die Gebäude hin, kurz darauf rollte ein Motorrad auf den Vorplatz, eine schwarzblaue Yamaha FZR 600, Baujahr 1991, 91 PS, wassergekühlter Viertaktmotor mit doppelter, oben liegender Nockenwelle. Der Fahrer nahm den Helm ab. Als sie sahen, wer es war, traten Paul und Jens und die aus der Zehnten von allen Seiten an ihn heran. Nur Daniel und Volker machten einen Schritt in die andere Richtung, überlegten, ob sie abhauen sollten, entschieden sich dagegen, blieben im Schatten der Schule stehen.

Eisen sagte: »Nicht schlecht.«

»Danke«, sagte Paul.

»Für den Anfang.«

»Wir sind ja auch noch nicht fertig.«

»Und wie ich sehe, ist Arthur Dent auch dabei. Heute mal nicht in der Galaxis unterwegs? Aber was machst du *hier*? Ich dachte, die Erde ist gesprengt worden, weil sie einer Hyperraum-

Expressroute weichen musste.« Daniel trat, jetzt, da er entdeckt war, einen Schritt vor, und Volker kam ihm nach. »Ach, nee. Und Voll, Voller, Mengs ist auch dabei.« Eisen wandte sich wieder Paul und Jens zu. »Tolle Truppe. Was habt ihr denn sonst noch vor?«

»Vietnam.«

»Hä?«

»Den Schulhof entlauben.«

»Und das war's dann, ja?«

»Na ja, du müsstest das Foyer sehen.«

»Und die Aula.«

»Überall Müll.«

»Vietnam, sagst du?«

»Ja.«

»Sag mal, seid ihr so dämlich, oder tut ihr nur so?«

»Wieso?«

»Weil Vietnam nicht funktioniert. Ihr seid nicht Amerika, ihr könnt hier nicht einfach alles kaputt machen und abhauen.«

Paul und Jens sahen sich an.

»Ihr müsst hier morgen wieder antanzen, und dann dürft ihr alles wieder wegmachen. Und zwar noch vor acht. Dafür werden die schon sorgen. Der Witz bei der Sache ist doch, dass der Unterricht ausfällt – weil er nicht mehr möglich ist. Wir haben damals mit Buttersäure hantiert, hatten den Schlüssel zum Chemieraum, und danach war Feierabend.«

»Ja, und jetzt?«

»Ich hätte da 'ne Idee. Ist mir leider erst nach meinem Abgang eingefallen, sonst hätt ich's selbst gemacht.«

»Was denn?«, fragte Jens.

»Könnte euch 'ne Menge Ärger einbringen.«

»Den haben wir ja jetzt schon. Mehr oder weniger ist da auch egal.«

»Ist nicht euer Kaliber. Und ich will nicht, dass ihr euch deswegen einnässt.«

»Jetzt sag schon.«

»Stecknadeln in die Schlösser stecken und Köppe abbrechen.«

»Und was soll das bringen?«

»Dann kommen die morgen nicht mehr rein, du Idiot«, sagte Paul und gab Jens mit der flachen Hand einen Schlag auf den Hinterkopf. »Und müssen die Schlösser austauschen.«

»Und das kann Stunden dauern.«

»Wir haben aber keine Stecknadeln hier.«

»Ich könnte ins Büro fahren und welche holen, die liegen da massenweise. Damit stecken wir unsre Kunden ab. Den Radius unsrer Macht. Und bei der Gelegenheit könnte ich auch gleich Verstärkung mitbringen.« Er sah zur Schule hinauf. »Gibt ja 'ne Menge Türen hier drin. Und wir haben nicht die ganze Nacht Zeit. Wir wollen ja auch noch was trinken. Habt ihr was da?«

»Klar«, sagte Paul. »Immer.«

»Ihr wartet hier, bis ich wiederkomme.«

»Wir rühr'n uns nicht vom Fleck.«

Als Eisen weg war, fingen sie wieder an, die Sträucher, die Bäume zu stutzen, aber sie hatten kein Bier mehr und keine Zigaretten, also ließen sie das Werkzeug fallen und gingen über die Schulstraße zum Kolk, ein kleiner See, gesäumt von Pappeln, Linden, Birken und zwei Meter hohem Maschendraht.

»Wir gehen aber gleich wieder zurück«, sagte Paul, nachdem alle durch das Loch im Zaun geschlüpft waren.

»Na logen«, sagte Jens.

Von der Straße aus führte ein Trampelpfad an einer Trafostation der Energieversorgung vorbei zu einem grünen Drehkreuz mit Fischmotiven und den Initialen JAV. Keiner von ihnen war Mitglied, und doch hätten sie, wie Paul und Jens behaupteten, vor Jahren hier geangelt, mit Bambusstöcken und Nylonschnüren, mit Brot und Würmern, bis die Bullen gekommen seien und sie auf die Schilder aufmerksam gemacht hätten, die rund um den See aufgepflockt waren: *Privatgrundstück! – Betreten verboten! – Jeder Fischdiebstahl wird angezeigt! – Eltern haften für ihre Kinder!*

»Solche Oschis haben wir da rausgeholt«, sagte Jens, beide Hände so weit wie möglich ausgestreckt. »Zwanzig-Kilo-Karpfen.«

»Mit Brot und Würmern? Die müssen ja ganz schön verzweifelt gewesen sein.«

»Kurz vorm Verhungern.«

»Wusste gar nicht, dass Bambus solchen Gewichten standhält.«

»Und Nylon. Waren das Strümpfe oder Fäden?«

Dann waren sie bei den Zelten angekommen. Einer entfachte ein Lagerfeuer, einer verteilte Bierdosen an alle, einer riss eine Tüte Chips auf und reichte sie herum. Das Geräusch zirpender Grillen erfüllte die Nacht. Die Zelte und die Schlafsäcke hatten sie nur mitgenommen, falls die Mädchen, die sie eingeladen hatten, doch noch auftauchten; niemand rechnete damit, dass das geschah, aber sie wollten für alle Fälle gerüstet sein.

»Kein Bier, keine Chips, kein Kompost«, sagte Paul. »Hast du wenigstens Tüten mitgebracht, Kuper?«

»Klar«, sagte Daniel, holte ein paar davon aus seinem Parka, hielt sie hoch, damit alle sie sehen konnten, und warf sie ins Feuer.

»Spinnst du? Die brauchen wir vielleicht.«

»Wofür?«

»Zum Ficken.«

»Wen wollt ihr denn ficken?«

Und dass keiner darauf antwortete, nicht einmal im Scherz, machte jedem von ihnen schmerzlich bewusst, wie weit sie davon entfernt waren, mit einem Mädchen zu schlafen, mit oder ohne Kondom. Tatsächlich wussten sie überhaupt nicht, wie es weitergehen sollte, sie hatten keinen Plan, außer dem, durchzumachen und bis zum Morgengrauen zu trinken und zu rauchen, bis es klingelte und genug Schüler und Lehrer da waren, um ihren Beitrag zur Abschlussfeier zu bestaunen.

Paul drückte seine Dose zusammen. »Wir sollten langsam mal wieder zurückgehen.«

»Gleich«, sagte Jens. »Ein Bier noch. Eisen braucht mindestens eine halbe Stunde, und die«, er sah auf die Uhr, »ist noch nicht um.«

»Und außerdem hab ich noch das hier«, auch Ubbo Busboom hielt jetzt zwei Tüten hoch, aber es waren andere als die, die Daniel den Flammen geopfert hatte, durchsichtig, im Widerschein des Feuers grünlich schimmernd, »edler Stoff.« Sofort ging ein Raunen durch die Gruppe, und einige, die als Erste davon kosten wollten, rutschten auf den Baumstämmen näher zu ihm hin. Bald war Eisen vergessen, und sie tranken und rauchten und erzählten Geschichten wie die vom Angeln. Daniel hockte stumm zwischen den anderen, ab und zu nahm er einen Zug, dann starrte er wieder in die Glut. Sie zog seine Blicke an wie ein Magnet Metall: Er konnte sich nicht davon losreißen. Er trank und trank und versuchte das Feuer in seinem Kopf zu löschen, aber je mehr er trank, desto heißer wurde es. Trotzdem trank er weiter, ihm fiel kein anderes Mittel ein, bis er merkte, dass die anderen, vollkommen nackt, neben ihm ins Wasser sprangen.

Eine Weile sah er ihnen zu, wie sie, wie Kinder aufeinander hängend, tobend und johlend, sich gegenseitig unterdümpelten. Dann zog auch er sich aus und sprang hinterher, aus Angst, so wie er war, in Parka und Pullover und Hose und Schuhen, von ihnen hineingezerrt zu werden. Kaum war er drin, rang er nach Luft; Füße, Hände, Äste peitschten ihm ins Gesicht. Er tauchte auf, schlug um sich, suchte nach etwas, mit dem er sich hinausziehen konnte, fand nichts außer einer Hand, die ihn nach unten drückte. Später, als sie längst von ihm abgelassen hatten, keuchte er ans Ufer zurück, die Böschung hoch.

Plötzlich war ihm, als käme ein Sturm auf, er schaute zu den Bäumen, dem Feuer hin, aber die Blätter, die Flammen bewegten sich nicht, nur die Haut flimmerte wie unter Stromstößen. Er sammelte seine Sachen ein, sie waren feucht und voller Sand, verstreut lagen sie vor den Zelten. Er konnte sich nicht erinnern, sie dorthin geworfen zu haben. Der Parka blieb verschwunden. Er ging von einem zum anderen. Alle kehrten ihm den Rücken zu. Er wollte sie fragen, wo seine Jacke sei, aber dann sah er sie: Paul trug sie triumphierend über dem Kopf, zwischen beiden Händen aufgespannt wie ein Segel. Jens hatte sie über die Schulter geworfen, die Ärmel baumelten an den Seiten herab, als fehlten ihm die Arme. Volker hingen Stoffreste aus dem Mund, noch im Kauen schob er neue nach. Die aus der Zehnten hatten sich mit ihr abgerieben und sie zum Wärmen in die Glut gelegt. Sie hatten sie verdoppelt, vervielfacht, er wusste nicht wie; nur für ihn hatten sie keine mehr übrig. Zu wem er auch ging, jeder schüttelte, breit grinsend, den Kopf; sie schubsten ihn von einem zum anderen und zurück, mit Mühe hielt er das Gleichgewicht; bis er über eins der Seile stolperte, mit denen die Zelte gestrafft waren. Er wollte sich hineinlegen, aber als er die Moskitonetze aufzog, waren beide schon belegt, in jedem lagen drei Mann, eng aneinandergeschmiegt, schnarchend, als schliefen sie seit Stunden. Auch er schlief ein, und als er aufwachte, regnete es, und das Feuer war aus, und es war vollkommen still. Er sah sich um, wusste nicht, wo er war. Die Zelte, der See, die weißen Dosen auf dem schwarzen Wasser, das Klappmesser, das Blut in seiner Hand, alles erschien ihm fremd, wie aus einer anderen Welt.

Bei der Schule heulte ein Motor auf, Lichter wischten über

den Horizont. Auf dem Trampelpfad suchte er wieder nach dem Parka. Als ein Wagen, ein brauner Mercedes 560 SE Coupé, Baujahr 1987, 279 PS, vor dem Drehkreuz stoppte, kauerte er zwischen ein paar Sträuchern, weil er meinte, den Parka dort, hinter der Trafostation, gesehen zu haben. Zwei Jungs stiegen aus, bogen den Zaun zurück, schlüpften durch das Loch zu ihm herein. Daniel konnte sie erst nicht richtig erkennen, bis der eine etwas vom Boden aufhob und der andere direkt neben ihm stehen blieb, die Hose aufknöpfte und gegen einen Baumstamm pisste. »Bist du dir sicher, dass die hier sind?«

»Ich hab vorhin ihre Zelte gesehen.«

»Vielleicht reicht hupen. Vielleicht kommen sie dann raus.«

»Nein, Frank. Wir haben lange genug gewartet, viel zu lange für diese Feiglinge. Sie haben versprochen, auf uns zu warten. Und das haben sie nicht getan. Und dafür müssen sie jetzt büßen.«

»Und was willst du mit der Jacke da?« Frank – Frank Tebbens – zog den Reißverschluss wieder hoch und wandte sich Eisen zu. »Hey, die kenn ich doch. Die gehört doch diesem Spinner.«

»Anziehen.«

»Passt wie angegossen.«

»Genau richtig.« Eisen zog die Kapuze über den Kopf.

»Was hast du vor?«

»Wirst du gleich sehen.«

Daniel fuhr den Breiten Weg entlang, vorbei an der Schule, den Maisfeldern. In der Dämmerung sah er nur Umrisse, die Kolben, die Spitzen der Stängel, den Anfang und das Ende der Saat. Er überlegte, ob er anhalten und hineingehen sollte, so wie damals, an jenem Sommertag, als über Jericho aus heiterem Himmel Schnee fiel, aber dann sagte er sich, dass es zu kalt war, um die Nacht ohne Jacke und in nassen Sachen im Freien zu überstehen.

Und so fuhr er weiter und weiter bis nach Hause, begleitet von Vogelgezwitscher, das sich genauso aufgekratzt anhörte, wie er sich fühlte.

Er lehnte das Rennrad an die Wand, unter das fast vollständig verblasste *Ich liebe dich*. Die Rollläden vor den neuen Schaufenstern waren herabgelassen, aber auch oben, in den anderen Stockwerken, war nichts zu sehen als die fest geschlossenen weißen Lamellen. Die Mutter, die Geschwister schliefen noch. Vergeblich klopfte er seine Hosentaschen nach dem Schlüsselbund ab. Er musste ihn am Kolk verloren haben. Oder er hatte ihn in die Jackentasche gesteckt. Er konnte sich nicht erinnern. Vielleicht war es so gewesen oder anders. Alles war möglich. Er schaute über den Anbau, die Garage hin. Dort oben, auf dem Flachdach, hatte sich Volker damals vor ihm verstecken wollen, und später hatten sie beide dort ihre ersten Zigaretten geraucht, ihr erstes Bier getrunken, sich vor dem Rasenmähen, dem Einkaufen, den Hausaufgaben gedrückt, dort hatten sie auf dem Rücken gelegen, stundenlang schweigend in den Himmel gestarrt oder einfach nur dagesessen, die Beine über dem Abgrund, und den Leuten beim Leben zugeschaut. Das Flachdach war ein Versteck, das nur im Sommer funktionierte und nur wenn es nicht regnete oder stürmte, ein Versteck, das Schutz für ein paar Stunden bot, nicht für Tage oder Wochen, und das für Daniel nicht zu erreichen war, weil er, selbst wenn es ihm gelang, eins der Fenster zum Garten hin aufzuhebeln, von unten durchs Haus musste und er oben, sollten sie ihn doch entdecken, gefangen war – es sei denn, er spränge hinunter.

Es war kurz nach Sonnenaufgang. Durch die Ritzen der Bretter fiel noch kein Licht herein, und es war vollkommen still, nur einmal, als ein Zug vorbeirollte, gab es erst ein Rauschen, dann ein Dröhnen und Rumpeln, und für Sekunden zitterten die Wände wie bei einem Beben. Seine feuchten Sachen hatte er ausgezogen und zum Trocknen auf die Glaswolleballen gelegt. Er hatte sich in eine staubige Decke gehüllt und versuchte eine Stellung zu finden, in der er schlafen konnte. Er zog die Knie an, krümmte sich zusammen, schlief aber nicht ein, dämmerte nur von Traum zu Traum.

In einem lag er draußen auf den Bahngleisen. Eben hatten sie – er wusste nicht, wer – mit ihren Stiefeln noch auf ihn eingetreten, jetzt klemmten seine Arme schon unter den Gleisen. Er spürte das Sirren, das von den Schienen aus- und in ihn überging, den schrillen, ansteigenden Ton, etwas kam auf ihn zu, etwas Großes und Schweres, das er, sosehr er sich auch anstrengte, wegzukommen, über sich ergehen lassen musste. In einem anderen brannte es; das Tor des Güterschuppens wurde aufgeschoben, der Windstoß fachte das Feuer an, Kommandos wurden in den Raum gebrüllt, Hunde bellten, Sirenen heulten, über ihm und um ihn herum gingen die Lichter an, gleißend hell und so durchdringend, dass der Blick hinein seine Netzhaut versengte. Aber die Blindheit war nicht schwarz, wie er gedacht hatte, sondern weiß, unendlich weiß.

Daniel träumte von der Zukunft, und zum ersten Mal war er wie festgenagelt. Der Vater stand über ihm. Er hob ihn hoch und wiegte ihn in seinen Armen, wie ein Kind, das keine Ruhe findet. Er sprach zu ihm, ohne die Lippen zu bewegen. Die Zeit, den erstgeborenen Sohn zu opfern, war gekommen. Das Fest konnte beginnen. Die Mutter schnitt ihn auf. Die Geschwister legten ihre Finger in seine Wunde. Paul und Jens warfen von hinten mit Steinen nach ihm. Volker bot ihm eins seiner Menschenleberwurstbrote an und biss dann selbst hinein. Simone sagte das Vaterunser auf, die Arme auf dem Rücken verschränkt, die schwarz gefärbten Haare zu Zöpfen geflochten, in ihrem besten Kleid, als stünde sie im Kreis der Familie vor dem Weihnachtsbaum, voller Ungeduld und Erwartung, bis sie es nicht länger aushielt und seine Haut aufriss wie die Verpackung eines Geschenks: mit beiden Händen gleichzeitig.

»Hey, das gehört mir. Das is mein Platz.«

Daniel öffnete die Augen und drehte sich auf den Rücken, wobei ihm die Decke von den Schultern rutschte.

»Ach so. Wusst ja nich, dass du deshalb hergekommen bist. Hast du die ganze Nacht hier auf mich gewartet? Wenn ich das gewusst hätt, wär ich ja schon früher hier gewesen, schon vor dem Frühstück, dann hätt ich Kissen und Kerzen mitgebracht und Bier und was zu rauchen, Micha lässt mich manchmal ziehn, aber ich weiß genau, wo er das Zeug versteckt, im Keller, hinter der Werkbank nämlich, manchmal geh ich runter, nur um dran zu riechen. Weißt du, wie das riecht? Wie Jungshaar, wie wenn sie im Sommer aus'm See steigen und sich neben mich ins Gras legen und mir von unten nach oben über die Beine streicheln, von unten nach oben – bis zu meinem Siel hoch. Willst du's mal sehen?«

Daniel stützte sich auf den Ellbogen auf und sah, wie Wiebke, während sie weiterredete, ihr Kleid bis zu den Hüften raffte, sodass ihr Slip, weiß und mit Blumen bestickt, darunter zum Vorschein kam.

»Hätt er natürlich gleich gemerkt, wenn ich was davon geklaut hätt, der is ja nich doof, nich so wie ich, aber das wär's mir wert gewesen.« Sie hob ihr Kleid noch ein Stück höher. »Für dich würd ich mich sogar absichtlich erwischen lassen, bei was auch immer.« Und bevor sie das Kleid über den Kopf ziehen konnte, stand Daniel neben ihr und hielt sie fest. Sie streckte erst ihre Arme aus, ließ sie dann aber, als sie merkte, dass er ihr nicht beim Ausziehen helfen wollte, wieder sinken und schaute nach unten, seinen Händen nach. »Das ist doch die falsche Richtung.« Sie blickte zu ihm auf. »Das ist doch … Hey, was is das denn? Der is ja riesig. Wusst ja gleich, wir sind fürnander bestimmt.« Unwillkürlich streckte sie die Hand nach ihm aus, und er machte einen Schritt zurück, um ihrem Griff auszuweichen, stolperte über die zusammengeknüllte Decke am Boden und schlug mit dem Kopf auf.

Als er erwachte, lag sie neben ihm, einen Arm um ihn geschlungen, und flüsterte ihm, ihr Mund direkt an seinem Ohr, weitere Worte ein: »… anders vorgestellt, länger vor allem, aber ich will nich meckern, für's erste Mal war's nich … Na? Endlich auferstanden von den Toten?«

»Was?«, fragte Daniel, noch ganz benommen. »Was ist passiert?«

»'Ne ganze Menge – in deinem Leben jedenfalls.«

»Ich kann mich an nix erinnern.« Er fuhr sich mit einer Hand über den Hinterkopf.

»Musst du auch nich.« Wiebke warf die Decke von sich und zog den Slip, das Kleid wieder an. »Wird noch genug Gelegenheiten geben, an die du dich erinnern kannst. Mein Siel kennst du ja jetzt in- und auswendig, aber das hier noch nich.« Sie schob einen der Glaswolleballen beiseite und hob ein Stück Plane an. »Zeig ich nämlich nich jedem.«

»Kartons kenn ich auch in- und auswendig.«

Wiebke faltete den obersten auseinander und warf ein paar Kleider und Bücher zu ihm hin. »Von meiner Mama. Papa wollt's nich mehr zu Hause haben, hat's aber auch nich übers Herz gebracht, das wegzutun. Gehört alles mir. Und irgendwann«, sie drehte sich einmal um die eigene Achse, »werd ich alles an- und wieder ausziehen, nur für dich. Ich werd darin tanzen und schlafen und heiraten und sterben, und bei allem wirst du mir aus diesen Büchern da vorlesen.«

Daniel sagte: »Du solltest das alles verbrennen.«

»Nein, warum?«

»Weil's stinkt.«

»Ja, ich weiß. Irgendwo dahinter ist mal ein Karton mit Parföng umgefallen. Hat sie auch gesammelt.« Wiebke ließ die Plane sinken. »Und jetzt hol ich uns was zu essen und trinken. Und für dich frische Sachen. Die hier«, sie hob seine Klamotten auf, »brauchen ja ewig, um trocken zu werden. Und so viel Zeit haben wir nich. Obwohl, würd mir auch nix ausmachen, dich ewig so zu sehen.« Und als sie an ihm vorbeiging, packte er sie und zog sie zu sich herab. »Halt, lass mich los, du tust mir weh.«

»Du darfst niemanden erzählen, dass ich hier bin.«

»Hab ich doch auch gar nich vor.«

Er lockerte seinen Griff etwas.

»Du bist doch ein Spion auf der Flucht.«

»Du weißt doch nicht mal, was das ist.«

»Weiß ich wohl. Ein Mann ohne Schatten. Und ich weiß auch, was man mit Spionen macht, wenn sie doch mal ins Licht treten.«

»Ach ja? Was denn?«

»Kurzen Prozess.«

»Es stimmt, was die anderen über dich sagen: Du bist wirklich verrückt.«

»Du auch.«

Kaum war sie weg, schlief er wieder ein. Er träumte aber nicht mehr, jedenfalls konnte er sich, als er erwachte, an nichts erinnern. Ein Erzzug donnerte am Güterschuppen vorbei, Lastwagen hielten an der Rampe und fuhren, nachdem sie ihre Ladung abgesetzt hatten, weiter, jemand schob das Tor auf und wieder zu. Ein Hubschrauber kreiste über dem Dorf, Sirenen heulten, Menschen zogen, Unverständliches grölend, draußen an ihm vorbei. Später, abends, es war schon dunkel, kam Wiebke zu ihm zurück. Sie hatte zwei Taschen dabei, eine kleine, gefüllt mit Salami, Brot, Schokoriegeln, Bananen, Äpfeln, Bier und Wasser.

Daniel verschlang alles, als hätte er seit Tagen nichts gegessen, nichts getrunken. Nur das Bier riss Wiebke ihm aus der Hand, nachdem er den ersten Schluck genommen hatte, und trank die Dose in einem Zug leer. »Morgen«, sagte sie und wischte sich mit der Hand über den Mund, atemlos, ein Rülpsen unterdrückend, »morgen, gibt's mehr. Ich kann nich so viel auf einmal mitnehmen, fällt sonst auf.«

»Und was ist da drin?« Daniel zeigte auf die andere, etwas größere Tasche.

»Klamotten.« Wiebke zog eine Lederjacke hervor, ein T-Shirt, einen gelben Pullover, eine ausgewaschene und an den Knien ausgefranste Jeans, ein Paar Socken und eine Unterhose. »Von Micha. Müsste dir passen.«

»Das zieh ich nicht an.«

»Okay. Dann eben nich.« Sie stopfte alles in die Tasche zurück, legte ihren Kopf auf seine Schulter, strich ihm mit der Hand über die Brust. »Is mir sowieso lieber so.«

»Na ja«, sagte Daniel und stand auf. In seinem Kopf schwebte noch immer eine Rauchwolke, doch dank des Essens war er wieder klar genug, um zu erkennen, dass er, so wie er war, nur mit einer Decke bekleidet, nicht weit kommen würde. »Ich kann's ja mal anprobieren.« Zwei Minuten später sah er aus wie das größte Arschloch der Welt, und endlich stimmte das, was sich die meisten Jerichoer darunter vorstellten, mit seiner Vorstellung davon überein. Wenigstens waren die Sachen frisch gewaschen – bis auf die Lederjacke, die einen herben, würzigen Geruch verströmte.

Es dauerte eine Weile, bis Wiebke aufgehört hatte zu lachen. Dann sagte sie: »Du müsstest dich im Spiegel sehen: zum Schießen.«

»Besser nicht.«

»Hier«, Wiebke zog aus einem Seitenfach der Tasche eine Nickelbrille mit dicken Gläsern hervor, »setz die mal auf. Sieht witzig aus.«

»Sag mal, vermisst der das gar nicht?«

»Nö, die Tasche stand neben dem Altkleidersack.«

»Die Jacke kommt mir aber noch ziemlich neu vor.«

»Papa sagt, diesmal kriegen die dich. Aber hier bei mir bist du sicher.«

»Fragt sich nur, wie lange. Irgendwann muss ich hier raus. Raus aus Jericho.«

»Wo willst'n hin?«

»Keine Ahnung. Erst mal weg.«

»Du warst im Fernsehen.«

Daniel zuckte mit den Schultern. »Na und?«

»Jeder kennt dein Gesicht.«

»In Holland nicht.«

»Können die da doch auch sehen.«

»Ja, aber das interessiert die nicht. Deutschland ist Deutschland, und Holland ist Holland, und bis zur Grenze sind's nur dreißig Kilometer.« Die Vorstellung, so weit zu laufen, machte ihn schwindelig. Er war froh, überhaupt aufrecht stehen zu können. Und deshalb setzte er sich wieder neben sie, aber einen Meter von ihr entfernt, damit sie nicht gleich wieder über ihn herfiel.

»Du kommst nich weit.«

»Wieso?«

»Überall Bullen. An jeder Straßenecke. Vor jeder Brücke. Papa sagt, diesmal hast du richtig Mist gebaut.«

»Was denn?«

»Weil du doch bei der Schule da den ganzen Müll abgeladen und die Türen kaputt gemacht hast. Und dann wegen den Zelten.«

»Den Zelten?«

»Micha sagt, am Kolk haben welche gezeltet, und du hast denen die Dinger da rausgezogen, die Haken, und die, die da drin lagen, in den Zelten, die hast du getreten und in die reingestochen. Micha hat dich nämlich gesehen, und er hat auch die Polizei gerufen, und die haben dein Messer gefunden und deinen Parka mit ganz vielen Stecknadeln drin.«

»Das stimmt nicht.« Er wusste, er würde es bereuen, Eisens Klamotten anzuziehen. Aber er hätte nicht gedacht, dass dieser Moment so schnell kommen würde.

»Was stimmt nich?«

»Alles. Die ganze Welt. Du, ich – alles falsch.«

»Aber manches fühlt sich doch richtig an, findest du nich?« Wiebke rutschte ein Stück näher zu ihm hin, am Saum ihres Kleides zupfend, und senkte die Stimme. »Ich steh auf böse Jungs, wusstest du das?«

»Ich hab's mir fast gedacht.«

»Und weißt du auch, warum?«

»Ich wette, du wirst es mir gleich sagen.«

»Ja«, rief sie, ihre Situation vergessend, nahm seine Hand und legte sie zwischen ihre Beine, »weil ich ein böses Mädchen bin.«

»Scheiße, verdammt, du bist noch ein Kind.« Daniel sprang auf, fiel, weil er das Gleichgewicht nicht halten konnte, auf einen der Glaswolleballen und sackte daran herab.

»Ich bin dreizehn.«

»Sag ich ja.«

»Hat dich vorhin auch nich gestört.« Sie kroch jetzt auf allen vieren zu ihm hin, wobei ihr Kleid so weit herabhing, dass der tiefe Ausschnitt Aufschluss über ihre körperliche Entwicklung gab. Er konnte nicht anders, als genau dahinein zu sehen. Und ihre Augen folgten seinen, und sie hob erst wieder den Kopf, als sie direkt über ihm war. »Und jetzt auch nich.«

Er wusste nicht, ob das strafbar war, sich mit ihr einzulassen, er wusste nur, dass er, wenn er es tat – falls er es nicht schon getan hatte –, noch mehr Schwierigkeiten bekommen würde. Und während ihre Hand an ihm herabglitt, reagierte etwas in seiner neuen Jeans auf Wiebke wie eine Wünschelrute auf eine Wasserader und etwas anderes in seinem Kopf befahl ihm, sofort danach zu bohren.

»Ganz im Gegenteil.«

Dann hörten sie das Tor zur Seite rollen.

»Wieso ist hier noch Licht an?«

»Keine Ahnung.«

»Das war ich«, rief Wiebke, richtete sich auf, klopfte den Staub aus dem Stoff und verschwand zwischen den Glaswolleballen.

»Ich hab dir doch gesagt, du sollst dich so spätabends hier nicht mehr rumtreiben.«

»Is gut, Papa.«

»Was, wenn der Typ sich hier versteckt?«

»Welcher Typ denn? Der, von dem Micha heut erzählt hat?«

»Genau der.«

»Tut er nich. Warum auch?«

»Dem ist alles zuzutrauen.«

»Ich hab uns was mitgebracht.« Sie hielt eine kleine, durchsichtige Tüte hoch.

»Wo hast du das denn her?«

»Von Micha.«

»Bist du wahnsinnig?«

»Reg dich ab. Die hier is ihm aus der Jacke gefallen.«

»Dann steck sie wieder rein.«

»Feigling.«

»Außerdem nützt uns das sowieso nix.«

»Wieso?«

»Ich hab keinen Tabak.«

»Aber ich.« Wieder griff sie in ihre Umhängetasche und förderte einen Beutel zutage. »Und ein Feuerzeug.« Sie reihte alles wie Jagdtrophäen vor ihm auf und gestand ihm, dass sie nicht drehen könne.

»Tja«, sagte er, »das war's dann wohl.«

»Du kannst es auch nich.«

»Ich will nicht. Nicht jetzt.«

»Na schön, können wir ja auch danach noch machen.«

»Nach was?«

Und schon hing sie wieder an ihm dran.

Hätte er bloß nicht nachgefragt. Sie war schlimmer als sein Vater. Jedes Wort, das sie sagte, war ein Köder. *Sein Vater*. Daniel fragte sich, wie es ihm ging, und ob er, wenn er hörte, was Daniel diesmal angestellt hatte, einen zweiten Herzinfarkt bekam.

Er musste aus diesem Schuppen raus. Nach Hause konnte er nicht, und zu Fuß kam er nicht weit, er vermutete, dass sie bis Mitternacht in den Straßen patrouillierten und die wichtigsten Wege überwachten, und bei Tagesanbruch wäre er irgendwo im Rheiderland, wo die Felder so offen und weit waren, dass man schon morgens sah, wer einen abends besuchte. Am besten wär's, jemand würde ihn in den Kofferraum sperren und mit ihm wegfahren. Volker hatte zwar keinen Führerschein, wusste aber, wie's funktionierte. Um ins Kompunistenviertel zu gelangen, musste er allerdings durchs halbe Dorf durch, und selbst wenn er es schaffte, unbemerkt zu ihm zu gelangen – bei dem Aufgebot würden sie nicht einmal das Ende der Auffahrt erreichen. Außerdem hatte Volker die Seiten gewechselt, und es war nicht auszuschließen, dass er dachte, Daniel habe durchs Zelt hindurch auf ihn eingetreten, eingestochen, um sich an ihm und den anderen zu rächen. Der einzige Mensch, der ihm jetzt noch helfen konnte, war Simone. Sie wohnte am dichtesten bei. Und vielleicht gelang es ihm, ihr über Wiebke einen Brief zukommen zu lassen, vielleicht konnte sie ihre Mutter dazu überreden, morgen einen Ausflug nach Groningen zu machen – mit ihm hinten drin. Und dann, wenn sie sich gerade irgendwo draußen an einen Tisch gesetzt und die Bestellung aufgegeben hatten, würde Simone sagen: »Ach, jetzt hab ich meine Sonnenbrille im Wagen vergessen, kannst du mir mal eben die Schlüssel geben?« Aber der Plan hatte Lücken. Was, wenn die Mutter sagte: »Ich leih dir meine«, oder »Setz dich doch in den Schatten«, oder ihr anbot mitzukommen. Und gesetzt den Fall, bis dahin würde alles glattgehen, was dann? Er hatte kein Geld, keinen Ausweis, kein Ziel. Er hatte ja nicht einmal mehr seine eigenen Sachen an.

»Was denkst du?«

»Nix.«

»Du brauchst ganz schön lange, um über nix nachzudenken.«

»Das nimmt einen großen Teil meines Lebens ein, wenn nicht den größten, und füllt mich vollkommen aus.« Während er das sagte, war er aufgestanden und hatte die Plane zurückgeschlagen, unter der die Habseligkeiten ihrer Mutter lagerten.

»Was machst'n da?«

»Hatte grad 'ne Idee.« Er steckte seine Hand in einen der Kartons und zog ein Buch heraus.

»Willst mir was vorlesen?«

»Hast du was zu schreiben?«

»Müsste da auch irgendwo drin sein.«

Daniel wühlte sich durch Stoff und Papier, bis er ganz unten einen Kugelschreiber ertastete. Erst meinte er, die Patrone sei eingetrocknet, aber dann ging's.

»Was schreibst'n da?«

Er riss die erste, weitgehend unbedruckte Seite von *Der Spion, der mich liebte* heraus, da, wo der Titel stand, faltete sie zusammen und reichte sie Wiebke.

»Ein Liebesbrief? Für mich?« Sie faltete den Zettel wieder auseinander und warf einen Blick darauf. Dann fiel sie ihm um den Hals.

»Was steht da?«

»Dass du mich liebst und immer mit mir zusammen sein willst.«

»Und was noch?«

»Dass du dich nich traust, mir das persönlich zu sagen.«

»Es stimmt also?«

»Was stimmt? Das mit uns?«

»Du kannst nicht lesen.«

»Kann ich wohl.« Sie lief rot an, löste sich von ihm und ließ den Zettel sinken.

»Das ist für Simone.«

»Welche Simone?«

»Simone Reents. Wohnt in der Bahnhofstraße. Das Haus –«

»Kenn ich.«

»– mit der grünen ... Woher?«

»Kenn jeden.«

»Du sollst es ihr geben. Bitte. Heute Abend noch, bevor du nach Haus gehst.«

»Was willst'n von der?«

»Um einen Gefallen bitten.«

»Hab doch gewusst, dass du 'ne andere hast. Deshalb bist du auch so.«

»So was?«

»So kalt.«

»Ich hab niemanden. Und wenn ich jemanden hätte, dann dich.«

»Warum lässt du's mich dann nich machen?«

»Kannst du Auto fahren?«

»Nö.«

»Na also.«

»Aber sie, oder was?«

»Ich dachte, du willst mir helfen?«

»Du willst hier weg.«

»Du nicht?«

»Weg von mir.«

»Wiebke, dein Vater ist hier aufgetaucht. Was glaubst du, wie lange es dauert, bis er dahinterkommt?«

»Hinter was?«

»Dass ich hier bin. Hier wird ständig was reingestellt und rausgeholt.«

»Das Zeug steht hier schon seit Ewigkeiten.«

»Machst du's nun oder nicht?«

»Und was hab ich davon?«

»Mich.« Und als sie wieder Hand an ihn legte, sagte er: »Morgen Nacht.«

»Nur, wenn du mich mitnimmst.«

»Okay.«

»Versprochen?«

»Ja, versprochen.«

Bis dahin würde er schon über alle Deiche sein.

»Daniel!«

Es dauerte, bis sich die Stimme in der Dunkelheit von dem Traum löste, in den er gerutscht war.

»Daniel? Bist du hier?«

Simone. Die Dielen knarzten unter ihren Schritten. Sie war tatsächlich hergekommen.

»Hallo?«

Daniel schlug die Decke zurück, erhob sich und steckte den Kopf zwischen die Glaswolleballen. Ein schwacher Lichtschein wanderte über den Boden.

»Ich bin hier.«

Sie leuchtete ihm ins Gesicht. Dann stand sie vor ihm, streckte die freie Hand nach ihm aus, und er zog sie zu sich hinein.

»Kannst du bitte das Ding runternehmen?«

»'Tschuldigung.« Der Strahl der Taschenlampe wanderte an ihm herab und verharrte über dem Tabakbeutel und der Tüte.

»Danke.«

»Wie siehst du denn aus?«

»Wieso?«

»Sind das nicht Michas Sachen?«

»Teilweise«, sagte Daniel, weil er nicht wollte, dass sie dachte, er habe auch Eisens Unterhose an.

»Wo hast du die denn her? Von Wiebke? Also, wenn jemals jemand in diesem Dorf von Außerirdischen entführt wurde, dann die.«

»Immerhin war sie schlau genug, mit der Nachricht nicht zu ihrem Vater oder Bruder zu rennen.«

»Hab mich schon gewundert, als sie damit ankam. Hat keinen Ton gesagt. Und ist gleich wieder abgezischt.«

»Wie weit bist du?«

»Hab alles vorbereitet. Wir fahren gleich morgen früh los, so um neun. Meine Mutter war total überrascht. Meinte«, sie wechselte in eine höhere Stimmlage, »was? Du willst mit mir shoppen gehen? Mit mir? In Groningen? Wie komm ich denn dazu?«, und fiel in die tiefere zurück, »wollt sie immer schon mal. Aber ich glaub, eher in Oldenburg oder Bremen oder Hamburg. Ich find shoppen ja total öde, total, jedenfalls die Läden, in die sie will, so Edelboutiquen, gibt's die in Groningen überhaupt? Na egal, das war die einzige Möglichkeit, sie dazu zu bringen, mit mir wegzufahren. Die hat sich gar nicht mehr eingekriegt.«

Daniel begann seine eigenen, klammen Klamotten zusammenzusuchen und in die Reisetasche zu stopfen, die Wiebke ihm dagelassen hatte.

»Was soll'n das werden?«

»Ich packe.«

»Ich sagte, wir fahren morgen früh.«

»Ich dachte, wir gehen los, solange es dunkel ist.«

»Willst du die ganze Nacht im Kofferraum liegen? Weißt du, wie eng das da drin ist? Vielleicht bist du morgen schon tot, wenn ich dich da jetzt einschließe.«

Daniel drückte auf den obersten Knopf seiner Digitaluhr: halb drei. »Was machst du eigentlich schon hier? Ich hab doch geschrieben: *um vier.*«

»Ich komm grad aus'm Ufo, und da war's total öde, total, und da dacht ich, ich geh direkt zu dir, weil, wenn ich erst mal penn, wach ich nicht mehr auf, da kann ich mir dreimal den Wecker stellen.«

»Und jetzt?«

»Jetzt machen wir durch.«

»So viel Zeit bleibt uns aber nicht mehr. Um fünf wird's hell.«

»Dann lass uns die Zeit eben sinnvoll nutzen.«

»Und was machen?«

»Na, rauchen zum Beispiel. Wo du schon was dahast.«

»Das Zeug ist ziemlich heftig.«

»Was ist denn mit dir los?« Und schon hatte sie den Bundeswehrrucksack, den sie über die Schulter geworfen hatte, abgelegt, hockte im Schneidersitz auf dem Boden, die Lampe zwischen die Beine geklemmt, rollte Blättchen und Tabak aus, streute etwas von den getrockneten Blüten hinein, etwas viel, wie Daniel fand, und leckte über die Kante.

»Brauchst 'n Tip?«

»Geht auch ohne. Hast du Feuer?«

Daniel holte das Feuerzeug heraus, das er schon eingesteckt hatte. Die Flamme war so hoch eingestellt, dass er ihr fast den rot-schwarz-gesträhnten Pony versengt hätte.

»Pass doch auf.«

»'Tschuldigung.«

Der Qualm stieg aus ihren Nasenlöchern auf, dass es aussah, als brenne sie von innen. »Willst du auch mal? Ist echt stark.«

»Besser nicht. Sonst bin ich morgen total breit.«

»Ist doch jetzt auch egal.«

Und weil sie damit recht hatte, sagte er daraufhin nichts mehr und setzte sich neben sie und nahm einen Zug, und für einen Moment meinte er, keine Luft mehr zu bekommen. Und dann fühlte er, wie sich seine Gedanken entspannten, wie sie weich und geschmeidig wurden, biegsam. Simone Reents. Das hübscheste und klügste und beliebteste Mädchen des Dorfes – und er, der meistgehasste Junge Jerichos. Ihr Oberschenkel an seinem, ihre Schulter an seiner. Und er musste an die Party bei Hankens denken, als sie sich kurz geküsst hatten, zu kurz für seinen Geschmack, und er fragte sich, ob er es noch einmal versuchen sollte, da es ihr, wie sie nicht müde wurde zu betonen, ja sowieso nichts bedeutete.

»Hey«, sagte sie, als er sich gerade zu ihr beugen wollte, »lass mir auch noch was übrig.« Und dann, ihre Lampe war schon schwächer geworden: »Ach so.« Und er inhalierte das, was sie inhaliert hatte, ihre Lungen tauschten chemische Informationen aus, ihre Hände wanderten von ihren Wangen bis zu ihren Waden und zurück, ihre Finger glitten über ihre Schenkel, tasteten die Naht ihrer Hosen entlang, und dann, als sie beide kurz vorm Ziel waren, kippten sie um und mit ihnen Simones Rucksack, aus dem mehrere Dosen über den Boden rollten.

»Was ist das denn?«, sagte Daniel, zwei davon aufnehmend. »Phosphorspray. Die sind ja leer. Wo hast du die denn her?«

»Lag da vorn, neben dem Tor, wär fast drüber gestolpert«, sagte Simone und drückte den bis zu ihren Fingerspitzen heruntergebrannten Joint aus. »Ich dachte, das gehört dir.«

Dann gingen über ihnen die Lichter an, und die Glaswolleballen wurden so schnell beiseitegeschoben wie Kulissen in einer Fernsehshow.

»Ich dachte, wir sehen uns nie wieder.«

»Dachte ich auch.« Seine Stimme klang nasal.

»Was hast du gesagt? Du sprichst so undeutlich.«

»Dachte ich auch.«

»Was dachtest du auch?«

»Dass wir uns nie wiedersehen.«

»Ich denke das jedes Mal. Kommt fast immer anders. Vielleicht sollte ich meine Erwartungshaltung ändern.«

»Ja, vielleicht.«

Daniel saß in einem fensterlosen Raum. Er drückte die Mullbinde herunter, und als er sich umsah, merkte er, dass er schon zweimal hier gewesen war. In der Mitte gab es einen Tisch mit einer Freisprechanlage und darum herum standen zwei Stühle, mit seinem drei, und in einer Ecke stand noch ein Stuhl. Alles war weiß, bis auf die Zeiger und Ziffern der Uhr über der Tür. Aber es konnte auch jedes Mal ein anderer Raum gewesen sein, dachte er jetzt, zwei oder mehr Räume, die vollkommen identisch waren.

Saathoff schlug die Akte auf. »Schädelfraktur, Gehirnerschütterung, Hirnhautriss, Nasenbeinfraktur. Augenbogenbruch. Was ist mit den Zähnen? Hier steht was von Frontzahntrauma.«

»Die sind weg.«

»Wo?«

»Hier.« Daniel öffnete seinen Mund und zeigte ihm die Lücke.

»So ein Sturz von der Rampe auf die Gleise kann böse Folgen haben. Trotz der geringen Höhe. Unterschätzt man leicht. Wie hoch ist das da beim Güterschuppen in Jericho, ein Meter, ein Meter fuffzig? Kommt natürlich auch drauf an, wo man beim

Aufprall gegenknallt. Hast Glück gehabt. Haben sich schon manche das Genick bei gebrochen.«

»Das war kein Sturz.«

»Was dann?« Als er keine Antwort erhielt, fragte er: »Was ist das Letzte, an das du dich erinnern kannst?«

»Das Letzte, wovor?«

»Ich hab auch einen Jungen in deinem Alter. Henning.«

»Ich weiß.«

»Ich weiß, dass du das weißt, aber ich erzähl's dir gerne noch einmal. Das kann man nämlich gar nicht oft genug erzählen. Ich hab mal zu ihm gesagt, da war er noch ganz klein, Henning, pass auf, was du machst. Egal was, es kommt immer zu dir zurück wie ein Bumerang. Und zu mir auch. Das Gute und das Schlechte. Hab seitdem nie Probleme mehr mit ihm gehabt. Und weißt du auch, warum? Er kennt seine Grenzen. Er weiß ganz genau, was er darf und was nicht. Und dabei ist er kein Engel. Weiß Gott nicht. Er ist auch schon mal besoffen nach Haus gekommen, erst neulich hat er sein Bett vollgekotzt, aber, und das ist der Unterschied, er ist nicht krank im Kopf. Er macht Fehler immer nur einmal. Er lernt dazu. Und er nimmt nur Sachen, die der Körper auch wieder ausscheiden kann. Früher oder später. Oben oder unten. Was war das eigentlich alles für Zeug?«

»Was für Zeug?«

»Das, was du dir da vorher reingepfiffen hast.«

»Ich nehm keine Drogen.«

»Kann ich nicht bestätigen.« Er blätterte in der Akte. »Dein Urin war voll davon, Tetra-hydro-canna-binol. Kommt dir das irgendwie bekannt vor? Wie lange dealst du eigentlich schon?«

»Was soll das denn jetzt?«

»Weißt du, was ich glaube? Ich glaube, du hast dich damals im Mais nicht selbst verletzt, und das waren auch keine Außerirdischen, das war Michael Rosing, und seitdem hast du mit ihm eine Rechnung offen. Daher die Schmierereien, daher dieser ganze Fanatismus. Ich hab hier einen Haufen Aussagen von Leuten, die dich gesehen haben, wie du in seinen Klamotten auf Partys Stoff verkauft hast – *White Shadow*.«

»So ein Quatsch.«

»Und dann diese Tabletten.« Saathoff hielt einen Beutel mit mehreren Päckchen hoch und ließ ihn wieder sinken. »Einige davon sind in Deutschland gar nicht zugelassen. Wo hast du die überhaupt her? Von der Schule? Oder von zu Hause?«

Daniel blickte zur Seite.

Saathoff beugte sich wieder über die Akte. »Hauptsächlich Diazepam. Nebenwirkungen: Wutanfälle, Halluzinationen, Suizidalität, Derealisationserleben, Gefühlskälte und Kritikschwäche. Könnte dich entlasten. Zumindest teilweise.«

Daniel sah auf die Uhr über der Tür: Viertel nach sieben; er wusste nicht, ob morgens oder abends. Alles fühlte sich wie viel zu früh morgens an. »Wo ist mein Anwalt?«

»Willst du ein Spiel spielen? «

»Ich will mit Onken reden.«

»Na schön, spielen wir ein Spiel: Der ist auf dem Weg. Müsste jeden Moment hier sein.«

»Dann warte ich.« Daniel verschränkte die Arme vor der Brust und lehnte sich zurück.

»Schade. Ich dachte, wir machen uns schon mal warm und gehen das, was du gemacht hast, noch mal durch. Ein Geständnis wär nämlich noch besser für dich.«

»Ich hab nix gemacht.«

»Und warum sitzt du dann immer wieder hier?«

»Das frage ich mich auch.«

»Keine Ufos, keine Hakenkreuze, kein kaputtes Zelt, keine gebrochenen Knochen, keine Stichwunden. Keine Sachbeschädigung, keine Körperverletzung. Löst sich alles in Luft auf. Bei näherer Betrachtung. Am Ende will's keiner gewesen sein. Am Ende gibt's das alles gar nicht. Nix ist, nix war, nix wird sein.«

»So ungefähr.«

»Du warst also nicht am Kolk?« Er schlug eine andere Seite auf. »In der Nacht vom 3. auf den 4. Juli?«

»Doch, aber –«

»Und du hast dich danach auch nicht drei Tage lang in diesem Güterschuppen versteckt, in Rosings Lagerhaus an der Bahn?«

»Doch, aber –«

»Und was war mit der Kleinen? Mit der hast du auch nix zu tun gehabt.«

»Hab sie jedenfalls nicht angerührt.«

»Sie sieht aber anders aus. Sie sagt auch was anderes.«

»Die ist doch total durchgeknallt.«

»Aber du nicht?«

»Die lügt.«

»Und der Arzt lügt. Und ihr Vater. Ihr Bruder. Alles Lügner.«

»Ja.«

»Nur du nicht. Und was ist mit dem anderen Mädchen, das du in deiner Gewalt hattest? Simone Reents? Die hast du natürlich auch nicht angerührt.«

»Nein.«

»Und das hier«, er hob den Bundeswehrrucksack mit den Spraydosen auf den Tisch, »ist auch nicht von dir.«

»Ja, genau.«

»Ja, klar. Da sind auch keine Fingerabdrücke von dir drauf. Und der Name hier«, er zeigte auf einen Aufnäher mit der Aufschrift *KUPER*, »hat nix mit deinem zu tun. Du bist vollkommen unschuldig, ein weißes Blatt Papier.«

»In dieser Hinsicht schon.«

»In welcher denn nicht? Sexuell?«

»Das geht Sie nix an.«

»Mich geht hier alles an, alles, was dich betrifft. Ich bin nämlich dein Schatten.«

»Ich habe keinen.«

»Das hat dir die Kleine gesagt.«

»Woher wissen Sie das?«

»Ich weiß eine ganze Menge über dich, Daniel Kuper. Mehr, als du denkst.«

»Ach ja?«

»Ja.«

»Was denn zum Beispiel?«

»Peter Peters. Ja, da staunst du, was? Das steht nicht hier drin.« Er tippte auf die Akte. »Die wahren Geschichten stehen nie hier drin. Das, was Typen wie dich wirklich umtreibt. Das, worüber sie mit niemandem reden wollen. Oder willst du mir sagen, dass du damit auch nix zu tun hattest, mit seinem Tod? Dass er sich freiwillig auf die Schienen gestellt hat, weil er mal sehen wollte, wie das ist, vom Zug zerfetzt werden. Soll ich ihn reinrufen?«

»Wen?«

»Peter Peters.«

»Peter Peters ist tot.«

»Du auch, wenn du hier rauskommst. *Falls* du hier rauskommst. Auf dich wartet nämlich Arrest.« Und als Daniel ihn fragend ansah, sagte er: »Jugendknast. Kannst dir ja vorstellen, was sie da mit einem wie dir machen.«

»Nee, kann ich nicht.«

»Besser, du redest. Sonst reißen die dich da in Stücke.«

»Wilde Tiere.«

»Ohne Blut keine Vergebung.« Saathoff drückte auf den Knopf der Sprechanlage. »Frau Freese? Wir sind so weit. Sie können ihn jetzt reinschicken.«

»Halt, warten Sie«, sagte Daniel und beugte sich vor, »ich erzähl Ihnen, was passiert ist.«

Schützenfest

Grün Weiß Jericho

05.-06. Oktober 1991
Festprogramm

Samstag 16 Uhr **Vogelschießen** der Damenkompanie

18 Uhr Großer **Zapfenstreich** und **Fahnenweihe**

20 Uhr **Königsball** mit dem Männergesangsverein und der Tanzkapelle Sunnyboys

21 Uhr **Königsproklamation**

Tombola

Sonntag 7 Uhr **Wecken** mit dem **Spielmannszug** Drömeln

14 Uhr **Gefallenenehrung** am Kriegerdenkmal

15 Uhr Empfang der auswärtigen Vereine und **Festumzug**

16 Uhr **Kinderbelustigung**

Dorfplatz. Eintritt im Festzelt an allen Tagen frei. Ausweiskontrolle am Eingang.
Die Bevölkerung wird gebeten zu flaggen.

Ich habe die Welt überwunden

Bei Facebook habe ich hunderteinundvierzig Freunde. Die meisten davon sind ehemalige Kommilitonen oder Mitbewohner aus Göttingen, die Gott über die ganze Welt verstreut hat, einige Reisebekanntschaften aus Israel und Italien, Männer, die ich in Foren kennengelernt habe, Liebhaber, ewig Suchende, Autonarren wie ich, Konfirmanden, die mir während meines Vikariats in Verden ans Herz gewachsen sind, Gemeindemitglieder, denen ich mich trotz der Entfernung weiterhin verpflichtet fühle, Verena und Venja, meine Schwestern, aber auch ein halbes Dutzend alter Mitschüler, zu denen der Kontakt über Jahre hinweg abgerissen war und die mich jetzt täglich mehr oder weniger verschlüsselt darüber informieren, was sie gerade machen.

Jens Hanken *omg. liege auf sonnenbank. aber nicht alleine :)*

Paul Tinnemeyer *bin im büro. nix los hier. was geht ab?*

Simone Rosing *aaaaaaarrghh! sei froh, dass du keine kinder hast.*

Alle paar Wochen weisen sie mich auf Veranstaltungen hin, Geburtstage, Konzerte, Klassentreffen, und obwohl ich nie zu einem dieser Termine erscheine, lassen sie nicht davon ab, beim nächsten Mal wieder zu versuchen, mich als Gast zu gewinnen. Sie haben Fotos hochgeladen, die uns zu einer Zeit zeigen, als wir meinten, das Leben noch selbst in der Hand zu haben, Fotos, auf denen nicht das Alter die Frisur bestimmt, sondern die jugendliche Geisteshaltung, und wir, von diversen Drogen berauscht, lachen, obwohl uns Sekunden zuvor noch nach Weinen zumute gewesen war. Die Kommentare dazu (»mann, waren wir jung«, »was für geile partys«, »wir hatten so viel spass« usw.) verleiten mich zu der Annahme, dass sie alles Wesentliche vergessen oder verdrängt haben und sich nur an Erlebnisse erinnern, die nie geschehen sind.

Auf meiner Seite gibt es, abgesehen von meinem Profilfoto, keine Bilder *(invidia, tamquam ignis, summam petit)*. Auf der Pinnwand lade ich sie zu jedem Gottesdienst ein. Ich habe einige kurze Texte ins Netz gestellt, aus der Perikopenordnung ausgewählte Wochensprüche und Auszüge aus Predigten, bei denen sie (was bleibt ihnen auch anderes übrig?) *Gefällt mir* anklicken. Morgens, wenn ich nach meinen Asanas den Computer hochfahre und mich einlogge, sehe ich die Gesichter meines Lebens gleichzeitig vor mir aufgereiht, illuminiert von ihren eigenen Bildschirmen, mit Kindern oder Haustieren auf dem Schoß, im Bett, am Tisch, am Strand, im Urlaub, im Auto, im Flugzeug, im freien Fall, als seien sie von Anfang an auf diese Weise da gewesen, durch mich miteinander verbunden. Doch noch bevor ich den aktuellen Wochenspruch als Statusmeldung poste, machen mir all diese Gesichter bewusst, dass eins fehlt und immer fehlen wird, solange ich es nicht in einem anderen verkörpert wiederfinde.

Ich schicke meine Botschaft in die Welt hinaus, *Lass dich nicht vom Bösen überwinden, sondern überwinde das Böse mit Gutem*, klappe den Laptop zu, rolle die abriebfeste, hautfreundliche Schaumstoffmatte ein und trinke einen Schluck Karottensaft. Dann nehme ich meine Jacke vom Haken und gehe nach draußen, um gegenüber, bei Grubes, den *Weser-Kurier* zu kaufen (mein Vorgänger hat das Abonnement gekündigt). Aus einer morbiden Laune heraus nehme ich einen Umweg über den Friedhof. Auf den Steinen stehen fremde Namen, und darunter vermodern fremde Geschichten. Ich bin neu hier, und alle Lebenden sehen mich an, als sei ich nach Jahren der Dunkelheit direkt vom Himmel zu ihnen herabgeschwebt. *Mundus senescit:* Alte Frauen schauen, Unkraut klaubend, von den Gräbern auf, alte Männer kommen mir strammen Schrittes entgegen und reichen mir ihre faltigen, fleckigen Hände. Ich grüße alle mit der größtmöglichen Freundlichkeit, zu der ich um acht Uhr morgens imstande bin, und gehe, die Jacke gegen den Herbststurm zuziehend, an ihnen vorbei.

Auf dem Kirchhof begegne ich dem Küster, Herrn Kerkhoff, ein kleiner, grauhaariger Mann, der, einen Rechen in der Hand, trotz des Windes Blätter zusammenfegt, und beginne, angeregt durch seine Tätigkeit, ein Gespräch über das Wetter und die hoch aufragenden, hundert Jahre alten Bäume. »Bei uns im Dorf hat man die alle gefällt und gegen Zierahorne ersetzt.«

»Besser ist das. Aber hier wird ja alles geschützt. Jedes halbzerfallene Haus, jeder morsche Baum. Nichts darf verkommen.«

»Ein Paradies für Buddhisten.«

Er sieht mich verständnislos an. Dann fährt er fort: »Dabei machen die Dinger nur Dreck und nehmen einem das Licht weg. Ist das Ihr Wagen?« Er nickt zu meinem grasgrünen Käfer-Cabrio, Baujahr 1951, 24,5 PS, hinüber.

»Einer davon.«

»Hatte ich auch mal. War mein erster. Lief immer tipptopp. Hab große Fahrten damit gemacht, über die Alpen, zum Gardasee, nach Florenz, an die Adria und von da –«

»Sie hatten bestimmt einen geschlossenen VW-Käfer. Das hier ist ein Cabrio von Karmann.«

»Was macht das für einen Unterschied?«

Das schwarze Kunstlederverdeck, das Petri-Lenkrad mit dem Golden-Lady-Hupenknopf, Scharniere mit Schmiernippel, elfenbeinfarbener Schenk-Aschenbecher an der Schaltstange, um nur einige zu nennen; zu viele Kleinigkeiten, die aufzuzählen zu viel Zeit in Anspruch nehmen würde. Jeder Mann, der einmal einen Schatz besessen hat (ohne sich damals dessen bewusst gewesen zu sein), fühlt sich angesichts meiner Schätze genötigt, seine Erfahrungen mit meinen abzugleichen – eine Methode, die in den seltensten Fällen dazu führt, dass wir uns näherkommen. Und jedem, dem ich diesen Austausch männlichen Geheimwissens verweigere, fällt daraufhin etwas anderes ein, wie er sich für meine falsch verstandene Arroganz an mir rächen kann.

»Wann, sagten Sie, kommt Ihre Frau?«

»Ich sagte, ich habe keine.«

»Ach ja.« Er nimmt den Stiel wieder in beide Hände und furcht mit seinen Stahlzinken meine Seele.

Jeden Tag führt mich der Teufel in Versuchung. Ich gehe die dreißig Stufen meiner backsteinernen Himmelsleiter hinab, lasse eine Pferdekutsche mit Touristen an mir vorüberziehen, überquere die Findorffstraße und trete in meine ganz persönliche Hölle ein. Drehständer voller Zeitungen, Zeitschriften und Bücher, Geburtstags-, Hochzeits- und Beileidskarten, eine Lotto-Annahmestelle, in der Auslage: Pfeifen, Feuerzeuge, Zündholzschachteln – viele Arten, Glück und Pech zu erleben, aber keine davon ist so wirkungsvoll und subtil wie das, was parallel dazu durch jede Pore meines sehnigen, yogagestählten Körpers in mich eindringt.

Kaum habe ich die Tür hinter mir geschlossen, nimmt mir der Duft feinsten Tabaks den Atem, frischer Tabak, der sich noch nicht in Luft aufgelöst hat, würzig und feucht. Und während ich, halluziniert von den Erinnerungen und Visionen, die diese Gerüche in meinen Lungen freisetzen, vor dem Tresen meine Hosentaschen nach Kleingeld für die Zeitung durchsuche, fällt mein Blick auf das Regal dahinter, in dem sorgsam aufgereiht meine lässlichen Sünden stehen: Marlboro, L&M, Davidoff, Pall Mall, R1, R6, Stuyvesant, Reval, Lord, HB, Gauloises, Gitanes, Lucky Strike, Camel, John Player Special, Chesterfield, American Spirit, Schwarzer Krauser, Samson, Van Nelle, Drum, Javaanse Jongens. Ich habe euch alle gehabt, und ich habe jede Einzelne von euch genossen, allerdings ohne Warnhinweise wie *Rauchen kann tödlich sein, Rauchen kann zu Durchblutungsstörungen führen und verursacht Impotenz* oder *Rauchen fügt Ihnen und den Menschen in Ihrer Umgebung erheblichen Schaden zu,* die mir heute, angesichts dessen, warum ich damals damit aufgehört habe, in einem besonders grellen Licht erscheinen. Mit zittrigen Fingern lege ich das Geld, ein Euro zehn, in die Ablassschale neben der Kasse und verschwinde, ohne mich auf das Gespräch einzulassen, das Frau Grube (Vorbotin meiner Verdammnis) mit mir zu beginnen versucht.

Zurück im Haus setze ich Kräutertee auf, schneide mir, während das Wasser kocht, drei Scheiben Vollkornvitalbrot ab und überfliege, an den Tisch gelehnt, die Schlagzeilen: *Heikle Themen bei Türkei-Besuch, Geißler gegen »Basta-Politik«, Neue Vorwürfe gegen Facebook.* Ich fange einen der Artikel an, den über Christian Wulff, und merke, wie ich ab dem dritten Absatz darauf warte, bei der erstbesten Gelegenheit wieder aussteigen zu können, weil ich mir Wulff immer noch nicht als Bundespräsidenten vorstellen kann. Von meiner eigenen Ungeduld getrieben blättere ich durch die Seiten, dankbar und enttäuscht zugleich, nichts mehr über mich selbst lesen zu müssen. Alle Hoffnungen, die Gemeindemitglieder hinsichtlich des neuen Pastors in der Zeitung kundgetan haben, habe ich an nur drei Sonntagen eingelöst – und an einem wieder verspielt. Ich habe zu ihnen gesprochen, aber nicht von der Kanzel herab, beschirmt von Gottes strahlenumkränztem Tetragramm, sondern auf Augenhöhe. Ich habe nicht von der Vergangenheit geredet, sondern von der Zukunft. Ich habe die Kinder nach vorn kommen lassen und sie gesegnet. Ich habe mich in den Chor eingereiht und mit meiner engelsgleichen Kastratenstimme jedes Lied von der Empore aus mitgesungen. Ich habe mit ihnen das Abendmahl gefeiert, und alle waren, die Hände gefaltet, die Münder aufgesperrt, bereit, den Leib und das Blut Christi in sich aufzunehmen und an einen Neuanfang zu glauben, als, in diese selige Stimmung hinein, mein Handy zu klingeln begann. Ich griff unter meinem Talar hindurch in die Tasche und drückte den Anrufer (meinen Vater) weg. Ich entschuldigte mich, rot vor Scham, bei der Gemeinde, doch der Moment war zerstört. Einige erhoben sich aus den Bänken und verließen die Kirche, ohne das Sakrament empfangen zu haben. Andere aber stimmten mit mir *In Gottes Namen fang ich an, was mir zu tun gebühret* an, als Zeichen der Versöhnung. Und als ich die, die geblieben waren, draußen vor der Tür verabschiedete, versicherten sie mir, dass das jedem mal passieren könne (dass also auch ich nicht unfehlbar sei).

Ich gieße den Tee auf und starte eine nervenaufreibende Suche nach dem verfluchten Handy, die meine morgendliche Reinheit, diesen Zustand vollkommener Wunschlosigkeit, wieder beschmutzt: Ich ziehe meine Hose aus der Waschmaschine und durchwühle die Taschen, ich werfe Decken und Oberbetten zurück, schiebe Zeitschriften – *Auto Motor Sport, Käfer-Revue, Oldtimer Praxis* – beiseite und rufe mich schließlich vom Festnetz aus selbst an. Mit dem schnurlosen Telefon laufe ich durchs ganze Haus und lausche aufs Klingeln (die ersten Takte von Beethovens fünfter Sinfonie). Im Schlafzimmer: nichts, im Wohnzimmer: nichts, im Bad: nichts. Ich gehe ohne Jacke ins Pfarrhaus hinüber, im Büro die gleiche Prozedur mit dem gleichen Ergebnis. Wo finde ich es? In der Kirche auf dem Altar, auf *Meeting* gestellt, mein Meeting mit Gott.

Nach dem Frühstück gehe ich den Wochenplan durch. Konfirmationsunterricht für Dienstag- und Donnerstagnachmittag vorbereiten: Wogegen richteten sich Luthers Thesen und welche Bedeutung hatten sie für die Kirchengeschichte? Ein Junge kommt seit Tagen völlig verdreckt in den Kindergarten: Dienstagabend Überblick über die familiäre Situation verschaffen. Predigt für den Gottesdienst schreiben: Philipper 1, Vers 3–11, *Dank und Fürbitte an die Gemeinde.* Nächsten Sonntag stehen zwei Taufen an: Mittwochnachmittag Täuflinge und deren Eltern besuchen. Keine Altengeburtstage. Keine Sterbefälle, keine Beerdigungen. Keine seelsorgerischen Notrufe – noch nicht. Stattdessen taucht der Diakon auf, Malte Schnarch, pardon, Schnaars. Wir waren lose verabredet, obwohl er gestern noch beteuert hat, dass ihm der Pastorensonntag, wie er meinen Montag nennt, heilig sei und er mich nicht mit seinen Anliegen stören wolle. Aber sein Anliegen ist auch mein Anliegen. In der Diakoniestation werden für die ambulante Pflege neue Fachkräfte gesucht, und er hat mich gebeten, mit ihm zusammen die Bewerbungsmappen zu sichten. Er ist genauso neu wie ich und will, da er erst wenig praktische Erfahrung gesammelt hat, nichts falsch machen. Er scheint großen Respekt vor mir zu haben, denn er siezt mich und leitet jede Frage mit »Ich wollte Sie noch fragen« ein, sodass ich versucht bin, ihm zur Beruhigung meine Hand auf den Oberschenkel zu legen. Doch dafür sitze ich zu weit weg (der Schreibtisch steht zwischen uns). Zwei Stunden später – wir haben uns, auf mein Anraten hin, dafür entschieden, drei Männer zum Gespräch einzuladen – beugt er sich zu mir und sagt: »Ich wollte Sie noch fragen, wo Sie herkommen.« Er ist aus Ritterhude und hat in Bremen Sozialpädagogik studiert. Dort hat er offenbar nicht nur ein brennendes Interesse für die Lebensläufe anderer Menschen entwickelt, sondern auch ein schlechtes Gedächtnis, denn er hat mir diese Frage schon einmal gestellt.

»Aus Jericho.«

»Doch nicht etwa aus *dem* Jericho?«, fragt er augenzwinkernd *(nihil novi sub sole)*.

»Nein«, sage ich starren Blickes, »das in Ostfriesland«, obwohl das, genau genommen, nicht stimmt, aber es kommt dem Ort, den ich meine, am nächsten – ein Ort, den es nicht gibt und vielleicht nie gegeben hat, außer in meiner Vorstellung. Das wirkliche Jericho sieht anders aus. Wenn ich heute meine Eltern besuche, was Gott sei Dank nur noch selten geschieht, dann komme ich in ein Dorf, das aus einem einzigen Kompunistenviertel zu bestehen scheint. Sobald ich von der Bundesstraße abbiege, weist ein Schild mich darauf hin, nicht mehr als 30 km/h zu fahren. Kaum habe ich die Geschwindigkeit gedrosselt, ruckele ich schon über den ersten von dreiundzwanzig Pollern. Dreiundzwanzig Poller hin, dreiundzwanzig Poller zurück. Jeder versetzt meiner Doka einen Schlag, dass ich für eine Sekunde die Schwerelosigkeit spüre, das Glück zu schweben, bevor ich gegens Dach schlage und wieder in den Sitz falle.

Dort, wo vor zwanzig Jahren noch Kühe weideten, stehen jetzt Einfamilienhäuser. Kinder hüpfen auf umnetzten Trampolinen auf und ab, als wollten sie mich nachahmen, Männer stutzen mit lauten Maschinen Rasen und Hecken, um die Nachbarn dazu zu animieren, es ihnen gleich zu tun, und Frauen pflanzen, die Arme bis zu den Ellbogen in Plastikhandschuhe geschoben, Samen und Knollen ein. Ein Garten grenzt an den anderen, eine Spielstraße geht in die andere über, das Literaten- in das Schauspielerviertel, die Vogel- in die Baumsiedlung, die Volksstamm- in die Inselkolonie. Wie ein Geschwür wachsen sie von allen Seiten auf den alten Ortskern zu und schneiden ihm die Luft ab. Die reformierte Kirche thront noch immer über allem, aber das Glockengeläut konkurriert inzwischen mit dem Krachen und Scheppern des Betonwerks draußen im Hammrich. Von den Gulfhöfen, in denen die Gründer Jerichos und deren Nachkommen gewohnt haben, drei Generationen unter einem Dach, steht seit dem Schützenfest, nach dem verheerenden Brand damals kein einziger mehr. Das Friesenhuus – abgerissen, Schulz' Schmiede – abgerissen, die Molkerei – abgerissen, Schuh Schröder, Polsterei Tinnemeyer, Fahrrad Oltmanns – abgerissen, abgerissen, abgerissen. An ihre Stelle sind uniforme Zweckbauten getreten, die ALDI, LIDL, KIK und EDEKA (inklusive einer Filiale der Deutschen Post) beherbergen. Klaus Neemann hat seinen letzten Supermarkt, die Zentrale, an eine Firma namens GETI – Getränke & Tiere – verkauft. Günter Vehndel hat das Geschäft mit dem Glücksspiel ausgeweitet und das Modehaus gegen eine Spielothek ersetzt. Und auch Bernhard Kuper hat den Kampf gegen die Welt aufgegeben und die Drogerie an Schlecker vermietet. Jetzt sieht man sie wieder, Die notwendigen Drei, im Strandhotel Karten auf den Tisch knallen und über Fußball debattieren, die Gesichter von Bier und Schnaps durchglüht.

Unterdessen ist Malte Schnaars aufgestanden, um meine Bibliothek zu bewundern, die von Aristoteles bis Zwingli reicht, dreitausend Bücher, die im Regal aufgereiht fast die ganze Rückwand des Raumes einnehmen. Zuunterst stehen Leitz-Ordner mit Materialien über Stephanie Beckmann, Onno Kolthoff, Bernhard, Birgit und Daniel Kuper, Rainer Pfeiffer, Simone Reents, Stefan Reichert und Johann, Michael und Wiebke Rosing.

Ich schaue auf mein Handy: gleich zehn. »Gibt es sonst noch was zu besprechen?« Und ehe er eine weitere Frage an mich richten kann, beispielsweise die, ob ich die alle gelesen habe und was die Namen zu bedeuten haben, stehe ich auf, lege ihm die Hand auf den Rücken und geleite ihn zur Tür.

Anschließend fahre ich zu Bauer Kück. In seiner reetgedeckten Fachwerkscheune hinter der alten Mühle lagern meine Schätze, die ich, sollte es je so weit sein, mit ins Grab zu nehmen beabsichtige (baut mir eine siebentorige Garage in Pyramidenform und legt mich, gegen das Fegefeuer in Asbest gehüllt, in einen Kofferraum): ein weißer Mercedes 280 SE W 116, Baujahr 1979, 185 PS, Doppelquerlenker-Vorderradaufhängung, Achtstempel-Einspritzpumpe, Massivholzpaneele, verchromte Metallapplikationen, Zentralverriegelung, Klimaanlage; ein roter Opel Commodore GS/E, Baujahr 1970, 150 PS, elektronische Einspritzung, Doppelrohrauspuff, Halogenweitstrahler, Vinyldach; ein grauer Borgward P 100, Baujahr 1960, 100 PS, Pontonkarosserie, Luftfederung, Reihensechszylinder, Quertraverse zwischen Schwellern und Kardantunnel, Einzelradaufhängung an Trapezquerlenkern; ein gelber Porsche 911 2.4 S, Baujahr 1971, 190 PS, Fünfganggetriebe, Sechszylinder-Boxermotor mit Trockensumpfschmierung; ein orangefarbener Ford Capri RS 2600, Baujahr 1969, 150 PS, Schalensitze mit Breitcordbezug, Schlüssellenkrad, V6-Weslake-Motor, zentrale Nockenwelle über Stirnräder, Magnesium-Minilite-Räder; ein seeblauer, cremeweißer Pritschenwagen mit Doppelkabine (daher Doka), VW T1, Baujahr 1962, 39 PS, geteilte Windschutzscheibe, Ledersitze, Zweispeichenlenkrad, dreiseitig ausklappbare Ladefläche; und die Überreste eines VW T2-Feuerwehrwagens, Baujahr 1975, 68 PS, den ich vor zehn Tagen für tausendfünfhundertvierunddreißig Euro und fünfundzwanzig Cent bei Ebay ersteigert und in Ibbenbüren abgeholt habe. Entgegen der Beschreibung waren Karosserie und Motor nicht in Ordnung, was mir aber erst auf der A1 auffiel, als es, in Höhe von Holdorf, einen Knall gab und die Pleuel durchs Gehäuse schlugen. Jetzt bin ich dabei, ihn Stück für Stück auseinanderzunehmen und wieder zusammenzusetzen.

Der alte Kück kommt aus seinem Haus, sobald ich auf den Hof fahre, um mir zur Hand zu gehen. Seit er Viehzucht und Landwirtschaft aufgegeben hat und die Stallungen und Scheunen vermietet (an Leute wie mich), bietet er jedem seine Dienste an. Er versteht etwas von Autos, mehr als die meisten, die vorgeben, etwas von Autos zu verstehen. Er kennt nicht die Feinheiten, das Besondere jedes einzelnen Modells, aber er weiß, was zu tun ist, wenn ich's ihm sage, und er wird mit allem fertig, sofern er nicht mehr als einen Schraubenzieher, einen Dreizehnerschlüssel und eine Zange zur Reparatur benötigt.

Nachdem wir arbeitsteilig die Schweißnähte abgeflext und gespachtelt haben, sitzen wir auf zwei ausgebauten Fahrersitzen und trinken Wasser und Bier. Er hat mir auch ein Becks angeboten, doch das habe ich mit der wahrheitsgemäßen Begründung, ich müsse noch fahren, abgelehnt, obwohl mir zum ersten Mal seit Jahren nach Trinken zumute ist. Den roten Gaul habe ich nämlich nur gekauft, um meine besten Pferde den Winter über im Stall lassen zu können, und jetzt muss ich warten, bis die Hufe neu beschlagen sind, was, da ich einen fachlich versierten Freund (einer der hunderteinundvierzig) aus Verden darum gebeten habe, bis Mitte Dezember dauern kann.

Kück spuckt auf den Boden, als müsse er seinen Mund zuerst reinigen, bevor er für ein Geständnis bereit ist. »Sie sind der erste Pastor, für den ich wieder in die Kirche gehen würde.«

»Sie sollten nicht für mich in die Kirche gehen«, sage ich, »sondern für sich selbst.«

»Ich habe nicht gesagt, dass ich's tun werde, für mich nicht, für Sie nicht und für Gott auch nicht.«

Nächsten Sonntag, da bin ich mir sicher, sitzt er in der letzten Reihe.

Am Nachmittag spaziere ich durchs Teufelsmoor. Der Wind hat nachgelassen, und die Wolken haben sich verzogen. Bei meiner Ankunft, vor vier Wochen, habe ich mit dichten, dunklen Wäldern und schwarzer, feuchter Erde gerechnet und nicht mit kilometerweitem, flachem Land, wie ich es vom Hammrich her kannte (auch den gibt es in Jericho nämlich nicht mehr, weil rund um das Betonwerk ein weiteres Industriegebiet entstanden ist und Wiesen und Wallhecken Hallen und Straßen gewichen sind). Lange Wege, gesäumt von Gräben, ein träge dahinfließender Fluss, wenige, schon fast vollständig entlaubte Bäume, rauschendes Röhricht. Ameisen krabbeln über Steine und Beine, Gänse flattern schnatternd durch die Luft, Kühe weiden auf den Wiesen, Pferde stehen wiehernd am Gatter, Bauern spritzen Gülle auf die Äcker. An einem Seitenweg lege ich mich rücklings ins Gras und schließe die Augen. Ich höre Fahrradfahrer und Fußgänger an mir vorbeiziehen, höre, wie sie einander zuflüstern, das sei der neue Pastor, der da wie tot liege, wie erschlagen, um so, bestärkt durch diese Erkenntnis, ihren Weg fortzusetzen. Ein Hund schnüffelt an meinem Haar, ich spüre seine Zunge meine nicht religiös bedingte Tonsur entlanglecken, dann ist auch er verschwunden, gelockt von neuen, interessanteren Gerüchen, und so, bekrabbelt, beschnattert, beleckt, schlafe ich ein. Als ich aufwache und mich umschaue, bin ich allein. Kein Mensch weit und breit. Nur ich und die Natur (καὶ εἶδον οὐρανὸν καινὸν καὶ γῆν καινήν·). Der Anblick erinnert mich daran, wie ich, während des Abiturs, ausgelöst durch die Lektüre von *Siddhartha*, am Christentum zu zweifeln begann und mich dem Buddhismus und Hinduismus zuwandte, Laotse und die *Upanishaden* las und in allen Pflanzen denkende, leidende, der Spitze der Schöpfung gleichrangige Wesen sah (und meine radikale Diät noch radikalisierte), bis ich im Studium auf den Heiligen Alanus ab Insulis stieß, dessen Theorie, dass allem eine göttliche Kraft innewohne, die auf uns selbst zurückweise, mich wieder mit meinem Glauben versöhnte *(wer nie sein Brot mit Tränen aß)*. Kurz vorm ersten theologischen Examen geriet ich noch einmal ins Straucheln, als ich mich zwei Semester lang mit Giordano Brunos universaler Substanz beschäftigte, dem Fundament aller Formen, dem Unwandelbaren – und mit der Unendlichkeit des Universums. Womöglich würde ich das immer noch tun, wenn er noch mehr geschrieben und die katholische Kirche ihn und seine Werke nicht verbrannt hätte.

Anstatt mich an dieser Erinnerung zu wärmen, spüre ich die Kälte unter mir heraufziehen. Ich klopfe Grashalme von meiner Hose und vollende meinen Rundgang, indem ich an meinem Wagen vorbeigehe und im Café Neu-Helgoland einkehre. Auf der Terrasse, an der Nordwestseite des Hauses, sind alle Tische besetzt. Die Gäste, meist höheren Alters, begrüßen mich freundlich winkend. Einer pfeift die ersten Takte von Beethovens fünfter Sinfonie. An einem Tisch sitzt ein junger, langhaariger, farbbekleckster Mann, der, die Beine übereinandergeschlagen, in einem Katalog blättert und abwechselnd eine Zigarette und ein Moorbier zum Mund führt. Auf dem Tisch liegen eine Schachtel JPS und obenauf ein Feuerzeug. Ich frage ihn, ob der Stuhl neben ihm noch frei sei, und er weist mir, ohne ein Wort zu sagen, meinen Platz an seiner Seite zu. Ich bestelle eine Tasse Ostfriesentee (»draußen nur Kännchen«). Eine Weile blicken wir schweigend auf die im Sonnenglast tanzenden Mücken. Dann legt er den Katalog beiseite und sagt: »Und Sie sind also der Pastor.«

Und ich antworte: »Und Sie sind also der Künstler«, als ob es in diesem Dorf nur einen gäbe. Danach gerät unsere Unterhaltung gleich wieder ins Stocken, sodass ich mich, weil mir nichts Besseres einfällt, bemüßigt fühle, die nicht sehr originelle Frage nachzuschieben, was ihn hierher verschlagen hat (aber manchmal führen die dümmsten Fragen zu den interessantesten Gesprächen).

»Der Zufall.«

»Welcher Zufall?«

»Einen Tag vor dem Abgabetermin hab ich in Hamburg einen alten Freund aus Aachen wiedergetroffen, der war hier mal Stipendiat, und da hab ich meine Mappe hergeschickt und wurde ausgewählt. Und jetzt bin ich hier, in der totalen Provinz. Und Sie?«

»Eine Pfarrstelle. Ich bin dafür sogar konvertiert, vom reformierten zum lutherischen Glauben.«

»Das ist ein größeres Opfer als meins.«

»Nicht wenn Sie wüssten, was ich dafür aufgegeben habe. Wenn ich dürfte, würde ich meinen eigenen Glauben predigen.«

»Und der wäre?«

»Ein urchristlicher, trotz aller Widersprüche, die sich durch die strenge Auslegung der Bibel ergeben, einer, der alle späteren Ausprägungen des Glaubens miteinbezieht, was ein schwieriges Unterfangen ist, wenn ihnen ein so komplexer, vieldeutiger Text und die sich daraus ergebenden Verwicklungen zugrunde liegen. Interessanterweise sind sich übrigens die entgegengesetztesten christlichen Konfessionen, der Katholizismus und der Calvinismus, in dem einem Punkt einig, den Zufall, der Sie hierhergeführt haben soll, zu leugnen, und alles, was geschieht, als göttliche Vorsehung zu begreifen. Und obwohl ich mich weder der einen Richtung noch der anderen hundertprozentig zugehörig fühle, stimme ich doch mit beiden darin überein.«

»Darf ich Ihnen eine Geschichte erzählen?«

»Sie werden mich nicht vom Gegenteil überzeugen.«

»Kennen Sie Cees Nooteboom?«

»*Allerseelen.*«

»Mein Vater war ein komischer Kerl, jemand, der Bäume im Wald umarmt hat und so Sachen. Die Mädchen fanden das toll damals, Ende der Fünfziger. Nach dem Abi ist er allein über die Türkei nach Afghanistan gereist und hat da am Hof Deutschunterricht gegeben, und in Indien ist er mit Lkws quer durchs

Land gefahren. Ein Abenteurer, ein Fantast – und ein Sprachtalent. Er wollte Schriftsteller werden, hat dann aber in Berlin Germanistik studiert und sich im Umfeld von Enzensberger und Johnson bewegt, wahrscheinlich war er bloß auf ein paar Lesungen oder hat abends in den Kneipen mit ihnen gesoffen und sich den roten Bart gekrault, was weiß ich, das alles passierte, bevor Teufel und Co. ihre Wohnungen zu Kommunen erklärten, da war er nämlich schon Lehrer in Lemgo. Auf jeden Fall hat er Cees Nootebooms ersten Roman *Philip en de anderen* ins Deutsche übersetzt, nicht für einen Verlag, sondern für die Uni. Das war damals ein Kultbuch, das viel mit Freiheit und Reisen zu tun hat, mit Mädchen, Einsamkeit und Anderssein. Daher kommt der zweite Teil meines Namens, der erste stammt von meinem Urgroßvater Jan Wachowiak, der war wachhabender Polizist im Celler Schloss und ist eines Tages, als er vom Dienst nach Hause kam, erstochen worden. Davon hab ich bei meinen Eltern auch mal Zeitungsauschnitte gesehen, Bilder vom Prozess. Der Mörder ist später hingerichtet worden, auf dem Henkersberg in Hannover. Mein Vater hat mir oft von meinen Ursprüngen erzählt, und als ich dann selbst in dieses Alter kam, wo man Bücher liest, in denen es um den Sinn des Lebens geht, war Nootebooms erster Roman vergriffen, und zu Hause gab's zwar das niederländische Original, aber mein Vater konnte seine Übersetzung nicht mehr wiederfinden. Dann bin ich mit einem Freund per Interrail durch halb Europa gereist, auch nach Paris, um den Louvre zu sehen, und auf dem Weg dahin hab ich mir am Bielefelder Bahnhof *Das Paradies ist nebenan* von Nooteboom gekauft und festgestellt, dass es sich dabei um *Philip en de anderen* handelt, und dann hab ich's gelesen, und der Philip in dem Buch fährt auch nach Paris. Er trampt da zwar, und ich saß in der Bahn, aber das war schon ganz schön komisch, im Zug zu sitzen und dieses Buch zu lesen, das für meinen Namen verantwortlich ist. Und dann waren wir in Paris, und ich hab mich an die Spitze der Île de la Cité gesetzt und hab das Buch wieder rausgenommen und las da, an der Stelle, genau die Stelle, wo Philip an der Spitze der Île de la Cité sitzt. Das war mein Erweckungserlebnis für Literatur. Viel krasser geht's ja wohl nicht für so eine Vermischung von Realität und Fiktion.«

»Göttliche Vorsehung.«

»Warten Sie's ab. Es kommt noch besser. Als ich wieder nach Hause kam, wollt ich das meinem Vater sofort erzählen, aber kaum hatte ich angefangen, kaum hatte ich Nootebooms Namen erwähnt, erzählte er mir, dass er, während ich in Paris war, in Nordnorwegen wandern war, wie er dort auf einem Hügel steht und auf dem andern Hügel einen anderen Menschen sieht, und beide winken sich zu, und als sie runtergehen und sich in der Mitte treffen, erkennt mein Vater, wem er da gewunken hat.«

»Cees Nooteboom.«

»Die beiden haben ein Lagerfeuer gemacht, sich unterhalten und den letzten Whisky miteinander geteilt. Und einige Jahre später hab ich ein Buch von meiner Mutter geschenkt bekommen, eine Sammlung von Nootebooms Reiseberichten, und in einem davon beschreibt er die Begegnung mit einem rotbärtigen westfälischen Wandervogel.«

»Es gibt Hunderte solcher Geschichten, die ihre Faszination allein dem Umstand verdanken, dass die Vorgeschichten ausgeblendet werden, das ganze scheinbare Chaos, das uns umgibt, die unzähligen Informationen, die uns überfluten, der Stumpfsinn, die Irrationalität, die Unendlichkeit des Universums. Ἁρμονίη ἀφανὴς φανερῆς κρείττων. Nooteboom und Sie gehören notwendigerweise zusammen, wir alle tun das, wir sind ein Teil des Ganzen, und manchmal sind die Wege, die uns zueinanderführen, länger und manchmal kürzer, und manche sind so kurz, dass man's kaum glauben mag. Ein Dichter könnte sich das niemals erlauben, ohne Kritik zu ernten, aber sobald er sagt, das ist wirklich passiert, bekommt das gleich eine metaphysische Dimension.«

»Das hier ist wirklich passiert.«

»Das mag schon sein, aber Sie konzentrieren Ihre Erzählung auf diese Pointe, und nur deshalb erscheint Ihnen das, was geschehen ist, wie ein Wunder. Hätte Ihr Vater Nooteboom nicht *ge*kannt, hätte er ihn nicht *er*kannt, und trotzdem wären die beiden aufeinandergetroffen. Und hätte Ihr Vater Nooteboom nicht übersetzt, wäre es einfach nur ein Treffen von zwei alten Männern gewesen. Sie hätten zusammengesessen und getrunken und wären wieder auseinandergegangen ohne dieses große Aha-Erlebnis. Was ist mit all diesen anderen alltäglichen Begegnungen? Sind die nicht genauso bedeutend, bedeutender noch? Was zum Beispiel ist mit uns? Warum sitzen wir hier? Und was ergibt sich daraus?« Aber er geht nicht darauf ein. Stattdessen starrt er in die untergehende Sonne, drückt seine Zigarette aus und sagt, als hätte er mir gar nicht zugehört und die ganze Zeit über an etwas anderes gedacht: »Wenn der Messias heute unter uns wäre, würden wir ihn auch nicht erkennen, nicht mal an seinen Taten.«

»Das müssen wir auch nicht«, sage ich, meine Enttäuschung niederringend. »Jesus ist der Messias, und er ist für uns gestorben, für unsere Sünden, und seitdem ist er in uns.«

»Und warum müssen wir ihn uns dann immer wieder einverleiben?«

»Um uns daran zu erinnern, an sein Vermächtnis.«

»Ich dachte, Jesus kommt wieder, bevor die Welt untergeht, um die Toten aufzuwecken und die Lebenden mitzunehmen ins Himmelreich.«

»Die Parusie. Von dem Tage aber und von der Stunde weiß niemand, auch die Engel im Himmel nicht, auch der Sohn nicht, sondern allein der Vater.«

»Und daran glauben Sie?«

»Sie nicht?«

»Ich glaube, ich hab Hunger.«

»Ich auch.«

»Wir können ja im Bahnhof weiterquatschen.«

»Im Bahnhof?«

»Ja, im Restaurant.«

Es dämmert bereits, aber es ist noch hell genug, um meinen Wagen ausreichend würdigen zu können. Jetzt, da er aufrecht neben mir steht und mich in Größe und Breite überragt, wirkt er wie ein langhaariger Buddha, und er strahlt auch jene Ruhe und Gelassenheit aus, jenes innere Lächeln, das ich, wäre ich nicht wieder umgeschwenkt, einer Reinkarnation Siddhartha Gautamas zuschreiben würde. Auf der Fahrt befühlt Jan-Philip jedes Detail, und ich lasse ihn gewähren.

Als ich nach ihm, noch blind von meiner beschlagenen Brille, den alten Bahnhof betrete, hat uns der Wirt schon zu Grünkohl und Pinkel eingeladen. Er setzt uns an einen großen Tisch, an dem bereits einige andere Gäste aufs Abendessen warten, und reicht jedem auf Kosten des Hauses ein Getränk (ich nehme eine Apfelschorle und tausche Grünkohl und Pinkel gegen ein klitzekleines Stück Gemüsequiche). Jan-Philip sitzt an einem Tischende, ich am anderen, zwischen uns Männer und Frauen, die unsere Eltern sein könnten, wenn sie jung Kinder gekriegt hätten. Sie stellen sich uns nacheinander vor, Georg und Antje, Helmut und Magda, und als ich mich ihnen zu erkennen geben will, winken sie ab und weisen darauf hin, dass sie mich schon in der Tür erkannt hätten und längst wüssten, wer ich sei, das spreche sich in einem Dorf wie diesem schnell herum, auch wenn man nicht jeden Sonntag in die Kirche gehe. Jeder von ihnen weiß eine Geschichte über mich zu erzählen, Dinge, die sie von Gemeindemitgliedern erfahren oder in der Zeitung gelesen haben. Mein

Ruf, sagt Georg, sei mir vorausgeeilt, und Helmut bekräftigt, nur Gutes von mir gehört zu haben, so reden sie, mich mit Lob überschüttend, als sei ich der Messias und nicht (was wahrscheinlicher wäre) ein schwuler Doppelmörder.

Nach dem Essen fragt Antje den Künstler, an was er gerade arbeite.

»An einer Installation für eine Ausstellung in Syke. Ich habe Buchstaben aus MDF-Platten ausgesägt, angemalt und mit Leuchtdioden und so Jahrmarktskappen versehen.«

»Was für Buchstaben?«

»Mycobacterium vaccae.«

»Was ist das denn?«

»Ein Bakterium, das im Kuhdung vorkommt. Ist schon länger bekannt, aber jetzt haben Wissenschaftler Mäusen abgetötete Mykobakterien gespritzt und festgestellt, dass dabei in den Hirnen der Tiere Serotonin ausgeschüttet wird.«

»Ein Glücksbringer«, sagt Magda und gibt sich als Apothekerin zu erkennen.

»Ein Angstlöser«, sagt Antje, ohne erkennen zu geben, woher sie das weiß.

»Los«, sagt Helmut und erhebt sich halb vom Stuhl, »lasst uns Scheiße fressen. Davon haben wir hier mehr als genug.«

»Eben«, sagt Jan-Philip. »Wir atmen das sogar ein, wenn die Bauern ihre Felder düngen.«

»Ach, deshalb fühl ich mich so wohl hier«, melde ich mich nach langer Zeit wieder zu Wort. »Und ich dachte schon, es liegt an den Menschen.«

»Und wie sehen diese … Platten jetzt aus?«, fragt Antje.

»Kommt«, sagt Jan-Philip. »Ich zeig's euch.«

Nachdem sie meinen Wagen bewundert und in epischer Breite ihr schönstes VW-Käfer-Erlebnis geschildert haben, marschieren sie vom Bahnhof bis zu seinem Atelier in den Künstlerhäusern vor den Pferdeweiden im Dunkeln vor mir her. Meine Schweinwerfer weisen ihnen den Weg. Jan-Philip schließt die Tür auf und bittet uns herein. Vom Flur gehen mehrere Räume ab, ein Schlafzimmer, eine Küche, ein Bad, aber er führt uns in einen großen, kahlen Raum, in dem eine Werkbank, ein schwarzes Ledersofa, ein Regal, und, an die Wand gelehnt, die Negative der Buchstaben stehen, von denen er uns erzählt hat.

»Und wo sind die jetzt?«, fragt Magda, auf die Löcher im Holz deutend.

»Da draußen«, sagt Jan-Philip und zeigt aus dem Fenster.

Wir wenden uns unseren Spiegelbildern zu, und in dem Moment geht das eine Licht über uns aus und ein anderes vor uns an. Ein rotes, gelbes, grünes Blinken, weit über dem Feld schwebend, illuminiert die Nacht, und wir pressen unsere Gesichter ans Glas wie Kinder, und plötzlich bin ich ein Kind, völlig beseelt von dieser anagogischen, meditativ-ekstatischen Aussicht auf wechselweise aufleuchtende Buchstaben *my ca co ca bac acc ter va ium vaccae coba ca va myco ae bact cc erium va my acterium m ba ba r e i b t y c u r i e v i b r a t o c e m i r a t r o m b b a r t m a i b a um c b e u t e e t t b e i r u t a m e r i c a r um t r i e b i v e r b o t my r i a m um a b o r t e e r o t i c v m i c r o t u m o r e a m i e t b a r c a b a r e t c v o r b a u b e a c v i c t o r c a m e r a a b e t a a r b e i t e t a b u e m b r y o b e i r a t b e a u t y b e a t r i c e v o r b e i t r a u m a t r i e b r o y c e t r a b i e i t e r b e r t a e a c c a v m i r e t c a b c y m a t a r i obac a b r a um r a b i a t m u m i e t a u b e a m a t e u r e b o r t e r e i m t a m b e r o r b i t b r a v o a u t o b e t e a r m u t a u t o r r a m b o y c o m e e r t o r ei e r a o r t a t u r b o c t e r c o m i c um v a a m o u r i b m v o t um m e r c i r e t o b o e t o r e e u r o t r e u a c t a r a m m a o r i r a b e a b t b r o m o r t m a o c i t y m a y a a t o m m a m a a r t y e t i c a e c r e m e c o b r a b o t e r i o a r m y b a v a ri a a m o e b e m e t e o r r e i t e t r a b e a r o m a ca r a m b a va cobacteri mycoba um vaccae.*

»Ist das immer die gleiche Reihenfolge?«, fragt Antje.

»Nee, das läuft per Zufallsgenerator.« Jan-Philip macht eine Pause, als erwarte er einen Einwand von mir, dass Gott auch hier seine Finger mit im Spiel habe, und tritt an mich heran. »Darauf habe ich keinen Einfluss.«

Was für ein Tag: Erst lerne ich in diesem Künstlerdorf einen echten Künstler kennen, dann nimmt durch ihn das Geistige Gestalt an und verwandelt sich zum bunten Licht einer übermenschlichen, überirdischen Schöpfungsmacht, die sich nicht nur in der Reinheit des Himmels, im Schimmer der Sonne zeigt, sondern auch im Schlamm der Erde, im Kot der Kühe. *Deus in minimis maximus.* O süße Theophanie! Ich fühle mich tatsächlich um Jahre verjüngt, spüre Philip neben mir, seinen Atem, seine Wärme, seine Hand auf meiner Schulter – und ein Vibrieren in der Hose.

Im Flur hole ich mein Handy heraus. Auf dem Display erscheint der Name meines Vaters. Das Erste, was in meinem Gehirn aufblitzt, ist t o d, weil er mir, wann immer er mich wiederholt anzurufen versucht, eine Todesnachricht übermittelt, von Didi Schulz und Uli Dettmers, Enno und Gerda Kröger oder, erst kürzlich, von Hans Meinders, meinem Mentor. Ich gehe ran, und er gibt den Apparat, nachdem er mich darauf hingewiesen hat, wie schwer ich zu erreichen sei, gleich an meine Mutter weiter.

»Arne und ich«, sagt sie, »wir haben uns entschlossen, jetzt doch nach Wahnsinnsfehn zu ziehen.« Ein Scherz. Der Ort heißt Warsingsfehn, zwanzig Kilometer von Jericho entfernt, und Arne, mein Vater, ist dort seit einigen Jahren Leiter der Haupt- und Realschule, die zum neuen Schuljahr hin in eine integrierte Gesamtschule umgewandelt wurde. »Wir haben uns da jetzt ein Haus gekauft, kleiner als das hier, vier Zimmer.« Sie macht eine Pause, um die vier Zimmer auf mich wirken zu lassen. »Und ihr seid ja jetzt selbstständig. Ihr kommt ja sowieso fast nie mehr zu Besuch, und für uns brauchen wir ja nicht so viel Platz.«

»Was willst du mir damit sagen, Petra?«

»Dass du dein Zimmer ausräumen musst.«

»Bis wann?«

»Bis Sonntag.«

»Diesen Sonntag?«

»Am Montag müssen wir raus sein.«

»Und warum erfahre ich das erst jetzt?«

»Wir haben's mehrmals bei dir probiert, aber du hast uns ja immer weggedrückt.«

Nachdem ich sie wieder weggedrückt habe, nicht jedoch, ohne mich vorher von ihr zu verabschieden, verabschiede ich mich von den anderen, weil morgen der einzige Tag der Woche ist, an dem ich noch nach Jericho fahren kann, ohne meine Termine verschieben zu müssen. Anstatt mit mir aufzubrechen, was mir die Möglichkeit gegeben hätte, unter einem Vorwand zu Jan-Philip zurückzukehren, versuchen sie, mich zum Bleiben zu bewegen, indem sie mich darauf hinweisen, dass der Abend ja noch jung sei, etc. Aber ich habe keine Zeit, zu warten, bis alle gegangen sind. Ich muss bei Kück vorbei und den Käfer gegen die Doka eintauschen, um genug Stauraum für Möbel und Kisten zu haben, und morgen in aller Frühe losfahren, damit ich nachmittags, rechtzeitig zum Konfirmandenunterricht, wieder zurück bin.

Zu Hause gehe ich noch einmal online. Auf Facebook habe ich drei Freundschaftsanfragen meiner neuen Freunde, Jan-Philip Scheibe, Helmut Meyer und Antje Brinkmann, die ich alle bestätige, und Simone Rosing hat ihren Status aktualisiert, *puh, joris hat gerade puh gemacht*. Im Überschwang des Augenblicks klicke ich auf *Gefällt mir*.

Jericho. Ich rase mit fünfzig durch die Tempo-dreißig-Zone, lasse mir von dreiundzwanzig Pollern Kopf und Po polieren, beschleunige auf den letzten Metern auf achtzig, bremse abrupt ab und komme mit rauchenden Reifen, beäugt von den Nachbarn (»Und der soll Pastor sein?« usw.), um neun Uhr morgens in der Mozartstraße zum Stehen. Die Auffahrt blockiert ein Container, in den Arne gerade seinen durchgesessenen Schreibtischsessel wuchtet. Ich nehme den Laptop vom Beifahrersitz. Mit einer eleganten Drehung schwinge ich mich aus dem Wagen, knalle die Tür zu, dass in den umliegenden Häusern die Gardinen hinter den geschlossenen Fenstern zittern, und begrüße meinen Vater per Handschlag, wie es sich für einen nachlässig und doch wohlerzogenen Sohn gehört. Zusammen gehen wir ins Haus. Der Flur ist schon ausgeräumt, im Wohnzimmer stapeln sich Kartons, von oben dringt ein Rumpeln zu uns herab.

»Das meiste ist schon weg«, sagt Arne. »Petra und Venja bringen gerade eine Ladung Sperrmüll zur Deponie, müssten aber gleich wieder da sein. Wir haben extra mit dem Frühstück auf dich gewartet. Die Küche und das Bad sind die einzigen Räume, die noch benutzbar sind – und dein Zimmer natürlich.«

»Musste das denn unbedingt jetzt sein?«

»Du«, sagt er und klemmt die Daumen hinter die Träger seiner Latzhose, »plötzlich ging das alles ratzfatz, das Haus, der Vertrag, mit allem Pipapo, hatten wir auch nicht mehr mit gerechnet, aber dann konnte es Kolthoff plötzlich nicht schnell genug gehen, der hat jetzt ja auch schon drei Kinder mit der Mettjes. Ist die nicht mit dir zur Schule gegangen?«

»Ich dachte, der ist mit Susanne Haak zusammen.«

»Das ist ja schon ewig her, die sind schon lange wieder auseinander. Na ja, und wir wollten ja unbedingt die Herbstferien für den Umzug ausnutzen, weil wir sonst bis Weihnachten hätten warten müssen. Und du weißt ja, wie das ist, zwischen den Jahren. Versuch da mal, Spediteure zu finden. Und für dich wär das ja auch viel zu stressig geworden, bei den ganzen Feiertagen.«

»Funktioniert das noch?«, frage ich und zeige auf die Kabel und Boxen auf dem Fußboden, dort, wo vorher der Telefonschrank gestanden hat.

»Klar. Hier funktioniert alles noch.«

»Ich muss nämlich noch mal ins Netz.«

»Wer ist da?«, höre ich Verena von oben rufen.

»Dein Bruder«, sagt Arne.

Und schon ist sie auf der Treppe, unten im Flur, in meinen Armen. Ihr Perlohrring kitzelt meine Wange. Wir haben uns monatelang nicht gesehen, alle paar Wochen schickt sie mir eine E-Mail, oder sie ruft mich an, heulend, am Boden zerstört, und bittet um Trost, wenn es in ihrer Beziehung oder im Büro mal wieder nicht so läuft, wie sie sich das vorgestellt hat (ihr Anspruch deckt sich nicht mit der Wirklichkeit; alles muss immer aufwärts gehen und perfekt sein etc.). Dabei lässt sie mich kaum zu Wort kommen, und wenn ich dann doch einmal etwas sage, fühlt sie sich gleich falsch verstanden. »Was soll das denn jetzt? Gott geht mir doch am Arsch vorbei.«

»Ich hab nicht explizit von Gott gesprochen, als ich sagte, du solltest mal mit jemand Neutralem reden.«

Ihrer Schwester wirft sie vor, als Kind von den Eltern stets bevorzugt worden zu sein, und mir, ihr nichts gegönnt zu haben. Offiziell studiert sie in München Deutsch und Geschichte auf Lehramt, aber außer ihren Eltern wissen alle in der Familie, dass sie die Universität seit Jahren nicht mehr betreten hat (sie ist nicht mal mehr immatrikuliert) und sich, statt zu lernen, mit wechselnden, wenig lukrativen PR-Jobs in der Musikbranche durchs Leben schlägt; sie hat einen Mann (Lothar, siebenundvierzig, Anwalt, CSU-Mitglied), zwei Stieftöchter, an der Börse viel Geld verloren und zweifelhafte Ansichten, die sie, um keinen Streit aufkommen zu lassen, zu Hause zu unterdrücken versucht, was ihr aber nur selten gelingt, da Arne sie durch sein schlichtes Dasein provoziert. »Sie haben das Haus praktisch verschenkt«, flüstert sie mir zu, aber laut genug, dass Arne es hören kann, und löst sich aus der Umarmung.

»Wir sind froh, es endlich los zu sein.«

»Hunderttausend! Lothar sagt, ihr hättet leicht das Doppelte verlangen können. Ihr müsst auch mal an eure Zukunft denken, ihr seid nicht mehr die Jüngsten, und so ein Haus, das ist praktisch eure Altersvorsorge.«

»Du meinst, deine Altersvorsorge.«

»Ich hab euer Geld nicht nötig.«

»Wenn das so ist, muss ich dir ja nix mehr überweisen.«

»Ihr gebt ihr immer noch was?«, frage ich.

»Bis sie mit dem Studium fertig ist – wie bei euch allen.«

Verena starrt mich mit einem bösen Blick an, um mich an unsere Abmachung zu erinnern, unsere Geheimnisse vor den Eltern nicht preiszugeben, und daran, dass, falls ich mich nicht daran halte, sie nicht zögern werde, ihnen meins zu offenbaren (sie kennt nur das eine).

»Wie alt bist du jetzt?«, frage ich sie, »Zweiunddreißig?«

»Einunddreißig.«

»Und wann ist noch mal deine Abschlussprüfung?«

»Nur damit du's weißt, das Geld steht mir zu.«

»Warum?«

»Als Kompensation.«

»Für was?«

»Für Venja und dich.«

»Du hast ein echtes Konkurrenzproblem, Verena!«

(Ἀί γυναῖκες εν ταῖς ἐκκλησίαις σιγάτωσαν: Schimpfwörter und Verwünschungen, die ich als Mann Gottes wiederzugeben nicht für schicklich halte.) Nachdem sie sich wieder beruhigt

hat, sagt sie, jetzt offenbar bemüht, in meinen Kosmos vorzu-
stoßen und sich mir auf diese Weise verständlich zu machen:
dass ich leicht reden habe, die Erst- und Letztgeborenen würden
in der Bibel ja ausreichend gewürdigt, während die dazwischen
»praktisch überhaupt keine Rolle spielen«, höchstens um sie ab-
zustrafen und früh sterben zu lassen, usw. usf. Ich wiederhole
meine Diagnose, und sie erneuert ihre Flüche und Beleidigungen, bis Petra und Venja zur Tür hereinkommen.

»Na«, sagt Petra, »hier ist ja schon wieder die Hölle los«, und
stürzt auf mich zu. »Schön, dass du da bist.«

Obwohl ich ihrem Kussmund durch eine geschickte Drehung
des Kopfes ausweiche (dank meines straffen, muskulösen Halses), schafft sie es, mir »een Ballerduutje«, wie sie immer sagt, auf
die Wange zu drücken. Ihre Existenz als Nichtostfriesin hat sie
seit dem Umzug nach Jericho vor siebenundzwanzig Jahren
durch eine übertrieben vollständige Aneignung des Plattdeut-
schen zu verschleiern versucht. Venja dagegen umarme ich lang
und innig. Ihre Dreadlocks riechen wie Heu, und als ich ihr über
den Rücken streiche, merke ich, dass sie seit unserem letzten
Treffen (vor drei Monaten, Petras sechzigster Geburtstag) di-
cker geworden ist und immer noch keinen BH trägt. Sie ist die
Kleinste und Jüngste und Schnellste von uns allen. Innerhalb von
sechs Semestern hat sie ihr Studium in Emden beendet (Sozial-
management), und seitdem arbeitet sie in einer Einrichtung für
geistig Behinderte. Geld und Glaube sind ihr nicht wichtig, aber
der Job bei der Lebenshilfe macht ihr keinen Spaß mehr, zu viele
Andersbegabte und zu wenig Personal, um diese Andersbega-
bung zu fördern, und im Sommer hat sie sich von ihrem Freund
getrennt, nachdem sie ihn mit ihrer besten Freundin im Bett erwischt hat (sein Kind hat sie abgetrieben, das ist ihr Geheimnis).
Deshalb will sie ihre neu gewonnene Freiheit nutzen und die
eigene Begabung auf einem anderen Gebiet (Umweltschutz) ein-

bringen. Mit Arne und Petra und einigen Ökoaktivisten von WiderSetzen, die sie übers Internet kennengelernt hat, wird sie im November nach Gorleben fahren und sich an die Schienen ketten, und im Dezember will sie mit einer anderen Gruppe, Plant for the Planet, nach Cancún fliegen, um vor dem Tagungshotel hundertvierundneunzig Ceiba-Schösslinge in die Erde zu stecken, für jeden Staat, der dort an der UN-Klimakonferenz teilnimmt, einen. Arne und Petra begrüßen die Entschlossenheit ihrer Tochter, auch wenn sie den Flug nach Mexiko skeptisch sehen (zu gefährlich und zu weit weg). Verena hat gar nicht erst versucht, ihr den Plan auszureden, weil sie der Meinung ist, dass jeder seine Erfahrungen selber machen müsse, und es demzufolge vollkommen sinnlos sei, jemandem Ratschläge zu geben (ich frage sie nicht, warum sie mich dann immer wieder anruft). Ich habe zwar keine der Petitionen gezeichnet, auf die Venja mich in den vergangenen Jahren per Rundmail hingewiesen hat, aber ich unterstütze sie in ihrem Kampf für eine bessere Welt, zumal sie als Einzige von uns dreien erklärtermaßen gewillt ist, mit dem richtigen Mann möglichst viele Nachkommen in dieselbe zu setzen – allen traumatischen Erlebnissen und aller apokalyptischen Rhetorik zum Trotz.

»Mein Zimmer ist leer«, sagt sie. »Die wertvollen Sachen hat Verena übernommen, um sie bei Ebay zu verticken.«

»Die handsignierte CD von Michael Jackson«, sagt Verena, »ist mindestens dreihundert Euro wert.«

»Du musst es ja wissen.«

»Er hätte zwanzig Jahre früher sterben sollen, dann hätten wir mit seinem Tod mehr verdient als mit seinem Leben.«

»Wer ist wir?«

»Sony und ich.«

»Aber da sind noch ein paar Bücher, die dich interessieren könnten«, sagt Venja.

»Die kannst du haben, sind keine Erstausgaben.«

»Ich kann sie mir ja mal ansehen.«

»Aber erst nach dem Frühstück«, sagt Petra und geht an uns vorbei in die Küche. »Ich brauch jetzt einen Kaffee und was zu essen. Ich sterbe vor Hunger.« Wir folgen ihr und setzen uns an den gedeckten Tisch, jeder an seinen Platz, das letzte Mal, bevor sie in der neuen Küche neu verteilt werden. Wie üblich reden alle durcheinander, über das Haus, das Geld, das Klima, und wie üblich geraten wir darüber in Streit. Irgendwann, als für einen Moment Ruhe herrscht, steht Arne auf, nimmt einen Zettel von der Anrichte und reicht ihn mir. »Hier, hab ich heute gefunden.«

»Was ist das?«

»Ein Wettschein.«

Ich nehme das zerknitterte, vor Fettflecken transparente Stück Papier entgegen und entfalte folgende Prophezeiung:

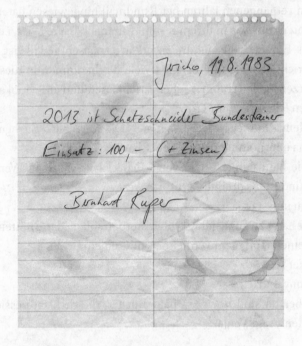

Jericho, 19. 8. 1983

2013 ist Schatschneider Bundestrainer
Einsatz: 100, – (+ Zinsen)

Bernhard Ruper

»Und damit«, sagt Arne, »bin ich gestern zu ihm hin und hab ihm das gezeigt. Und weißt du, was er zu mir gesagt hat? Die dreißig Jahre sind noch nicht um.«

Nach dem Frühstück gehe ich, meinen Laptop und zwei zusammengefaltete Kartons unter die Achseln geklemmt, die Treppe hoch in mein Zimmer, in das Museum meiner Kindheit, und stehe vor einem Abgrund (bildlich gesprochen). Seit Jahren verstauben in den Regalen, nach den realen Herstellern sortiert, Wiking-Modelle, überwiegend im Maßstab 1:87, der komplette Nachbau des Jericho'schen Fuhrparks zwischen 1983 und 1991, Jugendbücher (z. B. Hermann Hesses *Gesammelte Werke*), einige Bände der evangelischen Schriftenmission (u. a. *Wir wollen nur deine Seele – Rockszene und Okkultismus: Daten, Fakten, Hintergründe*), historische Lexika, Schulbücher, Aktenordner mit Mitschriften, Fotoalben, die, zusammengenommen, ein völlig falsches Bild von meiner Vergangenheit ergeben. Auf dem Schreibtisch liegt noch ein Tageskalender aus dem Jahr 1995, dem Jahr meines endgültigen Auszugs aus dem elterlichen Heim. Über dem Bett, an die Dachschräge geheftet, hängen Poster von Lokalbands, die sich längst aufgelöst haben (Deichwart, Kill Mister, Paranoia Park). Die andere Hälfte des Raumes nimmt ein Kleiderschrank voller mir inzwischen viel zu weiter Hosen, Pullover und T-Shirts ein. Ich bin angekommen, aber noch nicht am Ziel. Ich weiß nicht, wo ich anfangen soll (ἀρχὴ ἥμισυ παντός), und gehe, wie so oft, wenn ich etwas Unliebsames beginnen will, noch einmal online. Jan-Philip teilt mir (und allen anderen seiner Freunde) via Facebook mit, dass er ein Video seines Schaffens bei YouTube hochgeladen hat: http://www. youtube.com/watch?v=5SlNy5cAzo0. Der Anblick lässt mir das Blut zu Kopfe steigen. Plötzlich fühle ich wieder seine Hand auf meiner Schulter und seinen heißen Atem in meinem Nacken. Ich bin versucht, ihm eine Nachricht zu senden, ihm mein Herz auszuschütten, aber ehe mich der sentimentale Schwindel übermannt, klappe ich meinen Laptop zu.

Ich falte die beiden Kartons auseinander, stelle sie Seite an Seite vor mich hin und beginne, das Wichtige vom Unwichtigen zu trennen. Ich setze mich aufs Bett und ziehe die oberste Schublade des Nachttischs auf: Bleistiftzeichnungen von Menschen und Tieren, steinharte Knetmännchen aus Fimo, fleckige Schulhefte, klebrige Seiten mit klebrigen Gedichten (das lyrische Du war immer D.) – allesamt Artefakte meines verschütteten Ichs –, eine Packung Kondome (womöglich von Kuper), Zigaretten, die so trocken sind, das sie mir in der Hand zerbröseln, eine Swatch, bei der die Batterie ausgelaufen ist, nicht abgeschickte Liebesbriefe und, ganz zuunterst, ein Foto, das einen Jungen mit bloßem Oberkörper zeigt, mein Verlangen, mein Verderben: Daniel Kuper.

Vom ersten Moment an, als ich ihn sah, wusste ich, dass wir zusammengehörten. Wie er vor mir saß, allein an einem Tisch, die Beine hinter die Stuhlbeine geklemmt, den Kopf aufgestützt, mit diesem Ausdruck vollkommener Langeweile und Gelassenheit. Frau Wolters stellte mich der Klasse vor, aber niemand, nicht einmal ich selbst, hörte ihr zu. Während sie meine noch nicht sehr ausführliche Biografie in größtmöglicher Ausführlichkeit herunterleierte, konnte ich meinen Blick nicht von ihm abwenden. Mein ganzes Denken konzentrierte sich auf diese Leerstelle neben ihm. Ich hoffte, dass sie mich dorthin setzen würde, und das tat sie, obwohl es an der Peripherie meiner Wahrnehmung noch einige andere freie Plätze gab.

Ich war nicht von Geburt an Linkshänder, ich bin es mir zuliebe geworden. Wann immer er etwas ins Schreibheft zeichnete, auf die vorgegebenen Linien, einen Strich, einen Bogen, einen

Punkt, suchte ich seinem Arm so nah wie möglich zu sein, und das ging, ohne Verdacht zu erregen, nur, wenn ich mich halb über den Tisch beugte, um den Füller herumgriff und die Spitze über das Blatt schob, während sein rechter Ellbogen zur gleichen Zeit den Raum beanspruchte, den mein linker einnahm. Dabei kam ich ihm aus seiner Sicht naturgemäß ständig in die Quere, und keine drei Stunden später schlug er mir vor, die Plätze zu tauschen, was ich ebenso naturgemäß mit dem Hinweis »Ich kann nicht am Fenster sitzen, da zieht's« ablehnte. Wir arrangierten uns. Ich zügelte mein Verlangen, er seinen Zorn.

Nur wenn er vor dem Unterricht betete, was außer mir alle taten, konnte ich ihn ungestört betrachten. Ich war noch nicht getauft, und Frau Wolters hatte mir freigestellt, an jenem morgendlichen Ritual teilzunehmen oder nicht. Und so sah ich ihn zum Auftakt eines jeden Schultags eine Minute lang von der Seite an, sein Profil, wie er die Lippen bewegte, wie seine Lider bei jedem hingehauchten Wort zuckten, wie seine Hände einander umschlossen, und ich stimmte mit offenen Augen in das Gebet mit ein und bat Gott, dafür zu sorgen, dass seine Hände meine einmal so umschließen mögen.

In den Pausen stand ich abseits. Er war umringt von anderen Jungs, normalen Jungs, und ich fühlte, dass in ihrer Mitte kein Platz für mich war, höchstens wenn es darum ging, Schläge einzustecken, weil sie alle paar Minuten zu mir herüberschauten und dann in polterndes Gelächter ausbrachen. Ich hörte meinen Namen in Verbindung mit einer wenig originellen Metapher aus dem Bereich mathematischer Maßeinheiten – Sack, Fass, Tonne – und weitere, derbere Anspielungen auf mein Gewicht – Schwabbel, Fettwanst, Gierhals. Aber was sie auch sagten, es traf mich nicht. Und schon da offenbarte sich, was Daniel später auszeichnete: Er machte nicht mit.

Der Sportunterricht war ein Problem. Körperkontakt wurde

bei Mannschaftspielen vom Lehrer eingefordert (anders als sonst, wo man nicht einmal die Köpfe zusammenstecken durfte). Er verlangte von jedem, auch von den Mädchen, mehr in die Zweikämpfe zu gehen, und wenn nötig, den ganzen Körper einzusetzen und den Gegner zu Fall zu bringen. Einige Mitschüler, besonders jene, die den Nachweis einer Hirnaktivität in allen übrigen Fächern nur mit dummen Kommentaren erbrachten, entwickelten darin bald einen erstaunlichen Ehrgeiz *(beati pauperes spiritu)*. Und auch ich entdeckte die Vorteile meines Umfangs und wusste sie einzusetzen. Keiner, der aufs Tor zustürmte, kam an mir vorbei. Ich stellte mich ihnen in den Weg und ließ sie an mir abprallen wie einen Flummi an der Wand. Nur Daniel empfing ich mit offenen Armen.

Wie gerne hätte ich anschließend mit ihm geduscht, mit ihm allein. Aber wie sollte ich dort, selbst unter günstigeren, intimeren Bedingungen, im Schauer unserer Nacktheit meine Zuneigung zu ihm verbergen? Mein Körper war mir in allen Belangen selbst im Weg. Ich hatte keine Kontrolle über seine Bedürfnisse. Er handelte ohne mein Zutun. Daniel anzusehen, ihn zu berühren, war ein Reflex. Damals wusste ich nicht, was das war, das mich zu ihm hinzog. Ich wusste nur, aus einem Instinkt heraus, dass er nicht empfand, wie ich empfand, und ich musste lernen, Abstand zu halten, damit er sich nicht von mir entfernte. Doch wie sehr ich mich auch anstrengte, unsichtbar und lautlos zu sein, genau das tat er. Kam ich nicht auf ihn zu, kam er nicht auf mich zu. Sagte ich nichts, sagte er nichts. Deshalb begrub ich meinen Plan, drei Tage nachdem ich ihn ersonnen hatte, wählte voller Verzweiflung seine Nummer oder umkreiste wie ein Falter das Licht mit dem Fahrrad die Drogerie in der Hoffnung, wenigstens sein Gesicht am Fenster zu erblicken. Er rief mich nie zurück, wenn ich mich nach der Schule mit ihm verabreden wollte und sein Vater oder seine Mutter den Hörer abnahm, und er ließ sich von ihnen verleugnen, wenn ich ihn spontan besuchte. Doch das schreckte mich nicht. Und ich war ihm fast dankbar, als ich in seinem Sandkasten, einen Spaten haltend, vor ihm kniete und er mir mit dem Hammer den Kopf einschlug. Endlich gab es eine Verbindung zwischen uns.

Er war es auch, der meine Leidenschaft für Autos weckte. Der Plastikpanzer, der Gepard (wie oft dachte ich dabei an Daniel und mich und sprach das Wort als Partizip Perfekt meiner Sehnsucht vor mich hin?), den er mir am Krankenbett auf Druck der Eltern schenken musste, in der irren Annahme, das Geschehene dadurch ungeschehen machen zu können, ist heute das teuerste Stück meiner Sammlung. Er steht bei mir wie einst bei ihm im Zimmer ganz oben im Regal, über allen anderen Exponaten meines Lebens. Auch wenn sein Marktwert nicht besonders hoch sein mag, für mich ist er unersetzlich. Er ist das einzig Greifbare, was mir von ihm geblieben ist.

Wir spielten miteinander wie Kinder, brachten Figuren vor Burgen und Forts aus Schuhschachteln in Stellung und trugen mit ihnen einfache Konflikte aus, wobei alle unsere Stellvertreter unsterblich waren, sie fielen um und standen wieder auf, sobald wir sie brauchten. Manchmal ließ ich ihn gewinnen, nur um zu sehen, wie sehr er sich darüber freute, mich besiegt zu haben, und manchmal ließ er mich gewinnen, um, angesichts des Pflasters auf meiner Stirn, sein schlechtes Gewissen zu beruhigen. Der Hammer schmerzte ihn mehr als mich. Je mehr Zeit wir zusammen verbrachten, desto mutiger wurde ich. Wie zufällig strich ich ihm über die Hand, wenn er seine Truppen neu positionierte und ich meine just im selben Augenblick hinter demselben Bettpfosten versteckte, den wir zuvor zum Stützpunkt der Rebellen erklärt hatten; wie unbedacht bewegten sich meine Soldaten von den entlegensten Posten mit bloßen Fäusten auf seine zu und gaben sich erst geschlagen, wenn er sie im Nahkampf ausreichend mit einem Bajonett gekitzelt hatte; und wie zwecklos sagten sie, schon halb tot, mit sterbender Stimme, dass sie davon nicht genug bekommen könnten. Ich provozierte ihn, bis ihm nichts anderes übrig blieb, als sich auf mich zu stürzen und mich so, die Knie auf meine Arme gestützt, den Kopf zwischen seine Schenkel geklemmt, zum Schweigen zu bringen; und einmal, an jenem heißen Sommertag, an dem sein Vater ihn das erste Mal verprügelte, kam ich nur mit einer roten Frotteeunterhose bekleidet zu ihm, um ihn dazu zu animieren, ebenfalls leicht bekleidet zum See oder ans Meer zu fahren und ihn unterwegs auf eine Wiese zu zerren, wo wir ungestört sein würden. Mein Herz bebte, meine Haut glänzte (das verräterische Gift der Transpiration), ich hatte mir Puder unter die Achseln gestäubt. Fast wäre der Plan aufgegangen, wenn auch anders, als erwartet, aber die Vorfreude, von ihm auf dem Flachdach entdeckt zu werden, das beste Versteck in ganz Jericho, hatte mich derart in Wallung versetzt, dass mir das Fenster aus den schweißnassen Fingern rutschte und zerbrach. Als sein Vater mit einem Holzbügel im Türrahmen erschien, um Daniel zu züchtigen, war ich bereit, mich für ihn zu opfern. Nach vorn gebeugt, den Hintern ausgestreckt, die Hand schon an der Hose stand ich da, doch das ließ sein Vater nicht zu, und so besiegelte eine neue Wunde unsere Freundschaft.

Dann kam der Schnee und mit ihm die Kälte. Ich besuchte ihn im Krankenhaus, gab ihm zur Begrüßung die Hand, befühlte die Schläuche, an denen er hing, und setzte mich, als wäre es das Selbstverständlichste der Welt, auf sein Bett. Die Schwerkraft zog ihn zu mir hin. Er war zu schwach, sich dagegen zu wehren, und zu verwirrt, um etwas anderes zu sagen als das, was er immerzu wiederholte: *Eisen, Schloss, Schild, Fahrrad, Feld, Lichtung, Mais.* Nichts von alledem ergab einen Sinn, er war schwer traumatisiert – von was auch immer – und vollkommen unterzuckert, und er aß auch zu wenig Fleisch, und ich hatte mir vorgenommen, mich besser um ihn zu kümmern als seine Mutter. Ich hob meine Tasche vom Boden hoch, drehte sie um, zog den Reißverschluss auf und ließ Dutzende Schokoriegel und BiFis aufs Laken hinabregnen. Seine Eva hatte den Baum der Erkenntnis geplündert, und eine Schlange war nirgends zu sehen (sie zuckte in ihrer Höhle). Was unser Paradies störte, waren die selbst ernannten Götter, die über uns wachten – seine Eltern –, mich ob meiner Therapie tadelten und verlangten, alles wieder einzupacken und mitzunehmen. Als Kompensation schob ich mir auf dem Gang ein Mars in den Mund.

Von da an war Daniel der Spinner. Alle behaupteten, er behauptete, von Außerirdischen entführt und im Mais wieder abgesetzt worden zu sein. Dabei war er unfähig, über das, was tatsächlich passiert war, zu sprechen. Daran vermochte auch ein Wunderheiler wie Bernd Reichert in mehrstündigen und kostspieligen Sitzungen nichts zu ändern. Daniel beteuerte immer wieder, dass es so, wie in der Zeitung dargestellt, nicht gewesen sei, aber wie dann, konnte er nicht sagen. Ich war der Einzige, der ihm ohne den geringsten Zweifel glaubte. Doch wenn ich dachte, dass mir mein Vertrauen einen Vorteil verschaffte, hatte ich mich getäuscht. Ich weiß nicht, ob er es mir insgeheim zum Vorwurf machte, ihn an jenem Tag nicht begleitet zu haben (wer hätte das Angebot ausgeschlagen, bei Wind und Schnee morgens und mittags vom Vater im Auto hin- und hergefahren zu werden?). Ich weiß nur, dass er mich, wann immer das Thema zur Sprache kam, in der Schule, auf dem Nachhauseweg, im Kino, mit seinen dunklen, traurigen Augen ansah: als wäre ich von einem anderen Stern und mir meiner Andersartigkeit nur nicht bewusst.

Es dauerte Wochen, bis ich mir seine Gunst wieder erschlichen hatte. Ich gab ihm Nachhilfe (offiziell nicht in der Liebe, sondern in Englisch und Biologie, Welt- und Umweltkunde,

Deutsch und Mathematik – wir wiederholten das, was er während seiner Abwesenheit verpasst hatte). Seine Mutter war dankbar, dass ihr Sohn Gesellschaft hatte, sein Vater, dass er keinen Pfennig für die Förderung bezahlen musste, Daniel, nicht den Anschluss zu verlieren, ich, Zeit mit ihm zu verbringen. Alle waren glücklich. Einmal brachte ich ein Biologiebuch mit, das ich meinen Eltern aus dem Schrank geklaut hatte, und erklärte, Herr Kamps habe Andeutungen gemacht, uns beim nächsten Test Fragen daraus zu stellen, obwohl das erst Unterrichtsstoff der siebten oder achten Klasse sei.

»Was für Fragen?«

»Die Anatomie des Menschen betreffend.«

Daniel starrte mich verständnislos an.

»Wo welche Organe im Körper liegen und welche Funktion sie haben.« Nachdem er sich das Kapitel durchgelesen hatte, sagte ich: »Wenn du Fragen hast, frag.«

»Hab ich aber nicht.«

»Herr Kamps meinte, vielleicht bringt er die Puppe mit.« Die Puppe war ein Modell des Menschen, bei dem man einzelne Teile herausnehmen konnte, um einen Blick ins Innere zu werfen.

»Wofür?«

»Damit wir ihm die Organe zeigen können – von außen. Er meinte, wir müssten in der Lage sein, sie durch die Haut zu ertasten, falls, na ja, falls wieder mal jemand von uns einen Unfall hat und jemand anderes Erste Hilfe leisten muss. Mund-zu-Mund-Beatmung, Herzmassage und so.«

»Wieso wieder? Wer hatte denn einen Unfall?«

»Du. Im Mais.«

»Das war kein Unfall.«

»Ich weiß das.«

»Und das hat er gesagt?«

Ich nickte wie ein Irrer, voller Vorfreude, ihm meinen Atem

einzuhauchen, sein Herz zu massieren und mich von da aus über Lunge, Leber, Magen, Darm nach unten vorzutasten. »Wir haben das im Unterricht schon gemacht. Gegenseitig.«

»Mit wem hast du denn –«

»Mit Simone.« Ich rollte mit den Augen.

Daniel verzog das Gesicht.

»Ja, und es war auch ziemlich überflüssig. Bei ihr kann man ja alle Organe sehen.«

»Bei dir nicht.«

»Ich bin eben eine echte Herausforderung.«

»Okay«, sagte er, »bringen wir's hinter uns.«

Er war so umsichtig, seine Zimmertür abzuschließen – ein Gedanke, auf den ich nie gekommen wäre. »Ich will nicht, dass die Nervensägen hier reinkommen. Die könnten sonst was denken.«

»Was denn?«

»Was Falsches.« Wir zogen unsere Pullover und Unterhemden aus, aber als er sah, wie ich meine Jeans über die Oberschenkel pellte, hielt er inne. »Die auch?«

Ich nickte wieder, doch er blickte mich unverwandt an, als wartete er immer noch auf eine Antwort, und da fiel mir wieder ein, dass mein Nicken des fehlenden Halses wegen oft nicht als solches zu erkennen war, sondern eher wie ein Zittern wirkte, als hätte ich Parkinson. »Muss sein.«

»Da sind doch gar keine lebenswichtigen Organe.«

»Hast du eine Ahnung.«

Seine Jeans rutschte zu Boden. »Und jetzt?«

Jetzt waren wir nackt bis auf unsere Unterhosen. Ich trug wieder rot, aber eine größere als drei Jahre zuvor auf dem Dachboden, aus feinerem Stoff, bestes Satin, das meine Schenkel umschmeichelte und das, obwohl es vorne spannte, hinten auf der Haut kaum zu spüren war. Seine dagegen war aus Baumwolle, bedruckt mit Feuerwehrwagen (nichts schien mir passender, schließlich sollte er mein Feuer löschen).

»Leg dich hin.«

Daniel tat, wie ihm geheißen, folgsam lehnte er sich zurück, er schloss sogar für einen Moment die Augen, allerdings, und das trübte mein Glück, hielt er die Hände im Schritt verschränkt wie Fußballspieler in der Mauer, als ahnte er, auf was ich hinauswollte. Die Sonne fiel auf seinen milchweißen, von Adern marmorierten Knabenkörper und ließ ihn in seiner ganzen Pracht erstrahlen. Schlank und feingliedrig und makellos und wohlproportioniert. Auf der Haut kein Flaum, kein Pickel, kein Striemen (zumindest vorne nicht), stattdessen wie vom Schöpfer hingetupft Sommersprossen *(similis simili gaudet)*. Ich rieb meine vor Anspannung feuchten Hände an der Bettdecke ab und machte mich ans Werk.

Er schlug die Augen auf.

»Hier«, ich strich ihm über die Brust, »ist das Herz«, meine Hand wanderte weiter, »und hier ist der linke Lungenflügel, und hier«, ich nahm jetzt auch die andere Hand zu Hilfe, »der rechte«, umkreiste, als gehörte das dazu, mit beiden Daumen seine Brustwarzen, glitt tiefer und tiefer, »Leber, Magen, Milz«, ich hatte nicht mehr die Geduld, mich mit jedem Organ einzeln zu beschäftigen, »hier«, ich war bei seinen Hüften angelangt und kniff ihm, keuchend, nach Atem ringend, schwindelig vom Rausch meiner Begierde, unter den Armen hindurch ins Fleisch, »sind die Nieren«, fast wäre ich auf ihm niedergesunken, so weit umfasste ich schon seinen zarten, unter meinem Griff erschauernden Leib, »und hier, zu guter Letzt«, ich erhob mich wieder, um ihn anzusehen, wenn ich, angestoßen durch meine Finger, seine Feuerwagen in Bewegung setzte. Doch dazu kam es nicht, weil er, als ich den Saum seines Slips anhob, vom Bett rollte und auf die Füße sprang, ehe ich meine Lektion an ihm vollenden konnte.

»Jetzt du«, sagte er, vollkommen tonlos.

Willfährig streckte ich mich ihm entgegen, aber seine Berührungen waren ohne jede Leidenschaft, mehr ein Tippen mit den Fingerspitzen, unterbrochen von ständigen Seitenblicken ins Buch, um sich zu vergewissern, dass er auch ja die richtige Stelle getroffen hatte (hatte er nicht). Ich wollte ihn lehren, seine Hände nehmen und führen, ich packte sie auch, dirigierte sie im Zickzack über den Berg meiner Brust hinab ins Tal meiner Lust –

»Daniel?« Klopfen, poltern, kichern. »Was macht ihr da drin? MA-MA«, ein heller, markerschütternder Schrei in Stereo, »die haben abgeschlossen.«

– und sank, während er sich anzog, erschöpft von der erfolglosen Erregung ins Kissen zurück.

Just zu dem Zeitpunkt, wo aus der kindlichen Spielerei mehr zu werden versprach, verfiel ich, bedingt durch diesen Hormonschub, in einen religiösen Wahn. Ich strebte nach Höherem, wollte plötzlich nicht mehr mit dem Weltlichen, sondern mit dem Himmlischen verschmelzen und begann, in Ermangelung spiritueller Alternativen, die Bibel zu lesen, erst selektiv, *Die Schöpfung, Die Sintflut, Die Zehn Gebote, Daniel in der Löwengrube, Jona und der Wal, Jesu Geburt* und *Tod* und *Auferstehung* – Geschichten, die ich vom Hörensagen kannte, dann das Alte und das Neue Testament von vorne bis hinten. Jeden Sonntag ging ich in die Kirche (nicht zum Kindergottesdienst, dem für Fortgeschrittene), ich ließ mich taufen, trat dem EC bei, sang in einer Ten-Sing-Gruppe und verbrachte die Sommerferien auf Freizeiten an der Nord- oder Ostsee, wo sie uns, die Novizen, auf Keuschheit, Ortsgebundenheit, Armut, tägliche Umkehr und Gehorsam einschworen. Das Essen war streng rationiert und lud auch nicht dazu ein, einen Nachschlag zu verlangen. Der Tag bestand aus Bibelstunden, Gesprächen und Wanderungen –

Schweigemärschen, die dazu dienten, den Kopf freizubekommen. Während dieser Zeit nahm ich sogar am Frühsport teil und verlor, in Kombination mit meiner einzigen mir gebliebenen Geißel, innerhalb von drei Wochen jedes Mal zehn Kilo (die ich keine zehn Tage später wieder draufhatte). Ich war überzeugt davon, dass es meine Berufung sei, züchtig zu leben und Prediger zu werden, und dass Gott ein Zeichen von mir verlangte, damit er sah, wie ernst es mir damit war. Ich schwor den gemeinsamen Nachmittagen auf dem Flachdach ab, als wir, eng aneinandergeschmiegt, unser erstes Bier tranken und unsere ersten Zigaretten rauchten, und entschied mich für die Realschule, obwohl wir beide eine Empfehlung fürs Gymnasium bekommen hatten. Die Askese sollte mich reinigen und meine Sinne schärfen. Aber das Gegenteil war der Fall. Meine Fantasien wurden drängender und schmutziger. Kaum ein Tag, an dem ich mich auf die Lektüre der Propheten, Evangelisten und Apostel konzentrieren konnte, ohne in alle Sätze Daniel hineinzulesen.

Das geknickte Rohr wird Daniel nicht zerbrechen.

Es war aber einer unter seinen Jüngern, den Daniel lieb hatte.

Denn viele Verführer sind in die Welt ausgegangen, die nicht bekennen, dass Daniel in das Fleisch gekommen ist.

Das geknickte Rohr!

Lieb haben!

In das Fleisch kommen!

Ich durchlebte meine erste schwere Krise und musste mir Freude verschaffen, indem ich mir noch mehr einverleibte als ohnehin schon.

Daniel amüsierte sich derweil mit seinen neuen Freunden, Stefan, Onno und Rainer. Das Haus meiner Eltern liegt strategisch günstig an der Mozartstraße, mitten im Kompunistenviertel zwischen Lortzing, Verdi und Bach. Und mein Zimmer war damals schon eine zehn Quadratmeter große Zelle aus Nut- und

Federbrettern, die durch die Wandregale, in denen ich meine Modellautos aufbewahrte, noch kleiner wirkte. Aber es hatte gegenüber den Zimmern meiner Schwestern (die nach hinten rausgehen) einen entscheidenden Vorteil: Von meinem Schreibtisch aus sah ich Daniel nämlich mehrmals die Woche bei Wind und Wetter zu Fuß oder auf dem Fahrrad von dem einen kommend, zu dem anderen strebend, unter meinem Fenster vorbeihasten. Dann schaute er kurz zu mir auf, konnte mich aber (das wusste ich aus eigener Anschauung) durch die Gardinen nicht sehen, solange kein Licht brannte, senkte den Kopf wieder und setzte, erleichtert, wie mir schien, seinen Weg fort. Falls er es war – erleichtert –, ich war es bestimmt. Ihn in meiner Nähe zu wissen, machte die selbst gewählte Einsamkeit erst erträglich. Ich wusste, ich musste einfach nur nach draußen gehen, um mit ihm zu sprechen, und manchmal tat ich das auch, immer darauf bedacht, so natürlich wie möglich zu wirken. Im Sommer mähte ich den Rasen; im Herbst fegte ich das Laub zusammen; im Winter schippte ich Schnee (was meine Eltern in der Annahme bestärkte, dass antiautoritäre Erziehung die Kinder doch zu besseren Menschen mache). Ausgerechnet im Frühling, der für mich schwersten Jahreszeit – alles keimet, knospet, blühet –, fiel mir nichts Gescheites ein, was ich im Vorgarten, auf dem Bürgersteig oder auf der Straße anstellen konnte, ohne den Anschein zu erwecken, ihm aufzulauern, sodass mir der Konfirmandenunterricht gerade recht kam. Er verband meine beiden Leidenschaften, auch wenn er mich durch die langen Pausen zwischen den Exerzitien nicht auf die gleiche Stufe der Ekstase und Erleuchtung zu heben vermochte wie die Doktorspiele mit Daniel oder die Freizeiten am Meer. Das gemeinsame Beten, die Auslegung der Heiligen Schrift, die Rauchpausen an der Kirche waren mir Trost und Pein zugleich. Bei jedem Wort, das er sagte, bei jeder Geste, die er machte, spürte ich die Nähe und den Abstand zwi-

901

schen uns. Diese zwei Jahre bei Pastor Meinders waren unsere Prüfung, und wir bestanden sie beide: Er erkannte, dass eine Niederlage auch ein Sieg sein konnte und eines Menschen Triumph eines anderen Menschen Trauer nach sich zog, und ich, dass im Verzicht auch eine Verzückung lag und im Laster eine Tugend. Indem wir uns aufspalteten, setzten wir neue Kräfte frei. Trotzdem muss ich gestehen, dass ich Genugtuung empfand, als ich – wiederum von meinem Schreibtisch aus – sah, wie sich Rainer, Onno und Stefan von ihm trennten. Am Anfang ihrer Freundschaft waren sie alle in eine Richtung geströmt und hatten sich erst spätabends voneinander verabschiedet. Am Ende brachten sie Daniel schon am Nachmittag von einem zum anderen, weil sie nicht mit ihm allein sein wollten, und suchten, sobald sie die Verantwortung an den Nächsten abgegeben hatten, das Weite.

Heute sehe ich alles mit absoluter Klarheit: Jeder von ihnen verfügte über eine Gabe, die Daniel an sich vermisste, aber keiner war stark genug, sie zur Entfaltung zu bringen. Damals verstand ich nicht, was er an ihnen fand. Und es machte mich rasend, ihnen zuzuhören und dabei zu beobachten, wie Daniel an ihren Lippen hing, wenn wir uns zufällig oder absichtlich vor unserem Haus begegneten. Stefan redete dann im Vorbeigehen über serielle Schnittstellen, Spezialsoftware und den »SE mit seinen GPIB- oder CPU-Karten und dem internen SCSI-Anschluss«; Onno gab sein Musikwissen zum Besten, »S.O.D. war doch tausendmal besser als M.O.D., Nuclear Assault oder Anthrax zusammen, die haben da echt Potenzial verschenkt«; und Rainer schwärmte von einer verwunschenen Vespa, »hundertdreiunddreißiger Polini, Zweizündkerzenzylinderkopf, Rennkurbelwelle, vierundzwanziger Dell'Orto-Vergaser, Luftfilter und strömungsoptimierte ETS-Lippenwelle für Membran-Ansauger-Motoren«, mit der er seinen Bruder eines Tages derart überholen werde, dass er, der Erstgeborene, nie wieder an ihn, den Jüngeren, herankomme. Sie grüßten mich mit einem abschätzigen Nicken, ohne ihre Monologe zu unterbrechen, als verachteten sie mich, das Lehrerkind, dafür, bei dem Wetter und dem Leibesumfang auch noch niedere Tätigkeiten wie Gartenarbeit verrichten zu müssen. Mein größter Einwand gegen sie betraf jedoch ihr Äußeres. Ihre Haare wirkten entweder stumpf oder fettig, ganz gleich, ob sie sie gewaschen hatten oder nicht; ihre Haut war mal pickelig, mal vom Kratzen blutig und verschorft; und ihre Kleidung bestand zu hundert Prozent aus Turnschuhen, Jeans und schwarzen Band-T-Shirts, die ihre Mütter unter Androhung von Höllenqualen nicht waschen durften, weil sie nicht wollten, dass die Motive – Totenköpfe, Zombies, Grabsteine, Muskelmänner – verblassten (was diese wie jene dennoch taten). Daniel besaß nichts von alledem, und in ihrer Gegenwart trat seine außerordentliche Schönheit und kluge Zurückhaltung noch deutlicher hervor. Das war – sofern man einen Blick dafür hat, und den habe ich – der einzige erkennbare Vorteil dieser vierköpfigen Verbindung.

Wie oft habe ich mir gewünscht, einen nach dem anderen aus dem Weg zu räumen, um ihn wieder ganz für mich allein zu haben. Doch als es dann so weit war, als wir beide wieder zusammen zur Schule gingen, meinte ich ihm beweisen zu müssen, dass ich es auch ohne ihn aushalten konnte. Wir gingen zwar, wann immer es uns möglich war, zusammen ins Kino – dunkle Stunden, in denen meine ganze Aufmerksamkeit seiner Hand auf der Armlehne galt –, aber die meiste Zeit verbrachte ich mit Paul und Jens. Als »meine neuen Freunde« hatte ich sie ihm gleich am ersten Tag vorgestellt. Und schon nach wenigen Wochen hatte ich mich in diese Illusion so weit hineingesteigert, dass ich tatsächlich glaubte, ihnen verpflichtet zu sein. Von da an machte ich bei allem mit. Ich sah ihre Filme. Ich ging auf ihre Partys. Ich trank ihr Bier. Ich rauchte ihre Joints. Ich hörte ihre Musik. Ich verstreute ihren Müll. Ich schlief in ihren Zelten. Ich sprach ihre Sprache. Ich verherrlichte ihre Idole. Ich demütigte ihre Opfer.

Das ist das eine, was ich mir nicht verzeihen kann, und das ist, neben dem anderen, das, was mich zu dem gemacht hat, der ich heute bin, ein fanatischer Katholik im Gewand Martin Luthers, ein Diener Gottes, der den Weihrauch nur für die eigene Messe schwenkt: Ich beichte mir selbst, und ich vergebe mir selbst meine Sünden, um sie sofort wieder begehen zu können.

Das andere ist dies (und dies ist auch das Ende der Geschichte).

(Jedenfalls vorläufig.)

Beim Königsball auf dem Schützenfest von Grün-Weiß Jericho ging das Gerücht, dass Daniel wieder zu Hause sei, viele meinten, um Rosings Wahl zum Bürgermeister, die für den nächsten Tag erwartet wurde, doch noch zu verhindern. Unter Tränen hatte Wiebke ihre Aussage, er habe sie vergewaltigt, bei der Polizei zurückgenommen (auf mein Drängen hin, ich habe ihr lange ins Gewissen geredet und tief in die Augen geschaut). Und obwohl weitere Anzeigen gegen ihn vorlagen (u. a. wegen Sachbeschädigung, Körperverletzung und Hausfriedensbruch), war er daraufhin aus der Untersuchungshaft in Vechta entlassen worden. Ich hatte ihm mehrere seitenlange Briefe geschrieben, in denen ich in verschiedenen Ansätzen mein Versagen erklärte und ihn um Verzeihung bat, aber alle waren völlig zerfetzt in meinem Papierkorb gelandet anstatt wohlbehalten im Postkasten. Irgendwann entschied ich, dass es einfacher wäre, ihm das, was ich fühlte, persönlich mitzuteilen. Und mit dieser Meinung stand ich nicht allein.

»Der soll man herkommen«, sagte Paul – wie wir alle gezeichnet von nur langsam verheilenden Stichwunden –, während er vor der Schießbude, ein Gewehr im Anschlag, auf ein weißes Quadrat zielte. »Da kann er sich 'nen roten Punkt auf die Stirn malen wie 'n Inder und gleich hier vor Kimme und Korn stellen.« Dann drückte er ab, nahm das Gewehr herunter, lud nach und beugte sich wieder vor. »Am besten mit'm Rücken zu mir.« Der zweite Schuss fräste das Loch aus, das der erste genau mittig ins

Papier geschlagen hatte. »So wie die Zielscheibe.« Und auch die dritte Stahlkugel traf ins Schwarze. Die Frau gab uns die Zielscheibe zurück, die sie auf Pauls Anweisung hin – »um den Schwierigkeitsgrad zu erhöhen« – falsch herum an die Wand gesteckt hatte, und bot ihm den Hauptgewinn an, ein großäugiges, großohriges Plüschtier. »Wenn sich das Ding da wirklich in 'nen Gremlin verwandeln könnte, würd ich's ja nehmen«, Paul blickte mich an, »mir gefällt nämlich die Vorstellung, dass Wesen, besonders so niedliche, zu Monstern werden, wenn sie nach Mitternacht noch was fressen. Aber«, er wandte sich wieder der Frau zu, »Gizmo is doch für Muschis.« Sein neuer Lieblingsspruch. Die in einer endlosen Reihe an ihm vorbeiziehenden Blechhasen, die an Nägeln hängenden Gipssterne, die in weißen Röhren steckenden Plastikblumen – alles für Muschis.

»Du kannst ihn ja deiner Freundin schenken.«

Welcher Freundin, war ich versucht zu sagen, hielt aber, wohl wissend, wie verletzlich unser eigenes zartes Band geknüpft war, den Mund.

»Dann nimm du ihn doch.«

»Ich bin aber nicht deine Freundin.«

»Noch nicht.«

»Niemals.«

»Du weißt nicht, was dir entgeht.«

»So? Was entgeht mir denn?«

»Wie du siehst, bin ich ziemlich treffsicher.«

»Komm wieder, wenn du erwachsen bist.«

»Achtundzwanzig«, sagte Paul, während er sich, die Zielscheibe in der Hand, zu uns umdrehte, und weil ich noch weniger Punkte erreicht hatte als Jens (fünf, um genau zu sein), musste ich eine Runde Kruiden ausgeben, die vierte hintereinander. Paul war zwar nie im Schützenverein gewesen, hatte aber nach eigener Aussage seine ganze Kindheit vor Schießbuden ver-

bracht und würde selbst dann noch problemlos die Neun oder
Zehn treffen, wenn er neun oder zehn Kruiden getrunken hätte.
Und Jens schien sich auch keine Sorgen zu machen, in nächster
Zeit irgendein Getränk seiner Wahl selbst bezahlen zu müssen.
Deshalb beschloss ich, erst einmal eine Pause einzulegen, nachdem wir den Ballsaal – ein prächtig geschmücktes Festzelt mit
Holzdielen – betreten hatten und vor der Bar auf unsere Bestellung warteten. Der alte und neue Schützenkönig Wilfried Ennen
saß mit seinem Gefolge auf der einen Bühne und wachte darüber, dass die Schützenbrüder und -schwestern unter ihm so viel
und so schnell wie möglich tranken. Alle trugen Uniformen, behängt mit Kordeln und Orden, und an manchem Ärmel prangte
ein Aufnäher mit der Aufschrift *Scharfschütze*. Aus dem Kompunistenviertel war niemand hier, nicht einmal die Sportschützen
Achim und Onno Kolthoff, und ich war nur gekommen, weil
ich hoffte, dass Daniel auch herkommen würde. Der Männergesangsverein hatte seinen Auftritt bereits hinter sich. Aber die
meisten Zuhörer hatten sich von den göttlichen Stimmen noch
nicht ganz erholt. Mehrmals hatten sie Zugaben gefordert, und
jetzt saßen sie, die Köpfe aufgestützt, vor ihren Gläsern, erschöpft vom Klang dieser geballten, aus drei Dutzend Männer-
kehlen tönenden Kraft und Stärke. Die Sunnyboys, eine Zwei-
mannband mit Beatmaschine, stimmten auf der anderen Bühne
Ein Bett im Kornfeld an, was einige Anwesende als Anspielung
auf Daniels Ufo-Erlebnis verstanden: Sie erhoben sich von ihren Plätzen und strebten, lauthals seinen Namen grölend, auf die
Tanzfläche. Eine alte Frau kam auf uns zu, der Rücken gebeugt,
das Gesicht zerfurcht, ein wandelndes Memento mori. Sie hielt
uns einen Eimer unter die Nase und fragte, ob wir ein Los kaufen
wollten (wollten wir nicht), es gebe viele Sachpreise und eine
Reise nach Berlin zu gewinnen. Um sie wieder loszuwerden,
nahm ich drei der Papierröllchen heraus, warf einen Fünfmark-

911

schein hinein und erklärte, dass sie die Differenz behalten dürfe. Da sie mich großäugig und großohrig ansah, anstatt sich zu bedanken, folgerte ich, dass ihr das Wort »Differenz« nicht geläufig war, und ersetzte es in einem zweiten Versuch, mich ihr verständlich zu machen, durch »Rest«.

Unsere Kruiden kamen, und wir kippten sie in einem Zug die Kehle runter.

»So«, sagte Paul, rieb sich die Hände, sah mich an, »neues Spiel.«

»Ja«, sagte Jens und räusperte sich, »ich hab schon einen ganz trockenen Hals.«

Ich erwiderte – darauf bedacht, ihren Jargon zu treffen, um weiteren Missverständnissen vorzubeugen –, dass ich »erst mal 'ne Stange Wasser wegstellen« müsse, bevor ich wieder schießen könne, und daraufhin klopften sie mir auf die Schulter, wünschten mir »Gut Schuss« und entließen mich in die Nacht. Draußen lehnte ich an einem der Fahnenmasten, die den Festplatz begrenzten, und zündete mir unter weiß-grünem Flattern eine Zigarette an. Der Festplatz lag mitten im Dorf, auf dem Gelände des abgerissenen Bahnhofs, zwischen dem Güterschuppen, Rosings Bungalow und auf der anderen Straßenseite Möbel Kramer. Petersens Poolhalle hatte geschlossen, und über dem Eingang, die Treppe, die zum Keller hinabführte, lagen Holzbohlen, damit die Betrunkenen nicht in dieses dunkle Loch fielen oder sich dort unten erleichterten – von was auch immer. Einige Jungs, die ich von der Schule her kannte, waren als Feuerwehrmänner verkleidet und sahen jedem Funken nach, als fürchteten sie, für einen möglichen Flächenbrand persönlich zur Rechenschaft gezogen zu werden. Kurt Rhauderwiek und Frank Tebbens hockten auf der Motorhaube ihres Streifenwagens und hielten, mich fixierend, nach potenziellen Verbrechern Ausschau. Daniel war nirgends zu sehen.

Ich schnippte die Kippe weg und ging durch das Spalier von Imbiss-, Los- und Schießbuden am Toilettenwagen vorbei Richtung Bahngleise. An der Rückseite des Güterschuppens wähnte ich mich ungestört. Es war nicht so, dass ich in Gegenwart anderer nicht konnte, aber die Kommentare, die sie über die Pissoirs hinweg von sich gaben (»kannst du den bei dem Bauch überhaupt noch sehn?« usw.), hatten schon immer eine harnhemmende Wirkung auf mich gehabt. Ich stieg die Rampe hinauf und sah im schwachen Schein einer weit entfernten Straßenlaterne meinen Strahl auf das schimmernde, durch Öl, Nitroverdünnung und Anti-Graffiti-Mittel vielfach imprägnierte Holz treffen.

Als ich zurückkam, erleichtert und um eine Nuance nüchterner als zwei Minuten zuvor, meinte ich immer noch, den in den Auslagen angebotenen Waren widerstehen zu können. Der Wagen von Fisch Krause machte auf mich keinen Eindruck. Auch die Düfte, die von Fokkens mobiler Grillstation ausgingen, vermochten mich nicht in ihren Bann zu ziehen. Sekunden später stand ich wie hypnotisiert vor Wessels Reisekonditorei. Berliner mit Erdbeer-, Waldfrucht- oder Rumtopfmarmeladenfüllung, gebrannte Mandeln, kandierte Äpfel, frittierte Quarkbällchen, Kirschtaschen, Lebkuchenherzen mit der Aufschrift *Kleines Kätzchen, Kleiner Frosch, Kleiner Spatz, Mein Held, Mein Süßer, Mein Bienchen, Du fehlst mir, Ich liebe dich,* die ich (außer im Spiegel) noch nie jemanden essen sehen habe und die ich Daniel allesamt geschenkt hätte, wenn er da gewesen wäre und ich nicht fürchten musste, dass man mich dann erschießen würde, Bananen mit Schokoladenüberzug, Popcorn, Amerikaner, Kameruner, Franzbrötchen, Negerküsse, Spritzringe, Puddingplunder, Sprungfedern, Butterkuchen, Honigkuchen, Schmalzkuchen, Bienenstich, Mandelhörnchen, Waffeln, Schaumzuckerwaffeln mit rot-weißer Füllung und Fettglasur an beiden Enden, Zuckerwatte, Zuckerstangen, Lakritzstangen, Lakritzschnecken, Lollis in allen Größen und Farben und Geschmacksrichtungen, weißer Speck, Schleckmuscheln, Nappos, Brausepulver, Brauseketten, Brausestrohhalme zum Aufbeißen, Ufos aus Esspapier oder Salmiak, Eiskonfekt, Brombeer- und Himbeerbonbons, Anisstäbchen, Colaherzen, Foureemischung, Primavera-Erdbeeren, Messbrocken, saure Apfelringe, saure Gurken, saure Pommes, Schokomünzen, Pfefferminztaler, Pfefferminzbruch (ich schweife ab), und betrat, während ich mir mit beiden Händen Zucker, Mehl, Marmelade und Gelatine aus dem Gesicht wischte, das Festzelt. Die Sunnyboys spielten *Eine Mark für Charly*, und an der Theke war so ein Gedränge, dass es kein Durchkommen gab, weil dort, solange die Musik währte, Charly für eine Mark ausgeschenkt wurde. Kaum war das Lied zu Ende, löste sich die Menschenmenge auf. Und siehe da: Paul und Jens standen noch an der gleichen Stelle, an der ich sie stehen gelassen hatte.

»Da hast du ja noch mal Glück gehabt«, sagte Paul.

»Womit?«

»Mit uns, deinen Freunden.«

»Wir haben nämlich ein paar Charly für dich gebunkert«, Jens schob drei Gläser dieser Brechreiz verursachenden und narkotisierenden Cola-Weinbrand-Mischung zu mir hin.

Ich nahm einen winzigen Schluck und setzte das Glas wieder ab.

»Auf ex«, sagte Paul.

Und Jens sagte: »Haben wir auch gemacht.«

Ihre trüben Blicke ließen vermuten, dass das der Wahrheit entsprach. Trotzdem zögerte ich, stellte mich, mein Gewicht von einem Bein aufs andere verlagernd, zwischen sie und dachte an Daniel, daran, wie sie ihn bei den Partys in Hankens Scheune immer abgefüllt hatten. Plötzlich überkam mich eine so große Sehnsucht, dass ich drauf und dran war, Paul und Jens ein zweites Mal stehen zu lassen und zur Drogerie zu gehen, um mich mit ihm zu versöhnen. Aber dann ging die Tür auf und der noch ungekrönte Dorfkönig Johann Rosing betrat das Festzelt mit seinem Gefolge: Frau Nanninga, unsere Klassenlehrerin, Wiebke, seine zurückgebliebene Tochter, Eisen, ihr geistig nicht weniger weit entwickelter Bruder, und hinter ihm, aber Hand in Hand, eine uns allen aus unterschiedlichen Gründen nur allzu gut bekannte Mitschülerin. Beifall brandete auf, die Sunnyboys wechselten mitten im Lied zu *Hoch soll er leben, hoch soll er leben, dreimal hoch*, das sie am Anfang des Abends schon für Wilfried Ennen intoniert hatten, um dann, ganz dezent, auf *Morgen beginnt die Welt* überzuleiten.

»Ach, scheiß drauf«, sagte ich, setzte eins der Gläser an die Lippen, obwohl ich wusste, dass das trotz ausreichender Grundlage mein Ende einleiten würde, und legte den Kopf in den Nacken.

»Sag mal, ist das nicht Simone?«, fragte Jens.

»Allerdings«, sagte ich und ließ dem ersten Charly den zweiten folgen.

»Wie sieht die denn aus?«, fragte Jens, was mir angesichts von Sinead-O'Connor-Glatze, Pumps und einem auffallend kurzen Paillettenkleid auch nicht ganz unberechtigt schien, aber Paul sagte: »Die Frage lautet: Was will die denn mit dem?«

Ich kippte den dritten Charly in mich hinein und legte meine Arme um ihre Schultern. »Kommt, Freunde, lasst uns noch mal schießen. Ich hab das Gefühl, heute noch 'nen Treffer zu landen.«

»Langsam gefällst du mir«, sagte Paul.

Und als Jens sagte: »Pass auf, dass du dich nicht noch in ihn verliebst«, und Paul: »An ihm ist wenigstens was dran – mehr als genug«, dachte ich schon, meine Tarnung sei aufgeflogen, und ich ließ sie wieder los, um herauszufinden, wie weit sie gehen würden, wenn's so wäre. »Das hättet ihr wohl gerne.«

Aber keiner von ihnen traute sich, mich anzufassen. Erst als ich einen Schritt Richtung Tür machte, packte mich Paul von hinten und sagte: »Du hast noch was vergessen.«

»Was denn?«

Er nickte zu Enno Kröger, dem Wirt, hinüber. »Da ist noch 'ne Rechnung offen.«

Auf dem Weg zur Schießbude kamen wir – wenn auch nur kurz – noch einmal auf Simone zu sprechen. »Ich wusste gar nicht, dass die zusammen sind«, sagte Jens, und Paul sagte: »Vielleicht sind sie's ja gar nicht. Bei der weiß man doch nie, heute so, morgen so.« Und damit war das Thema erledigt, und wir wandten uns wieder dem zu, womit wir Stunden zuvor angefangen hatten, der kontrollierten Selbstzerstörung.

»Hast du noch 'ne Fluppe?«, fragte Jens.

Und ich sagte: »Na logen.«

»Ich hab doch gesagt, ihr sollt erst wiederkommen, wenn ihr erwachsen seid«, sagte die Schießbudenfrau.

Ich schnippte die Kippe weg, legte drei Mark auf den Tresen und nahm das Gewehr in die Hand. »Sind wir jetzt.«

»Das ging aber schnell.«

»Das ist keine Frage der Zeit, sondern der Erfahrung«, sagte ich, vom Alkohol übermütig geworden, und schoss, nachdem sie die Zielscheibe wie vorhin an die Wand gesteckt hatte, ein Drei- eck hinein.

Jens' Einschusslöcher lagen diesmal zwar dichter beieinander, aber nicht dicht genug, um Paul vom Thron zu stoßen. Wieder bot ihm die Frau Gizmo an, und wieder lehnte er Gizmo ab. »Tja«, sagte er, an mich gewandt, »da ist wohl wieder 'ne Runde fällig.«

»Es sei denn«, sagte Jens und schaute nach oben, »er errät, was hier nicht stimmt.«

»Was meinst du?«, fragte Paul, seinem Blick folgend.

Auch ich sah mich um, konnte aber selbst nach gefühlten fünf Stunden nichts Auffälliges entdecken.

»Guck dir mal den Mast an«, sagte Jens, zeigte auf den, der uns am nächsten stand, und fügte, da wir immer noch nichts sagten, »na, was hängt da oben?«, hinzu.

»Noch niemand«, sagte Paul. »Aber wenn Daniel hier auftaucht, kann ich für nix garantieren.«

»Die Fahne«, sagte Jens.

Ich starrte die weiß-grüne Fahne an und merkte, wie schwer es mir fiel, etwas mit beiden Augen zu fixieren.

»Okay«, sagte Jens, »dann eben nicht«, und klopfte mir auf die Schulter. »Gehen wir was trinken.«

Als ich vor Paul und Jens zum Festzelt lief, stellte ich fest, dass außer den Jungs von der Feuerwehr kaum noch jemand draußen war, und als ich die Tür öffnete, fiel mir auch ein, warum. Der Abend steuerte auf seinen Höhepunkt, die Tombola zu, und jeder, der ein Los gekauft hatte, wollte dabei sein, wenn die Nummern verlesen wurden. Sieben, zwölf und vierzig waren nicht darunter. Die Mitglieder der Sunnyboys lehnten an der Theke, während die Frau, die vorhin mit dem Eimer herumgegangen war, jetzt auf der Bühne stand, und den Gewinnern ihre Gewinne überreichte: Falscher Hase und Kalter Hund im Strandhotel, ein Gutschein für den Club 69 im Wert von hundert Mark (der Paul und Jens und einige andere Jungs um mich herum dazu veranlasst hätte, den ganzen Eimer leerzukaufen, wenn sie vorher von diesem Preis in Kenntnis gesetzt worden wären), ein zwölfteiliges Biedermeierbesteck aus versilbertem Edelstahl von Superneemann, eine Winterjacke aus Wildlederimitat und eine Damenhandtasche mit der Aufschrift *VL* von Textil Vehndel, eine kostenlose Haarverlängerung bei Uli Dettmers, ein ausgestopfter Fuchs, eine Herde Holzelefanten mit Kunststoffstoßzähnen, CDs von Boney M., Milli Vanilli und Michael Bolton und ein Dutzend andere nutzlose Dinge mehr. Die Berlinreise gewann der alte Kramer, der erst, wie er ins Mikrofon brüllte, »Wien« verstanden hatte, und dann, als man ihn über das wahre Ziel aufklärte, ebenso lautstark verkündete, niemals dort hinzufahren, in Deutschlands zukünftige Hauptstadt, »selbst zum Verrecken nicht«.

Bevor wieder alle die Theke blockierten, was zu befürchten stand, da, wie ich jetzt erfuhr, Rosing nach Mitternacht Freibier in Aussicht gestellt hatte, orderte ich eine weitere Runde Kruiden. Die Sunnyboys kehrten auf die Bühne zurück und schlugen die ersten Takte von *Wahnsinn* an. Beim Refrain brach im Saal eine Massenhysterie aus. Männer und Frauen, die sich seit Jahren nicht mehr bewegt zu haben schienen (ich tanzte damals wenigstens nicht), hüpften keine zwei Meter von mir entfernt auf und ab und rammten mir vor Lebensfreude ihre Fäuste in den Leib. Ich wünschte mir das Gewehr zurück. Stattdessen drückte mir Paul einen Kruiden in die Hand, und wir stießen auf unsere eigene Hölle, Hölle, Hölle an.

»So«, sagte Paul, rieb sich die Hände, sah mich an, »neues Spiel.«

»Ja«, sagte Jens und räusperte sich, »ich hab schon einen ganz trockenen Hals.«

Erneut wandte ich ein, erst einmal austreten zu müssen, bevor es weitergehen könne, variierte das Thema aber insofern, dass ich diesmal nicht vom »Wasser wegstellen«, sondern vom »Harn abschlagen« sprach, woraufhin sie sich, als hätte ich genau den richtigen Ton getroffen, bereit erklärten, mich zu begleiten. Ich ließ sie vorangehen, gemeinsam stiegen wir dir Treppe zum Toilettenwagen hoch, und als sie, oben angekommen, beide Pissoirs besetzten, trat ich den Rückzug an.

Der Duft saftig angebratenen Fleisches ließ mich kurz innehalten, ehe ich, die Hand schon an der Hose, in den jetzt vollkommen finsteren Hohlweg zwischen Anhänger und Güterschuppen einschwenkte. Das Tor war aufgeschoben, aber drinnen brannte kein Licht, soviel erkannte ich noch, dann hatte mich die Dunkelheit verschlungen.

Nachdem ich fertig war, zündete ich mir eine Zigarette an, und im kurz aufflackernden Widerschein der Flamme sah ich ihn, Daniel Kuper, mein Bienchen, mein Süßer, mein Held, das Haar zerzaust, die Haut fahl und ausgezehrt, ein Feuerzeug in der Hand, gerade aus der Untersuchungshaft entlassen, gerade von zu Hause abgehauen, alle meinten hinterher, er sei zum Güterschuppen zurückgekehrt, um ein neues Zeichen zu setzen und sich an der, die ihn in den Knast gebracht hatte, zu rächen, aber das stimmt nicht.

»Daniel«, ich streckte meine Hand nach ihm aus, wollte ihn fühlen, ihn streicheln, ihn und mich selbst trösten und griff ins Leere. »Was machst du denn hier?«

»Ich will dabei sein, wenn Jericho untergeht«, hörte ich ihn sagen – auch seine Stimme um Jahre gealtert. »Bevor ich für immer verschwinde.«

»Ich dachte, das passiert erst morgen nach der Wahl. Und wenn du das noch erleben willst, solltest du jetzt besser gehen.«

Schweigend standen wir uns gegenüber, die Zigarettenspitze glomm unter meinen tiefen Atemzügen, aber die Glut reichte nicht aus, um mehr zu erhellen als meine Finger. Für einen Moment dachte ich, er sei meiner Aufforderung gefolgt und verschwunden. Vom Festplatz drang Musik und ein vielstimmiges »Hossa, hossa, hossa, hossa« zu uns herüber. Aus dem Innern des Güterschuppens kam ein Kratzen wie von einem Tier.

Ich sagte in dieses schwarze Nichts hinein (und nur so war es mir möglich): »Ich muss dir was gestehen.«

»Was denn?«

»Ich hab das geschrieben.«

»Was hast du geschrieben?«

Ich liebe dich«, und dann, ehe er noch etwas sagen konnte, machte ich einen Schritt auf ihn zu, dahin, wo ich ihn vermutete, und küsste ihn zielsicher auf seine bittersüßen Lippen (je länger, je lieber).

Er stieß mich von sich. »Spinnst du?«

»Nein«, sagte ich, zu ihm hindrängend.

»Du bist ja total breit«, sagte er, vor mir zurückweichend.

»War ich schon immer.«

»Breit im Kopf.«

»Ich weiß genau, was ich will.«

»Ich auch.«

»Dich.«

»Ich dich aber nicht.«

Amor gignit nullum amorem. Ich schnippte die Kippe weg, genauso achtlos wie zuvor, und drehte mich auf der Stelle um. Seit ich ihn kannte, hatte ich mit Zurückweisung gerechnet, aber nie hatten wir einander unsere Gefühle offenbart, und jetzt standen die Worte zwischen uns, unüberwindlich wie eine Mauer. Als ich um die Ecke bog, wurden die Geräusche des Schützenfestes wieder lauter, die Stimmen und die Musik aus dem Zelt und die Schüsse der Schießbude. Sie wiesen mir den Weg aus der Dunkelheit, den ich mit den Augen allein nicht gefunden hätte. Auf halber Strecke, irgendwo zwischen Konditorei und Fischbude – ich sah nur, was sich unmittelbar vor mir befand –, hielt mich Frau Nanninga an. »Hast du Wiebke gesehen?«

»Wiebke nicht«, sagte ich, aber wen dann, schien sie nicht zu interessieren, denn sie ging, ehe ich es ihr sagen konnte, den Namen des Mädchens rufend, an mir vorbei. Plötzlich spürte ich die Charlys in mir aufsteigen. Ich hielt mich an einem der Fahnenmasten fest und erbrach mich, und als ich hochschaute, zur weiß-grünen Fahne hin, und den rauchigen Duft des Nachthimmels einsog, begriff ich, was Jens gemeint hatte, was hier nicht stimmte, und ich wollte es ihm sagen und mich von allem freikaufen, und dann hatte ich es wieder vergessen, und dann stand ich vor Paul und Jens, vor der Schießbude, wo sie auf mich gewartet hatten, und sagte stattdessen, dass ich Daniel beim Güterschuppen gesehen hätte, und die Nachricht breitete sich wie ein Lauffeuer über den ganzen Festplatz aus, und im gleichen Moment sah ich die Flammen meines Verrats schon an den Holzwänden des Güterschuppens emporschlagen, und die Sirenen erklangen, und die Feuerwehr rollte ihre Schläuche aus, und wir liefen alle dorthin und sahen, wie sich im Innern ein Licht auftat und ein Schatten darauf zuging. Und dann trat er ein in dieses die ganze Welt umgebende